De Boor-Newald

Geschichte der deutschen Literatur

Band IV/2

GESCHICHTE
DER DEUTSCHEN LITERATUR

VON DEN ANFÄNGEN BIS ZUR GEGENWART

VON HELMUT DE BOOR

UND RICHARD NEWALD †

VIERTER BAND / ZWEITER TEIL

C. H. BECK'SCHE VERLAGSBUCHHANDLUNG
MÜNCHEN MCMLXXIII

DIE DEUTSCHE LITERATUR VOM SPÄTEN MITTELALTER BIS ZUM BAROCK

ZWEITER TEIL

DAS ZEITALTER DER REFORMATION

1520-1570

VON

HANS RUPPRICH

C. H. BECK'SCHE VERLAGSBUCHHANDLUNG
MÜNCHEN MCMLXXIII

ISBN Leinen 3 406 00717 1
ISBN Broschur 3 406 00718 X

© C. H. Beck'sche Verlagsbuchhandlung (Oscar Beck) München 1973
Druck: Buchdruckerei Georg Appl, Wemding
Printed in Germany

HANS RUPPRICH

durfte die Fertigstellung dieses Bandes seiner Literaturgeschichte nicht mehr erleben. Am 3. Januar 1972 riß ihn ein Kollaps mitten aus der vollen akademischen Lehrtätigkeit an der Universität Wien, mitten aus seiner geliebten wissenschaftlichen Arbeit. Unter ein erfülltes Gelehrtenleben war ein jäher Schlußstrich gezogen worden.

Das Manuskript der Literaturgeschichte, deren Vollendung bis zuletzt Hans Rupprichs unermüdliche Sorge gegolten hatte, war im wesentlichen abgeschlossen. Was fehlte, waren gelegentliche Ergänzungen, das behutsame Zurechtrücken mancher Partien, die letzte Durchsicht. Wenn die Abrundung des Werkes von mir gewagt wurde, so nur aus Dankbarkeit meinem verehrten Lehrer gegenüber. Möge der Band hinausgehen als ein Vermächtnis seines reichen Wissens auf einem lang vernachlässigten Forschungsgebiet, zu dessen Überschau Hans Rupprich wie kaum ein anderer berufen war.

Wien, im September 1972   Hedwig Heger

VORBEMERKUNG

Wie schon in der Vorbemerkung zu Band IV/1 erklärt wurde, planten Autor und Verlag ursprünglich, beide Teile der darzustellenden Epoche in einem Band zu vereinigen. Doch die Stoffbreite und die Vielfalt der Erscheinungen, insbesondere im 15. Jahrhundert, zwangen zu einer Aufteilung in zwei Bände: IV/1 ‹Das ausgehende Mittelalter› und ‹Humanismus und Renaissance›, IV/2 ‹Das Zeitalter der Reformation›.

Dieser zweite Teil wird nun vorgelegt. Er folgt inhaltlich und darstellungsmäßig der volkssprachlichen Komponente des deutschen ausgehenden Mittelalters ebenso wie den Bildungselementen des Renaissance-Humanismus. Nach Darlegung der reformatorischen Geschehnisse als entscheidende Wirkungsfaktoren auf das Schrifttum soll ein nach Gattungen gegliedertes Bild der deutschen Literatur von etwa 1520 bis 1570, manchmal auch bis gegen Ende des 16. Jahrhunderts, gegeben werden.

INHALTSÜBERSICHT

EINLEITUNG

Die deutsche und neulateinische Literatur im 16. Jahrhundert

Das *Zeitalter der Reformation* ist eine Epoche, in der sich im religiös-sittlichen, gesellschaftlichen und politischen Leben Europas größte Umwälzungen vollzogen. Der immer kraftvoller und breiter gewordene Reformwille des ausgehenden Mittelalters und das Renaissancedenken des 14. und 15. Jahrhunderts führten, als sich die deutsche humanistische Bewegung ihrer Blütezeit näherte, zum Durchbruch der Reformation. Der *Humanismus* und seine Literatur bildeten eine Oberströmung, die zwar ebenfalls Verbesserungen anstrebte, aber ungleich schwächer war als das von urtümlichen ethischen und sozialen Mächten getragene religiöse Umgestaltungsverlangen. Die immer mehr erstarkten volkstümlichen und subjektiven Elemente (Satire etc.) des ausgehenden Mittelalters, die lateinsprachige Literatur des Humanismus (vor allem auch die philologischen und pädagogischen Bestrebungen) und die religiöse Unterweisungs- und Erbauungsliteratur und popularisierte Theologie münden in die Bereiche der Literatur des Reformzeitalters und bestimmen deren Physiognomie.

Schon in der ersten Regierungszeit KARLS V. brechen alle reformatorischen Kräfte hervor, die sich im ausgehenden Mittelalter und im Renaissance-Humanismus entwickelt und angestaut hatten. Als Erregendstes erscheint in den Jahren 1520 bis 1525, daß sich plötzlich die Gesamtheit der Nation, einschließlich der unteren Schichten, seelisch am Ganzen des Daseins beteiligt fühlt. Gewaltsame Erhebungen bringen bald das Gefüge des gesamten öffentlichen Daseins zum Schwanken. Auch das literarische Leben wird starken Erschütterungen ausgesetzt.

In die nachmaximilianische Entfaltung der Literatur von etwa 1520 bis gegen Ende des Jahrhunderts flutet alles hinein, was vom ausgehenden Mittelalter und vom Humanismus herkommt und was seit Ausbruch der Glaubenskämpfe produziert wird: Dichtung, Lehrschrifttum, Reformationsliteratur der verschiedenen Glaubensrichtungen. Ihrer gehaltlichen Struktur nach ist die Literaturgeschichte des 16. Jahrhunderts großenteils eine Geschichte der Reformation und ihrer verschiedenen Strömungen. Die Schriftwerke werden in beträchtlichem Ausmaß von den Reformatoren, ihren Anhängern und Gegnern abgefaßt. Die Glaubenskämpfe und ihre Verbindung mit der Literatur nötigen den Darsteller, religionsgeschichtliche Vorgänge, Persönlichkeiten und Literaturerzeugnisse miteinzubeziehen, die ihrem Wesen nach mehr der Theologie und Kirchengeschichte zugehören. Der seit den Universitätsgründungen gelehrsame Zug der Lite-

ratur wird weiter verstärkt. Eine Folge davon ist die starke Zunahme des
wissenschaftlichen Schrifttums und der Artesliteratur. Diese Sachverhalte
zwingen dazu, die Literaturgeschichte des 16. Jahrhunderts auf einer sehr
breiten Basis aufzubauen.

Seit etwa 1520 hat man in Deutschland eine Literatur vor sich, die sich
vorerst nicht gattungsmäßig darstellen läßt. Man kann zunächst bloß versuchen, sie in Stoffgruppen zu ordnen. Bevor dies geschieht, müssen aber
die religiös-geistigen Vorgänge und die Hauptströmungen der Reformation erfaßt und veranschaulicht werden. Nur dadurch kann das aus
ihnen resultierende und sie begleitende Schrifttum im Wesen erkannt,
gruppiert und charakterisiert werden. Auf die Bestimmung des Begriffes
und die Darlegung der Vorgeschichte der Reformation folgt in unseren
Ausführungen daher eine kirchen- und ideengeschichtliche Beschreibung
der verschiedenen Glaubensrichtungen, die sich nach und nach herausbil-
den. Die führende Erscheinung dabei ist MARTIN LUTHER mit seinem
Schriftwerk. Er sammelt um sich eine Reihe Mitarbeiter, unter ihnen den
Humanisten PHILIPP MELANCHTHON, dem der Aufbau des protestantischen
Bildungswesens zu verdanken ist. Weniger tief im Fiduzialglauben als
LUTHER verankert ist die gleichzeitig mit der mitteldeutschen Reformation
zutage tretende Reformbewegung ZWINGLIS in der Schweiz. Von ihm führen die Linien einerseits zu den Täufern, andererseits zu CALVIN. Vom
Spiritualismus der älteren Zeit und der Mystik leiten sich die Anhänger
der Geistkirche her. Neben dem Neuen und Gewandelten stehen die
Bekenner und Verteidiger der alten Lehre. Seit der Mitte des Jahrhunderts
tritt die katholische Kirche zum Gegenstoß an und wird nach dem Konzil
von Trient in hohem Maße aktiv.

Auf die Literatur eingewirkt haben hauptsächlich die Reformatoren,
ihre Anhänger und Gegner. Die Einflußnahme wurde bestimmt durch eine
Reihe grundlegender Änderungen in Kirchenlehre, Weltanschauung und
religiöser Praxis. Das hierarchisch geordnete, auf Auserwählung und
Weihe beruhende persönliche Priestertum wird negiert und an seine Stelle
ein allgemeines Priestertum gesetzt. Der Unterschied zwischen Klerus und
Laien sowie der Zölibat werden aufgehoben. Der neue Kirchenbegriff
verneint das umfängliche Mönchs- und Ordenswesen, das bisher zahllose
Träger des Geistes- und Literaturlebens stellte. Die bisher unter Kontrolle
des Klerus und der Theologen befindliche Bibel wird mit Hilfe der vom
Humanismus ausgebildeten Philologie in die Volkssprache übersetzt und
durch den Buchdruck jedem Gläubigen in die Hand gegeben; die Auslegung soll dem einzelnen überlassen sein. Lediglich die hl. Schrift, nicht
mehr die kirchliche Tradition, ist für die Glaubens-Lehre maßgebend.
Die gesamte herkömmliche lateinische Liturgie der mittelalterlichen Kirche wird in die Volkssprache transponiert und radikal abgeändert, der
Opfercharakter der Messe abgelehnt. Die sieben Sakramente werden auf

zwei reduziert, Predigt und Gemeindegesang in den Vordergrund gerückt. Die neue Rechtfertigungslehre ‹allein aus dem Glauben› nimmt der Kirche das Recht der Sündenvergebung und stellt den Einzelmenschen unmittelbar unter die Jurisdiktion Gottes. Der Mensch benötigt weder Priester noch Heilige mehr als Vermittler zwischen ihm und der Gottheit. Die neue evangelische Ethik betrachtet die guten Werke nicht mehr als eine zum Erwerb des Heiles notwendige Leistung und richtet ihre Angriffe gegen die im Spätmittelalter verbreitete Werkheiligkeit.

Diese kirchen- und geistesgeschichtlichen Auseinandersetzungen und die Veränderungen der durch viele Jahrhunderte gültig gewesenen Grundanschauungen und Einrichtungen bringen ein Schrifttum mit sich, das nur zum geringen Teil Dichtung im engeren Sinn ist, sondern Kampf-, Kontrovers- und Tendenzliteratur, Gebrauchs- und Unterweisungsschrifttum mit Flugschrift, Dialog, Satire, Übersetzung etc. Eine neue große Popularisierungswelle macht sich geltend. Erst nach Abflauen der ärgsten Kämpfe und nach der Ausbildung einer neulateinischen Bildungsliteratur kann man versuchen, die nach den Gattungen angelegte Darstellung weiterzuführen, indem man dort anknüpft, wo im ausgehenden Mittelalter und in Humanismus und Renaissance die Entfaltung bei Ausbruch der Kirchenkämpfe angelangt war.

Die Literatur des 16. Jahrhunderts ist ihrer Sprache nach gespalten in eine frühneuhochdeutsche und eine spätscholastisch-humanistisch-lateinische. Auch die letztere gehört zur deutschen Literatur, soweit ihre Autoren Deutsche waren.

Die *frühneuhochdeutsche Literatur* wird zunächst beinahe völlig durch ein Kampf-, Unterweisungs- und Gebrauchsschrifttum beherrscht. Vieles davon ist ephemerer Art. Als wichtigste Leistungen aber bleiben die Bibelübersetzungen und das religiöse Lied. Sonst leben in der deutschsprachigen Literatur in Epik, Lyrik, Drama, Didaktik die Arten des ausgehenden Mittelalters formal weiter, erfahren jedoch durch die reformatorischen Ereignisse inhaltlich die entsprechenden Veränderungen.

Die deutschsprachige erzählende Literatur pflegt die Kleinformen der Fabel und des Schwankes, schafft aus mittelalterlichen und fremden Quellen die Volksbücher mit der eigenständigen Leistung des *Faustbuches*. Die Volksbücher, die Prosaepik eines WICKRAM und FISCHART, die verschiedenen Arten der Selbstzeugnisse, die Rezeption des ‹Amadis› und des spätgriechischen Romans zielen auf die Ausbildung eines deutschen Prosaromans im Barockzeitalter. In der Lyrik treten weniger prominente Einzelpersönlichkeiten in den Vordergrund, vielmehr bilden sich eine volkstümliche Lieddichtung und ein geistliches Lied heraus. Ausgebaut und den geänderten Glaubensverhältnissen angepaßt wird der fortlebende Meistergesang. Das Drama, deutschsprachiges und neulateinisches häufig eng verflochten, befindet sich auf dem Wege zu einer vom Mittelalter völlig verschiedenen Kunstgattung. Das deutschsprachige didaktische und Artes-Schrifttum, mit dem lateinischen ebenfalls vielfach eng verflochten, erreicht in der Naturphilosophie von PARACELSUS und KOPERNIKUS einen bisher unmöglich gewesenen Gipfel.

Gemäß ihrer Herkunft aus der Spätscholastik oder dem Renaissance-Humanismus, ist ein großer Teil des reformatorischen Schrifttums der Theologie, Philosophie, Satire und Kontroversliteratur in lateinischer Sprache abgefaßt: Werke noch spätmittelalterlicher Geisteshaltung im Kirchenlatein, anderes im Humanistenlatein.

Die *neulateinische Dichtung* des Reformzeitalters knüpft überall an ihre humanistischen Vorbilder an und setzt in vielem nur die Tendenz der humanistischen Poesie fort. Die Humanisten hatten sich bemüht, die lateinische Weltsprache am Vorbild der Schriftsteller des klassischen römischen Altertums zu regenerieren. Die seit der Mitte des 15. Jahrhunderts erstrebte Reinheit des lateinischen Ausdruckes wurde erst allmählich erreicht. Seit ERASMUS und MELANCHTHON aber stand der neuen Literatursprache nichts mehr im Wege. Was dann mit ihren Mitteln an dichterischem Gut geschaffen wurde, bezeichnet man als neulateinische Dichtung. Diese Poesie geht parallel dem nachhumanistischen Gelehrtentum und wird ausgeübt von nachhumanistischen Gelehrten und von Schulmännern. Die neulateinische Literatur ist demnach zu unterscheiden von der eigentlichen humanistischen Dichtung.

Was der Humanismus an grundlegenden Gedanken gefördert und an Formen herangebracht hatte, auf denen sich dann seine Dichtung aufbaute, das wird zum größten Teil von den Neulateinern übernommen und weitergebildet: die starke Betonung der didaktisch-moralischen Seite, das patriotische Element, die Überzeugung vom Nachruhm des Dichters, das Verlangen nach Erkenntnis der Dinge, die neue Sinnenfreude; was im Humanismus an religiösem Reformverlangen auftrat, erfährt eine Erweiterung und Vertiefung in den verschiedenen reformatorischen Richtungen; auch was die Dichtung des Humanismus an Individuellem an sich hatte, lebt verstärkt bei den Neulateinern weiter. Die mathematisch-naturwissenschaftliche Richtung des deutschen Humanismus tritt nach außen hin eine Zeitlang scheinbar in den Hintergrund, lebt aber in einer Reihe von Humanisten und Naturforschern fort und erreicht in KOPERNIKUS und PARACELSUS ihre Höhepunkte. Die literarisch-stilistische Richtung wird von den Protestanten wie Katholiken weitergepflegt und teilweise in die Dienste ihrer Glaubensrichtungen genommen.

Im Humanismus vorgebildet sind auch die Poetik und die Gattungsformen der neulateinischen Poesie: Epik, Lyrik, Drama, Didaktik. Dem stark pädagogischen Charakter der deutschen humanistischen Bewegung entsprechend, hat die neulateinische Dichtung viel schulmeisterlich-handwerksmäßige Produkte. Gleichwohl hat man mit Recht die neulateinische

Dichtung als einen «üppigen Trieb dichterischer Kraft des Reformationszeitalters» bezeichnet. Gegen diese breite neulateinische Kunst-Dichtung
und -Lehre schreibt MARTIN OPITZ seinen ‹Aristarchus sive de contemptu
linguae Teutonicae› (1617) und sieben Jahre später das ‹Buch von der
Deutschen Poeterey› (1624).

Während das Reformationsschrifttum durch internationale Zusammenarbeit
fast zur Gänze gut durchforscht und untersucht ist, fanden die poetischen Gattungen mit Ausnahme zentraler Persönlichkeiten und Schöpfungen viel weniger
Interessenten. Nach Ansätzen meist aus der Schule WILHELM SCHERERS im letzten Viertel des 19. Jahrhunderts trat in der Zwischenkriegszeit wieder eine Stagnation ein. GEORG ELLINGER nahm zwar eine ‹Geschichte der neulateinischen
Literatur Deutschlands im sechzehnten Jahrhundert› (1929 ff.) in Angriff, vermochte aber nicht einmal die Lyrik zum Abschluß zu bringen. Es fehlen vor
allem Neuausgaben und Einzeluntersuchungen. Bemühungen, das Interesse am
Schrifttum der Neulateiner wieder zu wecken, kämpfen mit der ständig abneh-
menden Sprachkenntnis.

Das Lateinische war im 16. Jahrhundert eine internationale Sprache.
Daher stehen die deutschen Neulateiner mit Italien, den Niederlanden,
mit Frankreich und England in engem Kontakt. Dortige Dichtungen wirken mehr oder minder stark auf Deutschland ein. Von den Italienern
waren im ausgehenden Mittelalter und noch bei WIMPFELING PHILIPPUS
BEROALDUS D. Ä. und BAPTISTA MANTUANUS hochgeschätzt. Die Reformation ließ MANTUANUS wegen seiner kirchlich-katholischen Einstellung als
veraltet erscheinen; aus demselben Grund fanden MARCO GIROLAMO
VIDA und JACOPO SANNAZARO in Deutschland weniger Eingang; der stärker auf praktische Moral eingestellte BEROALDUS und CODRUS URCEUS
blieben länger in Geltung. Die umfangreichste und tiefste Einwirkung, allerdings erst im Barockzeitalter, übten die niederländischen Neulateiner:
HUGO GROTIUS, DANIEL HEINSIUS, JANUS GRUTERUS, JUSTUS LIPSIUS;
noch im 16. Jahrhundert sind es die Dichter JOHANNES NICOLAI SECUNDUS
und JANUS LERNUTIUS. Von England aus regten an THOMAS MORUS durch
seine Epigramme und seinen Staatsroman ‹Utopia›, GEORGIUS BUCHANA-
NUS mit seiner Paraphrase der Psalmen, JOHANNES OWENUS durch seine
Epigramme. Die deutschen Neulateiner versuchten sich in allen drei Gattungen, Epik, Lyrik, Drama. Ein großer Teil von ihnen bearbeitete biblische Stoffe, vorzugsweise die Psalmen, Jesus Sirach etc., im Drama Stoffe,
die geeignet waren, bestimmte moralische Gedanken zur Anschauung zu
bringen.

Ein nicht geringer Teil der deutschen Literatur des 16. Jahrhunderts ist
Übersetzungsschrifttum. Man übersetzt aus dem Lateinischen, Griechischen,
Hebräischen und aus anderen europäischen Sprachen, besonders aus dem
Französischen und Italienischen. Diese Übersetzungen haben ihre Funk-
tion sowohl als Zubringer fremder Ideen und Inhalte als auch in der Ver-
mittlung literarisch-dichterisch-ästhetischer Werte. Das deutsche Überset-

zungsschrifttum ist wie die gesamte Literatur des Zeitalters zweisprachig: Solange die Kenntnis des Griechischen noch nicht weiter verbreitet war, übersetzte man griechische Texte für Gebildete häufig zuerst ins Lateinische, dann erst in Deutsche.

Das Übersetzungsschrifttum umfaßt alle vier Gattungen: Epik, Lyrik, Drama, Didaktik mit der Fach- und Wissenschaftsliteratur. Die Gipfelleistung liegt mit LUTHERS Bibel auf religiös-theologischem Gebiet. Seine Übersetzerbegabung war einmalig und wird von keinem anderen Verdeutscher mehr erreicht. Den meisten von ihnen kam es hauptsächlich auf die Wiedergabe des Inhalts, weniger auf Nachbildung der schönen Form an; viele Übersetzungen sind daher Umschreibungen im Geiste der Zeit.

Während der ersten Ruhepause in den reformatorischen Kämpfen, d. i. in den Jahren nach 1530, lebten die alten Bestrebungen verstärkt wieder auf, die Schriftwerke des Altertums und teilweise auch des Humanismus durch Verdeutschungen weiteren Kreisen zugänglich zu machen, und zwar jetzt weniger für Adelige oder Patrizier, sondern für breitere Volksschichten als Bücherleser.

Mit besonderer Vorliebe wandten sich die Übersetzer den Geschichtsschreibern zu, wie LIVIUS, FLORUS, TACITUS, JOSEPHUS, PLUTARCH, HERODOT, POLYBIUS, THUKYDIDES, dann den Praktikern, wie VITRUV, FRONTIN, ONOSANDER, ferner den Rhetoren, wie CICERO, LUKIAN, dann den epischen und dramatischen Dichtern, besonders VERGIL, HOMER, TERENZ, PLAUTUS; an die griechischen Dramatiker ging man erst um 1600 heran; so gut wie vollständig fehlen Übersetzungen der weltlichen Lyriker. Auch Schriften von PETRARCA, ENEA SILVIO, ERASMUS und MELANCHTHON wurden verdeutscht. Ebenso wurden humanistische Beispielsammlungen in diese Popularisierung miteinbezogen. Manche Autoren wie HUTTEN, LUTHER u. a. verdeutschten ihre lateinsprachigen Werke selbst. Bedeutung als Quelle des Wissens und für die volkstümliche Literatur haben die Übertragungen aus dem Lateinischen und Griechischen, Französischen und Italienischen etc.

Am Ende der darzustellenden Epoche liegt der Beginn einer deutschsprachigen Kunst- und Bildungsdichtung.

Im 16. Jahrhundert nahm innerhalb der deutschen Kulturentfaltung die Dichtung in deutschen Versen und deutscher Prosa nicht den ersten Rang ein, denn sie ist häufig formlos und ungefüge. Die deutsche Renaissance-Plastik, -Malerei, -Graphik und -Baukunst sind ihr an künstlerischer Haltung, Ausdruck und Einheit weit überlegen. Dichtung im Sinn von beseelten oder gedanklichen Wortkunstwerken ist nur spärlich vorhanden, wohl aber sehr viel Literatur im Sinn von Schrifttum. Aber diese Art deutscher Literatur ist nicht geistlos, sondern zutiefst erfüllt vor allem mit religiös-ideellem Gehalt. Mit Beginn der Reformation erfolgte eine entschiedene Hinwendung des religiös und sozial erregten Volkes zum Wort. Die konfessionellen Auseinandersetzungen beschäftigten die Theologie, die Wissenschaft, die Dichtung; alle Schichten der Bevölkerung wurden in die Glaubenskämpfe miteinbezogen. In Traktaten, Sermonen, Briefen, Zeitgedichten, Lehrgedichten, Dramen, in Prosa und Vers wird für die Sache geworben, werden die neuen Anschauungen verbreitet, die Thesen verteidigt, die Gegner bekämpft und verunglimpft. Diese Literatur ist z. T. gelehrt wissenschaftlich, z. T. volkstümlich populär. Aus dem religiösen Kampf entstand eine religiöse Übersetzungsliteratur.

Bald nach Ausbruch der Reformation treten die *Wechselbeziehungen zwischen Dichtkunst und bildender Kunst* in eine kritische Phase. Die im ausgehenden Mittelalter so hochentwickelte religiöse Malerei und Plastik werden durch die wieder auftauchende Problematik der Bilderverehrung und der Bilderverwendung in den Kirchen in ihrer Weiterbildung aufs schwerste bedroht.

Die Literatur des 16. Jahrhunderts ist nicht nur von den Autoren der Schriftwerke her bestimmt, sondern z. T. auch von den *Druckern und Verlegern* der Erzeugnisse. Neben der individuellen Leistung des Dichters und Verfassers steht auch eine bis dahin nicht in solchem Ausmaß vorhanden gewesene Initiative und Mittätigkeit am Literaturschaffen und -produzieren durch den Buchdruck und das Verlagswesen. Die Arbeiten von Josef Benzing zeigen ein über das gesamte deutsche Kulturgebiet ausgedehntes Netz von Offizinen und Verlagsanstalten.

Gingen schon vor Ausbruch der Kirchenkämpfe vom Buchdruck und Verlag Bestrebungen aus, möglichst sorgfältige Texte, gediegene Drucke, möglichst gute Illustrationen und Ausstattungen zu bieten, kurzum auch das Ihre zur Literaturproduktion beizutragen, so werden diese Mitwirkungen im 16. Jahrhundert, z. T. freilich auf anderer Ebene, wesentlich verstärkt und erweitert.

Die Reformatoren waren zur Verbreitung ihrer Ideen und zur Herstellung ihrer Gebrauchsliteratur auf den Buchdruck angewiesen. Das Schul- und Bildungswesen benötigte gleichfalls in immer steigendem Maße seine Hilfe. Die Reformation schuf eine breite Aufklärungs- und Handliteratur. Die Schriften mußten in möglichst großer Auflagenzahl rasch hergestellt werden und sollten billig sein. Gut ausgestattet wurden manche Bibelausgaben. Das Argument der Billigkeit galt auch für die Volksbuchliteratur.

Die Literatur- und Kulturfunktion des Buchdruckers und Verlegers ersieht man etwa an der Tatsache, daß der führende Luther-Drucker Hans Lufft in Wittenberg über 100 000 Bibelexemplare ausgehen ließ. Oder wenn Christoph Froschauer d. Ä., der Drucker Zwinglis, Bullingers u. a., zwischen 1524 und 1564 nicht weniger als 27 Bibelausgaben (darunter 20 deutsche und die erste in Schweizerdeutsch) produzierte. Oder wenn der Frankfurter Verleger Johann Spiess jährlich ca. 20 Neuerscheinungen auf die Buchmesse brachte, wenn Christian Egenolff, ebenfalls in Frankfurt a. M., ca. 420 Werke aus Geschichte,

klassischer Philologie, technisch-naturwissenschaftlichen und medizinischen Bereichen betreute. Neben Druckereien im Dienste der Reformation stehen solche
volkstümlicher Richtung wie die des Jakob Cammerlander in Straßburg, oder
solche gelehrter Einstellung wie die des Johann Oporinus in Basel oder die
des Henricus Stephanus II. in Genf, dessen ‹Thesaurus linguae Graecae› (1572)
in fünf Foliobänden in Nachdrucken und Neubearbeitungen bis heute benutzt
wird. Erhart Öglin in Augsburg setzte als erster deutscher Drucker Noten mit
beweglichen Lettern. Nicht selten kam es vor, daß Verleger Übersetzungen
fremdsprachiger Literaturwerke anregten und Textsammlungen der erzählenden
Literatur, der Exempla, der Teufelsbücher, Liederbücher etc. veranstalteten,
anregten und druckten.

Gemäß unserer Absicht, zunächst die religiös-geistigen Vorgänge und die
Hauptströmungen der Reformation zu erfassen und sodann die gattungs-
mäßige Darstellung der Geschichte der Literatur des 16. Jahrhunderts
weiterzuführen, sollen fürs erste der *Begriff und die Vorgeschichte der
Reformation* geklärt werden, um auf dieser Basis die verschiedenen Glau-
bensrichtungen mit ihrem Schrifttum charakterisieren zu können. Vom
Bedeutungsgehalt des Wortes ‹Reformation› war z. T. schon in Bd. IV/1
S. 427 ff. die Rede. Ergänzend zu ihm sollen jetzt auch die Verwendung des
Begriffes bei Luther und im 16. Jahrhundert sowie die Vorgeschichte der
Reformation von Augustinus bis zu Spätscholastik und Humanismus
kurz skizziert werden: die ideelle, deren Linie über die Cluniazenser, den
Joachimismus, die Waldenser etc. führt; die theologischen, politischen und
wirtschaftlich-sozialen Verhältnisse im ausgehenden Mittelalter; die Versuche, die Zustände besonders in England und in Deutschland zu bessern;
die Reformbestrebungen des Humanismus.

Bei den *verschiedenen Glaubensrichtungen,* die sich nach 1520 herausbildeten, stehen an vorderster Stelle Martin Luther und das Luthertum,
Persönlichkeit und Schriftwerk des Reformators selbst und die Gestalten
seiner unmittelbaren Helfer und Mitarbeiter mit ihren literarischen Leistungen. Den Reformbestrebungen Huldrych Zwinglis und dem Zwinglianismus sind Johannes Calvin und der Calvinismus anzuschließen.
Eine ausgedehnte Bewegung bildeten auf längere Zeit die Täufer und
Taufgesinnten mit ihren Gruppen und Zweigen in Zürich, in Süddeutschland und im norddeutsch-niederländischen Raum. Persönlichkeiten, die
für sich bestehen wollen und meist dem Spiritualismus zuneigten, bezeichnen wir als die Anhänger der Geistkirche: Thomas Müntzer, Sebastian
Franck, Kaspar von Schwenckfeld, Valentin Weigel u. a. Was alle
diese neuen Richtungen zu reformieren und zu ändern bestrebt waren,
das versuchten die Anhänger und Verteidiger der alten Lehre: Johann
Eck, Hieronymus Emser, Thomas Murner, Augustin von Alvelt
u. a. zu schützen und selber in Ordnung zu bringen. Schließlich sollen
auch die Auswirkungen der Reformation in Europa und die Folgen für
Literatur und Kunst in Betracht gezogen werden.

BEGRIFF UND VORGESCHICHTE DER REFORMATION. DIE REFORMATION IN IHREN VERSCHIEDENEN GLAUBENSRICHTUNGEN UND DEREN SCHRIFTTUM

Die *Begriffe Renaissance und Reformation* erscheinen, wie schon in Teil I gezeigt, im mittelalterlichen Sprachgebrauch als Synonyma für ein in Verwirklichung befindliches eschatologisches Geschehen. Die Wurzeln der Bedeutungsgehalte liegen in den Erneuerungswellen des christlichen Abendlandes während des 12. und 13. Jahrhunderts, in deren Gefolge man im späten und ausgehenden Mittelalter eine Umgestaltung sämtlicher Lebensgebiete verlangte. Die deutsche Sonderentwicklung zeigte bereits im 15. Jahrhundert stärkste Konzentration auf das religiöse Gebiet. Aber auch der deutsche Renaissance-Humanismus ist in vielen führenden Persönlichkeiten religiöser ausgerichtet als in anderen Ländern Europas. Der Durchbruch der europäischen Reformbestrebungen erfolgte in Deutschland, und zwar in der Person LUTHERS, der religiös-geistig vom Ockhamismus herkam.

Die Reformation des 16. Jahrhunderts vollzog sich in einer schon stark von der Renaissance geprägten Umwelt. Ihrem ursprünglich utopischschwärmerischen Zug gesellte sich im 15. Jahrhundert ein legistisches Element zu. Für die Kirchen sollten die *lex Christi* und der Apostel, für die weltliche Sphäre sollte das Naturrecht gelten. An dieser Stelle trennten sich dann die Begriffe: Die Renaissance zog zu den mysterienhaft-christlichen starke naturalistisch-heidnische Kräfte an sich und wurde durch die Wiederbelebung der Antike eine eigene Kulturperiode. Die erst später zum Durchbruch gekommene kirchliche Reformation will unter Mitwirkung Gottes eine religiöse Norm und die Erneuerung des Menschen nach dem Bilde Christi verwirklichen.

Das nach dem lateinischen Wort ‹reformatio› gebildete Substantivum ‹Reformation› und das dazugehörige Verbum ‹reformieren›, lat. ‹reformare›, können beinahe für alle Bereiche des Lebens in Kirche und Staat angewendet werden, d. h. auch auf die Reichsverfassung, das Rechtswesen, die Universitäten u. dgl. Im Verlauf des 15. Jahrhunderts war ‹Reformation› oder ‹reformatz› geradezu ein geflügeltes Wort der Zeit geworden. Bei den kirchlich-religiösen Reformatoren und den verschiedenen Glaubensrichtungen des 16. Jahrhunderts kam keine einheitliche Auffassung über das Wesen des Reformatorischen zustande.

Die führende Gestalt der Kirchenreformation in Deutschland, LUTHER,

verwendet den Begriff *Reformation* fast nur im altkirchenrechtlichen Verständnis, kaum im utopisch-apokalyptischen Sinne und nicht für umfassende Neuerungen; selten gebraucht er das Wort für sein eigenes Werk.
Als der Ausdruck gleich nach LUTHERS Auftreten in seinen ‹Resolutiones›
(August 1518) zu den Ablaßthesen (Conclusio 89) aufscheint, verstand er
darunter die «Wiederherstellung der alten christlichen Wahrheit» durch
das Zurückgehen auf die Bibel und die Kirchenväter und durch reinigende
Änderung des Kirchenwesens. Im weiteren urteilt LUTHER über den Begriff
Reformation nach den Enttäuschungen des 15. Jahrhunderts meist negativ, ist aber von der Notwendigkeit einer General-Reformation überzeugt. Sie erwartet er nicht unmittelbar und will sie auch nicht selbst her-
beiführen. Doch immer wieder fordert er die Befreiung des menschlichen
Gewissens und die Pflege des rechten Glaubens. Bei LUTHER und seinen
Anhängern gründet sich die Reformation auf das ständig neu schöpferisch
wirkende Bibelwort.

Als MELANCHTHON 1548 eine historische Würdigung LUTHERS versuchte,
gebraucht er nicht den Begriff Reformation, sondern seine Geschichts-
betrachtung ist bestimmt von der Motivik des Renaissance-Begriffes: Er
unterscheidet in der Kirchengeschichte fünf Zeiträume; der letzte steht im
Zeichen LUTHERS; durch ihn ist das Licht des Evangeliums wieder entzündet worden; das aber ist das Werk Gottes; er hat die Kirche aufs neue zu
den reinen Quellen zurückgerufen. Etwas später versteht FLACIUS ILLY-
RICUS im ‹Catalogus testium veritatis› (1556) die Reformordnungen des
ausgehenden Mittelalters zwar als Weissagungen auf LUTHERS Werk, die
Anwendung des Namens ‹Reformation› auf diese Tat aber erfolgt noch
immer nicht ausdrücklich. Dies geschieht anscheinend erst gegen Ende des
17. Jahrhunderts bei dem Kirchenhistoriker VEIT LUDWIG VON SECKEN-
DORF.

Etwas anders als bei LUTHER und ILLYRICUS liegen die Dinge in der allgemeinen Geschichtsschreibung. Diese betrachtete die Reformation als ein
historisches Phänomen, das von den Reformbewegungen des ausgehenden
Mittelalters bis in die eigene Gegenwart reichte. Bei vielen Humanisten,
ERASMUS und seinen südwestdeutsch-schweizerischen Schülern etwa, oder
bei ZWINGLI, ist der Begriff Reformation noch immer eng verknüpft mit
den Vorstellungen, die dem Wort ‹Renaissance› den Inhalt verliehen.
Diese Humanistenkreise gründen die ‹Reformation› auf das als religiöse
und ethische Norm verstandene Gesetz Christi. Seit LEOPOLD VON RANKES
Werk ‹Deutsche Geschichte im Zeitalter der Reformation› (6 Bde., 1839
bis 1847) wird das Wort in den historischen Wissenschaften als Epochen-
begriff gebraucht.

1. Von Augustinus bis zu Spätscholastik und Humanismus

Die Wurzeln der Reformation des 16. Jahrhunderts liegen im späten und ausgehenden Mittelalter. Aber Geschehnisse von so breiter Wirkung und Nachhaltigkeit haben naturgemäß auch eine Vorgeschichte. Man könnte diese unschwer bei AUGUSTINUS beginnen lassen und über die *Cluniazenser* und den *Joachimismus* herauf verfolgen bis zu den *Waldensern* und *Sektierern* des 15. Jahrhunderts. Faktisch setzt die Reformation ein in England bei WYCLIF. Zu ihrem Verständnis ist nötig, sich ein Bild zu machen von den geistigen, religiösen und sozialen *Verhältnissen im ausgehenden Mittelalter;* sich um die *Versuche* und Programme zu kümmern, die *diese Zustände verbessern* wollten; die *Umgestaltungsbestrebungen des Renaissance-Humanismus* im Hinblick auf ihren vorbereitenden Charakter zu beachten.

a) Die Cluniazenser. Der Joachimismus. Waldenser und Sektierer. Versuche des ausgehenden Mittelalters, die kirchlichen und politischen Verhältnisse zu bessern

Der spätantike Kirchenlehrer AUGUSTINUS verlangte nicht die eschatologische Vollendung und auch nicht den paradiesischen Urzustand, sondern Erneuerung von Christus her und auf Christus hin bis zum Ende der Zeiten. Aber schon AUGUSTINUS verknüpfte die Reformation mit den Forderungen des Mönchtums und machte die Norm zum Gesetz. Im 10. und 11. Jahrhundert forderte die monastische Erneuerungsbewegung der *Cluniazenser* in Burgund eine Reform von Kirche und Welt. Die Norm dafür sollten das altkirchliche Recht und dessen Auslegung in den Dekretalen bieten. Im Hochmittelalter wollten JOACHIM VON FIORE, FRANZ VON ASSISI und ihre Anhänger die Kirche in die Form apostolischer Vollkommenheit und die Welt in den Zustand adamitisch-paradiesischer Reinheit zurückversetzen. Ihre Reform sah das Gesetz in MATTH. 10 und meinte, wenn sich das ursprüngliche Christusgesetz in der klösterlichen Gemeinschaft verwirkliche, werde es auch Kirche und Welt in Ordnung bringen.

Die allegorisch-typologische Schriftauslegung JOACHIMS VON FIORE (ca. 1130–1202) gipfelte in der Prophezeiung eines Zeitalters des hl. Geistes, das eine Reform der Kirche bringen werde. Seine Anschauungen über den Gang der Welt- und Kirchengeschichte erwarteten nach dem Reich des Vaters und des Sohnes als drittes Zeitalter eine Periode, in der das *Evangelium aeternum* gepredigt und die vollkommene Geistkirche begründet werden sollte. Diese Geschichtsdeutungen und Reformideen wurden vom *Joachimismus* fortgeführt und verbreitet, wobei die Idee der Erneuerung der Kirche häufig verbunden wurde mit politischen Bestrebungen.

Hauptträger dieser Gedankenwelt waren der *Franziskanerorden* und Spiritualenführer wie JOHANNES PETRUS OLIVI († 1298) oder UBERTINO VON CASALE, denen wir in der Umgebung LUDWIGS DES BAYERN begegneten, u. a. Die Auswirkungen reichen bis zum Ende des Mittelalters. JOACHIMS VON FIORE Schriften wurden vor und zu Beginn der Reformation durch den Druck neuerdings verbreitet: die ‹Expositio in Hieremiam›, die ‹in Jesaiam› und der ‹Theolosophus› (Venedig 1516), die ‹Concordia Novi et Veteris Testamenti› (Venedig 1519), die ‹Expositio in Apocalypsim› (ebd. 1527), das ‹Psalterium decem chordarum› (ebd. 1527). Von PETRUS OLIVI wurden im 16. Jahrhundert ‹Quodlibeta› gedruckt. Ähnliches gilt für den von JOACHIM VON FIORE und den franziskanischen Spiritualen beeinflußten Laientheologen, Philosophen und Arzt ARNALD VON VILLANOVA (ca. 1240–1311). Auch seine apokalyptischen, eschatologischen und Reform-Schriften wurden im 16. Jahrhundert neuerdings verbreitet. Ausgaben: Lyon 1504, Paris 1509, Venedig 1514, Basel 1585.

Geistige, religiöse, kirchliche, politische, soziale und wirtschaftliche Entwicklungen und Verhältnisse des 14. und 15. Jahrhunderts waren dazu angetan, die Reformbewegungen weiter zu fördern. Den Armutsidealisten aus dem Franziskanerorden mit ihren sehr weitgehenden Forderungen an Papst und Klerus folgten bald die Leugner des päpstlichen Primates und die Bekämpfer des päpstlichen Schriftauslegungsrechtes, die Ketzer mit ihrer Opposition gegen bestimmte Dogmen und die Kritiker der allgemeinen sittlichen Zustände. Unter dem Namen *Waldenser* zusammengefaßte Sekten traten um 1400 außerordentlich kühn und offen hervor, in Süddeutschland, in Österreich, in Norditalien usw. Bei diesen Ketzern und Sektierern ist oft ehrliches Ringen um die Heilsgewißheit mit Subversion und sozialen Fragen verbunden. Gemeinsame Kennzeichen sind: Ablehnung der ‹Werke›, Gleichheitsideen, Verlangen nach Gottesinnigkeit und Berufung auf die Bibel. Nicht gerade gegen die Kirche, aber z. T. ohne sie wollten auch viele Beginen und Begarden, die sich innerhalb der offiziellen Frömmigkeit nicht mehr sicher fühlten, auf eigenen Wegen ihr religiöses Ziel erreichen. Reform ist das Zentralmotiv der auf das kirchliche Schisma folgenden Konzilien zu Konstanz und Basel. Schisma und Konzilien werden vorbereitet und begleitet von einer umfänglichen ideologischen und polemischen Literatur, die auch im weiteren 15. Jahrhundert nicht abriß. Man sieht in dieser Literatur ganz deutlich, daß aus einem wachsenden Krisengefühl die eschatologische Spannung einem Gipfelpunkt zustrebt. Gewissermaßen Ausbrüche des in ganz Europa schwelenden Prozesses sind nach dem Konflikt zwischen Papsttum und Kaisertum unter LUDWIG IV. (vgl. Bd. IV/1, S. 375 ff.) der Wyclifismus in England, der Hussitismus in Böhmen.

Die Reformation auf religiösem Gebiet entfaltete sich zu Beginn des 16. Jahrhunderts fast gleichzeitig in allen Ländern Westeuropas, in England, Deutschland, in der Schweiz und in Frankreich. Den verschiedenen Reformatoren, WYCLIF, LUTHER, ZWINGLI, CALVIN, gemeinsam ist eine

weitgehend gleichartige Kritik an den spätmittelalterlichen Zuständen
der römischen Kirche sowie eine neue Interpretation und Verkündigung
der hl. Schrift. Der Kampf gegen die alte Kirche wird anfangs mit geistig-
religiösen Mitteln geführt, bald aber greifen auch die politischen Mächte
in die Auseinandersetzungen ein.

Zur Erklärung der Entstehung und des Verlaufes der Reformation müssen vorerst *die geistesgeschichtlichen, die kirchlichen, die politischen und
die wirtschaftlich-sozialen Zustände des ausgehenden Mittelalters* herangezogen werden.

Die geistesgeschichtlichen Verhältnisse waren bedingt durch die Kritik
an den Systemen der Hochscholastik, geübt von OCKHAM und den ihm folgenden Nominalisten. Der Augustinismus pflegte weiter die im Sentenzen-
werk des PETRUS LOMBARDUS verkörperte augustinische Tradition; GRE-
GOR VON RIMINI verband sie mit Teilen des Nominalismus. Neben der
Spätscholastik leben fort und erhielten frische Antriebe neuplatonische
und mystische Strömungen. Die letzteren sind, wie etwa THOMAS VON
KEMPEN mit der ‹Nachfolge Christi› zeigt, vorwiegend praktisch eingestellt
und werden zwar breiter, aber meist flacher. Der philosophisch-theologi-
sche Schulbetrieb an den Universitäten und Generalstudien der Orden
wandte sich, anstatt die Hauptthemen des Christentums zu behandeln, immer häufiger peripheren Fragen zu. Zwischen den verschiedenen Theolo-
genschulen und Orden bestanden kaum überbrückbare Gegensätze. Andererseits stellten Humanismus und Renaissance mit ihrer Wiederbelebung
der Antike dem metaphysisch christlichen Denken diesseits gerichtete heidnische Weltbilder entgegen. Auch die achristlichen Lehren des Averroismus
lebten wieder auf und fanden Anhänger. Die Anfälligkeit für Skepsis
nahm überhand. Dogma und Kirche wurden unverbindlicher. Zunehmen-
des Autonomiestreben und Individualismus lassen sich feststellen. Das
Erwachen des geschichtlichen Sinnes veranlaßt zu historischer Kritik an
der Kirche, wie etwa VALLAS Schrift über die Konstantinische Schenkung
zeigt. Die patriotische Richtung im deutschen Humanismus fördert die
Entstehung des deutschen Nationalbewußtseins.

In den kirchlichen Verhältnissen war insbesondere gefährlich, daß man
sich über den Begriff der Kirche und des Primates uneinig war, zahlreiche
kirchliche Vertreter ihren religiösen Aufgaben entfremdet oder durch
interne Spannungen daran gehindert waren. Das abendländische Schisma
1378–1417 hatte das Ansehen des Papsttums schwer erschüttert. Die Lehre
vom Korporationscharakter der Kirche, wonach die oberste Jurisdiktion
nicht beim Papst, sondern bei der *ecclesia universalis,* vertreten durch die
Bischöfe, liege, fand viele Anhänger. Trotz der Reformkonzilien war
weder eine Kurialreform noch eine Neuordnung der untergeordneten Kir-
chenglieder erfolgt. Die Päpste, etwa SIXTUS IV. (1471–1484), benutzten
den zwischen 1353 und 1367 wiedererstandenen Kirchenstaat zu einer

Nepoten- und Territorialpolitik. Verwaltung und Leben an der römischen Kurie und an den Bischofssitzen boten Anlaß zu vieler Kritik. Das kanonische Recht hatte großes Übergewicht erlangt. Auch Gutwillige nahmen am Fiskalismus und Zentralismus der Kurie Anstoß. Das Pfründenbesetzungs- und Dispensrecht, das Ablaß- und das kuriale Ämterwesen wurden finanziell ausgewertet. Infolge der geschwächten kaiserlichen Zentralgewalt lag in Deutschland die reich gewordene Kirche den Zugriffen offener da als sonstwo in Europa. Der sittliche Zustand des deutschen Klerus mag in den einzelnen Territorien verschieden gewesen sein. Die gelegentlichen Diözesansynoden, die Visitationen, die Reformbestrebungen der Orden erzielten nur Teilerfolge. Die Bischofsämter und reichen Domkapitel befanden sich meist im Besitz des Adels. Diese Kirchen-Fürsten und Kapitel-Herren unterschieden sich sozial weitgehend von den vielen Altaristen und Vikaren. Der Weltklerus war zum großen Teil mangelhaft vorgebildet, wurde unzureichend entlohnt und lag nicht selten in Streit um seine Nutzungsrechte. Die Bauern entrichteten nur widerwillig die Zehenten und Gülten an Pfarrer und Klöster.

Was die politischen Zustände betrifft, so war es unter LUDWIG IV. VON BAYERN zu einer großen Auseinandersetzung zwischen Kaisertum und Papsttum gekommen (vgl. Bd. IV/1, S. 375 ff.). Ihr folgte die Aktion COLA DI RIENZOS. Innerstaatlich war in Frankreich und England die ältere Adelsherrschaft zentralistischen Beamtenstaaten gewichen. In Deutschland hingegen gewannen die einzelnen Territorialfürsten immer mehr Macht auf Kosten der Reichsgewalt. Die Bedrängnisse des Papsttums während des Schismas und der Reformkonzilien wurden von den Landesherren und den Städten dazu benützt, ihren Einfluß auch auf die kirchlichen Verhältnisse auszudehnen.

In wirtschaftlicher und sozialer Hinsicht hatte der Frühkapitalismus ein Kreditsystem und ein großformatiges Unternehmertum entwickelt sowie die Bildung großer Vermögen ermöglicht. Die kirchlichen und bürgerlichen Verbote des Kapital-Zinses wurden nicht mehr beachtet. Das Warenhandels- und Bankhaus der FUGGER, besonders JAKOBS II. (1459–1525), besorgte die Finanzgeschäfte der Päpste und Kaiser. Dieser Geld- und Wirtschaftsmann vermittelte durch Wechsel den größten Teil der kurialen Einnahmen, wie Servitien, Annaten, Ablaßgelder u. dgl., aus Nord- und Osteuropa nach Rom. Die seit längerer Zeit im Gang befindliche Rezeption des römischen Rechtes verursachte infolge der Anwendung des römisch-rechtlichen Eigentumsbegriffes und durch Uminterpretation der einst germanischen Unfreien in rechtlose Leibeigene die Unzufriedenheit bei der Bauernschaft.

Die aufgezeigten Zustände in Kirche und Staat des ausgehenden Mittelalters machen es verständlich, warum die großen Reformatoren ein so starkes Echo fanden. Und doch: Die Reformation wurde nicht von außen in die Kirche hineingetragen, sondern entstand innerhalb der Kirche und erstrebte deren Reinigung und Erneuerung.

Die *Versuche, diese Verhältnisse und Zustände zu verbessern,* begannen knapp vor Ausbruch des großen Schismas mit WYCLIF in England und wurden im 15. Jahrhundert durch HUS und die hussitische Bewegung in Böhmen fortgesetzt. Im Zusammenhang mit den Reformkonzilien entwarf NIKOLAUS VON CUES ein umfassendes abendländisches Reformprogramm für Kirche und Reich. Neben und nach ihm entstand die vorwiegend politisch inspirierte Reformation Kaiser SIGISMUNDS und treten in Deutschland Persönlichkeiten, Theologen und Laien, mit Reformforderungen und -vorschlägen an die Öffentlichkeit. Beinahe alle wesentlichen Teilfragen der lutherischen Reformation erscheinen vorgebildet in England bei WYCLIF: die Kritik am irdischen Reichtum der Kirche und an der Verweltlichung des Klerus, der Protest gegen die Geldabgabe an die päpstliche Kurie, die Rückkehr zur Bibel und Wendung vom Thomismus zum Augustinismus, die Annahme der freien Gnadenwahl Gottes, die Verneinung der Willensfreiheit und der Erlösung durch gute Werke, die Ablehnung der altkirchlichen Bußpraxis und Ablaßlehre, der Transsubstantiationslehre und des priesterlichen Mittlertums. JOHN WYCLIF (um 1320 bis 1384) aus altsächsischem Adel, war zuerst Pfarrer, später Professor in Oxford. Sein reformatorisches Auftreten fällt biographisch in seine vorgerückten Lebensjahre, zeitgeschichtlich unmittelbar vor Ausbruch des Großen Schismas.

Von 1376 an entwickelte WYCLIF in zwölf größeren Schriften, die zusammen eine ‹Summa theologiae› bilden sollten, seine kirchenpolitischen und dogmatischen Anschauungen und brachte sie zugleich von der Kanzel und vom Katheder aus in die Öffentlichkeit. Die Traktate ‹De divino dominio›, ‹De civili dominio› und ‹De decem praeceptis› greifen vor allem das kuriale Benefizien- und Steuersystem schärfstens an. Die Kirche dürfe keine weltliche Herrschaft ausüben und solle besitzlos sein wie zur Zeit der Apostel; der Staat solle das mißbrauchte Kirchengut an sich nehmen und es den Armen geben. Diesen Abhandlungen folgten die Schriften: ‹De veritate sacrae scripturae›, ‹De ecclesia›, ‹De officio regis› und ‹De potestate papae› (1378/79). Darin wird die Bibel als die alleinige Grundlage des Glaubens und als Norm schlechthin in geistlichen und weltlichen Dingen erklärt. Um sie jedermann zugänglich zu machen, veranlaßte WYCLIF ihre Übersetzung ins Englische (das Neue Testament übertrug er wahrscheinlich selbst). Das Papsttum wird verworfen. Der wahre Papst sei Christus, jeder Auserwählte ein wirklicher Priester vor Gott. Den Bann könne nur Gott allein verhängen. In der späteren Schrift ‹De Christo et suo adversario Antichristo› wird das Papsttum als Einrichtung des Antichrist hingestellt; Mönchstum, Zölibat, die Abstufungen des Klerus, die kirchliche Sündenvergebung, Reliquien-, Heiligen- und Bilderverehrung, Wallfahrten, Totenmessen und Benediktionen werden verworfen, Firmung und Letzte Ölung nicht als Sakramente anerkannt, die Wesensverwandlung im Altarsakrament wird geleugnet. Anstelle der hierarchischen Kirche setzte WYCLIF ‹arme Priester› und Laien. Die als Wanderprediger ausgesandten Lollarden entfachten 1381 in England einen großen Bauernaufstand. Religiös-sozialpolitische Ideen verbanden sich mit sozialrevolutionär gerichteten Bewegungen der niederen Stände.

Als Denker war WYCLIF im Gegensatz zu OCKHAM extremer Realist, d. h. Anhänger der Via antiqua. Er verband strengen Augustinismus mit eigenen philosophischen Zweifeln. Die Gegnerschaft zum Ockhamismus steigerte sich zu fast pathologischer Schärfe. Innerhalb des 14. Jahrhunderts repräsentiert WYCLIF neben MARSILIUS VON PADUA und WILHELM VON OCKHAM den Laiengeist und antizipiert die «Hauptstoßkeile späterer Angriffe auf die katholische Kirche, ihre Lehren, ihre Hierarchie und ihre religiösen Orden» (J. CROMPTON). In der ersten Phase der Reformation wurde von WYCLIFS Werken nur der ‹Trialogus› Basel 1525 gedruckt.

Der Wyclifismus, der in England bis auf Reste unterdrückt wurde, fand eine unmittelbare Fortsetzung im Hussitismus Böhmens. Infolge der verwandtschaftlichen Verbindung des englischen Königshauses (RICHARD II. war mit ANNA, der Tochter KARLS IV., verheiratet) bestanden zwischen London, Oxford und Prag enge Beziehungen, WYCLIFS Schriften gelangten nach Böhmen, besonders an die Universität Prag, und fanden in JOHANN HUS (ca. 1369–1415) einen begeisterten Vertreter. HUS war an sich wenig originell, aber ein beredter Verbreiter Wyclifischer Gedanken. Er verstand es, die nationalen Gefühle der Tschechen anzusprechen und in Böhmen wurden zum erstenmal die revolutionären Gedanken zur realen politischen Macht. Der Hussitismus wurde zu einem Hauptthema der Konzilien von Konstanz und Basel.

Die Reform der Kirche an Haupt und Gliedern sollten die Konzilien in Pisa (1409), Konstanz (1414–1418) und Basel (1431–1449) durchführen. Die erste klare Manifestation der konziliaren Idee liegt in dem DIETRICH VON NIEM (vgl. Bd. IV/1, S. 151) zugeschriebenen Dialog ‹De modis uniendi ac reformandi ecclesiam› (1414) vor. Der Verfasser dieses Gespräches ‹Über die Art und Weise der Einigung und Erneuerung der Kirche› basiert theoretisch auf WILHELM VON OCKHAM und MARSILIUS VON PADUA. Von dem großen, auf Versöhnung und Einheit ausgerichteten abendländischen Reformprogramm des NIKOLAUS VON CUES, war bereits an anderer Stelle (vgl. Bd. IV/1, S. 413 ff.) die Rede. Da die Völker eine Reformation des ganzen öffentlichen Lebens wollten, schlossen sich an den religiösen Reformationsbegriff verschiedene weltliche Renaissancemotive: Mit Hilfe des im Sinne der Stoa interpretierten Naturrechtes soll der ursprüngliche gottgewollte Zustand der menschlichen Gesellschaft wiederhergestellt werden; die Verfallsidee wird sehr stark betont; apokalyptisch-utopische Züge treten hervor; joachimitische Tendenzen verbinden sich mit astrologischen Berechnungen und der mittelalterlichen Kaisersage. Der Geschichtsverlauf wird dreistufig gesehen: als ursprünglicher Zustand, als Periode der Zersetzung und als Wiederherstellung und Idealzeit durch Reformation. Aufgrund solcher Voraussetzungen wurde der Begriff Reformation volkstümlich. Flugschriften und Dichtungen forderten die ‹reformatz› und formulierten ihre Wünsche und Erwartungen. Zuerst auf dem Konstanzer, dann auf dem Baseler Konzil und in Zusammenhang mit dem Wiener Konkordat (1443) wurden ‹Gravamina Germanicae nationis›, ‹Beschwerden deutscher Nation› vorgebracht. In ihnen kam besonders das Reformbestreben des hohen deutschen Klerus zum Ausdruck, dann bemächtigte sich ihrer der Humanismus und auch für die maximilianischen Reformen sind sie noch wirksam. Eine Zusammenfassung von Vorschlägen zur Abstellung der Mißstände in Reich und Kirche stellt die weit verbreitete ‹Reformation des Kaisers Sigmund› (‹Reformatio Sigismundi›) dar, ein angeblicher Reformentwurf des Kaisers selbst. Der wirkliche Verfasser war vermutlich ein niederer Weltgeistlicher, der im Erlebniskreis des Baseler Konzils stand.

Die etwa 1438 wohl in Augsburg entstandene Hauptfassung dieses zu den bedeutendsten Reformschriften der Zeit gehörigen Werkes ist in zwölf Handschriften (älteste 1447) erhalten und wurde von 1476 (Augsburg) bis 1716 immer wieder gedruckt. In der Ausgabe von 1497 verband sich die Form eines unerfüllten Reformprogramms mit einer an die Verkündigungen HILDEGARDS VON BINGEN († 1179) erinnernden Vision, die ein strenges Strafgericht über die kirchliche Hierarchie und die Wiederherstellung der gereinigten Kirche durch weltliche Fürsten voraussagte. Die ‹Reformation des Kaisers Sigmund› ist in deutscher Sprache geschrieben und berichtet von einer Vision des Kaisers am Himmelfahrtstag des Jahres 1403 zu Preßburg: Nicht *er* werde die göttliche Ordnung auf Erden vollbringen, sondern ein Priester, den der Kaiser in Basel gefunden habe. Geistliche und Laien müssen reformiert werden. Die Wurzel des Übels ist bei den einen die Simonie, bei den anderen der Geiz. Die Reformation des geistlichen Standes müsse vom Papst bis zu den Pfarrern reichen. Die Weltgeistlichen dürfen verheiratet sein, die großen Besitzungen der Kirchen, Klöster und Orden sollen durch Säkularisation dem Reich anheimfallen; kein Christ soll Leibeigener, vielmehr sollen alle frei sein; die Zinse, Gülte und jegliche Geldlasten gehörten abgelöst. Die weltliche Reformation solle die vielen Zölle abschaffen, für Instandhaltung der Straßen und Wege sorgen, die Zünfte in den Städten und die Handelsgesellschaften aufheben, sich die Ordnung der Gewerbe, der Kaufmannschaft, des Ritterstandes, des Ärztestandes, der Rechtsprechung, des Siegel- und Paßwesens angelegen sein lassen; die Freiheit des Waldes und der Gewässer möge gewährleistet sein. In Österreich, Mailand, Savoyen und Burgund solle je ein Reichsvikar eingesetzt, weiters müsse der Friede gesichert, der Fürkauf verboten, der Pfundzoll und die Aufnahme von Bürgern geregelt, das Münzwesen, Münzrecht und das Gabensammeln der Orden reformiert werden.

Die ‹Reformatio Sigismundi› ist, im ganzen betrachtet, eine utopische Zusammenstellung populärer Forderungen der Zeit um 1430, wobei ein gewisser Einfluß wyclifitisch-hussitischer Ideen vorhanden ist. Der Verfasser wollte selbst der Priesterkönig Friedrich und Herr des Reiches werden. Erst setzte er die Erhebung für 1439, dann für 1449 an. Sie blieb aus.

Als 1440 wieder ein Kaiser mit Namen FRIEDRICH gewählt wurde, erfuhren die joachimitischen Prophetien und sozialen Hoffnungen neuen
Auftrieb. Es entstand unter dem Titel ‹Teutscher Nation Notdurft› eine
zweite Reformschrift, die sich als ‹Reformation Kaiser Friedrichs III.› einführte und 1523 gedruckt wurde. Sie enthält heftige Ausfälle gegen das
kanonische und das römische Recht und verlangte geistliche und weltliche
Neuordnungen. Auf der Grundlage dieses Programms wollte FRANZ VON
SICKINGEN (1481–1523) seine Revolution durchführen. Er nahm den gemeinen Nutzen in Schutz gegen die Städte und Landesfürsten, trat für das
alte Recht ein und stellte sich gegen das römische Recht. Redaktor war
vermutlich der Reichsritter HARTMUTH VON CRONBERG.

Ähnlich streng wie die ‹Reformatio Sigismundi› ist das in Visionsform
gekleidete und im prophetischen Ton vorgetragene, vermutlich für den
Regensburger Reichstag 1462 bestimmte sozialpolitische Reformprogramm des Eichstätter Eremiten ANTON ZIPFER. Den Inhalt will er als
göttliche Eingebung erfahren haben. Er mahnt zu Versöhnung und Eintracht, ist für den Kaiser und die Gesetze, tritt auf gegen Wucher, Stra-
ßenraub, Betrug, Spiel, Gotteslästerung, Kleidermode und Luxus, verlangt Wiederherstellung des Friedens und geordneter sozialer Verhältnisse.

Eine Frucht apokalyptisch-prophetischer Sehnsucht sind auch die im
ersten Jahrzehnt des 16. Jahrhunderts entstandenen ‹Vierzig Trierer Statuten› des sog. OBERRHEINISCHEN REVOLUTIONÄRS. In deutlicher Steigerung zu dem Vorhergehenden werden unter schonungsloser Mißbilligung
der in Reich und Kirche herrschenden Zustände eine durchgreifende soziale Umgestaltung und eine Reform der Kirche herbeigewünscht, und
zwar wiederum unter einem gottgesandten Kaiser Friedrich.

Neben den führenden Persönlichkeiten und historischen Geschehnissen
in Europa stehen speziell in Deutschland eine Menge unbedeutendere
Erscheinungen, die ideell und literarhistorisch ebenfalls in die Vorgeschichte der Reformation gehören. Abhängig noch vom Gedankengut
des MARSILIUS VON PADUA und ebenfalls eifrig im Sinne der Reform betätigte sich JAKOB VON JÜTERBOGK (1381–1465), erst Zisterzienser, dann
Kartäuser in Erfurt. Von seinen mehr als 75 Werken verdienen die Traktate Interesse: ‹Petitiones religiosorum pro reformatione sui status›, ‹De
negligentia prelatorum›; die Denkschrift an Papst NIKOLAUS V. ‹Avisamen-
tum ad papam pro reformatione ecclesiae› (1449); die leidenschaftliche
Klageschrift ‹Über die sieben Perioden der Kirche in der Apokalypse›. Sein
meistverbreitetes Werk ‹De animabus exutis a corporibus›, eine allgemeine
Seelenlehre, liegt, gleich einer beträchtlichen Zahl von anderen Schriften,
in Frühdrucken vor.

Den Scholastiker und Reformer FELIX HEMMERLIN, kirchlichen Sachwal-
ter auf dem Konstanzer wie Baseler Konzil, kennen wir bereits vom

Frühhumanismus her. Aus der religiösen Erneuerung und Vertiefung, die durch die Devotio moderna erstrebt wurde, kam JOHANN PUPPER VON GOCH († 1475?), viele Jahre Vorsteher des von ihm gegründeten Augustiner-Kanonissenklosters Thabor bei Mecheln. Sein Hauptwerk ‹De libertate christiana› (1473) und zwei weitere Schriften gab CORNELIUS GRAPHEUS Antwerpen 1521 heraus. Anscheinend von LUTHER zum Druck gebracht wurden ‹In divinae gratiae et christianae fidei commendationem fragmenta aliquot› (o. O. u. J.). Ebenfalls von der Devotio moderna ging aus und zu ihr kehrte wieder zurück der Freund RUDOLF AGRICOLAS, JOHANNES WESSEL GANSFORT (ca. 1419–1489), Laie, aber doch Philosoph und nominalistischer Theologe. Auch er geriet in Widerspruch zu der kirchlichen Autorität und Glaubenslehre, doch scheinen viele seiner Sätze auch eine katholische Interpretation zuzulassen. Zuletzt verfaßte er aszetisch-beschauliche Schriften zur Meditationslehre: ‹Scala meditatoria› (1483/86) und ‹Exemplum scalae meditatoriae› (1486/89). LUTHERS Würdigung von GANSFORT als eines «Zeugen der Wahrheit» wird heute sachlich-theologisch als unzutreffend angesehen. Vorläufer der Reformation war jedoch JOHANNES RUCHERATH (ca. 1425–1481) aus Oberwesel. Er kam vom Ockhamismus her, ging aber zu häretischer Negation weiter. Er übte scharfe Kritik an den kirchlichen Lehren und Einrichtungen, vertrat das Schriftprinzip, verwarf die Tradition als Glaubensquelle, bestritt die Erbsünde, Transsubstantiation, Letzte Ölung, den Ablaß, die Fastengebote, die päpstliche Gewalt. Wegen Verdachtes von Beziehungen zu den Hussiten wurde er 1479 vor die Inquisition gestellt.

In Verbindung mit den böhmischen Waldensern stand der Reformprediger NIKOLAUS RUTZE (ca. 1450, † bald nach 1508) aus Rostock. Er kritisierte in schärfster Weise kirchliche Zustände und Persönlichkeiten und vertrat hussitische Lehren über Papsttum und Kirche. RUTZES eng an zwei Schriften von HUS angelehntes Werk ‹De triplici funiculo› besteht aus zwei selbständigen Schriften, dem ‹Bokeken von dem Repe› [= Seil, Strang] und einer katechetischen Abhandlung.

Reformwünsche von der spätmittelalterlichen Laienfrömmigkeit her und den Sekten, den aggressiven wie toleranten, äußert der Württemberger HANS BÖHM (verbrannt 1476), Hirte, Pauker, Pfeifer, Liedersänger. Angeregt durch eine Erzählung von den Bußpredigten des JOHANNES VON CAPISTRANO trat er 1476 im Marien-Wallfahrtsort Niklashausen als Prophet und Wanderprediger auf. Er erklärte, Nachlaß von Sünden erteilen zu können, wandte sich gegen den Klerus und verkündigte das nahende ‹neue Reich Gottes› ohne geistliche und weltliche Fürsten. BÖHM gewann für seine auch sozialrevolutionären Ideen zahlreiche Anhänger. Die Bewegung hatte sogar eigene Kreuzlieder. Gleichfalls Laienprediger und Sektierer war JÖRG PREINING (1440 – nach 1504), ein Weber aus Augsburg, der mystischer und waldensischer Überlieferung nahestand. PREI-

2*

NINGS erhaltene Schriften bestehen aus einer großen Anzahl Sprüche, einigen Liedern, zwei in einem Meisterton verfaßten Heiligenlegenden und zwei Prosawerken, den ‹Sendbriefen›.

Bei den Sprüchen geht PREINING gern von den Erzählungen des Neuen Testamentes aus, etwa: ‹Wye sych der mensch halten sol das er den hayligen gayst empfach.› Zu den Liedern gehört ein Gedicht ‹Der Jud vnd Pader›. Von den beiden Legendendichtungen in REGENBOGENS ‹Langem Ton› behandelt die eine ‹St. Ulrich›, die andere ‹St. Alexius›. Die ‹Sendbriefe› (gedr. um 1525) entstanden möglicherweise erst nach 1505. Der erste fordert, daß der Mensch sich ganz auf Gott stelle, daß er seine irdischen Triebe bändige, sich läutere, damit er wahre Christenliebe erlebe, innere Frömmigkeit erfahre. Der zweite Brief ist ebenfalls durch die Apotheose der Liebe, Sehnsucht und Selbstaufgabe gekennzeichnet.

PREINING ist Innerlichkeit und Gottsuchen nicht abzusprechen. Seine Sehnsucht geht nach einer allgemeinen, für alle Christen reinen Herzens gültigen unsichtbaren Kirche im Sinne WYCLIFS. JÖRG PREININGS Sohn FRANZ war 1525 Führer der Wiedertäufer in Augsburg und Anhänger des JOHANN SCHILLING.

Als Ergebnis von Reformbestrebungen im Anschluß an die hussitische Bewegung entstand die *Böhmisch-mährische Brüderunität.* Die Anhänger waren gegen das gewaltsame Treiben der Hussiten und gaben sich selbst den Namen Fratres legis Christi. Die Brüder bildeten Gemeinden und hatten um 1500 rund 100 000 Mitglieder. Ihr bedeutendster Repräsentant LUKAS VON PRAG (1460–1528) organisierte sie als Kirche im Geiste eines Biblizismus wyclifitisch-taboritischer Prägung. Durch Einwanderung von Waldensern aus der Mark Brandenburg in die Grenzgebiete von Böhmen und Mähren entstand 1480 ein deutscher Zweig der Brüderunität. Da ihrer Lehre gemäß Sakramente ohne wirklichen Glauben nicht ‹dienlich› seien, wurde beim Übertritt die Taufe wiederholt (bis 1534), so daß eine gewisse Gemeinsamkeit mit den späteren Taufgesinnten vorliegt. Bald nach Beginn der Reformation suchte eine junge Generation mit JOHANN HORN und MICHAEL WEISSE Fühlung mit LUTHER.

b) Die Reformbestrebungen des Humanismus

Auch der *humanistisch-renaissancemäßige Erneuerungswille* konzentrierte sich in Deutschland weitgehend auf das religiöse Gebiet. Aus Spätscholastik und Frühhumanismus begann der CUSANER ein neues Welt- und Menschenbild zu formen und mit Erneuerungs- und Umgestaltungsideen zu verbinden. Vom Humanismus her folgten den ‹Beschwerden deutscher Nation›: das Schreiben des Mainzer Kanzlers MARTIN MAYR an Kardinal ENEA SILVIO, in dem sich bereits die romfeindliche Haltung eines HUTTEN ankündigte; der in lateinischer und deutscher Sprache abgefaßte Vorstoß GREGOR HEIMBURGS an die Bischöfe und Fürsten zur Erzwingung eines Konzils (1461); die im Auftrag MAXIMILIANS I. von JAKOB WIMPFELING redigierten und veröffentlichen ‹Gravamina Germanicae nationis› und die daraus hervorgegangenen deutschen Triaden, die HUTTEN im ‹Vadiscus› verarbeitete. Knapp vor Beginn der Kirchenkämpfe in Deutschland trat der Humanismus mit scharfer *Kulturkritik* an der Spätscholastik vor die Öffentlichkeit.

Der Humanismus schuf ferner die technischen und methodologischen Voraussetzungen für eine neue Schriftauslegung. Die prinzipielle Kritik an der lateinischen *Bibelübersetzung* war begleitet von Bemühungen um die Herstellung eines besseren Textes. Die Erschließung der biblischen Sprachen Griechisch und Hebräisch ermöglichte eine philologisch-buchstäbliche Exegese. Die humanistische Hermeneutik widmete dem *sensus litteralis* eine bis dahin unbekannte philologische Sorgfalt. Die Reformatoren vollzogen sodann in der Bibelauslegung einen Umbruch von größtem ideengeschichtlichem Ausmaß.

Die humanistischen und religiösen Begriffe von der Wiedergeburt der Geistesbildung und der kirchlichen Reformen hat zusammengefaßt und der höchstens kirchlichen Stelle vorgelegt ERASMUS VON ROTTERDAM.

In einem Brief an Papst LEO X. vom Jahre 1516 stellt er die drei Erwartungen so auf: «Möge ich doch in diesem unseren Jahrhundert, das wahrlich ein goldenes Jahrhundert zu werden verspricht, wenn je ein goldenes gewesen ist, es mit ansehen können, wie unter Deinen so besonders glücklichen Auspizien und unter Deiner allerheiligsten Führung jene drei vornehmlichen Güter des menschlichen Geschlechts wiederhergestellt werden: jene wahrhaft christliche Frömmigkeit, die auf vielerlei Weise in Verfall geraten ist, die beste Wissenschaft [*optimas litteras,* eine Verstärkung von *bonae litterae*], die zum Teil verwahrlost, zum Teil verdorben worden ist, und die öffentliche und ewige Eintracht der Christenheit, welche Quelle und Mutter ist für beide: Frömmigkeit und Bildung.»

Im Kommentar zu MATTH. 11, 30 hat ERASMUS auch die Grundforderung aller Reformatoren aufgestellt: die Umkehr der Kirche zu Christus. Er wollte ihre etappenweise Reform von innen heraus im Rahmen der bestehenden Institution.

Vom Literarischen aus gesehen, war unmittelbares Vorspiel der lutherischen Reformation der *Pfefferkorn-Reuchlinsche Streit* (vgl. Bd. IV/1, S. 709 ff.), der zu einem grundsätzlichen Konflikt zwischen Humanisten und Spätscholastikern auswuchs. Im Verlauf des Streites strengte schon 1513 der Kölner Dominikaner und Großinquisitor JAKOB VON HOCHSTRATEN gegen REUCHLIN einen kirchlichen Prozeß wegen Häresieverdachtes an. Die Humanisten übten in der rasch zu einem Werk der Weltliteratur gewordenen Satire der ‹Epistolae obscurorum virorum› 1514/17 an der Spätscholastik, ihrem Wissenschaftsbetrieb, der geistigen und moralischen Haltung vieler ihrer Vertreter schärfste Kritik, wobei es an heftigen Ausfällen gegen die kirchliche Autorität nicht mangelte. Außerdem griff der Hauptverfasser des zweiten Teiles der ‹Dunkelmännerbriefe›, der vom national gesinnten Humanismus herkommende ULRICH VON HUTTEN, ab

1517 mit lateinischen und deutschen Kampfschriften in die reformatorische Auseinandersetzung LUTHERS ein. Diese Publizistik ist voll von Propaganda für eine moralische Kirchenreform im Sinne des ERASMUS und wurde immer schärfer in ihrer antipäpstlichen Haltung. Da man sich im Hebraismusstreit an der päpstlichen Kurie zu einem aufschiebenden Verfahren entschlossen hatte und den kirchenrechtlichen Prozeß erst im Juni 1520 mit der Verurteilung REUCHLINS beendete, sahen viele Menschen, besonders Humanisten, in der lutherischen Bewegung zunächst eine Fortsetzung des *Reuchlinschen Streites,* um freilich bald zu erkennen, daß es sich dabei um den Durchbruch weit stärkerer religiöser Grundkräfte handelte.

Als sich schon in der ersten Phase der Reformation bei manchen Anhängern kultur- und kunstfremde Tendenzen geltend machten, kam es zu Konflikten mit den Humanisten. Nicht wenige gerade geistig bedeutende Anhänger der Reformation zogen sich wieder von ihr zurück. Der schließlich erreichte Ausgleich zwischen Renaissance und Reformation war notgedrungen kompromißhafter Natur.

Spätscholastik und Humanismus hatten im 15. Jahrhundert eine *Übersetzungstechnik* für religiöse und profane Werke aus dem Lateinischen und Griechischen ins Deutsche entwickelt und eine breite Literatur dieser Art geschaffen. Die Erfindung und rasche Ausbreitung des Buchdruckes ermöglichte eine früher nicht gegebene Verbreitung der Schriftwerke. Die Universitäten hatten einer immer größeren Anzahl von Laien eine höhere Bildung vermittelt. Auch diese nichtgeistlichen Gelehrten glaubten sich berechtigt, in theologischen und kirchlichen Angelegenheiten mitzureden.

Der *Humanismus* hat der Reformation die Wege bereitet und ihren Bestrebungen zahlreiches Rüstzeug geliefert, aber der Umbruch kam nicht aus seinen Lebenszentren, sondern vom religiös beherrschten Spätmittelalter her. Die humanistische Bewegung war getragen von Einzelpersönlichkeiten wie REUCHLIN, ERASMUS, PIRCKHEIMER u. a., Kreisen und Zirkeln, wie die um CELTIS, MUTIAN etc., hatte Eingang in die Artistenfakultäten der Universitäten gefunden. Sonst aber waren die Geisteswelt und das ganze Kirchenwesen in Deutschland um 1520 philosophisch-theologisch hauptsächlich von der *Spätscholastik* bestimmt. Die führenden Fakultäten, die theologischen, und die Generalstudien der Orden folgten noch immer einer der scholastischen Hauptrichtungen: Via moderna (Ockhamisten), Via antiqua (Scotisten-, Augustiner-, Karmeliten-, Thomistenschule). Nicht aus dem Humanismus kam der Bahnbrecher der Reformation, MARTIN LUTHER, sondern aus dem im 13. Jahrhundert gegründeten Orden der Augustiner-Eremiten, dessen Mitglieder sich der persönlichen Heiligung, der Seelsorge, der Lehrtätigkeit und wissenschaftlichen Studien widmeten. LUTHER war in Lehre und Wissenschaft tätig und bekannte sich dabei zum Ockhamismus.

Begriff und Vorgeschichte der Reformation brachten es mit sich, daß die von LUTHER eingeleitete Kirchenbewegung nicht allein sein Werk ist und auch nicht auf ihn beschränkt blieb, sondern daß sich daneben verschiedene Glaubensrichtungen herausbildeten, die alle ein für sie spezifisches Schrifttum hervorbrachten.

Obgleich das Bild des Abendlandes um 1500 noch durchaus kirchlich geprägt erscheint, war die Reformation schon so weitgehend vorbereitet, daß sie in der einen oder anderen Form unvermeidbar geworden war. Sie entstand innerhalb der Kirche und verlangte deren Erneuerung. LUTHER hat sie in Fluß gebracht und ihr in einem Hauptweg das theologische Gepräge gegeben. Der Fall Konstantinopels um die Mitte des 15. Jahrhunderts hatte bald nach Ausbruch der Reformation den Vorstoß der Türken bis zu den Toren Wiens im Gefolge. Dies und die politische Entwicklung in Europa ermöglichten es LUTHER und den Reformatoren, gleichzeitig dem Papst und dem Kaiser Widerstand zu bieten. Doch trotz all dieser Ursachen und Voraussetzungen der Reformation bleibt an ihrer Entstehung wie an der raschen Ausbreitung vieles rätselhaft. Für die in weitesten Kreisen erfolgte bereitwillige Aufnahme von LUTHERS Lehren trifft es wohl zu, wenn man meint, daß viele Anhänger in LUTHER zunächst nur einen besonders mutigen Reformator im Rahmen der alten Kirche sahen. Doch dies gilt nur für die allererste Zeit, im allgemeinen wird man sagen können: Die vom Reformwillen des Spätmittelalters, vom Ockhamismus und von den Observanztendenzen in den Orden ausgehende Richtung manifestiert sich in LUTHER und dem *Luthertum*. Die in der Via antiqua vorhandenen Reformwünsche, die bei ERASMUS und im christlichen Neuplatonismus aufscheinende Erneuerungssehnsucht zeigen sich in ZWINGLI und im *Zwinglianismus*. Die von religiös-sozialrevolutionären Tendenzen ausgehenden Bestrebungen vereinigen sich in den *Täufern und Taufgesinnten*. Vom Spiritualismus, Individualismus, Neuplatonismus und vom Skeptizismus des Spätmittelalters her kommen die *Anhänger einer Geistkirche*. In England löste König HEINRICH VIII. in einer umfangreichen Parlamentsgesetzgebung 1532/34 die englische Kirche von Rom. Mitte der 30er Jahre dringt vom romanischen Westen eine eigene Form der Reformation heran. Ihr Oberhaupt ist der französische Humanist JOHANNES CALVIN. Er einigt sich 1549 mit den Anhängern ZWINGLIS. Erst nachdem die Ablösungen irreparabel waren, trat die *katholische Kirche* zu einer Restauration und zur Gegenreformation an.

SEBASTIAN FRANCK, Betrachter der Geschichte seiner Zeit vom Mittelalter her und Mitlebender, nannte in seiner ‹Türkenchronik› (1531) als die drei vornehmsten Glaubensformen der Reformation: 1. lutherisch; 2. zwinglisch; 3. täuferisch – und fügte als kommende 4. eine Geistkirche dazu, die Predigt, Zeremonie, Sakrament, Bann und Berufung beiseite tun und eine unsichtbare Gemeinschaft unter allen Völkern versammeln werde, die allein Gott durch das ewige Wort regiere. Als selbstverständlich setzte FRANCK den alten Glauben, dessen Anhänger und Verteidiger voraus.

Damit mehr oder minder übereinstimmend spricht die neuere Forschung von drei Hauptgruppen geistiger Bereiche: der reformatorischen, der kirchlich-theistischen, der bedrängten katholischen. Die gesamte Reformation spielt sich zunächst noch im Raum und in der Atmosphäre von ausgehendem Mittelalter und Renaissance-Humanismus ab.

2. Martin Luther und das Luthertum

Die Persönlichkeit, deren Neuformungsbestrebungen Erfolg hatten, war MARTIN LUTHER. In ihm konzentrieren sich als stärkste Kräfte der vorhergehenden Generationen: die an der moralischen Leistung ausgerichtete Religiosität, der schroffe Dualismus im Menschen- und Weltbild und der von den Ockhamisten betonte Voluntarismus. Das Resultat war das neue *Zentraldogma:* Allein der Vertrauensglaube macht den durch die Erbsünde zum Guten unfähig gewordenen Menschen vor Gott gerecht; allein diesem Vertrauensglauben wird die Erlösung durch das Leiden Christi zuteil; nur ein Gnadenwollen Gottes kann den Menschen in das Heil erheben. Die Gewähr für diesen Glauben bietet nicht die Lehrautorität der Kirche mit ihren moralischen, magischen und juristischen Vorschriften, sondern das Wort Gottes selber in der hl. Schrift. Im Bibelwort offenbart sich die Gnade des strengen Gottes in Form der Barmherzigkeit. Der gerechtfertigte Mensch befindet sich im Besitz der christlichen Freiheit. Anstelle des Weltpessimismus wird eine neue Weltfreudigkeit gewonnen. Die konsequente Entfaltung des religiösen Moralismus und des extremen Nominalismus, dem der Logos Bibelwort ist und dem die Einzelwirklichkeiten durch den Willen Gottes geordnet sind, hatte auf viele Menschen eine befreiende und mitreißende Wirkung. LUTHER und sein Werk sind mit der *Literatur* des 16. Jahrhunderts eng verwoben. Für die Literaturgeschichte ist es von größter Bedeutung, daß er das Lehr- und Erbauungsschrifttum auf eine neue Ebene rückte. Das Bild, das die interkonfessionelle Forschung heute vom Menschen LUTHER und seiner Theologie entwirft, ist ein anderes als das vor fünfzig Jahren. Auch die Literarhistoriker und Sprachforscher betonen LUTHERS enge Verbindung mit der spätmittelalterlichen Tradition.

Bald nach Ausbruch der Glaubenskämpfe starb 1519 Kaiser MAXIMILIAN I. Ihm folgte in der Kaiserwürde sein Enkel KARL V. (1500–1558). Unter seiner Herrschaft vollzog sich der größte Teil der reformatorischen Auseinandersetzungen. Der neue Kaiser war von der Erzherzogin MARGARETA und ADRIAN VON UTRECHT aus der Schule der Brüder vom gemeinsamen Leben in den Niederlanden als burgundischer Edelmann erzogen worden; seit 1518 hatte er als Ratgeber MERCURIO ARBORIO DI GATTINARA (1465–1530). Mit den 1516 ererbten spanischen Gebieten und den Kolonien in den neuentdeckten Ländern beherrschte der junge Kaiser ein Reich von beinahe unübersehbarer Ausdehnung. In diesem weiten Herrschaftsbereich war Deutschland nur ein Nebenland. Auch in der europäischen Politik stand der Kampf gegen Frankreich um Italien im Vordergrund.

Nicht unmotiviert ließ KARL sich in Spanien nieder und übergab das Reich vorläufig seinem jüngeren Bruder FERDINAND, der 1521/22 die Regierung der österreichischen Erblande (Ober- und Niederösterreich, Steiermark, Kärnten, Krain, Tirol) übernahm, 1526 auch Böhmen und das westliche Ungarn gewann und 1531 zum römischen König gewählt wurde.

Beim Regierungsantritt KARLS V. als deutscher Kaiser hatten viele Menschen in ihm den von Sage und Prophetie geweissagten Heilskaiser erhofft. Doch die Sorge um die Hausmacht, die Glaubenskämpfe, die Ständemacht, die Türkengefahr, die Rivalität mit Frankreich stellten den neuen Herrscher vor schwerste Aufgaben und Probleme. Erfüllt noch von der mittelalterlichen Auffassung des universalen Kaisertums verschmolz KARL die dynastische Kaiseridee mit der sakralen und war überzeugt, daß die höchste weltliche Würde ihn verpflichte, auch die Christenheit und Kirche vor inneren und äußeren Feinden zu schützen. Sein Anspruch auf diesen Primat erregte die erbitterte Gegnerschaft des Königs FRANZ I. VON FRANKREICH. Die großen Ziele des Kaisers waren erst Befriedung der religiösen Streitigkeiten und der Verhältnisse in Europa, um sodann ein Heer aus allen christlichen Nationen gegen die Türken zu führen. Für diese Pläne, insbesondere für die Ordnung der deutschen Verhältnisse, war es verhängnisvoll, daß der Kaiser gerade während der Jahre 1521–1541 dem Reiche fernblieb. Die *Reformation* wurde dadurch zu einer nationalen Angelegenheit und die Bildung der politisch-protestantischen Partei im Schmalkaldischen Bund war möglich. Es gelang KARL zwar im Krieg (1546/47) gegen dieses Bündnis die militärisch-politische Organisation des Protestantismus zu sprengen, nicht aber die Reformation und die Reichsstände der kaiserlichen Gewalt zu unterwerfen. Obgleich die römische Kurie politisch mit den Gegnern des Kaisers, d. h. mit Frankreich, verbündet war, blieb KARL V. religiös ein treuer Anhänger und Verteidiger der alten Kirche. Es war eine Tragik seines Schicksals, daß er sich gezwungen sah, die kaiserlichen Kriegsvölker gegen Papst KLEMENS VII. zu schicken und es dabei 1527 zur Eroberung und Plünderung Roms kam. Verständigungsbereit im Geistes des ERASMUS, verschloß sich der Kaiser jeder Änderung des kirchlichen Herkommens ohne Billigung der Konzilsinstanz, war aber aus politischen Gründen zu einem Nachgeben im Glaubenszwiespalt genötigt. Als KARL 1556 aus dem Deutschen Reich sich wiederum nach Spanien zurückzog, baute sich im östlichen Mitteldeutschland und angrenzenden Norddeutschland politisch-religiös ein Machtfeld lutherischer Prägung auf, dem sich Nürnberg und Schlesien angliederten.

MARTIN LUTHERS *Persönlichkeit, Wirken, Gedankenwelt und Schriftwerk* stehen innerhalb dieser bestimmten politischen, geistigen und kirchlichen Welt. Er war zunächst ein Mönch der Observanz, die den Weg zur Vollkommenheit mit letzter Konsequenz zu Ende gehen wollte. Als Reformator hatte er sich auf geistigem Felde mit drei Mächten auseinanderzusetzen: dem altkirchlichen Denken, dem christlichen Reformhumanismus und dem gegenkirchlichen Spiritualismus. Er war und blieb religiöser Reformer. Man kann daher den Theologen LUTHER vom Sprachgestalter nicht trennen. Es müssen auch seine exegetischen Schriften, Abhandlungen,

Predigten, Flugschriften, Briefe und Tischreden in die Darstellung miteinbezogen werden, auch wenn seine eigentliche literarische Leistung in
der Bibelübersetzung und Lieddichtung liegt.

a) Luthers Persönlichkeit und Schriftwerk

Als *reformatorische Persönlichkeit* kam MARTIN LUTHER aus dem Orden
der Augustiner-Eremiten, der Geisteswelt WILHELM VON OCKHAMS, den
Reformideen der Spätscholastik, der Bibelexegese der Universität Wittenberg. Die Kirche ermöglichte ihm sozial den Aufstieg aus dem Kleinbürger-
tum zum Hochschulprofessor. LUTHERS *Schriftwerk* schließt literarisch an
die Popularisierungs- und Übersetzungsbestrebungen dogmatischer Lehrmeinungen und biblischer Schriften des ausgehenden Mittelalters; zu der
bereits in Gang befindlichen Pflege der frühneuhochdeutschen Prosa kam
eine außerordentliche linguistisch-rhetorische Begabung.

MARTIN LUTHER wurde am 10. November 1483 geboren und ist am 18. Februar
1546 verstorben. Geburts- und Todesort war Eisleben. Der Vater HANS LUTHER,
Bergmann und Besitzer eines Schmelzofens, entstammte einer in Möhra (Thüringer Wald) ansässigen Bauernfamilie [Luder, Lüder = Lothar], die Mutter
MARGARETE der Familie LINDEMANN aus Neustadt/Saale. Der Bildungsweg des
jungen, in städtischer Umwelt aufwachsenden MARTIN führte über die Stadtschule
in Mansfeld, die Magdeburger Domschule der Brüder vom gemeinsamen Leben
und über Eisenach 1501 an die nominalistisch ausgerichtete Universität Erfurt.
Dort erwarb er sich an der Artistenfakultät die Grundlagen seiner Bildung: Beherrschung der Grammatik und Rhetorik, aristotelische Logik, naturphilosophi-
sches Wissen, Kenntnis der Ethik und Metaphysik des ARISTOTELES. Seine philosophischen Lehrer, BARTHOLOMÄUS ARNOLDI aus Usingen und JODOCUS TRUT-
VETTER waren Ockhamisten. Nach Erlangung des Magistergrades 1505 wandte
LUTHER sich dem Studium der Rechte zu. In Erfüllung eines bei tödlicher Blitzge-
fahr abgelegten Gelübdes trat er noch 1505 in das observante Kloster der Augustiner-Eremiten in Erfurt ein, legte Profeß ab, wurde 1507 zum Priester geweiht
und beauftragt, am ebenfalls ockhamistisch ausgerichteten Generalstudium des
Ordens Theologie zu studieren. LUTHER hat damals gründlich studiert und sich
angeeignet: GABRIEL BIELS Werk über den Meßkanon; die Sentenzen des
PETRUS LOMBARDUS; als Kommentare dazu das ‹Collectaneum› GABRIEL BIELS,
die ‹Quaestiones› WILHELM VON OCKHAMS und die des PIERRE D'AILLY;
die ‹Glossa ordinaria› (9. Jh.), für die Schriftauslegung. Die nominalistische
Schulphilosophie und -theologie OCKHAMS, GABRIEL BIELS etc. verfocht eine
bestimmte Offenbarungslehre (Gott wird nicht erkennbar durch die Vernunft,
sondern durch die Offenbarung), einen voluntaristischen Gottesbegriff, scharfe
Trennung von Glauben und Wissen, leugnete die Habituslehre (die dauernde
Verhaltensweise; das akzidentielle Sein), vertrat einen bestimmten Gnaden-
begriff. Im Herbst 1508, als 25jähriger, wurde LUTHER durch den Generalvikar
JOHANN VON STAUPITZ beauftragt, an der Universität Wittenberg moralphilo-
sophische, 1509 auch biblische Vorlesungen zu halten, und ab Herbst 1509 in
Erfurt über die Sentenzen des PETRUS LOMBARDUS zu lesen. Von Erfurt reiste
er Herbst 1510 oder 1511 in einer Ordensangelegenheit nach Rom und wurde
in Italien mit den dortigen kirchlichen Verhältnissen näher bekannt. Nach der
Rückkehr machte ihn STAUPITZ 1511 zum Klosterprediger in Wittenberg und

nach Erlangung der theologischen Doktorwürde 1512 zu seinem Nachfolger als Professor der hl. Schrift, jenes Lehramtes, daß er bis zu seinem Tode ausübte. LUTHERS Vorlesungen behandelten erstens den Psalter, dann die Thematik der PAULUS-Briefe. Gemüthaftigkeit und Phantasie wiesen ihn an die Mystik BERN-HARDS VON CLAIRVAUX, BONAVENTURAS, GERSONS, ANSELMS VON CANTERBURY, vor allem aber TAULERS und der ‹Theologia deutsch›. Das theologische Hauptwerk der Frühzeit ist die 1515/16 gehaltene Vorlesung über den Römerbrief.

Schon von dem Philosophiestudenten LUTHER wurde die ockhamistische Theologie, soweit er sie kennenlernte, in ungewöhnlicher Weise ins Persönliche übersetzt. Durch die Klosterjahre und die theologische Lehrtätigkeit ziehen sich sodann aufwühlende religiöse Erlebnisse, die zu einem inneren Zusammenbruch führten. Es war vor allem die Lehre von der Prädestination – wonach Gottes unergründlicher Ratschluß einen Teil der Menschheit zu Seligkeit, den anderen zur Verwerfung vorausbestimmte –, die LUTHERS Klosterängste hervorrief. Er befürchtete, daß auch er zu den Verworfenen gehören könnte. Zur Erklärung dieses skrupulösen Gewissenszustandes zieht die LUTHER-Forschung LUTHERS Ockhamismus mit der Vorstellung vom majestätischen Gott, der vollkommene Gerechtigkeit verlangt, und LUTHERS Studium der Theologie des AUGUSTINUS heran, von dem die Kirche die Lehre von der Prädestination hatte. Aus der inneren Katastrophe, in die der Christ, Mönch und Theologe LUTHER geraten war, sei er jedoch durch eine Art Wiedergeburtserlebnis herausgeführt worden, in dem er die Gnade Gottes, d. h. das Erwähltsein erfuhr und dadurch den Gewissensfrieden fand. Gewiß aber hat LUTHER an dieser Lebenswende auch menschliche Hilfe erfahren, bestimmt durch seinen Ordensoberen JOHANN VON STAUPITZ, der ihn von weiterem Nachgrübeln über die Prädestination abhielt und auf Christi Erlösungswerk verwies. LUTHER empfand und sah ein, daß AUGUSTINS Prädestinationslehre als Grundmotiv die ‹Allmacht der Gnade› habe und nach OCKHAM die Offenbarung Gottes in der hl. Schrift zu finden sei. Sie und an ihr das PAULUS-Studium seien LUTHERS Haupthelfer bei diesem wissenschaftlich nur begrenzt erklärbarem Vorgang gewesen.

Man neigt heute dazu, anzunehmen, daß LUTHER hauptsächlich aus diesen religiösen Erlebnissen heraus zum Kirchenkritiker und Reformator geworden ist, nicht aus Ärgernis an den kirchlichen Mißständen. Der Mönch und Bibelexeget glaubte, das neue Evangelium entdeckt zu haben. Das Auftreten gegen die Ablaßpraxis war nur der auslösende Faktor seines Einbrechens mit dieser Evangeliendeutung in die Bereiche der römischen Kirche und seiner Reformation. Aber wie dem auch sei: Wichtig für unseren Zusammenhang ist, daß alle diese Erlebnisse und das daraus resultierende Wirken LUTHERS die Grundlagen und den Hintergrund bilden für sein Schriftwerk und dessen Aufnahme durch die Zeitgenossen.

LUTHERS *Schriftwerk*, das hier behandelt und in den Wesenszügen charakterisiert werden soll, besteht aus verschiedenen Gattungen: Vorlesungen, Thesenanschlägen und Disputationen, Programmschriften und Flugschriften, der Bibelübersetzung, Predigten, seinem Kirchenliedschaffen, religiöser Unterweisungs- und Erbauungsliteratur, dem Briefwechsel und aus Tischreden. Dieses Schriftwerk ist eng mit LUTHERS reformatorischer Tätigkeit verbunden und naturgemäß, so sehr LUTHER auch über seine Vorgänger hinausgewachsen ist, abhängig von den Voraussetzungen und Gegebenheiten des ausgehenden Mittelalters und des Renaissance-Humanismus.

Bald nach der Vorlesung LUTHERS über den Römerbrief begann seine *kritische Auseinandersetzung mit der herrschenden kirchlichen Lehre.* Den äußeren Anlaß gab die von Erzbischof ALBRECHT VON MAINZ veranlaßte Verkündigung eines Ablasses durch den Dominikaner JOHANN TETZEL (ca. 1465–1519) für den Neubau der Peterskirche in Rom. Der Ablaß wurde 1517 auch in der Nähe Wittenbergs verkündigt. Der Ablaßprediger TETZEL machte sich dabei verschiedener Übertreibungen schuldig. Hinsichtlich des Ablasses für die Lebenden vertrat er wohl die damals gültige kirchliche Lehre, beim Ablaß für die Verstorbenen verkündigte er, daß dieser durch eine bloße Geldspende gewonnen werden könne. Es erregte Ärgernis, daß die Hälfte des Erlöses dem Erzbischof zur Deckung von Abgaben an die Kurie zufallen sollte und daß Reue und Buße hinter dem Gelderlös zurücktraten. LUTHER wandte sich dagegen, zunächst in Predigten, dann mit 97 *Disputationsthesen* vom 4. September 1517, die er gedruckt verschickte. Diese Thesen sind bereits ein Angriff auf gewisse Lehrsätze der scholastischen Theologie. Von diesen 97 Thesen zu unterscheiden sind die *95 Thesen,* die LUTHER am 31. Oktober oder 1. November 1517 an die Tür der Wittenberger Schloßkirche anschlug und die speziell Buße und Ablaß behandelten. Erst diese 95 Thesen verwickelten LUTHER – obgleich die erstrebte Disputation nicht zustande gekommen war – in eine literarische Auseinandersetzung und einen kirchlichen Prozeß. TETZEL verteidigte am 20. Januar 1518 den Ablaß in Gegenthesen an der Universität Frankfurt (Oder). Knapp vor TETZELS Tod bescheinigte ihm LUTHER in einem Trostbrief, daß nicht er durch seine Ablaßpredigten die Reformation veranlaßt, sondern «das Kind einen viel anderen Vater habe». LUTHER wandte sich in seinen Thesen vielleicht weniger gegen die Finanzpraktiken, sondern gegen die darin liegende Verkehrung wahrer Bußgesinnung. Weder der Ablaß als pädagogisches Mittel noch der Papst wurden angegriffen. LUTHER erläuterte seine Thesen in einem ‹Sermon von Ablaß und Gnade› und in den lateinischen, Papst LEO X. gewidmeten ‹Resolutionen über die Kraft der Ablässe› (nach Rom gesandt Mai, gedr. August 1518). In Rom glaubte man zunächst, die Angelegenheit auf dem Wege klösterlicher Disziplin lösen zu können, machte aber bald einen Ketzerprozeß mit allen Begleiterscheinungen anhängig.

Als Bücherzensor und theologischer Berater Papst LEOS X. wurde in Rom mit den Ablaßthesen LUTHERS 1517 und der Voruntersuchung im Prozeß 1518 der aus seiner Gegnerschaft zu REUCHLIN bekannte Dominikaner SYLVESTER PRIERIAS (1456–1523) befaßt. Von seinen gegen LUTHER gerichteten Gutachten und Streitschriften sind die wichtigsten ‹In praesumptuosas M. Lutheri conclusiones de potestate papae dialogus› (1518

u. ö.) und ‹Errata et argumenta M. Lutheri recitata, detecta etc.› (1520).
LUTHER antwortete darauf mit ‹Ad dialogum Silvestri Prieratis de potestate papae responsio› und veröffentlichte eine kommentierte Kurzform
der ‹Errata›.

Im April 1518 leitete LUTHER auf dem Ordenskapitel in Heidelberg eine
Disputation und gewann MARTIN BUCER, JOHANN BRENZ, ERHARD
SCHNEPF und THEOBALD BILLICAN. Auch stellte sich Herzog FRIEDRICH
DER WEISE VON SACHSEN vor seinen Professor LUTHER. Vom 12. bis 14.
Oktober 1518 wurde LUTHER in Augsburg auf dem Reichstag von dem
aus dem Dominikanerorden hervorgegangenen Kardinal JACOB SC. THO-
MAS DE VIO GEN. CAJETANUS (1469–1534) verhört.

CAJETAN DE VIO war 1518/19 päpstlicher Legat in Deutschland in Angelegenheiten des Türkenkrieges. Humanistischen Einflüssen nicht verschlossen, hatte er
1494 in Ferrara mit PICO DELLA MIRANDOLA disputiert und war mit ERASMUS
befreundet. Als Thomist schrieb er gegen Averroisten, Scotisten, Nominalisten
und LUTHER. CAJETAN gilt heute als Begründer des Neuthomismus und einer der
bedeutendsten katholischen Theologen des Reformationszeitalters, dessen Schriften dem Konzil von Trient vielfach als Grundlage dienten.

LUTHER verweigerte bei dem Verhör einen Widerruf der inkriminierten
Thesen, es sei denn, man widerlege ihn aus der hl. Schrift oder mit Ver-
nunftgründen. Aus Furcht vor einer Verhaftung floh er aus der Stadt, nachdem er bei einem Notar eine Appellationsurkunde an den Papst hinter-
legt hatte. Heimgekehrt nach Wittenberg, ließ LUTHER die ‹Acta Augustana› drucken und appellierte an ein allgemeines Konzil. Gleichwohl
schien es, daß der Konflikt noch friedlich beigelegt werden könnte, als der
Ingolstädter Theologieprofessor JOHANN ECK eine Disputation in Leipzig mit ANDREAS BODENSTEIN GEN. KARLSTADT und LUTHER (4.–14. Juli
1519) provozierte. Es wurde über Willensfreiheit, Primat des Papstes,
Irrtumsfähigkeit der Konzile, Fegefeuer, Ablaß und Buße gestritten. Für
LUTHER, der ursprünglich eine Reform innerhalb der katholischen Kirchen anstrebte, wurde damit durch seine Leugnung wesentlicher Lehrsätze
die Verbindung zur römischen Kirche abgebrochen. Die Disputation er-
regte in Deutschland großes Aufsehen und spiegelt sich in einer Reihe von
Schriften und in der Satire wider. LUTHER gewann vor allem Freunde in
den kirchlichen Reformerkreisen und geriet in engere Fühlung mit dem
Humanismus, besonders seinem späteren maßgeblichen Mitarbeiter PHIL-
IPP MELANCHTHON, aber auch mit den Junghumanisten, besonders UL-
RICH VON HUTTEN und der revolutionären Reichsritterschaft mit FRANZ
VON SICKINGEN.

Die nächste Folge der Leipziger Disputation war die päpstliche Bannandrohungsbulle ‹Exsurge Domine› (15. Juni 1520), in der 41 Sätze
LUTHERS als ketzerisch erklärt und ihm eine Frist von 60 Tagen zur Unterwerfung gesetzt wurde.

Mit der Verkündigung wurden der Nuntius bei KARL V., HIERONYMUS ALEANDER (1480–1542) und JOHANN ECK betraut. Dieser hatte die Berechtigung, in die Bulle auch noch andere Personen namentlich einzusetzen und nannte neben LUTHER die vier Theologen ANDREAS KARLSTADT, Professor in Wittenberg, JOHANNES DÖLSCH, Stiftsherr am Allerheiligenstift in Wittenberg, JOHANN SYLVIUS EGRANUS, WILDENAUER, Prediger an der Marienkirche zu Zwickau, BERNHARD ADELMANN VON ADELMANNSFELDEN, Kanonikus zu Eichstätt und Augsburg, und die zwei Laien WILLIBALD PIRCKHEIMER und LAZARUS SPENGLER in Nürnberg. SPENGLER, weil er 1519 eine ‹Schutzrede› für LUTHER verfaßt hatte, PIRCKHEIMER, weil ECK ihn der Verfasserschaft des ‹Gehobelten Eck› (vgl. S. 108) verdächtigte.

In der Schrift ‹Adversus execrabilem Antichristi bullam› (‹Wider die Bulle des Endchrists›) setzte sich LUTHER mit der Bulle ‹Exsurge Domine› auf das schärfste auseinander und verbrannte am 10. Oktober 1520 als Antwort die Bulle und das *Corpus iuris canonici* vor dem Elstertor in Wittenberg. LUTHER übertrug die Antichrist-Tradition auf den Papst und vollzog deren Gleichsetzung. Die Bulle ‹Decet Romanum Pontificem› (3. Januar 1521) schloß LUTHER und seine Anhänger aus der Kirche aus.

Als LUTHER auf dem Reichstag zu Worms (April 1521) in Verhören und Verhandlungen jeden Widerruf ablehnte (Schlußworte: «Gott helfe mir! Amen.» – «Hier stehe ich; ich kann nicht anders» soll spätere Zutat sein) wurde im Wormser Edikt über ihn auch die Reichsacht verhängt und die Verbrennung seiner Schriften befohlen. Kaiser KARL V. ließ eine Erklärung abgeben, daß er Leib und Leben, Herrschaft und alles daransetzen werde, Deutschland von der lutherischen Ketzerei zu befreien. Um LUTHER der Gefahr zu entziehen, ließ Herzog FRIEDRICH DER WEISE den Reformator heimlich als *Junker Jörg* auf der Wartburg festsetzen.

Es lag zunächst nicht in LUTHERS Absicht, bei seiner Auseinandersetzung mit der Lehre von der Gewalt des Papstes und der Gewalt von der Kirche innerhalb des künstlerisch geformten Schrifttums tätig zu sein. Sein reformatorisches Ziel, das Rechtfertigungslehre, Papstgewalt und Sakramentenverständnis betraf, war kirchlich-religiös, nicht profan-literarisch. Die Durchführung des Kampfes aber, die Erfolge seines Unternehmens und schließlich die Einrichtung der neuen evangelischen Kirche erforderten die immer ausgedehntere Verwendung auch der literarischen Mittel.

Von seinen Studien an der Artisten- und Theologischen Fakultät, von seiner Lehr- und Predigttätigkeit her verfügte LUTHER über die nötige Schulung und Beherrschung der literarisch-sprachlichen Ausdrucksmöglichkeiten sowohl innerhalb der gelehrt-wissenschaftlichen Sphäre als auch der volkstümlichen Bereiche. Das Latein, das LUTHER in Vorlesungen und wissenschaftlichen Publikationen sprach und schrieb, war Kirchen- und scholastisches Latein. Im Deutschen umfaßte LUTHERS *Sprachwelt* viele Bereiche: die lebende ostmitteldeutsche Volksmundart und Umgangssprache, die Literatur- und Kanzleisprache, die Sprache der Predigt, der Mystik, der geistlichen Übersetzungsprosa, das Sprichwort und das Volkslied, antike und humanistische Rede- und Stilkunst. Er wollte als Schreibender jederzeit ein Sprechender sein, der seine Leser anredet. LUTHERS literarische Gattungswelt, Sprache und Stil sind mehrschichtig. Man pflegt drei Gruppen zu unterscheiden. In den Briefen, Predigten, Programm- und Streitschriften ging es ihm weniger um stilistische Formung, sondern um Mitteilung, Belehrung, Verteidigung, Wirkung; Ausdruck und Stil sind einfach, offenherzig, grob, volkstümlich. Die Tischreden hingegen sind Gespräche mit gelehrten Freunden, Mitarbeitern und Vertrauten, bei denen einmal die Fachsprache der Wissenschaft, dann wieder die gemütvoll plaudernde Unterhaltung vorherrscht. Hohes literarisches und dichterisches Können erreicht LUTHER in der Bibel-Übersetzung, namentlich den poetisch gehobenen Teilen, und in den Kirchenliedern und Fabeln. LUTHERS gesamtes Schriftwerk ist eng mit seinen Anschauungen und seiner Lehre von Gott und den göttlichen Dingen verbunden.

Den Zugang zu LUTHERS *Theologie* erschließen in erster Linie die lateinischen Schriften, insbesondere seine Vorlesungen als Professor für Bibelexegese. Bei den für die Veröffentlichung gedachten Schriften bedient er sich nicht der lateinischen humanistischen Kunstprosa (seine wenigen lateinischen Gedichte sind Übungsarbeiten und Gelegenheitsspielereien), er verwendet auch fast nicht die Kunstformen der damaligen deutschsprachigen Literatur, auch nicht der Einkleidung in Symbolgestalten, Allegorien, Personifikationen, Traumbilder etc. LUTHERS literarische Vorbilder waren nahezu ausschließlich die Gattungen der kirchlichen Arbeit. Die für sein populäres Schrifttum 1518–1521 charakteristischen Sermone sind zumeist aus wirklich gehaltenen Predigten hervorgegangen. Eine Konzession an die Kunstgattung des mittelalterlichen Trostschrifttums, der sog. Consolatorien, macht LUTHER in der Trostschrift für seinen erkrankten Landesherrn FRIEDRICH DEN WEISEN ‹Tessaradecas consolatoria pro laborantibus et oneratis› (1519; gedr. 1520; deutsch von GEORG SPALATIN), ‹Vierzehn Trostgründe für Mühselige und Beladene›. Auch wenn LUTHER zur Satire griff, benützte er sie nicht in der literarischen Form, sondern lediglich als ein Ausdrucksmittel unter anderen. LUTHER denkt auch in seinen Schriften fast immer als Bibelinterpret. Die Bibelerklärungen sind bereits ein Teil von LUTHERS seelsorgerischem Schrifttum. Zu diesem gehören weiter seine politischen Schriften, weil sie alle Gewissensratschläge geben: ‹Eine treue Vermahnung zu allen Christen, sich zu hüten vor Aufruhr und Empörung› (1522), ‹Ob Kriegsleute auch im seligen Stande sein können› (1526), ‹An die Pfarrherrn wider den Wucher zu predigen, Vermahnung› (1540), ‹Ob man vor dem Sterben fliehen möge› (1527), ‹Eine einfältige Weise zu beten, für einen guten Freund› (1535; für LUTHERS Barbier MEISTER PETER). Soweit LUTHERS theologische Werke nicht der Bibelexegese dienen, sind sie zumeist Auseinandersetzungen und Streitschriften über die Themen Gotteslehre und Willensfreiheit, Wort und Geist, Rechtfertigung, Kirche, Sakramente, Messe etc.

Während der zwei Jahre 1518–1520, in denen sein Prozeß ruhte, und nachher, verbreitete LUTHER seine Ideen in Vorlesungen, Schuldisputationen, Predigten, Schriften, Briefen u. a. Die Grundlage bilden die *Vorlesungen*, in denen er zuerst seine Lehre aussprach. Die ‹Operationes in Psalmos› und die Auslegung des Galaterbriefes erschienen 1519 im Druck. Ihnen folgten 1520 der ‹Sermon von den guten Werken›, eine Art erster evangelischer Ethik, der ‹Sermon vom Wucher› (erweitert 1524 in ‹Von Kaufhandlung und Wucher›) und die Schrift ‹Von dem Papsttum zu Rom wider den hochberühmten Romanisten zu Leipzig› (1520) gegen den Minoriten AUGUSTIN VON ALVELT. An ihnen sieht man, daß LUTHER sich seit 1517 ein neues Schriftverständnis erarbeitet hatte und er auf dem Wege ist, aus einem Reformer ein Reformator zu werden, für den die Lehre vom allgemeinen Priestertum ein wesentlicher Bestandteil der neuen Glaubens- und Lebenshaltung wird. Im selben Jahr 1520 wandte LUTHER sich mit drei großen *Programmschriften* an die öffentliche Meinung und gewann sie für sich. Zunächst mit der Schrift ‹An den Christlichen Adel deutscher Nation: von des Christlichen standes besserung› (Wittenberg August 1520). Sie lehnt sich an die alten ‹Gravamina Germanicae nationis› an und erregte ungeheueres Aufsehen. Ihren Inhalt bildet ein radikales kirchliches, kulturelles und soziales Reformprogramm.

LUTHER geht bei seinen Ausführungen von der Bildidee der dreifach ummauerten, scheinbar wohlverschanzten Burg der Romanisten aus, die aber doch leicht zu stürmen ist, wenn man sie angreift, und bringt darauf seine Reformvorschläge. Auch die weltliche Obrigkeit soll ein allgemeines Konzil einberufen können. Die Kirche soll in Deutschland von einem Primas geleitet, die Abgaben nach Rom, Zölibat, Seelenmessen, Wallfahrten, Bruderschaften, Zensuren sollen abgeschafft werden; das Fasten ist aufzugeben, das Kirchenrecht abzuändern; die Universitäten sind zu reformieren, d. h. der Aristotelismus (außer der Logik, Rhetorik und Poetik) und die auf ihn gestützte Hochscholastik zu beseitigen und dafür Latein, Griechisch, Hebräisch und Mathematik zu pflegen; anstelle der Sentenzen des PETRUS LOMBARDUS soll die Bibel erklärt werden; Papst und Kirche haben kein Interpretationsprivileg für die hl. Schrift, sondern jeder Gläubige kann sie auslegen. Die Unfehlbarkeit des Papstes in Glaubensangelegenheiten ist aus der Bibel nicht zu belegen. Auf sozialem Gebiet sollen die herrschenden Gebrechen, etwa bei der Armenfürsorge, im Zinswesen etc., bekämpft werden.

Die Bedeutung der auch sprachlich äußerst geschickt formulierten Schrift beruht auf dem Festhalten an den ‹Beschwerden deutscher Nation› und auf der Negierung der mittelalterlichen Lehre von den zwei Gewalten.

Nach der in deutscher Sprache an Kaiser und Adel gerichteten Schrift wandte sich LUTHER in der lateinisch abgefaßten Programmschrift ‹De captivitate Babylonica ecclesiae praeludium› (Oktober 1520) an die Gelehrtenschaft Europas. Die Übersetzung ins Deutsche geht unter dem Titel ‹Von dem babylonischen Gefängnis der Kirche›.

Als Gefangenschaft wird die Verweigerung des Laienkelches, die Transsubstantiationslehre, der Opfercharakter der Messe verstanden. Im gesamten enthält die Schrift LUTHERS Auseinandersetzung mit der altkirchlichen Sakramentenlehre. Fortan sollen nur zwei bzw. drei der sieben Sakramente in gereinigter Gestalt gelten, Taufe und Abendmahl (Buße); die Ehe wird als eine weltliche Angelegenheit erklärt. König HEINRICH VIII. VON ENGLAND schrieb gegen diese Auffassungen eine ‹Assertio Septem Sacramentorum› (1521), auf die LUTHER 1522 erwiderte.

Versuche von altkirchlicher Seite (an denen u. a. der Diplomat KARL VON MILTITZ beteiligt war), die reformatorische Auseinandersetzung in friedliche Bahnen zu lenken, gaben den Anlaß für LUTHERS dritte Programmschrift ‹Von der Freiheit eines Christenmenschen› (13./14. Oktober, gedr. November 1520). Die in zwei Tagen entstandene Abhandlung ist Papst LEO X. gewidmet und formuliert LUTHERS Anschauungen vom freimachenden Glauben und vom Verhältnis zu den guten Werken.

Die Schrift verkündet die neue Heilslehre weiteren Volkskreisen. Der Gedankengang wird in durchzählender Aneinanderreihung so einfach und anschaulich wie nur möglich dargelegt. Die Haupteinteilung, der Christ ein freier Herr und ein dienstbarer Knecht aller Dinge, stammt aus 1 Kor. 9, 19. Diesen Textgedanken verknüpfte LUTHER mit der Unterscheidung des geistlichen und des leiblichen Menschen und verwob damit nahezu alle Fragen des Glaubens, die ihm am Herzen lagen.

Gegen Mißdeutungen der christlichen Freiheit veröffentlichte LUTHER 1523 die Schrift ‹Von weltlicher Oberkeit, wie weit man ihr Gehorsam schuldig sei›. Darin wird im ersten Teil vom Christen Anerkennung der Obrigkeit als Gottesordnung gefordert, im zweiten wird verlangt, daß er sich der obrigkeitlichen Gewalt widersetze, wenn sie verlangt, wider das Wort Gottes zu handeln. LUTHER fand in beinahe unvorstellbarer Weise Resonanz im deutschen Sprachgebiet und weit darüber hinaus. Um sich die Aufnahmebereitschaft für die Lutherischen Schriften und deren Wirkungskraft zu vergegenwärtigen, sei angeführt, daß man die Drucke allein der religiösen Traktate vor der ‹Adel›-Schrift auf mindestens 250 000 schätzt.

Die Entfaltung und Klärung der reformatorischen Bewegung erfolgten in den Jahren 1521 bis 1525. Es ist vorerst eine Zeit des ‹Wildwuchses der Reformation› (F. LAU). Auf der Wartburg führte LUTHER die Auslegung des Magnificat zu Ende und arbeitete an der Kirchenpostille. Tagesaufgaben veranlaßten eine Darlegung der Rechtfertigungslehre an den Löwener Theologen JAKOB LATOMUS und eine Ablaß-Kampfschrift gegen ALBRECHT VON MAINZ. Drei für die Reformation bedeutsame Fragen erörterten die Schriften ‹Von der Beycht› (Ablehnung der vorgeschriebenen, Empfehlung der freiwilligen Beichte) und ‹De abroganda missa privata›, ‹Über die Abschaffung der Privatmesse›; mit der Schrift ‹De votis monasticis›, ‹Über die Klostergelübde› gab er den Ordensleuten den Weg frei in die Welt. Mehr und mehr erfüllten LUTHER die Gewißheit und Überzeugung von

seiner göttlichen Berufung. Damit hängt die bedeutsamste und folge-
wichtigste Arbeit zusammen, sein theologisch-literarisches Lebenswerk, die
Übersetzung der Bibel, zunächst des Neuen Testamentes, ins Deutsche.
Sie stellt nach ihrer Vollendung die Krönung der Übersetzungsbemühun-
gen des 14. und 15. Jahrhunderts dar, das Hauptwerk der deutschen Übersetzungsliteratur der ganzen Epoche, ein Meisterwerk deutscher Prosa-
kunst. Wie die gesamte Reformation, hat auch LUTHERS Bibelverdeutschung ihre Vorgeschichte.

LUTHER betätigte sich als Bibelübersetzer erstmals bei seiner Ausgabe
der sieben Bußpsalmen (1517); 1518 und 1521–1524 verdeutschte er noch
zwölf weitere Psalmen; an neutestamentlichen Stücken hatte er vor Beginn seiner vollständigen Übersetzung des Neuen Testamentes das Magnificat und die Evangelien und Episteln der Weihnachts- und Advent-
postille übertragen. Als LUTHER im Dezember 1521 in Wittenberg weilte,
legte ihm MELANCHTHON nahe, das gesamte Neue Testament zu übersetzen. Die Arbeit wurde sogleich nach der Rückkehr auf die Wartburg in
Angriff genommen. In zweieinhalb Monaten war ein Entwurf fertig-
gestellt, den LUTHER nach seiner Heimkehr nach Wittenberg im März
1522 mit MELANCHTHON als guten Kenner des Griechischen einer genauen Durchsicht unterzog. Im Mai 1522 begann bei MELCHIOR LOTTHER
D. J. der Druck, im September war er beendet (*September-Testament*).

‹Das Newe Testament Deutzsch› erschien in Folioformat in einer Auflage von
3000 bis 5000 Exemplaren in Wittenberg im Verlag von LUKAS CRANACH D. Ä.
und CHRISTIAN DÖRING mit 21 Holzschnitten und zahlreichen Initialen. Der
Übersetzer, Verleger, Drucker und das Jahr waren nicht angegeben. Der Band
kostete einen halben Gulden [d. s. 10½ Groschen, was etwa dem Wochenlohn
eines Zimmerergesellen entsprach]. Bereits im Dezember 1522 war eine zweite
Auflage (*Dezember-Testament*) notwendig, die Hunderte von Verbesserungen
enthielt. Sie erschien noch immer anonym, am Schluß aber wird der Verleger
MELCHIOR LOTTHER genannt. Erst die dritte Auflage 1524 gab den Namen des
Übersetzers auf dem Titelblatt an. Bei allen Neuauflagen nahm LUTHER immer
wieder Verbesserungen vor. Wichtig sind in dieser Hinsicht die Auflagen von
1526, 1527, 1529, 1530. Erst unterstützte ihn dabei MELANCHTHON, später bildete LUTHER eine ganze Revisionskommission aus den Wittenberger Fachgelehr-
ten MELANCHTHON, AUROGALLUS, CRUCIGER, JONAS. Noch vor der legitimen
Dezember-Ausgabe wurde das Neue Testament in Basel nachgedruckt. Ein
Augsburger Drucker folgte mit Auflagen im Januar, Februar, März und Juni
1523. In den folgenden zwei Jahren erschienen 14 autorisierte Ausgaben und
66 Nachdrucke. Im Jahre 1525 übertrug OLAUS PETRI LUTHERS Neues Testament ins Schwedische. In den Jahren 1522–1534, bis zum Erscheinen der Lutherschen Vollbibel, kamen 87 hochdeutsche und 19 niederdeutsche Ausgaben des
Neuen Testaments heraus.

Schon im Sommer 1522 begann LUTHER mit der Übersetzung des weit
schwierigeren und umfangreicheren Alten Testaments aus dem Hebräischen. Es erschien zunächst in Einzelteilen: der Pentateuch im Sommer
1523, die historischen und poetischen Bücher nebst dem Psalter 1524, die

kleinen Propheten 1526/27, Jesaja 1528, Weisheit 1529, Daniel 1530, ‹Die Propheten alle Deudsch› 1532, Jesus Sirach 1533. An der Übersetzung der übrigen Apokryphen waren MELANCHTHON u. a. beteiligt. Von den fünf Büchern Moses lagen bis 1534 bereits 29 hochdeutsche und 5 niederdeutsche, vom Psalter 23 hochdeutsche und 5 niederdeutsche Ausgaben vor. Die erste hochdeutsche Vollbibel konnte Herbst 1534 bei HANS LUFFT in Wittenberg veröffentlicht werden: ‹Biblia, das ist die gantze Heilige Schrifft Deudsch›. Sie hatte Großformat, war in sechs Teile gegliedert, mit 117 Holzschnitten ausgestattet und kostete 2 Gulden 8 Groschen [etwa der Preis von fünf Kälbern]. Damit war das bedeutendste Buch der gesamten Weltliteratur in gutes Deutsch übertragen.

Diese erste Vollbibel 1534 enthält: den Psalter in der Fassung von 1531, die Propheten (außer Jesaja) im wesentlichen in der Fassung von 1532; am stärksten sind der 1.–3. Teil des Alten Testamentes (ohne Psalter), Jesaja und Weisheit textlich umgestaltet; Jesus Sirach, 1 Makkabäer und das (1529 gründlich revidierte) Neue Testament weisen wenige Korrekturen auf.

Von der Vollbibel 1534 erschienen Neuauflagen 1535, 1536, 1539, 1540. Sie bringen nur kleine Luthersche Textänderungen. Erst 1539–1541 kam es zu einer großen Revision. Das Ergebnis war die Vollbibel ‹auffs new zugericht› 1541. Die letzte verbesserte Auflage kam 1546 heraus. In den zwölf Jahren von 1534 bis 1546 erschienen 23 hochdeutsche und niederdeutsche Vollbibeln. Von der Lutherbibel vertrieb Wittenberg allein zwischen 1534 und 1574 etwa 100000 Stück, die Nachdrucke nicht eingerechnet. Die Schrift ‹Von vnterscheid der Deudschen Biblien› (Wittenberg 1563) des bei HANS LUFFT tätigen Korrektors CHRISTOPH WALTHER unterrichtet über die Bemühungen um die Orthographie der Wittenberger Bibeldrucke.

Da um 1520 das Niederdeutsche noch eine eigene Literatur besaß, die lautlich und syntaktisch vom Hochdeutschen soweit verschieden war, daß LUTHERS Idiom und Bibelsprache in den dortigen Gebieten nicht so ohne weiteres verstanden wurden, war es nötig, LUTHERS Schriften im Osten und Westen Norddeutschlands ins Niederdeutsche zu übersetzen. Für die Bibel half dabei insbesondere der aus Pommern stammende JOHANNES BUGENHAGEN (vgl. S. 51 f.). Unter seiner Leitung wurde in Wittenberg von niederdeutschen Studenten die ganze Bibel in die Sprache ihrer Heimat umgeschrieben, wobei BUGENHAGEN durch Glätten und Feilen der Rede möglichste Lebendigkeit zu erzielen bestrebt war. Von dieser niederdeutschen Bibel, die erstmals in Lübeck 1534 (bei LUDWIG DIETZ) erschien, sind 24 Ausgaben bekannt; sie wurde 1621 zum letzten Mal gedruckt.

Im Unterschied zu den mittelalterlichen deutschen Bibelübersetzungen griff LUTHER, der neuen wissenschaftlichen Arbeitsweise des Humanismus gemäß, zurück auf die Urtexte. Für das Neue Testament benützte er neben der Vulgata die Ausgabe des ERASMUS VON ROTTERDAM in ihrer zweiten Auflage Basel 1519, die mit einer eigenen lateinischen Übersetzung verbun-

den war. Für die kanonischen Bücher des Alten Testamentes gebrauchte
er die 1494 in Brescia erschienene Ausgabe bzw. den bei JOHANNES FRO-
BEN in Basel 1516 gedruckten hebräischen Psalter; außerdem die Psalter-
übersetzung des Augustiner-Eremiten FELIX PRATENSIS ‹Psalterium ex
Hebraeo diligentissime ad verbum fere translatum› (1515 u. ö.). Für die
Apokryphen kamen die 1518 bei ALDUS MANUTIUS in Venedig erschienene
Septuaginta (Nachdruck Straßburg 1526) oder die auf Veranlassung des
Kardinals XIMENES zu Alcalá in sechs Bänden gedruckte Complutenser
Polyglotte (1514–1517; veröffentlicht 1520) in Frage. An Wörterbüchern
und Grammatiken standen REUCHLINS ‹Rudimenta linguae hebraicae›
(1506) u. a. zur Verfügung. Nicht endgültig geklärt ist die Benutzung der
vorlutherischen deutschen Bibelübersetzungen. LUTHER hat von den älteren deutschen Bibeln, den Gesamt- wie den Teilübersetzungen, bestimmt
gewußt und sie wahrscheinlich auch benützt. Um das Verständnis der
Lutherischen Bibelsprache den Oberdeutschen zu erleichtern, gab man im
Anfang häufig zu den Nachdrucken entsprechende Glossare; manchmal
erfolgten auch im Text Veränderungen des Wortschatzes.

LUTHER selbst hat sich mehrmals über seine Übersetzertätigkeit ausgesprochen, hat Auskunft gegeben über seine Art und Weise der Bibelinterpretation und Einblick gewährt in sein Sprachdenken. Am aufschlußreichsten sind der Schluß der ‹Vorrede auf das Alte Testament› (1523), in dem
er die ungeheuren Schwierigkeiten betont, die sich seiner Bibelverdeutschung sowohl vom Urtext als auch von der Muttersprache her in den Weg
stellten, der ‹Sendbrief vom Dolmetschen›, den LUTHER am 12. September
1530 von der Coburg aus an WENZESLAUS LINCK richtete und die ‹Summarien über die Psalmen und Ursachen des Dolmetschens› (1533). Das offene
Sendschreiben beantwortet eine Anfrage über LUTHERS Übersetzung der
Römerbriefstelle 3, 28 und über die Fürbitte der Heiligen und entwickelt
daraufhin die Leitsätze, die er bei seiner Bibelübersetzung befolgte. Über
die *sprachliche Grundlage* seiner Übersetzung sagt LUTHER in den ‹Tischreden›:

«Nullam certam linguam Germanice habeo, sed communem, ut me intelligere
possint ex superiori et inferiori Germania [d. h. die Oberdeutschen wie die Nie-
derdeutschen]. Ich rede nach der Sechsischen cantzley [von der LUTHER irrtüm-
lich glaubt], quam imitantur omnes duces et reges Germaniae; alle reichstette,
fürsten höfe schreiben nach der Sechsischen cantzleien unser churfürsten. Ideo
est communissima lingua Germaniae.»

Gleichwohl übersetzte er in ein Deutsch, für das «die mutter jhm hause,
die kinder auff der gassen, der gemeine [einfache, schlichte] man auff dem
marckt» die Leitlinien abgaben. Zusammenfassend wird man über
LUTHERS Vorgehen bei der Übersetzung sagen können: Zuerst bemühte er
sich um den genauen Sinn jeder Stelle; die Verdeutschung selbst gestaltete
er frei, volkstümlich bildhaft, kräftig und frisch im Ausdruck; auch Fach-

wörter deutschte er ein; alles soll sowohl klar und verständlich als auch wohlklingend und rhythmisch bewegt sein. LUTHER wollte kein landschaftlich beschränktes Deutsch, sondern ein Deutsch, wie es von der kaiserlichen und kurfürstlich-sächsischen Kanzlei gebraucht wurde, keine abstrakte und künstliche Sprache, sondern ein Deutsch, das seine wesentliche Kraft im Wortschatz und Rhythmus aus der lebendigen Sprechsprache zog. Er geht nicht von der ihm geläufigen Umgangssprache aus, sondern richtet seine Absicht auf die überlandschaftliche Ausgleichssprache der Kanzlei seines Landes. Im Bestreben, verschiedene Sprachmöglichkeiten zu verbinden, will er eine Sprache, die an der Wurzel bleibt und sich doch zur Höhe entwickelt. LUTHERS seelische Grundlagen für sein sprachlich-dichterisches Schaffen liegen in seinem tiefen religiösen Erleben, als sprachliche Voraussetzungen wird man auf die volkstümliche Erbauungsliteratur des 14./15. Jahrhunderts, die Perikopen und Plenarien mit ihrem Umgangsdeutsch und auf die bereits vorhandene ausgedehnte Übersetzungsliteratur hinweisen müssen. Das Zeitalter folgte LUTHER zunächst weniger in seinem genauen Wortlaut und seiner Schriftgestalt, sondern als Ausleger und Deuter der Bibel. Die hl. Schrift war für die Menschen kein Sprachdenkmal, sondern ein Dokument der göttlichen Offenbarung. Die sprachgeschichtliche Bedeutung der Lutherbibel war ebenso groß wie ihre literatur-, kultur- und religionsgeschichtliche. Die Beseelung und Formung der deutschen Sprache, die von den spätmittelalterlichen Mystikern und Übersetzern begonnen wurde, erreichte in LUTHERS biblischer Kunstprosa ihre damals nach JOHANN VON NEUMARKT, der Sonderleistung des JOHANNES VON TEPL, den Prosaversuchen des NIKLAS VON WYLE, ALBRECHT VON EYB u. a. erlangbar gewesene Vollendung.

Man hat früher den Abstand der Luthersprache vom Deutsch seiner Zeit überschätzt. LUTHER war nicht der Schöpfer der neuhochdeutschen Schriftsprache, denn er steht mit den lexikalischen, lautlich-flexivischen und syntaktischen Wesenszügen seiner Sprache nicht am Anfang, sondern bereits mitten in der zur Gemeinsprache drängenden Bewegung. Diese Erkenntnis ändert nichts an der Tatsache, daß er ein entscheidender Faktor der vor ihm geborenen und nach ihm weiter ausgebildeten deutschen Hochsprache gewesen ist.

In der mittelalterlichen Kirche spielte in der Frage der göttlichen Offenbarung auch die Tradition eine Rolle. Exeget der Bibel war die Kirche. Nun wurde die gesamte scholastische Theologie beiseite geschoben, die hl. Schrift als einzige Glaubensquelle erklärt und die Bibel in die Mitte der Theologie und der Liturgie gerückt. WYCLIF, LUTHER wie ZWINGLI übersetzten die Bibel in die Volkssprachen und gaben sie kommentarlos jedermann in die Hände. Durch den Wegfall der autoritativen Hermeneutik und durch die weiteste Verbreitung der gesamten Bibel in Laienkreisen wurde der subjektiven Exegese und willkürlichen Schriftauslegung freiester Raum gegeben. Neben den berufenen Interpreten LUTHER, MELANCHTHON, ZWINGLI, CALVIN konnte auch der Sektierer und der theologisch unverständige Benützer herauslesen, was er für gut befand und was er suchte. Von der altkirchlichen Seite wurde daher LUTHERS Neues Testament sogleich verboten.

Neben der Bibel haben am stärksten in das protestantische Volk hineingewirkt das *evangelische Gesangbuch*, die *Postillen* und der *Katechismus*. Alle drei sind sie von der Sprache der Lutherschen Bibelübersetzung bestimmt. Für die Bedürfnisse der Kirchengemeinde entstanden LUTHERS Lieder. Auf die Bibelübersetzung folgte ihr Gegenstück, die *Kirchenlieder*, insgesamt 38. Auch als Kirchenlieddichter steht LUTHER bereits in einer spätmittelalterlichen Tradition, und zwar jener der religiösen und volkstümlichen gesungenen Lyrik. Er hat diesen Traditionen wohl inhaltlich, aber nicht künsterisch Neues hinzugefügt. Was ihm brauchbar schien, übernahm er aus dem Bestand der Altkirche, anderes schuf er durch Nachdichtung von Psalmen, Hymnen, Sequenzen, Antiphonen, Reimfassung von Bibelstellen und durch eigene Dichtung. Sein poetisches Talent vermochte dem Vorhandenen erneute Selbständigkeit zu geben und es dem besonderen krichlichen Zweck anzupassen. Das erste genau datierbare Lied ist die ‹Ballade› auf den Märtyrertod zweier Anhänger in Brüssel (1523). LUTHER schließt sich dabei ziemlich eng dem historischen Volkslied an. Von LUTHER selbst sind ferner das Bekenntnislied ‹Ein feste Burg ist unser Gott› (gedr. 1529), dann ‹Vom Himmel hoch, da komm ich her›, ‹Nun bitten wir den hl. Geist› u. a. Die Mehrzahl der Lieder (23) entstand 1524. Damals erschienen das sog. ‹Achtliederbuch› (1524; ohne LUTHERS Zutun), das ‹Erfurter Enchiridion›(1524) und JOHANN WALTHERS ‹Chorgesangbüchlein› (1524) im Druck. In LUTHERS ‹Ein Weise christlich Meß zu halten› (1524) erschien das Lied ‹Es wollt uns Gott genedig sein›. Als Begründer des evangelischen Kirchenliedes sorgte LUTHER bis zuletzt für die Pflege und Vervollständigung der Gesangbücher. Die Kapellmeister JOHANN WALTER und KONRAD VON RUPPICH waren seine Helfer. LUTHERS Liedschaffen bildete den Kern der in der Folge entstehenden landeskirchlichen Gesangbücher.

Unter *Postille* versteht man die Erklärung eines biblischen Textes, dessen Wortlaut dem Kommentar vorangeht. Sammlungen von Homilien oder Perikopenpredigten in diesem Sinne dienten zur Verlesung im Gottesdienst (Kirchenpostille) sowie der häuslichen Erbauung (Hauspostille). Spätscholastik, Mystik und Humanismus hatten die Homilie, die Predigt und den Sermon zu hoher Vollendung gebracht. LUTHERS *Kirchenpostille* erschien erstmalig Wittenberg 1527. Der *Katechismus* bemüht sich, die christlichen Glaubens- und Sittenlehren zum Zwecke der Unterweisung in Kirche und Familie zusammenzufassen. LUTHERS Katechismen wuchsen aus seiner Predigttätigkeit heraus. Der ‹Deudsch Catechismus›, d. h. der Große Katechismus, erschien erstmals 1529, ‹Der kleine Catechismus für die gemeine Pfarherr und Prediger› im selben Jahr. Der Große Katechismus ist ein Predigtbuch, der Kleine will den Pfarrern zeigen, wie sie am besten den Katechismus unter die Leute bringen.

Während LUTHER in Stille und Sammlung auf der Wartburg lebte, war die *deutsche Reformation* losgebrochen; in Wittenberg mit ANDREAS BODENSTEIN aus Karlstadt und LUTHERS Ordensbruder GABRIEL ZWIL-LING, in Zwickau mit THOMAS MÜNTZER. LUTHER wurde genötigt, in die Auseinandersetzungen einzugreifen. Das extreme Vorgehen KARLSTADTS in der *Abendmahls- und Bilderverehrungs-Frage,* die Unruhe, welche THOMAS MÜNTZER und die *Zwickauer Propheten* (NIKOLAUS STORCH, THOMAS DRECHSEL, MARKUS THOMAE) u. a. erregten, veranlaßten LUTHER, nach Wittenberg zu reisen und durch acht ‹Predigten wider die Schwarmgeister› (*Invocavit-Predigten*) die Ordnung wiederherzustellen. Auch die Böhmische Brüderunität und die Utraquisten (Hussiten) versuchten eine Annäherung. LUTHER sah sich genötigt, selbst einen neuen Gottesdienst einzurichten und eine vermögensrechtliche Gemeindeordnung zu schaffen. Er tat dies durch die ‹Formula missae et communionis›, ‹Form der Messe und Kommunion› (1523), das ‹Taufbüchlein› (1523, 1526) und das ‹Traubüchlein› (1529). Eine andere Frage regelt die Schrift ‹Vom ehelichen Leben› (1522). Im weiteren Kampf gegen die Schwarmgeister und Umsturzpläne der Propheten entstanden das ‹Sendschreiben an die Christen zu Straßburg› (1524) und ‹Wider die himmlischen Propheten von den Bildern und Sakrament› (1524/25), worin die Abendmahlslehre, die Frage der spirituellen Mystik und das Verhältnis von Gesetz und Freiheit behandelt werden. Als nach dem Durchbruch der Reformation plötzlich ein gefährlicher Bildungsverfall einsetzte und die Lateinschulen und Universitäten zu veröden drohten, stellte LUTHER ein Bildungs- und Schulprogramm auf und richtete die Aufforderung ‹An die Ratherren aller Städte deutschen Landes, daß sie christliche Schulen aufrichten sollen› (1524). Sie ist erfüllt vom Geiste des Humanismus und ließ ein evangelisches Schulwesen emporblühen. Aus dem Kampf gegen die Schwarmgeister entstanden auch LUTHERS erste Gemeindelieder.

Große Sorge und Unannehmlichkeiten bereitete LUTHER die *Bauernbewegung* (vgl. S. 125 f.). Die Bauern begründeten ihre alten Forderungen mit der christlichen Freiheit und verlangten die Beseitigung der sozialen Ungerechtigkeit: Abschaffung der Leibeigenschaft, der Grundlasten, des Zehenten in der bisherigen Form u. dgl. LUTHER richtete an Fürsten, Herren und Bauern eine ‹Ermahnung zum Frieden› (1525) und anerkannte einen großen Teil der Forderungen. Im Mai 1525 reiste er selbst ins mansfeldische und thüringische Aufruhrgebiet, vermochte aber die Erregten nicht zu beruhigen. Angesichts ihrer Gewalttätigkeiten gab er in einer zweiten Schrift die Losung zur Gegenwehr. Er gebraucht darin sehr harte Worte, wendet sich aber auch in einem ‹Sendbrief› gegen die Fürsten, als diese ihren Sieg erbarmungslos ausnützten.

Der zweite Nürnberger Reichstag 1524 beschloß, die Glaubensfrage bis zu einem allgemeinen Konzil durch eine Nationalversammlung regeln zu lassen. Als jedoch der päpstliche Legat LORENZO CAMPEGGI (1474–1539) in Regensburg ein Bündnis altgläubiger süddeutscher Fürsten zusammenbrachte, begann eine konfessionelle Parteibildung. Die von FRANZ I. VON FRANKREICH, Papst KLEMENS VII., Mailand, Venedig, Florenz, HEINRICH VIII. VON ENGLAND 1526 geschlossene hl. Liga zu Cognac gegen die Machtfülle Kaiser KARLS V. in Ober- und Unteritalien wurde in gewissem Sinne Retter des deutschen Protestantismus. Der (1.) Speyerer Reichstag 1526 mußte es bis zur Konzilentscheidung den Reichsständen überlassen, sich mit ihren Untertanen so zu verhalten, wie sie es gegen Gott und den Kaiser verantworten könnten. Dieser Reichstagsabschied wurde die Rechtsgrundlage für die Ausbildung von evangelischen Landeskirchen. Erst nach dem Damenfrieden von Cambrai (1529) konnte der Kaiser den deutschen Glaubenserneuerungen entgegentreten. Von der ‹Protestation› und Appellation der evangelischen Stände auf dem (2.) Reichstag zu Speyer 1529 datiert der Name *Protestanten*. Als mehrere protestantische Fürsten und Städte durch den Augsburger Reichstagsabschied von 1530 (Antwort auf die von MELANCHTHON verfaßte ‹Confessio Augustana›) und die vom Kaiser betriebene Wahl seines Bruders FERDINAND zum römischen König ihren Glaubensstand bedroht hielten, schlossen sie sich 1531 zum Schmalkaldischen Bund zusammen. Angesichts der von den Türken und Frankreich drohenden Gefahr gewährte KARL V. zu Nürnberg 1532 einen vorläufigen Religionsfrieden, in dem der Kaiser den protestantischen Ständen bis zum nächsten Konzil bzw. Reichstag die bisherigen Neuerungen zugestand. Der Schmalkaldische Krieg 1546/47 endete mit dem Sieg des Kaisers.

Der *Humanismus* hatte LUTHERS Reformbestrebungen und Erfolge in verschiedener Hinsicht vorbereitet. Er lieferte ihm auch die Bibel- und Kirchenvätertexte und ein Bildungsprogramm. Aber LUTHERS Bruch mit dem mehrfachen Schriftsinn ist theologisch, nicht humanistisch bedingt. Viele Humanisten hatten LUTHERS Auftreten begrüßt und sich anfangs auf seine Seite gestellt: nicht nur HUTTEN, auch CROTUS RUBEANUS, PIRCKHEIMER u. a.; auch Mitarbeiter LUTHERS, wie GEORG SPALATIN und JUSTUS JONAS, waren ausgesprochene Humanisten. ERASMUS VON ROTTERDAM, der führende Repräsentant der humanistischen Bewegung (vgl. Bd. IV/1, S. 555 ff.), hatte lange Zeit die Absicht, im «großen Trauerspiel» der Kirchenspaltung Zuschauer zu bleiben. Als aber von verschiedenen Seiten, darunter auch von Past HADRIAN VI. die Aufforderungen kamen, endlich gegen LUTHER zu schreiben und ERASMUS nicht länger für einen Lutheraner gehalten werden wollte, versuchte er zunächst einige Dialoge in der Art der ‹Colloquia›. Doch diese Form schien ihm nicht die richtige und er wählte dann ein Thema, bei dem sich seine und LUTHERS Natur zutiefst trennten, das Problem Gnade und Freiheit. ERASMUS veröffentlichte im Herbst 1524 die Schrift ‹De libero arbitrio diatribe sive collatio›, ‹Abhandlung über den freien Willen› (10 lateinische und 3 deutsche Ausgaben innerhalb eines Jahres). Sie wurde von COCHLAEUS, EMSER und NIKOLAUS HERMAN ins Deutsche übersetzt. LUTHER erwiderte im Dezember 1525 mit ‹De servo arbitrio›, ‹Vom geknechteten Willen› (7 lateinische und 2 deutsche Auflagen innerhalb eines Jahres). Die Übersetzung ins Deutsche besorgte JUSTUS JONAS. ERASMUS replizierte mit dem ‹Hyperaspistes diatribae adversus servum arbitrium Martini Lutheri›, 2 Teile (1526/27). Der Schriftenwechsel ist die erste große Auseinandersetzung zwischen Katholizismus und Reformation über ein Hauptproblem der Theologie der Spätscholastik, das in der italienischen Renaissance LORENZO VALLA in Dialogen erörtert hatte (hrsg. von JOACHIM VON WATT 1516), das LUTHER in der ‹Assertio› (1520) und MELANCHTHON in seinen ‹Loci theologici› (1521) behandelt hatten, und das durch LUTHER neuerdings zentral geworden war. Denn er hatte in seinen Schriften die Existenz eines freien Willens im Menschen auf seinem Heilsweg geleugnet. Der menschliche Wille ist für ihn entweder Werkzeug der Gnade Gottes oder der Macht des Bösen. Gott allein hat einen freien Willen. Erneuerung des Willens zu Gerechtigkeit und Heiligkeit ist Gnade. ERASMUS umreißt in den vier Teilen seiner ersten Schrift von einer erweiterten und erhöhten Devotio moderna her das katholische Menschenbild und stellt es in die Zusammenhänge des Schöpfungs-, Erlösungs- und Nachfolgegedankens. Indem er sich auch gegen KARLSTADT wendet, kann er Differenzen in der Frage der Willensfreiheit bei den Reformatoren feststellen. LUTHER, der als Parteigänger OCKHAMS mit dessen Voluntarismus bestens vertraut war, zeichnet in seiner Erwiderung erstmalig vom Fiduzialglauben aus das Gesamtsystem seiner Theologie und zieht dafür die letzten Konsequenzen. Er wählt für seinen Titel eine augustinische Wendung, denkt immer vom schöpferischen Willen Gottes her und kämpfte gegen ERASMUS, weil er meinte, dieser sehe die Religion als etwas Menschliches an. Der Grundgegensatz war auch hier das Thema Menschengerechtigkeit und Gottesgerechtigkeit.

Aus seinem persönlichen Rechtfertigungserlebnis ist LUTHER überzeugt von der alleinigen Wirksamkeit der Gnade, der Ohnmacht des freien Willens und der Nutzlosigkeit der guten Werke. Nicht von der Theologie her, wie es ERASMUS tut, sondern von der Situation des Menschen nach dem Sündenfall muß man an die Frage der Willensfreiheit herantreten. ERASMUS sei ein Skeptiker. Der Streit dreht sich nicht um den Sinn der hl. Schrift, sondern um ihre Autorität. Eine zweite Autorität ist das Urteil des Gewissens. *Liberum arbitrium* setzt eine unbeschränkte Souveränität voraus. Diese aber ist allein ein göttliches Attribut. Gnade ist nichts anderes als das ewige Heil. Auch bei der Preisgabe der Freiheit ist die Verantwortlichkeit gegeben. In der Gottheit existieren zwei Willen: einer, der sich in der Offenbarung kundgibt, der andere ist der freischaltende Wille der göttlichen Majestät. Der Wille des Menschen ist seiner Natur nach egoistisch. Es bedarf einer übernatürlichen Einwirkung, die ihm die Richtung auf das Gesetz Gottes gibt. Als ein Reittier steht der menschliche Wille zwischen Gott und dem Teufel, «um vom einen oder andern bestiegen zu werden, ohne selbst zu einem der beiden feindlichen Reiter gehen zu können» (J. HUIZINGA). In LUTHERS Theologie bildet der Voluntarismus eine Grundkomponente seiner Lehre. Bei ihm ist der Wille des Menschen die vornehmste Kraft des seelischen Lebens und das Organ des Menschen, mit dem er in Verbindung mit dem göttlichen Willen tritt. Dieser entfaltet aber von sich aus eine so mächtige Wirksamkeit, daß der menschliche Wille notwendigerweise unfrei sein muß.

Der Konflikt zwischen LUTHER und ERASMUS zeigt zwei gegensätzliche Denk- und Erlebnisformen und war doch eine europäische Auseinandersetzung, die bis in die Gegenwart nicht ausgetragen ist. Mit dem Streit ist LUTHERS Lösung von dieser Art Humanismus höchster Erudition und adogmatischer moralisierender Frömmigkeit herbeigeführt, aber auch die Lösung eines beträchtlichen Teiles des Humanismus von der Reformation. Außer ERASMUS zogen sich viele andere Humanisten, die anfangs für die Reformation eingetreten waren, die jetzt aber ihre innere Entwicklung enttäuschte, von ihr wieder zurück.

Erst 1524 legte LUTHER die Mönchskutte ab und kleidete sich als Laie. Er war 42 Jahre alt, als er sich 1525 mit der sächsischen Landadeligen KATHARINA VON BORA (1499–1552), einer ehemaligen Zisterzienserinnen-Nonne, vermählte. Der Kurfürst wies ihnen Räume im Augustinerkloster als Wohnung zu. LUTHERS Gehalt betrug erst 300, dann 400 und 500 Gulden jährlich. LUTHER erwarb einen Bauernhof, den seine Frau mit viel Sorgfalt bewirtschaftete. Der Ehe entsprossen sechs Kinder. Zu ihnen nahm er in seine vierzellige Klosterwohnung elf verwaiste Neffen und Nichten und erzog sie.

LUTHER hielt nach seiner Verheiratung ein gastliches Haus, das häufig Gäste zu den Mahlzeiten aufnahm. Die dabei geführten *Tischreden* (in der Weimarer Ausgabe sechs Bände) betrafen die verschiedensten Dinge und Gegenstände, Kleines und Großes, öffentliches Leben und Theologisches, Ernstes und Heiteres. Hauptperson war selbstverständlich LUTHER. Was ihn gerade beschäftigte, wurde erörtert. Erbaten die Besucher seine Meinung über Sach- und Tagesfragen, gab er darauf Antwort, fröhlich und gutgelaunt, aber auch gereizt und verstimmt. In ihrer Gesamtheit gewähren die Tischreden sonst nirgends mögliche Einblicke in LUTHERS Denken und den Geist jener Zeit. Die Sprache ist eine gemütvolle Mischung aus deutscher und lateinischer Rede. Der erste, der mit der Niederschrift der Tischgespräche begann, war KONRAD CORDATUS, als er 1531 in LUTHERS Haus übersiedelte. Ihm folgten VEIT DIETRICH, JOHANN SCHLAGINHAUFFEN, LUDWIG RABE, ANTON LAUTERBACH, JOHANNES MATHESIUS und JOHANNES AURIFABER, der 1566 seine Sammlung veröffentlichte. Die Aufzeichner der *Tischreden* wußten selbstverständlich um die ‹Sermones convivales› eines PEUTINGER und die ‹Colloquia familiaria› des ERASMUS; neu ist hier, daß es sich nicht um erdachte, sondern um tatsächlich geführte Gespräche handelt.

Ähnlich unmittelbar wie die Tischreden sind LUTHERS Briefe. Der Reformator unterhielt einen ausgedehnten *Briefwechsel* (in der Weimarer Ausgabe bis jetzt elf Bände) in deutscher und lateinischer Sprache, von dem mehrere tausend Briefe und Gegenbriefe erhalten blieben. LUTHER war ein sehr geschickter Briefschreiber, der über alle Stimmarten verfügte, Herzlichkeit und Heftigkeit, Sanftmut und Derbheit, Frische und Natürlichkeit, Ernst und Scherz, Freude und Schmerz. Nirgends kann man den Menschen LUTHER besser kennenlernen als in seinen Gesprächen und Briefen. Kostbarkeiten sind die Schreiben an seine Kinder.

In weitem Ausmaß durch Nachschriften überliefert sind ferner LUTHERS zahlreiche *Predigten*, die er gehalten hat, und seine akademischen *Vorlesungen* an der Universität Wittenberg. Die etwa 2000 bekannten Kanzelreden arbeiten formal zunächst noch mit dem vierfachen Schriftsinn der Spätscholastik und Allegorese, sind Homilien, die den Text mitunter dialogisierend und fast immer sehr anschaulich im Hinblick auf die Gemeinde und die Zuhörer auslegen. Der Inhalt der Verkündigung ist nahezu allein die *iustificatio de fide* und Christus als *deus praedicatus*.

An großen Vorlesungen hat man von LUTHER solche über den Galaterbrief (1531; gedr. 1535), über die Propheten Jona (1526), Sacharja (1527), Jesaja (1527–1529; gedr. 1532 und 1534) u. a.; und die große Vorlesung über die Genesis (1535–1545).

Neben und außer den Einzeldrucken von LUTHERS Veröffentlichungen veranstaltete man das ganze Reformationszeitalter hindurch *Sammelausgaben* von LUTHER-Schriften. Die erste solche Sammelausgabe redigierte WOLFGANG CAPITO. Sie enthält nur lateinische Schriften und erschien (o. O. u. J.) bei dem Drucker JOHANNES FROBEN in Basel 1518. Einen Nachdruck verlegte 1520 MATTHIAS SCHÜRER in Straßburg, eine erweiterte Ausgabe ANDREAS CRATANDER zu Basel 1520, eine abermals erweiterte, von KONRAD PELLIKAN redigierte Folioausgabe ADAM PETRI in Basel. Die erste Sammelausgabe deutscher LUTHER-Schriften verlegte ANDREAS CRATANDER als ‹Mancherlei Büchlin und Tractätlin› LUTHERS, Basel 1520. Vor Inangriffnahme einer auf Vollständigkeit bedachten LUTHER-Ausgabe erschien außer Thesen- und Predigtsammlungen ein ‹Register› der bisherigen LUTHER-Schriften (1527 und 1533). Die sodann mit LUTHERS Einwilligung veranstaltete Gesamtausgabe seiner nach sachlichen Gesichtspunkten geordneten Schriften wurde in eine deutsche und eine lateinische Reihe gegliedert. Die erstere umfaßt zwölf Bände (Wittenberg 1539–1559), die zweite sieben Bände (Wittenberg 1545–1557). Die Ausgabe wurde bis 1603 aufgelegt. Da Gnesiolutheraner, besonders NIKOLAUS AMSDORFF, mit dieser nach LUTHERS Tod geistig von MELANCHTHON und den Philippisten bestimmten Ausgabe nicht zufrieden waren, wurde auf Befehl des Kurfürsten JOHANN FRIEDRICH († 1554) als Konkurrenzunternehmen die sog. Jenaer Ausgabe ins Leben gerufen. Sie enthält eine deutsche Reihe mit acht Bänden (Jena 1555–1558) und eine lateinische Reihe mit vier Bänden (Jena 1556–1558). Die Anordnung der Schriften erfolgte nach zeitlichen Gesichtspunkten. Die Ausgabe stand bis ins 19. Jahrhundert bei der Wissenschaft in Benutzung. Eine (unvollendete) Ergänzung der beiden

Gesamtausgaben veröffentlichte JOHANNES AURIFABER in zwei Bänden (Eisleben 1564 f.). Von AURIFABER stammt auch die erste lateinische LUTHER-Briefausgabe in zwei Bänden (1556–1565) und die erste deutsche Tischreden-Ausgabe (1566).

Um die Zeit 1525/1526 war der geistige Ausbau von LUTHERS *Theologie* im wesentlichen abgeschlossen. LUTHERS theologisches System erwuchs aus frühchristlichen und spätmittelalterlichen Gedankenbereichen, aus persönlichen Seelenerfahrungen sowie mystischem Gedankengut zu einer Theologie von eigener Prägung und Geladenheit. An theologischen Einwirkungen sind nachgewiesen: der Ockhamismus und Nominalismus, der im Orden wirksame Augustinismus, GREGOR VON RIMINI, GABRIEL BIEL, PIERRE D'AILLY; auf STAUPITZ geht wohl der entschiedene Christozentrismus zurück. Ihren Lebenskern hat LUTHERS Theologie in der Lehre von der Rechtfertigung.

In der kurzen Selbstbiographie ‹Rückblick auf das Leben› vom Jahre 1545 sagt LUTHER, er habe vor Beginn der zweiten Psalmenvorlesung (im Turm des Klosters in Wittenberg; *Turmerlebnis,* 1513/14) gelernt, die Gerechtigkeit Gottes (Röm. 1, 17) nicht philosophisch von der Strafgerechtigkeit zu verstehen, sondern von der Gnadengerechtigkeit. Die menschliche Natur sei nach dem Sündenfall zwar intakt geblieben, doch die Gottebenbildlichkeit ist dem Menschen abhanden gekommen. Sie wird in der Erlösung, dem freien Werk Gottes, durch Christus wiedergewonnen. Nicht gute Werke, sondern allein der Glaube an ihn vermögen den Sünder vor Gott zu rechtfertigen. Dieser Gerechtigkeitsauffassung fügte LUTHER 1516–1518 die Lehre hinzu, daß sich aus diesem Fiduzialglauben für den Christen die Gewißheit des Heils ergäbe. Die weiteren Konsequenzen waren die Aufgabe jeder Vermittlung zwischen Gott und dem Menschen durch Priestertum, Hierarchie, Opfer und Sakrament, ein neuer Begriff der Kirche, eine neue Sakramentenlehre, die Lehre vom allgemeinen Priestertum. Anstelle der Kirche tritt hinsichtlich der Lehrautorität und der Gnadenvermittlung die Bibel. Sie ist nur mehr in ihrem wörtlichen Sinn zu verstehen und bedarf keiner kirchlichen Erklärung. Gott selbst übt in der Kirche durch das Wort und die Sakramente das geistliche Regiment aus. LUTHER baute 1517–1521 seinen neuen Kirchenbegriff vom Worte Gottes her. Das Evangelium konstituiert das Reich Christi; die Kirche ist weder durch Gesetze zu regieren noch ist sie durch Rechtsunterschiede personell gestuft. Das Evangelium ist das allen Christen gemeinsame Recht. Die beiden Grundfaktoren der evangelischen Kirchenordnung sind die Verkündigung des Evangeliums und das Priestertum aller Getauften. Die Kirche ist keine Rechtskirche mehr, sondern verwaltet Wort und Sakrament als Heilmittel. Die Gemeinschaft der Gläubigen unterliegt der *lex caritatis.*

LUTHERS Lehre mit ihrer Verwerfung von Fegefeuer und Fürbitte für die Verstorbenen, Aufhebung der Werkheiligkeit, die im mittelalterlichen Frömmigkeitsleben eine so große Rolle spielte, mit der Ablehnung des päpstlichen Primates, Abwertung und Abschaffung des Zölibates und des Klosterlebens, Negierung eines eigenen Priesterstandes, Verwerfung der Scheidung von Klerus und Laien, mit der weitgehenden Änderung des

Kultus (Prävalenz der Predigt, Bekenntnis, Abendmahl) führten zu einer radikalen Umgestaltung des christlichen Lebens und der sozialen Ethik. Seine Nachwirkung hat in alle Lebensbereiche ausgestrahlt.

Obwohl LUTHER von Haus aus keineswegs eine neue Kirche begründen wollte, sah er sich von 1525 an genötigt, an den Aufbau einer *evangelischen Kirche* zu gehen. Der Reichstag von Speyer 1526 bot die rechtliche Möglichkeit, Landeskirchen einzurichten. Ende 1526 begann LUTHER die Erneuerung des Gottesdienstes: Deutsche Messe (1526). Für den Glaubensunterricht schrieb er Katechismen (vgl. S. 38 f.).

Weitere innerreformatorische Meinungsverschiedenheiten veranlaßten LUTHER, Mitte 1526 in den Abendmahlstreit einzugreifen und seine Auffassung gegen ZWINGLI, OEKOLAMPADIUS und SCHWENCKFELD zu verteidigen: ‹Vom Abendmahl Christi, Bekenntnis› (1528). Herbst 1529 beteiligte er sich am Marburger Religionsgespräch zur Beilegung der theologischen Gegensätze zwischen den Wittenbergern und den Schweizern. Während des Augsburger Reichstages 1530, auf dem die evangelischen Landesherren und Städte im ‹Augsburger Bekenntnis› ihren Glauben öffentlich vertraten, hielt LUTHER – als Geächteter konnte er nach Augsburg nicht mitgenommen werden – sich auf der Veste Coburg auf. Von dort schrieb er eine Reihe bedeutender Briefe und verfaßte die ‹Auslegung des 118. Psalms›. Als die Reichstagsverhandlungen eine kriegerische Lösung der kirchlichen Wirren befürchten ließen, schrieb LUTHER die ‹Warnung D. M. Luthers an seine lieben Deutschen› (gedr. 1531).

Während seines Aufenthaltes auf der Coburg 1530 ging LUTHER auch an die Übersetzung der *äsopischen Fabeln*. Er dachte dabei an ein Kinder- und Schulbuch, aber auch an einfache Leute. Weil HEINRICH STEINHÖWEL seiner Äsop-Übersetzung (Ulm 1476–1480) nach LUTHERS Meinung unzüchtige Zutaten beigegeben hatte, wollte er die Fabeln selbst eindeutschen. Während STEINHÖWEL noch einfach übertragen hatte, arbeitet LUTHER die Fabeln in freier Weise um und formt die Stoffe in anschaulichem und natürlichem Ausdruck. An den Schluß fügt er unaufdringlich die herkömmliche Nutzanwendung. Im ganzen wurden nur 13 Stücke verdeutscht.

In den Jahren 1532 bis zu LUTHERS Tod erfolgte ein weiteres Fortschreiten der *Reformation*. LUTHER setzte sich erneut mit dem Täufertum auseinander. Durch die Verständigung (Konkordie) in der Abendmahlfrage mit BUCER (1536) wurde Süddeutschland wieder dem Luthertum zugeführt. JOHANNES AGRICOLAS antinomistische Gesetzesdeutung («Decalogus gehört auf das Rathaus, nicht auf den Predigtstuhl») wurde abgewehrt. Verständigungsversuche der alten Kirche wurden immer aussichtsloser; 1535 erklärte LUTHER dem Nuntius PIER PAOLO VERGERIO D. J., er sei bereit, zu einem allgemeinen Konzil zu erscheinen, halte es aber für zwecklos. Die Einberufung des Konzils nach Mantua (1536) veranlaßte LUTHER zur Abfassung der 23 ‹Schmalkaldischen Artikel›, in denen die dogmatischen Unterschiede nochmals hervorgehoben wurden. Seinen eigenen Kirchenbegriff legte er eingehend in der Schrift ‹Von den Konzilien und Kirchen› (1539) dar. In die Polemik zwischen Herzog HEINRICH VON BRAUNSCHWEIG-WOLFENBÜTTEL und PHILIPP VON HESSEN griff LUTHER mit der gegen den ersteren gerichteten leidenschaftlichen Streitschrift ‹Wider Hans Worst› (1541) ein. Aus Anlaß der Einberufung des Konzils von Trient faßte er seinen Lebenskampf zusammen in der Schrift ‹Wider das Bapstum zu Rom, vom Teuffel gestifft› (1545), begleitet von neun derben Kampfbildern aus der Werkstatt des LUKAS CRANACH.

LUTHER war eine dynamische Persönlichkeit von weltgeschichtlicher Bedeutung, ein zutiefst aus dem christlichen Glauben des Spätmittelalters handelnder Mensch. Auch seine Gegner erkennen die religiöse Veranlagung, außerordentliche Begabung, Gemütstiefe, Phantasie und Sprachgewalt an. Seine seelischen Kämpfe erwecken tiefstes Mitempfinden. Er zeigt die Gegensätze von zarter Innigkeit und Grobianismus, konservativem Festhalten an der Überlieferung und Drang zu umstürzenden Neuerungen, eigene Glaubenserfahrung und Dogmatismus. Ein Hauptzug seines Charakters war ein zäher und unbeugsamer Wille. Er liebte Lied und Musik und war kraftvoll im Zorn und scharf in der Polemik. Seine Wirkung auf die Menschen war tief und nachhaltig. Auch LUTHERS Denken war einer Genesis unterworfen und seine Theologie zeigt auch in den späteren Jahren noch Wandlungen. Manche seiner Äußerungen waren bedingt durch die Situationen, in die er hinein geriet. Im allgemeinen aber kennzeichnet seine Theologie eine durchhaltende Einheit und Strukturganzheit. LUTHER steht an der Schwelle der Neuzeit, die durch ihn in hohem Maße bestimmt wurde. Durch LUTHER und die Reformation wurde die bisherige Alleinberechtigung der katholischen Kirche in den germanischen Ländern aufgehoben und ihre entscheidende Verbindung mit allen Gebieten des öffentlichen und kulturellen Lebens gelöst. LUTHER kamen die politischen Vorgänge sehr entgegen: Nur während des 25jährigen Krieges zwischen dem Wormser Reichstag 1518 und dem Schmalkaldischen Krieg war die Brechung des Totalitarismus der mittelalterlichen Kirche möglich. LUTHER und die Reformation bewirkten die Zerschlagung des hierarchisch sakramentalen und judizialen Machtapparates der Kirche, bewirkten ein neues Berufsethos und brachten den Gedanken der christlichen Freiheit. Anstelle der Einheitskirche treten allerdings mehrere konfessionelle Kirchen und kirchliche Sonderbildungen. Die mittelalterliche Kirche war auch eine Rechtskirche, die reformatorischen Neubildungen sind reine Glaubenskirchen.

Mitentscheidend für die Ausbreitung der Reformation war, daß es LUTHER gelang, eine Anzahl begabter Mitarbeiter zu gewinnen, die wie er selbst von der Gewalt der neuen religiösen und moralischen Forderungen durchdrungen waren.

b) Gestalten um und neben Luther: Philipp Melanchthon, Johannes Bugenhagen, Veit Dietrich, Andreas Karlstadt, Martin Bucer, Johannes Agricola

Während die eine Gruppe der *Humanisten* wie ERASMUS, PIRCKHEIMER, REUCHLIN nach anfänglicher Zustimmung sich von der Reformation wieder abwandten, kam es mit dem anderen Teil zu einer dauernden Verbindung. Sie wird am wirksamsten verkörpert durch MELANCHTHON, einen Gelehrten und Pädagogen, der das Leben in Maß und Ordnung einfangen möchte, der die Werke der Vergangenheit nicht vergessen kann und das Neue nur zaghaft aufgreift und weiterführt, gleichwohl aber den Humanismus in den Protestantismus hineinrettet. Für MELANCHTHON war das klassische Erbe in erster Linie eine Quelle von Erkenntnissen, Mittel zur tieferen Erfassung der hl. Schrift und ethisches Bildungsgut. «Ich bin der grobe Waldrechter [etwa: Holzfäller], Philippus fährt fein säuberlich einher». Mit diesen Worten hat LUTHER die Verschiedenheit ihrer beider Wesensart umschrieben.

PHILIPP MELANCHTHON, SCHWARTZERT (1497–1560) stammte aus Bretten in der Pfalz, wo er als Sohn eines kurfürstlichen Rüstmeisters zur Welt kam, und war mütterlicherseits ein Großneffe REUCHLINS. Der Vater ließ für seinen Sohn von dem ihm befreundeten Astronomen JOHANNES VIRDUNG das Horoskop stellen. MELANCHTHON nahm die Aussage dieser ‹Nativität› zeitlebens sehr ernst.

Nach dem Besuch der Lateinschule zu Pforzheim 1508–1510 wurde er an der Universität Heidelberg Bakkalaureus und geriet unter den Einfluß WIMPFELINGS und seiner Freunde. Als er in Tübingen 1514 den Grad eines *magister artium* erlangt hatte, entfaltete er als Konventor an der Burse der Realisten seine erste Lehrtätigkeit; nach BEBELS Tod erhielt er auch dessen Lehrauftrag für Eloquenz. Gleichzeitig arbeitete er als Korrektor in der Druckerei des THOMAS ANSHELM. Dort hatte er das etwas wirre Manuskript der ‹Weltchronik› des JOHANNES NAUKLERUS-VERGENHANS in Ordnung zu bringen. Als Folge der Arbeit stellte er in einer ‹Rede über die Septem artes liberales› (1517) neben die Dichtung die Bedeutung der Geschichte. In Tübingen gewann MELANCHTHON OEKOLAMPADIUS und AMBROSIUS BLARER zu Freunden und studierte mit ihnen die Schriften des ERASMUS. OEKOLAMPAD wies ihn auf das damals (Löwen 1515) neu erschienene Werk des RUDOLF AGRICOLA ‹De inventione dialectica› (vgl. Bd. IV/1, S. 490 ff.) und gab damit für die Zukunft bedeutsame Anregungen. An AGRICOLA lernte MELANCHTHON eine bestimmte Methode der wissenschaftlichen Arbeit: Erst die Grundbegriffe *(loci)* festzustellen, dann die Hauptgesichtspunkte aus ihnen abzuleiten, wie der Zusammenhang zu bestimmen und in welcher Ordnung das Thema zu behandeln sei. Auf Empfehlung REUCHLINS erhielt MELANCHTHON 1518 einen Ruf als Professor für Hebräisch und Griechisch an die Universität Wittenberg. In der Antrittsvorlesung ‹De corrigendis adolescentiae studiis› entwickelte er

seine Ansichten über eine Reform der Studien und das Programm eines bibel-
nahen Humanismus. Person und Ansichten fanden sofort den Beifall LUTHERS.
Es kam zur Freundschaft und Zusammenarbeit mit LUTHER. MELANCHTHON beteiligte sich an der Leipziger Disputation und trat in seinen Vorlesungen für
die Reformation ein. Nachdem er 1519 das theologische Bakkalaureat erworben
hatte, erfolgte seine Aufnahme in die theologische Fakultät. Auf den Reichstagen in Speyer, Augsburg etc. und bei den Religionsgesprächen in Marburg etc.
fungierte er als Vertreter Kursachsens und der evangelischen Stände. Auf dem
Frankfurter Konvent 1539 traf er zum erstenmal mit dem noch jungen CALVIN
zusammen.

Die Frucht der Lehrtätigkeit und Verlagsarbeit waren Schul- und Lehrbücher: eine neue TERENZ-Ausgabe (1516), eine griechische Grammatik,
‹Institutiones Grammaticae Graecae› (1518 u. ö.). Wohl noch in Tübingen hatte MELANCHTHON zwei Schriften zur Artesliteratur auszuarbeiten
begonnen, die er nun veröffentlichte: ‹De rhetorica› (Wittenberg 1519;
neue Bearbeitung 1531), eine Rhetorik, und ‹Compendiaria dialectices
ratio› (Wittenberg 1520; Hagenau 1521; Wittenberg 1528 u. ö.), eine Dialektik.

Rhetorik ist für MELANCHTHON die Kunst, richtig und schön zu reden. Die
Dialektik lehre die genaue und methodische Durchforschung eines jeden Themas, ihre Anwendung bringe überall Licht und Ordnung hinein. Beide Werke
wurden in den folgenden Jahren in zahllosen Exemplaren verbreitet. In der Dialektik betonte MELANCHTHON besonders die *inventio* (Erfindung des Stoffes);
im Abschnitt *De locis communibus* (Über die Grundbegriffe) faßte er im Sinne
RUDOLF AGRICOLAS seine Ansicht zusammen: Ein Grundbegriff ist ein allgemeines Kennzeichen, mit dessen Hilfe man feststellen kann, was bei jedem
Gegenstand hervorgehoben werden soll.

Diese Methode übertrug nun MELANCHTHON auf das theologische Gebiet, um auch hier das Wichtigste hervorzuheben und zu erklären. Das
Ergebnis waren seine ‹Loci communes rerum theologicarum seu hypo-
typoses theologicae›, kurz ‹Loci theologici› genannt (wichtigste Redaktionen 1521, 1535, 1543, 1559; 18 Auflagen in vier Jahren). Im Anschluß an
LUTHERS Rechtfertigungslehre bildeten die ‹Loci› zunächst das reformatorische Gegenstück zur ‹Ratio seu Methodus› des ERASMUS (1518). Da
MELANCHTHON die verschiedenen Neuauflagen immer wieder umarbeitete,
spiegelt das Werk auch den Wandel seiner theologischen Haltung. Es ist
MELANCHTHONS Hauptwerk und *das dogmatische Grundbuch des Luthertums,* das schließlich eine systematische Gesamtdarstellung der christlichen Lehre von Sünde, Gnade, Gesetz und Glauben gab, in allen Einzelheiten bestimmt von der reformatorischen Glaubensüberzeugung und in
Übereinstimmung gebracht mit den Wahrheitsmomenten der Philosophie; Schwärmerei und Antitrinitariertum wurden verworfen; alle Theologie ist nur Schriftstudium. MELANCHTHON wollte aus Kirchenvätern und
Konzilien die gesamtchristliche Wahrheit aller Zeiten erweisen. Er gab
den Gedanken LUTHERS die lehrmäßige, einprägsame Formulierung. Für

ihn stand LUTHER in der Reihe der Kirchenväter; durch ihn habe Gott die Kirche zu den reinen Quellen zurückgeführt. Nach MELANCHTHONS Tod besorgte JOHANNES MANLIUS 1563 eine lateinische und 1565 eine deutsche Ausgabe von ‹Locorum Communium Collectanea›. Die erste reformatorische Schrift MELANCHTHONS war eine Verteidigungs-Rede für LUTHER. Als der Dominikaner und Professor der Theologie an der päpstlichen Hochschule in Rom THOMAS RADINUS († 1527) gegen LUTHER eine Schrift ‹Ad Principes et populos Germaniae in Martinum Lutherum nationis gloriam violantem Oratio› (Rom 1520, Leipzig 1520 u. ö.) richtete, hielten sie LUTHER und MELANCHTHON für ein pseudonymes Werk EMSERS. In dieser Annahme verfaßte MELANCHTHON unter dem Decknamen DIDYMUS FAVENTINUS eine ‹Oratio pro Martino Luthero› (Wittenberg 1521). RADINUS antwortete darauf mit einer zweiten ‹Oratio› (1522). Gegen die Angriffe auf LUTHER aus Paris wandte MELANCHTHON sich in der ‹Apologia pro Luthero adversus furiosum Parisiensium theologastrorum decretum› (1521).

Die Unruhen in Wittenberg 1521/22 führten zu einer Krise in MELANCHTHONS Leben. Er war den Schwärmern und Täufern, vorab den Zwickauer Propheten und KARLSTADT nicht gewachsen. Über den immer wieder zum Ausgleich bereiten Mann gingen die – wenn auch losen – Verbindungen zur katholischen Kirche. Im Sommer 1524 schickte der päpstliche Legat CAMPEGGI zu MELANCHTHON, der in Bretten weilte, seinen Sekretär FRIEDRICH NAUSEA. Während der Bauernunruhen 1525 schlugen die Bauern MELANCHTHON als Schiedsmann zwischen ihnen und den Herren vor. Bei der Prüfung der ‹Zwölf Artikel› war er bereit, einige Forderungen der Bauern als berechtigt anzuerkennen, vertrat aber die Meinung, daß die Bauern durch das ‹natürliche Gesetz› zu den hergebrachten Lasten verpflichtet seien und dazu rechnete er die Leibeigenschaft. MELANCHTHON suchte auch den Streit über die Willensfreiheit zwischen LUTHER und ERASMUS zu verhindern und ließ 1528 seine Verbindung zu ERASMUS wieder aufleben. Als Idealist meinte er immer wieder, es müßte eine mittlere Linie geben, auf der sich alle *boni ac docti,* alle Gutgesinnten und Gebildeten, begegnen könnten.

Im selben Jahr 1528, als MELANCHTHON Kontakt zu ERASMUS suchte, geriet er selbst in einen Konflikt mit JOHANNES AGRICOLA über die Wittenberger ‹Visitationsartikel› (kollegiale Aufsicht oder landesherrliches Kirchenregiment) und verfaßte gegen AGRICOLA den ‹Unterricht der Visitatoren› (1528). – Als christlicher Humanist und konservativer Lutheraner war MELANCHTHON besonders geeignet zum Verfasser der ersten lutherischen Bekenntnisschriften. Eine innerprotestantische Konkordie hielt er für eine Voraussetzung der gesamtkirchlichen Union. Er formulierte die Schwabacher Bekenntnisartikel der Protestanten und für den Augsburger Reichstag 1530 die ‹Confessio Augustana›, das ‹Augsburger Bekenntnis›, sowie dessen ‹Apologie› (beide gedr. 1531).

Im ‹Bekenntnis› werden in 28 Artikeln die einzelnen Glaubensfragen erörtert und von der Rechtfertigungslehre her beleuchtet: 1 bis 6 handeln vom Heilswirken Gottes, 7 bis 17 von der Kirche und den Gnadenmitteln, 18 bis 21 von der Ursache der Sünde, von den guten Werken und von der Verehrung der Heiligen, 22 bis 28 von den Mißbräuchen. «Das ist die Summe unserer Lehre, die nichts enthält, was mit der Schrift, mit der katholischen Kirche, auch mit der römischen Kirche nicht übereinstimmt», sagte er darüber selbst.

Als die altgläubigen Stände dagegen ihre ‹Confutatio›, ‹Widerlegung› (verfaßt von Eck, Fabri, Cochlaeus u. a.) vorbrachten, ergab sich die Notwendigkeit, die ‹Confessio› in einer ‹Apologie› näher zu begründen. Immer wieder verhandelte er in versöhnlichem Geiste mit den Katholiken über eine Einigung. Auch nach 1530 wollte er die Glaubenseinheit der abendländischen Christenheit und die politische Einheit des Reiches festhalten. Er ist gegen die evangelische Bündnispolitik Zwinglis, weil sie gegen Kaiser und Reich ging.

Als Theologe stellte Melanchthon echt humanistisch neben die Bibel die Vätertheologie und die altkirchlichen Symbole, als Ergänzungen und Interpretationshilfen, aber doch von der Bibel als Autorität bestimmt und begrenzt. Grundlegend für die Formulierung des evangelischen Rechtfertigungsbegriffes wurde Melanchthons Neubearbeitung des Kommentars zum Römerbrief (1532). Im Hinblick auf die Einigungsverhandlungen widmete er das Werk dem Kardinal Albrecht von Mainz. Melanchthons Schrift ‹De ecclesia et de autoritate verbi Dei› (1539), ‹Von der Kirche und der Autorität des Wortes Gottes› war die erste Dogmengeschichte vom protestantischen Standpunkt. Melanchthons Humanismus und seine Bereitwilligkeit zu Konzessionen führten öfter zu Auseinandersetzungen mit Anhängern der Reformation. Dabei schmerzte es ihn besonders, wenn frühere Schüler, wie Flacius Illyricus, gegen ihn auftraten. Gegen seinen ‹Commentarius de anima› (Wittenberg 1540 u. ö.) verfaßte Veit Amerbach (vgl. S. 95) ‹Quattuor libri de anima› (1542). Seine Duldung gewisser als *Adiaphora,* Mitteldinge, bezeichneter katholischer Bräuche und seine katholisierende Stellung in der Frage der Notwendigkeit der guten Werke gaben ebenfalls Anlaß zu innerprotestantischen Konflikten. Melanchthon ließ auch später niemals den Unionsgedanken fallen. Er empfahl, das Konzil von Trient zu beschikken, verfaßte hiefür die ‹Repetition der Augsburger Konfession› oder ‹Confessio Saxonica› (1551) und war bereit, selbst dahin zu gehen. Beim Wormser Religionsgespräch 1557 erfuhr er heftigste Gegnerschaft. Die letzte Schrift war die ‹Responsio an die bayrische Inquisition› (1559), gegen einen Fragebogen der Jesuiten an die Evangelischen, und nebenher auch gegen die Flacianer, Täufer und Antitrinitarier. Noch auf dem Totenlager betete er für die Einigkeit der Kirche.

Melanchthon gilt als der *praeceptor Germaniae,* der Lehrer Deutschlands, genauer: der Schöpfer der protestantischen Gelehrtenschule, sowohl der vorbereitenden Lateinschule wie der vollendeteren Formen in den Großstädten; ebenso war er an der Reform und der Neugründung mehrerer Universitäten maßgebend beteiligt. Die Ziele der höheren Schule legte er in der ‹Ratio scholae Norimbergae nuper institutae› (1526) nieder: *humanitas christiana*, das im christlichen Sinn verklärte und vollendete Menschentum der Antike. Er sicherte dabei den mathematisch-naturwissenschaftlichen Fächern ihren Platz. MELANCHTHON ist der Vater der protestantischen Schulphilosophie, in der der echte ARISTOTELES im Mittelpunkt steht, aber in der Erkenntnislehre von PLATO und in der Ethik von der Stoa und CICERO flankiert wird. Erfüllt von unbegrenzter Hochachtung vor den Werten der Wissenschaft und Bildung hat er für sämtliche Zweige der Philosophie, für Dialektik, Psychologie, Ethik, Physik usw. Lehrbücher verfaßt und Kommentare zu vielen antiken Schriftstellern. Auch eine Ausgabe und Untersuchung der ‹Germania› des TACITUS sind darunter; dem Text voraus stellte er HUTTENS Dialog ‹Arminius›. Die Lehrbücher für den Elementarunterricht haben sich bis ins 18. Jahrhundert behauptet.

Ein Kupferstichporträt MELANCHTHONS hat 1526 DÜRER angefertigt. Es zeigt «den etwas ungepflegten Philologen mit der schönen Stirn und dem seelenguten leuchtenden Auge» (H. WÖLFFLIN). Gleichzeitig übernahm DÜRER etwas idealisiert MELANCHTHONS Züge in den Kopf des Johannes auf dem Bilde der ‹Vier Apostel›. Eine Lebensgeschichte MELANCHTHONS verfaßte JOACHIM CAMERARIUS.

Im Geiste MELANCHTHONS wirkten als Schulmänner VALENTIN TROTZENDORF (1490–1556) zu Goldberg in Schlesien, HIERONYMUS WOLF (vgl. S. 300) in Augsburg, JOHANNES STURM in Straßburg u. a.

Auf MELANCHTHONS freiere theologische Einstellungen geht zurück der *Philippismus* oder *Kryptocalvinismus* des 16. Jahrhunderts. Seine Anhänger waren mit der lutherischen Abendmahlslehre unzufrieden und neigten insgeheim mehr den Anschauungen CALVINS zu. Nach LUTHERS Tod breiteten die Philippisten sich namentlich an den Universitäten Wittenberg und Leipzig aus. Nach MELANCHTHONS Tod wurde sein Schwiegersohn, der Mediziner KASPAR PEUCER, die Hauptstütze der Philippisten.

Schüler LUTHERS und MELANCHTHONS war JOHANNES MATHESIUS (1504 bis 1565) aus Rochlitz in Sachsen. Er studierte in Ingolstadt und Wittenberg, wo ihn 1540–1542 LUTHER in seine Nähe zog, und amtete später als Schulrektor und Pfarrer in Joachimsthal. Von ihm sind ca. 1500 Predigten gedruckt. Davon sind die 17 LUTHER-Predigten (1562–1565) von besonderer Bedeutung, weil sie die erste protestantische LUTHER-Biographie des 16. Jahrhunderts darstellen. Als kultur- und sprachgeschichtlich wertvoll gelten ferner seine 16 Bergwerkspredigten ‹Sarepta› (1552–1562).

Nächst MELANCHTHON als der bedeutendste Mann in der Umgebung LUTHERS gilt JOHANNES BUGENHAGEN, POMERANUS (1485–1558) aus Wollin. Er begab sich nach dem Erscheinen der ersten Schriften LUTHERS 1521 nach Wittenberg, wurde dort 1523 zum Stadtpfarrer gewählt und wirkte

als Professor an der Universität und als religiöser Schriftsteller. Von
LUTHER sehr bald enger Freundschaft gewürdigt, blieb er zeitlebens des-
sen Seelsorger, Beichtvater und Berater; er hat 1525 LUTHER getraut und
hielt ihm 1546 die Grabrede. Gemäß seiner Begabung betätigte BUGEN-
HAGEN sich vor allem als Organisator des evangelischen Kirchen- und
Schulwesens in Norddeutschland und Dänemark. Seine reiche literarische
Tätigkeit erstreckte sich auf Bibelkommentare (zu den Psalmen, zum
Deuteronomium, zu den Büchern Samuel, Jona, den Paulinischen Briefen), eine Anzahl volkstümlicher Schriften zum religiösen Leben, zur Polemik gegen ZWINGLI und die Taufgesinnten, weiters auf die Mitarbeit
an LUTHERS Katechismuswerk, besonders aber auf die Bibelübersetzung
ins Niederdeutsche.

Von 1527–1534 als LUTHERS Sekretär, Haus- und Tischgenosse lebte in
Wittenberg VEIT DIETRICH (1506–1549) aus Nürnberg, enger Freund
MELANCHTHONS. Er begleitete 1529 LUTHER nach Marburg und 1530 auf
die Coburg. Von DIETRICH stammen für die LUTHER-Überlieferung wichti-
ge Sammlungen von Tischreden, Briefen, Konzepten und Nachschriften
von Vorlesungen und Predigten des Reformators. Seit 1535 wirkte er als
Prediger bei St. Sebald in Nürnberg. Aus dieser Zeit stammen von eigenen
Werken das ‹Agendenbüchlein› (1543), die ‹Summaria über die ganze
Bibel› (1545), die ‹Kinderpostille› (1546) u. a.

Als in Rom geschulter, strenger Thomist war 1505 ANDREAS BODEN-
STEIN GEN. KARLSTADT (ca. 1477–1541) nach Wittenberg gekommen,
wo er 1510 Prälat am Allerheiligenstift wurde und eine Professur an der
Universität versah. Anfangs zu LUTHER kühl, ja ablehnend, führten ihn
ein intensives AUGUSTINUS-Studium und humanistisch-mystische Einflüsse
zum Bruch mit der Scholastik thomistischer Richtung und in LUTHERS
Nähe. Sein Eingreifen in den Streit LUTHERS mit ECK veranlaßte die
Leipziger Disputation. Während aber für LUTHER der Gegensatz von
Gesetz und Evangelium das Wesentliche war, blieb für KARLSTADT der
Gegensatz von Gesetz und Geist grundlegend. Zu Differenzen kam es,
als KARLSTADT in Wittenberg radikale Folgerungen aus der neuen Lehre
zog, eine Änderung des Gottesdienstes durchführte und einen Umsturz
der kirchlichen Ordnungen anbahnte: Er hielt zu Weihnachten 1521 als
erster öffentlich deutschsprachige Abendmahlfeiern unter beiderlei Gestalt, wirkte mit an der ‹Ordnung der Stadt Wittenberg›, die das Kirchenwesen regelte, und forderte in der Schrift ‹Von Abtuhung der Bilder und das keyn bedtler vnther den christen seyn sollen› (Wittenberg
1522) die Entfernung der Bildwerke aus den Kirchen. LUTHER mußte
von der Wartburg nach Wittenberg gerufen werden und die Ordnung
wiederherstellen. Um diese Zeit machte KARLSTADT eine entscheidende
innere Wandlung durch. Er verzichtete auf seine priesterlichen Vor-
rechte, legte die Doktortitel (theol. et iur. utr.) ab, ließ sich ‹Bruder›

oder ‹Nachbar Andres› nennen, kleidete sich wie ein Bauer und ver-
richtete grobe Arbeit, weil er sich schämte, bisher «unverdient der
Armen Brot gegessen» zu haben. Auf seiner Pfarrei Orlamünde reformierte er in seinem Sinn den Gottesdienst, schuf die Kindertaufe ab,
beseitigte Bilder und Orgeln und trug das Seine bei zum Abendmahlstreit zwischen LUTHER und ZWINGLI. Nachdem er in Jena eine Reihe
mystischer Traktate hatte drucken lassen, wurde er 1524 von LUTHER
öffentlich zur Rechenschaft gezogen und schließlich mit Weib und Kind
aus Sachsen vertrieben. LUTHER verfaßte gegen ihn die umfangreiche
zweiteilige Streitschrift ‹Wider die himmlischen Propheten, von den Bildern und Sakrament› (1524/25) und zeichnete KARLSTADT darin als
Schwärmer, Bilderstürmer und Aufrührer. In der wenig beachteten, aber
gehaltvollen Schrift ‹Anzeyg etlicher Hauptartikeln Christlicher leere›
(Rothenburg o. d. T. 1525) setzte der Angegriffene sich zur Wehr. Als ein
von Problemen erfüllter Mensch, der zur strengen Verknüpfung von Lehre
und Ethos neigte, wollte er selbst ein ‹Nachfolger Christi› sein, dem daran
lag, daß die religiöse Wiedergeburt des Menschen nach Absterben des
Eigenwillens erfolge. Er war überzeugt, der entscheidende Bibelsatz sei:
«An ihren Früchten sollt ihr sie erkennen». Nach der Unstäte und der
Not erhielt er zuletzt in der Schweiz durch ZWINGLI eine Pfarrei und 1534
eine Professur in Basel.

Einen eigenen Typus der reformatorischen Theologen prägte MARTIN
BUCER (1491–1551) aus Schlettstadt, Dominikaner, Weltpriester, Erasmianer, seit der Heidelberger Disputation 1518 Anhänger LUTHERS, dann
in der Nähe SICKINGENS, später in Straßburg tätig. BUCER war sowohl spät-
scholastisch wie humanistisch gut geschult. Sein Schriftwerk besteht aus
Publizistik und theologischer Auslegung, aus Berichten, Traktaten, Gutachten, Gesprächen, Bibelexegese und einer umfänglichen Korrespondenz,
vieles davon im Dienste der Reformation in Straßburg und Oberdeutschland und der Verständigung zwischen Luthertum und Zwinglianismus.
Unter BUCERS ersten Schriften befindet sich die Abhandlung ‹Das ym selbs
nymant, sondern andern leben soll› (Straßburg 1523). Die Grundzüge seiner Theologie, die viel erasmisches Erbe an sich hat, ersieht man aus
seinem Evangelienkommentar ‹In quattuor Evangelia enarrationes per-
petuae› (Straßburg 1527, 1530, 1536). Neun ‹Dialogi oder Gesprech von
der gemainsame vnnd den Kirchenübungen der Christen. Vnd was yeder
Oberkait von ampts wegen, auß Göttlichem befelch an denselbigen zů-
ersehen vnd zu bessern gebüre› erschienen Augsburg 1535. Die vorerst in
zahlreichen Gutachten niedergelegten Gedanken über den Aufbau des
Kirchenwesens in Straßburg sind zusammengefaßt in der Schrift ‹Von der
wahren Seelsorge und vom rechten Hirtendienst› (Straßburg 1538).
BUCERS Aktivität und Schriften bewirkten naturgemäß Widerstand und
Gegenschriften von MURNER, ECK, COCHLAEUS, WITZEL, BARTHOLO-

MAEUS STEINMETZ, LATOMUS u. a. BUCER gilt an theologischer Originalität MELANCHTHON und ZWINGLI ebenbürtig, CALVIN überlegen. Aus seiner Theologie ist der Geist nicht wegzudenken. In seiner Schriftauslegung erweist er sich in der Betonung des Gesetzes, der Verbindung von Glauben und Werken, der Rechtfertigungslehre von ERASMUS abhängig. Berührung mit der Geistkirche zeigt sich, wenn für BUCER mit dem Vernehmen des Wortes das Wirken des hl. Geistes am Menschen beginnt. Der Geist erleuchtet die Menschen, die das Wort hören, führt sie zueinander und vermittelt ihnen die Gewißheit. Die Erwählten finden sich in der Kirche zusammen, um das Reich Gottes zu verwirklichen. BUCER stand im Abendmahlstreit und der Auseinandersetzung mit den Schwärmern und Täufern im Vordergrund. Als Organisator des Kirchenwesens in Straßburg betonte er im Gegensatz zum schwärmerischen Geistprinzip Amt, Wort und Sakrament. Als Einiger zwischen Wittenberg und Straßburg, d. h. zwischen den oberdeutschen Städten und dem Luthertum, war er an der ‹Wittenberger Konkordie› (1536) entscheidend beteiligt. Infolge seiner Ablehnung des Augsburger Interims und des Schmalkaldischen Krieges verlegte er seine Tätigkeit nach England, wo ihn THOMAS CRANMER freundlich aufnahm. Das Werk ‹De regno Christi› (Basel 1550) ist König HEINRICH VIII. gewidmet. Als königlicher Lektor der hl. Schrift in Cambridge starb er.

Neben BUCER wurde seit 1523 von Straßburg aus einer der Hauptförderer der Reformation im südwestdeutschen Sprachraum WOLFGANG CAPITO, KÖPFEL (1478–1541) aus Hagenau.

Er hatte von 1515 bis 1520 als Münsterprediger und Theologieprofessor in Basel gewirkt und war dabei in Beziehungen zu ERASMUS und dessen Reformideen gekommen. Von 1520 bis 1523 fungierte er als geistlicher Rat und Kanzler des Erzbischofs ALBRECHT VON MAINZ, seit 1523 besaß er die Propstei des Thomasstiftes in Straßburg. Zunächst zwinglianisch eingestellt, beteiligte er sich an der Berner Synode von 1532, verhalf jedoch auf der Synode zu Bern 1537 mit BUCER dem Luthertum zur Vorherrschaft; auch Sympathien zu den Täufern werden ihm nachgesagt.

Für CAPITOS stets auf Einigung bedachte Geisteshaltung ist bezeichnend, daß er 1533 die Schrift des ERASMUS ‹De sarcienda ecclesiae concordia› ins Deutsche übersetzte. Seine eigene Schrift ‹Responsio de Missa› (1537) unterstellt die Kirche völlig der Gewalt des Schwertes und dem Prinzip des Territorialsystems.

Daß die hussitische Tradition nicht vergessen wurde, dafür sorgte JOHANNES AGRICOLA, SCHNITTER (1494–1566) aus Eisleben, den Literaturgeschichten bekannt durch seine Sammlungen und Erläuterungen deutscher Sprichwörter. Er war Schüler und Freund LUTHERS, 1525 Schulmeister in Eisleben, 1536 in Wittenberg, 1539 Mitglied des Wittenberger Konsistoriums, 1540 Hofprediger in Berlin. AGRICOLA hatte an der Leipziger

Disputation teilgenommen und verfaßte einen Kommentar zu LUKAS
(1525). Etwas später ließ er die Märtyrergeschichte des JOHANN HUS erscheinen (1529) und übersetzte aus der von LUTHER veranlaßten und mit
einem Vorwort versehenen Ausgabe von ‹Epistolae› des HUS (1537) einige
Briefe: ‹Vier christliche Briefe des heiligen Märtyrers Johann Hus›, denen
eine ‹Wahrhaftige Beschreibung der letzten Handlungen, so mit Johann
Hus ist fürgenommen› beigegeben ist. Mit dieser Beschreibung stimmt im
Inhalt völlig überein AGRICOLAS ‹Tragedia Johannis Huss› (1537). AGRI-
COLA erblickte im Dekalog nur eine vorchristliche Zuchtordnung und kein
für die reformierten Christen mehr verbindliches Sittengesetz. Er wandte
sich daher im ersten antinomistischen Streit (1527) gegen MELANCHTHON
und richtete im zweiten antinomistischen Streit seine Angriffe gegen
LUTHER (1537).

3. Huldrych Zwingli und der Zwinglianismus.
Johannes Oekolampadius, Johann Heinrich Bullinger u. a.
Jean Calvin und der Calvinismus

Die Forderungen kirchlicher Reformer sowie Renaissance und Humanismus schufen auch die religiösen und geistigen Voraussetzungen der *Reformation in der Schweiz.* Der Umbruch setzte in Zürich ein. Die Hauptgestalt ist zunächst HULDRYCH ZWINGLI. LUTHER und seine Anhänger
gründeten die Reformation auf das dauernd neu schöpferisch wirkende
Wort, ERASMUS, die Humanisten und ZWINGLI hingegen auf die *lex
Christi* als religiöse und sittliche Norm. Zum großen Teil anders als
LUTHER, war ZWINGLI ein weltoffener, daseinsfreudiger Mensch, seelisch
nicht belastet durch bedrückendes Sündengefühl; ein Gelehrter und ein
Staatsmann und doch auch ein Gottesmann, dessen reformatorisches Wollen und theologisches Denken durchaus Eigenständigkeit aufweisen.

Für das äußere Leben HULDRYCH ZWINGLIS (1484–1531), geboren im Wild-
hauser Vorort Lisighaus als Sohn des Bürgermeisters ULRICH ZWINGLI und dessen
Ehefrau MARGARETHA BRUGGMANN, verw. MEILI, war bestimmend, daß er mit
fünf Jahren seinem Onkel, dem Dekan BARTHOLOMÄUS ZWINGLI, in Weesen am
Walensee, zur Erziehung übergeben wurde. Nachdem er ab 1494 in Klein-
Basel in die Elemente des Lateinischen eingeführt war, gab ihn der Onkel
nach Bern in die Schule HEINRICH WÖLFLINS. Nach einem Noviziatjahr bei den
Dominikanern bezog er 1498–1502 für vier Jahre die Universität Wien, wo
er in der Umgebung des CELTIS die lateinische Eloquenz und das Dichten
lernte und mit der humanistischen Musik vertraut wurde; 1502 aber kehrte
ZWINGLI nach Basel zurück, wo er zwischen 1504 und 1506 die Grade der
Artistenfakultät erwarb. Mit humanistischen Gelehrten, wie WOLFGANG CAPITO
und KONRAD PELLIKAN, und den Druckereien stand er in naher Verbindung. Seit
1506 studierte ZWINGLI in Basel Theologie, wurde 1506 Priester, war 1506–1516
Pfarrer in Glarus, zog von dort 1513 und 1515 als Feldgeistlicher nach Italien,

war 1516–1518 Kommissar, d. i. Seelsorger, im Kloster Einsiedeln, Ende 1518 Münsterpfarrer in Zürich.

Für den inneren Werdegang ZWINGLIS ist wesentlich, daß er in Bern, Wien und Basel mit dem aristotelischen Weltbild vertraut gemacht wurde. Wie sein Baseler Lehrer THOMAS WYTTENBACH gehörte er der Via antiqua an. Zu der Spätscholastik kam die Bekanntschaft mit dem Humanismus. Als drittes beschäftigte den Pfarrer in Glarus die Politik. Mit dieser hängt sein erstes literarisches Erzeugnis zusammen, das Fabelgedicht ‹Von einem Ochsen und etlichen Tieren, auf die gegenwärtigen Ereignisse angewandt› (1510), das die Eidgenossen mahnt, sich nicht durch Frankreich und den Kaiser von der Gefolgschaft des Papstes abwendig machen zu lassen. Bedeutsam wurde für ZWINGLI die seit 1514 einsetzende Berührung mit dem religiösen Schrifttum des ERASMUS VON ROTTERDAM – ein ‹Dialog› auf des ERASMUS ‹Ein Klag Jesu zu dem Menschen› ist verloren –, mit dem er 1515 in Basel Fühlung suchte. Zunächst schrieb er gegen den Militarismus Papst LEOS X. das Lehrgedicht ‹Der Labyrinth› (1516). Er wendet sich gegen den Kriegsdienst in fremdem Sold und gegen die Verquickung von Politik und Kirche. Erst danach konzentrierte ZWINGLI seine Studien auf das Neue Testament und die Kirchenväter. Der von ERASMUS vertretene, an der Bergpredigt ausgerichtete moralistische Christozentrismus zog ihn an. Im politischen Denken verlangte er nun im Sinne eines erasmischen Pazifismus die Umstellung der Eidgenossenschaft auf Friedenspolitik. Im Spätherbst 1519 erkrankte ZWINGLI an der Pest. Nach der Genesung dichtete er das tiefempfundene und sprachschöne, dreiteilige deutsche ‹Pestlied›. Es läßt eine innere Wende erkennen. Um die Mitte des Jahres 1520 bahnte sich parallel zu der sich ausbreitenden Reformation LUTHERS bei ZWINGLI eine eigene Auffassung des Evangeliums an: im Hinblick auf die Bibel, in der Gnaden- und Rechtfertigungslehre, in der Frage der guten Werke, im Glaubensbegriff, in der sittlichen Verpflichtung. ZWINGLI ist offenbar durch die besonderen sozialpolitischen Zustände in der Schweiz und die allgemeinen kirchlichen Verhältnisse unter dem Studium der Paulinischen Briefe und der Traktate AUGUSTINS auf eigenem Wege Reformator geworden.

Zum ersten Konflikt mit seiner Kirchenbehörde kam es, als ZWINGLI 1522 in einer Schrift den Bruch des vorösterlichen Fastengebotes durch einige Freunde verteidigte: ‹Vom Erkiesen und Freiheit der Speisen›. Da der Bischof von Konstanz dem Wunsch des Züricher Rates, die von ZWINGLI aufgeworfenen Fragen in einem Provinzialkonzil behandeln zu lassen, nicht nachgab, veranstaltete der Rat selber Ende Januar 1523 die sog. erste Zürcher Disputation zwischen ZWINGLI und JOHANNES FABRI. Sie brachte den Durchbruch des Reformwillens. Als Diskussionsgrundlage hatte ZWINGLI zuvor ‹67 Schlußreden› veröffentlicht.

These 1 bis 16 handeln über Christus und die Kirche mit Betonung des Kreuzes Christi als «Summa des Evangeliums» und Erklärung der Transsubstantiation als Wesensverwandlung des Menschen durch den hl. Geist; These 17 bis 33 enthalten die Ablehnung des Papsttums, der Heiligenverehrung, der guten Werke, des Mönchtums, des Zölibates u. a.; These 34 bis 67 erörtern weltliche Obrigkeit, Gebet, Ablaß, Fegefeuer, das besondere Priestertum etc.

Es ist die früheste Zusammenfassung von ZWINGLIS reformatorischer Theologie. Man hat ihre Grundhaltung einen «exclusiv christozentrischen, aber durch einen spiritualistischen Einschlag modifizierten Paulinismus» (F. BLANKE) genannt. Der Unterschied zu LUTHER liegt in der andersartigen Lehre vom hl. Geist. Die Disputation endete mit einem Sieg ZWINGLIS, d. h. mit der Anerkennung der schriftgemäßen Predigt durch den Rat. Die Folge war ein Bündnis zwischen ZWINGLI und der Obrigkeit, das den weiteren Verlauf der Züricher Reformation bestimmte.

Der Ausbau der ‹67 Schlußreden› zur ‹Auslegung und Begründung der Schlußreden› ist die erste reformierte Dogmatik in deutscher Sprache und das umfangreichste Buch, das ZWINGLI geschrieben hat. In einer zweiten Disputation in Zürich Ende Oktober 1523 (ZWINGLI, LEO JUD, LUDWIG HÄTZER gegen KONRAD HOFMANN) wandte sich ZWINGLI gegen den Opfercharakter der Messe und verlangte die Abschaffung der religiösen Bildwerke. Der Rat schob die Entfernung der Bilder bis Juni 1524 hinaus, hob aber die Klöster auf und errichtete 1525 anstelle des Choroffiziums die ‹Prophezei›, eine Bibelschule zur philologisch-exegetischen Auslegung hauptsächlich des Alten Testamentes und als Seminar für den geistlichen Nachwuchs. Die wissenschaftlichen Ergebnisse dieser in den Rahmen der Bibelübersetzung neben LUTHER (vgl. S. 130 f.) gehörigen Arbeit sollten dem Volke in öffentlichen Predigten dargeboten werden. ZWINGLI wollte damit sowohl die Theologen schulen als auch eine in der Bibel wurzelnde Volksgemeinschaft heranbilden. Im selben Jahr wurden der Predigtgottesdienst und die neue Abendmahlfeier eingeführt. Die letztere behandelt die Schrift ‹Aktion oder Brauch des Nachtmahls› (1525). Gesang und Instrumentalmusik wurden vom Gottesdienst ausgeschlossen. Ebensowenig wie LUTHER hatte ZWINGLI eine neue Kirche begründen wollen. Erst durch den Verlauf der Geschehnisse wurde er zu ihrer Einrichtung veranlaßt.

Als die Bauern ZWINGLIS Lehren dahin auslegten, hinfort keine Abgaben mehr zu leisten, stellte er diese Ansicht in der Schrift ‹Von göttlicher und menschlicher Gerechtigkeit› (1523) richtig. Den Höhepunkt der *Zwinglischen Reformation* brachte das Jahr 1525. Es erschien ZWINGLIS zweitgrößtes lateinisches Werk, der FRANZ I. gewidmete ‹Commentarius de vera et falsa religione›, ‹Kommentar über die wahre und falsche Religion›, in dem in 29 Abschnitten alle Hauptstücke der Glaubenslehre behandelt werden. Der Abschnitt über das Abendmahl wurde als deutsche Broschüre

verteilt. Spätere kürzere Zusammenfassungen seiner Theologie gab
ZWINGLI in der ‹Fidei ratio›, ‹Rechenschaft des Glaubens› (1530) und in der
‹Christianae fidei expositio›, ‹Auslegung des christlichen Glaubens› (gedr.
1536). In der bei der Zweiten Zürcher Disputation gehaltenen, später als
‹Der Hirt› veröffentlichten Predigt entwarf er das Bild des evangelischen
Predigers. Seine Abendmahlslehre entwickelte ZWINGLI 1524 in dem ge-
druckten Brief an MATTHÄUS ALBER: ‹De coena dominica›. Während LU-
THER an der Realpräsenz festhielt, vertrat ZWINGLI, ähnlich wie vor ihm
WYCLIF, WESSEL GANSFORT und CORNELIS HENDRIX HOEN, eine tropi-
sche Deutung der Einsetzungsworte und symbolische Abendmahlauffas-
sung und verband sie eng mit seiner besonderen Lehre vom hl. Geist.
ZWINGLIS Abendmahlslehre meint, daß in den Einsetzungsworten eine
Redefigur verwendet wird, eine Alloiosis.

Inzwischen versuchten die katholischen Kantone der Schweiz gegen die
Zürchische Reformation einen Gegenstoß und nahmen Verbindung mit
Österreich auf. Angeregt von JOHANN ECK und unterstützt von JOHANNES
FABRI, kam es 1526 zur Disputation zu Baden an der Limmat. ZWINGLI
hielt sich davon persönlich fern, sandte aber JOHANNES OEKOLAMPADIUS
als Vertreter. Leiter war ECK, anwesend waren u. a. FABRI und THO-
MAS MURNER. Das Zentralthema bildeten Abendmahlfrage und Messe
(katholisch: «wahrhaft, wirklich und wesentlich» Transsubstantiation).
Als Hauptredner traten ECK und OEKOLAMPAD in Erscheinung. Eine Eini-
gung kam nicht zustande. Die Abstimmung ergab eine große Mehrheit für
ECK. Er und FABRI waren die Sieger. ZWINGLI wurde als Ketzer verurteilt.

Wie mit den Katholiken, differierte ZWINGLI in der Abendmahlfrage
auch mit den Lutheranern. Auf ZWINGLIS ‹Amica exegesis›, ‹Freundliche
Auseinandersetzung› (1527) antwortete LUTHER mit der Schrift ‹Daß diese
Wort Christi ‚Das ist mein Leib' noch fest stehen, wider die Schwärm-
geister›. Ein weiterer Schriftenwechsel (ZWINGLI: ‹Daß diese Worte ‚Das
ist mein Leib' ewiglich den alten Sinn haben werden›; LUTHER: ‹Bekenntnis vom Abendmahl›; ZWINGLI: ‹Über Doctor Martin Luthers Buch ‚Bekenntnis' genannt›, 1528) brachte keine Einigung. Der Streit sollte 1529
im Marburger Religionsgespräch beigelegt werden. Es wurde vom Landgrafen PHILIPP VON HESSEN veranstaltet. Das Hauptthema bildeten die
dogmatischen Differenzen in der Abendmahlslehre (LUTHERS Konsub-
stantiation «in, mit und unter» den Gestalten; ZWINGLIS «Wiedergedächt-
nis des Todes Christi»). Als prominente Teilnehmer waren anwesend:
von den Wittenberger Theologen LUTHER und MELANCHTHON, von den
Schweizern ZWINGLI und OEKOLAMPAD, von den Straßburgern BUCER und
HEDIO. Das Ergebnis wurde in den 15 Marburger Artikeln niedergelegt.
Man hatte in 14 Punkten (Trinität etc.) Übereinstimmung erzielt, nicht
aber im Kardinalproblem der Abendmahlslehre. Damit war der *Protestantismus* in eine *lutherische* und eine *zwinglische* Form gespalten.

Zu einer Abspaltung vom Zwinglianismus führte ZWINGLIS Streit mit den Täufern. Sie hatten in ZWINGLIS reformatorischen Anfängen gelernt, daß die christliche Gemeinde in dieser Welt eine leidende und verfolgte Minderheit sei, auch hatte er bis 1523 die Kindertaufe kritisiert. Als er zur Aufrichtung der vom Staat beschützten Volkskirche überging, konnten die Taufgesinnten sich von der ursprünglichen Lehre nicht freimachen. Als der Züricher Rat die Abschaffung der Messe und der Kirchenbilder und die Einrichtung des Abendmahls verfügte, erhoben die Wortführer KONRAD GREBEL, FELIX MANTZ, BALTHASAR HUBMAIER und SIMON STUMPF gegen ZWINGLI den Vorwurf, er habe die Autonomie der christlichen Gemeinde verletzt. Er antwortete in der Schrift ‹Subsidium sive coronis de eucharistia› (1525). Die Enttäuschten schlossen sich zu einer eigenen staatsfreien Kirche zusammen und forderten die Erwachsenentaufe. Religionsgespräche und fünf Schriften ZWINGLIS von 1523 bis 1527 bezeichnen die weitere Auseinandersetzung: ‹Von göttlicher und menschlicher Gerechtigkeit› (1523), ‹Wer Ursache gebe zu Aufruhr› (1524), ‹Von der Taufe, von der Wiedertaufe und von der Kindertaufe› (1525), ‹Antwort über Balthasar Hubmaiers Taufbüchlein› (1525) und ‹Widerlegung der Ränke der Wiedertäufer› (1527). Bald nach 1525 öffnete sich die Ostschweiz dem Einfluß ZWINGLIS. Anfang 1528 erklärte sich Bern für die Reformation; 1529 folgten Basel, Schaffhausen, St. Gallen.

In ZWINGLIS *Theologie* spielt die mittelalterliche Tradition eine größere Rolle, als man bisher annahm: in der Gotteslehre, in der Lehre von der göttlichen Vorsehung u. a. Die Elemente seines eklektizistischen Denkens waren: die Scholastik im Sinne der antiockhamistischen Via antiqua, der Humanismus (im Sinne einer platonisierenden Anthropologie, einer stoisch geprägten Ethik, der antiken Historie, der Ansätze einer philologischen Textkritik bei der Bibelauslegung), die von den Humanisten geschätzten Kirchenväter, eine eingehende Bibelkenntnis. Die Motive von ZWINGLIS reformatorischem Streben liegen zunächst im humanistischen Reformdenken, dann in der Zuwendung zur Bibel als einziger Glaubensquelle, im Schweizer Patriotismus, besonders aber in der aus dem Bibelstudium gewonnenen neuen Christologie. ZWINGLI denkt noch theokratisch im Sinne des mittelalterlichen *corpus christianum,* die Entscheidung zwischen Gott und Kreatur aber ist eine persönliche. Sie wird ermöglicht durch die Erlösungstat Christi. ZWINGLIS Kennzeichen des Glaubens ist nicht der Kampf, sondern der Frieden der Seele in ihrer Zuversicht auf Gott. ZWINGLI vertrat das *servum arbitrium,* bevor LUTHER sich gegenüber ERASMUS festlegte. Seiner Auffassung nach geschieht die Errettung durch die Gnade aufgrund der Erwählung.

ZWINGLI war nicht nur Theologe und Reformator, sondern auch Staatstheoretiker und praktischer *Politiker.* Die Reformation der Kirche sollte seiner Meinung nach auch die Erneuerung des Staates bewirken. Er ist

Gegner der Leibeigenschaft und des Geldverleihs zu Wucherzinsen; seine Staatslehre erlaubt das Widerstandsrecht; als beste Staatsform erscheint ihm die sog. Repräsentativdemokratie, wie sie in Schweizer Städten durch Räte herrschte. ZWINGLIS große evangelische Bündnispolitik, bei der er mit PHILIPP VON HESSEN eine Liga des antihabsburgischen Europa mit Frankreich, Venedig und den Türken erstrebte, erregte den scharfen Widerspruch MELANCHTHONS. Um FRANZ I. VON FRANKREICH zu gewinnen, schrieb ZWINGLI die ‹Auslegung des christlichen Glaubens› (1531), wobei er als Schema das Apostolische Bekenntnis wählte.

ZWINGLIS wenige erhaltene Predigten zeigen ihn unter dem Einfluß des Humanismus und der Kirchenväter. Außer im sonntäglichen Gottesdienst sollte die Verkündigung und Erklärung der hl. Schrift in der ‹Prophezei› erfolgen.

ZWINGLIS ungestüme Durchführung der Reformation möglichst in der ganzen Eidgenossenschaft stieß auf den Widerstand der fünf katholischen Urkantone. Im Verlauf der Auseinandersetzung kam es 1529 zu dem ersten Kappeler Krieg. Er schloß mit einem Friedenskompromiß, in dem jedoch der Grund zu neuen Verwicklungen lag. Als es neuerdings zu Differenzen und in einem zweiten Kappeler Krieg zu gewaltsamer Austragung kam, zog ZWINGLI selbst mit der Züricher Vorhut in den Kampf und fiel am 11. Oktober 1531 bei Kappel. Die Niederlage des Züricher Heeres und ZWINGLIS Tod hatten die Vorherrschaft der katholischen Waldkantone in der Schweiz bis 1712 zur Folge.

ZWINGLIS Schriften wurden erstmals von seinem Schwiegersohn RUDOLF GWALTHER gesammelt und als ‹Opera› in vier Bänden Zürich 1544/45 (2. Aufl. 1581) herausgegeben, bezeichnenderweise in lateinischer Sprache. Was ZWINGLI deutsch abgefaßt hatte, übersetzte man für diese Ausgabe ins Lateinische.

Im ersten Kappeler Krieg hatte ZWINGLI sein ‹Lied von Kappel› gedichtet, das ZWINGLI-Lied ‹Herr, nun selbst den Wagen halt, bald abseits geht sonst die Fahrt›. Ein Lied der Verzagnis, kein hartes Bekenntnis wie LUTHERS Lied ‹Ein feste Burg ist unser Gott›. Neben der kühnen Theologie LUTHERS und seinem gewaltigen Schriftwerk nehmen sich ZWINGLIS Schöpfungen auf diesem Gebiet bescheiden aus. Anders als bei LUTHER sind in ZWINGLIS Geisteswelt verschiedene Elemente eigenartig verschmolzen: Christentum und Antike, erasmische Reform und lutherische Reformation.

Von der Theologie LUTHERS verschieden ist ZWINGLIS Anerkennung der Möglichkeit einer philosophischen Gotteserkenntnis. Das bezeugt deutlich die Schrift ‹De providentia Dei› (1530), die eine starke Benutzung PICOS DELLA MIRANDOLA zeigt. ZWINGLI faßt die Erbsünde nur als ein Erbübel auf, das nicht verdammenswert ist und wertet das Gesetz positiver, als es LUTHER getan hat. Oberstes Prinzip für den Umgang zwischen Gott und Mensch in Wort, Sakrament und Gottesdienst ist ihm der hl. Geist. Vom Katholizismus trennen ihn scharf sein Spiritualismus in der Sakramentenlehre und sein rationalistisch-bilderfeindlicher Kult.

ZWINGLI versuchte eine Synthese von profanen und religiösen Werten, von Christentum und Antike. Der eine Aspekt der nach ihm benannten Richtung ist das Staatskirchentum, der andere der eucharistische Symbolismus. Auf ZWINGLIS Schultern steht CALVIN. Er hat die Weltwirkung erreicht, die ZWINGLI nicht beschieden war.

Ähnlich wie LUTHER hatte auch ZWINGLI bei seiner Reformtätigkeit eine Reihe profilierter Helfer und Mitarbeiter.

Vom Humanismus WIMPFELINGS, aus dem Hörsaal REUCHLINS, von der Mithilfe an der Edition des griechischen Neuen Testamentes durch ERASMUS her zum Organisator der reformatorischen Bewegung in Basel entwickelte sich JOHANNES OEKOLAMPADIUS, HUSZGEN, HUSSCHIN (1482 bis 1531) aus Weinsberg. Er hatte in Bologna die Rechte studiert, in Heidelberg seit 1499 die Humaniora und Theologie, war 1506 Prinzenerzieher beim Kurfürsten PHILIPP VON DER PFALZ geworden, 1510 bis 1512 Prediger in Weinsberg. Nach Erlangung des theologischen Doktorgrades (1518) in Basel ging er als Domprediger nach Augsburg und kam so in den dortigen Humanistenkreis. Er setzte sich unter dem Einfluß CAPITOS und MELANCHTHONS für die Sache LUTHERS ein und verfaßte, angeregt von BERNHARD ADELMANN, gegen ECK nach der Leipziger Disputation die ‹Canonici indocti Lutherani› (1519; deutsch 1520), eine ironische Verteidigung der von ECK als auf LUTHERS Seite stehende «unwissende Domherren» bezeichneten Brüder ADELMANN. Bald danach trat OEKOLAMPAD, offenbar von Skrupeln und Zweifeln gequält, in das Birgittenkloster Altomünster in Oberbayern. OEKOLAMPAD hatte als Prediger in Weinsberg ‹Passionspredigten› (1512) herausgegeben. Als Mönch in Altomünster verfaßte er seine erste Reformationsschrift über die Beichte: ‹Quod non sit onerosa christianis confessio paradoxon› (Augsburg 1521). Nach der Flucht aus dem Kloster war er Schloßkaplan FRANZ VON SICKINGENS auf der Ebernburg. Von Ende 1522 bis zu seinem Tode wirkte er in Basel: als Mitarbeiter des Buchdruckers ANDREAS CRATANDER, als Professor der Bibelwissenschaft an der Universität (1523), Leutpriester zu St. Martin (1525), erster Pfarrer am Münster (1529) und Leiter der Baseler Kirche. In diesen Stellungen setzte er seine schon früher begonnenen Übertragungen der Kirchenväter fort und trug entscheidend bei zur Verbreitung der Kirchenerneuerung in der Schweiz und im deutschen Südwesten. Er nahm an der Disputation in Baden teil, am Glaubensgespräch in Bern (mit ZWINGLI) und am Marburger Religionsgespräch und verfaßte zwei Schriften gegen die lutherische Abendmahlslehre. Die Disputation in Bern gab den Anstoß zum religiösen Umsturz in Basel. Es kam zum Verbot des katholischen Kultus und zu einem Bildersturm (den ERASMUS in einem Brief an PIRCKHEIMER 1529 anschaulich schildert) mit Erstürmung der Kirchen und Vernichtung der religiö-

sen Bildwerke. Mit seiner Baseler Kirchen- und Gottesdienstordnung
(1529) wurde OEKOLAMPAD zum Vorläufer CALVINS. Zu seinen bedeutenden wissenschaftlichen Werken gehören neben den Väterübersetzungen
die Prophetenkommentare, besonders der zu Jesaja.

OEKOLAMPAD stand als *Theologe* zwischen LUTHER, ZWINGLI und
CALVIN. Gegen seine Abendmahlslehre, die im wesentlichen ZWINGLI
folgte, aber *corpus* als *figura corporis* auffaßt, wandten sich WILLIBALD
PIRCKHEIMER und JOHN FISHER. Auf OEKOLAMPADS ‹De genuina ver-
borum Domini: ‚Hoc est corpus meum' iuxta vetustissimos authores ex-
positione liber› (1525) erwiderte PIRCKHEIMER mit der Schrift ‹De vera
Christi carne et vero eius sanguine ad Joannem Oecolampadium responsio› (1526). OEKOLAMPAD antwortete mit einer ‹Responsio posterior
ad Bilibaldum Pyrkaimerum de Eucharistia› (1527). Darauf PIRCK-
HEIMER in der leidenschaftlichen ‹De convitiis monachi illius, qui grae-
colatine Caecolampadius, germanice vero Ausshin nuncupatur, ad Eleu-
therium suum epistola› (1527) mit dem Fluchspruch als Motto: «Corripiat
te deus, Satan» – «Es strafe dich Gott, du Widersacher und Lügengeist».
Während PIRCKHEIMERS Auffassungen im allgemeinen der Eucharistie-
lehre des späten Mittelalters folgen, denkt er in der Frage der Wesensverwandlung mit LUTHER. Der Engländer FISHER richtete gegen OEKO-
LAMPAD die Schrift ‹De eucharistia› (1527) vom Standpunkt der alten
Kirche. Außer seiner Wirksamkeit in Basel war OEKOLAMPAD auch
maßgebend beteiligt an der Durchführung der Reformation in Ulm
(1531), Memmingen und Biberach.

Zusammen mit OEKOLAMPAD ernannte der Baseler Rat 1523 den Minoriten KONRAD PELLIKAN (1478–1556) aus Ruffach im Elsaß zum Professor
der Theologie. Zwei Jahre später zog ihn ZWINGLI nach Zürich an die
‹Prophezei›, wo er ab 1526 als Professor des Griechischen und Hebräischen
sowie als Schrifterklärer und Bibelübersetzer wirkte. Seine siebenbändigen
‹Commentaria Bibliorum› (1532–1537) sind der einzige Gesamtkommen-
tar der Reformationszeit zum Alten und Neuen Testament.

In der Kirchenleitung übernahm ZWINGLIS Nachfolge JOHANN HEINRICH
BULLINGER (1504–1575) aus Bremgarten. Erzogen von den Brüdern vom
gemeinsamen Leben, wurde er nach Studien an der Universität Köln 1523
Lehrer an der Klosterschule zu Kappel. LUTHERS frühe Schriften und
MELANCHTHONS ‹Loci communes› von 1521 hatten seine religiöse Haltung
bestimmt. BULLINGER nahm unter der Züricher Abordnung 1528 an der
Disputation von Bern teil, gab später der Kirche eine Prediger- und
Synodalordnung und erneuerte das Schulwesen. Seine Theologie ist be-
stimmt von den Kirchenvätern, von LUTHER, ZWINGLI und LEO JUD. Im
‹Consensus Tigurinus› einigte er sich 1549 mit CALVIN in der Abendmahl-
frage und ermöglichte so ein Zusammengehen von Zürich und Genf. Die
Unionsverhandlungen zwischen den Deutschen und den Schweizern blie-

ben erfolglos. Jene faßten ihre Ansichten in der ‹Wittenberger Konkordie› zusammen, die Schweizer im ‹Ersten Helvetischen Bekenntnis› (‹Confessio Helvetica prior›) 1536. Von BULLINGERS Schriften fanden die ‹Sermonum Decades quinque› (1552), d. s. Predigten und Abhandlungen über Glaubensfragen, in deutscher Übersetzung unter dem Titel ‹Hausbuch› weite Verbreitung. Zunächst als persönliches Glaubensbekenntnis verfaßte BULLINGER 1562 die ‹Confessio Helvetica posterior›. Sie wurde aber dann 1566 auf Wunsch FRIEDRICHS III. VON DER PFALZ veröffentlicht. Von BULLINGER stammen u. a. auch ein Drama ‹Lucretia›, eine eidgenössische Chronik mit der Geschichte der Reformation und Tagebuchaufzeichnungen. Seine Korrespondenz mit ca. 12000 Briefen gilt als die umfangreichste aller Reformatoren.

Nachfolger ZWINGLIS 1531 als Professor für Altes Testament in Zürich wurde THEODOR BIBLIANDER, BUCHMANN (1504/09–1564) aus Bischofszell im Thurgau, einer der Begründer der religionswissenschaftlich-vergleichenden Exegesen, bekannt durch eine hebräische Grammatik (1535) und die wissenschaftliche Ausgabe bzw. Übersetzung des Koran, ‹Machumetis doctrina ipseque Alcoran› (Basel 1543). Religionsgeschichtlich wertvoll ist seine ‹Relatio Fidelis› (1545). BIBLIANDERS Hauptwerk ist der mit Kenntnis von dreißig Sprachen angelegte ‹De ratione communi omnium linguarum et literarum commentarius› (Zürich 1548). Er trat gegen das Konzil von Trient auf und wandte sich gegen die Prädestinationslehre CALVINS.

An OEKOLAMPADS Stelle trat OSWALD MYCONIUS (1488–1552) aus Luzern, befreundet mit ZWINGLI und dessen getreuer Mitarbeiter und erster Biograph. Er verfaßte nach OEKOLAMPADS Entwurf die ‹Erste Baseler Konfession› (1534), wirkte bei der ‹Confessio Helvetica prior› mit und verteidigte die von THEODOR BIBLIANDER besorgte Ausgabe des Koran.

Erst Nachfolger ZWINGLIS in Einsiedeln, seit 1523 dessen Helfer und Mitkämpfer in Zürich war LEO JUD (1482–1542) aus Gemar im Elsaß. Geschult in Schlettstadt und in Basel bei THOMAS WYTTENBACH, betätigte er sich literarisch zunächst als Übersetzer alter und zeitgenössischer Autoren ins Deutsche: AUGUSTINUS, THOMAS VON KEMPEN, ERASMUS, LUTHER, ZWINGLI. JUD war der eigentliche Leiter der die Zürcher Bibelübersetzung (1524/29; 2. Aufl. 1539/40) erarbeitenden ‹Prophezei› und Verfasser verschiedener, lange im Gebrauch stehender Katechismen (1534, 1541). Nach der Schlacht von Kappel Leiter des Züricher Kirchenwesens, wandte er sich unter dem Einfluß Schwenckfeldischer Ideen gegen das Staatskirchentum. Seine Übertragung der Bibel ins Lateinische wurde von BIBLIANDER 1543 vollendet und von BULLINGER herausgegeben.

Im Verkehr mit ZWINGLI vollzog den Übergang vom Humanismus zur Reformation auch JOACHIM VON WATT (vgl. Bd. IV/1, S. 612 u. ö.). Nach seiner Lehrtätigkeit als Professor der Poetik und Rhetorik und dem Studium der Medizin aus Wien nach St. Gallen 1518 zurückgekehrt, amtete er dort als Stadtarzt, Mitglied des Großen Rates, seit 1526 als Bürgermeister. WATT führte seit 1525/26 die Sache der Reformation in St. Gallen und der Ostschweiz zum Durchbruch, war Vorsitzender der Zweiten Zürcher Disputation und auch des Berner Religionsgespräches. WATTS Autorschaft an reformatorischen Flugschriften läßt sich nicht mit Sicherheit beweisen. Wohl aber zeigen ihn sein umfangreicher Briefwechsel und seine große Bibliothek als einen Mittelpunkt des kulturell zur Geltung gelangten Schweizer Bürgertums. WATT unterstützte ZWINGLIS Versuche nach einer gesamtschweizerischen Entscheidung in der Glaubensfrage, billigte aber nicht dessen kriegerische Politik. An der Einigung der Schweizer Reformierten im ‹Ersten Helvetischen Bekenntnis› war er als Mitförderer beteiligt. Das Ergebnis seiner kritischen Auseinandersetzung mit den Lehren SCHWENCKFELDS bilden eine Anzahl Schriften gegen den Pneumatiker. Eine Schrift ‹Wider die Täufer› (1525) gilt als verloren. Nach WATTS Tod 1551 übernahm die Leitung der St. Gallener evangelischen Kirche und des Reformationswerkes in der Ostschweiz JOHANN JAKOB KESSLER (1502/03–1574) aus St. Gallen. Er war sowohl Schüler des ERASMUS als auch LUTHERS und MELANCHTHONS. Nach St. Gallen zurückgekehrt, wurde er Sattler. Trotz des Verbotes durch die Behörden hielt er ‹Lesinen›, d. s. Bibelauslegungen. KESSLER ist Verfasser einer Biographie WATTS und der kirchen- und kulturhistorisch wertvollen Aufzeichnungen ‹Sabbata›.

Durch seine Flugschriften und Gespräche suchte der Pfarrer UTZ ECKSTEIN (ca. 1490 bis 1558) die Züricher Reformation unter das Volk zu bringen. Sein ‹Dialogus› (1526) zwischen Christus und Adam, ‹Darinn ein mensch erlernen mag, Nach welchen werken Gott frag›, breitet in polemischer Sprache das neue Gedankengut aus. Die ‹Klag des Glaubens, der Hoffnung vnd ouch der Liebe über Geystlichen vnd Weltlichen Stand der Christenheit› ist eine Kampfschrift gegen die katholische Kirche; im zweiten Teil will er den Adel unterweisen, wie er regieren soll. Im ‹Concilium› (1525 u. ö.) disputieren sieben Bauern mit sieben Doktoren, darunter ECK, FABRI, MURNER u. a. in Reimen über die Fragen der Badener Disputation, das Papsttum, über Fegefeuer, Sakramente, Heiligenverehrung, Fasten; auch die Fragen der Rechtmäßigkeit von Zins, Zehent, Gült und Renten sowie der Obrigkeit werden aufgeworfen. Sie bilden das Hauptthema im ‹Rychsztag› (1526). Der erste Teil dieser ‹Spiel› genannten Schrift versucht in Erinnerung an die Bauernaufstände, ZWINGLIS Auffassung von der Notwendigkeit des Staates und den Rechten und Pflichten der Bürger darzulegen. Der zweite Teil ist eine polemische Auseinandersetzung mit ECKSTEINS Gegner THOMAS MURNER. Ein Lied auf ECKS und FABRIS Badenfahrt (1526) ahmt ein Gedicht von NIKLAS MANUEL nach. Ein ‹Schmachlied auf Murner› (1527) ergeht sich in groben Ausfällen gegen den als Lektor und Pfarrer in Luzern wirkenden Franziskaner.

Der zürcherischen Kirche diente den größten Teil seines Lebens RUDOLF GWALTHER, GUALTHER, WALTER (1519–1586), der in seinen theologischen Anschauungen durchaus altzwinglisch orientiert war.

GWALTHER war als Waisenkind von BULLINGER in seine Familie aufgenommen worden, studierte in Basel, Straßburg, Lausanne, Marburg, Tübingen und reiste 1537 nach England. Heimgekehrt, vermählte er sich 1541 mit ZWINGLIS Tochter REGULA. Nach dem Regensburger Religionsgespräch wurde er LEO JUDS Nachfolger als Pfarrer zu St. Peter und 1575 nach BULLINGERS Tod der dritte Antistes der zürcherischen Kirche.

GWALTHER entfaltete als Philologe, Theologe und Dichter eine umfangreiche literarische Tätigkeit. Anfangs waren es philologische und poetische Arbeiten, später solche theologischer Art. An Übersetzungen wären zu nennen: eine deutsche des Neuen Testamentes und des Pentateuchs; Übersetzungen von deutschen Schriften ZWINGLIS ins Lateinische für die Ausgabe seiner Werke (1544/45) mit einer Apologie des Reformators. Größten literarischen Erfolg aber hatten GWALTHERS fünf Predigten gegen den Papst als den ‹Endtchrist› (Zürich 1546, deutsch und lateinisch; übersetzt ins Französische, Italienische, Spanische, Englische, Polnische). Sie und die anderen zahllosen Homilien GWALTHERS sind Beispiele der neuen Kunstpredigt und wurden häufig nachgeahmt.

Eine eigene Form der religiösen und sozialen *Reformation* drang vom romanischen Westen aus Frankreich zunächst in die Schweiz vor. Zu ihrem Wortführer erhob sich JOHANNES CALVIN, JEAN CAUVAIN (1509–1564). Dieser Synoptiker und Synthetiker, Philologe, Theologe und Dichter kam ideell vom reformistischen Humanismus; er schätzte von den Kirchenvätern AUGUSTINUS und liebte BERNHARD VON CLAIRVAUX. Nach neueren Forschungen schon 1527/28, nach dem Selbstzeugnis jedoch nur allmählich, erfolgte seine Hinwendung zum Protestantismus. Der Bildungs- und Lebensgang führte vom Juristen und Humanisten zum Theologen und Dogmatiker festgeprägter Eigenart.

CALVIN stammte aus Noyon in der Picardie. Sein Vater war päpstlicher Notar und Generalprokurator. Kirchliche Pfründen (1521 und 1527) sollten den Sohn der geistlichen Laufbahn zuführen. Nach sorgfältiger häuslicher Erziehung gab ihn der Vater 1523 in das Collège La Marche zu Paris. MATURIN CORDIER, sein späterer Mitarbeiter bei der Reform des Genfer Schulwesens, war dort sein Lehrer. Im Collège Montaigue, das CALVIN dann besuchte, vermittelte ihm BEDA NATALIS die Lehren der scholastischen Philosophie und Theologie. Auf Wunsch des (inzwischen wegen eines Konfliktes mit den kirchlichen Behörden exkommunizierten) Vaters wandte CALVIN sich in Orléans und Bourges der Jurisprudenz zu. Bestimmend wurde in dieser Zeit die Freundschaft mit MELCHIOR RUFUS VOLMAR (1497–1561) aus Rottweil, einem protestantisch gesinnten deutschen Humanisten, der den jungen CALVIN in die griechische und hebräische Sprache einführte und offenbar auch religiöse Anregungen damit verband. Nach dem Tode des Vaters 1531 übersiedelte CALVIN nach Paris und widmete sich dort zunächst ganz den humanistischen Studien. Eine Frucht dieser Interessen war der Kommentar zu SENECAS Traktat ‹De clementia› (1532). Doch die theologischen Ambitionen überwanden die Humaniora. Bei einem Aufenthalt in Orléans entstand 1534 die theologische Erstlingsschrift ‹Psychopannichie› (gedr. 1542). Der Verfasser wendet sich darin gegen die Lehre vom Schlaf der Verstorbenen bis zur Auferstehung.

Anfang 1535 übersiedelte CALVIN nach Straßburg und Basel. In Basel verfaßte er die Vorrede zu PIERRE ROBERT OLIVETANS französischer Bibelübersetzung und vollendete seine Hauptschrift ‹Institution de la religion chrestienne›, ‹Christianae religionis institutio› (Basel 1536; 1559 neu redigiert) mit meisterhafter Vorrede und Widmung an König FRANZ I. VON FRANKREICH. Diese Unterweisung in der christlichen Religion ist in der Gliederung des Stoffes ähnlich angelegt wie LUTHERS Katechismen und gibt sich als eine Apologie für die Anhänger der Reformation in Frankreich.

Nach Basel wurde Genf der Hauptort von CALVINS Wirksamkeit. Er begann als Bibelexeget mit der Auslegung des Römerbriefes, fing an zu predigen und organisierte mit GUILLAUME FAREL die Genfer Kirche. Als die beiden Genf verlassen mußten, wandte CALVIN sich nach Straßburg und gründete dort eine französische Emigrantenkirche, hielt an der Akademie JOHANNES STURMS Vorlesungen über die Korintherbriefe und heiratete 1540 IDELETTE DE BURE († 1549), die Witwe eines von ihm bekehrten Täufers. Mit der Veröffentlichung des Kommentars zum Römerbrief legte CALVIN den Grundstein seiner weiteren Bibelexegese und Theologie. Von Straßburg aus nahm er an den Religionsgesprächen zu Hagenau, Worms und Regensburg teil und wurde mit den führenden Männern des deutschen Protestantismus bekannt. Wie MELANCHTHON war auch CALVIN zu Anfang der 40er Jahre an den Einigungsversuchen mit römischen Theologen beteiligt. In Worms entstand seine Dichtung ‹Epinicion Christo cantatum›, ‹Siegesgesang auf Christus›. Inzwischen hatten die Verhältnisse in Genf eine solche Entwicklung genommen, daß CALVIN 1541 in die Stadt zurückberufen wurde. Er hatte dort nunmehr freie Hand und ordnete durch seine ‹Ordonnances ecclésiastiques› (1541) das kirchliche und gesellschaftliche Leben in ganz theokratischem Sinne. Diese Kirchenordnung bestimmt als Amt und Aufgabe der Kirche den Dienst am Wort, den Dienst an der mit den *pastores* gemeinsam zu übenden Zucht und den Dienst an den Armen. Zur Erziehung im biblischen Glauben und in evangelischer Sittlichkeit gab CALVIN den ‹Genfer Katechismus›, ‹Catechismus ecclesiae Geneviensis› heraus (französisch 1542; lateinisch 1545).

Bei der neuen Liturgie wurden Psalmengesang, Predigt und Gebet die Hauptsache. Täglich mußte Gottesdienst gehalten werden, am Freitag ‹Kongregation›, d. h. Vortrag mit Diskussion, viermal im Jahr Abendmahlfeier, die Privatbeichte wurde abgeschafft, jegliches Heiligenbild aus den Kirchen entfernt. Die Handhabung der kirchlichen Zucht praktizierte ein Konsistorium (die Geistlichen und zwölf Laien), welches das gesamte öffentliche und familiäre Leben überwachte, auch Reden und Meinungen. Diese Kirchen- und Lebensordnung wurde 1541 bis 1545 hart und streng durchgeführt: mit Bußen, Haft, Verbannungen, Hinrichtungen, Hexer- und Hexenprozessen.

In den auf diese Tätigkeit folgenden Kämpfen verfaßte CALVIN Streitschriften gegen Anhänger der alten Kirche, gegen die Akten des Tridentinischen Konzils (1547), gegen das Augsburger Interim, gegen Sektierer, ehemalige eigene Anhänger, Freigeister und Oppositionelle, theologische Gegner. Die Gründung einer Akademie (Mittel- und Hochschule) in Genf 1559 sollte der Festigung und Verbreitung der neuen Lehre dienen.

CALVINS Theologie, eine Zueinanderordnung von Dogmatik und Ethik, ist niedergelegt außer in seiner ‹Institutio› und den Kommentaren, in Predigten (über 2000), Vorlesungen und Briefen. Was er an reformatorischen Gedanken von LUTHER, ZWINGLI und der Geistkirche vorfand, schloß er zu einem großen System zusammen. Besonders kennzeichnend sind darin die absolute Prädestinations- und die spiritualistische Abendmahlslehre. Als Zentralgedanke gilt die *gloria Dei,* d. h. alles ist zur Ehre Gottes geschaffen. Dieser mengt sich in die weltlichen Gesetzmäßigkeiten nicht ein. CALVIN brachte in die Literatur des Reformations- zeitalters die Lehre vom *testimonium Spiritus Sancti,* durch welches die Göttlich- keit der Bibel verbürgt wird. Sein großes Talent als Sprachschöpfer zeigt sich in seiner Psalmenübersetzung und den Übertragungen seiner Schriften ins Fran- zösische. CALVINS Predigten bekunden in der Form Eleganz und Klarheit der Sprache, in der Exegese Scharfsinn und Treffsicherheit. Er will damit im Geiste seiner Prädestinationslehre die Zuhörer entweder zur Erwählung oder zur Ver- werfung führen.

Entscheidend an seinem Wirken wurde, daß CALVIN sich 1549 mit den Anhängern des 1531 gefallenen ZWINGLI einigte. Dadurch, daß BULLINGER im ‹Consensus Tigurinus› im wesentlichen CALVINS Abendmahlslehre an- nahm, zeichnete sich vorerst eine geeinigte reformierte Schweizerkirche ab. Der ‹Heidelberger Katechismus› (1563) umgrenzt schließlich das große reformierte Bekenntnis. Nach CALVINS Sieg über die Opposition in Genf und seiner Behauptung setzte die Auswirkung seiner Lehre in die Weite ein: in die Pfalz, zurück nach Frankreich, nach England, Schottland, Nassau, Anhalt und Ungarn. Sie zeigt sich bei THOMAS NAOGEORG, JOHANN FISCHART, der Psalmenübersetzung u. a. In den neugeschaffe- nen Niederlanden entwickelte sich eine calvinistisch-humanistische Lite- raturwelt, deren Zentrum die 1575 gegründete Universität Leiden wurde.

Ebenfalls aus Frankreich wirkte in die deutsche Reformation hinein THÉODORE DE BÈZE (1519–1605), wie CALVIN Schüler VOLMARS in Or- léans. BEZA gefiel sich zunächst als Dichter von ‹Juvenilia› (1548; gereinigt 1569), wurde aber dann Mitkämpfer CALVINS in Genf, verfaßte eine Psalmenübersetzung und das geistliche Drama ‹Abraham sacrificans› und erwarb sich große Verdienste um Übersetzung, Auslegung und Text-

gestaltung des Neuen Testamentes. Nach Calvins Tod schrieb er dessen
‹Vita› und übernahm die Nachfolge als Leiter der Genfer Kirche und
geistiger Führer der Calvinisten.

4. Die Täufer und Taufgesinnten. Die Züricher Gruppe; der süddeutsche Zweig; die norddeutsch-niederländische Gruppe

Die deutsche Reformation hat auch nicht wenige Begleiterscheinungen,
Randgestalten, Verlorene, Geopferte. Luther faßte sie unter den Begriff
Schwärmer. Der Sammelname umschließt sehr verschiedene Geister:
Müntzer und seine Anhänger, Karlstadt und seine Schüler, die Täufer,
die Spiritualisten, ja auch Persönlichkeiten wie Agrippa von Nettesheim,
Sebastian Franck, Kaspar von Schwenckfeld, Valentin Weigel usw.
Diese Richtungen und Menschen werden vom Luthertum und Zwinglianismus ebenso wie von der römischen Kirche oft sehr grausam in Schrift
und Tat bekämpft. In den meisten Darstellungen des Reformationszeitalters erscheinen sie als die Stiefkinder und Ausartungen der Glaubensbewegung. Nur allmählich bricht sich die Erkenntnis durch, daß dem *Täufer-
und Schwärmertum* und den *Anhängern der Geistkirche* eine große
geistesgeschichtliche Bedeutung zukommt. Zum Teil knüpfen sie an die
mittelalterliche Mystik an; ihr Glaube kommt zumeist aus dem innersten
Grunde unmittelbaren Gotteserlebens; wie die Anhänger Luthers und
Zwinglis waren auch die Täufer große Biblizisten.

Mehr oder minder geschlossene Gruppen bildeten die *Täufer und Taufgesinnten.* Sie erschienen innerhalb kurzer Zeit als eine weitverzweigte
Bewegung mit vielen Anhängern besonders in den sozial und wirtschaftlich bedrückten Handwerker-, Kleinbürger- und Bauernschichten. Die Bezeichnung *Wiedertäufer* (Anabaptisten) stammt von den Gegnern und
trifft nicht das Wesentliche. Denn auch die Taufgesinnten lehnten eine
Wiedertaufe nach bereits empfangener gültiger Taufe ab, wobei ihnen
die Kindertaufe nicht als solche galt. Die Täuferbewegung ging von Zürich
aus. Als trotz der Entscheidung Zwinglis und Leo Juds bei dem Zweiten
Zürcher Religionsgespräch gegen Bilderverehrung und Meßopfer Ende
Oktober 1523 der Rat keine Neuerung in kirchlicher Hinsicht durchführte,
kam es zur Entfremdung zwischen Zwingli und der von Konrad Grebel
und Felix Mantz geführten Gruppe. Dieser Personenkreis lehnte die
Säuglingstaufe ab und forderte die Feier des Abendmahles nach der Einsetzung durch Jesus Christus. Aus dieser Gruppe um Grebel und Mantz
entwickelte sich seit 1524 die erste Täufergemeinde. Die wesentlichen
Fragenkomplexe waren: unbedingter Gehorsam gegenüber dem Evange-

lium, Stellung zur Obrigkeit, Verhältnis zwischen Kirche und Staat, der Gemeindebegriff, die immer mehr in den Vordergrund tretende Frage nach der rechten Taufe. Als der Rat von Zürich nach der Disputation vom 17. Januar 1525 die weitere Erörterung der Tauffrage untersagte, kam es zur ersten Erwachsenentauf-Feier und zu ersten neuen Abendmahlspendungen durch GREBEL und seine Brüder. Die früheste Täufergemeinde war demnach ein Sproß der Reformation in Zürich. Die vermutete mittelalterliche Herkunft der Täufer oder die These vom Ursprung der Täufer in Sachsen und Thüringen 1521 wird heute von der Forschung abgelehnt, wenn sich auch im oberdeutschen Täufertum Einflüsse THOMAS MÜNTZERS nachweisen lassen.

Die Gedankenwelt der Täufer fand vielfältigen Niederschlag in polemischen Traktaten, Chroniken, Märtyrerbüchern, Liedern und Briefsammlungen. Sektiererisches Ideengut und ungeregelte Bibellektüre weckte in manchen Täufern ein enthusiastisches Streben, das Zeitalter der Urkirche mit seiner vermeintlichen Gütergemeinschaft und Vollkommenheit durch Heranbildung von ‹Gemeinden der Heiligen› wiederherzustellen. Sie vertraten das Prinzip der Aussonderung und die Verpflichtung zum ethischen Rigorismus, legten geringen Wert auf die lutherische Rechtfertigungslehre, umso mehr auf gute Werke in der Nachfolge Christi, forderten Bekehrung vor der Taufe (d. h. die Erwachsenentaufe), lehnten die Kindertaufe und die Volkskirche ab, beriefen sich anstelle des kirchlichen Lehramtes zuweilen auf die innere Erleuchtung. Eschatologische, apokalyptische, chiliastische, urchristliche und bildungsfeindliche Gedankengänge strömten in die Bewegung ein. Einzelne Anführer wollten mit Gewalt das von ihnen politisch und sozial gedachte Gottesreich aufrichten. Bei den Taufgesinnten lebte auch die alte Apokatastasislehre des ORIGENES, GREGOR VON NYSSA und SCOTUS ERIUGENA wieder auf: die Lehre von der Wiederbringung aller, Allversöhnung, Vollendung von Natur und Geschichte zu ursprünglicher Einheit und Reinheit, freilich ohne den einstigen kosmologischen Aspekt.

Die *Züricher Taufgemeinde* ist der Ausgangsort für die gesamte Täuferbewegung. Die Brüder faßten ihre Grundsätze 1527 in dem sog. ‹Schleitheimer Bekenntnis› zusammen und nannten unter ihren ersten Führern KONRAD GREBEL, FELIX MANTZ, BALTHASAR HUBMAIER, MICHAEL SATTLER, JÖRG BLAUROCK. Durch die bald einsetzende Verfolgung wurden die Führer vertrieben, aber überall, wohin sie kamen, versuchten sie die Gründung neuer Gemeinden. Bis Ende 1525 hatten BALTHASAR HUBMAIER im deutschen Teil der Schweiz und WILHELM REUBLIN in Straßburg Anhänger gefunden; im Mai 1526 trug HUBMAIER die Bewegung nach Augsburg, wo er HANS DENCK gewann, und nach Nikolsburg in Mähren; der von DENCK getaufte Buchführer HANS HUT († 1527) evangelisierte unter Einfluß MÜNTZERS in Franken, Nieder- und Oberösterreich und Mähren, seine Schüler wirkten in Tirol; MELCHIOR RINK missionierte in Hessen. HUT verfaßte u. a. den Traktat ‹Von dem Geheimnus der tauf baide des zeichens und des wesens, ein anfang eines rechten wahrhaftigen christlichen lebens›. KONRAD GREBEL (ca. 1488–1526), aus einer alten Züricher Patrizierfamilie, beschränkte sich zunächst als Humanist auf philologische und naturwissenschaftliche Interessen. Erst ZWINGLI gewann ihn für religiöse Anregungen, doch 1523 brach GREBEL mit ZWINGLI und gehörte einem Kreis an, der sich als wahre Gemeinde Christi fühlte. Auch FELIX MANTZ (ca. 1500–1527) trennte sich von ZWINGLI im Verständnis der Kirche und begründete seinen Widerspruch in der Tauffrage und in der Beurteilung der Obrigkeit. BALTHASAR HUBMAIER (1485–1528) aus Friedberg bei Augsburg, Schüler ECKS, 1516 Dompfarrer in Regensburg, zog sich 1521 nach Waldshut zurück und schloß sich der Glaubenserneuerung an. HUBMAIER wich in der Lehre des Schwertes von den für völlige Gewaltlosigkeit eintretenden Schweizer Täufern ab. Er stand in Verkehr mit GREBEL, MANTZ, MÜNTZER u. a.; sein Einfluß auf den Bauernkrieg ist umstritten. Verfolgt und in Zürich gefangen, wurde er nach einer Disputation mit ZWINGLI zum Widerruf gezwungen (1525), ging aber 1526 über Konstanz, Augsburg, Regensburg nach Nikolsburg in Mähren, wo er beim Fürsten von Lichtenstein Schutz fand, eine Druckerei eröffnete und durch Schrift und Tat für die Täuferbewegung wirkte, bis man ihn und seine Frau nach Wien auslieferte, wo er verbrannt und die Frau in der Donau ertränkt wurde. Von HUBMAIER gibt es ein umfangreiches Schrifttum: ‹Von Ketzern und ihren Verbrennern› (1524), ‹Von dem christlichen Tauf der Gläubigen› (1525, bei den Täufern sehr geschätzt), ‹Kurzes Vaterunser› (1526), ‹12 Artikel des christlichen Glaubens› (1527), ‹Vom christlichen Bann› (1527), ‹Von dem Schwert› (1527), ‹Von der Freiheit des Willens› (1527), ‹Rechenschaft meines Glaubens› (1528) u. a. In allen Schriften vertrat HUBMAIER seine eigenen Ideen über Taufe und Abendmahl, Rechtfertigung und Willensfreiheit, Stellung zur weltlichen Obrigkeit, Kirchenbann, Türkenkrieg etc.

Seit Frühjahr 1526 wirkte in Zürich MICHAEL SATTLER († 1527), vorher Prior in St. Peter bei Freiburg i. Br.; 1526 organisierte er in Straßburg eine Täufergemeinde; 1527 leitete er die Täuferversammlung in Schleitheim, bei der das älteste Bekenntnis der Täufer zustande kam. Die sieben Artikel betrafen: Taufe, Bann (nach MATTH. 18), Brotbrechen (Gedächtnismahl), Absonderung (von der Welt, vom katholischen und evangelischen Gottesdienst), Hirtenamt (Gemeindewahl zu Predigt, Bann, Brotbrechen, nicht zur Taufe, Ersatzwahl bei Verfolgung), Schwert (Ablehnung von obrigkeitlichem Amt und Kriegsdienst) und Eidesverweigerung. Nach ergebnislosen Gesprächen mit ZWINGLI mußte JÖRG BLAUROCK (ca. 1492 bis 1529), Vikar in Trims, die Schweiz verlassen und wurde Haupt der Täufergemeinde in Klausen (Südtirol). Nachdem er erst zum Luthertum neigte, schloß sich PILGRAM MARBECK (ca. 1495–1556), Ratsherr und Bergrichter in Rattenberg am Inn, 1527 den Täufern an. Er lebte 1528–1532 in Straßburg, 1544–1556 in Augsburg. MARBECK erlangte durch ein umfangreiches Schrifttum, eine weitläufige Korrespondenz und viele Reisen für das oberdeutsche Täufertum die Bedeutung, die MENNO SIMONS für das niederdeutsche hatte.

Eine der markantesten Gestalten unter den frühen Täufern, der besonders auf das *süddeutsche Gebiet* Einfluß nahm, war HANS DENCK (ca. 1500–1527), humanistisch gebildet, Schüler des ERASMUS und OEKOLAMPADIUS.

Als DENCK 1522 in Basel als Korrektor tätig war, erschien in der Druckerei CURIOS der ‹Defensor pacis› des MARSILIUS VON PADUA. Der Holzschnitt unter dem Titel zeigt Kaiser LUDWIG DEN BAYERN vor Rom. Ein sechszeiliges Gedicht von ‹Philalethes› (der Wahrheitsliebende?) wünscht dem Buch einen guten Lauf. DENCK hat offenbar mit der Neuausgabe zu tun gehabt. Durch Empfehlung OEKOLAMPADS kam DENCK 1523 als Lehrer an die Sebaldusschule in Nürnberg, wo DÜRER mit ihm bekannt wurde. Da er sich dem Spiritualismus zuwandte, wurde er aus der Stadt verwiesen, nahm 1526 in Augsburg von HUBMAIER die Taufe und wirkte dort, dann in Straßburg, Worms, Basel und wiederum in Augsburg für das Täufertum.

Aus DENCKS Schriften ‹Was geredt sei, das die Schrift sagt› (1526), ‹Vom Gesetz Gottes› (1526), ‹Wer die Wahrheit wahrlich lieb hat› (1526), ‹Von der wahren Liebe› (1527), ‹Ordnung Gottes und der Creaturen Werk› (1527) geht hervor, daß er religiöser Individualist gewesen ist, dessen Theologie in der Mystik TAULERS, der ‹Nachfolge Christi› und der ‹Theologia deutsch› wurzelte und der Anregungen von STAUPITZ, MÜNTZER und KARLSTADT empfing. An ihm sieht man sehr deutlich das Fortwirken des Nominalismus, der eine tiefe Kluft zwischen Autoritätsglauben und Vernunftwissenschaft aufgerissen hatte. Er bestritt die Prädestinations- und Rechtfertigungslehre, sowie als Spiritualist die Autorität der Schrift und die Heilswirksamkeit der Sakramente. Die Hauptpunkte seiner Lehre waren: das innere Wort als Kraft Gottes (unter Zurücksetzung von Schrift, Predigt, Sakramenten und Zeremonien), Glaube als Gehorsam, fromme Absonderung, Taufe als Bekenntniszeichen und Abendmahl als Gedächtnis des Todes Christi; Gott ist die vollkommene Liebe, der alle, schließlich auch den Teufel, beseligt. DENCK vertrat die Lehre von der *apokatastasis panton*. Das persönliche Gewissen stand ihm höher als Bibel, Kirche und Staat. Als Hauptwerk DENCKS gilt eine Übersetzung und Auslegung des Propheten Micha (Straßburg 1532), dessen Unheilsweissagungen und Heilsverheißungen schon SAVONAROLA in seinen Predigten wieder aktualisiert und erklärt hatte.

In einem Brief vom Oktober 1527 an OEKOLAMPADIUS hat DENCK den «vierten Glauben» geschildert: «Gott ist mein Zeuge, daß ich nur einer Sekte, welche die Kirche der Heiligen ist, gut sein werde, wo sie auch sein mag.» Und in der kurz vor seinem Tode niedergeschriebenen ‹Protestation› sagte er: «Die heilige Geschrift halt ich uber alle menschliche Schätze, aber nitt so hoch alß das Wort Gottes, das da lebendig, krefftig und ewig ist, welches aller Elementen diser Welt ledig und frei ist; dann so es Gott selbst ist, so ist es Geyst und keyn Buchstab, on Fedder und Papir geschriben, das es nimmer außtilgt werden mag.»

Ein Schüler DENCKS war CHRISTIAN ENTFELDER, befreundet mit HUB-MAIER und HANS BÜNDERLIN. Er wirkte in Mähren, Straßburg und Preußen, trennte sich später von den Täufern und ging seinen eigenen, stark mystisch und spiritualistisch bestimmten Weg. An Schriften seien genannt: ‹Von den mannigfaltigen im Glauben Zerspaltungen› (1530); ‹Von warer Gotseligkait› (1530); ‹Von Gottes und Christi Jesu unnsers Herren Erkändtnuß ain Bedacht, allen Schülern des hailigen Gaysts weiter zebedencken aufgezaichnet› (1533).

Vermutlich ebenfalls Schüler DENCKS, Täufer und Spiritualist war HANS BÜNDERLIN († 1533) aus Linz. BÜNDERLIN versah erst das Amt eines Predigers bei BARTHOLOMÄUS VON STARHEMBERG, weilte 1526 kurz in Augsburg, war hernach 1527/28 Prediger bei dem taufgesinnten LEONHARD VON LICHTENSTEIN in Nikolsburg, 1528/29 in Straßburg, wo er SEBASTIAN FRANCK kennenlernte und dessen Schriften herausgab. Gegen BÜNDERLINS ‹Clare Verantwortung ettlicher Artikel› (1531) schrieb PILGRAM MARBECK ‹Ein klarer fast nützlicher Unterricht wider etliche trück und schleichendt Geister›.

Unter die bestimmende Wirkung von DENCK, BÜNDERLIN und HANS HUT geriet zunächst AUGUSTIN BADER († 1530), Weber und Kürschner zu Augsburg. Der Zusammenbruch der Augsburger Täufergemeinde führte ihn nach Mähren und in die Schweiz. Er sah in der Belagerung Wiens durch die Türken 1529 das Zeichen des Weltendes. In Visionen schwebte ihm ein Tausendjähriges Reich vor Augen, sein Söhnchen als Messias des Gottesstaates, er selbst als Stellvertreter und König. Da für ihn das Täufertum nur eine Übergangsphase war, trennte er sich davon und lebte mit einer kleinen Splittergruppe in der Nähe von Ulm, bis der phantastische Prophet in Stuttgart hingerichtet wurde.

An den Rand der frühen Täuferbewegung gehört LUDWIG HÄTZER (ca. 1500–1529) aus Bischofszell.

Als Kaplan in Wädenswil stieß er zu ZWINGLI und verfocht besonders die Abschaffung der Bilder. Allzu radikaler Reformeifer und Verwerfung der Kindertaufe führten aber zum Bruch mit ZWINGLI. Es folgte eine unruhige Wanderschaft mit den Stationen Augsburg, Zürich, Konstanz, Augsburg, Basel, Straßburg, Worms, Augsburg, Bischofszell. HÄTZER war anfangs Biblizist, bekämpfte die reformatorische Rechtfertigungslehre, die Kindertaufe und die lutherische Abendmahlslehre. Später wurde er unter DENCKS Einfluß Spiritualist, kämpfte gegen die reformatorische Schriftauffassung und verwarf die Gottheit Christi. Für die Anhänger DENCKS und HÄTZERS war Christus nicht Gott, sondern der gottähnlichste aller Menschen; nicht durch seinen Kreuzestod habe er die Menschen erlöst, sondern durch sein beispielhaftes Leben.

HÄTZER ist der Verfasser der Schriften ‹Ein Urteil unsers Ehe Gemahles, wie man sich mit allen Götzen und Bildnussen halten soll› (Zürich 1523) und ‹Von den evangelischen Zeichen› (1525). Er fertigte Übersetzungen von Schriften BUGENHAGENS und OEKOLAMPADS an und besorgte mit DENCK die erste reformatorische Propheten-Übersetzung ‹Alle Propheten nach hebräischer Sprach verdeutscht› (1527) und ‹Baruch der Prophet› (1528). Von HÄTZER stammen auch drei Kirchenlieder, darunter das «vielbelobte» Lied von Gott ‹Über die Wort Pauli Röm. 5. Geduld bringt Erfarung›.

Nach humanistischen Studien in Leipzig und Erfurt und einer reformatorischen Tätigkeit als Kaplan in Hersfeld war MELCHIOR RINK (ca. 1493 – nach 1551) unter den Einfluß MÜNTZERS geraten und hatte am Bauernkrieg teilgenommen. Mit DENCK und HÄTZER tauchte er 1528 als Täufer in Landau und Worms auf und wurde zum Täuferführer in Hessen. Von seinen Schriften sind bekannt ein ‹Sendschreiben an die Gemeinde in Hessen›, eine Widerlegung der Tauflehre des AUGUSTIN BADER und eine ‹Vermahnung und Warnung an alle, so in der Obrigkeit sind›.

Außer den Schweizer Brüdern, die im oberdeutschen Gebiet bis nach Hessen lebten, bildeten sich als zweite Hauptgruppe der Täuferbewegung die *Hutterer* heraus, auch *Mährische Brüder* genannt, weil sie in Mähren, in der Gegend von Nikolsburg, Auspitz und Austerlitz Zuflucht fanden. Ihr erster Führer, JAKOB HUTER († 1536) aus Moos im Pustertal, stand 1529 einer kleinen Täufergemeinde in Welsperg vor und organisierte nach dem Tode JÖRG BLAUROCKS das Tiroler Täufertum.

Um der Verfolgung zu entgehen, suchte HUTER für seine Anhänger Zuflucht in Mähren, wo in Austerlitz eine auf urchristlicher Grundlage gebildete Täufergemeinde existierte. Er schuf zwischen 1533 und 1535 in Mähren die Wirtschaftsorganisation der sog. Haushaben oder Brüderhöfe mit Gütergemeinschaft. Von Mähren aus sandten die Hutterischen Brüder Prediger durch ganz Österreich, Tirol und Deutschland und fanden weite Verbreitung in den Alpenländern, in Mitteldeutschland, am Rhein, sogar in Ostpreußen; 1622 wurden sie aus Mähren vertrieben. HUTERS Werk lebt in Nordamerika, wohin sich die Brüdergemeinde Ende des 19. Jahrhunderts aus Europa zurückzog, mit ca. 120 Höfen und ca. 10 000 Seelen bis in die Gegenwart.

Die offenbar nur handschriftlich verbreitete Schrift des Hutterers ULRICH STADLER ‹Von der Gemainschafft der Heiligen. Hier vnd dortt› (1537 bis 1540) veröffentlichte RUDOLF WOLKAN nach einer Handschrift der Universitätsbibliothek in Wien. Die dogmatischen und sozialen Anschauungen der Hutterer wurden 1565 durch den auch als Liederdichter tätigen PETER RIEDEMANN (1506–1556) in ein System gebracht: ‹Rechenschaft unserer Religion, Lehr und Glaubens von den Brüdern, so man die Hutterischen nennt› (1540; gedr. 1565 u. ö.). Das meist nur handschriftlich überlieferte Schrifttum der Hutterischen Täufergemeinschaften wurde erst in jüngster Zeit katalogisiert. Es besteht aus Chroniken, Rechenschaftsberichten, Epistel- und Liederbüchern, Predigten, bibelexegetischen, dogmatischen, liturgischen und pädagogischen Schriften, Gemeindeordnungen usw.

Eine dritte Hauptgruppe der Täuferbewegung konzentrierte sich in *Norddeutschland und in den Niederlanden.* Melchior Hofmann (ca. 1500–1543) aus Schwäbisch Hall, ein Kürschner, der zwischen 1523 und 1533 mehr als 35 Schriften verfaßte, brachte um 1530 sein mit chiliastischen Ideen vermischtes Täufertum dorthin. Für Hofmann ist die Bibel eine geheime Offenbarung Gottes und besteht als solche aus Figuren. Ihre Auslegung ist nur mit Hilfe des Geistes als des Schlüssels Davids möglich. Der Mittelpunkt des von den *Melchioriten* mit dem Schwerte aufzurichtenden ‹Reiches Zion› sollte zunächst Straßburg werden. Die Ankunft des ‹Neuen Jerusalem› prophezeite er für das Jahr 1533. Tatsächlich aufgerichtet wurde das Täuferreich 1534/35 in Münster durch Jan Matthysen, Johann von Leyden, Bernhard Rothmann und durch Münstersche Bürger wie Bernt Knipperdollinck.

Johann Bockelson, Johann von Leyden (1509–1536), Schneider, Kaufmann, Schankwirt ‹Zur weißen Lilie› in Leyden, widmete sich auch der Dichtkunst und dem Schauspiel. Er leitete seit 1534 die Täufergemeinde in Münster.

Nachdem die Partei der Taufgesinnten im Stadtrat die Herrschaft erlangt hatte, wurde das ‹Neue Reich› aufgerichtet: Kirchen und Klöster entweiht und geplündert, Archive, Bibliotheken und Kunstwerke zerstört und die Gütergemeinschaft eingeführt. Als Matthysen bei einem Ausfall aus der von Bischof Franz von Waldeck belagerten Stadt ums Leben kam, übernahm Bockelson unter Berufung auf innere Offenbarungen das Königtum des ‹Neuen Tempels› und gab nach alttestamentlichem Vorbild dem Gottesvolk eine neue Verfassung: Er führte die Vielweiberei ein, bestellte zwölf Älteste als Richter, sandte achtundzwanzig Apostel aus und ernannte zwölf Heilige, die unter ihm die Welt regieren sollten. In seinen Proklamationen nannte er sich ‹Johann der Gerechte› und ‹König im Stuhl Davids›.

Der ‹Worthalter› des Königs dieses Täuferreiches war Bernhard Rothmann (ca. 1495–1535) aus Stadtlohn. Er hatte als Kaplan am St. Mauritz-Stift bei Münster 1530 mit Predigten im Sinne der Reformation begonnen, war dann in Straßburg mit Schwenckfeld und anderen Spiritualisten und Täufern in Berührung gekommen, ließ sich 1534 von den radikalen Täufern gewinnen und verteidigte nun in Münster als Hofprediger des Königs im ‹Neuen Jerusalem› in umfangreichen Schriften die Theologie des Täufertums mit all ihren Folgerungen: ‹Restitution rechter und gesunder christlicher Lehre› (Oktober 1534); ‹Von der Rache› (Dezember 1534);

‹Von der Verborgenheit der Schrift des Reiches Christi› (Februar 1535). Wie nicht anders zu erwarten, kam es nach kurzer Zeit zur Katastrophe dieses Täuferreiches. Nach Einnahme der Stadt im Juni 1535 wurden die Anführer 1536 hingerichtet. Durch die Vorgänge in Münster erlitt das Täufertum eine schwere Einbuße seines Ansehens. Es setzte sich auch in Norddeutschland das kampf- und widerstandslose Täufertum durch. Sein Apostel wurde der ehemals katholische Priester Menno Simons (1496–1561) aus Witmarsum in Friesland. Er wirkte als ihr Bischof (Ältester) in Groningen und in Emden, am Niederrhein, in Holstein und im Preußischen. Seine weniger dogmatischen als erbaulichen und polemischen Schriften, als deren Hauptwerk das ‹Fundamentbuch› (1539) gilt, wandten sich gegen die radikalen Richtungen. Dadurch wurde Menno Simons zum Lehrer der stillen und leidwilligen Taufgesinnten, die man nach ihm *Mennoniten* nannte und als deren Nachkommen gegenwärtig noch über 600000, größtenteils in den USA, leben.

Radikalen Kreisen um Karlstadt und Gerhard Westerburg († 1558?), den Leiter des Bürgeraufstandes zu Frankfurt a. M. 1525, stand nahe Peter Fliesteden († 1529) aus der Nähe von Köln. Verwandt mit täuferischem Denken waren der an verschiedenen Orten als Schullehrer wirkende Adolf Clarenbach († 1529) und der von diesem beeinflußte Johann Klopriss († 1535). Der letztere befand sich 1534 unter den achtundzwanzig Aposteln, die die Botschaft des ‹Neuen Zion› in die Welt trugen; er gewann die Stadt Warendorf für das Täufertum.

Zu den friedlichen Täufern gehörte Johann David Joris (1501/02 bis 1556), Glasmaler in Flandern, der seinen Beruf aufgab und eine eigene Gruppe, die *Joristen,* mit enthusiastischen und chiliastischen Vorstellungen bildete. Von ihm erschien ein ‹Wunderbuch› (Deventer 1542; 1550), in dessen Zentrum die joachimitische Vorstellung von den drei Weltaltern steht. Der Schüler des Joris, Heinrich Niclaes (1501/02–1580), gründete um 1540 die mystisch-pantheistische Sekte der *Familisten (familia caritatis).*

Die Angehörigen betrachteten sich als die wahren Kinder Gottes, die keiner Liturgie und keines Bekenntnisses mehr bedurften: Christen, Juden, Mohammedaner und Heiden sind religiös gleichrangig. Sie sollten vollkommene, von der göttlichen Liebe ganz erfüllte Menschen sein und erst im dreißigsten Lebensjahr die Taufe empfangen. Streitigkeiten über Religionsfragen waren ihnen untersagt.

Von Niclaes erschienen ein ‹Spegel der Gherechticheit, dorch den Gheest der Lieffden und den vergodeden Mensch› (1570) und eine ‹Terra pacis› (Köln 1580).

Wie die Lutheraner, der Zwinglianismus und die Calviner besaßen auch die Täufer eine *eigene Theologie.* Grundlage bildete die Bibel, hauptsächlich das Neue Testament. Verwendet wurde die Redaktion der ‹Züricher Bibel›. Christus

betrachteten die Täufer nicht als neuen Gesetzgeber, sondern als Versöhner, der
als solcher in seine Nachfolge berufe. Der Gläubige erfährt in einer Art Erwek-
kung eine innere Wiedergeburt und soll diese durch die Bekenntnistaufe bezeugen. Die Wiedergeburt war sowohl persönliches Heilserlebnis als auch Eingliede-
rung in die sichtbare Gemeinde. Der Begriff der Gemeinde bekam daher in der
Täufertheologie eine zentrale Stellung. Die Sichtbarkeit der Gemeinde, ihre
Wehrlosigkeit, ihr Gehorsam sind Merkmale des Leibes Christi. Die Gemeinde
darf mit der Wirksamkeit des hl. Geistes rechnen und hat das Charisma der
gemeinsamen Erkenntnis und das Laienpriestertum. Im Verhältnis zur Welt hielt
man sich im allgemeinen an eine Zwei-Reiche-Lehre: der Christ soll weder ein
Gewaltherrscher noch ein Mensch mit zwiespältigem Gewissen sein. Die Täufer
verweigerten daher die Eidesleistung. Ihre Verantwortung für die Welt äußerten
sie in der Toleranz und Mission. Im Gegensatz zu den Spiritualisten, die den
Geist als etwas Innerliches auffaßten und im Äußerlichen Belangloses sahen (und
danach Schrift, Predigt, Sakramente, Gemeinde, Christus beurteilten), wollten die
Täufer die Einheit von Äußerlichem und Innerlichem gewahrt wissen.

Die meisten der frühen Führer des Täufertums starben den Märtyrertod. Sie und jeder ihrer Märtyrer wurden durch ein Lied gefeiert (vgl.
S. 249 f. und 257 f.). ZWINGLI, LUTHER und die altkirchlichen Kreise
stellten sich selbstverständlich gegen das Täufertum. Von lutherischer
Seite war einer der Hauptpolemiker der vom Erfurter Humanistenkreis
herkommende JUSTUS MENIUS mit der Schrift ‹Der Wiedertäufer Lehre
und Geheimnis aus der h. Schrift widerlegt› (1530); außerdem URBAN
RHEGIUS. In Zürich ZWINGLI und sein Nachfolger HEINRICH BULLINGER.

Die Verfolgungen von den anderen Glaubensrichtungen und durch die
staatlichen Behörden, die einsetzende Gegenreformation etc. drängten das
Täufertum immer weiter zurück, bis es zu Anfang des 17. Jahrhunderts
in Europa erlosch. Von den letzten Gemeinden und ihren Kollektivsied-
lungen in Mähren und der Slowakei berichtet GRIMMELSHAUSEN in seinem
‹Simplizissimus›.

5. Die Anhänger der Geistkirche.
*Thomas Müntzer, Sebastian Franck, Kaspar von Schwenckfeld,
Valentin Weigel u. a.*

Das Christentum unterschied seit jeher zwischen der ‹unsichtbaren›
Kirche (*coram Deo*) und der ‹sichtbaren›, der auch Heuchler angehören.
CALVIN lehrte, niemand könne die ‹unsichtbare› Kirche glauben, ohne sich
der ‹sichtbaren› einzufügen. Gleichwohl gab es im Reformationszeitalter
nicht wenige tief religiös bestimmte Persönlichkeiten, die sich zu einer
Einordnung in die Bekenntnisse nicht entschließen konnten.

Der spätantike Neuplatonismus, der im Geist die Einheit der Ideen
sieht, die aus dem überseienden Einen stammt, die Lehre der Gnostiker,
denen der Geist eine Emanationsstufe des Göttlichen ist, AUGUSTINUS, der
den Geist als Bestandteil des göttlichen Intellektes faßte, die christliche

Theologie, die das höchste Prinzip der Welt und des Seins in einem persönlichen reinen Geist sieht, Mystiker und Humanisten, im 15. Jahrhundert vor allem NIKOLAUS VON CUES, sind Väter eines metaphysischen Spiritualismus. Von diesem unterschieden werden muß und etwas anderes ist der *ethische Spiritualismus*. Seine Anhänger erblicken in der Natur nur eine Verhüllung des Geistes ohne selbständige Bedeutung, die überdies fällt, sobald das Leben des Geistes beginnt. Während der sittliche Materialismus das Übernatürliche real, körperhaft auffaßte und die äußere Werkheiligkeit pflegte, legt der ethische Spiritualismus wenig Wert auf die äußere Erscheinung des Religiösen, negiert etwa die sichtbare Heils- und Rechtskirche mit ihrem Kultus und ihren Sakramenten. Viele Sekten und manche dem Pantheismus nahekommenden Mystiker des Mittelalters waren metaphysische und ethische Spiritualisten.

Eine ganze Gruppe solcher mittelalterlicher Spiritualisten, die bis ins 16. Jahrhundert hinein wirkten, hat man in den *Brüdern und Schwestern des freien Geistes* vor sich. Sie tauchten um die Mitte des 13. Jahrhunderts in Schwaben auf und breiteten sich über Süd- und Westdeutschland aus, gewannen aber auch in Frankreich und Italien Boden. Diese Brüder und Schwestern verkörpern eine religiöse Laienbewegung, deren Gedankenwelt eine Verbindung von Elementen pantheistisch-quietistischer Mystik mit politisch-sozialen Reformideen darstellte. Sie streben religiöse Vollkommenheit und Einswerden mit Gott an, fordern Abkehr vom tätigen Leben, lehnen Priester und Gnadenmittel ab. Die Bewegung war nicht fest organisiert, wirkte aber über das religiöse Volksleben, die Beginen und Franziskaner-Tertiaren bis in die Reformationszeit hinein, namentlich ins Täufertum.

Aber auch noch andere, durch die reformatorische Entwicklung bedingte Umstände begünstigten nach 1520 die Ausbildung einer Art *Geistkirche*. Im Spätmittelalter hatte die kirchliche Autorität die verschiedenen Lehrmeinungen und Richtungen der Scholastik und Mystik noch immer zusammengehalten. Von den Reformatoren vermochte keiner mehr eine derartige Lehrautorität aufzurichten. Die Reformation bildete daher in der Lehre verschiedene Richtungen aus und ermöglichte es Einzelgängern, ungehinderter als bisher ihre eigenen Wege zu gehen.

Gleich der neben LUTHER selbständigste, originellste und einflußreichste Denker der Reformationszeit THOMAS MÜNTZER (1468[1489/90]–1525) aus Stolberg im Harz, ist ein solcher Fall. Er war nicht einer der Initiatoren der Täuferbewegung, sondern gehört zur Geistkirche.

Mönch vermutlich im Augustinerkloster in Quedlinburg, Seelsorger in Nonnenklöstern, gelehrter Theologe, Kenner des Griechischen und Hebräischen, stand MÜNTZER geistig unter dem Einfluß JOACHIMS VON FIORE (Geistlehre, Botschaft vom Tausendjährigen Reich der Gerechtigkeit und des Friedens), TAULERS

(Leidensmystik), des Hussitismus und LUTHERS, mit dem er vergleichbar ist im Gedankengut und in der Wirkung, nicht im Schriftwerk. Von LUTHER, den er anscheinend bei der Leipziger Disputation kennengelernt hatte, als Pfarrer nach Zwickau empfohlen, geriet er dort in den Kreis der von hussitisch-taboritischen Ideen inspirierten *Zwickauer Propheten* (STORCH, DRECHSEL, THOMAE), die anstelle der Bibel und Schriftdeutung die innere Erleuchtung setzten, den neuen Heilsweg statt in der Rechtfertigung durch den Glauben in der Erfahrung des Kreuzes sahen und politisch-sozialen Reformideen anhingen. Dieser Geistglaube gab MÜNTZER die Überzeugung seiner Auserwählung und die Sicherheit für sein Wirken.

Als MÜNTZER aus Zwickau verwiesen wurde, floh er nach Böhmen und versuchte in Prag durch sein ‹Manifest› vom 1. November 1521 die Böhmischen Brüder für seine Ideen zu gewinnen. In dieser öffentlichen Erklärung sind die Grundgedanken MÜNTZERS erstmals faßbar: Betonung der Gaben des «lebendigen Geistes», der den toten Buchstaben der Schrift zum lebendigen Wort macht; gegen die Kirche der «Pfaffen und Affen» wird die «der auserwählten Freunde Gottes» gestellt. Auch aus Prag verwiesen, schuf er als Pfarrer in Allstedt am Kyffhäuser noch vor LUTHER in seiner ‹Deutschen evangelischen Messe› und seiner ‹Ordnung und Berechnung des Teutschen Ampts ze Alstadt› (1523) als erster eine vollständige, deutschsprachige Liturgie mit einer Reihe eindrucksvoller Kirchenlieder. Als MÜNTZER einen *Bund getreulichen und göttlichen Willens* bildete, fand er zahlreiche Anhänger. In den Ende 1523 veröffentlichten Lehrschreiben ‹Protestation oder Empietung›, ‹Von dem getichten Glauben› und ‹Von dem rechten Christenglauben und der Taufe› wendet er sich gegen die reformatorische Lehre vom Glauben an die Evangelien und stellt ihr die innere Offenbarung gegenüber; die «äußere Taufe» sei nicht heilsnotwendig, wohl aber die innere im «Wasser und hl. Geist». Der Gegensatz zu LUTHER war soweit gediehen, daß dieser im ‹Sendbrief an die Fürsten zu Sachsen vom aufrührerischen Geist› vor MÜNTZERS Lehren warnte. Daraufhin entwickelte dieser 1524 in der ‹Fürstenpredigt› (‹Außlegung des andern Unterschyds Danielis›) vor Herzog JOHANN VON SACHSEN sein Geschichtsbild mit allen sich daraus ergebenden Folgerungen und lud den Fürsten ein, seinem Bund beizutreten. Der Herzog lehnte ab, und MÜNTZER wurde immer mehr zum Gegenspieler LUTHERS, Anwalt der unzufriedenen Bauern und politischer Agitator, der als «neuer Johannes» Christus die Herrschaft bereiten und in einem neuen Gottesstaat das Volk von den Tyrannen befreien und freimachen wollte. Nach einem Verhör in Weimar floh er nach dem thüringischen Mühlhausen und inszenierte dort mit dem ehemaligen Zisterzienser HEINRICH PFEIFFER einen Aufstand. Zur Flucht genötigt, wandte er sich nach Nürnberg, ließ dort eine noch in Allstedt verfaßte Predigt ‹Außgetrückte Emplössung des falschen Glaubens der ungetreuen Welt› und gegen LUTHERS ‹Sendbrief› die ‹Hochverursachte Schutzrede vnd antwort wider das Gaistloße, Sanfft-lebende

fleysch zu Wittenberg› (1524) drucken. Sie wendet sich gegen die Rechtfertigungslehre LUTHERS und gegen die Leugnung der Willensfreiheit; mit
dem Vater Sanftleben und Bruder Mastschwein meinte er LUTHER. MÜNT-
ZER nahm als «Botenläufer Gottes» die Verbindung mit den aufständischen Bauern in Oberdeutschland, mit OEKOLAMPADIUS und den Taufgesinnten wie HUBMAIER auf. In einem von MÜNTZER inspirierten ‹Artikel-
brief› wurde noch vor den ‹Zwölf Artikeln› ein allgemeines Bauernpro-
gramm aufgestellt. Anfang 1525 nach Mühlhausen zurückgekehrt, formte
er gemeinsam mit PFEIFFER die Stadt zu einer christlichen Demokratie mit
allen Begleiterscheinungen des Bildersturms und der Klösteraufhebung in
seinem Sinne um, schrieb sein ‹Manifest an die Allstedter› und rief in
«sprachgewaltigem» Briefe seine Anhänger zum Anschluß an den Bauernkrieg auf. Als Anführer eines Bauernhaufens wurde er im Mai 1525 zusammen mit PFEIFFER vor Mühlhausen enthauptet. Nicht als Revolutionär
oder militärischer Führer, sondern als Prediger und Theologe hatte er Anteil an der Katastrophe bei Frankenhausen am 15. Mai. Schüler MÜNT-
ZERS war der Karmelit SIMON HAFERITZ, Verfasser eines ‹Sermon vom
Fest der heiligen drei Könige› (1524).

Von der deutschen Mystik und zunächst von LUTHER ausgehend, aber
dann zu einer dem Reformator ganz entgegengesetzten Persönlichkeit entfaltete sich SEBASTIAN FRANCK (1499–1542/43) aus Donauwörth.

FRANCK bezog seine religiösen Überzeugungen von ECKEHART, TAULER, der
‹Theologia deutsch›, THOMAS VON KEMPEN. Erst später machte er sich mit dem
Humanismus vertraut, mit ERASMUS, AGRIPPA VON NETTESHEIM, JUAN LUIS
VIVES. Unter dem Eindruck einer Disputation in Heidelberg 1518 wurde er zu
einem Vorkämpfer der lutherischen Glaubenserneuerung, versah aber bis 1526
ein katholisches Kirchenamt, war kurz evangelischer Geistlicher und lebte eine
Zeitlang in Nürnberg. Dort begann seine Verbindung mit Täuferkreisen und
Spiritualisten: DENCK, die ‹gottlosen Maler›, PARACELSUS. Nach seiner Verheiratung (1528) mit OTTILIE BEHAM, der Schwester der Malerbrüder BARTHEL und
SEBALD BEHAM, ebenfalls einer «Geistgenossin», legte er sein geistliches Amt nieder und wandte sich nach Straßburg. Von dort 1531 unter Mitwirkung des
ERASMUS verwiesen, ging er 1532 nach Eßlingen und betätigte sich als Seifensie-
der, 1533 nach Ulm, wo er ab 1535 eine Druckerei mit Buchhandel betrieb; 1539
ausgewiesen, zog er mit seiner Druckerei nach Basel, wo er schließlich starb.

FRANCKS Schriftwerk ist mehrschichtig und besteht aus Geschichtsschrif-
ten, theologischen Schriften, Übersetzungen, Sprichwörtersammlungen. Er
hat seine reformatorischen Anschauungen und Gedanken in deutscher
Sprache niedergelegt und verfügte über einen Stil, dessen Bilderreich-
tum, Spruchweisheit, volkstümliche Beredsamkeit, Gemütswärme und
Anschaulichkeit der Darstellung dem Können LUTHERS kaum nachstehen.
FRANCKS Bücher waren daher sehr viel gelesen und von seinen Schriften
gingen außerordentliche und weitreichende Wirkungen aus. Er begann
mit einem Traktat ‹Von dem greüwlichen laster der trunckenhayt› (1528)

und einer Übersetzung und Bearbeitung von ANDREAS ALTHAMERS ‹Diallage, das ist Vereinigung der streitigen Sprüch in der Schrifft, welche im ersten Anblick scheinen wider einander zu seyn› (Nürnberg 1528). ALTHAMER hatte sich gegen eine Schrift HANS DENCKS (1527) gewandt, der zeigen wollte, wie die zahlreichen Widersprüche der biblischen Bücher zu vermitteln seien. Eine Abhandlung ‹Von der Erkenntnis des Guten und Bösen› (1530) hatte FRANCKS Verweisung aus Nürnberg zur Folge. Diesen Schriften folgen eine Reihe bedeutsamer, der Geschichtsschreibung und dem Geschichtsdenken zugehöriger Werke (vgl. S. 423 ff.). Denn die Bibel enthält für FRANCK wohl auch das Wort Gottes, ist aber doch nur unvollkommenes Menschenwerk. Höher steht ihm die Geschichte.

In einem Brief an den niederländischen Antitrinitarier JOHANNES CAMPANUS 1531 schrieb FRANCK: «Wir müssen alles, was wir von Jugend auf von unseren Papisten gelernt haben, verlernen und müssen alles ändern, was wir von dem Papst, Lutherus, Zwinglius empfangen, in uns gesogen und für wahr gehalten haben». Speziell der spiritualistischen Schriftauffassung widmete FRANCK seine ‹Paradoxa ducenta octoginta, das ist CCLXXX Wunderred vnd gleichsam Räterschafft auß der heiligen schrifft› (o. O. u. J. [1534]), die ‹Güldin Arch› (Augsburg 1538) und ‹Das verbüthschiert mit siben Sigeln verschlossen Bůch› (o. O. 1539).

Für FRANCK ist alles in der Bibel «Figur», Bild oder Zeichen, ewige Allegorie. Das verworrene äußere Wort hat keinen anderen Sinn als hinzuweisen auf das «ewig unsichtbare Wort». Gottes Offenbarung bindet sich nicht an zeitliche und räumliche Grenzen. Der tiefere Sinn der hl. Schrift ist nicht mit den Mitteln der Wissenschaft zu ergründen, sondern erschließt sich dem von Begierden und Affekten freigewordenen gottförmigen Menschen unmittelbar. Gegenüber der lutherischen Sozialisierung der Religion vertrat FRANCK ihre äußerste Individualisierung. Er lehnte Kirche, Sakramente und äußere Bräuche ab und vertrat einen mystischen Spiritualismus. Das Wesentliche ist ihm die Erleuchtung durch den Geist Gottes. Gott offenbart sich außer der Bibel in Natur und Geschichte.

In seinen letzten Lebensjahren verfaßte FRANCK für seine Anhänger eine lateinische Paraphrase der ‹Theologia deutsch›. Dabei wollte er den Beweis führen, daß Lateiner, Griechen und Juden auch von einem deutschen Theologen vieles lernen können. Nur in holländischer Übersetzung erhalten sind uns die späten religiösen Traktate FRANCKS ‹Von dem Reich Christi›, ‹Von der Welt›, ‹Von des Teufels Reich›, ‹Von der Gemeinschaft der Heiligen› (Gouda 1611–1618).

Nach FRANCK ist das Wesen Gottes die Liebe, Gott das allwirksame Gute. In den geschaffenen Kreaturen will Gott sich selber lieben. Die Natur ist die von Gott jedem Ding eingepflanzte Kraft, zu wirken und zu leiden. Der Mensch unterscheidet sich von den anderen Geschöpfen durch seinen freien Willen. Im Menschen wird die Gottheit selber wollend. Der Mensch hat keine Freiheit des Wirkens, denn alles, was er tut, geschieht durch Gott. Da seit Adam jeder Mensch durch seinen Eigenwillen sich von Gott abgewendet hat, muß der Mensch wiedergeboren werden. Voraussetzung für die Wiedergeburt sind Ruhe, Stille und williges Leiden. Das Reich Gottes ist in uns.

Dem weiteren Schrifttum FRANCKS gehören an: eine Übersetzung des ‹Encomion Moriae› des ERASMUS ins Deutsche mit zwei angehängten Traktaten ‹Vom Baum des Wissens Gut und Bös› und ‹Lob des törichten göttlichen Worts› (Ulm o. J.), drei ‹Kronbüchlein› und zeitkritische Gedichte. Ferner die Übersetzungen: von PHILIPPUS BEROALDUS die ‹Declamatio de tribus fratribus›, Wortkampf, Zank und Hader dreier Brüder, eines «Sauffers, Hurers vnd Spilers», vor Gericht (Nürnberg 1531) sowie von AGRIPPA VON NETTESHEIM ‹Was von Künsten vnd menschlicher Weißheit zu halten sey› (Frankfurt a. M. 1619) und ‹Lob des Esels› (o. O. u. J.). ‹Das Kriegs-Büchlein des Friedens (o. O. 1539) wendet sich gegen den Krieg, der im Reich Christi keinen Platz habe. Hervorzuheben sind ferner zwei deutsche Sprichwörtersammlungen, die erste anonym 1532 mit 750 Sprüchen und die zweite (2 Ausgaben) 1541 mit rund 7000 Sprüchen (vgl. S. 395 f.). Erst die neuere Forschung wies SEBASTIAN FRANCK auch satirische Gedichte zu und zwei freichristliche Reimdichtungen ‹Vom Glaubenszwang› und ‹Bewährung und Erklärung des Sprüchworts: Die Gelehrten, die Verkehrten› (1531), die JOHANN FISCHART 1584 herausgab.

FRANCK war ein Autor, der auch die ungeklärten Widersprüche und seelischen Zwiespältigkeiten der Zeit erörterte, ein Geistbesessener, ein Denker, der alle Glaubenssätze relativierte. Er sah merkwürdig scharf in die Zukunft und sagte viele Folgen der Glaubenskämpfe voraus: die dogmatische Verhärtung, die Überbetonung der Schrift, die Überschätzung der «reinen Lehre», die neue Scholastik, eine streitbare und unduldsame Theologie, die Unterdrückung der religiösen Gefühlswerte. Er sprach sich für Toleranz in allen Glaubensangelegenheiten aus und verwarf die Standesunterschiede, bekämpfte alle Parteien und wurde von allen bekämpft. Obgleich ein Feind des «unsteten» Pöbels und der Bauernkriege, strebte er in seinen Schriften Volkstümlichkeit an und erreichte mit seiner Sprachbeherrschung viele Leser.

Nicht unbedingter Gefolgsmann LUTHERS wollte sein, doch von den katholischen Theologen als Ketzer und Irrlehrer behandelt wurde Graf WILHELM VON ISENBURG UND GRENZAU (vor 1470 – nach 1532). Erst Mitglied des Deutschen Ordens in Preußen, lebte er später am Rhein. Von der reformatorischen Bewegung mächtig erfaßt, griff er gegen Abend des Lebens zur Feder, um nach seiner Überzeugung beiden Parteien die Wahrheit zu sagen, und verfaßte zwischen 1525 und 1529 etwa zehn deutsche Schriften. Die umfangreichste davon sind die ‹Hauptartikel aus Götlicher geschrift› (1526). Darin und in allen weiteren – meist Gegenschriften auf Angriffe – vertritt er einen biblisch-evangelischen Standpunkt. Als der täuferischem Denken in manchem verwandte ADOLF CLARENBACH in Köln verhaftet wurde, sprach er sich warm für ihn aus.

Spiritualistische Deutung des Kirchentums ist auch zu konstatieren bei
dem schlesischen Adeligen KASPAR VON SCHWENCKFELD (1489–1561) aus
Ossig. Sein Lebensweg führte über Studien in Köln und Frankfurt (Oder)
in den Hofdienst bei FRIEDRICH II. VON LIEGNITZ, den er für die Reformation gewann. SCHWENCKFELD war seit 1517/18 mit den Gedankengängen
LUTHERS vertraut, entfernte sich aber dann von diesem und näherte sich
OEKOLAMPADIUS und ZWINGLI sowie den Täufern. Für ihn wurde die Frage
nach den sittlichen Ergebnissen der Reformation entscheidend. Differenzen bestanden auch in der von SCHWENCKFELD zusammen mit seinem
Freunde VALENTIN KRAUTWALD entwickelten Abendmahlslehre, in der die
beiden lediglich den Hinweis auf eine geistige Speise sahen. In einer
Schrift ‹Ermahnung des Mißbrauchs etlicher fürnehmster Artikel, aus
welcher Unverstand der gemeine Mann in fleischliche Freiheit und Irrung
geführt wird› warnte er vor Mißverstand und Mißbrauch der Lehre von
der Rechtfertigung und christlichen Freiheit und forderte sichtbare
Früchte eines neuen, in Gott geheiligten Lebens. Nach LUTHERS Urteil
(1525) war SCHWENCKFELD neben ZWINGLI und KARLSTADT der «dritte
Kopf der verderblichen sakramentiererischen Sekte».

Der Gescholtene und dem in Schlesien eingedrungenen Täufertum Zuneigende
mußte 1529 die Heimat verlassen, lebte dann in Straßburg in freundschaftlichem
Verkehr mit CAPITO, BUCER u. a., 1533 in Augsburg, 1535 in Ulm, nach seiner
Verdammung auf dem Theologenkonvent in Schmalkalden (1540) und seiner
Gleichstellung mit den Täufern als ruheloser Flüchtling bei süddeutschen Ade-
ligen oder bei Anhängern.

SCHWENCKFELDS Christologie brachte ihn auch mit den Schweizern in
Konflikt. Er richtete gegen ZWINGLIS Abendmahlverständnis ein ‹Sum-
marium etlicher Argumente, daß Christus nach der Menschheit heut keine
Creatur, sondern ganz unser Gott und Herr sei› (1539) und als die Schweizer, namentlich JOACHIM VON WATT, SCHWENCKFELDS Lehre als eine euty-
chianische Ketzerei verurteilten, verteidigte er sich in einer ‹Großen Confessio› (1540).

SCHWENCKFELD verbreitete seine Anschauungen und Auffassungen in
vielen gedruckten Schriften und zahllosen Sendschreiben erbaulichen, belehrenden und polemischen Inhalts. Sie erschienen gesammelt 1564 in
vier Foliobänden und sind jetzt im ‹Corpus Schwenckfeldianorum› (19
Bände, 1907–1961) vereinigt.

SCHWENCKFELD betrachtete seine Lehre als «himmlische Philosophie» und
königlichen Mittelweg zwischen den streitenden Parteien. Es geht ihm um die
seligmachende Erkenntnis Christi. Im «Hinweisen» auf Christus sieht er sein
eigentliches Amt. Seiner Lehre von der Unkreatürlichkeit der menschlichen Natur
Jesu entsprechend, hält er die Geschöpflichkeit des Menschen als eine zu über-
windende Sündhaftigkeit. Er kämpft gegen jedes vermittelnde Gottesverhältnis
und beurteilt Papstkirche, Luthertum und Täufer negativ. Anfangs strebte er
nach einer durch den «evangelischen Bann» konstituierten heiligen Gemeinde,

seit 1525 empfahl er die «Absonderung» (Separation) von der kreatürlichen Kirche. Die wahre Kirche lebt in der Zerstreuung und ist allein Gott bekannt. SCHWENCKFELD war einer der ersten konsequenten Vertreter des Toleranzgedankens. Sein Denken ist geprägt von der Mystik, besonders von TAULER, und ist von griechischen Kirchenvätern her gnostisch gefärbt.

SCHWENCKFELDS Lehre führte zur Entstehung der *Schwenckfelder,* dörflichen Gruppen (besonders in Niederschlesien) und konventikelartigen Lesegemeinden von «Bekennern der Glorie Christi» (in Süddeutschland, in Schwaben, auf Gütern von Adeligen, in Preußen). Bei ihnen tritt die Bibel hinter der inneren Inspiration zurück. Sie spiritualisieren die Sakramente: die Taufe zur Geisttaufe, das Abendmahl zur Speisung durch den glorifizierten Christus. Inhalt des Christentums ist ihnen die praktische Nachfolge Christi.

Verbreiter Schwenckfeldischen Gedankengutes waren vor allem ADAM REISNER und der Liederdichter DANIEL SUDERMANN. Schon vor 1536 war ADAM REISNER, REUSNER (ca. 1500–1582) SCHWENCKFELDS Amanuensis, der dessen Werk posthum edierte. REISNER hatte bei REUCHLIN in Ingolstadt 1518 alte Sprachen studiert, 1523 bei LUTHER Theologie, war 1526 bis 1528 Sekretär FRUNDSBERGS in Italien. Seine Schriften betreffen Religiöses, Zeitgeschichte und Lyrik: ‹Jerusalem, die alte Haubtstat der Jüden› (Frankfurt a. M. 1563), ‹Miracula, Wunderwerck Jhesu Christi› (ebd. 1565), ‹Messias› (ebd. 1566). Außerdem stammen von REISNER rund 60 Lieder. Von den sechs, die in Gesangbücher kamen, ist ‹In dich habe ich gehoffet, herr› weltverbreitet. DANIEL SUDERMANN (1550 – nach 1631) soll gegen 2500 Lieder gedichtet haben, von denen über 400 gedruckt wurden.

Nach SEBASTIAN FRANCK und vermutlich auch abhängig von ihm suchte VALENTIN WEIGEL (1553–1588) aus (Großen-) Hain bei Dresden, sich über die erstarrte Orthodoxie zu erheben. Nach Studien in Leipzig und Wittenberg wirkte er seit 1567 als Pfarrer in Zschopau. Um von den Orthodoxen Ruhe zu haben, unterzeichnete er die Konkordienformel und hielt seine philosophisch-mystische Lehre geheim. WEIGEL knüpfte zunächst an den jungen LUTHER an. Dadurch fand er den Anschluß an ECKEHART, TAULER, den CUSANER und die ‹Theologia deutsch›. Indem er deren Standpunkt spekulativ ausbaute und mit der Naturphilosophie des PARACELSUS verschmolz, gelangte er zu einer eigenen philosophischen Mystik. Er ließ aber zu seinen Lebzeiten nur ganz wenige Predigten drucken. Seine Schriften zirkulierten zunächst nur im engen Kreis von Vertrauten. Nicht alles, was unter seinem Namen ging und seit 1609 veröffentlicht wurde, stammt von ihm. Als echt gelten die Schriften ‹Von wahrer Gelassenheit› (1570), ‹Bericht und Anleitung zur deutschen Theologie› (1571) und die in der zweiten Hälfte der 70er Jahre verfaßten Schriften: ‹Der güldene Griff›, ‹Libellus disputatorius›, ‹Vom Ort der Welt›, ‹Kurzer Bericht und Anlei-

tung vom Weg und Weise, alle Dinge zu erkennen›, ‹De bono et malo in
homine›, ‹Scholasterium christianum›, ‹Philosophia theologica› und ‹De
vita beata›. In den WEIGEL unterschobenen Schriften sind vielfach Lehren
des Apokalyptikers PAUL LAUTENSACK enthalten.

Wie die deutsche Mystik lehrte WEIGEL, daß Gott, der alles in sich faßt, sich
im Menschen selbst erkennt, sofern dieser seiner Selbstheit abstirbt, und daß Gott
selber der Mensch wird. Diesen Standpunkt führte WEIGEL in eigener Weise in
seiner Metaphysik, Erkenntnistheorie und seinen Ansichten über Rechtfertigung,
Erlösung und Wiedergeburt durch. Alles, was ist, ist in Gott. Sein Geist umschließt Himmel und Hölle, Engel und Teufel, die Gerechten und die Sünder.
Alles, was aus Gott kommt, hat Gutes und Böses, Licht und Finsternis, Leben
und Tod in sich. Auch wenn sich die Geschöpfe von Gott abwenden, können sie
ihm nicht entfliehen, ihr Wesen bleibt ewig gut wie das Wesen Gottes. Die Hölle
ist nicht außerhalb, sondern innerhalb der Kreatur als die Zerrissenheit ihres
Inneren. Alle natürliche Erkenntnis kommt aus dem Inneren des Erkennenden.
Das resultiert aus der Stellung des Menschen im Universum. In dieser Hinsicht
folgt WEIGEL PARACELSUS. Die übernatürliche Weisheit empfängt der Mensch von
Gott, aber auch sie kommt nicht von außen, weil Gott im Menschen ist. Voraussetzung für übernatürliche Erkenntnis ist die innere Gelassenheit des Menschen.
Nach WEIGEL ist der Mensch nicht durch den Glauben und die Anrechnung des
Todes Christi gerechtfertigt, sondern der Mensch kann nur durch die Wiedergeburt gerecht und selig werden, deren jedermann ohne Zeremonien und Anschluß an eine bestimmte Kirche fähig ist. Die wahre Kirche ist die Gesamtheit
der im lebendigen Glauben Christi wiedererstandenen Gläubigen. Die Wiedergeburt ist keine Erhöhung des menschlichen Wesens, sondern seine Wiederherstellung in den Zustand vor dem Sündenfall, den WEIGEL als Abwendung
des Willens von Gott und Zurückbiegung auf sich selbst auffaßt. WEIGELS
Lehren fanden im 16. und 17. Jahrhundert weite Verbreitung.

Schwärmer, Maler und Musiker, Illustrator sektiererischer Traktate war
der in Bamberg und Nürnberg tätige PAUL LAUTENSACK (1478–1558). Seine
apokalyptischen Ansichten sind in einem Bilderbuch (1533) niedergelegt.
Als Maler entlehnte er seine Kompositionen meist Kupferstichen SCHON-
GAUERS oder Holzschnitten DÜRERS. Eine illustrierte Handschrift ‹Opus
mirabile› befindet sich in der Bamberger Bibliothek.

Gedanken des PARACELSUS und AGRIPPAS VON NETTESHEIM vermischen
sich bei ÄGIDIUS GUTMANN († nach 1589). Seine ‹Offenbarung göttlicher
Majestät› (um 1575; gedr. 1619) bedeutete für eine ganze Gruppe von
Theosophen die Hauptschrift, aus der sie schöpften. Ziel ist nicht irdische
Philosophie, sondern die göttliche Weisheit. Wer, erleuchtet vom gött-
lichen Licht, Gott und seine Wesenheit erkennt, der erkennt auch die
Welt und vermag ihre Kräfte zu gebrauchen.

Am Rande der Reformationsgeschichte tauchen Geisteshaltungen man-
nigfacher Art auf. Eine Gruppe davon sind die *Antitrinitarier*. Sie leug-
nen die Dreifaltigkeit Gottes. Ihr Auftreten erklärt sich teils aus der
mittelalterlichen Sektenbewegung, teils aus dem rationalistisch orientierten Humanismus. ERASMUS VON ROTTERDAM hatte in seiner Ausgabe des

Neuen Testamentes (1516) das trinitarische Comma Johanneum (eine sekundäre Erweiterung von 1 JOH. 5, 7 f.) weggelassen. MARTIN CELLARIUS, BORRHAUS, (1499–1564), ein Schüler REUCHLINS, bestritt die besondere Gottheit für Jesus (1527). Zum geflügelten Wort wurde die Denkweise durch MICHAEL SERVETS Schrift ‹De trinitatis erroribus› (Basel 1531). MELANCHTHON nahm gegen diese Leugnung der Trinität Gottes Stellung. Die führenden Köpfe der Antitrinitarier stammten aus romanischen Ländern, besonders aus Oberitalien. Die Bewegung kam durch die *Unitarier* zur Gründung eigener Kirchen.

Eine Randgestalt des Reformationszeitalters war ferner der Arzt ALEXANDER SEITZ (ca. 1470– ca. 1543) aus Marbach in Württemberg. Wegen politischer Betätigung und Teilnahme am Aufstand des Armen Konrad aus seiner Heimat flüchtig, verbrachte er sein Leben an verschiedenen Orten des deutschen Südwestens und der Schweiz. Seine literarische Tätigkeit umfaßt Medizinisches, Religiös-Politisches und eine protestantische Moralität. An politischen und religiösen Schriften sind zu nennen die gegen den Adel gerichtete Schrift ‹Thurnier oder adelige Musterung›, ‹Das truncken Schwert Gottes› und ‹Von dem fryen Willen›.

Ideologisch in die Nähe der Geistkirche gehört auch der französische Humanist und Mystiker GUILLAUME POSTEL (1510–1581), Professor der orientalischen Sprachen zu Paris, 1544–1546 Mitglied des Jesuitenordens, 1553–1555 Professor in Wien, Orientreisender. POSTELS von neuplatonischen, chiliastischen und synkretistischen Spekulationen getragene Forderungen erstrebten die Vereinigung aller existierenden Religionen im Rahmen einer universalen Kirche. In der Annahme eines gemeinsamen Grundbestandes aller Religionen sucht sein Hauptwerk ‹De orbis terrae concordia libri IV› (Basel 1543/44) das Christentum als Weltreligion einzuführen. POSTEL, der 1546–1564 zumeist ein Wanderleben in Europa führte, verblieb zeitlebens im Verbande der katholischen Kirche, unterhielt jedoch Beziehungen nicht allein zu IGNATIUS VON LOYOLA, sondern auch zu führenden Protestanten, Täufern und Spiritualisten, wie BULLINGER, BIBLIANDER, NICLAES, SCHWENCKFELD.

6. Die Anhänger und Verteidiger der alten Lehre 1517–1555.
Johann Eck, Hieronymus Emser, Thomas Murner, Augustin von Alvelt, Johannes Cochlaeus, Johannes Fabri, Georg Witzel u. a.
Daniel von Soest

Kaum jemand von den Spätscholastikern und den Humanisten dachte anfangs an eine Trennung von der Kirche. Viele auch treukirchlich gesinnte Kleriker und Laien sahen zunächst in LUTHER den Vorkämpfer

eines gereinigten Christentums. Erst allmählich zeigte es sich, daß die
Reformation nach dem großen Schisma im 14. Jahrhundert zu den
schwersten Krisen gehörte, welche die abendländische Kirche erlitt. Mit
Recht hat man an der gefährdeten Kirche den gelassenen Mut bewundert,
mit dem sie dem Sturm trotzte und ihre schließliche Regeneration in die
Wege leitete. Nach dem Erkennen der Gefahr erweckte LUTHERS reforma-
torisches Schrifttum naturgemäß Gegenschriften und Gegenaktionen.
Eine *italienische Gruppe* bestand aus dem vom *Pfefferkorn-Reuchlin-
schen Streit* her bekannten SYLVESTER PRIERIAS (vgl. S. 28 f.), dem Nuntius
HIERONYMUS ALEANDER, CAJETAN DE VIO (vgl. S. 29), dem Kardinal und
Legaten LORENZO CAMPEGGI (vgl. S. 40), GASPARO CONTARINI, dem Diplomaten und Kardinal GIOVANNI MORONE, der das Trienter Konzil zum
Abschluß brachte. Es sind meist Amtsträger der Kurie, päpstliche Diplomaten, Legaten, zu deren Aufgaben die Vertretung und Verteidigung der
römischen Kirchenlehre gehörten. Innerkirchlich kommen einige aus dem
Dominikanerorden. Fast alle sind sie mehr und weniger vom Humanismus berührt. Alle die genannten Männer begegnen uns auf den verschiedenen Reichstagen, bei den Religionsgesprächen und sonstigen Auseinandersetzungen. Als publizistische Hauptverteidiger der katholischen
Kirche in Deutschland traten ECK, EMSER, MURNER, ALVELT, COCHLAEUS,
FABRI, WITZEL und ein pseudonymer DANIEL VON SOEST in den Vordergrund.

Bei den deutschen *Verteidigern der alten Lehre,* die sich gegen alle vier
Glaubensrichtungen wenden mußten, kann man zwei große Gruppen
von Persönlichkeiten unterscheiden: Solche, die hauptsächlich als wissenschaftliche Theologen vorerst gegen LUTHER Stellung nahmen (ECK, EMSER,
ALVELT, COCHLAEUS, WITZEL u. a.) und sich bei ihren Gegenschriften meist
des Traktates bedienen; andere, die zur Verteidigung des Katholizismus
und seiner geheiligten Tradition die literarische Form der Verssatire verwenden (MURNER, DANIEL VON SOEST). Die Parteinahme MURNERS erfolgte
zunächst ebenfalls mit theologischen Gegenschriften, ging aber dann bald
über zur bebilderten Spottdichtung mit schwersten persönlichen Angriffen auf LUTHER. ECK, EMSER, MURNER waren auch von reformatorischer
Seite her ehrenrührigen satirischen Angriffen ausgesetzt. Nach LUTHER
beteiligte sich MURNER am Glaubenskampf gegen ZWINGLI. Gegen alle
vier Glaubensrichtungen wandte sich JOHANNES FABRI. DANIEL VON
SOEST kämpfte gegen das Luthertum und die Wiedertäufer.

Der literarische Hauptgegener LUTHERS war zunächst JOHANN MAIER VON
ECK (1486–1543) aus Eck a. d. Günz in Schwaben. Theologe und Jurist,
war er durch ULRICH ZASIUS unter humanistischen Einfluß geraten. ECK
beherrschte von 1510 bis zu seinem Tode als theologischer Lehrer die Universität Ingolstadt. Seinen auf Befehl der bayrischen Herzöge zur Reform

1516–1520 ausgearbeiteten Lehrbüchern legte er ARISTOTELES und PETRUS HISPANUS zugrunde. Durch seinen ‹Chrysopassus›, ‹Edelstein› (1514), einer Frucht der Vorlesungen über Prädestination und Gnade, geriet er mit dem Arzte PAUL RITIUS in einen heftigen Streit über die averroistische Frage der Beseelung der Himmelskörper. ECK bekämpfte LUTHER vom Ablaßstreit bis nach den Religionsgesprächen in Disputationen und Schriften. Er griff 1518 mit seinen ‹Obelisci› in den Ablaßstreit ein, erwiderte die Angriffe KARLSTADTS mit einer ‹Defensio› (1518), setzte sich bei der Leipziger Disputation 1519 mit LUTHER und KARLSTADT auseinander, inspirierte die Bannandrohungsbulle ‹Exsurge Domine›, schrieb 1520 über den Primat des Papstes, 1521 über das Fegefeuer, 1522 über die Beibehaltung der Bilder (‹De non tollendis Christi et sanctorum imaginibus›) und die Beichte, veröffentlichte 1524 ein Handbuch gegen die Ketzer, 1526 die Bücher über das Meßopfer; er legte 1530 in Augsburg 404 Gegenartikel gegen LUTHER vor und war der Hauptverfasser der ‹Confutatio› (‹Widerlegung›) des ‹Augsburger Bekenntnisses› sowie der Antwort auf die ‹Fidei ratio› ZWINGLIS. Auch an den Religionsgesprächen in Hagenau (1540), Worms (1541) und Regensburg (1541) war er beteiligt. Gegen MELANCHTHONS ‹Loci communes› veröffentlichte ECK sein ‹Enchiridion locorum communium adversus Lutteranos› (Landshut 1525) und widmete es König HEINRICH VIII. VON ENGLAND als Antwort auf dessen Verteidigung der sieben Sakramente. Dieses ‹Enchiridion›, deutsch ‹Handbüchlinn gmayner stell und Artickel der yetz schwebenden neuwen leeren›, war das polemische Handbuch der Katholiken im 16. Jahrhundert und wurde mehr als neunzigmal aufgelegt. Als ECK in der Leipziger Disputation infolge seiner dialektischen Schlagfertigkeit und theologischen Gelehrsamkeit als Sieger hervorgegangen war, schrieb KARLSTADT in der heftigsten Weise gegen ihn; PIRCKHEIMER und FABIUS ZONARIUS verspotteten ihn im ‹Eckius dedolatus›, OEKOLAMPADIUS in der ‹Canonicorum indoctorum responsio›, zahlreiche Satiren folgten (vgl. S. 108 f.). Beauftragt mit der Publikation der Bannbulle, setzte ECK in das Instrument außer LUTHER noch sechs andere ihm mißliebige Persönlichkeiten ein (vgl. S. 30). Der Herzog von Bayern übertrug ECK die Verdeutschung der Bibel (vgl. S. 131).

Aus der Umwelt humanistischer Kirchenkritik und Reformgedanken erasmischer Artung kam ein zweiter Gegner LUTHERS, HIERONYMUS EMSER (1478–1527) aus Weidenstetten bei Ulm, Humanist, 1502 Sekretär des Kardinals PERAUDI, 1504 im Kreise WIMPFELINGS in Straßburg, wo er die Werke PICOS DELLA MIRANDOLA herausgab. Bei seinen im selben Jahr in Erfurt gehaltenen humanistischen Vorlesungen war LUTHER sein Zuhörer; 1505 kam EMSER als Sekretär zu Herzog GEORG VON SACHSEN nach Dresden. Der Konflikt mit LUTHER begann, als EMSER nach der Leipziger Disputation ein Sendschreiben an den Administrator der Erzdiözese Prag JOHANN ZAK drucken ließ: ‹De disputatione Lipsicensi,

quantum ad Boemos obiter deflexa est› (Leipzig 1519), worin er LUTHERS
Satz über den christlichen und evangelischen Charakter vieler Artikel des
HUS abzuschwächen suchte und zugleich den Primat des Papstes verteidigte. LUTHER erwiderte mit der ‹Additio zum Emserschen Steinbock›
[das Wappentier EMSERS], einer äußerst scharfen Streitschrift; EMSER gab
eine ‹Assertio a venatione luteriana› (Leipzig 1519) in Druck. In der Folge
wechselten die beiden eine Reihe bitterer Schriften: ‹An den Stier zu Wittenberg› (1521), dagegen LUTHER ‹Auf des Bocks zu Leipzig Antwort›
(1521); ‹Auf des Stiers zu Wittenberg wütende Replica› (1521), dagegen
LUTHER ‹Auf das überchristlich, übergeistlich und überkünstlich Buch Bock
Emsers zu Leipzig Antwort› (1521) u. a. Von 1521 an schrieb EMSER verschiedene Widerlegungen einzelner Schriften LUTHERS und KARLSTADTS:
‹Wider Luthers Buch An den teutschen Adel› (1521), gegen LUTHERS Übersetzung des Neuen Testaments (1523), ‹Formula missae et communionis›
(1523), ‹Verantwortung, auf das ketzerische Buch Andres Carolstats von
Abthueung der Bilder› (Dresden 1522) und ‹Das man der Heyligen Bilder
in den Kirchen nit Abthon noch unehren soll› (1522); auch fremdes anti-
lutherisches Schrifttum wie die Schrift König HEINRICHS VIII. VON ENG-
LAND über die sieben Sakramente (1522) hat EMSER übersetzt. Dem
lutherischen Neuen Testament stellte er eine Übersetzung, die sich an
die Vulgata hielt, entgegen. EMSER wurde neben JOHANNES COCHLAEUS
einer der Haupthelfer und -berater Herzog GEORGS VON SACHSEN im
Kampf gegen LUTHER.

Satirisch-publizistischer Gegner LUTHERS und der Reformation wurde
der noch aus dem Spätmittelalter herkommende, aber schon dem Humanismus nahestehende franziskanische Theologe und didaktisch-satirische
Versepiker THOMAS MURNER (vgl. Bd. IV/1, S. 585 ff.). Gleich im Herbst
1520 begann er den Kampf. Geübt von der Polemik mit WIMPFELING
und LOCHER sowie vom JETZER-Handel, veröffentlichte er innerhalb von
zwei Jahren sieben Streitschriften, in denen er vom brüderlichen Mahner
zum erbitterten Ankläger und Aggressor wurde. MURNER erkannte sehr
früh die Kraft LUTHERS und wußte, daß die Gegensätze aus den Hörsälen,
die Gewissensnöte einzelner und die Unzufriedenheit zu einer Entscheidung in der Öffentlichkeit drängten, wobei auch die unteren Volksschichten mitreden würden. MURNER empfand sich als Seelenhüter und
Seelsorger des einfachen Volkes. Er wählte daher nicht den lateinischen
Traktat oder die gelehrte Abhandlung, sondern die Streitschrift in deutscher Prosa als Waffe im Kampf gegen die Reformatoren. In der ersten
Flugschrift kündigte er an, daß ihr noch 31 weitere folgen würden, d. h.
MURNER plante ein ganzes ‹Corpus antilutheranum›, das 32 Schriften umfassen sollte (wovon aber nur 6 zustande kamen). MURNER fühlte sich in
der Bekämpfung der Mißbräuche mit LUTHER einig, aber es sollte die Einrichtung der Kirche nicht angegriffen werden. Die Reformation sollte beim

Klerus einsetzen und durch das Vorbild weiter wirken. Die wichtigsten reformationspolemischen Schriften MURNERS sind: die Übersetzung ‹Von der Babylonischen gefengknuß der Kirchen Doctor Martin Luthers› (1520); ‹Ein christliche vnd briederliche ermanung zů dem hoch gelerten doctor Martino luter ... (daß er etlichen reden von dem newen testament der heilligen messen gethon) abstande, vnd wider mit gemeiner christenheit sich vereinige› (1520); ‹Von dem babstenthum› (1520); ‹An den Groß- mechtigsten adel tütscher nation, das sye den christlichen glauben be- schirmen wyder den zerstörer des glaubens Christi, Martinum luther, ein verfierer der einfeltigen christen› (1520); ‹Wie Doctor M. Luter vß fal- schen vrsachen bewegt d[a]z geistlich recht verbrennet hat› (1521); ‹Ain new lied von dem vndergang des Christlichen Glaubens, in Brüder Vei- ten thon› (1521); ‹Protestation D. Thome Murner, das er wider Doc. Mar. Luther nichts vnrecht gehandlet hab› (1521); ‹Bekennung der süben Sacramenten wider Martinum Lutherum› (1522), Übersetzung der lateini- schen Verteidigungsschrift HEINRICHS VIII. gegen LUTHER; ‹Ob der künig vß engelland ein lügner sey oder der Luther› (1522). Gegen LAZA- RUS SPENGLERS ‹Schutzrede› für LUTHER richtete MURNER ‹Von Doctor Martinus luters leren vnd predigen. Das sie argwenig seint vnd nit gentz- lich glaubwirdig zů halten› (1520). Gegen den Augustiner MICHAEL STYFEL wenden sich die ‹Antwurt vnd klag mit entschuldigung wider brůder Mich. Styfel› (1522).

Die Flugschriften bilden den ideellen Unterbau für das ‹Glaubenslied› (1522) und das in Reimpaaren abgefaßte satirische Versepos ‹Von dem großen Lutherischen Narren wie ihn doctor Murner beschworen hat› (Straßburg 1522), mit Holzschnitten illustriert. Das von BRANT und MUR- NER selbst her bekannte Motiv der Narrenbeschwörung wird in der Refor- mationspolemik zu gröbstem Angriff und derbster Verunglimpfung. Der aufgeschwollene Narr ist eine Verkörperung aller negativen Mächte, die LUTHERS Auftreten entfesselte. In sorgloser Komposition stehen das Mo- tiv des Exorzismus, die Parodierung der ‹Fünfzehn Bundsgenossen› EBERLINS VON GÜNZBURG und die Persiflage auf LUTHERS damals noch gar nicht vorhandenes Familienleben nebeneinander.

Der Narr wird auf einem Schlitten herbeigezogen und, nachdem er sich selbst charakterisiert hat, beschworen, d. h. es wird an ihm als einem Besessenen der große Exorzismus vorgenommen, um die ihm innewohnenden Teufel und Dämo- nen auszutreiben. Dabei kommen aus dem Haupt gelehrte Narren und Kanzel- redner, aus der Tasche die auf das Kirchengut Erpichten, aus dem Bauch die ‹Fünfzehn Bundsgenossen› des EBERLIN VON GÜNZBURG. Diese Gesellschaft erhält Verstärkung und formiert sich unter LUTHERS Führerschaft zum Kampf. Im weite- ren Verlauf der Beschwörung erscheinen neue Helfer aus *Stiefel* und *Bundschuh,* den Eingeweiden, dem Speck und den Ohren des großen Narren. Entgegen der Warnung MURNERS wird der Befehl zum Losschlagen gegeben. Im Falle einer Niederlage fänden die Angreifer ihren Platz wieder im großen Narren. Der erste Sturmangriff gilt den Klöstern und Kirchen, der zweite einer Festung, in der nur ein Schwein zurückblieb, der dritte der Hauptfeste, die MURNER verteidigt. Er weist mehrere Angebote zur Übergabe ab, erst dem Erbieten, LUTHERS Tochter zu heiraten und dem neuen Glauben beizutreten, widersteht er nicht. LUTHER enthüllt seine wahren Absichten, MURNER meint, es sei ihm nicht schwer, die neue Lehre anzunehmen. MURNER macht seiner Braut ein Ständchen und veranstaltet den Hochzeitsschmaus. In der Nacht gesteht ihm die Braut, sie habe den ‹Grindt› [Schorf, Hautausschlag]. Daraufhin prügelt MURNER sie aus dem Hause. Als LUTHER ihn zur Rede stellt, erklärt er, die Ehe sei kein Sakrament. Darauf folgt LUTHERS Sterbeszene. Der Kranke bittet MURNER um Verzeihung. Dieser gewährt sie und mahnt zur Reue und Beichte, dann erhalte er die Letzte Ölung. Auch diese Sakramente lehnt LUTHER ab. Daher wird er in einem Abtritt begraben. Ein Katzenchor singt unter MURNERS Leitung den Grabgesang. Auch den großen Narren betreut MURNER in der Todesstunde und läßt ihn durch Narren bestatten. Zuletzt tritt MURNER als Testamentsvollstrecker auf, doch es ist nur eine Narrenkappe zu verteilen. Sie solle der Stärkste haben, rechtens aber gebühre sie dem Dichter selbst.

Die Satire zeigt alle Fähigkeiten MURNERS als Schriftsteller: Phantasie, Situationskomik, lebenswahre Charakteristik, Humor, Witz, Selbstironie, die Gabe, Belehrungen in anschauliche Bilder umzusetzen. LUTHER und das Luthertum, die für MURNER das Volk vom einzig wahren Glauben ablenken und weite Bereiche alten wertvollen Gutes zerstören, sollten getroffen werden. Die Vorzeichnungen zu den zahlreichen Holzschnitten stammen offenbar ebenfalls von MURNER. Inhalt, Tendenz und Darstellungsart der Satire, die literarhistorisch eine Zwischenstellung nach dem ‹Eckius dedolatus› und vor der ‹Monachopornomachia› des SIMON LEMNIUS einnahm, machen es begreiflich, daß MURNER in Hinkunft noch mehr als bisher die Pamphlete und Streitschriften der Gegner auf sich zog (vgl. S. 109 und 116).

Als MURNER aus dem reformatorischen Straßburg vertrieben wurde, fand er 1525 in Luzern Aufnahme. In der Schweiz beteiligte er sich am Glaubenskampf mit ZWINGLI und dessen Anhängern. An weiteren Schriften seien genannt: ‹Murnerus in Lutheranorum perfidiam› (Luzern o. J.); ‹Murneri responsio› (Luzern o. J.), gegen ZWINGLI; ‹Ein worhafftigs verantworten› (o. O. u. J.), im Zusammenhang mit der Badener Disputation; ‹Der Lutherischen Evangelischen Kirchendieb- vnd Ketzerkalender› (Luzern 1527); ‹Die Disputacion vor den XII orten einer loblichen eidtgnoschafft› (Luzern 1527); ‹Appellation der Doktoren J. Ecken, J. Fabri und Th. Murner wider die Disputation zu Bern› (1528). Der Kirchendieb- und Ketzerkalender ist ein Gegenstück zum evangelischen Kalender des JOHANNES KOPP von Zürich. Überdies veröffentlichte MURNER die Akten der Berner Disputation und verfaßte zwei Reimdichtungen: ‹Des alten Christlichen beern Testament› und ‹Von des jungen Beren Zen We im Mundt› (Luzern 1528).

An der Spitze der katholischen Kämpfer stand seit 1520 auch AUGUSTIN VON ALVELT (ca. 1480–1535?) aus dem Hannoverschen, 1520 Lektor der hl. Schrift im Leipziger Minoritenkloster, 1529 Guardian in Halle, 1529 bis 1532 Ordensprovinzial für Sachsen. 1523 disputierte er in Weimar mit LUTHERS Freund JOHANN LANG über das Klosterideal. Von ALVELT sind bisher 15 Schriften bekannt geworden; allein 1520 gab er 9 Streitschriften heraus, darunter die Abhandlung über den päpstlichen Primat ‹Super apostolica sede›, auf die LUTHERS Famulus JOHANNES LONICERUS mit einer Gegenschrift erwiderte. Die Schrift ‹Eyn gar fruchtbar vnd nutzbarlich büchleyn von dem Babstlichen stul etc.› (1520) veranlaßte LUTHERS ‹Von dem Papsttum zu Rom wider den hochberühmten Romanisten zu Leipzig› (1520) und die Formulierung seines Programms in ‹De captivitate Babylonica ecclesiae› (1520). Als Entgegnung auf LUTHERS ‹Widder den newen Abgott und alten Teuffel der zu Meyssen soll erhaben werden› (1524) gegen die Heiligsprechung BENNOS VON MEISSEN verfaßte ALVELT die Verteidigungsschrift ‹Wyder den Wittenbergischen Abgot Martin Luther› (1524). Auch der Briefwechsel mit MARGARETE VON ANHALT hat die Abwehr der Neuerungen zum Zweck. Die unter ALVELTS Namen erschienene Schrift ‹Widder Luthers Trostung an die Christen zu Halle› (1528), anläßlich der Ermordung des GEORG WINCKLER in Halle a. S., hat allem Anschein nach Herzog GEORG VON SACHSEN zum Verfasser. In sämtlichen Veröffentlichungen geht es ALVELT nicht um eine scholastische Erörterung der theologischen Fragen, sondern sein Ziel ist, die Lehren und Einrichtungen der alten Kirche zu schützen und das Volk über die Bestrebungen der Reformatoren aufzuklären.

Vom Pädagogen zum theologischen Kämpfer, aber als solcher weniger wirksam als ECK, EMSER, MURNER und ALVELT, wurde JOHANNES COCHLAEUS, DOBENECK (vgl. Bd. IV/1, S. 692 f.) aus Wendelstein bei Schwabach.

An der Universität Köln humanistisch und theologisch geschult, war er seit 1510 Rektor der St.-Lorenz-Schule in Nürnberg und ging 1515 nach Italien, wo er in Bologna und Ferrara Rechtswissenschaften und Theologie studierte. Seine nach der Heimkehr 1519 erst unter dem Einfluß PIRCKHEIMERS u. a. stehende Sympathie für LUTHER wurde bald zur offenen Gegnerschaft, die sich seit 1522 in zahlreichen Streitschriften äußerte. COCHLAEUS fungierte als Berater und Helfer des Nuntius ALEANDER auf dem Wormser Reichstag 1521. Sein privater Versuch, LUTHER zum Widerruf zu bewegen, brachte ihm Spottverse und Verdächtigungen ein.

Die erste Schrift des COCHLAEUS gegen LUTHER erwiderte dieser mit ‹Adversus armatum virum Cochlaeum›; die weiteren Angriffe ließ LUTHER unerwidert. Nach dem Tode EMSERS wurde COCHLAEUS 1528 Hofkaplan und Berater Herzog GEORGS VON SACHSEN. Aus dieser Zeit stammt das ‹Bockspiel Martini Luthers› (vgl. S. 337). Im ‹Lutherus septiceps ubique sibi contrarius› (1529), deutsch ‹Siben Köpffe Martini Luthers› (Leipzig 1529), bekundet COCHLAEUS die ungeheuerliche Wirkung, die LUTHERS die gesetzten Grenzen mißachtende Persönlichkeit auf ihn übte. Der Reformator ist ihm eine apokalyptische Erscheinung (Offenbarung JOH. 12,

3 ff.), aber auch ein psychologisches Rätsel, an dem er nur die Gegensätzlichkeiten und nicht das einigende Band zu sehen vermag, das dessen Wesen zusammenhielt. Cochlaeus hat insgesamt über 200 meist lateinische Schriften veröffentlicht, davon zunächst geschickte Lehrbücher (er forderte u. a., daß der Unterricht in Geographie sich auf Anschauung gründe), später Kontroversschriften, Geschichtswerke, darunter eine Geschichte des Ostgotenkönigs Theoderich (1544), die zwölf Bücher ‹Historiae Hussitarum› (1549), ferner die erste Luther-Biographie ‹Commentaria de actis et scriptis M. Lutheri› (1549) u. a.

Während viele Territorialfürsten der Reformation wohlwollend gegenüberstanden, lehnte Herzog Georg von Sachsen (1471–1539) Luther seit der Leipziger Disputation scharf ab. Auf dem Wormser Reichstag trat Herzog Georg als Sprecher für die ‹Beschwerden deutscher Nation› auf. Aber, stark durch Erasmus bestimmt, wollte er sein Land und die Klöster selber reformieren. Die literarische Kontroverse, die er von seinem Hof gegen Luther und dessen Anhänger ins Werk setzte, ist in der Hauptsache getragen von Wulffer, Emser, Alvelt und Cochlaeus.

Wolfgang Wulffer, Notar und Kaplan an der Schloßkapelle Herzog Georgs in Dresden, dichtete im derben deutschen Ton der Zeit Bergreihen, ‹Berkrey von M. Luthers lere› (1520), und ein ‹Brautlied Merten Luthers› (1520). Ihnen folgten von 1522 bis 1528 heftige Streitschriften gegen den Reformator.

Vom Hof des Erzherzogs und Deutschen Königs Ferdinand, der anstelle des seit 1521 in Spanien weilenden Kaisers die Regierung der Österreichischen Länder und des Deutschen Reiches besorgte, kämpfte gegen die Glaubensspaltung und für die katholische Kirche Johannes Fabri (1478–1541) aus Leutkirch, ab 1523 Hofprediger und kirchenpolitischer Berater des Erzherzogs, seit 1530 Bischof von Wien, Teilnehmer an vielen Religionsgesprächen und Reichstagen. Seine Tätigkeit für die altkirchliche Sache umfaßt Kontroversschriften und Predigten und erstreckt sich auf die verschiedensten religiösen und diplomatischen Aufgaben. Befreundet mit Erasmus und zahlreichen anderen Humanisten, wie Ulrich Zasius, Urban Rhegius u. a., war er tief in die Gedankenwelt eines christlichen Humanismus eingedrungen. Fabri bekämpfte das Luthertum, den Zwinglianismus, die Wiedertäufer und die Anhänger der Geistkirche. Seit 1521 trat er gegen Luther auf, besonders im ‹Opus adversus M. Lutheri dogmata› (1522), dem der ‹Malleus in haeresim Lutheranam› (1523) und andere Schriften folgten. Als Generalvikar der Diözese Konstanz beteiligte er sich an der ersten Züricher und an der Badener Disputation. Darüber wechselte er mit seinem früheren Freunde Zwingli mehrere Streitschriften. Gegen Balthasar Hubmaier richtete er eine ‹Orthodoxae fidei catholicae defensio› (1528) und predigte gegen die Anapaptisten in Mähren. Er sorgte dafür, daß Kaspar von Schwenckfeld aus Liegnitz vertrieben wurde. FABRI war 1529 in Speyer und 1530 in Augsburg an der Abfassung des Abschiedes bzw. der Antwort auf die ‹Confessio Augustana› maßgeblich beteiligt, trat energisch bei Papst PAUL III. für die Einberufung eines allgemeinen Konzils ein und leistete für die Kirchenversammlung in Trient bedeutsame Vorarbeiten.

Seit 1534 als Hofprediger König FERDINANDS I. und Nachfolger FABRIS wirkte FRIEDRICH NAUSEA, GRAU (ca. 1490–1552). Er beteiligte sich an den Religionsgesprächen in Hagenau und Worms und entfaltete eine umfangreiche literarische und kirchenpolitische Wirksamkeit auch durch Abfassung von Reformschriften. Von ihm stammt ein ‹Catechismus catholicus› (Köln 1543) und eine Predigtsammlung ‹Centuriae IV homiliarum› (1530; deutsch 1535). Seit 1551 weilte er in Trient beim Konzil, wo er für die Gewährung des Laienkelches und die Aufhebung des Zölibates eintrat.

Als Vermittlungstheologe zu wirken versuchte GEORG WITZEL (1501 bis 1573) aus Vacha im Hessischen, Schüler LUTHERS und MELANCHTHONS, Priester, der unter dem Einfluß der Schriften des ERASMUS sich der neuen Glaubensbewegung anschloß und als evangelischer Prediger wirkte, sich aber dann wieder von LUTHERS Sache und Lehre löste und seinen Rücktritt in einer ‹Apologie› (1533) kundtat. Wieder katholischer Geistlicher, geriet er in Eisleben mit den Lutheranern und JUSTUS JONAS in schwere Konflikte, trat dann in die Dienste Herzog GEORGS VON SACHSEN und hoffte, für die Beilegung des religiösen Zwiespaltes wirken zu können. Ein Religionsgespräch in Leipzig blieb ohne Ergebnisse. WITZEL verfaßte rund 150 Schriften und legte in Denkschriften und Gutachten für Kaiser FERDINAND I. und MAXIMILIAN II. (die berühmte ‹Via regia›) seine Reunionsgedanken nieder. Sein Reformprogramm schöpfte er aus Schriften der Kirchenväter, besonders des VINZENZ VON LERIN († vor 450), und des ERASMUS, verbunden mit Gedanken der Devotio moderna. Dabei vertrat er Ansichten über kirchliche Autorität, Rechtfertigung, Ablaß und Zölibat, die der katholischen Auffassung nicht entsprachen. Zwischen 1535 und 1560 veröffentlichte WITZEL fünf Katechismen, in die er einen Abriß der biblischen Geschichte aufnahm und die großen Erfolg hatten. Daneben schrieb er homiletische, exegetische, hagiographische, liturgische Werke und betätigte sich als Förderer des geistlichen Liedes.

Unerschrocken verteidigte von der alten Generation den katholischen Glauben auch KONRAD WIMPINA, KOCH, Professor der Artes und der Theologie in Leipzig und Frankfurt (Oder). WIMPINA hatte zwischen 1500 und 1504 in Leipzig eine literarische Fehde mit dem Mediziner MARTIN POLICH von Mellerstadt über die Bedeutung des Humanismus für die Theologie (vgl. Bd. IV/1, S. 705). Von 1518 bis zu seinem Tode ist er entschiedener, aber verständigungsbereiter Gegner LUTHERS und wurde von diesem darob stets maß- und ehrenvoll behandelt. WIMPINA war Mitarbeiter an der Flugschrift ‹Gegen die Bekenntnus Martini Luthers› (Augsburg 1530), an der ‹Confutatio› des ‹Augsburger Bekenntnisses›, war Verfasser vieler anderer Schriften gegen LUTHER, weiters einer ‹Navis meritoria› (1526), eines Glaubensspiegels und der zusammenfassenden ‹Anacephalaeosis sectarum› (Frankfurt a. d. O. 1528).

Neben den im Vordergrund stehenden Persönlichkeiten ECK, EMSER, MURNER, ALVELT, COCHLAEUS, FABRI, NAUSEA, WITZEL gab es auch noch eine ganze Reihe anderer Männer verschiedener Geisteshaltung, die in Wort und Schrift in verschiedenen Gegenden den alten Glauben verteidigten.

Der erste Gegner LUTHERS gewesen zu sein, rühmte sich der Dominikaner PETRUS SYLVIUS (ca. 1470– ca. 1536) aus Forst in der Lausitz. Er verfaßte zahlreiche polemische Schriften für die katholische Sache, jedoch in vielem unzulänglich und übertrieben. So ‹Eyn erschreglicher vnd doch widderumb kurtzweylliger vnd nutzlich gesangk der Lutziferischen vnd der Lutterischen kirchen› (1526); in Prosa ‹Luthers vnd Lutzbers eintrechtige vereinigung› (1535).

Daß auch Laien in die Auseinandersetzungen literarisch eingriffen, zeigt KONRAD BOCKSHIRN, Schuster in Leipzig, der gegen LUTHER eine in der Hauptsache aus Bibelstellen bestehende Schrift ‹Eyne krefftige erweysung des freyen willens und annemung bey Gott der christlichen guten werck› (gedr. Leipzig 1534) verfaßte.

Der Dominikaner KONRAD KÖLLIN (1476–1536), der als Großinquisitor die Prozesse gegen CLARENBACH, FLIESTEDEN und AGRIPPA VON NETTESHEIM führte, schrieb im Auftrag der Kölner theologischen Fakultät gegen LUTHERS Erklärung des ersten Korintherbriefes die ‹Eversio Lutherani Epithalamii› (1527), eine Verteidigung des Zölibates, und bekämpfte in ‹Adversus caninas Martini Lutheri nuptias› (1530) LUTHERS Lehre von der Ehe. JOHANNES MENSING († 1547), ebenfalls Mitglied des Predigerordens, verfaßte einen ‹Gründlichen Unterricht, was ein frommer Christ von der hl. Kirche, von der Väterlehre und hl. Schrift halten soll› (1528).

Der Zisterzienser PAUL BACHMANN, AMNICOLA (1465/68– ca. 1538) aus Chemnitz, Abt zu Altzelle, wandte sich in Prosa und Lied gegen LUTHER und die Neuerungen und veröffentlichte zwischen 1522 und 1538 fünfzehn z. T. sehr heftige Schriften.

An der ‹Widerlegung› des ‹Augsburger Bekenntnisses› beteiligte sich MICHAEL VEHE (1485–1539), gleichfalls Dominikaner und bekannt als Herausgeber des ersten katholischen Gesangbuches mit Musiknoten. Seine verschiedenen Abhandlungen, besonders die ‹Assertio sacrorum quorundam axiomatum› (Leipzig 1535), werden zu den besten apologetischen Schriften zum Schutz des alten Glaubens gezählt.

In Oberdeutschland ist der bedeutendste Gegner der Reformation

KASPAR SCHATZGEYER († 1527), ein Scholastiker der scotistischen Richtung. Er wandte sich gegen OSIANDER, JOHANN VON SCHWARZENBERG und gegen JOHANN VON STAUPITZ. Ebenfalls dem Minoritenorden entstammte der Kontroversprediger und -theologe NIKOLAUS FERBER (ca. 1480–1535) aus Herborn, der in ‹Locorum communium adversus huius temporis haereses enchiridion› (1528) den alten Glauben verteidigte.

Auf bayrisch-österreichischem Boden verteidigte die alte Lehre BERTHOLD VON CHIEMSEE, PÜRSTINGER (1465–1543) aus Salzburg, seit 1508 Fürstbischof von Chiemsee. Er vermittelte 1524–1526 im Bauernaufruhr bei Kardinal-Erzbischof MATTHAEUS LANG zugunsten der Aufständischen. Nachdem er 1526 auf sein Bistum resigniert hatte, verfaßte er im Kloster Raitenhaslach eine auch in sprachlicher Hinsicht bemerkenswerte ‹Tewtsche Theologey› (München 1528, lateinisch 1531). Von ihm stammen ferner das ‹Tewtsch Rational› (1535) und das ‹Keligpüchel› zur Verteidigung des Abendmahlempfanges unter einer Gestalt. Auch gilt er als Verfasser der Flugschrift ‹Onus ecclesiae› (Landshut 1524), in der das weltschmerzliche Leiden mancher Menschen am Leben und am damaligen Weltalter zum Ausdruck kommt.

Ähnlich wie GEORG WITZEL trat erst auf die Seite der Reformation, revertierte dann aber wieder zum Katholizismus VEIT AMERBACH (1503 bis 1557), 1530 Professor in Wittenberg. Er verfaßte gegen MELANCHTHONS ‹Commentarius de anima› (1540) die ‹Quattuor libri de anima› (1542), verließ 1543 Wittenberg und kehrte mit Frau und Kind zur katholischen Kirche zurück.

Als bedeutendster Satiriker und Polemiker der alten Kirche in der Schweiz wirkte HANS SALAT (1498–1561), Chronist, Dichter, Seiler, Gerichtsschreiber, Söldner in französischen (1522–1527) und kaiserlichen (1544) Diensten, Schulmeister, Spielleiter, Chirurg, Alchimist und Astrologe. Er verfaßte im Auftrag der katholischen Orte eine ‹Chronicka und Beschrybung von Anfang des nüwen Ungloubens›, einen Bericht über den Obwaldner Zug ins Haslital 1527–1531 und ein Volksbuch über NIKOLAUS VON FLÜE; er feierte den Sieg der Katholiken bei Kappel 1531, wo er selber mitgekämpft hatte, in satirischen Gedichten wie ‹Tanngrotz› [d. h. Tannenzweig, das Abzeichen der fünf katholischen Kantone] und einem ‹Triumphus Herculis Helvetici› (1531). Sein Tagebuch erweist ihn als eine DOKTOR FAUST verwandte Natur.

Als Rechtsgelehrter in Tübingen, am Würzburger Bischofshof, beim Reichskammergericht, in bayrischen Diensten und zuletzt als Geistlicher verfaßte KONRAD BRAUN (1491–1563) aus Kirchheim am Neckar zahlreiche lateinische und deutsche Schriften im Kampf für die katholische Kirche. Er war der erste in Deutschland, der gegen die Magdeburger Centurionen schrieb.

Dem westfälischen Gebiet entstammte der Theologe und Jurist

JOHANN GROPPER (1503–1559) aus Soest, das Haupt der dortigen *Exspektanten* (Partei der Mitte). Er nahm in deren Geist an den Reichstagen und Gesprächen zu Augsburg, Hagenau und Worms teil; von ihm rührt großenteils der ‹Liber Ratisbonensis› her, auf dessen Grundlage das Religionsgespräch zu Regensburg (1541) geführt wurde. Er war ferner der Hauptredaktor des Augsburger Interims. Sein ‹Enchiridion› (1538), in dem er sich mit reformatorischen Anschauungen auseinandersetzte, gilt als wichtiges dogmatisches Werk der vortridentinischen Zeit. Die von ihm vertretene Lehre von der doppelten Gerechtigkeit wurde 1546 vom Konzil zu Trient verworfen.

Leidenschaftlich Partei für die alte Lehre nahm die umfangreiche niederdeutsche Verssatire (3520 Verse) ‹Ein gemeyne Bicht oder bekennung der Predicanten to Söst› (erste verlorene Fassung 1533; 1539). Der Verfasser nennt sich DANIEL VON SOEST. Wer sich dahinter verbirgt (GERVIN HAVERLAND, JOHANN GROPPER, JASPER VAN DER BORCH) ist nicht geklärt. Die bedeutende Dichtung ist aus den Geschehnissen der Reformationsbewegung seit 1531 in dieser westfälischen Stadt hervorgegangen und zeichnet ein anschauliches Bild der reformatorischen Kämpfe in Soest. Der Verfasser verschließt sich nicht der Reformbedürftigkeit der katholischen Kirche, verteidigt aber mit innerster Anteilnahme deren geheiligte Traditionen. Seine Polemik richtet sich insbesondere gegen die Wiedertäufer. Der Titel ‹Gemeyne Bicht› stammt von dem allgemeinen und öffentlichen Sündenbekenntnis beim Staffelgebet der Messe (*Confiteor*) und anderen altkirchlichen Agenden; ‹bekennung› meint Erkenntnis.

Im Prolog tritt der Prediger als ein zweiter Daniel auf, der die gesetzestreue, unschuldig verurteilte Susanna, d. i. die christliche Kirche, vor ihren falschen Anklägern, d. s. die meineidigen Ketzer, rettet. In Form einer Komödie soll das heillose Werk der Soester Prädikanten vor Augen gestellt werden. Der Dichter nennt die Namen der Hauptpersonen. Zu ihnen gesellt sich als Ratgeber der Teufel. Der fortlaufende Dialog kann mühelos in eine Folge von Szenen gegliedert werden. Die poetische Fiktion, der geistige Lenker des Tuns sei der Teufel selber, ermöglicht es dem Satiriker, seinen Gegnern als Verführten und Besessenen das Allerärgste zuzumuten. Diese Prädikanten denken lediglich an Weiber und Geld, sind Ehebrecher, Diebe und Mörder, ehrlose Buben und Lüstlinge. Als erster tritt JOHANN KELBERG mit seiner Cohors auf. Der Teufel und seine Mutter sollen helfen, daß der lutherische Handel tüchtig vorwärts komme. Erstrebt wird ein Dasein ledig aller Ordnung und aller Fessel. Der erschienene Teufel meint, das lasse sich nur mit Gewalt erreichen; durch lügnerische und schriftfälschende Predigt soll das Volk für den Aufruhr reif gemacht werden. JOHANN VON CAMPEN wirft sich zum Anführer des Haufens auf. Mit Hilfe der Schützenbrüderschaft soll am St.-Thomas-Tag der Aufstand losgehen. Die Prädikanten werden auf die Pfarrkirchen der Stadt verteilt; als Superintendent ist JOHANN BRUNE zur Stelle. Er beauftragt GERHARD OMEKEN mit der Abfassung einer Kirchenordnung. Der Pöbel soll mit allen Mitteln gegen die Altgläubigen aufgehetzt werden. Es kommt zum Lätare-Aufruhr (23. März). Bürger, Ämter und Rat wollen zwar energisch durchgreifen, weil aber bald darauf die Bürgermeister, angesehene Familien und viele Geistliche die Stadt verlassen, gewinnen die Prädikanten das Spiel. Den Höhepunkt der Dichtung bildet die Schilderung der Verheiratung des Superintendenten BRUNE. Dem im Brauchtum gut bewanderten Dichter gelingen dabei Szenen, die an Witz und Deutlichkeit ihresgleichen suchen. Schließlich üben die Hauptleute der Schützen Kritik am Gehaben der Prädikanten. Dem Superintendenten wird der Dienst gekündigt. Im Epilog warnt der Dichter, der durch seinen Spott nicht bloß zum Lachen reizen, sondern auch Zorn und Empörung erregen wollte, seine Landsleute, sich durch LUTHER und seine Trabanten von der wahren Lehre Christi und seiner hl. Kirche nicht abdrängen zu lassen.

DANIEL VON SOEST schaltet mit den geschichtlichen Ereignissen zwar sehr frei, rückt sie aber geschickt zusammen und gewinnt dadurch einen wirksamen Aufbau. Er verfügt über eine sichere Gestaltungskraft und versteht es, die Hauptfiguren sorglich abzutönen. Lyrische Einlagen beleben den Gang des Geschehens. Dem Dichter gelingt es, den Leser mit den Gestalten so vertraut zu machen, daß er das Gefühl hat, er habe sie alle selbst gekannt. Es gelingt ihm ferner, trotz aller Gaunereien und allen Unflates doch noch eine Behaglichkeit der Stimmung zu verbreiten, wie sie gelegentlich ein Fastnachtspiel mit sich brachte. Man sieht an dieser luther- und täuferfeindlichen Satire, was die deutsche Literatur nach dem ‹Ring› des HEINRICH WITTENWILER, den ‹Epistolae obscurorum virorum› und dem ‹Eckius dedolatus› in niederdeutscher Sprache zu leisten imstande war. Die ‹Gemeyne Bicht› ist in der Planung, Gestaltung der Charaktere und im Humor MURNERS ‹Großem Lutherischen Narren› überlegen. Der Dichter war zweifellos ein künstlerisch hochbegabter Satiriker.

7. Die Auswirkungen der Reformation in Europa.
Die Folgen für Literatur und Kunst

Nach LUTHERS reformatorischem Ansatz im Mitteldeutschland wurde im deutschen Teil der *Schweiz* eine der Reformation LUTHERS verwandte, aber doch selbständige Kirchenreform und Neuordnung des Glaubenswesens durchgeführt. In *Österreich* hatten im Spätmittelalter vor allem die Waldenser zahlreiche Anhänger gefunden, nun verbreiteten sich neben dem Luthertum die Täufer in Tirol, Ober- und Niederösterreich; bis zum Konzil von Trient waren weite Teile der österreichischen Länder evangelisch. Der lutherischen Glaubensrichtung gewonnen wurden große Teile der *Niederlande,* die *Nordischen Länder* sowie die *Ostseegebiete,* ferner der größte Teil der Auslandsdeutschen.

Aber auch auf das *romanische Europa* blieb die Reformation nicht ohne Einfluß. Bereits in den 20er Jahren des 16. Jahrhunderts drangen die neuen Lehren auf verschiedenen Wegen nach Italien. Besonders Humanistenkreise nahmen sie nicht selten freundlich auf. Organisierte Gemeinden aber bildeten sich nur bei den Waldensern, den Reformierten in Piemont und bei den Täufern in Venezien. Der Humanist ANTONIO BRUCCIOLI übersetzte die Bibel (Neues Testament 1530,

Vollbibel 1532) ins Italienische. Ein evangelischer Kreis bestand um den spanischen Erasmianer JUAN DE VALDEZ († 1541) in Neapel (1534–1541), der *Alumbrados*-Mystik, erasmische und lutherische Gedanken zu verbinden suchte. Zu seinem Kreis gehörten u. a. GIULIA GONZAGA und VITTORIA COLONNA. In Beziehung zu JUAN DE VALDEZ standen BENEDETTO MANTOVA und MARCANTONIO FLAMINIO, die Verfasser des weit verbreiteten Traktates ‹Del beneficio di Gesù Cristo crocifisso›. Weitere Reformorte waren Lucca und Modena; Piemont wurde oft von protestantischen Gouverneuren regiert.

Von Italien nach der Schweiz und nach Deutschland kam der als der «SAVONAROLA des 16. Jahrhunderts» bezeichnete Bußprediger und Glaubenserneuerer BERNARDINO OCHINO (1487–1565) aus Siena. Er war 1534 vom Franziskaner- in den neugestifteten Kapuzinerorden übergetreten. In Neapel lernte er durch JUAN DE VALDEZ und PETRUS VERMIGLI die religiösen Anschauungen der Mystiker und der deutschen Reformatoren kennen. Mit AUGUSTINUS VON PIEMONT wandte er sich 1541 dem Luthertum zu, floh in die Schweiz, wirkte 1545 als Prediger der italienischen Gemeinde in Augsburg, ging zu THOMAS CRANMER nach England und wieder zurück in die Schweiz. Von dort 1563 vertrieben, wandte er sich nach Polen und Mähren, wo er zu Sklavkov starb. Seine Schriften, besonders die ‹Labyrinthe›, der ‹Katechismus›, die ‹Dreißig Dialoge› (1563) erregten vielfach, vor allem in der Schweiz, Unwillen und Aufregung wegen der darin gesehenen Befürwortung der Polygamie und des Antitrinitarismus. OCHINOS ‹Apologie› wurde in eine deutsche Übersetzung der ‹Facetien› BEBELS aufgenommen und damit an der Wende vom 16. zum 17. Jahrhundert viermal gedruckt.

In *Frankreich* wirkte für die Reformation zunächst der Humanist JAKOB FABER STAPULENSIS († 1536). Das Schaffen dieses CUSANUS-Verehrers und -Herausgebers wurde bestimmt vom Aristotelismus, der Devotio moderna und dem kritischen Humanismus. Schon 1509 ließ er im ‹Quintuplex Psalterium› fünf verschiedene Formen des Psaltertextes erscheinen. Dem folgten 1512 der Kommentar und die Übersetzungen der Paulinischen Briefe, und 1524 das Neue Testament in französischer Sprache. Die dominierende Gestalt aber der französischen Reformation wurde CALVIN, der das französisch sprechende Genf zum Mittelpunkt seines Wirkens machte. THÉODORE DE BÈZE vollendete die von CLÉMENT MAROT begonnene Psalmenübersetzung. Durch FABER STAPULENSIS zum Bibelstudium angeregt wurde GUILLAUME FAREL (1489–1565), der Reformator der französischen Westschweiz. Er floh 1523 zu OEKOLAMPADIUS nach Basel und verfaßte in Mömpelgard 1524 die erste französische Dogmatik der Reformation ‹Le Sommaire›.

Mit den verschiedenen Glaubensrichtungen (Luthertum, Zwinglianismus, Täufer, Calvinismus, anglikanische Kirche, Geistkirche, alter Glaube) war die römisch-katholische Kirche des Mittelalters in eine Anzahl von Konfessionen aufgespalten. Die abgesplitterten Kirchengebilde werden unter dem Sammelnamen *Protestantismus* zusammengefaßt. An der Spitze stehen das Luthertum und der Calvinismus, der den anfänglich starken Zwinglianismus weitgehend aufsog. Die innere Dynamik der Reformbewegung sorgte dafür, daß keines der neuen Bekenntnisse geistig erstarrte, sondern jedes von ihnen sich mitsamt dem durch die Gegenreformation wiedererstarkten Katholizismus an der Ausbildung der neuzeitlichen Theologie beteiligte.

Im 11. Jahrhundert war die Spaltung des Christentums in eine griechische und eine römische Kirchenhälfte erfolgt, die einander in Bann taten und in Hinkunft leidenschaftlich bekämpften. Im 16. Jahrhundert erfolgte nach einem Vorspiel im 14. Jahrhundert die *Aufspaltung der Christenheit des Abendlandes*. Beide Male waren die Folgen und Auswirkungen für das religiöse Leben, die Philosophie, Literatur und Kunst sehr groß und nachhaltig. Die von Deutschland ausgehende *Reformation* brachte eine Umwandlung der geistig-seelischen Struktur des ausgehenden Mittelalters mit sich. Sie führte zu einer weitgehenden Schwächung und Zerstörung der altkirchlichen Tradition und verzichtete auf viele Werte der Frömmigkeit und Liturgie. Die Reformation brachte aber auch eine Entbindung großer seelischer Kräfte durch die Tatsache, daß der Mensch in seinem freien Gewissen religiös bestimmt wurde. Das Eintreten der Reformatoren für die Gewissensfreiheit hatte zur Folge, daß die letzte Verantwortung für jede sittliche Entscheidung beim persönlichen Gewissen liegt.

Die Reformation des 16. Jahrhunderts schafft neue Verhältnisse durch: die Loslösung großer Teile Europas aus dem päpstlichen Universalismus; die Aufhebung der kirchlichen Hierarchie und des Klosterwesens; die Abschaffung des Kirchenrechtes und der geistlichen Gerichtsbarkeit; die Einziehung des Kirchengutes und seine Verwendung für politische und kulturelle Zwecke; die Aufhebung des Zölibates und der Askese. Der vom Humanismus bewirkte Aufbruch des nationalen Bewußtseins der Völker wird im liturgischen Leben der Reformationskirchen, der deutschen, der eidgenössischen, der englischen, sichtbar.

In Deutschland wurde durch die Reformation die Nation in zwei Hälften zerrissen, in Katholiken und Protestanten; sie entfesselte im weiteren die Gegensätze zwischen Lutheranern und Calvinisten; sie brachte den Zwiespalt zwischen der lateinisch gelehrten Bildung und den volkhaft Ungelehrten auf den Höhepunkt. Unter den *Folgen der Reformation* sollen drei Dinge nicht übergangen werden, von denen zwei direkt in den Bereich der *Literaturgeschichte* gehören, das dritte ihr eng verbunden ist. Das erste ist der *Zusammenbruch des mittelalterlichen geistlichen Spieles,* das um 1500 eine Höchstentfaltung erreicht hatte. Das Drama der mittelalterlichen Kirche hatte sich von seinen lateinisch-liturgischen Formen bereits in mittelhochdeutscher Zeit von den Oster- und Weihnachtsfeiern zum Spiel in der Volkssprache gewandelt und alle Hauptmomente des Heilsgeschehens in seine Darstellungsbereiche miteinbezogen. Die Abschaffung der Heiligenverehrung, die Bilderfeindlichkeit und Abneigung gegen volkstümlich-realistische Darstellungen des Heilsgeschehens brachten den Wegfall der Passions-, Oster-, Weihnachts- und Heiligenspiele. Anstelle dieser sehr freizügigen Vielfalt werden in der neuaufkommenden biblischen Dramatik vorerst lediglich die irgendwie moralpädagogisch verwendbaren Gestalten aus dem Alten und Parabeln aus dem Neuen Testament auf die Bühne gebracht, bis sich *eine neue, vom Mittelalter abge-grenzte Dramenkunst* herausbildet. Ein zweites ist der *Wegfall der um-fangreichen Legenden-Dichtung und -Literatur* und infolge der Aufhebung des Klosterwesens das Absterben großer Teile *des mystischen und halb-mystischen Schrifttums.*

Eine weitere Folge war die Einflußnahme auf *die bildende Kunst.* Der spätmittelalterliche Kleriker hatte die Artes studiert und hing einer der spätscholastischen Richtungen an. Von der Bibel war für ihn hauptsäch-lich das Neue Testament, soweit es in der Liturgie des Kirchenjahres ver-wendet wurde, von Bedeutung. Die reformatorische Theologie kehrte zu-rück zu den einfacheren Glaubenssätzen und der strengeren Moral der frühen Judenchristen und zog weitgehend auch das Alte Testament heran. Da nach reformatorischer Ansicht Christus den Betenden unmittelbar an den Vater gewiesen hat, verwarfen die Reformatoren die persönliche An-rufung der Heiligen als Vermittler und entfernten die Heiligenbilder aus den Kirchen, nahmen die Reliquien aus den Altären und wandten sich gegen den verbreiteten Heiligenkult des späten Mittelalters. Die Ab-schaffung des Marienkultes und der Heiligenverehrung hat ihre Ursachen aber auch im alttestamentlichen strengen Monotheismus. Diese Lehr-meinungen und Rückgriffe auf Alttestamentarisches hatten für die bil-dende Kunst das *Ende der religiösen Malerei und Plastik* zur Folge. Aus-einandersetzungen über die Frage der religiösen Bilddarstellungen und deren Verehrung waren innerhalb des Christentums nichts Neues. Schon im 8. Jahrhundert gab es zwischen Ost- und Westrom langdauernde kirch-liche Streitigkeiten um den Bilderdienst. Die römischen Päpste traten für die Verehrung der Bilder ein. Nachdem die Wyclifiten und Hussiten vor-gearbeitet hatten, kam es auch bald nach Beginn der Reformation zu Bil-derfeindschaften und Bilderstürmen. Die Frage der Bilderverehrung war ein wesentlicher Punkt der theologischen Auseinandersetzungen. Die Bil-derfeinde beriefen sich auf die Bilderverbote des Alten Testamentes und des Dekaloges. Das Wort siegte über das Bild. Die geistesgeschichtlich be-dingte Tragik wird sichtbar am späten Dürer, an Matthias Grüne-wald, Hans Holbein d. J., Hans Baldung Grien u. a. Zum ersten Bil-derstreit und Bildersturm kam es gleich 1522 in Wittenberg, wo Karl-stadt als radikaler Ikonoklast auftrat. Man hat von einer ‹Lutherana Tragoedia artis› gesprochen. Das ist, was den Namen Luthers betrifft, nur bedingt zutreffend. Denn nicht Luther, wohl aber Zwingli und Calvin waren scharfe Bildgegner; Calvin führte das Bildverbot als ein selbständiges Gebot im Dekalog auf. Radikal tobte der Bildersturm 1566 in den Niederlanden. Daß die Taufgesinnten gleichfalls die Bilder ab-lehnten, ist nicht verwunderlich; von ihnen trat Ludwig Hätzer (1523) besonders scharf gegen die Bilder auf. In der Praxis kam es für die Künstler zu einem plötzlichen Rückgang der religiösen Aufträge und

Nachfrage. Insofern bedingt die Reformation geradezu einen Zusammenbruch der bildenden Kunst und eine Lücke der deutschen Kunstgeschichte von etwa 1530 bis gegen die Mitte des Barockzeitalters. Durch die Ablehnung der religiösen Bilddarstellung gefördert wurden hingegen das Porträt und die Landschaftsmalerei. Der positive Standpunkt der alten Kirche zur Bilderverehrung wurde auf dem Konzil von Trient als Glaubenssatz abermals verkündet und genauer als bisher begründet. In dem durch die Zurückdrängung der bildenden Kunst entstandenen kulturellen Vakuum entfalteten sich im weiteren 16. und im 17. Jahrhundert in großartiger Weise die Musik hin zu JOHANN SEBASTIAN BACH und schließlich auch die Dichtkunst zur deutschen Vor- und Hochklassik von KLOPSTOCK bis GOETHE.

ZWEITES KAPITEL

KAMPF-, UNTERWEISUNGS- UND
GEBRAUCHSSCHRIFTTUM.
DIE KATHOLISCHE REFORM UND RESTAURATION

Die Auseinandersetzungen und Umlagerungen, welche die Reformation
mit sich brachte und nach sich zog, wurden außer im Schriftwerk der
Hauptpersönlichkeiten unmittelbar auch im weiteren *Streit- und Gebrauchsschrifttum* sichtbar. Vom *Pfefferkorn-Reuchlinschen Streit* und von
HUTTEN griffen die lateinische Satire und die Humanistenpolemik hinüber
in die Anfänge der Reformation. Die weiteren Pasquille und Kontroversschriften sind im einzelnen sehr verschiedenartig, hängen aber alle mit
einer der verschiedenen Glaubensrichtungen zusammen. Die meisten haben
die Entscheidung für oder gegen die lutherische Neuformung des religiösen Lebens zum Thema. Aber trotz aller derartigen Ausrichtung lebte und
wirkte auch in dieser Literaturgattung vieles vom ausgehenden Mittelalter und vom Humanismus bisher geschaffenes Bildungsgut weiter. Das
letztere baute erst MELANCHTHON in den lutherischen Protestantismus ein,
später nützten es die Jesuiten für das Bildungswesen der katholischen Restauration. In den Jahren des «Wildwuchses» der Reformation, d. h. von
etwa 1520 bis 1525, kommt es zunächst zu einer ausgedehnten Kontro-
vers- und Tendenzliteratur. Den Streitschriften folgt ein Gebrauchs- und
Unterweisungsschrifttum.

Die *Kampf- und Tendenzliteratur* äußert sich in den Formen von Flugschriften, Broschüren oder ‹Büchlein› und einer breiten Dialog- und Gesprächsliteratur. Die ersteren geben sich z. T. belehrend, z. T. polemisch
und benützen die verschiedensten Einkleidungen. Die letzteren gehen
parallel mit den zahlreichen großen Disputationen und Verhandlungs-
gesprächen. Religiöse und soziale Reformideen verbindet JOHANN EBERLIN
VON GÜNZBURG. Die Satire der reformatorischen Frühzeit schließt an das
Kampfschrifttum des Humanismus und den *Pfefferkorn-Reuchlinschen
Streit* an. Die Leipziger Disputation stellt als ein Hauptangriffsobjekt
JOHANN ECK in den Vordergrund. Neben ihm wird THOMAS MURNER zu
einer Zielscheibe des Spottes gemacht. Die durch den religiösen Umbruch
mitgeweckten sozialen Fragen finden ihren Niederschlag in der Literatur
der Bauernkriege. Als Ergänzung des zeitgenössischen Unterweisungs-
und Gebrauchsschrifttums griff man, soweit Anschlüsse möglich waren,
auf älteres Reformschrifttum zurück, veranstaltete Neuausgaben, Umarbeitungen und Übersetzungen.

Noch vom ausgehenden Mittelalter und dem Humanismus her lebendige biblizistische und wissenschaftliche Bestrebungen, sowie die Verschiedenheiten der reformatorischen und christlichen Lehrmeinungen führten dazu, daß neben LUTHER auch von anderen Seiten *Bibelübersetzungen* in Angriff genommen wurden und zustande kamen: von ZWINGLI und seinem Gefolge, von den Täufern und Taufgesinnten, vom Katholizismus.

Die *Konsolidierung und der Ausbau des Protestantismus* führen vom ‹Augsburger Bekenntnis› 1530 zum Augsburger Religionsfrieden. Die relative Einheit des Lutherthums, die bis zum Tode des Reformators bestand, wird nachher durch verschiedene Auseinandersetzungen beeinträchtigt. Dabei tritt eine der bedeutendsten Gelehrtenpersönlichkeiten des Zeitalters in Aktion, FLACIUS ILLYRICUS.

Ein Vierteljahrhundert nach Ausbruch der Glaubenskämpfe und weitgehender Zurückdrängung des Katholizismus kam es zum Konzil von Trient. Die evangelischen Glaubensrichtungen lehnten eine Beteiligung ab. Während der drei Perioden, die das Konzil tagte, wurden die Grundlagen für die *katholische Reform und Restauration* gelegt. Wesentlicher Mithelfer an der Durchführung wurde der Jesuitenorden. Die Gegenreformation setzt zuerst in Bayern ein.

Wie das ausgehende Mittelalter, schuf auch das religiös bestimmte 16. Jahrhundert eine *Erbauungsliteratur*. Sie besteht aus einem katholischen und einem evangelischen Zweig. Der erstere pflegt noch das alte Schriftgut. Einiges davon gewinnt interkonfessionellen Charakter. Die evangelische Erbauungsliteratur wird neu geschaffen oder Altes den geänderten Bedürfnissen angepaßt.

Immer wieder lebt auch in der zweiten Hälfte des Jahrhunderts die *konfessionelle Polemik* auf. Doch nur mehr wenige Persönlichkeiten sind literarhistorisch bemerkenswert.

1. Kampf- und Tendenzliteratur.
Soziales Schrifttum

Die religiösen Auseinandersetzungen und Gegnerschaften der reformatorischen Hauptgestalten und Glaubensrichtungen und die Bauernkriege brachten als Begleiterscheinung eine Unmenge von *Streit- und Tendenzschriften* hervor. Ihre Thematik betrifft religiöse, moralische, soziale, politische Fragen. Man bedient sich dabei des Lateinischen und des Deutschen, der Vers- wie der Prosaform.

Mit den Reformbestrebungen für Kirche und Staat sind bereits lange vor Ausbruch der Kirchenkämpfe *soziale Fragenkomplexe* verbunden. Sie zeigen sich nun auf verschiedenen Ebenen: im Stand der Reichsritter, bei einzelnen Programmatikern, bei den Täufern, im Stand der Bauern. Die

Ritterschaftsbewegung des mit ULRICH VON HUTTEN verbündeten FRANZ VON SICKINGEN (vgl. Bd. IV/1, S. 725 ff.), der außer seinen standesmäßigen und politischen Ambitionen den gemeinen Nutzen gegen die Städte und Landesfürsten verteidigte und für die Beibehaltung der alten deutschen Rechtsverhältnisse gegenüber dem römischen Recht eintrat, war mit dem Tode des Ritters 1523 erledigt. Ein kirchliches und sozialpolitisches Reformprogramm stellte 1521 der aus dem Franziskanerorden kommende JOHANN EBERLIN VON GÜNZBURG auf. Bei den Täufern sind die Errichtung der Brüderhöfe in Mähren und des ‹Reiches Zion› in Münster Versuche, mit dem religiösen Leben auch das soziale neu zu formen. Das durch die Reformation herbeigeführte Neuverständnis der Begriffe Freiheit und Recht ließen die seit langem schwelende Bauernfrage tagfällig werden. Einzelne Taufgesinnte und Spiritualisten sind mit dem Bauernaufruhr verquickt.

Kontrovers- und Tendenzschrifttum erstrebt zumeist nicht künstlerische oder unterhaltende Wirkung, sondern bekämpft Weltanschauliches oder wirbt dafür. Die Ansicht oder Lehre wird aufdringlich und überdeutlich vorgetragen oder exemplifiziert. Der Gegner wird bedrängt, soll vernichtet oder bekehrt, die Anhänger sollen bestärkt werden. Man hat weitgehend lehrhaftes Schrifttum vor sich, oft auch Satire. Der Wert liegt überwiegend im Ideellen, Religionsgeschichtlichen, Kulturgeschichtlichen, Sprachlichen.

Im *Kontrovers- und Tendenzschrifttum der Reformation* bedienten sich die Verfasser verschiedener Gattungen: der Disputation, vom spätmittelalterlichen Universitätsbetrieb aus; vom Humanismus und HUTTEN her der halbdramatischen Satire, des Dialoges, Gespräches, Briefes; von der Moralsatire her der Versepik und Komödie; weiters der Flugschrift, des Büchleins, des Traktates, der Fabel, des Liedes, der Prognostiken, der Übersetzung. Die Thematik dieser Literatur ergab sich aus den in Kap. I geschilderten Auseinandersetzungen. Sie betrifft: die Theorie und Praxis des Ablasses, das Verhältnis des Einzelmenschen zur Gottheit, die Lehre von der Gnade und den guten Werken, die Sakramentenlehre, die Heiligenverehrung (mit Bilderanfertigung und Bilderverehrung), die Frage der Offenbarung und das Recht auf Bibelinterpretation, den freien oder unfreien Willen des Menschen, die Frage nach der rechten Taufe, die Stellung zur Obrigkeit, das Verhältnis zwischen Kirche und Gesellschaft, den Gemeindebegriff u. a. m.

Flugschriften und eine Art Broschürenliteratur werden lehrend und streitend von Hand zu Hand gegeben. Eine überreiche Dialog- und Gesprächsliteratur in Prosa und Vers beleuchtet von allen Seiten die Glaubenslehren und Geschehnisse. Lateinische Prosasatiren und umfangreiche deutsche Verssatiren bekämpfen und verunglimpfen den Gegner. Durch Umarbeitung und Übersetzung werden Schriften der älteren Reformlite-

ratur erneut weiteren Kreisen zugänglich gemacht. Darüber hinaus bekundet eine Fülle von geschichtlichen Gedichten die Wirkungen der Reformationsbewegung auf politischem Gebiet; ebenso entschieden spiegelt
sich der Kirchenkampf in den Reimchroniken und in der Schauspieldichtung. Die Verfasser der Kontrovers- und Tendenzliteratur stammen nicht
nur aus den Kreisen der Geistlichen und Gelehrten, sondern auch berufs-
mäßige Dichter, kirchliche und weltliche Mächte, Handwerker, Bauern
und Landsknechte nehmen in Prosa und Vers, Spruch, Lied und Drama
daran teil, die neuen Lehren zu bestätigen oder zu bekämpfen. LUTHER
selbst klagt einmal in den ‹Tischreden› über die Menge der Bücher, daß
des Schreibens kein Ende noch Maß wäre und jedermann Bücher schreiben wolle. Viele Streitfragen liegen späteren Generationen fern. Historisch betrachtet, hat man in dieser Kontrovers- und Tendenzliteratur jedoch Dokumente vor sich, die einen weltgeschichtlichen Geisteskampf
widerspiegeln und ohne die das Bild der Epoche unvollständig wäre.

*a) Huttens Publizistik im Dienste der Reformation. Die lateinischen
Satiren der Jahre 1517 bis 1521. Der ‹Eckius dedolatus›*

Im Anschluß an die ‹Dunkelmännerbriefe› und neben HUTTENS ‹Dialogen› entstand zwischen 1517 und 1521 zunächst eine lateinische Kleinsatiren-Literatur meist in Dialogform (in den besten Stücken dem Drama angenähert), die gestaltlich noch dem Humanismus entstammt, inhaltlich aber immer weiter in die Reformationspolemik hineinführt. HUTTENS
Schriften erschienen unter dem Namen ihres Verfassers. Die weitere Dialogliteratur erschien anonym und pseudonym.

ULRICH VON HUTTEN (vgl. Bd. IV/1, S. 615 ff. und S. 720 ff.) wurde vom
patriotischen Humanismus her und der Forderung nach einer moralischen
Reform der Kirche zum Bundesgenossen und Mitstreiter LUTHERS. Seit
der Leipziger Disputation sah er in LUTHER die stärkste Kraft im Auftreten gegen Rom. HUTTEN verlangte in Reden, Aufrufen, Streitschriften,
offenen Briefen und besonders in Dialogen, zuerst in lateinischer, dann in
deutscher Sprache, eine Änderung der gesamten deutschen kirchlichen und
politischen Verhältnisse: Kirchenreform und Reichsreform. Dazu müsse
die Nation von der römischen Oberherrschaft befreit werden. Im speziellen richten sich HUTTENS Angriffe und Anklagen gegen die entartete Kirche, die päpstliche Hierarchie, deren römische Hofhaltung, den romfreund-
lichen deutschen Klerus, die Ausbeutung durch das kuriale Finanzsystem,
die politische Bevormundung, die allgemeine moralische Zersetzung des
Volkes. Infolge des Wormser Ediktes (1521), das über LUTHER die Reichsacht verhängte und anordnete, seine Schriften zu verbrennen, wandte
HUTTEN sich von Kaiser KARL V. ab. Er, der schon immer die literarischen

Angriffe mit Waffengewalt ergänzen wollte, eröffnete einen eigenen «Pfaffenkrieg», um das Land in Aufruhr zu bringen. Der Versuch mißlang ebenso wie das Bestreben, mit Hilfe der Reichsritterschaft gegen den Willen der Territorialfürsten eine Einigung des Deutschen Reiches herbeizuführen.

Mit Ausbruch der religiösen Auseinandersetzungen, besonders seit der Leipziger Disputation zwischen LUTHER-KARLSTADT und ECK, wurde die deutsche Literatur immer mehr zu einem Kampffeld, auf dem zunächst meist aus dem Humanismus kommende Parteigänger LUTHERS und Verteidiger des alten Glaubens einander gegenüberstanden. Es wäre ein Irrtum, die letzteren, etwa ECK, EMSER, MURNER, ALVELT, COCHLAEUS, FABRI, WITZEL, als inferior oder als ‹Dunkelmänner› anzusehen, wie die Satire sie zeichnet. Diese Männer waren im Gegenteil durchwegs hervorragende und tüchtige theologische Köpfe und Persönlichkeiten.

Eine große Anzahl *lateinischer Satiren,* die in diesen Jahren erschien, stammt von hochbegabten humanistischen Verfassern, die ihre Parteinahme für REUCHLIN und ERASMUS mit der Sympathie für LUTHERS Auftreten verbanden. Alle hatten sie von der Antike, den ‹Epistolae obscurorum virorum› und von HUTTEN gelernt, wie ihre Gegner anzufassen seien. Diese Satiren, meist Dialoge und halbdramatische Gebilde, sind zumeist unter geschickt gewählten Pseudonymen gedruckt worden, deren Enträtselung den Forscher vor äußerst komplizierte, aber umso reizvollere Aufgaben stellt.

Der junge KONRAD NESEN (1495–1560), später Stadtsyndikus in Zittau, schrieb in Paris 1519 im Stil LUKIANS und HUTTENS den ‹Dialogus bilinguium ac trilinguium› voll scharfer satirischer Ausfälle gegen die antilutherischen Löwener Theologen.

Im ‹Dialogus de facultatibus Rhomanensium› (1520) eines PHILALETHES rupfen ein ablaßspendender päpstlicher Legat und ein Kurtisan den seinen faulen Rechtshandel vortragenden Bauern Henno. Das ‹Gespräch› zeigt bereits das Streben nach komödienhafter Gestaltung des Stoffes.

Eine besondere Gruppe bilden die *lateinischen Satiren gegen* JOHANN ECK. Unter ihnen befindet sich auch die neben den ‹Epistolae obscurorum virorum› bedeutendste Satire dieser Übergangszeit, der ‹Eckius dedolatus›, ‹Der gehobelte Eck› (Erfurt 1520). Eine vermutlich nur in Handschriften verbreitet gewesene gereimte Verdeutschung ist verschollen. Die Dichtung ist nach den Briefen der ‹dunklen Männer› der zweite literarische Hauptstreich, den der Humanismus im Zeitpunkt der Annäherung HUTTENS an PIRCKHEIMER, nunmehr bereits auch für LUTHER führte. Der Angegriffene, JOHANN MAIER VON ECK (vgl. S. 86 f.), Professor in Ingolstadt, stand dem Humanismus keineswegs fern. Er hatte aber in den Ablaßstreit eingegriffen, war bei der Leipziger Disputation KARLSTADTS und LUTHERS Hauptopponent und infolge seiner Gelehrsamkeit und Dialektik der eigentliche Sieger im Redekampf. Die bald danach gegen in losgelassene Satire zeigt wie kein anderes derartiges Gebilde der Zeit das Übergehen der Dialogformen in Szenen, Verbindung der Szenen zu Akten, so daß die auf einer Phantasiebühne abrollende geschlossene dramatische Handlungsform einer Komödie zustande kam. Der (oder die) Verfasser kannte(n) die akademische *Depositio beani*, das deutsche Fastnachtspiel, die ‹Epistolae obscurorum virorum›, HUTTEN ebenso wie LUKIAN, das antike Drama des ARISTOPHANES, PLAUTUS, SENECA und TERENZ. Den unmittelbaren Anlaß und welthistorischen Hintergrund der Satire bildete die Leipziger Disputation. Die handelnden Personen sind ECK, dessen Famulus und Freunde, die Hexe Canidia, Rektor und Professoren der Leipziger Universität, JOHANNES RUBEUS, ein Beichtvater, der Chirurg und seine Helfer. Man kann die äußerlich nicht gegliederte Komödie ohne viele Mühe in fünf Akte mit wechselndem Schauplatz zerlegen.

Die Satire beginnt mit einer aus dem ‹Hercules furens› stammenden Anrufung Jupiters und zeigt den von argen Schmerzen gepeinigten ECK in Ingolstadt. Infolge der Anstrengungen bei der Leipziger Disputation und Genuß von sächsischem Bier ist der gelehrte Theologe schwer erkrankt. Als tüchtiger *obscurus* hat er auch schon vorher den Genüssen des Bechers wie der Liebe rückhaltlos gehuldigt. Weite Reisen im Dienste des Glaubens haben ebenfalls seine Gesundheit untergraben. Nach Beratung mit den bereits im *Pfefferkorn-Reuchlinschen Streit* tätigen *obscuri viri* TUNGERN, HOCHSTRATEN und PFEFFERKORN erweist sich die Konsultation eines Arztes als nötig. Im zweiten Akt wird mit Hilfe der Hexe Canidia und ihres Bockes auf dem Luftwege aus Leipzig durch Vermittlung des JOHANNES RUBEUS und der Theologen-Fakultät ein aus Brandenburg zur Verbrennung LUTHERS gesandter Chirurg zu ECK gebracht. Als im dritten Akt der Mediziner in Ingolstadt bei ECK seine Visite macht, stellt dieser mit ihm zunächst ein Examen über seine bisherigen Heilerfolge an. Der nachfolgende Untersuchungsbefund ergibt, daß ECKS Hauptübel in den Praecordien und unter der Haut sitze. Es besteht höchste Lebensgefahr. Die *ratio medicandi* kann nur mehr Pharmaka und Kaustika in Anwendung bringen. Der Chirurg und ECKS Freunde raten, vor Durchführung der Kur und Operation für alle Fälle das Bußsakrament zu empfangen und einen Beichtvater zu rufen. Im vierten Akt begrüßt dieser ‹Auditor› ECK als Dunkelmann und der Poenitent kann sogleich mit seinem Bekenntnis beginnen. Aber während die Laien in der Beichte reumütig ihre Sünden gestehen müssen, bekennt der anmaßende ECK nur seine sämtlichen Titel und Würden. Als ein weiterer der Beichthörer Fragen stellt, zeigt sich, daß ECK nur aus Ruhmsucht, der erhofften Kardinalswürde wegen und aus Eifersucht LUTHERS Feind geworden ist. Bei der Debatte über die während der Leipziger Disputation erörterten Themen bekennt sich der Beichtvater als Anhänger LUTHERS. Das Bekenntnis artet immer mehr in Streiten und Schimpfen aus. Eine Absolution lehnt ECK ab. Der bereits ungeduldige Chirurg kann sein Werk beginnen. Im fünften Akt erfolgt die medizinisch-moralische *dedolatio* oder Hobelung ECKS in Form einer grotesk-komischen Krankenbehandlung. Als Vorbereitung der Therapie erhält ECK eine saftige Tracht Prügel. Da eine erste Portion zur Beseitigung sämtlicher Ecken nicht ausreicht, wird eine Neuauflage von 175 für nötig befunden. So vorbereitet, wird ECK mit vier Stricken an die vier Ecken eines Bettes gebunden und vom Bader geschoren. Dabei kriechen Sophismen, Syllogismen, Korolarien etc. hervor; aus den Ohren zieht man den ‹Chrysopassus›, ECKS Jugendschrift über die Prädestination, heraus. Nachdem dies erledigt ist, wird ECK neuerdings gefesselt und bekommt die Pharmaka. Die Mischung ist kräftig genug, sowohl eine schlafbringende wie nach beiden Richtungen purgierende Wirkung auszulösen. Nach den Pharmaka kommen die Kaustika in Anwendung. Als man ECK (wie dem Marsyas) die Haut abzieht, zeigen sich zahlreiche bösartige Geschwüre, alles Folgen seiner Laster. ECK leidet an: hitzigem Fieber, Delirium, Tobsucht, Tollwut, Hirnwut, geilem Jucken etc. Sie müssen durch Ausbrennen und Ausschneiden entfernt werden. Bevor er entmannt wird, bittet er flehentlich, ihm dies nicht anzutun und gelobt, im Falle der Schonung dem Dominikanerorden beizutreten. Zuletzt werden die blutenden Wunden mit siedendem Pech verstopft. Man verspricht ECK stillzuschweigen, damit nicht die «verfluchten Wittenberger Poeten oder der verdammte HUTTEN eine Komödie daraus machen». Der Chirurg wünscht gute Genesung. Ein ‹Chor› bezweifelt, ob der Patient zur Mäßigung und Vernunft zurückkehren werde: Das würde erst der Fall sein [wie es im Libera des Officium defunctorum heißt], wenn Himmel und Erde in Bewegung geraten, i. e. am Jüngsten Tage.

Die in Gesprächsführung wie Zeichnung der Charaktere außerordentlich lebendige und anschauliche Komödie ist gespickt mit Anspielungen auf Persönlichkeiten und Geschehnisse der Zeit. Der (oder die) Verfasser war(en) des Griechischen kundig und beherrschte(n) sowohl das klassische Latein als auch den Stil der ‹Dunkelmännerbriefe›. Man hat den ‹Eckius dedolatus› mit Recht als ein die ‹Epistolae› in Schatten stellendes satirisches Prunkstück bezeichnet. Die Verfasserfrage der komödienartigen Dichtung konnte bis heute nicht eindeutig geklärt werden. ECK selber und seine Brüder hielten WILLIBALD PIRCKHEIMER für den Autor. Ihnen folgte eine Anzahl Forscher in neuerer Zeit. PAUL MERKER (1923) wollte sie NIKOLAUS GERBELIUS zuschreiben. Ich schließlich (1931) suchte FABIUS ZONARIUS als Verfasser zu erweisen. Fest steht, daß die Komödie zuerst in Nürnberg im Hause PIRCKHEIMERS auftauchte und von ihm zum Druck (Ausgabe a, Erfurt) gebracht wurde. Vielleicht ist die Satire gar nicht das Werk eines einzelnen, sondern das gemeinsame Produkt einiger Humanisten und Literaten, die gegen ECK feindlich eingestellt waren. PIRCKHEIMER mag dazu ebenfalls – wie CHRISTOPH SCHEURL behauptete – das Seine beigetragen haben. In seinem Nachlaß fand sich der Entwurf zu einer Fortsetzung der Komödie, ‹De Eckio bibulo› betitelt. Als Gestalter der deutschen Version vermuteten der Betroffene und seine Brüder den Nürnberger Ratsschreiber und Freund PIRCKHEIMERS LAZARUS SPENGLER.

Mit dem ‹Eckius dedolatus› hängen vier weitere Satiren gegen die verhaßten altkirchlichen Theologen zusammen. Wenig später als die erste Satire erschienen gemeinsam die zwei Dialoge ‹Decoctio› und ‹Eckius monachus› (noch 1520).

Die ‹Decoctio› nimmt das Hauptmotiv des ‹Eckius dedolatus›, die Gewaltkur, wieder auf und erweitert sie, indem auch der englische Theologe EDUARD LEE, der 1517/18 mit ERASMUS eine Kontroverse hatte, in die Prozedur miteinbezogen wird. Die Situation wird in Nachahmung der älteren attischen Komödie und

LUKIANS in den antiken Olymp lokalisiert. Um ECK und LEE von der *theologia insania* zu befreien, wird das Heilbad der Medea angewendet. Aus ECKS Ohren kriecht die gehörnte *superbia,* aus dem Halse würgt er die *stultitia,* durch den Schweiß geht die *pertinacia* ab.

Für den ‹Eckius monachus› gab das Grundmotiv offenbar das Sprichwort «Desparatio monachum facit». Noch zehn Jahre später kamen zwei weitere Spottschriften gegen ECK zustande: ‹Eckii dedolati ad caesaream maiestatem magistralis oratio› (gedr. 1530) und eine anscheinend nur handschriftlich verbreitete humanistisch-satirische Thesenreihe, die sog. ‹Propositiones in Ecci unde Vino, Venere et balneo› (1530). Eine fünfte Satire, die ‹Threni magistri rostoi Joannes Eccii in obitu Margaretae concubinae suae›, folgte gar erst 1538.

Tiefer als die Pamphlete gegen ECK in die eigentlichen reformatorischen Auseinandersetzungen greifen *drei lateinische Satiren gegen* THOMAS MURNER ein, der im Laufe des Jahres 1520 immer deutlicher zu LUTHER in Gegensatz getreten war. Die ‹Defensio Christianorum de Cruce› (Ende 1520; 4 Ausgaben) ist eine Art an MURNER gerichteter offener Brief, der auf dessen jüngst erschienene antilutherische Publikation Antwort gibt. Die Schrift führt die Namensverdrehung ‹Murnar› in die Reformationsliteratur ein. Der Verfasser nennt sich pseudonym MATTHAEUS GNIDIUS AUGUSTENSIS. Der ‹Murnarus Leviathan vulgo dictus Geltnar oder Gluß Prediger› (1521; 2 Drucke) gilt als eine der bissigsten, aber auch bedeutendsten Satiren der Zeit. Sie ist im ersten Teil lediglich Dialog, im zweiten durch Handlungselemente, Personencharakteristik und Schauplatzwechsel dem Drama angenähert. Das Grundmotiv bilden MURNERS angebliche Geldgier und sein Geiz. Der Inhalt besteht aus vier Teilen: MURNERS Unterhaltung mit dem Straßburger Advokaten Weddele; gemeinsamer Besuch bei dem Arzt Phrisius und Beschwörung des Plutus; Schatzgrabung; Befragung des Sternorakels. Der Verfasser nennt sich RAPHAEL MUSAEUS. Zusatzdialog zum ‹Leviathan› ist die ‹Auctio Lutheromastigum› im Anhang der 2. Auflage. Dem Titel gemäß handelt es sich um den Verkauf einiger LUTHER-Gegner, und zwar von fünf Betrügern (*impostores*), die vorgeführt werden: ALEANDER, MURNER, Grillus, Rabulus und Thraso.

HUTTENS Publizistik und diese lateinische Kleinsatiren-Literatur bereitete den Boden für die 1521 einsetzenden Flugschriften, Büchlein und Gespräche in deutscher Sprache.

b) Konfessionelle Kontroversliteratur: Flugschriften, Büchlein, Gespräche.
Eberlin von Günzburg. Prophetien und Prognostiken
An die lateinisch-deutsche Publizistik HUTTENS und die lateinischen Satiren der Jahre 1517 bis 1521 schließen sich deutschsprachige *Pasquille und Spottschriften* und eine allgemeine *Kontroversliteratur*. Beide Gattungen verfolgen agitatorische Zwecke, existieren und wuchern die ganze Reformationsepoche hindurch. Die Verfasser der Schmähschriften bedienen sich der gebundenen und ungebundenen Formen: des Spottliedes, des Spruchgedichtes, des Dialoges, der Parodie (Litanei, Vaterunser, Evangelien etc.). Die Kontroversisten benutzen die Flugschrift, die Broschüre, die Formen des Gespräches, des Traktates. Während die Schmähschrift meist kurz und satirischer Art ist, legen die Kontroversschriften bei ihren Meinungskämpfen das Schwergewicht auf die Darlegung der gegensätzlichen Anschauungen. Da Pasquille verboten wurden, zuerst im Reichstagsabschied vom Jahre 1524 und auch später noch öfter, erschienen die Schmähschriften meist anonym oder pseudonym. In der Kontroversliteratur hingegen treten einzelne faßbare Persönlichkeiten in Erscheinung.

Die mit langer literarischer Tradition behafteten Spottschriften werden gleich in der ersten Periode der Reformation ein charakteristischer Zweig der religiösen Volksliteratur. Die Hersteller behandeln alle aktuellen Fragen der kirchlichen, staatlichen und sozialpolitischen Bereiche: den Katholizismus mit Papst und Klerus, das Konzil zu Mantua, den Protestantismus und seine Neuerungen, die Bauernkriege, das Augsburger Interim, den Kaiser, die Fürsten und Stände – immer vom Standpunkt des Gegners. Die feindseligsten und erregtesten Produkte entladen sich gegen das Papsttum und die Geistlichkeit der alten Kirche. Seit 1546 steht im Zentrum der Angriffe und Kritik Kaiser KARL V. Es war den Protestanten klar geworden, daß sie beim Herrscher weder auf Förderung noch auf Duldung rechnen konnten. In den Niederlanden begannen die vom Kaiser eingesetzten Inquisitionsgerichte zu arbeiten.

Die als Propagandamittel benutzten *Schmähschriften* erlangten im 16. Jahrhundert eine ungemein weite Verbreitung. Zunächst überwogen bis um die Mitte des Jahrhunderts die protestantischen Pasquille. Seit dem Konzil von Trient und der Wirksamkeit des Jesuitenordens richtet die erstarkte katholische Kirche eine heftige Polemik gegen den Protestantismus.

Die *Kontroversliteratur* wird als Kampfmittel in den religiösen Auseinandersetzungen zwischen den verschiedenen Glaubensrichtungen oder einzelner ihrer Exponenten und Vertreter benützt. Der Inhalt ist vorwiegend theologischer Art. Die gebräuchlichsten Formen sind die Flugschrift oder der Einblattdruck, die Broschüre und besonders das Gespräch. Bezüglich der Flugschriften mußten bereits 1548, also schon vor der Mitte des Jahrhunderts, und 1577 eigene Reichspolizeiordnungen über die Herstellung und Verbreitung erlassen werden.

Da die beiden Gruppen nicht immer streng zu trennen sind und der ganze Bereich der Schmähschriften- und Kontroversliteratur weder hinreichend erfaßt noch untersucht ist, können im folgenden nur die Hauptformen und -personen charakterisiert werden.

Die literarischen Formen, in denen die meist mit einem Holzschnitt auf dem Titel versehenen *Flugschriften* in Erscheinung treten, sind abwechslungsreich und vielartig. Die Verfasser bedienen sich sehr verschiedener Einkleidungen und Motive: des Briefes in Gestalt von Sendschreiben, des Himmelsbriefes, des Teufels- oder Höllenbriefes, wie ihn PIERRE D'AILLY im Spätmittelalter gepflegt hatte; des Gespräches, Dialoges, des Monologiums ANSELMS VON CANTERBURY; der Prophetie und Weissagung, der Prognostiken und Praktiken, der Vorstellungen vom Antichrist; der Bibel- und Gebetsparodie; der Passion Christi; der Vorstellung vom christlichen Ritter; der Allegorie; der Tierfabel, der Mißgeburt, des Wettspieles u. a. m. Neben diesen Flugschriften als ein- oder mehrseitigem Flugblatt gab es die *Büchlein*, d. s. Spruchgedichte oder noch häufiger kleine Prosa-Abhandlungen in Broschürenform, rasch entstanden und ebenfalls zur weiteren Verbreitung bestimmt. Gelegentlich nehmen diese Büchlein die Funktion späterer Zeitungen vorweg.

Manche *Verfasser* der Flugschriften und Büchlein veröffentlichten sie unter ihrem Namen. Anderes ist wegen der vielen behördlichen Verbote anonym oder pseudonym erschienen. Diese Autoren geben sich in den Schriften häufig als ungelehrte Leute aus, Handwerker, Bauern, Landsknechte, Dirnenwirte, Bettler, alte Mütterchen. Solchen Angaben widerspricht jedoch das latinisierende Deutsch, das die Verfasser schreiben, die theologische Bildung, die sie bekunden, das humanistische Wissen, über das sie verfügen. Die Autoren waren daher wohl in den meisten Fällen studierte Männer oder religiös führende Persönlichkeiten. Der Fiktion in der Verfasserschaft entspricht eine Versetzung der Dialoge etc. in die mittleren und unteren Volksschichten. Dieser gelehrt-volkstümliche Charakter gilt auch für die in *Gesprächsform* abgefaßten Büchlein. Die Einführung in die jeweilige Situation ist entweder episch breit gehalten oder der Leser wird in der Art der Humanistendramen sogleich mitten in das Thema gewiesen. Im Stil stehen ebenfalls volkstümliche Elemente neben humanistisch gelehrten. Außer Gestalten aus dem Volke treten solche aus der Welt der Bildung auf, antike, historische, mythologische, allegorische.

Als Vertreter der volkstümlichen Kampfliteratur schon vor und dann während der Reformation behandelte GEORG SCHAN (ca. 1460– ca. 1533) in zwei Flugblättern das Motiv des ‹Niemand›, d. i. eine geheimnisvolle Gestalt, der alle unerklärlichen Mißgeschicke und Übeltaten zugeschrieben werden, deren Mund verschlossen ist, so daß sie nicht die Wahrheit enthüllen kann. Das Motiv ist erst scherzhafter Natur, wird aber dann in der politischen und religiösen Satire verwendet. Das erste ‹Niemand›-Gedicht entstand vor 1512, also vor HUTTENS ‹Nemo›. Das in einem Nachdruck erhaltene Doppelfolioblatt trägt 132 Verse, die vom Verfasser illustriert sind. Dem «wolredendt Niemant» ist durch Gottes Gnade das Schloß vom Mund genommen und er kann daher frei gegen die Mißstände in der Kirche reden. Das zweite Gedicht, ebenfalls auf einem Doppelfolioblatt, umfaßt 300 Verse und wurde 1533 geschaffen, als man in Straßburg den Sieg des Protestantismus erwartete.

In der Umgebung SICKINGENS trat in einer ganzen Reihe von deutschen Flugschriften und Sendbriefen in der Frühzeit der Auseinandersetzungen HARTMUTH VON CRONBERG (1488–1549) für die Reformation ein: ‹Sendbrief an Kaiser Karl V.› (1521), ‹Sendbrief an Franz von Sickingen› (1521), ‹Sendbrief an Walther von Cronberg› (1521). Von seinen ‹Drei [vier] Christlichen Schriften› (1521/22) ist die erste an Papst LEO X., die zweite an die Einwohner von Cronberg, die dritte an die Bettelorden, eine vierte an JAKOB KÖBEL in Oppenheim gerichtet. Für CRONBERGS soziales Wirken sind die ‹Statuten der Himmlischen (Cronbergischen) Brüderschaft› aufschlußreich. Weitere Sendschreiben sind an die Stände und Gesandten auf dem Reichstag zu Nürnberg, an die Eidgenossen, an Papst HADRIAN VI., an die Böhmen, an GEORG SPALATIN adressiert. Ohne wie HUTTEN vom Humanismus beeinflußt zu sein, sind diese Flugschriften erfüllt vom strengen Biblizismus LUTHERS.

Aus erasmischem Kreise stammt ein illustriertes Flugblatt, das LUTHER 1522 als ‹Hercules Germanicus› verspottet.

Wie Christus vom Himmel an seine Getreuen Briefe und Mandate sendet, so richtet der Teufel aus der Hölle Erlässe, Strafschriften und Fehdebriefe an seine Anhänger und Gegner. Beispiele für *Himmelsbriefe* sind von URBAN RHEGIUS der ‹Ablaßbrief Christi› (1523) oder NIKOLAUS HERMANS ‹Eyn Mandat Jhesu Christi an alle seyne getrewen Christen› (Wittenberg 1524; 27 Auflagen bis 1613; deutsche und tschechische, dänische Bearbeitung). Christus ruft darin seine Getreuen auf, die Burg des Evangeliums dem Teufel und seinen Heerscharen, die sie infolge der Schwäche ihrer Verteidiger in Besitz nehmen konnten, wieder abzugewinnen und als echte Ritter Christi bis zu seiner Wiederkunft zu behaupten. Die Form des *Teufelsbriefes* haben ‹Ein schöner Dialogus von Martino Luther vnd der geschickten Botschafft auß der Helle› (1523) und dessen Fortsetzung ‹Absag oder fehdschrift Lucifers an Luther› (1524).

Das Motiv der Traumallegorie benützt ein Anonymus (vielleicht JOHANNES SCHRADIN) in der Flugschrift ‹Gründliche ursach der jetz schwebenden Kriegsleuff› (1546), um die Heldengestalten des ARIOVIST, ARMINIUS, BARBAROSSA und GEORG VON FRUNDSBERG als Zeugen gegen Rom auftreten zu lassen.

Ähnlich wie viele Flugschriften haben auch die *Büchlein* reformatorische
Angelegenheiten, aber auch ältere und neuere Stoffe zum Thema. Während die Mehrzahl von ihnen anfänglich der Entscheidung für oder wider
die Reformation diente, bemühen sie sich später um die Ausbreitung
und Festigung der evangelischen Lehre, wobei sie notwendigerweise auch
in die theologischen Meinungsverschiedenheiten hineingezogen werden.
In der Frühzeit der Reformation verfaßte JOHANNES RUBIUS ein gereimtes
‹Büchlein› von der Leipziger Disputation; ein Unbekannter eine gereimte
Klage und Bitte der deutschen Nation an den allmächtigen Gott um Erlösung aus dem Gefängnis des Antichrist. Andere Verfasser wenden sich
mit Supplikationen und Beschwerden an Kaiser KARL V. Eine ‹Neu getzeitung auff das Jahr 1521› in Prosa ist dem «Fürsten der Hölle» in den
Mund gelegt. Ein ‹neu Gedicht› berichtet, wie 1521 in Erfurt die Geistlichkeit gestürmt wurde. Ein ‹Passional Christi vnd Antichristi› (1521) in
Reimen, mit Holzschnitten bebildert, erfreute sich anscheinend besonderer Beliebtheit, so daß es drei Auflagen erlebte. Ein Prosa-Büchlein (1521)
handelt vom Pfründenmarkt «der Kurtisanen und Tempelknechte». Ein
‹Spruch› (1521) berichtet von den Bauern, was sie das ganze Jahr treiben
auf dem Felde und daheim in den vier Jahreszeiten. Der Verfasser des
Prosa-Büchleins ‹Der gestryfft Schwitzer Baur›, ein angeblicher «Baur auß
dem Entlibuch», fordert gleich im Titel die Leser auf: «Wem es nit gefall, der küß jm die bruch». Der Theologe und Mathematiker MICHAEL
STYFEL (1487–1567) trat in seiner Schrift ‹Von der christförmigen, rechtgegründeten leer Doctoris Martini Luthers› (1522) für LUTHER ein, geriet darüber in einen Konflikt mit THOMAS MURNER und veröffentlichte gegen ihn
zwei Widerlegungen. Heftige polemische Haltung zeigt auch STYFELS
Kirchenlied ‹Dein armer Haufe, herr thut klagen› (1525). Sein Interesse
für die Apokalyptik veranlaßte ihn, in einem ‹Rechenbüchlein vom End
Christi› (1532) die Ankunft des Jüngsten Tages auf den 19. Oktober 1533
vorauszurechnen. An den Adel gerichtet ist die anonyme Prosaschrift
der ‹Lutherisch Pfaffen narr›. GEORG AMANDUS, Pfarrer ‹aufm Schneberge›, im Erzgebirge, will lehren, ‹Wye Eyn Geistlicher Christlicher Ritter vnd
Gottes Heldt in diser Welt streytten soll› (1524). HEINRICH SCHNUR singt
von einem Wolfe, wie er sich vor aller Welt beklagt, daß man ihm allein
wie einem Landräuber nachstelle. Ein Anonymus führt im Anschluß an
das Strebkatzziehen [d. i. nach A. GÖTZE ein «Kraftspiel, bei dem man
den Gegner an einem um den Nacken geschlungenen Seil auf seine Seite
zu zwingen strebt»] in der Versdichtung der ‹Lutherischen Strebkatz›
(1524) den Leser in seine Menagerie, die den Papst, MURNER, EMSER,
HOCHSTRATEN u. a. als Tiere vereinigt. Auch Judenfragen werden in verschiedenen Spruchgedichten behandelt. Der Dramatiker HANS ACKERMANN, Schulmeister in Zwickau, widmet der ‹Burckharts und Martini
Gans› einen Spruch und dichtet ein Lied von einem Wolf und einer Gans.

Beliebte Themen der Büchlein sind die Tischzucht und die Kinderzucht, der Jungfrau Zucht, der Frauen Spiegel; anderes gehört zur Eheliteratur, zum Trunkenheitsschrifttum, zur Podagraliteratur, Narrenliteratur, Türkenliteratur. Ein Prosabüchlein erzählt auch ‹Vom Schlauraffen Land› (1541); es ist eine Übersetzung der ‹Fortuna›-Schrift des ENEA SILVIO. Wie nicht anders zu erwarten, benützten auch die Anhänger und Verteidiger des alten Glaubens (vgl. S. 85 ff.) die Formen der Flugschriften und Büchlein für ihre Zwecke. PAUL BACHMANN veröffentlichte 1522 ein Spottlied gegen LUTHER, in dem er dessen Tun und Wesen dem Volke klarmachen will, und 1534 einen ironischen ‹Lobgesang auf Luthers Winkelmesse›. PETRUS SYLVIUS verteidigte die altkirchlichen Standpunkte in einer Reihe von Büchlein. Der Bibelübersetzer HIERONYMUS EMSER wandte sich in zahlreichen kleinen Schriften gegen die Bilderstürmerei, verteidigte das Klosterleben und rief zur Reichseinheit angesichts der Türkengefahr auf. JOHANN DIETENBERGER, der andere Bibelverdeutscher, setzte sich in Flugschriften für die guten Werke, das Klosterwesen und die Heiligenverehrung ein. Ein unbekannter Alemanne führt in ‹Martin Luthers Klagred, daß er so gar nit hippen und schänden kann› (1534) den Reformator als Flucher und Verleumder vor. In der Schweiz verwendete der Chronist und Dramatiker HANS SALAT die Form des Spruchgedichtes zu Invektiven gegen die Reformation und ZWINGLI.

Zwischen 1570 und 1600 will ein nicht näher bekannter streitbarer lutherischer Theologe mit dem in Gedichtform gebrachten ‹Märchen von Hans Pfriem› (GRIMM Nr. 178) den Kluglern und Sektierern, Schwärmern und Antinomern,

> Beyde alt vnd new Papisten
> Die Geistlosen Jesuwider
> Vnd stenckerischen Schwenckfelder,
> Auch die Widertäuferisch Rott . . .
> Caluinisch on End, Lutheromastiges,

einen warnenden Spiegel vor Augen halten. Der Autor möchte seine Leser von dem «vnzeyttigen Fürwitz, Göttliche Geheymnussen zu erforschen», abhalten.

Ein Hauptmittel, den Streit zwischen den einzelnen Konfessionen oder Richtungen beizulegen, sah man gemäß der rhetorisch-dialektischen Schulung, über die jeder einigermaßen Gebildete verfügte, im *Religionsgespräch*. Doch blieben diese öffentlichen oder privaten Auseinandersetzungen meist erfolglos und befestigten eher die Spaltung oder Gegensätzlichkeit.

Die wichtigsten offiziellen Religionsgespräche im Reformationszeitalter waren:
1. Die Disputation zu Heidelberg 1518 bei einem Provinzialkonzil der Augusti-

ner, wo LUTHER seine Thesen über freien Willen und Rechtfertigung verteidigte;
2. die Leipziger Disputation auf der Pleißenburg 1519 zwischen ECK, KARLSTADT
und LUTHER über Gnade und freien Willen bzw. den päpstlichen Primat;
3. Zürich, wo im Januar und Oktober 1523 ZWINGLI gegen die Katholiken über
Messe, Bilder, Priestertum usw. disputierte; 4. die Badener Disputation 1526
zwischen ECK, OEKOLAMPADIUS u. a. zur Abendmahlslehre und zu anderen religiösen Streitigkeiten; 5. Bern, wo 1528 ZWINGLI, OEKOLAMPAD, WATT, BUCER,
CAPITO u. a. gegen die Katholiken KONRAD TREGER, ALEXIUS GLATT, Pfarrer
HUTTER von Appenzell u. a. standen; 6. Marburg, wo 1529 zwischen Lutheranern
und Zwinglianern disputiert wurde; 7.–9. Hagenau, Worms und Regensburg
1540/41, wo ECK und MELANCHTHON einander gegenübertraten; 10. Regensburg
1546, veranlaßt von Kaiser KARL V., zwischen Katholiken und Protestanten;
11. Worms 1557 zwischen HELDING VON MERSEBURG und PETRUS CANISIUS auf
katholischer und MELANCHTHON und GEORG KARG auf evangelischer Seite, mit
offenem Zwist zwischen den Anhängern MELANCHTHONS und des FLACIUS ILLYRI-
CUS; 12. Poissy 1561 zwischen Katholiken und Hugenotten; 13. das Altenburger Religionsgespräch 1569 zur Beilegung des Synergistenstreites.

Diese großen öffentlichen Disputationen, Kampf- und Verhandlungs-
gespräche werden begleitet von einer ausgedehnten *Dialog- und Gesprächsliteratur* für gelehrte und ungelehrte Volkskreise. Nach der Veröffentlichung von HUTTENS Streitschriften und LUTHERS großen Programmschriften erschienen zwischen 1521 und 1550 rund 150 deutschsprachige Reformationsdialoge. Durch seinen zwischen Bericht und Darstellung schwebenden Charakter vermag der Dialog oder das Gespräch
schwierige und spröde Stoffe zu beleben. Man diskutiert die religiösen
Fragen und versucht die Momente des Kirchenkampfes der Fassungskraft
einfacher Menschen näherzubringen. Die Verfasser wollen z. T. ernsthaft
belehren, z. T. bedienen sie sich bitteren Spottes. Die Themen, die in dieser Gesprächsliteratur behandelt werden, sind die Anliegen der fünf
Glaubensrichtungen (lutherisch, zwinglisch, täuferisch, unsichtbare Geistkirche, alter Glaube) und ihre religiös-dogmatischen und soziologischen
Auseinandersetzungen. Dazu kommen Fragen allgemeiner Art und Zeit-
geschichtliches, Tiergeschichte, Moralisches. Ein religiöses und sozialpolitisches Reformprogramm mit einem utopischen Idealstaat entwarf und
umriß lediglich der vom Ockhamismus kommende JOHANN EBERLIN VON
GÜNZBURG. Die Mehrzahl der Erzeugnisse ist in Prosa abgefaßt, frisch,
gewandt, mit Kraft und Schärfe. Die gereimten Gespräche sind seltener
und meist weniger lebendig.

In diesem Werbe- und Tendenzschrifttum treten meist Geistliche und einfache
Laien, aber auch kirchengeschichtliche Persönlichkeiten einander gegenüber und
erörtern in Rede und Gegenrede die Vorzüge und die Schwächen ihrer Bekenntnisse und Standpunkte. Die Zahl der unterredenden Personen ist gering, Handlung kaum vorhanden. Die Unterredner versuchen mit selbst beobachteten Tatsachen und einem gewissen Bestand an Bibelzitaten und theologischen Leitsätzen
einander zu widerlegen oder zu überzeugen. Es bleibt Sache der Phantasie und
literarischen Begabung der einzelnen Verfasser, durch Detailschilderungen, Cha-
rakteristiken und die Sprachform die Dialoge in eine höhere Sphäre zu heben.

Der historische Wert dieser Prosagespräche beruht auf ihren oft einläßlichen Beschreibungen allgemeiner Zustände, der Charakteristik einzelner Persönlichkeiten und Widergabe der Stimmung breiter Volksschichten.

Verbreitet wurde diese Dialog- und Gesprächsliteratur meist in Form von Flugschriften. Die Verfasserfrage ist nur in seltenen Fällen eindeutig geklärt. Oft haben die Zuweisungen nur Wahrscheinlichkeitswert. ALFRED GÖTZE wies den ‹Dialogus von Luther und der Botschaft aus der Hölle› sowie das ‹Gesprechsbüchlein von einem Bawern, Belial, Erasmo Rotterodam vnd Doctor Johan Fabri› dem ERASMUS ALBERUS zu, den ‹Schlüssel David› JOACHIM VON WATT, den ‹Sendbrief an den Pfarrer von Hohensinn› EBERLIN VON GÜNZBURG, zehn weitere Flugschriften URBAN RHEGIUS, den Dialog ‹Vom Pfründenmarkt der Kurtisanen› SEBASTIAN MEYER, den ‹Dialog zwischen einem Pfarrer und einem Schultheiß› MARTIN BUCER. Nach PAUL KALKOFF ist die lateinische Flugschrift ‹Litaneia Germanorum› (Worms 1521) von HERMANN VON DEM BUSCHE verfaßt, während WILHELM WEISCHEDEL sie ULRICH VON HUTTEN zuschreibt. HANS KÖNIG wies die ‹Totenfresser› und die sog. ‹Novella› PAMPHILUS GEGENBACH zu. Die Flugschriften ‹Vom alten und neuen Gott›, ‹Das Wolfsgesang›, der ‹Karsthans›, das Weggespräch gegen Regensburg zu ins ‹Concilium› werden WATT zugeschrieben.

Die Hauptmasse der Dialoge und Gespräche betrifft Angelegenheiten der lutherischen Glaubensrichtung. LUTHER und seine Anhänger benutzten überwiegend die ältere akademisch-wissenschaftliche Form der Disputation mit logisch entwickelnder Beweisführung, verschmähten aber daneben auch nicht den drastisch wirksamen volkstümlich-satirischen Dialog. Eine frühe Reihe von Dialogen und Gesprächen behandelt Anliegen unmittelbar nach Ausbruch der lutherischen Reformation. Als erster sei der ‹Karsthans› (Straßburg 1521; 10 Aufl.) angeführt [nach fränk. alem. *karsch*, die Feldhacke, der Bauer]. Die Flugschrift wurde vermutlich von JOACHIM VON WATT verfaßt und war gegen THOMAS MURNERS drei Schriften ‹Brüderliche Ermahnung an Luther›, ‹Von dem Papsttume› und ‹An den Adel deutscher Nation› (alle 1520) gerichtet. Der ‹Karsthans› verbindet humanistische Bildung mit volkstümlicher Haltung.

Fünf Personen, MURNER, Karsthans, Studens, LUTHER, Merkur, führen ein Gespräch. Nach einer kurzen Vorrede gegen MURNER beginnen Karsthans und sein studierender Sohn die Unterredung. Merkur glossiert ihre Aussprüche. Katzengeschrei vor der Tür veranlaßt sie zu Ausführungen über die Natur der Katzen. Ein Mensch mit einem Katzenkopf tritt in die Stube: MURNER. Der Sohn hat vor ihm größten Respekt, der Vater sagt ihm unverblümt seine Meinung. Da erscheint LUTHER. Das Gespräch wendet sich ECK und der Leipziger Disputation, ERASMUS etc. zu. MURNER macht sich davon, denn er will mit LUTHER nicht disputieren. LUTHER beklagt die Blindheit der Deutschen. Er bittet die Anwesenden zu prüfen, auf welcher Seite Wahrheit und Vernunft liegen. Die Rede kommt auf HOCHSTRATEN, REUCHLIN, die Verbrennung von LUTHERS Schriften in

Mainz, die Lehre vom göttlichen Recht des Papsttums. Karsthans erweist sich als in der Bibel und in LUTHERS Schriften belesener Mann. In seiner Erregung will er schon zum Dreschflegel greifen, um loszuschlagen. LUTHER hält ihn zurück: keine Verletzung der göttlichen Gebote, keinen Aufruhr gegen die Obrigkeit! Nur mit den Mitteln der hl. Schrift soll man den Mißbräuchen entgegentreten und auf den Sieg der Wahrheit vertrauen. Nach LUTHERS Weggang disputieren Sohn und Vater über die Schriften MURNERS. Der Sohn sucht sie zu verteidigen, der lutherisch gesinnte Vater siegt.

Obgleich hier der Gedanke an eine gewaltsame Selbsthilfe von LUTHER zurückgewiesen wird, gewann der Name ‹Karsthans› in den folgenden Jahren auch in Mittel- und Norddeutschland für einige Zeit einen revolutionären Sinn. So z. B. im ‹Gesprechbiechlin neüw Karsthans› (Straßburg 1521), zugeschrieben dem ehemaligen Dominikaner und Reformtheologen MARTIN BUCER, 1521 bei FRANZ VON SICKINGEN auf der Ebernburg. Von BUCER stammt auch der Dialog zwischen einem Pfarrer und einem Schultheiß, in dem in satirischer Kleinmalerei das Gebaren der Dorfpfarrer und die Kniffe der gegen die kirchlichen Abgaben aufgebrachten Bauern erörtert werden.

Im ‹Neüw Karsthans› sucht ein Bauer in einem Rechtshandel mit seinem bischöflichen Offizial (ein Nachbar hat ihn wegen seiner Liebe zu einem Pferdchen als Ketzer denunziert) Hilfe bei SICKINGEN und kommt mit diesem in ein Gespräch, wobei ihm der wahre Sinn des Christentums und dessen Verkehrung durch den römischen ‹Antichrist› zu Bewußtsein gebracht wird. Auch hier wehrt SICKINGEN alle Aufruhrgelüste ab: Gott allein hat sich das Gericht vorbehalten; auch zum Kaiser solle man Vertrauen haben. Angehängt sind ‹Die dreißig Artikel›, auf die sich Junker Helferich, Reiter Heinz und Karsthans samt ihrem Anhang verschworen haben.

Im ‹Neüw Karsthans› handelt es sich weniger um Bekämpfung der Mißbräuche, sondern um Belehrung über die christlichen Hirtenpflichten und das Recht der Obrigkeit zur Durchführung der Reformation, damit die Massen nicht zur Selbsthilfe greifen.

In dem Gespräch ‹Ein schöner dialogus Cüntz vnd der Fritz› (Augsburg 1521) von URBAN RHEGIUS (1489–1541), damals Domprediger in Augsburg, diskutieren zwei lutherisch gesinnte Bauern. Gegen LUTHER gerichtet ist das gereimte Gespräch ‹Karsthans. Kegelhans›. Ein Dialog zwischen LUTHER und SIMON HESSUS (1521) handelt über die Verbrennung der Schriften LUTHERS in Köln und Löwen. Ein Gespräch zwischen Bartold und Arnold wird über ECKS Schrift zur Verteidigung des Konzils von Konstanz geführt. Als Verfasser nennt sich KUNZ VON OBERNDORF. Ein Dialog zwischen Pasquillus und Cirus erörtert die Zustände am Hofe Papst LEOS X. Ein Dialog zwischen LUTHER und dem katholischen Pfarrer JOHANN ECKARTZ hat das Meßopfer zum Gegenstand. Ein Gespräch zwischen Pfarrer und Schultheiß erörtert die Übel des geistlichen Standes. ‹Ain schóner dialogus oder gesprech, so ain Prediger münch Bembus genant vnd ain Burger Silenus vnd sein Narr mit ainander habent› (bald nach Herbst 1521) scheint in seiner Satire gegen das Augsburger Dominikanerkloster zu zielen. KASPAR GÜTTEL (1471–1542), Augustiner zu Eisleben, verfaßte ein ‹Gesprechbüchleyn, wie Christlich vnd Euangelisch zu leben› (1522). Unterredner sind Schüler, Meister, Drescher. Ein ‹Klagegespräch unweit Trient zwischen Abt, Kurtisan und Teufel› (1522) betrifft Papst HADRIAN VI. Der Dialogus von der ‹Zwietrachtung des Glaubens›, mit den Unterrednern Laie, Priester, Christus, David, Paulus, Moses, Johannes, will Unterricht geben, wie sich der Mensch in diesen und anderen Irrtümern verhalten solle. Im Dialogus zwischen Hans Tholl und Klaus Lamp wird über den Antichrist und seine Jünger gesprochen. WOLFGANG ZIERER, ein frommer Landsknecht, verfaßte ein Gespräch zwischen einem Waldbruder und einem Weisen, den seine Vorgänger verlassen haben, die ihn mit dem göttlichen Wort hätten lehren und speisen sollen (1522). BALTHASAR STANBERGER läßt einen Prior, Laienbruder und Bettler ein Gespräch über das Wort Gottes führen, den armen Laien zum Trost (1522). Von STANBERGER stammt auch ein Dialog zwischen Petrus und einem Bauern, ‹Wie man auß Petro einen Juden gemacht hat und nie sey ken Roem kommen› (Erfurt 1523). PETER REYCHART läßt zwei Frauen, Margretha Böhemin und Anna Kollerin, über das Wort Gottes reden (1523). UTZ RYCHSNER, Weber, läßt in seinem ‹Gesprech biechlin› (1524) einen Pfaffen und einen Weber auf der Straße über das Evangelium disputieren, HANS SACHS einen Chorherrn und Schuhmacher (1524). Ein ‹Wegsprech› auf der Reise nach Regensburg «ynß Concilium» wird zwischen einem Bischof, einem Hurenwirt und dessen Knecht Kunz (1525) geführt. WENZESLAUS LINCK verfaßte einen Dialog ‹Der Ausgelauffen Münch› (1525). Selbstverständlich fanden auch KARLSTADTS Vorgehen und seine Auseinandersetzung mit LUTHER ihren Niederschlag in der Gesprächsliteratur. KARLSTADT selbst verfaßte ein Gesprächbüchlein über den Mißbrauch des Altarsakramentes (1524). Der Grammatiker VALENTIN ICKELSAMER, Schullehrer in Rothenburg o. d. T., der eine Parteischrift für KARLSTADT gegen LUTHER (1525) veröffentlichte, verfaßte auch ein Gespräch zweier Kinder über den großen Ernst, den man auf Gottes Befehl in der hl. Schrift mit den Kindern haben muß (1525).

Vom Humanismus und dem Augustinismus des STAUPITZ-Kreises in Nürnberg kam der dortige Ratschreiber LAZARUS SPENGLER (1479–1534) zur Reformation LUTHERS. Am Anfang seiner nichtamtlichen Schriften stehen eine Übersetzung des pseudo-eusebianischen Briefes über den Tod des HL. HIERONYMUS ins Deutsche (1514) und das ALBRECHT DÜRER gewidmete Erbauungsbuch ‹Ermahnung und Unterweisung zu einem tugendhaften Wandel› (Nürnberg 1520). Zur Verteidigung LUTHERS und seiner Lehre war zunächst die volkstümlich geschriebene ‹Schutzred vnd christenliche antwort ains erbarn liebhabers götlicher warhait der hailigen geschrifft› (1519; mindestens 6 Auflagen) bestimmt. Ihr folgten eine Reihe kleinerer Flugschriften, wie die ‹Hauptartikel› (1522), die ‹Auflösung› (1523) u. a. Auch als Dichter religiöser Lieder hat SPENGLER sich betätigt.

Viel beachtet wurden die Sendschreiben einer Frau, der ARGULA VON GRUMBACH (um 1490–1554). Als 1523 von der Universität Ingolstadt der junge Theologe ARSACIUS SEEHOFER wegen 17 «ketzerischer» Artikel zum Widerruf und zur Konfination im Kloster Ettal verurteilt wurde, richtete sie je ein Sendschreiben an die Universität und die Stadt, ein drittes 1524 an den Herzog von Bayern und ein viertes an den bayrischen Statthalter, um das Schicksal SEEHOFERS zu erleichtern. In einem Gedicht verteidigt sie sich gegen einen Spott-‹Spruch›, den der Magister JOHANN aus Landshut über ihre Sendschreiben veröffentlicht hatte. Auch der Nürnberger Reichstag 1523 veranlaßte ARGULA VON GRUMBACH zu zwei Sendschreiben in Sachen der Reformation, das eine an den Kurfürsten FRIEDRICH VON SACHSEN, das andere an den Pfalzgrafen JOHANN.

MARTIN JÄGER, HANS FÜSSLI und HULDRYCH ZWINGLI stellen in ihrer an vorhandene Motive anknüpfenden Allegorie ‹Die göttliche Mühle› (1521) ERASMUS als Müller, LUTHER als Bäcker und den Karsthans als Beschützer des göttlichen Korns, d. h. der Lehre des Evangeliums, dar.

Dem Drama nähert sich der Wormser Kaplan JOHANNES RÖMER in ‹Eyn schoner Dialogus von den vier grosten beschwernuß eins jeglichen Pfarrers› (1521). Oder das von einem Schweizer Anonymus verfaßte ‹Kegelspiel›, in dem die Partei der Alten und der Jungen beim Kegeln vorgeführt wird. Der Autor hat Respekt vor ERASMUS und MELANCHTHON, entscheidet sich aber noch nicht endgültig für die eine oder andere Seite.

Angelegenheiten der Reformation ZWINGLIS behandeln einige Bürger Zürichs, die sich im ‹Gyrenrupfen› (1523) polemisch gegen den bischöflichen Generalvikar JOHANNES FABRI und dessen Schrift über die Erste Zürcher Disputation wenden. Das ‹Geierrupfen› war ein altes Pfänderspiel, «bei dem sich alle gegen einen vereinigen, der als Geier in den Schwarm der Vögel stößt» (J. BAECHTOLD). Das ‹Gesprechbüchlein von einem Bawern, Belial, Erasmo Rotterdam vnd doctor Johan Fabri› berichtet, was die beiden letzteren zur Verleugnung des Wortes Gottes bewogen hat. Zur ‹Antwort eines Schweizer Bauern über die ungegründete Geschrift Jeronimi Gebwilers, die er zu Beschirmung der Römischen Kirche hat lassen ausgehen› (1524) des Glockengießers HANS FÜSSLI (1477 bis 1538) schrieb ZWINGLI ein Vorwort.

Verfolgung, Lehre und Bekämpfung der *Taufgesinnten* sind ebenfalls Gegenstand der Gesprächsliteratur. Ein ‹Dialogus› (1524) hat die Verbrennung des Bruders GÖTZER in Bern zum Gegenstand. Ein Gespräch BALTHASAR HUBMAIERS handelt über ZWINGLIS Schrift zur Kindertaufe (1526). JOBST KINTHISIUS verfaßte ‹Ein christlichs vnd trosthafftigs Gespräch-

büchlin, so mit etlichen der Widertäuffer öbristen Rabonen oder Vorsteher (vmb St. Gallen vnd Abbas Cellen) gehalten› (1528). Das Gespräch eines Evangelischen und eines Wiedertäufers erörtert die Frage
der Erlaubtheit des Eidschwurs (1533).

Aus begreiflichen Gründen finden die Probleme der Anhänger der
Geistkirche in der Dialog- und Flugschriftenliteratur nur geringen Niederschlag. JOHANNES FREDERS ‹Ein Dialogus, dem Ehestand zu Ehren geschriben› (1545) ist gegen SEBASTIAN FRANCKS ‹Sprichwörter› gerichtet. Der Dialog erschien auch niederdeutsch unter dem Namen IRENAEUS und wurde
von JOHANN BROSCIUS (1544) ins Lateinische übersetzt. Aus Kreisen der
Mystik rührt her der ‹Dialogus mysticus› (Köln 1583), das Gespräch zwischen einem Engel und fünf Menschen (Katholik, Lutheraner, Hussit,
Calvinist und Laie).

Vom *altkirchlichen Standpunkt* aus schrieben ORTHOLPH FUCHSPER-
GER eine ‹Kurtze Schloßrede wider den Irsall der neugerotten Tauf-
fer› (1528) und LEONHARD PAMINGER einen gereimten ‹Dialogus eines
Christen mit einem Widertäufer ... reimweis gestellet› (1567, hrsg. von
PAMINGERS Söhnen SOPHONIAS und SIGMUND). ANTON CORVINUS (1501
bis 1553), erst Zisterzienser, dann Anhänger LUTHERS, versuchte mit
JOHANN KYMEUS (1536) KNIPPERDOLING in Münster zu widerlegen.

In die spätere Zeit schon gehört KONRAD BRAUNS ‹Ain Gesprech aines
Hoffräths mit zwaien Gelerten, ainem Theologen vnd ainem Juristen,
vnd dann ainem Schreiber ... von dem Nurnbergischen Fridstand, Regens-
purgischen Kayserlichen Mandat, der Protestirenden Stendt ausschreiben,
wider das Kaiserlich Cammergericht, vnd dem Abschide jüngst zu Frank-
kenfurt bethaidingt› (1539), das vom katholischen Standpunkt aus die
genannten zeitgeschichtlichen Ereignisse zum Thema hat.

Eine Anzahl von Gesprächen ist der *Zeitgeschichte* gewidmet. In einem
deutschen Dialog des JOSEPH GRÜNPECK disputiert der Astronomus des
türkischen Kaisers mit dem obersten Rat des Sultans von Ägypten und
einem apostasierten Christen über den mohammedanischen Glauben
(1522). Im ‹Türckenbüchlin› (1522) sprechen ‹Einsidel, Unger, Türck, Zi-
geuner› über die Besserung christlicher Ordnung und des Lebens. Zwei
Brüder stellen die Frage und geben Antwort, was für ein seltsames Tier,
aus Rom geschickt, beim Nürnberger Reichstag war, «zu beschawen das
Teutsch landt» (1524). JOHANN HASELBERG aus Konstanz stellt in dem
Gespräch ‹Das new Bockspiel nach gestalt der welt› (1531) KARL V. dem
türkischen Sultan gegenüber, der bis an den Niederrhein vordringen will,
und behandelt im Gespräch ‹Der Adler wider den Hanen› (1536) das
deutsch-französische Verhältnis. Verfasser mehrerer zeitgeschichtlich ak-
tueller Gespräche war der bereits genannte URBAN RHEGIUS, so zwischen
einem Weltfrommen, einem Epikureer und einem Christen über das Konzil zu Mantua (1536) und zwischen dem Teufel und einem büßenden

Sünder (1537). Ein Dialog zwischen zwei Katholiken und zwei Evangelischen erörtert, was von dem ausgeschriebenen Konzil zu Trient zu halten sei (1551). Ein Gespräch Christi und S. Petri (1559) in Reimpaaren wird über die Weltläufte geführt.

Auch Themen der Tiergeschichte, der Trunkenheitsliteratur und Patriotisches scheinen gelegentlich auf. Ein Gespräch zwischen Fuchs und Wolf (1524) erzählt, wie sich ihre Arten den Winter über halten und nähren wollen. Als Dichter nennt sich HANS BECHLER VON SCHOLBRUNNEN. Auch ein Gespräch der deutschen Nation mit dem alten Roland ist 1546 entstanden.

In Flugschriften und Traktaten kirchliche und sozialpolitische Reformgedanken propagierte LUTHERS Freund und Bundesgenosse bei der Reformarbeit JOHANN EBERLIN VON GÜNZBURG (1468–1533). Er kam aus dem Franziskanerorden, war Prediger zu Tübingen und Ulm, brach 1521 mit der alten Kirche und schloß sich der Reformation an. Angeregt durch LUTHERS ‹An den christlichen Adel› verfaßte EBERLIN sein Erstlingswerk ‹Die fünfzehn Bundsgenossen› (Basel 1521) mit einem kirchlichen und sozialpolitischen Erneuerungsprogramm.

Fünfzehn treudeutsche Freunde des Volkes sollen sich zusammentun und das Land von geistlicher und sittlicher Not befreien. Die Motive der ‹Gravamina Germanicae nationis› wie die Forderungen HUTTENS und LUTHERS werden in volkstümlicher Weise propagiert und ein Zukunftsstaat ‹Wolfaria› auf feudalagrarischer Grundlage als sozial-nationale Utopie beschrieben. Im Zuge eines religiösen und gesellschaftlichen Puritanismus wird versucht, das gesamte Leben vom Grund her neu aufzubauen.

Außerdem veröffentlichte EBERLIN noch im selben Jahr 1521 die Flugschriften und Traktate: ‹Wider die Schänder der Creaturen Gottes durch Weihen oder Segnen›, ‹Klagen der 7 frommen Pfaffen›, ‹Trost der 7 frommen Pfaffen› und ‹Neue Ordnung weltlichen Standes›. Als EBERLIN sich dann ein Jahr in Wittenberg aufhielt, mäßigte er unter dem Einfluß LUTHERS und MELANCHTHONS und des Bildersturmes seine Tonart und schrieb ‹Vom Mißbrauch christlicher Freiheit› (1522); ebenso trat er 1524 in Erfurt mit dem ‹Sermon zu den Christen in Erfurt› den Aufrührern entgegen. In einem Dialog ‹Mich wundert das kein gelt ihm land ist› (Eilenburg 1524), der sozialen Reformen gewidmet ist, wendet er sich u.a. auch gegen die Praxis bestimmter Buchdrucker, Buchführer und -schreiber:

«Siehe zu, wie unbedacht fallen die Drucker auf die Bücher oder Exemplar, ungeacht ob ein Ding bös oder gut sei, gut oder besser, ziemlich oder ärgerlich. Sie nehmen an Schandbücher, Buhlbücher, Sauflieder (Spottlieder) und was für die Hand kommt und scheinet zuträglich dem Säckel.»

EBERLINS religiöse und soziale Reformschriften wurden von seinen ehemaligen Ordensbrüdern THOMAS MURNER und KASPAR SCHATZGEYER bekämpft. Als er von Graf GEORG VON WERTHEIM 1525 zum Superinten-

denten bestellt wurde, verfaßte er die älteste Wertheimer Kirchenordnung und richtete nach dem Bauernkriege eine beruhigende ‹Warnung an
die Christen in der Burgawischen marck› (1526) gegen neue Gärungen.
In dieser Zeit entstand auch seine Verdeutschung der ‹Germania› des
TACITUS (1526). Sie trug das Werk in weitere Kreise. Von GEORGS Nachfolger entlassen, war EBERLIN zuletzt Pfarrverweser in Leuthershausen
bei Ansbach. Seine pastoraltheologische Schrift ‹Wie sich ein Diener Gottes in all seinem Tun halten soll› fand bis ins 18. Jahrhundert praktische
Beachtung.

Aus demselben Franziskanerkloster in Ulm wie EBERLIN VON GÜNZBURG
stammte der ihm ähnliche HEINRICH VON KETTENBACH († 1524?). Beeinflußt von seinem Ordensbruder, verfaßte er 1522/23 neun deutsche Flugschriften, die eine schwärmerische Verehrung LUTHERS sowie Sympathien
für SICKINGEN bekunden und weite Verbreitung fanden. Zeugen seiner
Loslösung von der alten Kirche sind die Sermone ‹Wider des Papst Küchen-
prediger zu Ulm›, ‹Von der christlichen Kirche› und eine Ulmer Ab-
schiedspredigt. ‹Eyn gesprech mit aim frommen altmüterlin von Ulm›
stellt der altkirchlichen Verdienstlehre die Pflicht der Nächstenliebe gegenüber. Von Ulm ging HEINRICH nach Bamberg und ließ eine ‹Vergleichung
des allerheiligsten Herrn und Vater des Papsts gegen Jesus› und ‹Ein neu
Apologia und Verantwortung Martini Luthers wider der Papisten Mord-
geschrei› erscheinen. Die erstere knüpft an das mittelalterliche Antithesis-
motiv an, das auch LUTHER in seinem ‹Passional Christi und Antichristi›
verwendet hatte, die zweite sucht die gegen LUTHER erhobenen Anklagen
auf zehn Streitsätze zu bringen und weist diese zurück. Eine erdichtete
‹Vermanung zu seynem hör [Heer]› wird SICKINGEN in den Mund gelegt.
Mit dem Wormser Edikt befaßt sich ‹Ein Practica practiciert aus der heiligen Bibel auf viel zuküftig Jahr›.

Ebenfalls vom Franziskanerorden trat 1527 JOHANNES KYMAEUS (1498–
1552) zur Reformation über, zuletzt Superintendent in Kassel, als welcher
er an der Abfassung der hessischen und Kasseler Kirchenordnung mit-
tätig war. Er beschwor mit einem humanistischen Topos NIKOLAUS VON
CUES als ‹Des Babsts Hercules wider die Deutschen› (Wittenberg 1538),
schrieb gegen die Täufer, dichtete eine alte Adamsklage im evangelischen
Sinne um zu dem Lied ‹Ich stund an einem morgen heimlich an einem
ort› (1550) und schuf das Lied vom Ende der Welt: ‹Kein Gottes Wort
ist mehr erhört› (1550).

Die Flut dialogischer Schriften, deren Hauptthema die Reformation bildet, währte bis etwa 1525. Nach Abklingen des reformatorischen Unge-
stüms verlagerte sich die Thematik auf andere Sachgebiete, wie die zahlreichen Gespräche und Streitgespräche des HANS SACHS zeigen. Um die
Jahrhundertmitte auf die Ebene der griechisch-römischen philosophischen

Gesprächsliteratur führen zwei Dialoge des als Verfasser der ‹Libri Christianarum Institutionum IV› (Augsburg 1538) bekannten JOHANNES DUGO PHILONIUS. Der eine der beiden Dialoge (1553) behandelt das Thema der mittelalterlichen ‹Ars moriendi› im Geiste der Antike; der andere ist ein nach XENOKRATES gearbeitetes Gespräch über die Verachtung des Todes mit SOKRATES, KLINIAS und AXIOCHUS als Unterredner.

LUTHERS Ideen, ZWINGLI und CALVIN, die Täuferbewegung, die Spiritualisten, die Gedankenbereiche der Bauernkriege, die vielen religiösen und sozialen Aufbrüche hätten bei der Bevölkerung keinen so raschen Anklang und keine so breite Gefolgschaft gefunden, wenn die Menschen nicht auch seit langem durch allerlei eschatologische und apokalyptische *Prophetien, Prognostiken und Praktiken* der Astrologen mit ihren Prophezeiungen von Revolutionen, vom bevorstehenden Weltuntergang etc. in Spannung gehalten worden wären. Die immer wieder gedruckten und übersetzten Schriften eines JOHANN LICHTENBERGER oder etwa JOSEPH GRÜNPECK und der Astronom ANTON TORQUATUS sind dafür bezeichnend. Das Prognostikon des letzteren, ‹De eversione Europe›, abgefaßt 1480 und zunächst bis 1534 reichend, wurde in lateinischer und deutscher Sprache während des ganzen 16. Jahrhunderts in Deutschland gedruckt. Die Menschen waren von eschatologischen Empfindungen erfüllt und glaubten an ein nahes Ende der Welt. Christliche Endzeitvorstellungen, Heidnisch-Antikes und modern Astronomisches wirkten dabei zusammen.

Der Astronom JOHANNES STÖFFLER hatte 1499 auf die Zusammenkunft von Saturn und Jupiter 1524 aufmerksam gemacht und den Staaten und den Geschöpfen der Erde einen bisher nicht erlebten Umsturz und große Veränderungen vorausgesagt. Man schloß auf eine Überschwemmung bzw. Sintflut. Ein Teil der Sternkundigen trat dafür ein, andere wandten sich dagegen. Die Folge war eine Masse von Schriften für und wider die Sintflut-Vorhersage. Kaiser KARL V. forderte die Gelehrten zu Gutachten auf. An dem Streit beteiligten sich 59 Fachleute, hauptsächlich Deutsche und Italiener, mit 136 Schriften. Die meisten sprachen sich gegen eine Sintflut aus, hielten aber schlimme Ereignisse für wahrscheinlich. Im religiösen Sinn äußerte sich auch LUTHER zu der Sache in der kleinen Schrift ‹Ain Sermon von der beschneydung am newen Jarstag: Item ain gaystliche ausslegung der Zaychen in Son, Mon vnnd gestirn› (1524).

Noch REGIOMONTAN oder einem Mönch JOHANN HILTEN in Eisenach zugeschrieben wurde die Ankündigung des Weltunterganges für das Jahr 1588. Auch diese Vorhersage rief eine Reihe von Schriften hervor.

Dem Weltuntergang vorausgehen sollte das Erscheinen des *Antichrist*. Auch diese eschatologischen Vorstellungen lebten im Reformationszeitalter in verstärktem Maße wieder auf. Gegner des Papsttums sahen in seiner Institution den Antichrist. Anhänger der alten Kirche betrachteten das Gebaren der Reformatoren als dem Antichrist zugeschriebene Erscheinungen.

c) Die Literatur der Bauernkriege

Der sich anbahnende große Umbruch des Religiösen weckte bald auch die *sozialen Bereiche der unteren Stände.* Eine Folge waren die *Bauernkriege.* Schon im 14. und 15. Jahrhundert hatte es Bauernaufstände und Städteunruhen gegeben. Beide zusammen bezeugen die allgemeine Erregung der unteren Volksschichten. Ein Bauernaufstand, den HEINRICH DER TEICHNER direkt beschreibt, ließ sich bisher leider nicht lokalisieren.

Das Wirtschaftsleben Europas befand sich seit dem 15. Jahrhundert in allgemeiner Umbildung. Die mittelalterliche Naturalwirtschaft wurde immer mehr durch die neue Geldwirtschaft abgelöst. Geld wurde zum Handelsartikel, das Zinsnehmen ein erlaubtes Verhalten, das Kreditwesen griff immer weiter um sich. Die Länderentdeckungen und die Erfindungen lenkten den Handel auf neue Bezugs- und Absatzgebiete, auf neue Artikel und Wege. Viele unfreie Bauern auf dem Lande und viele Handwerksgesellen in den Städten suchten ihre wirtschaftliche Lage zu verbessern. Über Böhmen und die Hussiten waren WYCLIFS Lehren vom natürlichen und göttlichen Recht nach Mitteleuropa gelangt und wirkten auf den Bundschuh. Dieser, der gebundene Schuh des Bauern (im Unterschied zum Stiefel des Ritters), war seit dem 13. Jahrhundert ein volkstümliches Symbol und wird es nun für die Bauernaufstände. Zu Beginn des 15. Jahrhunderts organisierte der Speyerer Bauer JOSS FRITZ drei ‹Bundschuhe› und forderte unter Berufung auf das göttliche Recht, das er durch die ‹Reformation des Kaisers Sigmund› kannte, die Abschaffung der Leibeigenschaft, Freigabe von Wasser und Weide sowie der Jagd und Beseitigung der weltlichen Herrschaft der Kirche. Später berief sich in Deutschland ein Teil der Aufstände, deren Ursachen wirtschaftliche und soziale Mißverhältnisse waren, nicht nur auf das göttliche, sondern auch auf das natürliche Recht. Mit der Rezeption des römischen Rechtes war der Begriff der rechtlosen *servi* vor allem für die Bauern übernommen worden. Hussitisches Gedankengut machte sich im Wormser Bauernaufstand 1431 und bei HANS BÖHM 1476 bemerkbar. Später kam es 1514–1517 in Württemberg (Armer Konrad), Österreich und der Schweiz zu Erhebungen.

In England hatten die rebellierenden *Bauern* den braven und furchtlosen ‹Peter den Pflüger› (1362 u. ö.) zu ihrem Idol erhoben. In Deutschland stellte der ‹Ackermann›-Dichter JOHANNES VON TEPL um 1400 den Bauern als lebensbejahenden Vertreter der ganzen Menschheit hin. Die Fastnachtspiele und die Satiriker führten den Städtern einen tölpelhaften, rohen, verschwendungssüchtigen und unflätigen Bauerntypus vor. Meistersinger und Spruchdichter preisen gerechterweise den Stand als den alles erhaltenden Ernährer. Im Elsaß versuchte 1502 ein Lehrdichter FRIEDRICH FÜRER dem «armen gemeinen Mann» in seinen Nöten und Schwierigkeiten mit den Justizbehörden zu helfen. Die Flugschriften der Reformationsjahre (etwa der ‹Karsthans›) zeichnen den fleißigen, redlichen, frommen Bauern. Das Bild in der engeren Literatur der Bauernkriege ist durch die Ausartungen und die Niederschlagung des Aufruhrs teilweise getrübt und verzerrt.

Von einer besonderen *Literatur der Bauernkriege* kann man nur sehr beschränkt reden. Denn sie besteht, wenn man den Begriff beibehält, aus: a) den Programmschriften für die Bauernbewegung; b) der Stellungnahme LUTHERS u. a. und den Verteidigungen ihrer Rechte; c) dem Niederschlag, den die Bauernkriege in den verschiedenen Gattungen des Schrifttums, Gespräch, Drama, Lyrik, gefunden haben.

Der eigentliche *Bauernkrieg* begann im Sommer 1524 im südlichen Schwarzwald. Eine ‹Christliche Vereinigung›, geführt von HANS MÜLLER, verband sich mit dem Wortführer der Täufer BALTHASAR HUBMAIER (vgl. S. 70). Gegen Ende des Jahres griff der Krieg auf Oberschwaben über, wo Februar 1525 der Memminger Kürschner SEBASTIAN LOTZER die ‹Zwölf Artikel gemeiner Bauernschaft› zusammenstellte.

Sie sind das Manifest der Bewegung und verlangten u. a.: reine Predigt, Freiheit der Pfarrerwahl (als Ausdruck des freien Gemeindechristentums der Frühzeit), Beschränkung auf den Kornzehnten, Verringerung der Gülten und Fronen, Aufhebung der Leibeigenschaft, freie Jagd und freien Fischfang. In der Einleitung erklärte der Prediger CHRISTOPH SCHAPPELER die Forderungen als evangelisch.

Bald breitete sich der Bauernkrieg auf den größten Teil Oberdeutschlands und auf Thüringen aus. Überall beriefen sich die Bauern auf die ‹Zwölf Artikel›. Ein Bauernlandtag in Heilbronn beriet einen von FRIEDRICH WEYGANDT ausgearbeiteten Entwurf zur Reichsreform; in Tirol erstrebte MICHAEL GAISMAIR einen Bauernstaat auf christlicher Grundlage; in Thüringen erhoben die Bauern unter THOMAS MÜNTZERS und HEINRICH PFEIFFERS Einfluß urchristlich-gemeinschaftliche und chiliastische Forderungen; in Mühlhausen wollte man einen Gottesstaat errichten. Auch WENDEL HIPLER (um 1465–1526), ein Freund des GÖTZ VON BERLICHINGEN, formulierte 1525 die politischen Ziele der Aufständischen. Niederer Adel, Städte, Bürger, ehemalige Mönche, Geistliche, Landsknechte, fahrendes Volk, Handwerker, Künstler, auch Frauen schlossen sich der Bauernbewegung an oder sympathisierten mit ihr. Die Bauern hatten daher anfangs beträchtliche Erfolge.

LUTHER, auf dessen Lehren von der christlichen Freiheit und Gerechtigkeit sich die Bauern immer wieder beriefen, hat bei der Auseinandersetzung mit ihnen in drei Schriften Stellung genommen. Das erste Mal, als ihm etwa Mitte April 1525 die ‹Zwölf Artikel› zu Gesicht kamen. Er verfaßte daraufhin die ‹Ermahnung zum Frieden auf die zwölf Artikel der Bauerschaft in Schwaben› (1525).

Darin redet er sowohl zu den Fürsten und Herren als auch zu den Bauern. Die ersteren mögen den bäuerlichen Aufruhr als ein Strafgericht Gottes ansehen und darauf mit Demut, Bußfertigkeit und Entgegenkommen an die Unzufriedenen reagieren. Den Bauern sagt er, daß Aufruhr gegen das Gebot Gottes verstoße und auf alle Fälle Unrecht sei. Und scharf wandte sich LUTHER gegen den Versuch der Bauern, ihre Forderungen aus dem Evangelium abzuleiten.

Die zweite Bauernschrift LUTHERS erschien zuerst als Anhang zu einer

Neuauflage der ‹Ermahnung› (1525) und erhielt den Titel ‹Wider die Mor-
dischen vnd Reubischen Rotten der Bawren›. LUTHER hatte offenbar inzwischen den Eindruck bekommen, daß die Bauern sich mit den sozialrevolutionären Ideen MÜNTZERS (vgl. S. 77 ff.) identifizierten und forderte
zur Niederwerfung und Vernichtung auf. Diese leidenschaftliche und un-
barmherzige Stellungnahme verteidigte er auch in seiner dritten Schrift
‹Ein Sendbrieff von dem harten büchlin widder die bauren› (1525).

Ähnlich wie LUTHER lehnten MELANCHTHON und JOHANN BRENZ in
Gutachten für den Kurfürsten von der Pfalz die Forderungen der Bauern
ab. Damit war der Bauernbewegung die religiöse und moralische Unter-
stützung entzogen. Der Schwäbische Bund unter GEORG VON WALDBURG,
im Elsaß ANTON VON LOTHRINGEN, in Thüringen PHILIPP VON HESSEN
und die sächsischen Fürsten vollzogen in rücksichtslosem Vorgehen die Niederwerfung. Ende Juni 1525 war der Widerstand im wesentlichen gebro-
chen. In der Schlacht bei Schwäbisch-Hall fiel der fränkische Ritter und
Anführer der Bauern FLORIAN GEYER. Nur in Preußen (Herbst 1525) und
in Salzburg (Frühjahr 1526) kam es nochmals zu Erhebungen. Die Bauernbewegung war gescheitert, Sieger blieben die Fürsten. Das Vordringen der
Reformation war gehemmt, der Katholizismus in Süddeutschland gestärkt.

Als DÜRER nach der Niederschlagung des Aufruhrs das Modell einer
‹Siegessäule über den Bauernaufstand› entwarf und seiner ‹Unterweisung
der Messung› beigab, gruppierte er um den Sockel des Denkmales Nutz-
vieh, gestaltete den Untersatz und Schaft aus bäuerlichen Geräten und
Ackerfrucht und setzte auf das Kapitell einen in sich zusammengesunke-
nen Bauern mit einem Schwert im Rücken, ähnlich dem Erbärmdechrist
auf dem Titelblatt der Kleinen Holzschnittpassion. Das war die Situation
des Bauerntums 1525.

Die Bauernkriege fanden im *Schrifttum* ihren Niederschlag meist in der
Gesprächsliteratur und im Drama, so in einem ‹Dialogus … zwischen
einem Müntzerischen Schwermer vnd einem Euangelischen frumen Bawern› über die Strafe der bei Frankenhausen geschlagenen Bauern (1525),
oder in einem Gespräch zwischen ‹Edelmann›, ‹Münch› und ‹Kurtisan›,
welchem durch Vertreibung und Brandschatzung das meiste Unglück geschah (1525) und im ‹Ludus Martius› des HERMANN SCHOTTENIUS (vgl.
S. 323 f.). Nach der Niederwerfung der Bauernaufstände mahnte JOHANN
BRENZ, der Reformator von Schwäbisch Hall, in einer Schrift ‹Von Mil-
terung der Fürsten gegen die aufrürischen Bauren› (Augsburg 1525) die
Obrigkeit an ihre Verpflichtung, die Bauern mit Barmherzigkeit zu behandeln. Verständnis für die Bauernschaft nach dem niedergeschlagenen
Aufstand zeigte auch der Philologe und Freund MELANCHTHONS JOACHIM
CAMERARIUS.

In einer damals entstandenen Ekloge verstand er es, die tiefe Verzweiflung
der Bauern festzuhalten. Der Hirte·Menalcas erzählt dem Thyrsis, ein Adeliger

habe ihnen verboten, in der Nähe seiner Burg zu weiden. «Wird man uns nicht auch noch den Gebrauch der Luft untersagen», meint Thyrsis, «was soll uns Unglücklichen noch das Leben?» Menalcas rät im Konflikt zur Mäßigung, der Aufstand sei frevelhaft gewesen und die Folgen verständlich. Thyrsis: Nicht alle waren Frevler, in manchen Fällen waren die Herren geflüchtet, was konnten da die Bauern anderes tun, als sich den Aufrührern anschließen? Auch gab es Fälle, in denen Herren freiwillig zu den Bauern übertraten. Die Sieger sollten Milde walten lassen. – Menalcas stimmt zu und verweist auf das Schicksal des unschuldig eingekerkerten Mörus. Auch Thyrsis lobt die Verdienste des Mörus, der Frieden stiften wollte und dem die Herren Sicherheit von Leben und Eigentum verbürgt hatten. Darauf Menalcas: «So ist's. Aber die in der Not verheißene Gnade gilt, wenn die Furcht vorbei, gerade soviel wie das trockene Holz das Feuer stillt, oder wie der hungrige Wolf das Lamm schont; die Winde raffen dann das gegebene Versprechen hinweg.» – CAMERARIUS hält trotz der klassischen Namen wirkliche Zustände und wirkliche Empfindungen des Volkes fest. Es ehrt den Dichter, sagt GEORG ELLINGER, «daß er, ohne sich mit den Aufständischen und ihren Tendenzen etwa zu identifizieren, doch die Partei der Bedrückten, Geknechteten nimmt und der Stimme des Volkes ... Gehör verschafft.»

Von dem Leipziger Dominikaner und LUTHER-Gegner PETRUS SYLVIUS als «Traumbuch» HERRGOTTS bezeichnet wurde die Flugschrift ‹Von der newen wandlung eynes Christlichen lebens› (Ende 1525 oder 1526), sein Inhalt als unsinnige und aufrührerische Träumereien. Der als Verfasser oder zumindest Verleger genannte JOHANN HERRGOTT war Buchführer und Buchdrucker. Er druckte seit 1522 in Nürnberg und wurde 1527 wegen dieser Schrift in Leipzig vom Hofgericht Herzog GEORGS VON SACHSEN zum Tode verurteilt und hingerichtet.

Die 20 Oktavblätter umfassende Flugschrift verteidigt die Sache der niedergeworfenen aufständischen Bauern, tadelt das über sie verhängte harte Urteil, prophezeit eine Umkehr des Bestehenden zugunsten der Bauern, lehnt alle konfessionellen Sekten ab und entwirft in Fortführung der Ideen MÜNTZERS eine christlich-gemeinschaftliche Utopie.

Alle revolutionären Erhebungen, die das Feld des Geistigen und die Grenzen des Moralischen verließen, überschätzten, was im Rahmen der noch immer bestehenden spätmittelalterlichen Reichs- und Gesellschaftsordnung möglich war. Wie eine Fürstengruppe das Aufbegehren des Ritters FRANZ VON SICKINGEN und seiner südwestdeutschen Ritterschaft unterdrückte, so wurde auch der *Bauernkrieg* von den Landesfürsten grausam niedergeschlagen. Nicht viel anders erging es mit den Experimenten der Täufer. Die obrigkeitlichen Territorial- und Rechtsgewalten, wobei zu den weltlichen und geistlichen Fürsten die freien Reichsstädte traten, wurden immer stärker. Die Reformation mußte sich solchen Mächten eingliedern, wenn sie nicht in den Untergrund verdängt werden wollte.

d) Neuausgaben. Umarbeitungen. Übersetzungen

Die deutsche Reformbewegung brach im wesentlichen aus eigenen Quellen und Stauungen hervor. Die Reformation wollte aber auch nicht traditionslos dastehen. Man suchte Gleichgesinnte in der Vergangenheit und stieß dabei auf die deutsche Mystik, joachimitisches und Reform-Schrifttum, zuletzt sogar auf OTFRID und den ‹Heliand›. LUTHER edierte die ‹Theologia deutsch› des 14. Jahrhunderts. Andere gaben Schriften aus der Zeit LUDWIGS IV. und des Schismas heraus oder übersetzten vorreformatorische Traktate aus England und Böhmen.

Zu den *Neuausgaben* älteren, als geistesverwandt empfundenen Schrifttums kamen *Umarbeitungen* späterer, aber durch die Zeitereignisse veralteter Literaturwerke etwa von BRANT und MURNER, PAMPHILUS GENGENBACH und NIKLAS MANUEL, JOHANN VON MORSHEIM und HUTTEN, aber auch der ‹Gesta Romanorum› u. a. Diese Umgestaltungen betrafen die Gegenstände wie die Sprache. Sie sind z. T. so tiefgreifend, daß sie die alten Formen völlig zerstören, z. T. aber so geringfügig, daß sie das Alte nur leicht berühren. Wer die Umarbeiter waren, ist nicht mit Sicherheit festgestellt.

Ganz planmäßig verfolgte die Tendenz, Literaturwerke, die vor der Reformation erschienen waren, zu erneuern oder umzuarbeiten und zu polemischen Zwecken im reformatorischen Sinn zu verwenden, der Verlag, den JAKOB CAMMERLANDER zusammen mit JAKOB VIELFELD in Straßburg gründete. Die religiöse Ausrichtung lag jedoch weder auf den Wegen LUTHERS noch ZWINGLIS, sondern auf denen der Täuferbewegung, der Naturphilosophen und der medizinischen Autoren. Der faktische Umarbeiter ist offenbar JAKOB VIELFELD (geb. um 1490) aus Mainz gewesen. Er war, bevor er sich im Verlag betätigte, Geistlicher und Handwerker, befreundet mit HANS DENCK und OTTO BRUNFELS. VIELFELD veröffentlichte einen Dialog ‹Von der Beycht› (1526), gab 1532 DENCKS Kommentar zum Propheten Micha heraus, ließ 1530 eine deutsche Übersetzung SALLUSTS, 1536 eine Übersetzung SUETONS und einiger ‹Totengespräche› LUKIANS erscheinen. An Umarbeitungen älterer Literaturwerke werden ihm eine ganze Reihe um 1540 bis 1546 bei CAMMERLANDER erschienener Schriften zugewiesen. Die Umarbeitung von GENGENBACHS ‹Nollhart› in ‹Der alt vnd new Bruder Nolhard› schiebt mitunter Reihen von 50 und mehr Versen ein, stößt Personen des Originals aus, fügt andere neu hinzu und gibt dem alten Spiel eine polemische Tendenz gegen den Papst. HUTTENS ‹Clag vnd vermanung› bedurfte nur geringer Veränderung, um zur ‹Abcontrafactur des gantzen Pabstums› zu werden. Ohne kirchlich-polemische Farbe wurde JOHANN VON MORSHEIMS ‹Spiegel des Regiments› mit 78 eingeschobenen Versen zu einer ‹Aulica vita›. Aus reformatorischen

Gründen weitgehend umgearbeitet wurden die alte Fassung der ‹Gesta Romanorum› zu ‹Die alten Römer. Sittliche Historien vnd Zuchtgleichnissen der alten Römer› mit der ‹Geschichte von den sieben weisen Meistern› (1536), sowie ‹Der Ritter von Turn› (1538). Das ‹Wegsprech gen Regenspurg zů ynß Concilium› wurde unter dem Titel ‹Der Hurenwirt› auf das Tridentiner Konzil hin abgeändert. THOMAS MURNERS ‹Schelmenzunft› wurde dramatisch in ‹Die alt vnd New Schelmen Zunfft› umgearbeitet, wobei ein Podagricus, ein Schreiber und Tabellio eingeführt werden, mit denen sich die einzelnen Schelme unterhalten. Durch Auslassung unverstandener und unbeliebter Verse sowie durch Einschiebung eines selbständigen Kapitels wird BRANTS ‹Narrenschiff› zu einem ‹Narren Spiegel› (1545). NIKLAS MANUELS ‹Klegliche Botschafft›, die in Prosa abgefaßt war, wird als ‹Newe Zeittung Von Bäpstlicher vermainten heyligen Meß, fröliche Badenfart› in Reime gebracht, in Akte und Szenen gegliedert und in die Zeit von 1540–1546 gerückt.

Aus den religiösen Streitigkeiten entwickelte sich besonders bei den Reformern eine für den Konnex zwischen ausgehendem Mittelalter und Reformation charakteristische *Übersetzungsliteratur*. Anhänger der Reformation übertragen Schriften von WYCLIF und HUS und die Kirchenväter und fertigen für apologetische Zwecke deutsche Auszüge aus der päpstlichen Rechtsliteratur an. Im protestantischen Sinn wurde AUGUSTINUS verdeutscht von WOLFGANG RAIN (1519), GEORG SPALATIN (1521) und WOLFGANG MEÜSSLIN (1535), HIERONYMUS von PAMPHILUS GENGENBACH (1522); CHRYSOSTOMUS übersetzten URBAN RHEGIUS (1521) und JOHANNES DIEPOLD (1523); BASILIUS wurde von OEKOLAMPADIUS (1521) übertragen. Auszüge aus den päpstlichen Rechtsbüchern veröffentlichten ein Ungenannter Straßburg 1521 und LAZARUS SPENGLER (1530, mit Vorrede LUTHERS).

ANDREAS OSIANDER, evangelischer Pfarrer bei St. Lorenz in Nürnberg, ließ die Weissagungen JOACHIMS VON FIORE über das Papsttum und seine Geschicke erscheinen: ‹Eyn wunderliche Weyssagung von dem Babstumb, wie es yhm biß an das Endt der Welt gehen sol, jn Figuren oder Gemäl begriffen› (Nürnberg, bei HANS GULDEN, um 1527). Zu den Holzschnitten dichtete HANS SACHS die erklärenden Verse. Der Rat erteilte ihm deswegen eine scharfe Verwarnung, in Erwägung, daß «dies Büchlein mehr eine Aufregung und Erbitterung des gemeinen Mannes denn etwas anderes verursache».

Sanfter ließen sich die Übersetzungen von Gesprächen des ERASMUS an: ‹Wie ein weyb iren man ir freuntlich sol machen› (1524), ‹Von Fasten vnd flayschessen› (1524, beide übertragen von JUST. ALBERTI 1545), und der Dialog zweier Ehefrauen, die einander über den Mann klagen, verdeutscht von STEPHAN RODT (1524).

2. Die Bibelübersetzungen neben Luther

Gewiß war LUTHERS Bibelübersetzung das dominierende Werk. Aber er hat unmittelbar vor sich und neben sich Persönlichkeiten gehabt, die sich ebenfalls um Teil- oder Gesamtübertragungen der biblischen Bücher bemühten. Auch strebten die Schweizer Reformation ZWINGLIS und später CALVINS, die Taufgesinnten und notgedrungen auch die Altgläubigen eigene Bibeltexte an, die vollständige Übersetzungen oder Bearbeitungen im Gefolge hatten. LUTHERS Ordensbruder JOHANN LANG (ca. 1487–1548) aus Erfurt, ein Freund des Reformators, den er beim Studium des Griechischen und Hebräischen unterstützte und auf TAULER hinwies, gab 1521 seine Übersetzung des MATTHÄUS-Evangeliums heraus. NIKOLAUS KRUMPACH (ca. 1475 bis nach 1530) aus Haynsbach im Meißnischen, erst katholischer, seit 1530 evangelischer Pfarrer in Eisleben, verdeutschte vor LUTHER verschiedene neutestamentliche Schriften an Hand der lateinischen Ausgabe des ERASMUS. Von dem Augustiner-Eremiten KASPAR AMMAN († 1524) aus Hasselt bei Lüttich, einem guten Kenner des Griechischen und Hebräischen, erschien 1523 zu Augsburg sein aus dem Hebräischen übersetzter ‹Psalter des küniglichen Prophetten Davids›. Im Sinne eines christlichen Humanismus Wimpfelingscher Artung übertrug OTTMAR LUSCINIUS-NACHTIGALL die Psalmen: ‹Der Psalter verteutscht› (Augsburg 1524) und verfaßte eine Evangelienharmonie. Der Hebräist JOHANNES BÖSCHENSTEIN (1472–1540) aus Eßlingen, Verfasser gedruckter und ungedruckter Schriften zur hebräischen Sprachlehre, fertigte deutsche Übersetzungen von einzelnen Teilen des Alten Testamentes.

Neben der LUTHER-Bibel kam in der *Schweiz* die *Zürcher Bibel* in Gebrauch. Für sie wurde der Wortlaut des 1524 bei CHRISTOPH FROSCHAUER erschienenen Neuen Testamentes LUTHERS durch ZWINGLI dem alemannischen Sprachgebrauch angeglichen. Im Jahre 1525 eröffnete ZWINGLI im Chor des Großmünsters in Zürich eine Arbeitsgemeinschaft zur Auslegung des Alten Testamentes (vgl. S. 57). Sie versammelte sich täglich außer Freitag und Sonntag. Als Grundlage der Exegese dienten der Masoretische Text (Venedig 1524/25), die Septuaginta und die Vulgata. Geistliche und Studenten hatten daran teilzunehmen. An die Interpretationsarbeit schloß sich eine *lectio publica*. Nach 1 Kor. 14, 29 nannte ZWINGLI diese Theologenschule ‹Prophezei› (wobei er ‹Prophet› als ‹Schriftausleger› deutete). Die Einrichtung wurde z. T. in Straßburg, Bern und Basel übernommen; Flüchtlinge brachten sie nach England. Seit 1525 arbeitete man in der Züricher ‹Prophezei› an der Übersetzung des Alten Testamentes und brachte fünf Jahre vor LUTHERS Gesamtausgabe 1529 die ganze Bibel samt den Apokryphen heraus. Die Propheten und Apokryphen hatte

ZWINGLIS Freund und Hauptmitarbeiter LEO JUD übersetzt. Weiters gingen aus der ‹Prophezei› ZWINGLIS Kommentare zum Alten Testament hervor. Die bei FROSCHAUER 1531 erschienene Bibel mit neuer Übersetzung der Lehrbücher des Alten Testamentes enthielt ZWINGLIS Vorrede und Summarien der einzelnen Kapitel. Eine Neubearbeitung brachte die Ausgabe von 1540. Die ‹Bibel Teutsch› von 1545 blieb dann für die reformierte Schweiz bis in die Mitte des 17. Jahrhunderts maßgebend.

Nur Teile der Bibel wurden von den *Taufgesinnten* übertragen. Die Führer LUDWIG HÄTZER und HANS DENCK übersetzten die Propheten aus dem Urtext ins Deutsche: ‹Alle Propheten nach hebräischer Sprache verdeuscht› (Worms 1527, die sog. ‹Wormser Propheten›, 12 Ausgaben bis 1532). Man rühmt daran die echt deutsche Wortstellung, die in einigen Beziehungen besser sei, als sie LUTHER bei der ersten Niederschrift des Neuen Testaments auf der Wartburg gelungen war. LUTHER hat sich seit ihrem ersten Erscheinen bis in seine letzten Lebensjahre mit den ‹Wormser Propheten› intensiv beschäftigt.

Anders steht es mit den *katholischen Bibelübertragungen*. Um LUTHERS Bibelübersetzung zu verdrängen, gab HIERONYMUS EMSER auf Wunsch Herzog GEORGS eine für die Altgläubigen bestimmte Übersetzung des Neuen Testaments ins Deutsche heraus: ‹Das new testament nach lawt der Christlichen kirchen, bewerten Text, corrigirt vnd widerumb zu recht gebracht› (Dresden 1527; 2. Aufl. von AUGUSTIN VON ALVELT 1528). Es handelt sich dabei in der Hauptsache um eine Umarbeitung von LUTHERS Neuem Testament, indem EMSER die Lutherische Übersetzung auf die Vulgata zurückführte. EMSERS Neues Testament wurde von 1527–1530 sechsmal aufgelegt und einmal ins Niederdeutsche übertragen. Eine Vollbibel stellte der Dominikaner JOHANN DIETENBERGER zusammen (Mainz 1534 u. ö.; bis 1600 mindestens 17mal nachgedruckt; im gesamten wenigstens 100 Ausgaben), wobei er das Neue Testament nach EMSER bot, für das Alte Testament sich auf LUTHER und für die Apokryphen auf LEO JUD stützte. In dogmatischer Hinsicht ist sie selbstverständlich der katholischen Lehre angepaßt. Die im Auftrag Herzog WILHELMS IV. VON BAYERN von JOHANN ECK besorgte Verdeutschung ‹Bibel. Alt und new Testament, nach dem Text in der heiligen kirchen gebraucht, durch doctor Johann Ecken mit fleiß auf hohteutsch verdolmetscht› (Ingolstadt 1537) benützte für das Neue Testament EMSER, für das Alte Testament lernte ECK nach Aramäisch. Seine Übersetzung, die als textgetreuer gilt als die LUTHERS, ist im alemannischen Dialekt abgefaßt. Die Brüder vom gemeinsamen Leben in Rostock übertrugen EMSERS Text 1530 ins Niederdeutsche und gaben die Bibel dort in Druck. Doch der Herzog von Mecklenburg verhinderte die Herausgabe. Ein einziges Exemplar hat sich in der Bibelsammlung der Württembergischen Landesbibliothek zu Stuttgart erhalten.

Eine neue Bibelübersetzung für die deutschen *Calviner* besorgte JOHANN

Piscator (1546–1625) aus Straßburg, Professor der Akademie in Herborn:
Die Piscator-Bibel (Herborn 1602/03; 2. Aufl. 1604/05), 3 Bände mit
zweibändigem Anhang. Die Übertragung war im Kanton Bern, am Niederrhein u. a. O. lange Zeit in kirchlichem Gebrauch.

3. *Konsolidierung und Ausbau des Protestantismus*

Schon sehr früh setzten die Bemühungen um eine *Konsolidierung und
den Ausbau* der lutherischen Lehre ein. Bereits auf dem Augsburger
Reichstag 1530 vertraten die evangelischen Fürsten und Städte in der von
Melanchthon ausgearbeiteten ‹Confessio Augustana› vor Kaiser und
Reich ihren Glauben. Die oberdeutschen Städte (Straßburg, Konstanz,
Lindau, Memmingen) reichten (wegen der betont lutherischen Abendmahlslehre) ihre von Bucer und Capito verfaßte ‹Confessio Tetrapoli-
tana›, das ‹Vierstädtebekenntnis›, ein. Zwingli übersandte die ‹Ratio
fidei›. Da Melanchthon noch immer auf eine Verständigung hoffte und
außerdem einen Religionskrieg befürchtete, suchte er in der ‹Confessio
Augustana› nach Möglichkeit die Übereinstimmung mit der Lehre der
römischen Kirche auszusprechen. Er verschwieg heikle Fragen wie Papsttum und Fegefeuer und schrieb sogar den Satz hinein: «Tota dissensio est
de paucis quibusdam abusibus». Das ‹Augsburger Bekenntnis› ist daher
nur bedingt die erste Darstellung der reformatorischen Lehre. Zur Ergänzung wären Melanchthons ‹Apologie›, sein ‹Tractatus de potestate ac
primatu papae› (1537) und Luthers ‹Schmalkaldische Artikel› (1537)
heranzuziehen.

Schon vor dem Augsburger Reichstag begannen die neuen Kirchen sich auch
äußerlich in einer politischen Kampforganisation zusammenzuschließen, dem
Schmalkaldischen Bund. Er konstituierte sich 1530/31 unter der Führung von
Kursachsen und Hessen. Auf dem Reichstag zu Regensburg 1532 war Kaiser
Karl V. wegen der Türkengefahr genötigt, den evangelischen Ständen das
Zugeständnis der religiösen Duldung bis zum nächsten Konzil zu machen, und in
dem bald darauf geschlossenen Religionsfrieden zu Nürnberg wurde den Pro-
testanten bis zu einem allgemeinen Konzil freie Religionsübung zugestanden.
Auf dem Reichstag zu Speyer 1544 wurde ein allgemeiner Landfrieden bis zum
Konzil und gemeinsames Vorgehen im Kampf gegen die Türken und gegen
Frankreich vereinbart. Zwei Jahre später schloß Karl V. mit Papst Paul III.
ein Bündnis gegen die reichsständische Selbständigkeit der deutschen Fürsten und
für die kirchliche Einheit. Das Religionsgesetz, das nach dem Schmalkaldischen
Krieg auf dem Reichstag 1548 die Religionsfrage in Deutschland lösen sollte, war
das *Augsburger Interim,* im Wesen ein einstweiliger Religionsvergleich, der auf
der einen Seite von humanistisch-erasmischen Reformkatholiken, Deutschen und
Spaniern, auf der anderen Seite von dem Luther-Freund Johannes Agricola,
seit 1540 Hofprediger in Berlin, verfaßt wurde. Da die Katholiken den Entwurf ablehnten, die protestantischen Stände ihn jedoch nach langem Widerstreben
annahmen, wurde er nur für die Protestanten Reichsgesetz. Das Augsburger

Interim behandelt in 26 Kapiteln Rechtfertigung, Kirche, Sakramente, Heiligen-verehrung, Ritualien und gestand den Evangelischen Laienkelch und Priesterehe zu. Da das Interim auch von strengen Lutheranern wie FLACIUS ILLYRICUS, NIKOLAUS AMSDORFF u. a. scharf bekämpft wurde, kam es dadurch zu keiner Eini-gung. Nach dem Willen des Kurfürsten MORITZ VON SACHSEN sollte der Vergleich ersetzt werden durch ein *Leipziger Interim*. Es kam unter Mitwirkung des Fürsten GEORG III. VON ANHALT-DESSAU und MELANCHTHONS zustande und enthielt eine protestantische Konkordienformel, die zwischen Wesentlichem und Unwe-sentlichem in Kirchenlehre und -einrichtungen unterschied. Einer der Hauptgegner war wiederum FLACIUS ILLYRICUS. Unter ihm ergoß sich aus «unsers Herrgotts Kanzlei» in Magdeburg eine Flut von Schmähschriften. Der Leipziger Vergleich wurde mit dem *Passauer Vertrag* (1552) und dem *Augsburger Religionsfrieden* aufgehoben. Der letztere kam durch die Einigung der römisch-katholischen und protestantischen Stände untereinander und mit König FERDINAND 1555 zustande. Damit sollte die seit der «Spaltung der Religion» eingetretene Verfassungsstö-rung bis zur Wiederkehr der Glaubenseinheit durch eine politische Zwischen-lösung überbrückt werden. Es wird für die Anhänger des ‹Augsburger Bekenntnisses› im Rahmen der Reichskirche ein Sonderrecht geschaffen. Ihnen gegenüber gilt die römisch-katho-lische geistliche Jurisdiktion als suspendiert. Den protestantisch-weltlichen Ge-bieten wird ein landeskirchliches Kirchenregiment zugebilligt. Aber nur für die weltlichen Reichsstände und die reichsunmittelbare Ritterschaft gab es eine «Frei-stellung der Religion», für die «Untertanen» nicht. Den Landesherren stand der Religionsbann zu. Andersgläubige Untertanen haben das Recht des Abzuges gegen Verkauf ihrer Habe und gegen Zahlung einer Nachsteuer. Einen Anspruch auf Toleranz gab es nicht, bei beiden Konfessionen dauerte das Zwangskirchentum fort («Cuius regio, eius religio»). Durch den Augsburger Religionsfrieden wurde (seiner Absicht zuwider) die Glaubensspaltung im Reich grundsätzlich besiegelt.

Das Ergebnis von Bemühungen nach 1555 um Einheitlichkeit und Sicherung der lutherischen Lehre vor dem Hintergrund der innerlutherischen Streitigkeiten seit dem Interim war die *Konkordienformel* des Jahres 1577. Mit ihren zwölf Artikeln soll eine authentische und verbindliche Auslegung des ‹Augsburger Bekenntnisses› geboten werden. Sie betont stark die Autorität LUTHERS, ist aber weithin getragen vom Melanchthonismus. Im gesamten zeigt sie, wieweit sich die kirchlich-dogmatischen Vorstellungen des Luthertums verfestigt hatten. Die Sammlung der lutherischen Bekenntnisschriften, die von den nach der Mitte des 16. Jahrhunderts entstandenen ‹Corpora doctrinae› im Anschluß an das Konkor-dienwerk sich durchsetzten, erfolgte im Konkordienbuch (1580).

Den *evangelischen Lutheranern* standen die *reformierten Protestanten,* das sind die Zwinglianer, Calvinisten und die von MELANCHTHON aus-gehenden Philippisten, gegenüber.

a) Die verschiedenen Strömungen im Luthertum. Flacius Illyricus

Aufs Ganze gesehen, hatte bis zu LUTHERS Tod *der deutsche Protestantis-mus* einheitlich gehandelt. Bald danach brachen unter LUTHERS Anhängern große Gegensätze auf und Lehrstreitigkeiten begannen. Es kam zu ver-schiedenen Auseinandersetzungen über Fragen der Theologie und Seelsorge. Es sind dies: der adiaphoristische Streit, der Majoristische Streit, der antinomistische Streit, der Osiandrische Streit und der Synergistenstreit. Geführt wurden die Streitigkeiten wesentlich von den zwei Hauptlagern der *Philippisten* und der *Gnesiolutheraner*.

Unter *Adiaphora* [Mitteldinge] versteht man Objekte und Akte, die man im Bereich des Wahren, Guten und Schönen als gleichgültig oder indifferent ansieht. Auf ethischem Gebiet vertraten die Stoiker einen weitgehenden Adiaphorismus. In der Scholastik gingen die Meinungen darüber auseinander. Im Protestantismus wurde das Leipziger Interim 1548 Anlaß zu einem *Adiaphoristenstreit*. MELANCHTHON u. a. erklärten, nicht bloß gewisse gottesdienstliche Formen und Gebräuche, sondern auch die Sakramente der Firmung, der Letzten Ölung, der Buße, die Messe (ohne Wandlung), die Heiligenverehrung usw. seien Adiaphora, in denen man den Gegnern nachgeben könne. Diese Erklärungen führten zu scharfen Auseinandersetzungen innerhalb des Protestantismus und veranlaßten eine Flut von Streitschriften. Auf seiten MELANCHTHONS standen BUGENHAGEN, PAUL EBER, GEORG MAJOR, JUSTUS MENIUS u. a. Gegen die Adiaphoristen kämpften die strengen Lutheraner unter Führung von FLACIUS ILLYRICUS.

Anlaß zum *Majoristenstreit* gab eine Predigt GEORG MAJORS (1502–1574), der als Superintendent in Eisleben 1552 die Heilsnotwendigkeit guter Werke vertrat in dem Sinne, daß diese zwar nicht Rechtfertigung und Seligkeit bewirken, wohl aber zur Bewahrung des Glaubens und der Seligkeit unerläßlich seien. Hauptgegner waren FLACIUS ILLYRICUS und NIKOLAUS AMSDORFF. Der Majoristische Streit ging über in den *antinomistischen Streit*. Begründet in der dualistischen Spannung des Gegensatzes von Geist und Materie und einer übersteigerten Vorstellung von der evangelischen Freiheit, leugnet der Antinomismus die Verpflichtung zur Beobachtung des Sittengesetzes. Ähnliches gab es in der antikheidnischen Ethik, bei den Gnostikern und bei manchen Mystikern. Die letzteren meinten, das Gesetz gelte nur für die Sünder, der vollkommene Christ bedürfe der menschlichen Gesetze und der äußeren Formen nicht. Von den Reformatoren hatte JOHANNES AGRICOLA 1527 die These aufgestellt: Das Gesetz sei im Jahr 1 gefallen; seither wirken allein Kreuzespredigt, Buße und Christenleben. Andere behaupteten nun, das Neue Testament trage nicht derart Gesetzescharakter wie das Alte; Moses sei Gesetzgeber gewesen, Christus nur Versöhner und Erlöser; Evangelium und Gesetz schlössen einander aus. Selbstverständlich bezogen MELANCHTHON und LUTHER Stellung gegen eine Befreiung vom alttestamentlichen Gesetz, die leicht als Befreiung von jedem Gesetz aufgefaßt werden konnte.

Die große Auseinandersetzung über die Rechtfertigungslehre wurde durch ANDREAS OSIANDER (1498–1552) ausgelöst. Der nach ihm benannte Streit erregte ab 1550 den ganzen Protestantismus. OSIANDER, der seit 1520 in Nürnberg und zuletzt in Königsberg tätig war, hatte die Anschauungen LUTHERS selbständig verarbeitet und die Worttheologie auf spekulative Weise unter Heranziehung der Kabbala und REUCHLINS begründet. Ausgehend von der Gleichsetzung Christi mit dem Wort, begründete er die Gerechtigkeit des Menschen auf die Einwohnung der göttlichen Natur Christi. Erlösungswerk und Sündenvergebung galten ihm nur als Voraussetzung der «wesentlichen Gerechtmachung», wichtig ist die effektive Gerechtmachung. Indem er das Wort zu einer metaphysischen Größe macht, wird die Glaubensspekulation zur Gnosis. Die Konkordienformel lehnte OSIANDERS Rechtfertigungslehre ab.

Die freie Mitwirkung des Menschen mit der Bekehrungsgnade betraf der *Synergistenstreit*. Im Gegensatz zu LUTHERS Schrift ‹De servo arbitrio› lehrte

MELANCHTHON eine Mittätigkeit des Menschen bei der Bekehrung, lehnte dabei aber die Mittätigkeit des Willens vor der Gnade (Pelagianismus) ab. Auf seiner Seite standen GEORG MAJOR, JOHANN PFEFFINGER, VICTORINUS STRIGEL. Gegner waren NIKOLAUS AMSDORFF und besonders FLACIUS ILLYRICUS. Über die Freiheit im staatlichen und bürgerlichen Leben, in der *honestas vitae* und der *externa disciplina* waren beide Parteien einig; strittig war nur der Willensanteil bei der Bekehrung. Hier ging es allerdings um Grundsätzliches, wie Fragen der natürlichen Befähigung des Menschen, des Verhältnisses von Philosophie und Theologie, von Natur und Gnade. Höhepunkt des Streites war die Weimarer Disputation zwischen FLACIUS und STRIGEL 1560. Der Streit, der auch das Thema des Altenburger Religionsgesprächs 1568/69 bildete, blieb unentschieden.

Zwischen streng orthodoxen Anhängern LUTHERS und solchen MELANCHTHONS, den sog. *Philippisten,* bestanden Meinungsverschiedenheiten in der Abendmahlslehre. Die ersteren vertraten die lutherische Ubiquitätslehre, die anderen neigten zu der mehr geistigen Auffassung CALVINS. Von den verschiedenen Bekenntnisschriften, die unter dem Titel ‹Corpus Doctrinae› veröffentlicht wurden, ist das ‹Corpus Philippicum› (1560) im Sinne MELANCHTHONS gehalten, während das ‹Corpus Prutenicum› (1567) streng lutherisch gesinnt ist. Diese ‹Corpora› wurden aber schließlich 1580 durch das Konkordienbuch der gesamten lutherischen Kirche abgelöst.

Für die Reinerhaltung der lutherischen Lehre trat am energischesten der Theologe und Historiker MATTHIAS FLACIUS, VLACICH (geb. 1520 zu Albona in Istrien, daher ILLYRICUS, gest. 1575 zu Frankfurt a. M.) ein.

Von dem venezianischen Humanisten JOHANN BAPTISTA EGNATIUS gebildet, wollte er zuerst Mönch werden. Sein Oheim, der Franziskaner-Provinzial BALDO LUPETINO, führte ihn jedoch der Reformation zu. Er kam 1539 nach Augsburg, dann nach Basel, Tübingen, Wittenberg, wo er 1544 eine Professur für Hebräisch übernahm und die Freundschaft MELANCHTHONS gewann. Im Kampf gegen das Leipziger Interim kam es zum Bruch mit MELANCHTHON und den Wittenbergern; FLACIUS legte 1549 seine Professur zurück und zog nach Magdeburg. Dort führte er zusammen mit ERASMUS ALBERUS den Kampf weiter (Adiaphoristenstreit). Von 1551 bis 1552 kämpfte er für die Reinerhaltung der *sola fide* gegenüber GEORG MAJORS Lehre von der Notwendigkeit der guten Werke zur Seligkeit; 1552/53 verteidigte er die Rechtfertigungslehre LUTHERS gegen ANDREAS OSIANDER. In Wittenberg war man über die *Flacianer* sehr erbittert und JOHANNES MAJOR verfaßte gegen sie ein Spottgedicht ‹Synodus avium› (o. O. 1557). Darin wird in Form eines Tierepos der Konflikt MELANCHTHONS mit den Gnesiolutheranern behandelt (vgl. S. 294). Gegen SCHWENCKFELDS von der Mystik her bestimmte Lehre vom Worte Gottes richtete FLACIUS u. a. die Schrift ‹Von der hl. Schrift und ihrer Wirkung› (1553). Von 1557–1561 war FLACIUS Professor für Neues Testament in Jena, verlor aber im Zusammenhang mit dem Synergistenstreit sein Amt. Nachdem er zuerst nach Regensburg gegangen war, flüchtete er mit Frau und Kind 1566 nach Antwerpen, lebte dann in Frankfurt und 1567 bis 1573 in Straßburg, dann wieder in Frankfurt, wo er vor seiner Ausweisung starb.

Reformationsgeschichtlich gesehen, war FLACIUS das Haupt der *Gnesiolutheraner,* der von den Anhängern MELANCHTHONS wie von den Vertretern der alten Kirche befeindet wurde. FLACIUS war ein kämpferischer Mensch, doch einer der größten Gelehrten seiner Zeit und Verfasser von weit über 200 Schriften. In deutschen Flugschriften trat er als JOHANN

WAHREMUND und CHRISTIAN LAUTERWAHR dem Augsburger Interim 1548
entgegen und kämpfte darauf gegen die versöhnliche Richtung MELAN-
CHTHONS und gegen den Calvinismus. In der Schrift ‹Von den wahren und
falschen Mitteldingen› (1549) griff er in den Streit um die Adiaphora ein.
Bedeutsam von den theologischen Arbeiten sind: ‹Clavis Scripturae Sacrae› (Basel 1567) und ‹Novum Testamentum . . . Glossa compendiaria›
(1570), in denen er als erster lutherischer Theologe die Verbalinterpreta-
tion und eine verständnisvolle Schriftauslegung vertrat. Von den historischen Schriften ist das Hauptwerk die ‹Ecclesiastica historia›, genannt
‹Magdeburger Centurien› (Basel 1559–1574), mit dem Versuch des
Nachweises, die wahre Lehre der Apostel sei bei den Glaubenserneue-
rern zu finden (vgl. S. 422 f.). Als Vorarbeit hatte FLACIUS den ‹Catalogus testium veritatis, qui ante nostram aetatem reclamarunt Pape›
(Basel 1556) veröffentlicht, ein Verzeichnis von ca. 400 Vorreformatoren.
Den Zeugnissen, daß schon in alter Zeit die Bibel dem Volk in seiner
eigenen Sprache nahegebracht wurde, fügte er in der zweiten Auflage
(Basel 1562) nicht nur die lateinische Vorrede OTFRIDS bei, sondern auch
eine lateinische ‹Praefatio in librum antiquum lingua Saxonica conscrip-
tum› und ‹Versus de poeta et interprete huius codicis›, die zuerst JOHANN
GEORG ECCARD 1720 mit der ‹Heliand›-Dichtung in Zusammenhang
setzte. Anknüpfend an die Bekämpfer des Papsttums unter LUDWIG IV.
VON BAYERN (vgl. Bd. IV/1, S. 375 ff.), bemühte sich FLACIUS in der Schrift
‹De translatione Imperii Romani ad Germanos› (1566) nachzuweisen, daß
die Kaiserwürde auf ganz anderem Wege als dem päpstlicher Übertragung
an die Deutschen gekommen sei.

b) Die Ausbreitung der Reformation in Europa

Die Reformation breitete sich bald über *weite Gebiete Europas* aus. Die
naturgegebenen Kontakte mit dem Mutterlande brachten es mit sich, daß
der größte Teil der Auslandsdeutschen von ihr erfaßt wurde.

Einen mächtigen Zweig der Auslandsdeutschen, die Siebenbürger Sachsen, führte zum Luthertum JOHANNES HONTERUS (1498–1549) aus Kronstadt. Nach Studien in Wien 1515–1525 wirkte er 1529–1533 politisch
exiliert in Krakau und Basel. In die Heimat zurückgerufen, fand er sodann zwischen 1539 und 1542 den Weg zu LUTHER und MELANCHTHON,
um in einer ‹Reformatio ecclesiae Coronensis ac totius Barcensis Provinciae› (Neudruck durch MELANCHTHON 1543) mit Hilfe des Rates in Kronstadt die religiösen Neuordnungen durchzusetzen, die allmählich auf alle
Sachsen ausgedehnt wurden. HONTERUS war eine konservative Natur. In
seiner Wirksamkeit als Stadtpfarrer, in seiner Tätigkeit für das Rechts-
und Schulwesen verband er gemeindlich-bürgerliches Denken mit augustinischem Humanismus.

Im skandinavischen Norden diente als Brücke für das Luthertum in die baltischen Provinzen das 1525 säkularisierte Ordensland Preußen; nach Schweden verhalf ihm das national betonte Königtum GUSTAV WASAS; in Dänemark löste König FRIEDRICH I. die Kirche vom Papsttum los und CHRISTIAN III. verfügte 1537 die Abschaffung des Katholizismus; in Norwegen führten ebenfalls die Herrscher die neue Lehre ein.

Als Papst KLEMENS VII. die Bitte König HEINRICHS VIII. VON ENGLAND, seine Ehe mit KATHARINA VON ARAGON zu trennen, abschlug, kam es 1532/34 zur Loslösung der englischen Kirche von Rom und der päpstlichen Suprematie. In der Lehre blieb es zunächst beim alten, nur die Trennung von Rom war ausgesprochen, bis – allmählich aber doch – hauptsächlich durch THOMAS CRANMER, eine Annäherung an die protestantischen Bekenntnisse herbeigeführt wurde. Die Humanisten JOHN FISHER und THOMAS MORUS starben 1535 als Märtyrer für den römischen Katholizismus.

Seit 1541 wurde mit großem Nachdruck von Genf aus der *Calvinismus* propagiert. Er drängte zunächst in der Schweiz den Zwinglianismus in den Hintergrund. Darauf konnte er seine Erfolge in Westeuropa, besonders in Frankreich bei den Hugenotten, in England (wo die Anglikanischen Artikel von 1553–1571 im wesentlichen den Calvinismus zum Ausdruck bringen), in Schottland, in den Niederlanden, in Deutschland und im Osten, besonders in Ungarn, erzielen. Als das Luthertum in Deutschland in die Gefahr geriet, einer starren Orthodoxie zu verfallen, innere Streitigkeiten zunahmen und die Kleinstaatlichkeit gepflegt wurde, eroberte der Calvinismus Völker, die im Barockzeitalter die Führung übernehmen.

4. Die katholische Reform und Restauration.
Das Konzil zu Trient

Die Bestrebungen altkirchlicher und weltlicher Gewalten von 1555 bis 1616, teils um die Reformation zu bekämpfen, teils um eine Reform herbeizuführen und die Abgefallenen wieder zum katholischen Glauben zurückzuführen, werden entweder als *Gegenreformation* bezeichnet oder, vielleicht zutreffender, als *katholische Reform und Restauration* oder als ‹Wiederherstellung und Erneuerung des kirchlichen Lebens› umschrieben. Auf jeden Fall wird man gut tun, eine gewaltsam rekatholisierende Gegenreformation und eine religiös bestimmte innerkirchliche Regeneration des Katholizismus zu unterscheiden.

Nachdem in der konziliaren Ära im 15. Jahrhundert die Reform des Hauptes der Kirche gescheitert war, kam es zur Selbstreform der Glieder. Es entstand eine Erneuerungsbewegung, die Formen und Inhalte mittelalterlicher Frömmigkeit weiter entwickelte. Das formale Element zeigte sich im Observantismus der Klosterreformen mit den Zentren Bursfeld, Melk und Windesheim, wobei die Windesheimer Kongregation mit der Devotio moderna verbunden ist. Aber auch inhaltlich führen viele Wege von der ‹neuen Frömmigkeit› in den christlichen Humanismus etwa eines ERASMUS. Überhaupt: Wie der Aufbau des protestantischen Kirchen- und Bildungswesens sind auch die katholische Reform und Gegenreformation ohne Mitwirkung des *Humanismus* nicht gut denkbar. Ferner leiten in die Gegenreformation über die frühen Bemühungen zur Bekämpfung des Luthertums und der drei anderen reformatorischen Richtungen (ZWINGLIS, der Taufgesinnten und der Anhänger der freien Geistkirche). Männer wie ECK, COCHLAEUS, FABRI, NAUSEA sind alle vom Humanismus berührt, nicht aber von einer erneuerten Frömmigkeit.

Früh auch schon setzten auf politischer Ebene Bemühungen zur Bekämpfung der reformatorischen Glaubensrichtungen ein. In der Schweiz schlossen 1524 die katholischen Kantone Schwyz, Uri, Unterwalden, Zug und Luzern ein Bündnis zur Unterdrückung der neuen Lehre. Im selben Jahr vereinigte der päpstliche Legat LORENZO CAMPEGGI im Regensburger Bündnis die süddeutschen katholischen Fürsten und Bischöfe zur Abwehr der religiösen Neuerungen. Dem Regensburger Konvent folgte 1525 im Dessauer Bündnis die Einigung mehrerer mitteldeutscher katholischer Fürsten. Aber nicht solche politische Einzelaktionen waren bei dem Versuch einer Überwindung des Glaubensabfalles und einer innerkirchlichen oder religiös-sittlichen Reform die Hauptfaktoren, sondern erst geänderte Persönlichkeiten im Papsttum, Reformen an der römischen Kurie, das Trienter Konzil, der Jesuitenorden und die Gegenreformation in Bayern, in den Rheingebieten und den habsburgischen Ländern.

Auf dem Augsburger Reichstag 1518 hatte LUTHER an ein allgemeines Konzil der katholischen Kirche zur Entscheidung über die dogmatischen Meinungsverschiedenheiten appelliert. Auf dem Reichstag zu Nürnberg war 1524 der Plan einer Art von National-Konzil auf deutschem Boden aufgetaucht. Als endlich Papst PAUL III. im Einvernehmen mit Kaiser KARL V. 1537 das General-Konzil nach Mantua einberief, wurde der Eröffnungstermin viermal verschoben, der Versammlungsort nach Vicenza verlegt und 1539 das Konzil suspendiert. Die Protestanten hatten eine Beschickung dieser ‹päpstlichen Synode› abgelehnt. Nachdem ein Vermittlungsversuch des gelehrten und für die Beseitigung der kirchlichen Spaltung tätigen Kardinals GASPARO CONTARINI auf dem Reichstag und beim Religionsgespräch zu Regensburg 1541 gescheitert war, wurde das Konzil zu Allerheiligen 1542 nach dem damals zum Deutschen Reich gehörigen Trient einberufen. Infolge der weltpolitischen Ereignisse und Unstimmigkeiten zwischen Papst, Kaiser und dem König von Frankreich mußte es abermals suspendiert werden. Erst der dritte Ansatz für 1544 gelang: Die Eröffnung fand am 15. Dezember 1545 statt. Während dieses *Konzils zu Trient,* das von 1545 bis 1563 tagte, wurde hauptsächlich durch italienische und spanische, später auch französische Bischöfe (deutsche waren nur wenige an den maßgeblichen Stellen) unter Einflußnahme scholastischer Ordenstheologen die spätere Kirchenlehre in Abgrenzung zur protestantischen Verkündigung festgelegt. Das Wesen der mittelalterlichen Kirche selber erfuhr eine starke Veränderung. Die Verpflichtung zur *professio* machte sie zu einer Bekenntniskirche. Der Prozeß der Konfessionalisierung des Christentums wurde eingeleitet. «Die Tagung war eingefügt in ein großzügiges kaiserlich-päpstliches Programm der kriegerischen Unterwerfung und Zurückführung der Protestanten» (H. JEDIN).

Die Evangelischen hatten wiederum eine Beteiligung abgelehnt. Bei ihnen war infolge der Auflösung des traditionellen Kirchenbegriffes kein Raum mehr für das römisch-katholische oder für das gemeinkirchliche Konzilverständnis.

Das Konzil tagte in drei Perioden. Während der ersten Tagungsperiode 1545 bis 1548 lag das Schwergewicht bei den dogmatischen Entscheidungen zur Abgrenzung gegenüber dem Protestantismus. Das Dekret über Schrift und Tradition umgrenzte den Schriftkanon und bestimmte für alle öffentlichen Lesungen, Disputationen, Predigten und Auslegungen als authentische Version der Bibel die Vulgata (gegen neuere Übersetzungen aus den Ursprachen) und ließ die kirchliche Tradition als zweite Glaubensquelle gelten. In den Dekreten über die Erbsünde und über die Rechtfertigung grenzte man sich gegen LUTHER ab, stellte seinem Wort *sola gratia* die Mitwirkung des freien Willens am Rechtfertigungsprozeß gegenüber und versuchte gleichzeitig, im Anschluß an THOMAS VON AQUIN, das franziskanisch-nominalistische *meritum de congruo* durch Betonung der göttlichen Gnade zu überwinden; die Aussagen der Reformatoren über die Heilsgewißheit der Glaubenden wurden abgelehnt. Im Dekret über die Sakramente wurde die Siebenzahl und ihre Wirksamkeit *ex opere operato* gelehrt. Während der zweiten Tagungsperiode 1551/52 wurden die Lehren über die Eucharistie, Buße und Letzte Ölung festgelegt. Protestantische Theologen hatten sich in Trient eingefunden, MELANCHTHON war dahin abgereist. Zu Verhandlungen kam es nicht. Während der dritten Tagungsperiode 1562/63 wurde u. a. zu Laienkelch, Opfercharakter der Messe, Fegefeuer, Heiligen-, Reliquien- und Bilderverehrung, Ablaß und Eheschließung Stellung genommen und die Dogmen definiert. Papst PIUS IV. bestätigte 1564 sämtliche Dekrete des Konzils, veröffentliche den Index und schrieb ein Glaubensbekenntnis, die ‹Professio fidei Tridentinae›, vor. Der in Trient angeregte ‹Catechismus Romanus› als Handbuch für die Pfarrer, die Verbesserung des römischen Missales und die Einführung eines einheitlichen römischen Breviers kamen erst später zustande.

Geistesgeschichtlich gesehen, schloß sich das Konzil von Trient nicht an die Spätscholastik an, sondern brachte eine Erneuerung der Hochscholastik. THOMAS VON AQUIN wurde zum *doctor ecclesiae* gemacht, die Augustinerschule blieb bei der Erbsünden- und Rechtfertigungslehre in der Minderheit. Gegen 1560 rückten die fortschreitende Calvinisierung Frankreichs und ein drohendes Nationalkonzil die Gefahr nahe, daß die alte Kirche fast ganz auf Italien und Spanien zurückgeworfen werde. Eine Folge des Konzils war die Zentralisierung aller geistigen und kirchenpolitischen Kräfte des Katholizismus in Rom. Die durch das Konzil bewirkte Erneuerung ist ohne die humanistische Reform der Bibelwissenschaft und der Patrologie nicht denkbar. Das Tridentinum mit seinen Lehr- und Reformdekreten ist die Hauptgrundlage der katholischen Erneuerung und der Gegenreformation. Seine Nachwirkung auch auf die Entwicklung der Literatur und Kunst war groß.

Die Sprache der kirchlichen Liturgie, der priesterlichen Pflichtgebete und der Theologie blieb das Lateinische. Mit den gottesdienstlichen Verrichtungen und dem Brevier lebten die damit verbundene traditionelle Literatur und Dichtung an Kirchenväter- und Kirchenlehrertexten, Hymnen und Sequenzen weiter; es kam zu einer neuerlichen Pflege der Legende und Hagiographie sowie zur Ausbildung einer katholischen Gefühls- und Weltanschauungsmystik, zu verstärkter Pflege auch der neulateinischen Dichtung in Lyrik und Drama. Ohne das Trienter Konzil und ohne die Gegenreformation sind die ideelle Ausrichtung des Barockzeitalters, Existenz und Wesenszüge der katholischen Barockliteratur, der Bau- und Bildkunst kaum vorstellbar.

Die erste Druckausgabe der Beschlüsse des Konzils zu Trient, ‹Canones et decretae sacrosancti oecumenici et generalis Concilii Tridentini›, erschien Dillingen 1564 (deutsch Köln 1564 und 1565). Von protestantischer Seite fand das Konzil eine Darstellung und Kritik der Dekrete durch MARTIN CHEMNITZ (1522–1586) im ‹Examen Concilii Tridentini› (1565–1573). Eine vortridentinische Ausgabe des ‹Index librorum prohibitorum› erschien Rom 1559, das maßgebende kirchliche Verzeichnis der verbotenen Bücher aufgrund des Konzils Köln 1564.

Die Abmachungen im Passauer Vertrag und im Augsburger Religionsfrieden, die den Fürsten freie Hand in der Bestimmung der Religion ihres Landes gewährten, wurden nicht von Kaiser KARL V., sondern von dem 1531 zum römischen König gewählten FERDINAND VON ÖSTERREICH abgeschlossen. Als KARL 1556 die Kaiserkrone niederlegte, übergab er die Niederlande und die spanischen Reiche seinem Sohn PHILIPP, die österreichischen Erblande und das Kaisertum FERDINAND († 1564). Diesem folgte der den Protestanten zuneigende MAXIMILIAN II. (1564–1576). Mit dem von Jesuiten erzogenen RUDOLF II. (1576–1612) setzte die Gegenreformation energisch ein.

a) Der Jesuitenorden. Petrus Canisius

Im 15. Jahrhundert bezeichnete man mit *Jesuit* einen frommen Mann, zu Anfang des 16. Jahrhunderts einen ‹Betbruder›, später die Mitglieder der *Societas Jesu*. Die Gesellschaft wurde 1534 zu Paris von dem ehemaligen spanischen Offizier IGNATIUS VON LOYOLA (1491–1556) gegründet und von Papst PAUL III. 1540 bestätigt.

IGNATIUS kam aus der ritterlichen Kulturwelt Spaniens und wandelte sich vom weltlichen Aristokraten zum Ritter Christi. Der Drang zur Weitergabe eigener geistlicher Erfahrungen führte ihn zur Seelsorgearbeit und darüber hinaus zu innerkirchlicher Reformtätigkeit. Bei der Prägung seiner Persönlichkeit wirkte zur volksfrommen Tradition Spaniens mit noch lebendigen Kreuzzugsideen die spätmittelalterliche Erbauungsliteratur hauptsächlich durch drei Werke: die ‹Vita Christi› des LUDOLF VON SACHSEN (spanische Ausgabe 1502/03), der ‹Flos Sanctorum›, ein Heiligenleben des Dominikaners JAKOB VON VIRAGGIO (spanische Ausgabe 1493 und 1511), und die ‹Imitatio Christi› des THOMAS VON KEMPEN. Sie brachten IGNATIUS die Gestalt Christi im Geiste der deutschen Mystik nahe und lenkten seine Aufmerksamkeit auf die Ordensgründer FRANZISKUS und DOMINIKUS. Das theologische Studium vermittelte ihm die Kenntnis der Scholastik im Geiste des Thomismus und ihrer Erneuerung durch FRANZ VON VITORIA. Das ‹Enchiridion militis Christiani› des ERASMUS legte er unbefriedigt aus der Hand.

Wir kennen und haben von IGNATIUS keine Predigten und keine exegetischen Schriften zur Bibel überliefert, sondern nur als Jugendarbeit ein Heldenlied auf den Apostel Petrus (verloren), Bruchstücke eines geistlichen Tagebuches (1544/45), Lebenserinnerungen (1553/55), viele Briefe. Die charakteristische Geistesäußerung aber bilden seine ‹Exercitia spiritualia› (1522; in viele Sprachen übersetzt und vielfach bearbeitet).

Es sind für den Exerzitienmeister bestimmte Anleitungen zu geistlichen Kontemplationsübungen in einem prinzipiell bei allen Menschen anwendbaren, psychologisch meisterhaft fundierten Verfahren. Sie bedienen sich des dreifachen Stufenweges: *via purgativa* (Reinigung), *illuminativa* (Erleuchtung; Meditation der Vita Christi) und *unitiva* (Vereinigung mit Gott). Die Mystik der ‹Nachfolge Christi› erscheint umgewandelt in einen voluntaristischen Methodismus. IGNATIUS war ein Meister des Gespräches und der Unterredung. Im Vordergrund seiner Bestrebungen steht die Liebe. Der Glaube wird zum Gehorsam. Weniger das Wort Gottes, sondern die Person Christi bildet den Mittelpunkt.

Der neue Orden verband vier Elemente: Hinwendung zu einer neuen Zeit, die mittelalterliche Idee eines christlichen Rittertums zur Ausbreitung des Glaubens, die ritterliche Idee von Christus dem König als Helfer im Kampf, die Vorstellung vom leidenden gekreuzigten Christus und seiner Nachfolge. Das Neue und Entscheidende war, daß IGNATIUS dem Orden als Ziel setzte, die zwei Weltanschauungen, die das 16. Jahrhundert in sich barg, zu einer Synthese von Diesseits und Jenseits zu bringen und so die Einheit zwischen Verstand und Willen, Freiheit und Gnade, Übernatürlichem und Weltleben in der Seele des einzelnen ebenso wie in der Gesamtheit wiederherzustellen. Diese gottgewollte Harmonie des Mikrokosmos und Makrokosmos findet sich nach Ansicht des IGNATIUS nur in der römischen Kirche samt ihren Grundsätzen und Lehren. IGNATIUS und sein Orden haben wesentlich mitgewirkt, den mittelalterlichen Katholizismus umzuprägen zu einer «Kirche der Seelenführung». Bedeutsam wurde auch, daß die *Societas Jesu* theologisch gleichwie das Konzil zu Trient nicht an die Spätscholastik des 15. Jahrhunderts, sondern an die

Hochscholastik des THOMAS VON AQUIN anknüpfte und sich auch mystischen Strömungen nicht verschloß. Der Orden breitete sich rasch aus, in Deutschland seit 1544 (Köln), in Österreich seit 1551 (Wien). Als eine seiner Hauptaufgaben betrachtete er die Pflege der Religiosität und die Zurückdrängung des Protestantismus.

Aus dem Jesuitenorden ging einer der prominentesten Führer der deutschen Gegenreformation hervor, PETRUS CANISIUS (1521–1597) aus dem damals deutschen Nimwegen. Enthusiastisch arbeitete er auf der Kanzel und auf dem Katheder unermüdlich an der Wiederherstellung des katholisch-kirchlichen Lebens in Deutschland, Österreich und Böhmen. Nach Teilnahme am Konzil zu Trient weilte er 1556/57 auf dem Reichstag in Regensburg, beteiligte sich am Religionsgespräch in Worms 1557 und war 1559 und 1566 auf den Reichstagen in Augsburg. Von seinen aszetisch-homiletischen Schriften ragt sein dreifacher *Katechismus* hervor: die große Fassung für Gebildete (‹Summa doctrinae christianae›, 1555), die mittlere für Gymnasiasten (1558), die kleine für Kinder und das Volk (1556). Das Werk war beim Tode des Verfassers in über 200 Auflagen verbreitet und in 12 Sprachen übersetzt und bildete für lange Zeit die Grundlage der katholischen religiösen Erziehung. In jungen Jahren hatte CANISIUS die Schriften TAULERS herausgegeben (1543), 1569–1577 schrieb er gegen die Magdeburger Centuriatoren. Seine ungedruckten Predigten sollen 35 Foliobände füllen.

Die Existenz und Wirksamkeit des *Jesuitenordens* und die Tätigkeit seiner führenden Vertreter in der zweiten Hälfte des 16. Jahrhunderts wurde für die Kirchen-, Geistes- und Literaturgeschichte bedeutsam durch die pastorale Arbeit im Sinne der Gegenreformation, die Pflege der Wissenschaften und die Sorge um das höhere Bildungswesen. Der Orden produzierte eine umfangreiche didaktisch-theologische, aszetische und wissenschaftliche Literatur und es kam eine ganze *Jesuitendichtung* zustande, besonders auf dem Gebiet des Dramas und der Lyrik, die sich allerdings erst im 17. Jahrhundert voll entfaltete. Die Schulen des Ordens haben in vielen Ländern für zwei Jahrhunderte das Bildungsideal bestimmt.

b) Die Gegenreformation in Deutschland. Ihr Beginn in Bayern

Die *Gegenreformation* setzte zunächst in Italien und Spanien ein. Dort wurde mit Hilfe der Inquisition, d. h. gerichtlicher Verfolgung der Häretiker, der Kampf gegen die neuen Lehren begonnen. In Deutschland hatten seit dem Augsburger Religionsfrieden die katholischen Reichsfürsten die reichsrechtliche Möglichkeit, ihre Untertanen mit Gewalt der alten Lehre zu erhalten oder sie zu ihr zurückzuführen. Bei diesen bald darauf beginnenden obrigkeitlichen Ordnungsmaßnahmen wiederholen sich mit den nötigen Abänderungen die Vorgänge, die nach dem Speyerer Reichstagsabschied von 1526 in den lutherischen Landeskirchen zur Bildung eines landesherrlichen Kirchenregimentes geführt hatten.

Auf deutschem Boden begannen die Rekatholisierungsmaßnahmen zuerst 1563 in Bayern unter Herzog ALBRECHT V. Bayern folgte 1565 der Erzbischof von Salzburg. Vorbildlich für andere kirchliche Landesherren wurde der Bischof JULIUS ECHTER VON MESPELBRUNN in Würzburg. Die Zentrale aber blieb München, ihr Ableger und zweiter Hauptort wird Köln. Am Ober-, Mittel- und Niederrhein und in Westfalen sind es z. T. die weltlichen Landesherren, z. T. die Bischöfe, die für die Restauration arbeiten. In Österreich wird unter Kaiser RUDOLF II. und seinem Bruder MATTHIAS der Wiener Bischof MELCHIOR KLESL (1552–1630) die treibende Kraft der Gegenreformation in Ober- und Niederösterreich. Die innerösterreichischen Gebiete führte Erzherzog FERDINAND (1578 bis 1637) zum katholischen Bekenntnis zurück. Die Sudetengebiete wurden von den Bischöfen in Prag, Olmütz und Breslau rekatholisiert. Die praktischen Helfer bei dieser Rekatholisierung stellten vorzugsweise die Jesuiten (für die höheren Schichten), später auch die Kapuziner (für die niederen Volksschichten) und die regenerierten alten Orden.

Da die Kaiser FERDINAND I. und MAXIMILIAN II. mit den gegenreformatorischen Maßnahmen zögerten, der letztere dem Protestantismus überhaupt wohlwollend gegenüberstand, fiel bei der Durchführung der katholischen Restauration in Deutschland die leitende Rolle Herzog ALBRECHT V. VON BAYERN (1528–1579; reg. seit 1550) zu. Der Papst und Spanien sahen in ihm den politischen Bundesgenossen. Im Zuge der Rekatholisierung des Landes wurden in Ingolstadt und München Jesuitenkollegien errichtet und dem Orden die Ingolstädter Universität übergeben. Das gesamte Schulwesen Bayerns wurde im katholischen Sinn neu organisiert. Visitationen, Jesuitenmissionen, Heranbildung eines besseren Klerus u. a. sollten den Katholizismus wiederherstellen. Als Predigt-Muster ließ der Herzog 1571 die ‹Drey christlichen Predigten› seines Hofpredigers GEORG LAUTHER an alle Pfarrer des Landes verteilen. Alle protestantischen Bewohner des Landes wurden zur Rückkehr in die katholische Kirche oder zur Auswanderung genötigt. Die planende Politik ALBRECHTS V. führte später den Katholizismus auch am Rhein und in Baden zum Sieg.

5. Evangelische und katholische Erbauungsliteratur

Auch im 16. Jahrhundert versteht man unter *Erbauungsliteratur* jenes im ausgehenden Mittelalter literarisch wirksam gewordene religiöse Schrifttum, das der Förderung und Pflege des Tugendlebens, namentlich der Frömmigkeit dient. Sie hat weiterhin eine seelsorgerische Funktion. Da sie ein dogmatisch-ethisches Element enthält und auf der Glaubenserkenntnis beruht, tritt mit der Reformation eine Spaltung in eine *evangelische* und eine *katholische* Erbauungsliteratur ein. Nur wenige Werke, wie die ‹Theologia deutsch›, mystische Schriften von TAULER, die ‹Imitatio Christi› des THOMAS VON KEMPEN, wahren unverändert ihren überkonfessionellen Charakter. Die im Mittelalter ausgebildeten Formen und Gattungen der Gebetbücher, der Passionsschriften, der Consolatorien, der

Specula, der Ars moriendi u. a. werden zwar beibehalten, inhaltlich aber erscheinen sie auf die verschiedenen Glaubensinhalte differenziert und auf besondere Zwecke ausgerichtet. Kennzeichnend für die reformierte Erbauungsliteratur sind die Tiefe des Glaubenserlebnisses, Erfüllung mit den neuen Lehren und das Bemühen, den Lehrgehalt möglichst schlicht in deutscher Sprache zu vermitteln; das christliche Haus wird ein Mittelpunkt der verinnerlichten Andacht. Bei den Katholiken lebt anfangs das alte Gut weiter. Erst die Jesuiten bringen neue Impulse, die ihnen bald die Vorherrschaft sichern. Protestanten und Katholiken gemeinsam sind beachtliche Rückgriffe auf das Mittelalter.

Für die *evangelische Erbauungsliteratur* war bei den Anhängern des ‹Augsburger Bekenntnisses› das Vorbild LUTHERS und seiner Gattungen bestimmend. Aber LUTHER kam aus dem ausgehenden Mittelalter. Noch in seiner vorreformatorischen Zeit hatte er die ‹Theologia deutsch› herausgegeben (1516, 1518). Später folgten als Grundlagen des Neuen die ‹Vaterunser-Auslegung› (1518), 1519 und 1520 die ‹Kurze Form der zehn Gebote, des Glaubens und des Vaterunsers›, ‹Von der Betrachtung des heiligen Leidens Christi›, ‹Von der Bereitung zum Sterben›, ‹Vom heiligen hochwürdigen Sakrament der Taufe›, ‹Von dem hochwürdigen Sakrament des heiligen Leichnams Christi und von Bruderschaften›, das ‹Betbüchlein› (1522), der ‹Katechismus› und die ‹Kirchenpostille›. Die Hauptquelle der Erbauung für die evangelische Christenheit in Deutschland wird die Bibel in der Übertragung LUTHERS. Im Gefolge seiner ‹Postille› und des ‹Psalter mit Summarien› (1541) kam eine Reihe ähnlicher Werke: *Summarien* von VEIT DIETRICH (1541) und JOHANN BRENZ (1546). Die Herausgabe der *Postille* des KONRAD CORDATUS, ‹Außlegung der Evangelien, an Sonntagen und fürnembsten Festen› (1556), besorgte MELANCHTHON. Eine Bauernpostille verfaßte LUKAS OSIANDER (5 Teile, 1597–1600). Vaterunser-Auslegungen gaben WENZESLAUS LINCK, JOHANNES ZWICK und JOHANN BRENZ, Abendmahlerklärungen und Sakramentschriften KASPAR KANTZ (1522), THOMAS VENATORIUS (1530) und HIERONYMUS WELLER (1562). Der täglichen Hausandacht dienten die *Hausbücher:* Das früheste stammt von WENZESLAUS LINCK (1528); ihm folgten JUSTUS MENIUS mit einer ‹Oeconomia christiana, d. i. von christlicher Haushaltung› (1529), ERASMUS SARCERIUS mit seinem Hausbuch (1553) und JOHANN SPANGENBERG mit seiner Übersetzung der ‹Epistel Sanct Bernhards, Von der Haussorge› (1541). Überaus zahlreich sind die im Gefolge der spätmittelalterlichen Consolatorien stehenden *Trostschriften.* LUTHER gab mit den ‹Tessaradecas consolatoria pro laborantibus et oneratis› (1520; deutsch von GEORG SPALATIN) das Vorbild. Ihnen folgten viele Trostbriefe, Trosttraktate und Trostreden. MELANCHTHONS ‹Loci consolationis› übersetzte VEIT DIETRICH. LUTHERS Sterbebüchlein ‹Sermon vom Sterben› folgte VENATORIUS. Die Reihe der Beichtbücher eröffnete URBAN RHEGIUS (1521). Die Gattung der *Biblia pauperum* wurde erneuert, als LUTHER das ‹Passional Christi und Antichristi›, d. s. 49 Holzschnitte von LUKAS CRANACH mit erklärenden Bibeltexten herausgab. Auf die spätmittelalterliche Leidenstheologie griff zurück KASPAR VON SCHWENCKFELD in seinem ‹Deutsch Passional› (Nürnberg 1539). Dabei übertrug er teilweise katholische Vorlagen ins Deutsche. Zur erbaulichen Betrachtung bestimmt war HIERONYMUS WELLERS ‹Traktat vom Leiden und der Auferstehung Christi› (1546). Auf Gattung und Titel der mittelalterlichen Erbauungsliteratur griff auch JOHANNES DRACONITES zurück mit seinem ‹Christlich Selen Gärtlein›, obgleich LUTHER die alten *Seelengärten* scharf getadelt hatte. Als ein Gegenstück zu ihnen ist das ‹Lustgärtlein der Seelen› (1547) des GEORG RHAU anzusehen.

Die zweite Hälfte des 16. Jahrhunderts brachte ein starkes Anschwellen der evangelischen Erbauungsliteratur. Sie wird auf bestimmte Stände und Lebenslagen eingestellt. Merkwürdig ist die verstärkte Einwirkung der mittelalterlichen Meditationsformen und der katholischen Andachtstechnik, so daß sich eine Übernahme katholisch-mystischer Schriften und von Kirchenväter-Schriften anbahnt. Der Prozeß zeigt sich an ANDREAS MUSCULUS, MARTIN MOLLER, PHILIPP KEGEL und führt zu einem lebhaften literarischen Austausch und einer oft sehr weitgehenden Verschmelzung. Das Eindringen der *Mystik* in die protestantische Erbauungsliteratur wird mit Recht weniger als religionsgeschichtliches denn als literaturgeschichtliches Problem angesehen. Auch die Form der mittelalterlichen *Allegorie* wird wieder rezipiert. Beispiele dafür sind JOHANN SPANGENBERGS ‹Geistliches Bad der Seelen›, CYRIACUS SPANGENBERGS ‹Vom Geistlichen Fuhrwerk›. Das Hoheliedmotiv in mystischer Art behandelt MARTIN MOLLER (1547–1606) in seinem ‹Mysterium Magnum› (1597). Die Gattung der Seelengärtlein führen weiter GEORG WALTHER, LUKAS MARTINI u. a. Die Blumenallegorie benützen u. a. MICHAEL SAXO und KONRAD ROSBACH. Ein ‹Trost- oder Seelenartzneibuch› (1561) stammt von MATTHÄUS VOGEL. Auch die mittelalterliche *Specula*-Literatur mit ihrer Spiegel-Motivik kehrt wieder. CHRISTOPH IRENÄUS (1522–1595) aus Schweidnitz, ein Anhänger des FLACIUS ILLYRICUS, ließ zwischen 1566 und 1592 sieben ‹Spiegel› genannte Schriften erscheinen. Zunächst hielten sich die evangelischen Passionsbetrachtungen noch an die Evangelienberichte. Gegen Ende des Jahrhunderts dringt aber in sie die katholisch-mystische Lehre von der Nachfolge Christi und der Nachempfindung seines Leidens ein. So etwa bei MOLLER in den ‹Soliloquia de passione Jesu Christi› (1587). Die erbauliche Betrachtung der *vita Christi* wurde ebenfalls erneuert, beispielsweise von JOHANN HABERMANN (1516–1590) aus Eger. Auch die ‹Christliche Gebeth für allerley Not vnd Stende› (1567) des letzteren haben größte Verbreitung gefunden. Weiter steigt die Zahl der Trostschriften, den Zeitverhältnissen entsprechend. In ihnen zeigt sich gleichfalls die Wiederaufnahme patristischer und mittelalterlich-mystischer Elemente, so in CHRISTOPH VISCHERS drei ‹Trostbüchlein› (1576 bis 1585) und in den Trostschriften KEGELS. Unter den vielen Sterbebüchlein der Nachreformation gilt als wertvollstes MOLLERS ‹Christliche Sterbekunst› (1593; bis ins 19. Jh. neu aufgelegt). Andere Erbauungsschriften handeln von den letzten Dingen, dem Weltgericht, dem jenseitigen Leben. Zurück gehen die Schriftauslegungen, Beichtbücher und Sakramentschriften, gefördert werden hingegen die Hausbücher. Als Beispiel sei die ‹Haus-Kirche› (1586) des ANDREAS FABRICIUS angeführt. Für die Standesschriften bürgerte sich der Name *Handbüchlein* ein.

Die Formen des Prosa-Dialoges und des -Gespräches benützt für seine Zwecke JOHANNES BRANDMÜLLER, Pfarrer in Klein-Basel. In den umfangreichen ‹Zwölf Dialogi und freundliche Colloquia› (1566) läßt er zwei Bauern sich unter der Allegorie eines Obstgartens, dessen Pflege, Reifung und Ernte, über die christlichen Glaubensartikel unterhalten.

Die Form des populärtheologischen Traktates benützt CYRIACUS SPANGENBERG, um in seinem ‹Formularbüchlein der alten Adamssprache› (1562) eindringlich in volkstümlicher Sprache die Einwände und Ausreden der Lässigen und Laien im evangelischen Christentum zu widerlegen.

Zum Erbauungsschrifttum gehören auch die Bearbeitungen biblischer Teile in metrischer Gestalt. Schon die Liedersammlungen enthielten einzelne biblische Elemente. Um die heiligen Geschichten des Alten und Neuen Testamentes dem Gedächtnis faßlich zu machen und besser einzuprägen, bearbeitete man sie dann in strophischer Form. Sowohl Dichter als auch Tonschöpfer war der aus einer Nürnberger Patrizierfamilie stammende SEBALD HEYDEN (ca. 1500–1561). ‹Der Passion oder das Leiden Jesu Christi, in Gesangs Weis gestellet› entstand um 1525 und erlebte mehrere Drucke. Darin steht das bekannte Lied ‹O Mensch, bewein dein Sünden groß›. In ‹Der christlich Glaub, in Gesangsweis gestellt durch Sebald Heyden› (Nürnberg 1545) findet sich ‹Ich glaub an den allmechting got›. Die vier Evangelien versifizierte JOHANN GESCHWINDT (1527), die Passions- und Auferstehungsberichte nach BUGENHAGENS Zusammenstellung JOACHIM GREFF (1538). Die ganze Bibel in «drei Lieder» zu fassen versuchte JOACHIM ABERLIN (1534). MAGDALENA HEYMAIRIN, 1566 deutsche Schulhalterin zu Chamb, später in Regensburg, brachte die Sonntags-Episteln, das Buch Jesus Sirach, die Apostelgeschichte und das Buch Tobias in Gesänge und Reime. CASPAR MÜLLER aus Werdau in Weimar faßte ‹Die ersten Vier Psalmen Dauids, wie sie ein ieder Christ, der umbs Evangelij willen vertrieben, gefangen oder sonst verfolgt wird, beten ... soll› (1550) in Verse. RUDOLF GWALTHER schrieb ‹Argumenta in sacra biblia› in elegischen Distichen, die BURKHARD WALDIS 1556 in deutsche Reimpaare brachte. NIKOLAUS HERMAN (nach

1480–1561), Kantor in Joachimsthal in Böhmen, ließ seine beliebten geistlichen Gedichte zuerst einzeln oder in kleinen Gruppen, dann in Sammlungen erscheinen: ‹Die Sontags Euangelia vber das gantze Jar, In Gesenge verfasset, Für die Kinder vnd Christlichen Haußveter› (Wittenberg 1560; viele Drucke) und ‹Die Historien von der Sindfludt ... Auch etliche Psalmen vnd geistliche Lieder› (1562). Den ‹ganzen Psalter Davids› in ‹Gesangsweise› faßte CYRIACUS SPANGENBERG (1582).

In breitem Umfang pflegt seit der Mitte des Jahrhunderts die protestantische Glaubensrichtung auch die *Märtyrerlegende*. Ihre Gestalten sind sowohl die Märtyrer der alten Kirche und des Mittelalters als auch die reformatorischen Blutzeugen wie HUS u. a. An Sammlungen seien genannt die des LUDWIG RABUS mit einem ‹Liber de Dei confessoribus et martyribus veteris ecclesiae› und dem großen Märtyrerbuch ‹Der hl. auserwählten Gotteszeugen, Bekenner und Märtyrer wahrhafte Historien› (8 bzw. 11 Teile; 1552, 1554, 1555, 1557, 1568, 1571) und die Sammlung des ANDREAS HONDORFF ‹Calendarium historicum oder der heiligen Marterer Historien› (1575 u. ö.).

Auch für die *Katholiken* war und blieb die hl. Schrift die Hauptquelle der Erbauungsliteratur. Daneben aber wurden ein breiteres aszetisches Schrifttum, Gebetbücher und eine umfängliche Hagiographie produziert und weiter gebildet. Das *katholische Erbauungsschrifttum* ist auch differenziert in ein solches für Ordensleute und Weltmenschen, Priester und Laien.

An der Spitze der Erbauungsliteratur steht vorerst der beliebte, aus dem ausgehenden Mittelalter stammende ‹Hortulus animae›. Zunächst lateinisch abgefaßt, erschien das ‹Seelengärtlein› 1501 deutsch. Von 1498 bis 1523 sind 30 verschiedene Drucke bekannt, die ersten 18 erschienen in Straßburg. Manche sind reich mit Holzschnitten illustriert nach Zeichnungen von HOLBEIN D. J., URS GRAF (1515), HANS SPRINGINKLEE (1518), BALDUNG GRIEN (1522) u. a. Eine ganze Anthologie von *Gebeten* mittelalterlicher Frommer stelle JOHANN VON STAUPITZ zusammen: ‹Von der Nachfolgung des willigen Sterbens Christi› (1515). Ein schön gedrucktes und illustriertes Andachtsbuch ‹Der Gilgengart› [Liliengarten] erschien ca. 1520 bei HANS SCHÖNSPERGER in Augsburg.

Die Angriffe der Reformation auf die lateinische Liturgie führten zu Übersetzungen und Auslegungen der liturgischen Bücher und Gebete. Auch die Vorherrschaft der lateinischen Gebetbücher wurde zurückgedrängt. Ein *deutsches Missale* oder Meßbuch für das ganze Jahr erschien bereits 1526 in München. CHRISTOPH VON FLURHEIM gab eine Prosa-Verdeutschung aller Kirchengesänge und Gebete des ganzen Jahres vom Introitus der Messe bis zur Komplet heraus (1529). Später arbeitete besonders GEORG WITZEL in diesem Sinn. Er wollte Gebet- und Gesangbuch vereinen, ebenso der auch sonst als religiöser Volksschriftsteller eifrig tätige ADAM WALASSER († 1581) in ‹Ein edel Kleinat der Seelen›

(1561). Rüteger Edinger brachte in seinem Gebet- und Gesangbuch ‹Teutsche Evangelische Messen, Lobgesenge und Kirchen Gebete› (1572) die Hymnen und Sequenzen in deutsche Reime. Sein Werk ‹Der gantz Psalter Davids nach der gemeinen alten Krichischen Lateinischen Edition auf Verß und Reinweiß ... gestellet› (1574) setzt den zahlreichen protestantischen gereimten *Psalmenübersetzungen* eine katholische an die Seite.

Ein Zentrum der katholischen Erneuerung im 16. Jahrhundert wurde die 1334 gegründete *Kartause St. Barbara in Köln.* Erst eine Heimstätte der Mystik, betätigten sich später unter dem Einfluß der Devotio moderna bis ca. 1580 zwei Generationen von Geistesmännern im Sinne der aszetischen Literatur. Der ersten Ordensgeneration gehörte noch Peter Blomevena (1466–1536) an. Er stand unter dem Einfluß der Frömmigkeit des Franziskaner-Mystikers Heinrich Herp und verfaßte viele erbaulich aszetische und gegen die reformatorische Bewegung gerichtete Schriften, darunter das ‹Enchiridion sacerdotum› (1532) und ‹De auctoritate ecclesiae› (1535). Sein Hauptwerk ‹De bonitate divina libri IV› (1538) gibt Einblick in die Theologie des niederrheinisch-niederländischen Raumes. Aus seiner Begegnung mit der Mystikerin Maria van Oisterwijk bildete Gerhard Kalckbrenner (ca. 1490–1566) aus Hamont in Brabant um die Kartause eine Gemeinschaft von Beginen und Laien, die sich im Sinne der katholischen Reform betätigten. Maria van Oisterwijk († 1547) lebte seit 1545 in der Nähe der Kartause. Sie ist mit Sicherheit die Verfasserin der Schrift ‹Der rechte Weg zur evangelischen Vollkommenheit› (Köln 1531), wahrscheinlich stammen von ihr aber auch die Werke ‹Paradies der liebenden Seele› (Köln 1532), ‹Evangelische Perle› (lateinisch Köln 1545; deutsch Glatz 1676), ‹Neun Stufen der Einfachheit› und ‹Vom Tempel der Seele› (Antwerpen 1543). Johannes Lansperger (1490–1539) veröffentlichte die Offenbarungen der Gertrud von Helfta als ‹Insinuationes divinae pietatis› (Köln 1536) und verfaßte ‹Alloquia Christi ad animam fidelem› (ebd. 1572) und ein ‹Enchiridion militiae christianae› (ebd. 1538; Auflage von 1551 indiziert). Schon zur zweiten Generation gehört Dietrich Loher († 1554). Blomevena veranlaßte ihn, die Werke des Dionysius Ryckel herauszugeben. Eigene Arbeiten waren ein ‹Prototypon veteris ecclesiae› (1547), ‹De grote evangelische Perle› (‹Margarita Evangelica›, 1535, 1538 u. ö.) und eine Psalmenübersetzung. Außerdem veröffentlichte er Herps ‹Theologia mystica› (1538), sowie Vita und Dialog der hl. Katharina von Siena (1553). Intensivste Schriftstellerarbeit entfaltete schließlich Laurentius Surius (1523–1578) aus Lübeck. Von seinem Studienfreund Petrus Canisius zum katholischen Glauben zurückgeführt, lebte er seit etwa 1540 in der Kartause. Surius begann 1545 mit lateinischen Übersetzungen. Er übertrug Schriften von Seuse, Tauler, Ruysbroeck, Martin Eisengrein, Johann Gropper, Michael Sidonius, Friedrich Staphylus und Florentius von Harlem. Später schrieb er

gegen die Reformationsgeschichte SLEIDANS und zugleich als Weiterfüh-
rung der ‹Weltchronik› des JOHANNES NAUKLERUS den ‹Commentarius
brevis rerum in orbe gestorum 1500–1564› (Köln 1566; deutsch von
HENRICUS FABRICIUS 1568; 2. Aufl. von SURIUS bis 1574 fortgesetzt, 1574;
später mehrfach von anderen bis 1673). Aus zahlreichen Vätern etc. ex-
zerpiert ist das ‹Homiliarium Doctorum Catholicorum› (1568) zum Kir-
chenjahr. Als Hauptwerk gelten die sechs Bände ‹De probatis Sanctorum
historiis› (Köln 1570–1575; 2. Aufl. 1576–1581 in 7 Bänden, vollendet von J. MOSANDER). Das nach den Tagen des Jahres geordnete
Werk wurde Vorbild für spätere Legendenwerke. Sein Zweck war außer
der Erbauung die Stärkung der Katholiken im Glaubensstreit.

Dem Benediktinerorden gehörte an der mit KARL V. von dem späteren
Papst HADRIAN VI. erzogene Graf DE BLOIS, LUDWIG BLOSIUS (1506 bis
1566). Er verfaßte aszetische Schriften unter Verwendung der Väter und
der deutschen Mystik, so ein ‹Speculum monarchorum› (1538). Eine Gesamtausgabe seiner Werke erschien Löwen 1568. Erfolgreiche Erbauungsschriftsteller des 16. Jahrhunderts waren ferner der Dominikaner JOHAN-
NES FABER (Opera 1537–1541) und der Frankfurter Prediger VALENTIN
LEUCHT mit aszetischen und hagiographischen Schriften.

Mit der katholischen Restauration gelangte auch die *Heiligen-Legende,*
insbesondere die *Märtyrer-Legende,* wieder zur Geltung und Pflege. Doch
ist die Gattung nicht mehr wie die mittelalterliche Verslegende Sache der
gehobenen Literatur, sondern als Prosalegende ein Teil der kirchlichen
Gebrauchsliteratur und der Predigt. Außer den lateinischen und deutschen
Predigtzyklen, die in ihrem zweiten Teil die Heiligenfeste behandeln,
seien als die wichtigsten Sammlungen genannt: die sechsbändige des Ver-
teidigers der katholischen Sache JOHANNES A VIA, ZUM WEGE, Hofkaplan
und Hofprediger zu München, ‹Bewerte Historien der lieben Heiligen Gottes Laurentii Surii verteutscht› (1574–1579) und die des HENRICUS FABRI-
CIUS, ‹Auszug bewerter Historien der fürnemsten Heiligen Gottes aus den
6 Tomis des Laurentii Surii› (1583 u. ö.). Beide Sammlungen nehmen das
oben genannte Hauptwerk des Kölner Kartäusers LAURENTIUS SURIUS zur
Grundlage.

Die Gegenreformation förderte den mystisch-individualistischen Typus
des *Andachtsbuches.* Das für alle Lebenslagen eingerichtete Gebetbuch
wird eines der Hauptmittel zur Pflege der Laienfrömmigkeit. Für die Seelsorge bestimmte Jesuiten unter Führung von PETRUS CANISIUS gaben
solche Erbauungs- und Gebetbücher heraus. Über die Jesuiten kamen aus
Spanien auch die Werke des Franziskaner-Mystikers PETRUS VON ALCAN-
TARA (1499–1562) und des Dominikaners LUDWIG VON GRANADA (1504
bis 1588) über Gebet und Betrachtung nach Deutschland. Von den ‹Exercitia spiritualia› des IGNATIUS VON LOYOLA war bereits an anderer Stelle
die Rede.

6. Weitere Polemik

Auch um die Mitte und in der zweiten Hälfte des 16. Jahrhunderts lebte die *Polemik zwischen den Konfessionen* immer wieder auf. Unter den Streitern der römischen Kirche ragen JOHANNES NAS, GEORG SCHERER und LAZARUS VON SCHWENDI hervor, auf seiten der Protestanten MARTIN SCHROT, HIERONYMUS RAUSCHER, JOHANN FISCHART und GEORG NIGRINUS. An Formen und Gattungen benützten die gelehrten und poetischen Streiter die wissenschaftliche Abhandlung, Predigten, Dialoge, Büchlein, Pamphlete, Satiren, Lieder, Weissagungen, Legenden und Wundergeschichten.

JOHANNES NAS (1534–1590) stammte aus Eltmann im Würzburgischen, war erst Schneider und Anhänger der lutherischen Reformation, dann durch die Lektüre der ‹Nachfolge Christi› katholisch und Mitglied des Franziskanerordens, zuletzt Weihbischof von Brixen. Er wirkte in Bayern, Straßburg, Böhmen, Österreich. Manche seiner Schriften, denen er Gedichte, Reime, Lieder einlegte, gehören in die Nachfolge MURNERS und in die Nähe von NIGRINUS und FISCHART. NAS veröffentlichte zuerst verschiedene Predigten und Predigtsammlungen im Dienste der Kirchenlehre und des Kampfes gegen die Reformation. Als Gegenschriften zu den ‹Magdeburger Centurien› des FLACIUS ILLYRICUS sind aufzufassen: ‹Das Antipapistisch eins vnd hundert› (1565 u. ö.) und die darauf folgenden ‹Secunda Centuria› (1567 u. ö.), ‹Tertia Centuria› (1568 u. ö.), ‹Quarta Centuria› (1568 u. ö.), ‹Quinta Centuria› (1570), ‹Sexta Centvriae Prodomvs› (1569). Ihnen folgten der ‹Gasinus Nasi Battimontanus› (1571) gegen GEORG NIGRINUS, eine ‹Widereinwarnung, An alle fromme Teutschen› (1577), ein ‹Examen Chartaceae Lutheranorum Concordiae› (1581), ein ‹Praeludium In Centurias hominum sola fide perditorum› (1587), eine ‹Abconterfeyhung vnd Außlegung etlicher seltzamer Figuren, so zu Straßburg im Münster vor etlich hundert Jaren in Stein gehawen worden› (1588). Alles in deutscher Sprache.

GEORG SCHERER (1540–1605) aus Schwaz in Tirol, seit 1559 Jesuit, einer der bedeutendsten Kanzelredner der 2. Hälfte des 16. Jahrhunderts, verfaßte scharfe Streitschriften gegen LUKAS OSIANDER, gegen die ‹Augsburger Konfession›, gegen die Geschichtslüge von der Päpstin Johanna u. a.

Durch Bücher, politische Denkschriften und einen europäischen Brief-wechsel für Toleranz und Rechtsgleichheit der Konfessionen vor dem Kaiser kämpfte der katholische Staatsmann und Feldobrist im Dienste der Habsburger LAZARUS VON SCHWENDI (1522–1584) aus Mittelbiberach in Schwaben. Von ihm stammen zwei zeitgeschichtlich bedeutsame Denkschriften an Kaiser MAXIMILIAN II. zu aktuellen politischen Fragen:

‹Discurs und Bedenken über jetzigen Stand und Wesen des heiligen Reichs unsers lieben Vaterlands› (1570) und ‹Bedenken› oder ‹Discurs von Regierung des hlg. Reichs und Freistellung der Religion› (1574), die in einer Umarbeitung von 1630 noch Einfluß auf die Religionspolitik GUSTAV ADOLFS gewannen. SCHWENDI ist auch Verfasser militärwissenschaftlicher und das Hofleben betreffender Schriften und Dichtungen (vgl. S. 436).

Der alte Gegensatz welsch und deutsch und die Polemik gegen Kaiser KARL V. treten zutage bei MARTIN SCHROT († vor 1576), Goldschmied und Meistersinger in Augsburg. Er stand der Lehre ZWINGLIS näher als der LUTHERS. Freiheit und Vaterland scheinen ihm wichtiger zu sein als das eigentlich Religiöse. Seine literarische Tätigkeit konzentriert sich auf das Jahrzehnt des Schmalkaldischen Bundes. Die erhaltenen Meisterlieder sind historischen und didaktischen Inhaltes. Die politisch-religiösen Lieder zeigen ihn als überaus bibelkundigen Protestanten. Bei Beginn und am Schluß des Krieges gebärdet er sich als Apokalyptiker, wohl bewandert in der Geheimen Offenbarung und den Propheten: ‹Apocalipsis. Ain frewden geschray über das gefallen Bapstumb so yetz diser zeit durch Gottes wort vnd schwerdt überwunden ist›. Im Triumphgesang ‹Von dem Adler und seinem vndergang jn Germania› (1552), in dem SCHROT an eine Prophezeiung im 4. Buch Esra 11 anknüpft, findet er maßlose Worte nicht nur gegen das «römische Teufelsgeschmeiß», sondern auch gegen den «Kaiseradler, der aus Spanien Nachtraben, Eulen und Hetzen» gegen sein Volk aufbietet. Wahrscheinlich SCHROT zuzuschreiben ist auch ein ‹Kurtzer bericht des Pfaffen-Kriegs, Den kaiser Carl der fünft wider Teütsche Nation vnd das Vaterland gefürt hat›. In einem Prosadialog ‹Vom Gellt vnd der Armut› demonstriert die Armut die Schädlichkeit des Geldes am Reichtum des Papstes, und das Geld verwirft die faule Armut der Klosterleute. SCHROTS letzte dichterische Arbeit war das Büchlein ‹Die X Alter der welt mit irem lauf vnd aygenschafften erkläret vnd in Reymen verfaßt› (Augsburg 1574).

Als Polemiker und Satiriker gegen die römische Kirche, insbesondere ihre Legenden- und Mirakelliteratur, betätigte sich ferner HIERONYMUS RAUSCHER († 1569), 1548 Diakon bei St. Lorenz in Nürnberg, Gegner des Interims, zuletzt Hofprediger in Amberg. Er war seit 1546 mit Schriften gegen das Papsttum, die Abendmahlslehre des Konzils von Trient und gegen den katholischen Klerus streitend tätig. Von ihm stammt die mehrmals aufgelegte und immer weiter ausgebaute Satire ‹Hundert auserwelte, große, unverschemte, feiste, wolgemästete, erstunkene papistische Lügen, welche aller Narren Tugend als des Eulenspiegel, Marculf etc., weit übertreffen, damit die Papisten die vornehmsten Artikel ihrer Lehr vertheidigen, die armen Geister aber verblenden, aus ihren eigenen Scribenten zusammengestellt› (o. O. 1562 u. ö.). RAUSCHER vereinigte darin aus katholischen Quellen, wie dem ‹Liber conformitatum›, dem Buch ‹De proprietate apum›, aus den ‹Heiligenleben› des PETRUS DAMIANI, dem ‹Speculum maius› des VINZENZ VON BEAUVAIS etc., hundert Legenden und Wundergeschichten und versah sie mit beißenden Glossen. Nachdem zwei solcher Lügen-Centurien erschienen waren, beschuldigten ihn Katholiken wie MARTIN EISENGREIN der willkürlichen Erdichtung der mitgeteilten Geschichten. RAUSCHER verteidigte sich in einer eigenen Schrift und gab noch eine dritte Centurie heraus (Lauingen 1564), unter Anführung seiner Quellen.

Obgleich die Hauptleistungen JOHANN FISCHARTS auf dem Gebiete des Epischen liegen (vgl. S. 201 ff.), gehören beträchtliche Teile und Elemente seines Werkes zur aktuellen polemisch-pamphletischen Literatur der Zeit. FISCHART war dem streng orthodoxen Luthertum abgeneigt und sympathisierte mit dem Calvinismus. Pathetisch und zornig trat er dem Vordringen der katholischen Restauration entgegen. Seine Polemik richtet sich gegen die römische Kirche und das Papsttum, gegen die Jesuiten, die Mönchsorden der Franziskaner und Dominikaner; er bekämpfte den katholischen Kultus und das kirchliche Brauchtum. Sein religiöses Denken hat die Lehre von der Rechtfertigung durch die Gnade Gottes zum Mittelpunkt. Als literarische Form für seine mitunter von glühendem Haß erfüllten Kampfschriften benützt er meist das Reimgedicht. Wie in seinen Erzählschriften greift er, vermutlich mangels eigener Phantasie, auch in der Polemik gern zu Vorlagen, die er verdeutscht, umarbeitet, aufschwellt und zurecht macht. Persönliche Erbitterung, Heftigkeit und Roheit sind ihm dabei nicht fremd.

Die Pamphlete des jugendlichen FISCHART richten sich gegen Katholiken und Ordensleute: ‹Nacht Rab oder Nebelkräh. Von dem vberauß Jesuwidrischen Geistlosen schreiben vnnd leben des Hans Jacobs Gackels, der sich nennet Rab› (1570) gegen den zum Katholizismus übergetretenen Theologen JAKOB RABE und dessen Schriften; ‹Der Barfüsser Secten vnd Kuttenstreit› (1570) gegen den einstigen Lutheraner und nachherigen Franziskaner JOHANN NAS; ‹Von S. Dominici, des Predigermünchs, vnd S. Francisci Barfüssers, artlichem leben vnd großen Greweln› (1571) gegen die Dominikaner und Franziskaner. In späteren Kampfschriften ging FISCHART von Angriffen auf einzelne Personen und Orden über auf die allgemeine Lage Deutschlands und die europäische Politik. ‹Der Gorgonisch Meduse Kopf› (1577) ist gegen das Papsttum und die Jesuiten gerichtet. Gegen die letzteren wendet er sich auch in den Satiren: ‹Binenkorb Des Heyl. Römischen Imenschwarms› (1579), verfaßt in Anlehnung an den schroff antirömischen ‹Biencorf der H. Roomsche Kercke› (1569) des holländischen Calvinisten PHILIPP VAN MARNIX, und dem ‹Jesuiterhütlein› (1580), bei dem FISCHART an ein hugenottisches Gedicht anknüpft.

Die Wiedereinberufung des Trienter Konzils nahm Cyriacus Spangenberg zum Anlaß für die Invektive ‹Wider die Bösen Sieben ins Teuffels
Karnöffelspiel› [d. i. ein beliebtes Kartenspiel] (1562).

Als einer der gröbsten Polemiker gegen die katholische Kirche gilt
Georg Nigrinus, Schwartz (1530–1602) aus Battenberg in Hessen, Lehrer, Pfarrer, Superintendent des Bezirkes Alsfeld und der Grafschaft Nidda,
strenger Lutheraner, Gegner der melanchthonisch-bucerischen Bekennt-
nisgrundlage und Anticalvinist. Seine literarische Tätigkeit richtete sich,
abgesehen von Übersetzungsarbeiten und den homiletischen Schriften,
gegen den Revertiten Kaspar Franck, gegen Jakob Rabe, gegen Johann
Nas u. a. Das Hauptwerk Nigrins, ‹Papistische Inquisition und gulden
Flüs der Römischen Kirchen› (1572), wendet sich gegen Georg Eder,
Hofrat in Wien. Derbste Satire sind die auf Nas bezüglichen gereimten
Dichtungen ‹Von Brüder Johann Nasen Esel vnd seinem rechten Titel› (o.
O. u. J.), ‹Affenspiel F. Johan Nasen ... Gute Nacht Babst› (1571) u. a.
Die Judenfrage und den Talmud berührt ‹Der Jüden Feindt› (1571). Gegen
die Calvinisten richtet Nigrinus das dramatische Gedicht ‹Der Calvinische
Postreuter› (1592).

Was später in der Zeit des Überganges zum Barock an Polemik und
Kontroversschriften von Jakob Gretser, Johannes Pistorius, Adam
Tanner u. a. meist in lateinischer Sprache veröffentlicht wurde, das verarbeitete Konrad Vetter (1548–1622) zu kleinen deutschen Flugschriften, die volkstümlich derb mit Anklängen an den Grobianismus abgefaßt,
überaus weite Verbreitung fanden.

Während der in Kap. I und II geschilderten *religiösen Auseinandersetzungen,* nach der Auflösung der spätmittelalterlichen christlichen Einheit in
verschiedene Glaubensrichtungen, neben dem Reform-, Kampf-, Kontro-
vers- und Gebrauchsschrifttum, lebten in einer religiös-geistig sich wan-
delnden Kulturwelt selbstverständlich die vier herkömmlichen Dichtungsgattungen weiter und erzeugten neue Gebilde ihrer Art. Diese Produkte
schließen in Thematik und Formgebung z. T. an das ausgehende Mittelalter, z. T. an den Renaissance-Humanismus, z. T. an die neugeschaffe-
nen reformatorischen Gegebenheiten an oder werden durch sie gehaltlich
bestimmt. Erst nach Darlegung der reformatorischen Vorgänge und der
durch sie bewirkten inneren Umstrukturierung großer Teile des Volkes
ist es möglich, wieder an die Darstellung der einzelnen Dichtungsarten
als Gattungen und des in die Reformationsepoche gehörigen ideengeschichtlich bedeutsamen *Schrifttums* heranzugehen: erzählende Literatur,
lyrische Dichtung, Drama der Reformationsepoche, didaktisches und wissenschaftliches Schrifttum.

DRITTES KAPITEL

DIE DEUTSCHE UND LATEINSPRACHIGE
ERZÄHLENDE LITERATUR

Das Zeitalter der Reformation entfaltet nach dem Abflauen der ärgsten Ausbrüche eine *deutsche und* eine *lateinsprachige erzählende Literatur,* beides im Anschluß an die vorherigen Gegebenheiten im ausgehenden Mittelalter und im Humanismus. Die deutschsprachige epische Literatur schließt an die Formen und Inhalte der eigenen kleinen und großen Gattungen teils lehrhaften, teils unterhaltenden Charakters an; das neulateinische Epos folgt sprachlich und technisch der Epik der Römer und Griechen und der Erzähldichtung der beginnenden Blütezeit des deutschen Humanismus bzw. der europäischen neulateinischen Epik.

Am nachhaltigsten leben in der *erzählenden Literatur* – die wir aus Gründen der Darstellung konsequenterweise in einen Abschnitt ‹Episches in deutscher Sprache› und ‹Die neulateinische Epik› teilen müssen – die spätmittelalterlichen und humanistischen Traditionen weiter. Die gesamte Epik war meist auf Unterhaltung eingestellt. Belehrenden, unterhaltenden und apologetischen Absichten verdanken die verschiedenen Selbstzeugnisse ihre Entstehung; in Ausbildung befindet sich die Lebensbeschreibung. All das führt hinüber zur epischen Produktion des Barockzeitalters. Nur bei den belehrenden und persönlich gehaltenen Produkten und in den Selbstzeugnissen spiegeln sich die reformatorischen Auseinandersetzungen und die Bestrebungen der verschiedenen Glaubensrichtungen ausdrücklich wieder.

In der *deutschsprachigen erzählenden Literatur* leben weiter und werden ausgebaut die Fabel- und Tierdichtung durch Erasmus Alberus, Burkhard Waldis und Georg Rollenhagen; z. T. von der Moralsatire Brants und Murners her ersteht eine Rügedichtung bei Bartholomäus Ringwaldt und eine moralisch-religiöse Historie; zeittypisch ist weiter die schwankhafte Kleingeschichte, die nun von Hans Sachs gepflegt und von Johannes Pauli, Jörg Wickram, Hans Wilhelm Kirchhoff u. a. zu großen Sammlungen vereinigt wird und im ‹Lalebuch› eine bürgerliche Gemeinde zur handelnden Person nimmt. Das im Rittertum wurzelnde Versepos des Mittelalters war in seinen alten Formen um 1500 im wesentlichen erloschen; eine Ausnahme bildet nur Kaiser Maximilian I. mit dem ‹Theuerdank›. Fort leben jedoch während der reformatorischen Auseinandersetzung und auch danach verschiedene Stoffe der mittelalterlichen Epik, meist in Prosa, die romanhaften Prosaerzählungen des ausgehenden Mittelalters in Übersetzungen aus dem Französischen etc., vieles aus der spätmittelalterlichen Kleinepik, die Novellen-Übersetzungen der Humanisten aus dem Lateinischen und Italienischen etc. Weiter lebte auch, was an deutscher Epik eigenständig erwachsen war, wie der ‹Fortunatus› und der ‹Eulenspiegel›. Man übersetzte ferner aus neueren Sprachen. Spätmittelalterliche ritterliche, geistliche und bürgerliche Epik wandelt sich zu Volksbüchern. Zu den alten Stoffen aber treten Neuschöpfungen wie das *Faustbuch*. Die romanhaften Prosaerzählungen zeigen bei JÖRG WICKRAM Ansätze zur Ausbildung eines Prosaromans. Von Frankreich und Spanien her wirken über JOHANN FISCHART RABELAIS, ferner der ‹Amadis›- und Schelmenroman, aus der Antike der späthellenistische Abenteuer- und Liebesroman. Der zur Bildungsbewegung gewordene Humanismus hatte das Verlangen nach dem Besitz antiken Literaturgutes auch bei Nicht-Lateinkundigen gefördert. Das zunehmend näher gewordene Verhältnis der deutschen Literatur zur römisch-griechischen Antike zeigt sich an den vielen Übersetzungen lateinisch-griechischer Epik ins Deutsche.

Die *lateinsprachige erzählende Literatur* bringt ihrem Gehalt nach verschiedene Gattungen der Epik hervor, makkaronische Poesie, Leberreime, Podagraliteratur, daneben derbe und satirische Gebilde wie den ‹Grobianus›.

In deutscher oder in lateinischer Sprache abgefaßt erscheinen die Selbstzeugnisse und Biographien, Memoiren, Autobiographien, Reisebeschreibungen u. dgl. In diese Gattungen versinkt infolge der religiösen Veränderungen ein Teil der spätmittelalterlichen Arten, anderes lebt mit den vom Renaissance-Humanismus erschlossenen und weiter ausgebildeten Formen fort. In den Erzeugnissen machen sich bürgerliche Gesinnung und gelehrte Elemente zunehmend bemerkbar.

Die Entwicklung vom Epos und von den Historien zum Roman und zur Prosa der Gegenreformation erhält schließlich wesentliche Impulse durch den spanischen Schelmenroman, den AEGIDIUS ALBERTINUS ins Deutsche übersetzt.

Der Weg der deutschen Epik, wie er sich um 1400 im tragikomischen ‹Ring› des WITTENWILER und gegen 1500 im Tierepos ‹Reinke de Vos› zeigte, führte im 16. Jahrhundert nicht zu einer Großdichtung, die man etwa dem ‹Befreiten Jerusalem› (1580/81) des TORQUATO TASSO an die Seite stellen könnte, sondern zu Erzeugnissen wie sie DEDEKINDS ‹Grobianus›, WICKRAMS Prosaerzählungen, ROLLENHAGENS ‹Froschmeuseler›, FISCHARTS ‹Geschichtklitterung›, die ‹Historia von D. Johann Fausten› u. a. darstellen.

1. *Episches in deutscher Sprache*

Die seit ULRICH BONER am Anfang des 14. Jahrhunderts und bei HEIN-
RICH STEINHÖWEL im späten 15. Jahrhundert als geschlossener Bereich
aufgetretene *Tierfabel* wird auch im 16. Jahrhundert bei ERASMUS AL-
BERUS und BURKHARD WALDIS weiter gepflegt. Zu ihr tritt durch Übersetzung und Bearbeitung bei GEORG ROLLENHAGEN allegorische *Tierdichtung* in Form der Epenparodie. Die *Rügedichtung* und Bußrede pflegt
BARTHOLOMÄUS RINGWALDT. Teils in der heimischen Überlieferung lebend,
teils vom italienischen Humanismus inspiriert ist die *schwankhafte und
ernste Kleinepik.* Sie wird etwa bei HANS SACHS noch in die Versform
gefaßt, bei den Sammlern von PAULI bis KIRCHHOFF jedoch in Prosa dargeboten.

Die *unterhaltende Prosaliteratur,* wie sie sich im Laufe des 15. Jahrhunderts durch Übertragungen fremdländischen Erzählschrifttums, Prosa-
Auflösungen mittelhochdeutscher Versepen und Kompilationen zu entfalten begonnen hatte, war während der Periode der heftigsten Glaubenskämpfe zurückgedrängt worden, begann aber, nachdem einige Beruhigung eingetreten war, wieder aufzuleben und in den beiden letzten
Dritteln des 16. Jahrhunderts in die Breite zu gehen. In ihrem Bereich,
den man als *Volksbücher* zu bezeichnen pflegt, erscheinen zunächst weiterhin Bearbeiter und Übersetzer aus dem Französischen und Italienischen wie ERHART LURCKER, WILHELM ZIELY, VEIT WARBECK, HIERONY-
MUS RODLER, WILHELM SALZMANN u. a. Es werden bearbeitet und gedruckt die Prosa-Auflösungen älterer Versepik, die spätmittelalterlichen
und die frühhumanistischen Übersetzungen aus dem Französischen, Lateinischen und Italienischen. Von Zyklen und Didaktik werden inhaltlich
und sprachlich dem Zeitgeschmack und -bedarf angepaßt der ‹Lucidarius›,
die ‹Sieben weisen Meister›, SCHLÜSSELFELDERS ‹Centonovella› (gedr.
Straßburg 1540, 1547 und 1551) etc. Zu all dem kommen deutsche
Eigenschöpfungen. In der Umgebung dieser *Volksbuch*-Literatur erwächst seit 1535 das vielgliedrige Werk JÖRG WICKRAMS. In der *Schwankdichtung* gesellen sich zum noch immer neuaufgelegten ‹Pfarrer vom
Kahlenberg› der ‹Till Eulenspiegel› und die Schwankbücher. Kaiser
MAXIMILIANS ‹Theuerdank› wird in der Bearbeitung von BURKHARD
WALDIS (Frankfurt a. M. 1553) bis 1596 viermal aufgelegt. Noch im
16. Jahrhundert ersteht, aber schon zum Frühbarock gehört JOHANN
FISCHART mit seinem satirischen Schaffen. Gegen Ende der Epoche vereinigt der Verleger SIEGMUND FEYERABEND über ein Dutzend romanhafte
Prosaerzählungen im ‹Buch der Liebe›. Seit etwa 1530 leben auch die
alten Bestrebungen zur *Eindeutschung antiker und humanistischer Literaturwerke* wieder auf. Neben Übersetzungen aus dem Lateinischen kommen zunehmend solche aus dem Griechischen.

a) Fabel- und Tierdichtung. Erasmus Alberus, Burkhard Waldis, Georg Rollenhagen

Das ausgehende Mittelalter hatte nach BONERS ‹Edelstein›, den Fabeldichtungen HEINRICHS VON MÜGELN und der Prosa-Übertragung der *Cyrillus-Fabeln* durch ULRICH VON POTTENSTEIN die großen ÄSOP-Übersetzungen des *Wolfenbüttler, Magdeburger* und *Leipziger Äsop* in Reimpaaren gebracht. Der Frühhumanist HEINRICH STEINHÖWEL sammelte und ordnete das ganze ihm erreichbare äsopische Fabelgut und stellte in seinem ‹Esopus› (1476/1480) neben die Übertragung in deutsche Prosa die Texte seiner lateinischen Vorlagen (vgl. Bd. IV/1, S. 574 f.) und schuf so ein bis ins 18. Jahrhundert lebendiges Quellenwerk für die äsopische Fabeldichtung. Die *Cyrillus-Fabeln* wurden unter dem Titel ‹Spiegel der Wyszheit› zu Basel 1520 gedruckt. Der Niederländer MARTINUS DORPIUS redigierte für Schulzwecke eine lateinische Sammlung der Fabeln des ÄSOP (Straßburg 1520).

Auch die Fabeldichter des 16. Jahrhunderts gingen von der Grundlage der äsopischen Fabeln aus, kehrten aber zur epischen Ausführlichkeit der älteren deutschen Tiergeschichte zurück. Nicht selten wird die Fabel als Spiegel der Gegenwart verwendet oder der reformatorischen Auseinandersetzung dienstbar gemacht. MELANCHTHONS und LUTHERS Empfehlungen gaben der Gattung neuen Auftrieb. Bereits 1526 hatte der erstere in einer lateinischen Abhandlung ‹De utilitate fabularum› den moralischen Nutzen der Fabeldichtung dargelegt und 1528 in der kursächsischen Visitationsordnung eine Behandlung des ÄSOP im Schulunterricht empfohlen. Der Reformator selber betätigte sich als Fabelübersetzer bzw. -bearbeiter und verwendete Fabeln wiederholt in Streitschriften, Predigten, Briefen und Tischgesprächen. Als selbstersonnenes Produkt ließ LUTHER 1528 ‹Eine newe Fabel Esopi ... Vom Lawen [Löwen] und [Papst-]Esel› drucken. Auf der Veste Coburg wollte er 1530 die ÄSOP-Übersetzung STEINHÖWELS einer reinigenden Bearbeitung unterwerfen. Doch LUTHERS übersetzte 13 äsopische Fabeln erschienen erst 1557 im Druck. Seit 1535 wurde STEINHÖWELS Übersetzung mehrmals neu gedruckt. Prosafabeln und Fabeln in Reimversen wurden in besonderen Sammlungen zusammengefaßt oder in anderen Schriften benützt. Fabel-Sammlungen stammen von ERASMUS ALBERUS, BURKHARD WALDIS, HARTMANN SCHOPPER, DANIEL HOLTZMANN, NATHAN CHYTRÄUS, HULDRICH WOLGEMUTH. In größeren Dichtungen benützten die Fabel u. a. FISCHART, GEORG ROLLENHAGEN, HANS CHRISTOPH FUCHS, BALTHASAR SCHNURR; in Sprichwörtern JOHANNES AGRICOLA und SEBASTIAN FRANCK. HANS SACHS behandelte Fabelstoffe in Spruchgedichten und Meistergesängen. Von den Humanisten pflegte neben anderen JOACHIM CAMERARIUS die äsopische Fabel. Sein umfängliches Fabelbuch erschien Tübingen 1542. Von der älteren deutschen Tierdichtung lebte der ‹Reinke de Vos› (vgl. Bd. IV/1, S. 308 f.) weiter. Nicht nur die niederdeutsche Fassung wurde in häufigen Drucken verbreitet, auch die Übersetzung ins Hochdeutsche erfreute sich großer Beliebtheit.

Die Fabeldichtung der Meistersinger vergegenwärtigt in erster Linie HANS SACHS (vgl. S. 267 ff.). Er behandelte von etwa 1528 bis gegen Ende seines Schaffens ungefähr 60 Fabelstoffe in Spruchgedichten. Fast alle finden sich mit geringen Veränderungen wieder in den Meisterliedern. Seine Quellen sind: STEINHÖWELS oft gedruckter ‹Äsop›, BRANTS Fabeln in der Übersetzung des JOHANNES ADELPHUS MULING, die lateinischen Fabeln des MARTINUS DORPIUS, die Cyrillus-Fabeln in der Übersetzung des ULRICH VON POTTENSTEIN (Augsburg 1490), der ‹Esopus› des BURKHARD WALDIS. HANS SACHS bemüht sich um getreue Wiedergabe der epischen Handlung, verfügt über eine geübte Erzählweise und beabsichtigt lehrhaft-moralisierende Wirkung. Gelegentlich werden auch aktuelle politische und soziale Zustände erörtert.

Eine Mischung von Reformationspolemik und Tierdichtung verband der Theologe ERASMUS ALBERUS (ca. 1500–1553) aus Sprendlingen in der Wetterau.

ALBERUS hatte erst bei KARLSTADT, dann bei LUTHER studiert und stellte sich in den Auseinandersetzungen LUTHERS mit EMSER durch satirische Gedichte auf LUTHERS Seite. Er bekämpfte heftig das Interim von 1548, die Reformierten und OSIANDER, war u. a. 1525 Schulmeister in Oberursel, ab 1528 Prediger in Sprendlingen, seit 1541 Oberpfarrer in Neustadt-Brandenburg, ging 1548 nach Magdeburg, lebte dann in Hamburg und Lübeck.

ALBERUS war ein eifriger Polemiker gegen das Papsttum und Mönchswesen und benützte in diesem Kampf sowie innerhalb der reformatorischen Auseinandersetzungen Streitschriften und Fabeln. Gegen EMSER gerichtet sind: ‹Ein warnung an den Bock Emser› (o. O. u. J.), ‹Ein hüpsch liedlin von dem Bock von Leyptzig› (o. J.); gegen ERASMUS VON ROTTERDAM das ‹Ivdicivm Erasmi Alberi, de spongia Erasmi Roterod[ami]› (o. O. u. J.); gegen die Mendikantenorden ‹Der Barfuser Münche Eulenspiegel vnd Alcoran› mit einer Vorrede LUTHERS (Wittenberg 1542); das Interim betrifft ‹Ein Dialogus oder Gespräch etlicher Personen vom Interim› (o. O. 1548); anderes geht gegen GEORG WITZEL und ANDREAS OSIANDER; gegen die Calviner ‹Von der Kinder Tauff wider den Irrthumb vnd falsche Lehre der Schwermer, die fürgeben, Kinder von gleubigen Eltern geboren sein heilig auch vor vnd ohn Tauff› (o. O. u. J.); gegen KARLSTADT und Anhänger, die Musikverächter und Bilderfeinde ‹Widder die verflüchte lere der Carlstader, vnd alle fürnemste Heubter der Sacramentirer, Rottengeyster, widderteuffer, Sacramentlesterer, Eheschender, Musica verechter, Bildstürmer, feiertagfeinde, ▼nd verwüster

aller gůten ordnung› (Neubrandenburg 1556). Von den geistlichen Liedern des ALBERUS fanden nur einzelne Eingang in die angeseheneren Gesangbücher, so ‹Christe, du bist der helle tag› oder ‹Wir danken Gott
für seine Gaben›.

ALBERUS war ein Liebhaber der alten deutschen Tierdichtung. In der
Vorrede zu seinem ‹Buch von der Tugent vnd Weißheit› sagt er:

«Es haben auch vor dieser zeit treffliche Leut durch Reimen gute lere geben, Als Doctor Sebastianus Brandt, Herr Freidanck, Herr Hans von Schwartz-
burg, Johann Morßheim, der Schweitzer, der Renner, vnd der das Memorial
der tugent gemacht hat, Aber vnder allen hab ich nie kein feiner noch mei-
sterlicher Gedicht gelesen, als das Buch von Reinicken, welchs ich nicht geringer achte, dann alle Comedien der Alten.»

Mit seiner eigenen Fabeldichtung begann ALBERUS in Oberursel mit
einzelnen, einfachen Stücken, setzte die Arbeit und Neubearbeitung in
Brandenburg fort und schloß die Sammlung während der Belagerung
Magdeburgs 1550/51 ab. Als erstes erschienen ‹Etliche fabel Esopi ver-
teutscht vnnd ynn Rheymen bracht› (Hagenau 1534; Augsburg 1539).
Es waren im ganzen 17 Stück, alle abweichend von dem späteren Text.
In seinem ‹Bůch von der Ehe› teilt ALBERUS 1536 die spätere 13. Fabel
‹Von einem Wolff vnd einem gemalten Haupt› vollständig mit. Als
zweite Sammlung erschien ‹Das buch von der Tugent vnd Weißheit,
nemlich, Neunvndvierzig Fabeln, der mehrer theil auß Esopo gezogen,
vnnd mit guten Rheimen verkleret› (Frankfurt a. M. 1550 u. ö.), mit
Holzschnitten versehen. Zu den Fabeln schöpfte ALBERUS die Stoffe hauptsächlich aus dem *Romulus-Corpus*, um sie durch epische Fülle zu neuem
Leben zu bringen. Er verwendet bei der Lokalisierung gelungene Orts-
schilderungen, verleiht seinen Fabeln Mannigfaltigkeit, macht sie gelegentlich zu rein satirischen Dichtungen und schildert Zustände seiner
Zeit.

Über die Form seiner Fabeln heißt es: «Ich hab in meinen Fabeln nie den
Vorteil brauchen wöllen, so dem mehrer Teil der jenen, die Reimen machen,
sehr gemein und ihr bester Behelf ist als: Ich tu schreiben, das sol so viel
gesagt sein, Ich schreibe. Auch hab ich einem jeglichen Vers acht Silben gegeben, ohn wo ein Infinitivus am Ende gefelt, der bringet mit sich ein ubrige
Silbe.»

Die Fabeldichtung des ALBERUS nimmt im 16. Jahrhundert den ersten
Platz ein. Er geht von den äsopischen Fabeln aus, erweitert sie aber
reformatorisch und polemisch und bereichert sie durch Schilderung eigener Erlebnisse und der heimatlichen Landschaft.

Aus ALBERUS' Frühzeit stammen zwei Eheschriften, das schon genannte
‹Eyn gůt bůch von der Ehe› (Hagenau 1536), eine Übersetzung der Ehe-
schrift des FRANCISCUS BARBARUS, und ‹Das Ehbüchlin› (o. O. 1539), ein
Dialog zwischen zwei Frauen. Sehr beliebt war anscheinend ‹Von der

Schlangen Verfürung vnd Gnade Christi vnsers Heilands. Ein Gesprech zwischen Gott, Adam, Eva, Abel, Cain› (Berlin 1541 u. ö.). ALBERUS' Reimlexikon ‹Novum Dictionarii Genvs› (Frankfurt 1540) sollte zugleich als deutsch-lateinisches Wörterbuch dienen.

Noch vom Mönchtum des ausgehenden Mittelalters her kam BURK-HARD WALDIS (um 1490–1556) aus Allendorf in Hessen. Nach dem Übertritt zur Reformation betätigte er sich in Handwerk und Handel und übernahm zuletzt das Amt eines evangelischen Pfarrers.

WALDIS war zuerst Franziskaner in Riga. Von dort wurde er nach Durch-führung der Reformation in der Stadt mit drei Mitbrüdern 1523 nach Deutschland zum Kaiser und nach Rom gesandt, um Beistand und Unter-stützung gegen die Glaubensneuerer zu erwirken. Über Nürnberg, wo der Kardinal CAMPEGGI die Beschwerden der Katholiken entgegennahm, nach Riga zurückgekehrt, wurde WALDIS in Haft gesetzt. Er schloß sich dem lutherischen Bekenntnis an, wurde freigelassen, verheiratete sich und erscheint als Zinn-gießer, Hausbesitzer, Sachverständiger in Münzangelegenheiten und weithin tätiger Handelsmann. Infolge politischer Mitbetätigung bei der Umwandlung des Erzbistums und Ordenslandes zu einem weltlichen Herzogtum nahm man ihn 1536 gefangen und hielt ihn zwei Jahre in strenger Kerkerhaft. Nach der Entlassung in die Heimat betrieb er 1541 in Wittenberg Universitätsstudien. Seit Herbst 1544 wirkte er als Pfarrer und Propst in Abterode.

Die literarische Tätigkeit des BURKHARD WALDIS ist mehrschichtig und umfaßt nicht allein die Fabel, sondern auch das Drama, das geistliche Lied, politische Gedichte, Spruchdichtung, Neubearbeitungen und Über-setzungen. Zunächst begann er 1526 mit der Dramatisierung der ‹Pa-rabel vam vorlorn Szohn› zu einem geistlichen Fastnachtspiel. Während der Gefangenschaft begonnen, in der Heimat vollendet wurde die Um-arbeitung der Psalmen in Gesänge. Die Bearbeitung ist ausgezeichnet durch Mannigfaltigkeit der strophischen Formen, Leichtigkeit der Be-wegung und Kraft der Sprache; sie ist vergleichbar nur mit der Fassung des JAKOB DACHSER. Die politischen und historischen Dichtungen ver-faßte WALDIS nach seiner Befreiung in Hessen. Das bedeutendste Gedicht ist ‹Hertzog Heinrichs vonn Braunschweig Klage Lied›. Im ‹Vrsprung vnd Herkumen der zwölff ersten alten König vnd Fürsten Deutscher Na-tion› (Nürnberg 1543) steht der Lobspruch der alten Deutschen. Das bänkelsängerische Spruchgedicht pflegte WALDIS in dem Bericht von den beiden Mäusen, die eine Hostie gefressen und daher von den Geist-lichen verbrannt wurden (1543), in den Historien vom zweiköpfigen Kind zu Witzenhausen (1542) und vom Mord zu Weidenhausen (1551). Offenbar bestellte Buchhändlerarbeit (CHRISTIAN EGENOLFF in Frankfurt a. M.) war die Neubearbeitung des ‹Theuerdank› von Kaiser MAXIMI-LIAN I.: ‹Die ehr vnd mannlichen Thaten, Geschichten vnnd Gefehr-lichaitenn des Streitbaren Ritters, vnnd Edlen Helden Tewerdanck› (1553 u. ö.). Im Auftrag des Landgrafen PHILIPP VON HESSEN, dem NAOGEORG das ‹Regnum papisticum› gewidmet hatte, übersetzte WALDIS das Werk in deutsche Verse: ‹Das Päpstisch Reych› (o. O. 1555). Ebenso übertrug er die Bibelargumente von RUDOLF GWALTHER in deutsche Reimpaare (Frankfurt a. M. 1556). Das Hauptwerk des WALDIS aber ist der in vier Bücher geteilte ‹Esopus, Gantz New gemacht, vnd in Reimen gefaßt. Mit sampt Hundert Newer Fabeln, vormals im Druck nicht gesehen› (Frankfurt a. M. 1548), begonnen in Riga 1533 oder früher, vollendet in Hessen. Quelle war MARTINUS DORPIUS. Aus dessen Fabelsammlung entnahm er die ersten 283 Stück, die anderen 117 sind z. T. Schwänke, Streiche, eigene Erlebnisse, anderswoher entlehnte Fabeln. Wie ALBERUS bemühte sich WALDIS, die lehrhaft äsopischen Fabeln aufzulockern und Züge aus dem Leben der Zeit hineinzubringen; eingestreut sind politische Anspielungen und moralische Spitzen. Als beste Stücke gelten die des vierten Buches, weil ihre Handlung nicht nur angedeutet, sondern ausgeführt ist.

Der Neulateiner HARTMANN SCHOPPER (geb. 1542) aus Neumark ·in der Pfalz übersetzte die Fabeln ÄSOPS in deutsche Verse: ‹Aesopi Fabulae iconibus Jo. Germershemii [= JOHANNES POSTHIUS] illustratae, in deutsche Reime gebracht› (Frankfurt a. M. 1566, mit 194 Holzschnitten von VIRGIL SOLIS) und übertrug den ‹Reinke de Vos› ins Lateinische: ‹Opus poeticum de admirabili fallacia et astutia vulpeculae Reinikes libros quatuor complectens› (Frankfurt a. M. 1567 u. ö.). SCHOPPER ist auch Verfasser einer systematischen Schrift über die Eigenkünste. Der Neulateiner und Dramatiker NATHAN CHYTRÄUS vereinigte Fabeln unterschiedlicher Herkunft in seiner Sammlung ‹Hundert Fabeln aus Esopo, etliche von D. Martin Luther vnd Herren Mathesio, etliche von andern verdeutschet› (Rostock 1571 u. ö.) und stellte ihnen LUTHERS Empfehlung als Vorrede voran, desgleichen eine ‹schöne Historia, woher die Edelleut vnd Bawren ihren Vrsprung haben›. In HANS WILHELM KIRCHHOFFS ‹Wendunmut›, besonders im letzten Band finden sich viele Fabeln, darunter so beachtliche wie die ‹Vom Herz des Hirsches› oder ‹Von einem betrieglichen Bauern›. Bereits in das Frühbarock gehört HULDRICH WOLGEMUTHS ‹Newer vnd vollkommener Esopus› mit neuen und alten Fabeln, Schimpfreden und Gleichnissen ‹sampt beygefügten Morale›.

ERASMUS ALBERUS, BURKHARD WALDIS und Dichter ähnlicher Art hielten sich an einzelne Dinge und Anlässe und behandeln immer nur ein beschränktes Kapitel der Moral; der Dichter des ‹Reineke Fuchs› wollte zwar ein Abbild der Zeit gestalten, aber ihm lag die Absicht zu lehren doch sehr fern. Erst ROLLENHAGEN umspannt das ganze Leben des deutschen Volkes und will ein vollständiges Welt- und Zeitbild geben.

Fort lebt und breiteste Beliebtheit gewinnt, zumal nach der Übersetzung ins Hochdeutsche, der ‹Reinke de Vos› (vgl. Bd. IV/1, S. 308 f.). Während in den Ausgaben 1498, 1517 (Nachdruck 1522) die beigegebenen Glossen noch durchaus im Sinne des Katholizismus gehalten sind, erfolgt in der Ausgabe ‹De Warheyt my gantz fremde ys, De Truwe gar seltzen, dat ys gewiß. Reynke Vosz de olde, ny gedrücket, mit sidlikem vorstande vnd schonen figuren, erlüchtet vnd vorbetert› (Rostock 1539) die Umarbeitung der Glossen im protestantischen Sinn mit heftiger Polemik gegen die alte Kirche. Nach dieser Vorlage von 1539 besorgte der Dichter und Historiker MICHAEL BEUTHER die erste (verkürzende) Übertragung ins Hochdeutsche. Sie erschien als zweiter Teil des Buches ‹Schimpff und Ernst› von JOHANNES PAULI (Frankfurt a. M. 1544 und 1545) und fand bis zum Beginn des Barockzeitalters weiteste Verbreitung. Ferner erfolgten Übersetzungen ins Dänische, Schwedische, Englische etc.

GEORG ROLLENHAGEN (1542–1609) aus Bernau bei Berlin, Prediger und Schulrektor zu Magdeburg, stellte sein komisches Tierepos ‹Froschmeveler. Der Frösch vnd Meuse wunderbare Hoffhaltunge› (Magdeburg 1595; ca. 20 000 V.) selber in die Tradition der didaktischen Tierdichtung. In der Vorrede an den Leser berichtet ROLLENHAGEN, vornehme Freunde hätten gemeint, «diß Buch solt etwas mehr nutz schaffen, denn vnser weytberümbter Eulenspiegel, oder auch andre Schandbücher, der Pfaff vom Kalenberg, Katziporus, Rollwagen etc.», die auch bei vernünftigen Heiden nicht würden geduldet sein.

ROLLENHAGEN hatte an der Universität Wittenberg studiert, wo zuerst noch MELANCHTHON und PAUL EBER seine Lehrer waren. Bei einem zweiten Studienaufenthalt in der Stadt 1565/66 wurde er in Vorlesungen des Professors VEIT OERTEL VON WINSHEIM (1501–1578) mit der griechischen ‹Batrachomyomachia›, dem Krieg der Frösche und Mäuse, bekannt. Diese aus dem 5. Jh. v. Chr. stammende Epenparodie auf die ‹Ilias› HOMERS war seit dem 10. Jh. wieder beliebt. ROLLENHAGEN erzählt selber, wie sich, durch den Vortrag OERTELS angeregt, mehrere Studenten entschlossen, die Dichtung ins Lateinische, Französische und Deutsche zu übersetzen. Er selbst lieferte eine deutsche Übertragung. OERTEL habe ihn auch angeleitet, «wie die Rathschläge von Regimenten und Kriegen nützlich einzufügen seien, sodaß daraus eine förmliche deutsche Lection, gleichsam ein Abbild der Zeit, gemacht werden könne». Danach hat ROLLENHAGEN schon 1565/66 das antike Tierepos nicht nur ins Deutsche übersetzt, sondern es auch erweitert und mit zeitgeschichtlich-reformatorischem Gehalt erfüllt, um so eine moralisierende Lehrdichtung und eine Kontrafaktur der Zeit zu schaffen. Doch als OERTEL starb, blieb die Arbeit vorerst «unter der Bank liegen». Als ROLLENHAGEN sie nach vielen Jahren ausgestaltet zum Druck brachte, schrieb er eine für die Literaturgeschichte des 16. Jahrhunderts sehr aufschlußreiche Vorrede. Aus ihr sieht man, welche Funktion er seinem Werk zuteilte und in welche lebendige literarische Überlieferung er es stellte.

ROLLENHAGEN meint, es sei den Gelehrten bekannt, daß die Menschen stets Lust daran gehabt, denkwürdige Sachen mit Gleichnissen von Tieren und Pflanzen bildlich darzustellen. Dies gilt für die Bibel ebenso wie für die Profanskribenten. Was die heidnische Lehre der alten Deutschen gewesen, das vernehme man «aus den wunderbarlichen Hausmehrelein, von dem verachteten fromen Aschenpoessel vnd seinen stoltzen spoettischen Bruedern, vom albern vnd faulen Heintzen, vom Eisern Heinrich, von der alten Neydhartin» u. dgl., welche, ohne gedruckt zu sein, immer wieder mündlich erzählt werden. Ihr Zweck sei ein religiös-moralischer. Für Welthändel, für Weisheit und gute Sitten zur Lehre haben die alten Deutschen «des Dietrich von Bern, des alten Hildebrands männliche Taten gereimet» und die Historien Herzog HEINRICHS DES LÖWEN u. a. m. in poetische Gedichte verwandelt. Auch LUTHER habe etliche Fabeln verdeutscht und erklärt. Ja, das ganze politische Hofregiment und das römische Papsttum sei überaus weislich und künstlich unter dem Namen Reiniken Fuchses beschrieben. NIKOLAUS BAUMANN habe das Buch zu Rostock 1522 in Druck gegeben. «Wie aber der Reinike Fuchs», sagt ROLLENHAGEN weiter, «also ist dies Buch auch geschrieben und gemeint, zwar voller Fabeln und Märlein, aber so, daß mit denselben, wie in einer Komödie die reine lautere, und wie man sonst sagt, die bittre Wahrheit poetischer Weise vermummt und in einer fremden Person Namen auf den Schauplatz geführt und der rechte Ernst in Scherz und mit lachendem Munde ausgesprochen und beschrieben wird».

Der ‹Froschmeuseler› erzählt, wie am Hofe des Froschkönigs Baußback ein Fest gefeiert wird. Dabei erscheint der junge Mäuseprinz Bröseldieb und berichtet über den Staat der Mäuse. Darauf erzählt der bejahrte Baußback die Geschichte des Reiches der Frösche. Als beim Besuch eines Wasserschlosses Baußback den Bröseldieb auf den Rücken nimmt, aber vor einer aufkreuzenden Wasserschlange untertaucht, ertrinkt der Mäusefürst. Mäuse und Frösche beginnen einen Krieg, der sich ausdehnt, bis Gott selbst dem Morden ein Ende macht. ROLLENHAGEN befriedigte mit seinem Tierepos das Verlangen und den Geschmack seiner Zeitgenossen, die ein umfängliches und stoffreiches Dichtwerk wollten, das zugleich unterhält und moralisch belehrt. Er macht seine Tiere zu Menschen, fügt eigene Beobachtungen des Naturlebens in Form zahlreicher Episoden und Geschichten ein, um das Menschenleben zu beleuchten. Die Dichtung wird «zum Gefäß einer Didaktik, die das ganze menschliche Dasein in sich begreifen soll». Das erste Buch mit seinen Fabeln und Geschichten ist dem bürgerlichen Kleinleben gewidmet. Im zweiten Buch soll am Staatswesen gezeigt werden, daß gewöhnlich auf Veränderung der Religion und alten Landordnung auch Veränderung der Regierungsform folgt. Das dritte Buch belehrt über Kriegsführung und schildert die blutige Schlacht der Mäuse und Frösche. Wie GOEDEKE richtig gesehen hat, sind die Berichte der einzelnen Bücher kompliziert ineinander geschachtelt. Die einzelnen Tiere sprechen und erzählen ebenso wie der Autor selbst. Das Abbild des Zeitalters schildert den Widerstand LUTHERS gegen die altkirchliche Gewalt, die Kirchenspaltung und die darauffolgenden Kämpfe und Unruhen, alles in Form einer Tierdichtung.

Die häufig wiederholten Auflagen (1596, 1600, 1616 etc. bis 1730) bekunden die Beliebtheit des Werkes bis in das 18. Jahrhundert.

Außer in der didaktischen Tierpoesie war ROLLENHAGEN als bedeutender Dramatiker tätig. Er befaßte sich ferner mit Mathematik, Meteorologie und Astronomie und stand mit TYCHO BRAHE in Briefwechsel.

b) Rügedichtung: Bartholomäus Ringwaldt. Moralisch-religiöse Historie

Schon das 13. Jahrhundert kannte das Rügelied oder den Scheltspruch des Spielmanns gegen einen Herren. Die spätere Spruchdichtung, etwa HEINRICH DER TEICHNER, und die Moralsatire um 1500 greifen weiter aus zu Themen allgemeiner Moral. Im nachreformatorischen 16. Jahrhundert ist der Tadler und Warner ein protestantischer Schulmeister und Pfarrer.

Der dialogisch angelegten *Rügedichtung* zuzuzählen ist großenteils das Werk des BARTHOLOMÄUS RINGWALDT (1530/31–1599). Er begann mit geistlichen und religiösen Liedern (1577) im Gefolge von NIKOLAUS HERMAN, LUTHER, ALBERUS, pflegte sodann die Lehrdichtung und erreichte eine breite Wirkung durch seine dramatischen Warnungen vor Sittenverderbnis und moralischer Verwahrlosung. RINGWALDT benützt mit großem Geschick die Elemente des Grobianismus und der Teufelsliteratur.

Zur Visionsliteratur mit eschatologischen Aspekten, die seit dem frühen Mittelalter gepflegt wurde, gehört RINGWALDTS halbdramatische Versdichtung ‹Newezeittung: So Hanns Fromman mit sich auß der Hellen vnnd dem Himel bracht hat› (Amberg 1582), umgearbeitet und erweitert als ‹Christliche Warnung des Trewen Eckarts. Darinnen die gelegenheit des Himels vnd der Hellen, sampt dem zustande aller Gottseligen vnd verdampten begriffen› (Frankfurt a. d. O. 1588; mehr als 40 Aufl., auch niederdeutsch).

Der aus der Volkssage, als Kalenderfigur und aus WICKRAMS Fastnachtspiel bekannte Träger der Handlung Eckart erzählt, wie er als Scheintoter von einem Engel durch Himmel und Hölle geleitet wird. Im Himmel erkennt er neben Daniel, Paulus, Augustinus, Bernhard auch LUTHER und MELANCHTHON, neben David den Kurfürsten JOHANN FRIEDRICH, Konstantin, Theodosius, Eva, Maria u. a. In der Hölle sieht er die Plagen Kains, Neros, Julians, des Antichrists u. a. und berichtet ihre Klagen, Lästerungen und Verwünschungen, aber auch die Selbstanklagen zeitgenössischer Gestalten, wie eines verdammten Lutheraners, eines Wucherers, tyrannischen Junkers, einer Edelfrau, eines Juristen, Hofpredigers und Bauern. Zur Veranschaulichung der Ewigkeit der Höllenstrafen erzählt er SEUSES Parabel von dem Berge, von welchem ein Vöglein alle tausend Jahre ein Sandkorn wegträgt.

Zeit- und Sittenspiegel Deutschlands in Nachfolge SEBASTIAN BRANTS und des ERASMUS VON ROTTERDAM ist das Lehrgedicht ‹Die Lauter Warheit, Darinnen angezeiget, wie sich ein Weltlicher vnd Geistlicher Kriegsman in seinem Beruff vorhalten soll› (Erfurt 1586; 19 Aufl.). Es geht vom paulinischen Bild der geistlichen Waffenrüstung aus und vergleicht die 24 Eigenschaften eines weltlichen Kriegsmannes mit ebensoviel Applikationen eines Christen, um damit «den Teufel zu entrüsten» und den Sünder zu bessern.

Belehrung und Mahnung werden an Charakterbilder der verschiedenen La-
ster geknüpft: Wucher, Spielen, Aufschneiden, Trunksucht, Kleiderprunk, Ban-
ketieren (Schwelgerei), Raufsucht, Habsucht des Adels, Alchimisterei. Aber der
Dichter hat auch ein Augenmerk für Themen wie Ehe und Familienleben,
Schulwesen und Kinderzucht. Einem bösen Juristen wird ein guter gegenüber-
gestellt, bösen Söhnen und Töchtern, Knechten und Mägden wohlgeratene.
Kontrastierung ist überhaupt ein wesentliches Kunstprinzip von RINGWALDTS
Stil. Auch pfarrliche Amtsgenossen werden gescholten. Besonders betrübt den
Dichter die Zerrissenheit des Reiches und er mahnt die Fürsten zur Einigkeit.

Wie in den genannten beiden Schriften erweist sich RINGWALDT auch
in seinem Drama ‹Speculum mundi› als ein den theologischen Streitigkeiten abholder Lutheraner, der auf praktisches Christentum und die
nächstliegenden Aufgaben der Zeit drängt.

Wichtigster Vertreter der in jenseitige Bereiche hinüberspielenden moralisch-religiösen Historie, die dem Zweck diente, Habsucht und Schlemmerei zu verurteilen und ihnen einfache Frömmigkeit gegenüberzustel-
len, war SAMUEL DILBAUM (1530–1617) aus Augsburg. In seiner Reimdichtung ‹Die Rayß gen Himmel› (1590; gedr. 1592) schildert er, wie
ein voller und vertrunkener Landsknecht und ein geiziger reicher Kaufmann nicht in den Himmel dürfen, sondern vom Teufel geholt werden,
indessen ein armer einfältiger Bauer den Weg ins Paradies nimmt. Cha-
ron, der Schiffer der antiken Unterwelt, führt die drei Abgeschiedenen
in seinem Kahn über ins Jenseits.

c) Schwankhafte Erzählungen in Vers und Prosa: Hans Sachs, Johannes
Pauli, Jörg Wickram, Hans Wilhelm Kirchdorff u. a. ‹Das Lalebuch›

Die Beliebtheit der *schwankhaften Geschichten* dauerte auch das Refor-
mationszeitalter hindurch an. Von den Versschwänken des ausgehenden
Mittelalters lebten zwar der ‹Neithart Fuchs› und der ‹Pfarrer vom
Kahlenberg› noch weiter, doch wird die Mehrzahl der Schwänke in die
seit dem 15. Jahrhundert für Erzählwerke beliebtere Prosa gefaßt. HANS
SACHS u. a. allerdings versuchen, die Versform für die Gattung zu retten. Die *Neithart- und Kahlenberger-Geschichten* dienten z. T. noch der
Unterhaltung und Belustigung adeliger und patrizischer Kreise, die
Schwankdichtung des 15. und 16. Jahrhunderts ist vorwiegend für mitt-
lere und untere Bürgerschichten bestimmt. Situationskomik, Humoristi-
sches, realistische Ausdrucksprägung, Parodie, Burleskes und das Obszöne tragen dazu bei, die Gattung weitgehend volkstümlich zu machen.
Das Gefallen an zyklischer Verarbeitung hält weiter an. Man gruppiert
die Schwänke um die Sagengestalt des schlauen Markolf, den historischen
TILL EULENSPIEGEL, den PETER LEU. Im Frühhumanismus hatten STEIN-
HÖWEL und TÜNGER den Weg für die in Italien ausgebildete, dem Schwank
verwandte Gattung der *Fazetie* oder Scherzrede gebahnt; BEBEL ver-

einigte dem deutschen Boden entwachsene Inhalte mit humanistisch-lateinischer Form. Auf diese Weise wurde die Fazetie heimisch, sowohl als Art an sich als auch innerhalb der theologischen Streit- und Lehrschrift, in der Predigt und in der chronikalischen Literatur. In formaler Hinsicht und im Dargestellten wird freilich bei den deutschen Fazetienverfassern aus dem *facete dictum* der Italiener mehr und mehr ein *facete factum*, d. h. weniger die Form als der Stoff wirkt nach. Über die Fazetie geht der Weg zum *anekdotenhaften Prosaschwank* des späteren 16. Jahrhunderts.

Die meist mit Holzschnitten illustrierten *Schwankbücher* geben in ihrer Gesamtheit ein kultur- und sittengeschichtlich aufschlußreiches Bild des deutschen Volkslebens und -empfindens sowie der gesellschaftlichen Zustände, wie sie sich nach 1525 herausgebildet hatten, gesehen zumeist vom Standpunkt des mittleren und kleinen Bürgertums aus. Am schlechtesten werden noch immer der katholische Klerus und die Bauern behandelt. Das Stadtbürgertum, der Käufer der Erzeugnisse, kommt verhältnismäßig gut davon. Noch Scherz und Ernst enthält die Sammlung des Franziskanermönches JOHANNES PAULI (1522). Ihr folgen ab 1535 weitere Kollektionen von Schwänken und Fazetien durch JÖRG WICKRAM, JAKOB FREY, MARTINUS MONTANUS, MICHAEL LINDENER, VALENTIN SCHUMANN, HANS WILHELM KIRCHHOFF u. a. mit vielfach anekdotenhaften Prosaerzählungen. Schon die Titel ‹Rollwagenbüchlein›, ‹Gartengesellschaft›, ‹Wegkürzer›, ‹Rastbüchlein›, ‹Nachtbüchlein› deuten das bloß Unterhaltsame, Unbedeutende an.

Eigene Gattungen bilden die *Schwänke und Historien* im literarischen Schaffen des HANS SACHS. Man hat eine Vielfalt von lustigen und ernsten Geschichten vor sich. Sie gehören zu den lebendigsten Literaturerzeugnissen des 16. Jahrhunderts. Es sind Kleinformen, z. T. dialogisiert, die in Genrebildern das Alltagsleben widerspiegeln. Ihr Zweck ist Unterhaltung und Belehrung. Morphologisch gesehen, sind diese Versschwänke und Geschichten sehr gestaltenreich. Sie zeigen Ritter, Landsknechte, Geistliche, Gelehrte, Studenten, Bürger, Bauern, Frauen, Mädchen; an Typen häufig unterwürfige Männer, Buhlerinnen, Geizige, Toren. Die Form der Versschwänke ist der strenge Knittelvers bei männlichem Ausgang mit acht, bei weiblichem mit neun Silben, die auf vier Takte verteilt sind. Als Quellen für die Schwänke und Historien dienten HANS SACHS: deutsches Erzählgut, Märchen, Volkslieder, Sprichwörter; antikes Erzählgut, besonders HOMER, HERODOT, VERGIL, PLUTARCH, OVID; BOCCACCIO; deutsche Schwankliteratur, besonders PAULIS ‹Schimpf und Ernst›, FREYS ‹Gartengesellschaft›, WICKRAMS ‹Rollwagenbüchlein›, BÜTTNERS ‹Claus Narr› u. a.; Chroniken; auch eigene Erlebnisse wurden verwendet. Alle Schwänke und Historien sind fest lokalisiert und haben eine Nutzanwendung oder eine Moral.

Als Beispiele für *Schwänke* seien angeführt: ‹Der pauern dantz› (1528), ‹Schlauraffenland› (1530), ‹Der Narrenfreßer› (1530), ‹Das Narren-Badt› (1530), ‹Der Waltbruder mit dem esel› (1531), ‹Die hausmagd im pflug› (1532), ‹Baldanderst› (1534), ‹Hans Vnfleyß› (1534), ‹Der Lügenberg› (1534), ‹Hayntz Widerporst› (1534), ‹Das Höllbad› (1540), ‹Die Hasen fahen vnd braten den Jeger› (1550), ‹Eulenspiegel ein brillenmacher› (1554), ‹Der teufel sucht jhm ein ruhstat auf erden› (1554), ‹Diogenes› (1555), ‹Der mönnich mit dem hasenkopf› (1555), ‹S. Peter mit der geiß› (1555), ‹Das Unhulden bannen› (1556), ‹Feindschaft der schneider mit der geiß› (1556), ‹Sanct Peter mit den landsknechten› (1556), ‹Der hasen klag› (1557), ‹Die achtzehen Schön einer jungfrau› (1557), ‹Der Spieler mit dem teufel› (1557), ‹Der Katzenkramer› (1557), ‹Der teufel nam ein altes weib zu der ehe› (1557), ‹Der Teufel hat die geiß erschaffen› (1557), ‹Das Kelber bruten› (1557), ‹Die drey Hannen› (1557), ‹Die ungleichen Kinder Eve› (1558), ‹Der Münch mit dem gestolen hun› (1558), ‹Die drei frölichen Tödt› (1558), ‹Die Lappenhauser Bauern› (1558), ‹Die zwen diebischen Bachanten im Todtenkerker› (1558), ‹Der Koch mit dem Kranich› (1559), ‹Der Gast im Sack› (1559), ‹Ursprung der glatzenden Männer› (1559), ‹Der Baurenknecht mit der Nebelkappen› (1559), ‹Der Baurenknecht fiel zweimal in Brunnen› (1560), ‹Drei Schwenk Claus Narrn› (1560), ‹Von dem frommen Adel› (1562), ‹Ursprung der Affen› (1562), ‹Die drei Dieb auf dem Dach› (1563), ‹Die verkert Tischzucht› (1563), ‹Der Schneider mit dem Panier› (1563), ‹Eulenspiegel mit seinem Heiltum› (1563), ‹Die drei wunderbaren Fischreusen› (1569).

Zu den *Historien* gehören Erzeugnisse wie: ‹Der Ermört Lorentz› (1515), ‹Historia der türkischen belegerung der stat Wien› (1529), ‹König Artus mit der ehebrecherbruck› (1530), ‹Der Ritter und sein Hund› (1531), ‹Histori von einer königin auß Lamparten› (1536), ‹Der Zug keyser Caroli V. Inn Franckreich 1544› (1544), ‹Historia Der dreyer Sön, so zu jhrem Vatter schussen› (1552), ‹Historia Von der schönen Magelona› (1554), ‹Historia Von dem herzogen Periandro, der sein gemahel erschlug› (1557), ‹Mord zu Oberhasel› (1557), ‹Niobe die königin zu Theba› (1557), ‹Die blutige Hochzeit der Königin Ypermestra› (1557), ‹Die Königin Dido› (1557), ‹Hertzog Heinrich der Löw› (1562), ‹Königin Dendalinda mit dem Meerwunder› (1562), ‹Maximilian und der Nigromant› (1564).

Schwankhafte und ernste Kleingeschichten in Prosa, die mit der heiter-witzigen Art POGGIOS oder BEBELS nicht viel zu schaffen haben, vereinigt zu einem umfänglichen Sammelwerk JOHANNES PAULI (1450/54 bis nach 1522), elsässischer Abkunft, Franziskaner der milderen Richtung der Konventualen, Verehrer GEILERS VON KAISERSBERG, Prediger. PAULI gab GEILERS Schriften bzw. Predigten heraus: ‹Das Evangelibuch›, ‹Die Emeis›, ‹Die Brösamlin›, ‹Narrenschiff›, ‹Sünden des Munds›. Die eigenen Predigten zeigen ihn noch durchaus auf dem Boden des mittelalterlichen Scotismus. Er verwendet die Form des Prozesses und behandelt den Streit zwischen Leib und Seele vor den Richtern David, Abraham und Henoch. Mystische Allegorik in der Art GERSONS ist ihm geläufig.

Vermutlich durch GEILER wurde PAULI auch zur Sammlung von Predigtmärlein und Exemplaliteratur veranlaßt. Sie bilden die Grundlage für sein Hauptwerk ‹Schimpf und Ernst› (Straßburg 1522; bis 1790 immer wieder gedruckt), d. h. ‹Scherz und Ernst›, das er als Lesemeister im Ordenskloster Thann verfaßte. Das Buch durchläuft nach Aussage des Titels «der welt handlung mit ernstlichen vnd kurtzweiligen exemplen, parabolen vnd hystorien, nützlich vnd gůt zů besserung der menschen». Es besteht aus 693 kurzen Geschichten (462 scherzhaften und 231 ernsthaften), zumeist genommen aus mittelalterlichen Quellen, wie JOHANNES GOBII JUNIOR, VINZENZ VON BEAUVAIS, JACOBUS DE VORAGINE, CAESARIUS VON HEISTERBACH, THOMAS VON CHANTIMPRÉ, den ‹Gesta Romanorum›; aber auch FELIX HEMMERLIN und PETRARCA sind benützt. Vieles, vor allem Erlebtes, wurde PAULI mündlich berichtet. Er ordnet die Geschichten nach Ständen oder moralischen Begriffen. Die Nutzanwendung weist ins Geistlich-Moralische. Verspottet werden menschliche Fehler und Schwächen. Ursprünglich für Unterhaltung und Erbauung von Klosterleuten und Adeligen, sowie zur Benützung für Prediger gedacht, wurde das Werk infolge der trefflichen Charakteristik, Bildhaftigkeit und Anpassung an die mündliche Rede zu einem der beliebtesten Schwank- und Volksbücher und damit zur Unterhaltungsliteratur von Alt- und Neugläubigen. Von 1550 bis 1576 erschienen vier niederländische Ausgaben; 1568 wurde es teilweise ins Lateinische übersetzt; WICKRAM und FREY haben daraus geschöpft.

Die zahlreichen Ausgaben wurden naturgemäß im Laufe des Jahrhunderts häufig verändert, mit Zusätzen versehen oder verkürzt. So etwa die Ausgabe ‹Schimpff vnnd Ernst, durch alle Welthänndel› (Frankfurt a. M. 1538), in der sich die protestantische Gesinnung des Herausgebers an Streichungen und Zusätzen sowie einem Dank an LUTHER deutlich verrät. Von PAULIS katholisch bestimmter Grundgesinnung trennt sich auch der anonyme Bearbeiter, der die Schwanksammlung unter dem veränderten Titel ‹Schertz mit der Warheyt. Vonn guttem Gespräche, In Schimpff vnd ErnstReden, Vil Höfflicher, weiser Sprüch, lieblicher Historien vnd Lehren zu Vnderweisung vnd Ermanung, in allen thun vnd Leben der Menschen Auch ehrlichen Kürtzweilen Schertz vnd Freuden zeiten, zu erfrewung des gemüt, zusamen bracht› (Frankfurt a. M. 1550) herausgab.

Diese bürgerlich-protestantische Ideologie liegt auch JÖRG WICKRAMS (vgl. S. 181 ff.) Sammlung ‹Das Rollwagen büchlin› (Straßburg 1555; Aufl. 1556 um 12, Aufl. 1557 um 22 neue Schwänke vermehrt; bis 1618 mindestens 14 Ausgaben) zugrunde. Während PAULI seine Geschichten fast ausnahmslos den kirchlichen Schriftstellern des Mittelalters entnahm und den erbaulichen Zweck in den Vordergrund stellte, schöpft WICKRAM meist direkt aus dem Leben seiner Zeit und will eine der Kurzweil dienende Reiselektüre geben, eine Sammlung «vil gůter schwenck vnd Historien», die zur Erheiterung der zur Messe reisenden Kaufleute oder einer in «scherheüseren vnnd badstůben» versammelten Gesellschaft dienen sollte. WICKRAM gilt somit als der Schöpfer der eigenständigen

Form des *deutschen* Prosaschwankes. Unter den letztlich 111 Nummern finden sich nur drei tragische Stoffe, alle anderen tragen lustigen Charakter. Häufig werden vorgeführt: Streit zwischen Eheleuten, Ehebruch, Eifersucht, Modenarrheit, schlechte Kinderzucht. Stoff zur Verspottung liefern besonders die Bauernschaft und der Klerus; selten nur treten Edelleute, Gelehrte, Ratsherren und Handwerker auf. Die Schauplätze liegen im Elsaß oder in angrenzenden Gebieten, den Ort der Handlung bilden oft die Barbierstube, das Wirtshaus. WICKRAMS Vortrag ist schlicht, lebendig, volkstümlich und entspricht dem Plauderton der mündlichen Erzählung. Die Begebenheiten sind den einem bürgerlichen Publikum vertrauten Lebenskreisen entlehnt und spielen in der jüngsten Vergangenheit. WICKRAMS Hauptquelle war die mündliche Überlieferung seiner elsässischen Heimat und Erzählungen durchreisender Fremder. Obgleich WICKRAM erklärt, nur der Unterhaltung dienen zu wollen und keinen pädagogischen oder satirischen Zweck zu verfolgen, so liegt es im Charakter der Zeit und des Autors, gelegentlich doch auf die sich aus der Geschichte ergebende Lehre hinzuweisen. Abgesehen von ihrer literarischen Bedeutung, gewährt die Sammlung auch Einblick in die kulturellen Verhältnisse der Zeit.

Redaktor und Sammler lustiger Geschichten, Aufzeichner von Selbsterlebtem war JAKOB FREY (geb. vor 1520, † um 1562), Stadtschreiber in Maursmünster, bekannt auch als Dramatiker (vgl. S. 338 f.). Sein ‹Schön Gespräche von einem Waldmann› (1555) übersetzt den ‹Dialog zwischen Philalethes und Veritas› des MAFFEO VEGIO und gibt u. a. eine Belehrung über Wesen und Art der Poesie. ‹Die Garten Gesellschafft. Ein New hübsches vnd schimpflichs bůchlin, genant, Die Garten Gesellschafft, darinn vil frölichs gesprechs, Schimpff reden, Spaywerck, vnd sunst kurtzweilig bossen, von Historien vnd Fabulen, gefunden werden› (Straßburg 1557; u. ö.), gewidmet REINBOLD VON KAGENECK, Amtmann zu Lor, ist eine Sammlung von 129 schwankhaften Erzählungen, bestimmt zur Unterhaltung im Garten. Die Anregung dazu empfing FREY von WICKRAMS ‹Rollwagenbüchlein›. Obgleich er im Vorwort versichert, alles weggelassen zu haben, was vor Frauen und Jungfrauen unschicklich zu reden wäre, enthält das Buch nach späterem Geschmack viele Unanständigkeiten.

FREY, der gerne lokalisiert, verlegt seine Erzählungen häufig in die Schweiz. Die Versicherung in der Vorrede, daß dabei viel Selbsterlebtes sei und nur etwa zehn kurze Geschichten aus JOHANN PAULIS ‹Schimpf und Ernst› von ihm verdeutlicht und erweitert worden seien, ist nicht ganz zutreffend, sondern Verschleierung der Quellen vor dem Leser. In Wahrheit hat FREY die Mehrzahl seiner Erzählungen den lateinischen Fazetiensammlungen HEINRICH BEBELS, FRANCESCO POGGIOS und JOHANNES ADELPHUS MULINGS entlehnt. In einem Fall schöpfte er auch aus dem ‹Grobianus› des FRIEDRICH DEDEKIND. Vom Rest mag noch einiges auf lateinische Originale zurückgehen, das andere erst entstammt der mündlichen Tradition. Die meisten Geschichten gelten den Geistlichen und den Bauern. FREY baut das Entlehnte zu Alltagsbildern aus, verbindet zwei Schwänke miteinander, erfindet Nebenumstände etc.

Als Fortsetzer FREYS empfand sich MARTINUS MONTANUS (geb. nach 1530, † nach 1566) aus Straßburg, katholischer Konfession, ansässig in Dillingen, bekannt auch als Dramatiker (vgl. S. 338). Er bearbeitete zunächst aus der ‹Decamerone›-Übersetzung SCHLÜSSELFELDERS für kleine undatierte Separatausgaben den ‹Andreutzo› (II, 5), ‹Thedaldus und Ermilina› (III, 7), ‹Guiscardus und Sigismunda› (IX, 1), ‹Cymon und Iphigenia› (V, 1), alle bei KNOBLOCH in Straßburg gedruckt. Als Schwanksammler veröffentlichte MONTANUS den ‹Wegkûrtzer. Ein sehr schön lustig vnd auß der massen kurtzweilig Bûchlin, der Wegkûrtzer genant, darinn vil schöner lustiger vnd kurtzweiliger Hystorien in Gårten, Zechen vnnd auff dem Feld, sehr lustig zu lesen› (o. O. u. J. [1557], verschollen; Nachdrucke und Ausgaben bis 1607) und widmete das Buch dem kaiserlichen Rat JAKOB HERBROT. Es sind 42 Geschichten. Wie FREY die ‹Gartengesellschaft› den «andern Teil des Rollwagenbüchleins» nennt, so MONTANUS den ‹Wegkürtzer› «das dritte theil des Rollwagens». Dem ‹Wegkürzer› ließ MONTANUS ein Jahr darauf ‹Das Ander theyl der Garten gesellschafft› (Straßburg o. J.) folgen. Es sind 118 (115) Geschichten.

Die Quellen und Voraussetzungen für die Sammlungen des MONTANUS waren JOHANNES PAULI, JÖRG WICKRAM, JAKOB FREY, MICHAEL LINDENER, die ‹Decamerone›-Übersetzung SCHLÜSSELFELDERS, BURKHARD WALDIS, ungenannte Chroniken, die Flugblattliteratur des 16. Jahrhunderts, HANS SACHS. Zu diesen deutschen Werken kamen aus der lateinischen Schwankliteratur FRANCESCO POGGIO, HEINRICH BEBEL, die ‹Mensa philosophica› des JODOKUS GALLUS, das ‹Hecatomythium› des ABSTEMIUS. Eine große Anzahl von Schwänken entstammt schließlich der mündlichen Überlieferung, darunter befindet sich eine Reihe wertvoller Volksmärchen: ‹vom Erdkühlein; vom tapfren Schneider; vom Schwaben, der das Leberlein gefressen; vom Bauern und Teufel; von den Einkäufen und den verschiedenen Begrüßungen des Dummlings›.

Ebenso mannigfaltig wie seine Quellen sind die Stoffe, die MONTANUS behandelt: Kindermärchen, Tierfabeln, Legenden, sagenhafte Personen wie Alboin, Artus u. a., Begebenheiten aus dem täglichen Leben, wie Wirtshausneckereien, Handwerker- und Bauernspott, Landfahrerstreiche, Landsknechts- und Bettlerabenteuer, Buhlereien, Ehehändel, Mordtaten und besonders Frauenlist. Wenn MONTANUS von seinem Buch meint, es vermöge die Halbtoten zu erfreuen und es werde darin zur Gottesfurcht ermahnt, so steht dies nicht immer in Einklang mit späterem Empfinden.

Als eine niederdeutsche Nachahmung gibt sich im Titel ‹De klene

Wegekörter› (1592). Er übersetzt seine Schwänke aus den bekannten lateinischen und hochdeutschen Vorläufern.

Mit seinen Hauptwerken in die Nachfolge POGGIOS, BEBELS und der Elsässer gehört MICHAEL LINDENER (geb. 1520, † nach 1561) aus Leipzig, Famulus bei LUTHERS Gegner HIERONYMUS DUNGERSHEIM († 1540), gleichwohl Protestant; später in Tirol, um 1552 in Nürnberg Korrektor beim Verleger DAUBMANN, dann in Ulm, Augsburg, Wittenberg. Seine gelehrte Bildung bezeugen die ‹Loci scholasticorum egregii› (1557), lateinische Verse u. a., sein Interesse an Religiösem die fingierten SAVONAROLA-Predigten. LINDENER hat die deutsche Fazetienliteratur mit zwei vielgescholtenen Büchern bereichert: ‹Katzipori› und ‹Rastbüchlein›.

‹Der Erste Theyl Katzipori. Darinn newe Mugken, seltzame Grillen, vnerhörte Tauben, visierliche Zotten verfaßt vnnd begriffen seind› (o. O. 1558). In der Widmung an HANS GREUTHER, Bürger und Papiermüller zu Landsberg, zählt LINDENER sich zu den «freien Knaben», «die nit vil sorgen, was daz korn gelte». Sein «Fatzbüchlein» [Fazetien] habe er auf Bitten «viler gůtter frommer außerlesenen bundten vnd rundten Schnudelbutzen, welche man auf Welsch Kazipori nennet», herausgegeben. «Dise gute Schlucker haisset man auf teütsch vnnd unser sprach Storchsschnäbel, entenfüß, genßkragen, Säwrüssel, Eselsohren, Bockshörner, Wolffszähn, Katzenschwentz, Hundszägel, Ochsenköpff, Kalbsfüß». Es sind 122 Geschichten mit vielen Stellen in gereimter Prosa. Auch makkaronische Verse kommen vor und Lieder sind eingelegt: ‹Vinum quae pars, Verstehst du das ...›, ‹Ich bin ain Hawß gebawet, Den Narren ghör ich zů› u. a. Auch das Titelbild gibt einen Vorgeschmack des Inhaltes: Ein unverschämt grinsender Bursche verrichtet völlig nackt auf einem Lotterbett seine Notdurft; der linke Arm stützt den dem Beschauer zugewandten Kopf, in der Rechten hält er einen Wedel gegen das ihn umschwärmende Geschmeiß von Mücken, Grillen, Schnacken etc. Das Buch enthält nicht nur knappe Anekdoten, sondern auch längere Geschichten, freche Streiche, Possen zur Unterhaltung in der Kneipe, drastische Witze, akademische Quodlibetspäße. Die Geschichten vom Zauberer Schrammhans deuten auf die Fausthistorie.

Das ‹Rastbüchlein. Darinn schöne kurtzweilige, lecherliche vnd lustige Bossen vnd Fablen, welliche Hystorien gleich sein› (o. O. u. J.; 1558 u. ö.) ist ANTON BAUMGÄRTNER gewidmet. Es sind 28 Geschichten, mehr Novellen denn Anekdoten, einige nach der ‹Decamerone›-Übersetzung SCHLÜSSELFELDERS. Alle drehen sie sich um Buhlerei. Der katholische Klerus und die Bauern spielen die Hauptrolle, anderes geht gegen den Adel, die Richter, Ärzte, verbummelte Studenten, Dichterlinge, z. T. im Sinne der ‹Epistolae obscurorum virorum›; die krause Rede in Nr. 26 kommt von BRANTS und MURNERS Narrenliteratur; Anekdoten von Buchbindern und Druckern lassen auf Selbsterlebtes schließen. Mehrfach steht am Schluß der Geschichte auch eine Moral gegen den Geist der Zeit.

Die meisten Geschichten LINDENERS sind lokalisiert. Er kennt die Sprache und das Brauchtum mehrerer deutscher Landschaften, weiß Sprichwörter, Volksreime u. dgl. und verfügt über einen umfangreichen Wortschatz. Die Bücher sind voll Unflat und derbster Sinnlichkeit; der Stil arbeitet mit gröbsten Roheiten. Einwirkungen von den Fastnacht-spielen, von PAULI, WALDIS etc. sind erkennbar. Die Fortwirkung zeigt sich u. a. bei FISCHART.

Ob LINDENER auch der Übersetzer der Fazetien ‹Die Geschwenck Henrici Bebelij› (vgl. S. 175) war, ist nicht mit Sicherheit entschieden. ‹Hieron. Savanorola, Des Sünders Spiegel, verdeutscht durch M. Lindner Poeten› (Nürnberg 1565) ist als Fälschung LINDENERS erwiesen. Geplant war eine «Dieta oder Methodus» für Zecher. Nicht erschienen sind: ‹Der Münche und Nunnen Fahrt›, eine ‹Chronica für den gemeinen Mann› und eine Schwanksammlung ‹Raudi maudi› als Gegenstück zu ‹Katzipori›. Ein Gegner LINDENERS war der Prediger und Liederdichter HANS BETZ, Verfasser des Spruchgedichtes ‹Die faul Schelmzunft der zwelf Pfaffenknecht›.

Weniger geistreich und witzig, dafür unbefangener und noch derber als LINDENER zeigt sich die Schwanksammlung VALENTIN SCHUMANNS. LINDENER besaß eine gelehrte Bildung, SCHUMANN nicht.

VALENTIN SCHUMANN (geb. um 1520, † nach 1559) war der Sohn des gleichnamigen Leipziger Buchdruckers und Verlegers, bei dem 1539 ein bekanntes evangelisches Gesangbuch erschien. SCHUMANN nahm 1542/43 als Landsknecht am Krieg gegen die Türken teil; hernach arbeitete er als Schriftgießer in verschiedenen Städten Süddeutschlands und der Schweiz; 1550 bis 1558 lebte er mit Frau und Kindern in Nürnberg, wo er in drückende Schulden geriet, denen er sich durch Flucht nach Augsburg zu entziehen suchte.

Um des Gelderwerbes willen bearbeitete SCHUMANN im Winter 1558/1559 nach dem Vorbild von WICKRAM, FREY und LINDENER eine Reihe von Schwänken und Novellen unter dem Titel ‹Nachtbüchlein›. Der Autor war dem Setzer immer nur einige Bogen voraus. Dieses ‹Nachtbüchlein, der Erste theyl. Darinnen vil seltzamer, kurtzweyliger Hystorien vnnd Geschicht, von mancherley sachen, schimpff vnnd schertz, glück auch vnglück, zu Nacht nach dem Essen, oder auff Weg vnd Strassen, zu lesen, auch zu recitieren, begriffen› (Augsburg 1559) ist GABRIEL HEYN D. J., Buchhändler in Nürnberg, gewidmet. Dem ersten Teil folgte das ‹Nachtbüchlein, der Ander theil. Neunvndzweintzig Schöner Historien von Kriegen, Liebe, Frewd, Layd, Angst, Noth, Vntrew, vnnd sonst mancherley gûtte Bossen, darunder fünff grober Zotten (o. O. u. J.; 1559), gewidmet ERHARD HÜLLER aus Plauen.

SCHUMANN nennt als seine Lektüre – und somit als seine Quellen – so ziemlich die gesamte damals in bürgerlichen Kreisen verbreitete Unterhaltungsliteratur; an Verdeutschungen antiker Autoren: PLUTARCH (von HIERONYMUS BONER 1534), LIVIUS (CARBACH und MICYLLUS 1533), OVID (WICKRAM 1545), VERGIL (MURNER 1515); aus dem Mittelalter: das ‹Buch vom großen Alexander› (HARTLIEB 1472), die ‹Gesta Romanorum›, die ‹Sieben weisen Meister› und die ‹Beispiele der alten Weisen›, BOCCACCIOS ‹Decamerone›, den ‹Ritter von Turn›, die Romane von Hug Schapler, Octavianus, Pontus und Sidonia, Magelone, Tristan, Fortunat; weiters den ‹Eulenspiegel›, PAULIS ‹Schimpf und Ernst› und den daraus umgearbeiteten ‹Schertz mit der Warheyt›, WICKRAMS ‹Ritter Galmy›, ‹Reinhard und Gabriotto› und ‹Das Rollwagenbüchlein›, von MONTANUS den ‹Wegkürzer›, LINDENERS ‹Rastbüchlein›; nicht genannt, aber benützt ist FREYS ‹Gartengesellschaft›. Zu diesen Prosaerzählungen kamen erzählende Gedichte, die SCHUMANN aus fliegenden Druckblättern und Abschriften oder aus den Zusammenkünften der Nürnberger Meistersinger, besonders durch HANS SACHS, kannte, weiters ein Ehespiegel, eine Tierfabel.

Sorglos raffte SCHUMANN den Stoff zusammen, wo er ihn fand; er erzählte Erlebnisse als Landsknecht und Schriftgießer und was er aus dem Munde fröhlicher Zechgenossen hörte. Dem Geschmack des Lesepublikums auch an exotischen Stoffen und Geschehnissen in der Welt des Adels kam er entgegen, indem er zwei ritterliche Liebesnovellen, ‹Christoph und Veronica› (I, 22) aus dem ‹Magelonen›-Roman und die Geschichte von ‹Florius und Marcebilla› (II, 49), aufnahm; auch das Schicksal des Julianus, Theseus, Lysimachus, Phalaris, Zorobabel gehören dazu. Bemerkenswert sind ferner ‹Ein Historia von einem Becken, der sein Weyb mit der Geygen lebendig macht, vnd einem Kauffmann› (I, 5) und ‹Ein Hystorj von einem Bauren mit namen Eynhyrn, vnd seinen Bauren im selben Dorff, biß sich alle ertrenckten›, beide aus der Sage vom Unibos.

In seinen schwankhaften Geschichten ist SCHUMANN lebhaft, humorvoll und anschaulich. Er versteht es bereits, mit nur wenigen Strichen die Landschaft zu skizzieren und gibt Genrebilder vom Leben und der Arbeit der Buchdrucker, der Handwerker, Bauern, Landsknechte, fahrenden Schüler und Zechbrüder. Als Protestant richtet er gelegentlich seine Satire gegen die katholische Kirche. Die Wirkung des ‹Nachtbüchleins› bekunden vier Drucke bis 1600, eine Sonderausgabe der Novelle von ‹Christoph und Veronica› (1605), verschiedene Nachahmungen und Teilübersetzungen ins Lateinische, Holländische und Dramatisierungen einzelner Schwänke.

Die umfangreichste Sammlung von Schwänken, Erzählungen und geschichtlichen Anekdoten im 16. Jahrhundert stammt von HANS WILHELM KIRCHHOFF (um 1525–ca. 1603) aus Kassel. Als Landsknecht in Dresden 1543, Bamberg etc. trieb er sich bis 1554 während der Kriegswirren in Deutschland, Ungarn und Frankreich umher, oblag 1554, bereits verheiratet, in Marburg wissenschaftlichen Studien, wurde 1561 in Kassel ansässig und war seit 1583 Burggraf in Spangenberg. In Marburg kamen KIRCHHOFF BEBELS ‹Facetien› in die Hände. Anstelle der geplanten Übersetzung ausgewählter Stücke kam in den Jahren bis 1603 ein selbständiges Sammelwerk lustiger, unterhaltender und belehrender Stücke in sieben Büchern mit insgesamt 2083 Nummern zustande unter dem

Titel ‹Wendvnmuth. Darinnen fünff hundert vnd fünfftzig höflicher, züchtiger, vnd lustiger Historien, Schimpffreden, vnd Gleichnüssen begriffen vnnd gezogen seyn auß alten vnd jetzigen Scribenten› (Frankfurt a. M. 1563 u. ö.). Dieser erste Band enthält zwei Teile: ‹Der erste theil von Keyseren, Königen, Fürsten vnd Herren vnd dem Weltlichen Stande› (426 Nummern); ‹ander theil von der Geistlichkeit, dem Bapst vnnd dem Römischen Leben› (124 Nummern). Dem ersten Band folgten ‹Das Ander Buch› (1602) mit 214 Nummern, ‹Das Dritte Buch› (1602) mit 273 gezählten Geschichten, ‹Das Vierdt Buch› (1602) mit 299, ‹Das Fünffte Buch› (1602) mit 269, ‹Das Sechste Buch› (1603) mit 277 und ‹Das Siebende Buch› (1603) mit 201 Nummern.

KIRCHHOFF schöpfte nicht nur aus literarischen Quellen, sondern bezog vieles auch aus der mündlichen Überlieferung und gab eigene Erfahrungen und Erlebnisse dazu; er bringt selbst Berichte über Tagesereignisse. Neben Deutschem, Antikem, Italienischem verwendet er auch Französisches. Die mit fast enzyklopädischer Absicht zusammengetragene und im einzelnen zurechtgemachte Sammlung wollte vor allem auch die protestantische Lebensauffassung und das evangelische Ethos veranschaulichen. Die lehrhafte Absicht herrscht vor: Der Leser soll durch Vorführung abschreckender Beispiele gebessert oder vom Schlechten abgehalten werden. KIRCHHOFFS Erzählweise ist volkstümlich schlicht und anspruchslos. Im 6. Buch von ‹Wendunmut› erwähnt KIRCHHOFF im ‹Unterricht an den Leser›, daß er «ein sehr groß Buch, ‹Schatztruhen› intitulieret», geschrieben, welche in 50 Hauptpunkten der christlichen Lehre eingeteilt und mit Bibelstellen belegt, die Widersacher des ‹Wendunmut› zum Schweigen bringen sollte, ferner habe er geschrieben 18 Komödien, im Auftrag des Landgrafen WILHELM VON HESSEN angefertigt, «etliche Epithalamia, Epicedia vnnd sonsten Tractätlein», teils gedruckt und teils ungedruckt.

Eine gemischte Sammlung von Schwänken, meist aus SCHLÜSSELFELDERS ‹Centonovella›, dem ‹Rollwagenbüchlein›, der ‹Gartengesellschaft›, dem ‹Wegkürzer›, ‹Katzipori› etc. gab der bekannte Chronist des Elsaß BERNHART HERTZOG (1537–1596/97), der Schwiegervater FISCHARTS, heraus: ‹Schiltwacht, Die Schiltwache bin ich genant Das ist Ein kurtzweiliges Büchlein mit vielen Historien vnd Dichtungen, zu nutz vnd frommen angehenden Wach vnd Rottemeistern› (Magdeburg 1560). Ein ‹Neu Rollwagen von Schimpff und Ernst› erschien Frankfurt 1568, das ‹Emplastrum Cornelianum› des Dramatikers JOHANNES SOMMER, ein Schwankbuch mit gereimten Nutzanwendungen, 1605.

Eine Art Fortsetzung der ‹Geschichte des Pfarrers vom Kahlenberg› (vgl. Bd. IV/1, S. 118 ff.) bildet die ‹History Peter Lewen, des andern Kalenbergers, was er fuer seltzame abenthewr fürgehabt vnd begangen› (Frankfurt a. M. um 1558). Ihr Verfasser, besser gesagt: Bearbeiter, war

ACHILLES JASON WIDMANN (um 1530–vor 1585), Vogt von Neuenstein bei Öhringen. Er gab seinen Erzählungen und Schwänken ebenfalls die gereimte Versform, kommt aber in Gehalt und Darstellung seinem Vorbild kaum nahe.

In der anscheinend auf einen Ende des 15. Jahrhunderts in Schwäbisch Hall lebenden Geistlichen PETER DÜSSENBACH zurückgehenden Historie und den Schwänken wird erzählt, wie der kräftige und starke PETER LÖWE erst als Blockträger und Rotgerberknecht sich betätigt, dann gegen die französischen Armagnaken in den Krieg (1444/45) zieht, mit 30 Jahren das Studium beginnt, Priester wird, aus Not die Bauern foppt und sich schließlich an der Torheit und Leichtgläubigkeit seiner Mitmenschen bereichert.

Beachtenswert ist ferner, daß in der zweiten Hälfte des 16. Jahrhunderts die ‹Facetien› HEINRICH BEBELS (vgl. Bd. IV/1, S. 592 ff.) zweimal ins Deutsche übersetzt und bis 1612 fünfmal aufgelegt wurden. Die erste Übertragung, ‹Die Geschwenck Henrici Bebelij. Samt einer Practica [JAKOB HEINRICHMANNS] Durch einen guten Gesellen auß Latein in Teutsch gebracht› (o. O. 1558), wird MICHAEL LINDENER oder CHRISTOPH WIRSUNG zugeschrieben. Die andere Übersetzung, ‹Facetiae Henrici Bebelij ... in drey vnderschiedliche Bücher, ein vnd abgetheilet› (Frankfurt a. M. 1568, 1589, 1606, 1612), enthält außer der Praktik HEINRICHMANNS auch noch die Apologie des Reformators BERNARDINO OCHINO (vgl. S. 98).

Nachfahre EULENSPIEGELS war HANS CLAUERT, Schlossergeselle und beliebter Spaßmacher in Berlin, wo er 1566 an der Pest starb. BARTHOLOMAEUS KRÜGER, Stadtschreiber zu Trebbin, sammelte die über HANS CLAUERT verbreiteten Geschichten und erweiterte sie durch Schwänke aus gedruckten Sammlungen: ‹Hans Clawerts Werckliche Historien, vor niemals in Druck außgangen› (Berlin 1587 u. ö.; niederdeutsch 1598).

Schwankhafte Lebensbeschreibung eines Hofnarren sind die Geschichten um CLAUS NARR aus Ranstedt in Meißen, Spaßmacher am sächsischen Hof. Er starb 1515, fast 90 Jahre alt. Seine Narrenhistorien sind gesammelt und vereinigt in ‹Sechs hundert sieben vnd zwantzig Historien von Claus Narren. Feine schimpfliche wort vnd Reden, die Erbare Ehrenleut Clausen abgemerckt haben. Mit lustigen Reimen gedeutet vnd erklärt› (Eisleben 1572; Frankfurt a. M. 1573 u. ö.; Nachdrucke bis ins 19. Jh.). Der Sammler nennt sich in einem Akrostichon: «Magister Wolfgang Bvttner, Pf[a]rrer zu Volfferstet» im Weimarischen. Dieser WOLFGANG BÜTTNER († vor 1596) stammte aus Oelsnitz und ist bekannt als Verfasser eines ‹Kleinen Catechismus, in kurtze vnd Christliche Lieder, für die Wanderleute, auff der Strasse, vnd Handwercks Gesellen auff der Werckstat, gesetzt› (1572), einer ‹Dialectica deutsch› (1576) und als Sammler und Herausgeber einer ‹Epitome Historiarum Christlicher Ausgelesener Historien vnd Geschichten› in fünf Büchern (1576), geordnet nach den Zehn Geboten und den sieben Bitten des Vaterunsers.

In einer Reihe von 45 Erzählungen schildert das Leben und Treiben eines Gemeinwesens ‹Das Lalebuch›. Der Titel der ersten Ausgabe lautet: ‹Das Lalebuch, Wunderseltzame, Abentheurliche, vnerhôrte, vnd bißher vnbeschriebene Geschichten vnd Thaten der Lalen zu Lalenburg› (Laleburg [Straßburg] 1597). *Lale* (oberdt.) heißt ‹einfältiger Mensch›, eigentlich einer, der den Mund offen hat, die Zunge herausstreckt. Eine zweite, sprachlich umgearbeitete und erweiterte Ausgabe erschien unter dem Titel ‹Die Schiltbûrger. Wunderselzame, Abendtheurliche, vnerhôrte vnd bißher vnbeschriebene Geschichten vnd Thaten der obgemelten Schiltbûrger in Misnopotamia hinder Vtopia gelegen› (Frankfurt a. M. 1598 u. ö.). Der Schauplatz ist nach Schilda in Meißen verlegt. Das ‹Lalebuch› ist demnach die Grundlage des ‹Schiltbürger›-Buches und nicht umgekehrt. Beide Ausgaben sind anonym erschienen. Der Redaktor der ‹Schiltbürger›-Fassung legte Neufassungen unter dem Titel ‹Grillenvertreiber› (Frankfurt 1603), ‹Witzenbürger› (Frankfurt 1605) und ‹Hummeln- oder Grillenvertreiber› (Frankfurt 1605) vor. Der Umformer, der sich im Titel des ‹Grillenvertreiber› CONRADUS AGYRTA VON BELLEMONT nennt, ist möglicherweise identisch mit dem Schulmeister JOHANNES MERCATOR VON ZIERENBERG († 1625 zu Wetzlar) aus Groß-Linden in Hessen.

Das ‹Lalebuch› entstand im Elsaß, das eine alte Tradition bürgerlicher Narren- und Schwankliteratur aufzuweisen hat. Der unbekannte Verfasser war vermutlich ein gebildeter Bürger, der in kaiserlichen Diensten, doch auf seiten der Protestanten, stand.

Die ersten sechs Kapitel dienen der Exposition und erzählen von der Herkunft der Lalen. Sie stammen von einem griechischen Weisen ab. Ihrer Weisheit wegen werden sie von Königen und Fürsten gerufen und konsultiert. Infolge der häufigen Abwesenheit der Männer leidet das Hauswesen. Die Frauen verlangen ihre Männer zurück. Um vor ferneren Berufungen in das Ausland sicher zu sein, beschließen die Lalenburger, ihre Weisheit zu verbergen. Darauf folgen die närrischen Streiche der Lalen bis zum Untergang ihrer Ansiedelung: Der Bau des dreieckigen Rathauses mit dem Vergessen der Fenster und des Ofens in der Ratstube, die Aussaat des Salzes, der Besuch des Kaisers und die Geschehnisse dabei (mit einer Serie anstößiger Rätsel), das Gehaben des Schultheißen und seiner Frau, das Vertauschen der Häuser, die Heirat des Schultheißensohnes, die Anfertigung der langen Wurst, die man nicht kochen kann, das Verbergen der Glocken im See, die Geschichte mit dem Krebs, der Ankauf des Maushundes und zuletzt in Kapitel 45 der Entschluß, aus der Stadt wegzuziehen. Ganz Lalenburg brennt nieder, weil die Lalen eine ihnen gefährlich erscheinende Katze verfolgen. Sie fliehen mit Weib und Kind in den Wald und zerstreuen sich später über die ganze Erde.

Auch im ‹Lalebuch› sind manche Geschichten altüberliefert. Als Quellen wurden nachgewiesen: HANS SACHS, KIRCHHOFFS ‹Wendunmut›, FREYS ‹Gartengesellschaft›, von MONTANUS ‹Das Ander theyl der Gartengesellschafft› und ‹Wegkürtzer›, LINDENERS ‹Rastbüchlein›, SCHU-

MANNS ‹Nachtbüchlein›, JOHANNES GASTS ‹Convivalium liber›, WICKRAMS ‹Rollwagenbüchlein›, POGGIOS Fazetien. Zur literarischen Tradition kamen die volkstümliche Überlieferung und die eigene Erfindung. Alles ist sehr geschickt zu einem Ganzen zusammengefügt. Da das ‹Lalebuch› in einer deutschen Ackerbürgerstadt spielt, trifft die Satire Bauern und Bürger. Nach UHLAND (Vorlesungen über die ‹Geschichte der altdeutschen Poesie› 1830/31) ist das ‹Lalebuch› der erste komische Roman unserer Literatur; keine bloße Gruppierung verschiedener Geschichten um die Lalen, sondern eine zusammenhängende romanhafte Erzählung. ‹Das Lalebuch› hat auch tatsächlich eine bessere Komposition als die anderen Schwanksammlungen und erscheint insofern zumindest als Vorstufe zu einem humoristischen Roman. Die Geschichten sind in einen Rahmen gestellt. Der Stoff wird auf eine bürgerliche Gemeinde konzentriert.

d) Romanhafte Prosaerzählungen: Veit Warbeck, Jörg Wickram

Auch im 16. Jahrhundert tritt in der deutschsprachigen Erzählliteratur zunächst eine Gruppe von *romanhaften Prosaerzählungen* hervor, die bald darauf zu *Volksbüchern* wurden. Es sind Übertragungen französischer Prosa und italienischer Renaissancenovellen, eigenes älteres und neueres, europäisches und orientalisches Erzählgut. Die durch ELISABETH VON NASSAU-SAARBRÜCKEN, ELEONORE VON ÖSTERREICH u. a. begonnene Übersetzertätigkeit wird fortgeführt von ERHART LURCKER, WILHELM ZIELY, VEIT WARBECK, HIERONYMUS RODLER, WILHELM SALZMANN, CHRISTOPH WIRSUNG und KONRAD EGENBERGER. Eigene Leistungen im Roman erbringt JÖRG WICKRAM.

Aus SCHLÜSSELFELDERS ‹Decamerone›-Übersetzung schöpft ERHART LURCKER, der um 1520 zu Oberkirch im Schwarzwald wohnte und der Sprache nach Alemanne war. Unter seinem Namen sind zwei Werke bekannt, die gereimte Erzählung vom Ritter Thorelle, ‹Ein hübsche historien von einem Ritter genant Herr Thorelle, geboren vß dem land Lombardia, wie er vom grosen Soldan gefangen wardt in den zytten da Keyser Friderich regiret gantz Römisch rych› (Straßburg um 1515), und das ‹Giletta›-Volksbuch: ‹Ein history lieplich vnnd kurtzweilig zu lesen Wie ein junckfraw genant Giletta, den König von Franckreich einer seiner kranckheit gesundt machet› (Straßburg um 1519). Bei der ersteren Geschichte handelt es sich um eine Knittelversbearbeitung der ‹Decamerone›-Novelle 10, 9, der zweiten lag ‹Decamerone› 3, 9 zugrunde. In letzterem Falle wird, wie selten sonst, die Entstehung und Ableitung eines Volksbuches faßbar, das allerdings keine besonders weite Verbreitung fand.

WILHELM ZIELY († 1541 oder 1542), dessen Familie vermutlich aus

Nizza stammte, seit 1502 Mitglied des Großen Rates von Bern, übersetzte aus dem Französischen die Romane ‹Olivier und Artus› und ‹Valentin und Orso› (beide zusammen Basel 1521). Seine Vorlagen waren
erschienen Genf 1482 für den ersten, Lyon 1489 für den zweiten Roman.
In der Vorrede zur ersten Ausgabe sagte Ziely, daß ihm «fürkommen
in frantzösischer Sprach ein gar seltzame History, in dem Jar, so man
zalt von der Geburt Christ 1511»; er habe sich dann in seinen Mußestunden eifrig ans Werk gemacht, sie ins Deutsche zu übertragen, «in
der Meynung, es werd mine Arbeit manchem vertrüssigen Menschen ein
Kurtzweil bringen». ‹Olivier und Artus› vereinigt das Sagenmotiv vom
dankbaren Toten und die Freundschaftssage, wie sie in Konrads von
Würzburg Geschichte von ‹Engelhart› oder in der Legende von den
‹Jakobsbrüdern› erschien, zu einem Volksroman. Hans Sachs dramatisierte 1556 den Stoff in Anlehnung an Zielys Übersetzung. Der Stoff
der Geschichte von ‹Valentin und Orso› ist dem karolingischen Sagen-
bereich entnommen mit Benützung von (verlorenen) Karlsdichtungen
und Heranziehung der Sagen von Robert dem Teufel, Karls Pilgerfahrt,
Cleomades, Octavian, Alexius u. a. Das Zustandegekommene umfaßt
eine Fülle von Abenteuern. Die beiden Übersetzungen wurden wiederholt aufgelegt. Auch ein Mitteldeutscher übertrug beide Romanwerke in
seine Muttersprache.

Aus alten internationalen Märchenmotiven und einer gewissen historischen Tradition ging das Volksbuch ‹Die schöne Magelone› hervor.
Bei den europäischen ‹Magelonen›-Romanen ist der Gang der Erzählung folgender:

Graf Peter von der Provence erfährt von der Schönheit der Königstochter
Magelone in Neapel. Er zieht hin und gewinnt unerkannt durch Tapferkeit im
Turnier und durch edles Wesen ihre Liebe. Peter entflieht mit Magelone. Als sie
Rast machen, entreißt ihr ein Raubvogel Kleinode. Der Ritter verfolgt den
Vogel, wird dabei von Magelone getrennt und gerät in Gefangenschaft der
Heiden, an deren Hof er zu Ansehen gelangt. Magelone unternimmt eine Pil-
gerfahrt und errichtet ein Spital, wo sie wie eine Heilige lebt. Peter will seine
Heimat besuchen, erleidet auf der Seefahrt dahin Schiffbruch, gelangt als
Kranker in das Spital, in dem Magelone wirkt. Es folgen Erkennen, Vereini-
gung der Liebenden und Wiedersehen mit den Eltern.

Nach dem von Hermann Degering aufgestellten Stammbaum der verschiedenen europäischen ‹Magelonen›-Fassungen stand an der Spitze
ein italienischer Archetypus, von dem zwei leicht variierende Abschriften genommen wurden. Von einer von ihnen muß eine deutsche Übersetzung vorhanden gewesen sein, die das Vorbild zu einer in Berlin befindlichen Handschrift abgab. Der Dialekt dieser mit zahlreichen Feder-
zeichnungen ausgestatteten Handschrift weist auf Nürnberg. Der Verfasser dürfte in den humanistisch gebildeten Kreisen zu suchen sein und
war ein Zeitgenosse des Heinrich Schlüsselfelder und Albrecht von

EYB. Die Zeichnungen gehören der Donauschule an. Diese handschriftliche deutsche Fassung ist nicht zum Druck gelangt und blieb ohne weitere Fortwirkung. Fortwirkend für die Zukunft wurde die Übersetzung, die VEIT WARBECK (1490–1534) nach einer auf der Vorlage der deutschen Übersetzung beruhenden kürzenden französischen Rezension (erhalten in einer Coburger Handschrift) angefertigt hat.

WARBECK stammte aus Schwäbisch-Gmünd, studierte anfangs in Paris, wo er 1508 *magister artium* wurde, später in Wittenberg die Rechte, war erst Domherr, dann Protestant, trat in Beziehung zu LUTHER (seine Tochter wurde mit einem Sohne LUTHERS vermählt) und schloß Freundschaft mit SPALATIN. Als Erzieher am kursächsischen Hof stand er FRIEDRICH DEM WEISEN in politischer und kultureller Hinsicht beratend zur Seite. Er begleitete den Kurfürsten 1520 zur Krönung KARLS V. nach Aachen, war bei LUTHERS Leipziger Disputation und am Wormser Reichstag anwesend. Am Weimarer Hof leitete WARBECK die französischen Studien und verwaltete die Bibliothek.

Vermutlich zur Hochzeit des Kronprinzen JOHANN FRIEDRICH mit SIBYLLE VON CLEVE (1527) fertigte WARBECK seine Übertragung an: ‹Die Schön Magelona. Ein fast lustige vnnd kurtzweylige Histori, vonn der schönen Magelona, eins Künigs tochter von Neaples, vnnd einem Ritter, genannt Peter mit den silberin schlüsseln, eim Graffen son auß Prouincia›. Das Originalmanuskript ist noch in Gotha erhalten. Die getreue Übersetzung gleicht Fremdartiges deutschen Vorstellungen an und tilgt Gewagtes ebenso wie Konfessionelles. Sämtliche Drucke, Übersetzungen und Bearbeitungen gehen auf sie zurück. SPALATIN beförderte 1535 das Buch mit einer Vorrede bei HEINRICH STEINER in Augsburg zum Druck. Im 16. Jahrhundert erschienen noch zahlreiche Nachdrucke. VALENTIN SCHUMANN bildete danach in seinem ‹Nachtbüchlein› die Geschichte von ‹Christoph und Veronica›. Eine Übertragung ins Niederdeutsche erschien 1601.

Auch Renaissancefürsten hegten noch immer die Traditionen der spätmittelalterlichen Ritterkultur. Herzog JOHANN II. VON PFALZ-SIMMERN († 1557) war nicht nur der Förderer und Geldgeber des Druckers HIERONYMUS RODLER in Simmern, sondern er übersetzte wahrscheinlich selbst aus dem Französischen und bearbeitete den ‹Fierabras›, ‹Eyn schöne kurtzweilige Histori von eym mächtigen Riesen auß Hispanien› (Simmern 1533, mit 20 Holzschnitten), die Geschichte von dem Riesen aus dem karolingischen Sagenkreis, und ‹Die Haimonskinder› (Simmern 1535, mit 60 Holzschnitten). Es sind zwei reich illustrierte teure Prachtausgaben in Großformat. Die hochdeutsche Prosa-Übersetzung der ‹Haimonskinder› (vgl. Bd. IV/1, S. 59) in einer Handschrift zu Aarau (1531) sowie der Druck von 1535 weisen enge Verwandtschaft auf zum französischen Druck von 1521. Die Ausgaben fanden nur geringe Verbreitung. Vom ‹Fierabras› sind für das 16. Jahrhundert bloß zwei weitere Drucke bekannt. ‹Die Haimonskinder› wurden erst mit der Verdeutschung der niederländischen Prosa durch PAULUS VAN DER AELST aus Deventer (Köln 1604) zum Volksbuch. Vorbild dürfte der Druck von 1508 gewesen sein. Im Anhang steht die in Köln und Dortmund lokalisierte Legende des HL. REINOLT.

Die in Frankreich zustande gekommene ritterliche Version einer altchristlichen Sage übersetzte WILHELM SALZMANN ins Deutsche: ‹Histori von dem Keyser Octaviano, seinem weib vnd zweyen sünen› (Straßburg 1535; bis 1599 zehn Ausgaben; Nachdrucke bis ins 19. Jh.; Neugestaltung durch LUDWIG TIECK). Es ist die Geschichte einer unschuldig verfolgten, mit ihren Kindern verstoßenen Kaiserin. Nach vielen Abenteuern und Kämpfen kommt es bei König Dagobert in Frankreich zu einem wunderbaren Wiederfinden.

Als CHRISTOPH WIRSUNG, der spätere Mediziner, Sohn eines reichen Kaufmannes und Druckereibesitzers, sich mehrere Jahre in Venedig aufhielt, übersetzte er dort in jugendlichem Alter nach der italienischen Bearbeitung den spanischen Roman ‹Celestina›, dessen anonymer Verfasser vermutlich FERNANDO DE ROJAS war, ins Deutsche. Das bildkräftige, leidenschaftliche und innige spanische Original ist in 21 Akte gegliedert, d. h. dialogisiert. WIRSUNG gab daher seiner Übertragung den Titel: ‹Ein Hipsche Tragedia von zwaien liebhabenden mentschen ainem Ritter Calixtus vnd ainer Edlen junckfrawen Melibia genant, deren anfang müesam was, das mittel sieß mit dem allerbittersten jr bayder sterben beschlossen› (Augsburg 1520 in der Offizin des SIGISMUND GRIMM und WIRSUNGS Vater MARX; mit 30 Holzschnitten des PETRARCAMEISTERS). Eine überarbeitete Neuauflage erschien bei HEINRICH STEINER 1534. Im Mittelpunkt stehen das tragische Liebespaar Calixt und Melibea und die Kupplerin Celestina.

In Frankreich gab es im 14. Jahrhundert über Ogier, eine Gestalt aus dem Sagenkreis um KARL D. GR., eine breite Versepik. Ein Geistlicher namens JOHANN versuchte in der 2. Hälfte des 15. Jahrhunderts eine Übersetzung ins Niederdeutsche (Heidelberger Handschrift von 1479). Als französischer Prosaroman wurde der Ogierstoff seit 1498 in vielen Auflagen verbreitet. Richtig eingedeutscht wurde der Roman erst Ende des 16. Jahrhunderts, indem KONRAD EGENBERGER aus Wertheim nach dänischer Vorlage die ‹Dennemarkische Historien von eines trefflichen Königs Sohn, der nach seines Vaters Tod regierender König in Dennmarck wird› (Frankfurt a. M. 1571) übersetzte. Die sich hier widerspiegelnde Bearbeitungsstufe verband den Stoff mit Feensagen, dem Sagenkreis um König Artus und mit einer Version des METELLUS VON TEGERNSEE (um 1170). EGENBERGERS Volksbuch weist nur mehr das Gerippe der Handlung auf. Die christliche Tendenz wird verdeutlicht, aber der Heiligen- und Wunderglaube im Sinne der Reformation abgelehnt.

GEORG MESSERSCHMID verband Elemente des französischen Ritterromans, deutscher Volksmärchen und humanistischer Allegorik zu dem Roman ‹Vom Edlen Ritter Brissoneto› (Straßburg 1569).

Ein Unbekannter übersetzte aus dem Lateinischen des FRANCISCUS FLORIUS das Volksbuch von Camillo und Aemilia: ‹Historien vnd Geschicht Camilli vnd Aemiliae vnd jhrer beyder brünstiger Liebe› (Frankfurt a. M. 1580).

Der Baseler Bürger, Setzer und Buchführer JOHANN WETZEL übertrug aus dem Italienischen des CHRISTOFORO ARMENO ‹Giaffers, des Königs zu Serendippe, dreyer Söhnen Reiß›, 1. Teil (Basel 1583). Ein zweiter Teil des Romans ist nicht erschienen, die Reise der Königssöhne ist im ersten Teil vollständig enthalten. Die Vorlage wurde zu Venedig 1557 gedruckt. Die ‹kurtzweiligen Historien› sind eine Reihe arabischer und persischer Novellen über den Kaiser Beram, die ARMENO zu einem Ganzen verband. Das Grundmotiv bildet der auf einen einzigen Schuß durch den Hinterlauf und das Ohr geschossene Hirsch.

Aus ritterlichen und bürgerlichen Volksromanen, Schwank- und Anekdotensammlungen und aus Fastnachtspielen zusammengesetzt ist das Werk des JÖRG WICKRAM. Der Dichter lebte als tüchtiger Bürger in einer evangelischen Kleinstadt der oberen Rheinlande und war Meistersinger, Spielleiter etc. Das Städtisch-Soziale wird von ihm als Problem empfunden.

WICKRAM, geboren um 1505 in Kolmar, war der natürliche Sohn des Stadtschultheißen KONRAD WICKRAM. Der Jüngling erhielt keine höhere Schulbildung. Der Mann erscheint 1546 als Ratsdiener der Stadt, betätigte sich daneben als Buchhändler und befaßte sich mit Malerei. Um 1554 wurde er Stadtschreiber in Burkheim am Rhein, das zum vorderösterreichischen Breisgau gehörte. Im Jahre 1562 war er bereits verstorben.

WICKRAM beteiligte sich anscheinend zunächst an den dramatischen Spielen in Kolmar und bearbeitete GENGENBACHS Spiel ‹Die X alter dyser welt› (vgl. S. 337). Außerdem verfaßte er selbst Fastnachtspiele sowie zwei reformatorisch-bürgerliche Dramen. Für einen Druck (Mainz 1545) setzte WICKRAM die von ALBRECHT VON HALBERSTADT (vgl. Bd. II, S. 53 ff.) um 1210 ins Deutsche übertragenen ‹Metamorphosen› OVIDS in die Verssprache des 16. Jahrhunderts um, bestrebt, den bildenden Künstlern mythologische Stoffe zu liefern. Daneben war WICKRAM als Meistersinger tätig. Auf einer Dienstreise erwarb er in Schlettstadt die eine Sammelhandschrift mit Meisterliedern des 14. und 15. Jahrhunderts, die *Kolmarer Handschrift*, eine der Hauptquellen für die Kenntnis des Meistergesanges. Für das Jahr 1546 wird erstmalig von einer Singschule zu Kolmar berichtet. WICKRAM verfaßte für sie die Schulordnung und die Tabulatur und war acht Jahre für die Schule tätig. Bereits zur Prosa gehört WICKRAMS als Reiselektüre gedachtes ‹Rollwagenbüchlein›, ein unterhaltsames Schwankbuch (vgl. S. 168 f.).

WICKRAMS Prosaerzählungen sind z. T. noch ritterlicher, z. T. bereits bürgerlicher Art. Die ‹History› vom ‹Ritter Galmy vß Schottland›, 1539 zu Straßburg anonym erschienen, macht die bekannte Geschichte von der unschuldig verfolgten Frau unter der Einwirkung der Renaissance-Novellistik zu einer Art Ritterroman.

Der arme schottische Ritter Galmy rettet als Mönch verkleidet die Herzogin von Britannien vor dem Feuertode, bekommt sie nach dem Tode des Herzogs zur Frau und wird zum Herzog von Britannien erwählt. Neben der Liebesgeschichte hat WICKRAM das Freundschaftsmotiv zwischen Galmy und Friedrich besonders herausgestellt. Monologe gewähren dem Leser Einblick in das Seelenleben der Hauptpersonen. Dinge und Vorgänge werden in Kleinmalerei ausgestaltet.

Im zweiten Ritterroman, ‹Ein Schöne vnd doch klägliche History, von dem sorglichem anfang vnd erschrocklichen vßgang der brinnenden liebe . . .› (1551), lieben die Ritter Gabriotto und Reinhart die Schwester des Königs von England und deren Freundin, eine Grafentochter. Doch die Liebe endet hier tragisch. Beide Liebespaare werden erst im Grabe vereinigt.

Die Höhe der ritterlichen Gattung erreichte WICKRAM in dem Roman ‹Der Goldtfaden› (1554; gedr. Straßburg 1557), «allen Jungen Knaben sich der tugendt zů befleissen, fast dienstlich zů lesen». Das Wesentliche daran ist wohl der Versuch des Verfassers, im Dasein einer ständisch geordneten Welt ein gesellschaftliches Lebensideal zu veranschaulichen.

Der arme Hirtensohn Leufried in Portugal kommt als Küchenjunge an den Hof eines Grafen. Dort verliebt er sich in Angliana, die Tochter des Grafen. Da er schön singen kann, macht ihn der Graf zum Diener seiner Tochter. Angliana schenkt ihm eines Tages von ihrer weiblichen Handarbeit einen Goldfaden. Leufried öffnet sich mit einem Messer die Brust und verwahrt darin den Faden. Als er seiner Herrin später ein Lied mit dem Fadenthema vorsingt, will Angliana wissen, wo er tatsächlich den Faden habe. Leufried schneidet sich die Brust auf und zeigt ihr den Faden. Nun erwidert Angliana seine Liebe. Nach vielen Hindernissen und Schwierigkeiten erfolgt die Vereinigung der Liebenden. Es stellt sich heraus, daß Leufried selbst adeliger Herkunft ist. Nach dem Tode des Grafen wird er Herrscher im Lande. Bei der Geschichte spielt ein zahmer Löwe eine bedeutsame Rolle. Was WICKRAM der männlichen Jugend vor Augen führen will, ist: «fleißiges studieren, vnterdienstbarkeyt vnd Ritterliche thaten» erheben und adeln; Freundschaft bewährt sich in Gefahr, Liebe erfüllt sich in der Ehe; um einen guten Fürsten bildet sich eine gute Obrigkeit. In der Formgebung freilich gelang es WICKRAM noch nicht, das Episodische organisch in die Einheit einer geschlossenen Welt zu fügen. Auch ist die Sprache erst auf dem Wege zu einem Stil.

Der ethische Wesenszug von WICKRAMS Prosaerzählungen zeigt sich am deutlichsten in seinen Spätwerken. Die Lehrerzählung ‹Der Jungen Knaben Spiegel› (Straßburg 1554) spielt in der damaligen Gegenwart. WICKRAM wollte eine Art Erziehungsroman schreiben. Dazu aber reichte weder seine dichterische Phantasie aus noch waren zu dieser Zeit für ein solches Unterfangen die literarischen Voraussetzungen vorhanden.

Der auf die spätmittelalterliche Literatur der Specula hinweisende Titel der ‹kurtzweilig History› gibt den Inhalt an: WICKRAM will am Abbild dreier junger Menschen, an dem von einem Ritter adoptierten Bauernsohn, am Sohn eines Ritters und an dem bösen Verführer, dem Sohn eines Metzgers, zeigen, welch großen Nutzen auf der einen Seite das Studieren und der Gehorsam gegen die Eltern, die Schule und die Lehrmeister bringen, andererseits, welch große Gefahr aus dem Gegenteil erwächst. Die Erzählung soll spiegelmäßig die Jugend belehren und ihr eine Warnung vor Augen halten. Der arme Bauernsohn Friedbert wird nach fleißiger Schul- und Studienzeit Kanzler des Landesfürsten. Der Metzgersohn endet nach einem Raubüberfall am Galgen. Der Rittersohn Willibald gerät in üble Gesellschaft, kehrt aber schließlich als ‹verlorener Sohn› geläutert ins Elternhaus zurück.

In der Welt des gehobenen Kunsthandwerkes, das internationale Bewegungsmöglichkeiten besaß, spielt der Roman ‹Von Gůten vnd Bôsen Nachbaurn› (Straßburg 1556). Die Geschichte berichtet von drei Generationen und führt vorbildliches Haushalten und Eheleben vor Augen.

Der Goldschmied Robertus verläßt seine Heimatstadt Antwerpen, weil ihm dort ein böser Nachbar das Leben verleidet. Er übersiedelt nach Lissabon, wo ihm ein Geschäftsfreund den Boden bereitet. Der Sohn dieses Freundes, Richard, heiratet Cassandra, die Tochter des Robertus. Richard, der ebenfalls Goldschmied ist, gewinnt einen Freund im Goldschmied Lasarus. Der Sohn des Lasarus vermählt sich mit Lucia, der Tochter Richards. Die Freundschaft der guten Nachbarn bewährt sich in gefährlichen Lagen, die ehelichen Verbindungen führen zur Verbindung der Geschäfte. Das Milieu, in dem der Roman handelt, bot die Möglichkeit, von Reisen und Abenteuern zu berichten. Auch mit diesem Roman wollte WICKRAM belehrend wirken. Das Buch will zeigen, «wie sich ein junger gesell auff Wanderschafft halten sol». Der junge Lasarus ist das Beispiel, wie man sich richtig verhalten soll. Ihm, dem braven und gottesfürchtigen Jungen, stehen ‹Riffiener›, d. s. Gauner, exemplarische Taugenichtse in den Städten, gegenüber.

Als Zweck des Buches bezeichnet WICKRAM: Es solle lehren, wie man die erwachsenden Kinder zu Gottes Ehre erziehen kann, danach zu einem Handwerk anleiten, und wenn man sie auf Wanderschaft schikken will, wie man ihnen Unterricht erteilen soll, damit sie sich gegen Dienst-Herren und -Frauen, Kinder und Gesinde gebührlich zu benehmen wissen. Das 22. Kapitel enthält eine der ersten Robinsonaden der deutschen Literatur. Sprachlich und stilistisch gesehen, erreicht WICKRAM in diesem Spätwerk die Grenzen des für ihn Möglichen. Doch der Lebensbereich seiner Personen ist eng und an der Welt, die WICKRAM zeichnet, lassen sich keine Grundformen des Lebens herausarbeiten.

WICKRAM betätigte sich auch als Satiriker und Erbauungsschriftsteller. Zu dieser Sparte seines Schaffens gehört außer dem satirischen Gedicht gegen ‹das mechtig hauptlaster der trunckenheit› das Büchlein

‹Die Siben Hauptlaster, sampt jren schônen frûchten vnd eygen-
schaﬀten› (Straßburg 1556): Hoﬀart, Geiz, Neid, Zorn, Völlerei, Träg-
heit, Unkeuschheit. Es umfaßt in 55 kleinen Kapiteln Geschichten aus
der Bibel und der Antike. Sie sollen jeweils das betreﬀende Laster und
dessen Wirkungen vor Augen führen. Zu der von ERASMUS beeinﬂuß-
ten Erbauungsliteratur gehört WICKRAMS Dichtung ‹Der Irr Reitend
Bilger› (Straßburg 1555) gegen den Mißbrauch der Wallfahrten und
verschiedene Zustände in der katholischen Kirche. Dem verbreiteten Un-
terhaltungsspiel mit einem Glücksrad diente WICKRAMS ‹Weltlich Loß-
buch› (Straßburg 1539 u. ö.).

WICKRAM ist der repräsentative Romanautor des deutschen Bürgertums im 16. Jahrhundert. Sein Weg führte von der noch halb ritterlichen Erzählung zum bürgerlichen Erziehungs- und Familienroman. Im
‹Goldfaden› entstammt das Liebespaar die längste Zeit wenigstens
scheinbar verschiedenen Ständen. Im ‹Knabenspiegel› und im Roman
‹Von guten und bösen Nachbarn› zeigt WICKRAM die Idealgestalt eines
bürgerlichen Jünglings und ein Idealbild städtischen Zusammenlebens.
Es kommt ihm nicht auf realistische Individualitäten an, sondern auf
typische Charaktere. WICKRAM will durch seine Romane belehren und
bessern. Seine Komposition scheint noch hart und schwerfällig. Gleichwohl ist mit den erzieherischen Tendenzen ein Stilwandel vom Realismus und Grobianismus zum Idealismus hin verbunden.

e) Die Volksbücher. Das Volksbuch vom Doktor Faust

Der Erbauungs- und religiösen Gebrauchsliteratur parallel ging im
15. Jahrhundert eine *Unterhaltungsliteratur in Prosa.* Sie ist an Umfang und Vielfalt zwar wesentlich kleiner, barg aber in sich entscheidende Ausgangsgebilde für den späteren Kunstroman und die Novelle.
Ähnlich wie in Frankreich war auch in Deutschland die Versgestalt der
ritterlichen Epen der Prosaform gewichen. Die Romantik, vorab JOSEPH
VON GÖRRES, subsumierte diese zuerst in Adels-, dann in Bürgerkreisen
beliebten Schriftwerke unter den Begriﬀ *Volksbücher.* HERDERS Gedankengängen folgend, sah man in diesen Erzählungen in ihrem im 18./19.
Jahrhundert erreichten Endzustand Produkte des dichtenden Volksgei-
stes oder der Volksseele. Die spätere Wissenschaft entdeckte dann sehr
bald, daß diese Volksbücher viel eher aus Adels- und Patrizierkreisen in
Bürger- und Handwerkerkreise gesunkene ‹Kunstliteratur› seien. Nicht
das Volk, sondern namentlich bekannte historische Persönlichkeiten waren die Autoren, Übersetzer, Bearbeiter und Sammler dieser Prosa-Epik;
und literarisch gebildete und künstlerisch anspruchsvolle Kreise veranlaßten und pﬂegten zuerst diese Unterhaltungsliteratur, bis sie in den
höheren Kreisen einem anderen Geschmack wich. Erst dann wurde sie

von den unteren Schichten des Volkes dankbar aufgenommen und oft durch viele Generationen weitergegeben.

Unter dem Sammelnamen *Volksbücher* versteht man unterhaltende und belehrende Prosaschriften verschiedener Herkunft, die infolge ihres realen Inhaltes und ihrer allgemeinverständlichen und formelhaften Darstellungsweise in der zweiten Hälfte des 16. Jahrhunderts Allgemeingut der mittleren und unteren Volksschichten geworden sind.

Zu *Volksbüchern* in diesem Sinne wurde das meiste aus der in Kapitel c) behandelten Gruppe der schwankhaften Erzählungen: PAULIS ‹Schimpf und Ernst› (von 1522 bis ca. 1600 einundvierzig Drucke), WICKRAMS ‹Rollwagenbüchlein› (von 1555 bis ca. 1600 fünfzehn Drucke), FREYS ‹Gartengesellschaft› (von 1556 bis ca. 1600 fünfzehn Drucke), des MONTANUS ‹Wegkürzer› (von 1557 bis 1597 neun Drucke), SCHUMANNS ‹Nachtbüchlein› (von 1559 bis ca. 1600 vier Drucke), KIRCHHOFFS ‹Wendunmut› (von 1563 bis 1598 sechs Drucke), LINDENERS ‹Rastbüchlein› (von ca. 1558 bis 1578 vier Drucke), ‹Die Schildbürger›. Ähnliches geschah aus der in Kapitel d) behandelten Gruppe der romanhaften Prosaerzählungen mit VEIT WARBECKS ‹Magelone›-Übersetzung (von 1535 bis 1598 achtzehn Drucke) und WICKRAMS Romanen ‹Gabriotto und Reinhard› (von ca. 1550 bis 1587 drei Drucke) und ‹Ritter Galmy› (von 1539 bis ca. 1600 zehn Drucke).

Man pflegt bei den Volksbüchern zwei große Gruppen zu unterscheiden: Eine Gruppe geht auf ältere eigene oder fremde Vorlagen zurück, die andere entstand aus Neuschöpfungen des späten 15. und 16. Jahrhunderts. In beiden Fällen bedurfte es einer – längeren oder kürzeren – literarischen Entwicklung, bis die für ein Volksbuch erforderliche große Beliebtheit und weite Verbreitung erreicht war. Die meisten Volksbücher sind anonym erschienen. Die älteren Vorlagen, Übertragungen aus anderen Sprachen und Prosa-Auflösungen mittelhochdeutscher Versepen, waren bis in den Anfang des 16. Jahrhunderts zunächst für Adels- und Patrizierkreise bestimmt, Buchwerke in großem Format, reich illustriert und nur von einem wohlhabenden Publikum erwerbbar. Erst später erschienen sie in kleinen billigen Drucken und mit primitiven Holzschnitten. Ebenso waren die Neuschöpfungen – gesammeltes Schwankgut und romanhafte Prosa, Vereinigung motivverwandter Erzählungen um eine zentrale Gestalt – von ihren Verfassern ursprünglich nicht als *Volks*bücher gedacht. Erst als die Buchdrucker und Verleger ihre Erzeugnisse billiger herzustellen vermochten und mit ihren Produkten durch entsprechende Bearbeitung auch Leserkreise des Mittel- und Kleinbürgertums, der Handwerker und Bauern ansprechen wollten, gelangten diese Unterhaltungs- und Lehrschriften in Gestalt der Druckausgaben wirklich ins Volk. Nur als dies mit Hilfe einer Massenproduktion in der zweiten Hälfte des 16. Jahrhunderts erreicht wurde, ist der

Ausdruck *Volksbücher* gerechtfertigt. Die Redaktoren und Verleger der Volksbücher bezeichnen die Erzeugnisse dieser Prosaepik im Titel meist als ‹Historie›, aber auch als ‹Geschicht›.

In stofflicher Hinsicht bewahren die Volksbücher altes Lehrgut und die beliebtesten Erzählstoffe des Mittelalters. Das Lehrgut, soweit es der *Lucidarius* zusammenfaßt, stammt vom Ende des 12. Jahrhunderts und ist europäisch-christlich. Die Unterhaltungsstoffe sind verschiedener Herkunft. Ein großer Teil kommt aus der französischen Heldensage und den französischen Ritter- und Abenteuerromanen: ‹Lanzelot›, ‹Hug Schapler›, ‹Melusine›, ‹Schöne Magelone›, ‹Kaiser Octavianus›, ‹Haimonskinder›, ‹Fierabras›, ‹Olivier und Artus›. Anderes aus der deutschen Heldensage und der höfischen Epik: ‹Gehörnter Siegfried›; ‹Tristan›, ‹Wigalois›, ‹Friedrich Barbarossa›. Beliebt wurden phantastische Reisebeschreibungen verschiedener Herkunft: *St. Brandan,* ‹Herzog Ernst›, MANDEVILLE u. a. Aus der Legende kamen: die Heiligenleben, Gregorius, Genovefa u. a. Von den Geschichtensammlungen wird das ‹Buch der Beispiele der alten Weisen› oder ‹Buch der Weisheit›, das ANTONIUS VON PFORR (vgl. Bd. IV/1, S. 579) übersetzt hatte, beliebt. In Deutschland schon länger beheimatete antike Stoffe behandeln: ‹Trojas Zerstörung›, ‹Alexander d. Gr.›, ‹Apollonius von Tyrus›. Aus dem Orient in lateinischer Überlieferung stammen: ‹Salomon und Markolf›, ‹Die sieben weisen Meister›, ‹Der ewige Jude›. Die italienische Renaissancenovelle geht in den Übersetzungen WYLES, EYBS und SCHLÜSSELFELDERS ein in die deutsche Volksbuchliteratur. Altes Erzählgut enthalten die Tiergeschichte von ‹Reineke Fuchs› und die Schwanksammlungen: ‹Pfarrer vom Kahlenberg› (in Versen), ‹Lalebuch› oder ‹Schildbürger› u. a. Neuschöpfungen sind schließlich: ‹Fortunatus›, ‹Eulenspiegel›, *Faust.* Bei ‹Eulenspiegel› und *Faust* ist das Neue nur die Zentralgestalt; auf sie werden teilweise Erzählungen und Motive aus anderen Stoffkreisen übertragen. Vom ‹Eulenspiegel› abhängig sind ‹Claus Narr› und ‹Hans Clauert›. An die Volksbücher grenzen und z. T. auch zu ihnen gehören: Kalender, Prognostiken und Arzneibücher, Traum- und Rätselbücher, Lehrhaftes, der ‹Amadis›-Roman. Einen großen Teil der Volksbücher bezeichnete man später als *Ritterroman.* Dazu gehören alle erzählenden Prosawerke des 15. und 16. Jahrhunderts, die ritterliches Leben und ritterliche Thematik zum Gegenstand haben, also auch einzelne Romane WICKRAMS. Gemeinsamkeiten der Volksbücher in Begriffswelt und Stil sind: Kürzungen gegenüber der Vorlage, materielle Geisteshaltung, Wundersucht, Übertreibungen, Neigung zu direkter Rede, Formelhaftigkeit, Lehrhaftigkeit, Verfall der ritterlichen Welt.

Die große Verbreitung der Volksbücher in der 2. Hälfte des 16. Jahrhunderts ersieht man z. B. aus dem ‹Meß-Memorial› des Frankfurter Buchhändlers MICHEL HARDER. Dieser verkaufte auf der Fastenmesse 1569 insgesamt

5918 Bücher, zum überwiegenden Teil volkstümlichen Inhalts. An ausgesprochenen Volksbüchern finden sich darunter fast 2300, und zwar 233 Sieben weise Meister, 202 Schimpf und Ernst, 196 Fortunat, 176 Magelone 158 Melusine, 147 Pontus, 144 Galmy, 135 Octavian, 118 Wendunmut, 97 Hug Schapler, 85 Apollonius, 77 Eulenspiegel, 70 Elucidarius, 64 Loher und Maller, 56 Tristan und Isolde, 52 Florio und Bianceffore, 45 Brissoneto, 39 Barbarossa, 37 Fierabras, 34 Hirnen Seifrid, 32 Marcolph, 29 Schildbürger, 24 Olivier, 17 Herzog Ernst, 18 Olivier und Artus, 8 Pfaff von Kalenberg.

Der Beliebtheit der Volksbücher in weiten Leserkreisen stehen ablehnende und kritische Stimmen gegenüber. AGRIPPA VON NETTESHEIM eiferte gegen die Ende des 15. Jahrhunderts neu aufkommenden Prosaromane. Der spanische Humanist JUAN LUIS VIVES sprach sich 1523 ebenfalls dagegen aus. Wie bei jeder literarischen Gattung trat auch bei den Volksbüchern nach einer Zeit der Hochblüte ein Verfall ein.

Die poetische Ausdrucksform der Lüge nennt man *Lügendichtung*. Die Gattung verfügt über verschiedene Spielarten; von der einfachen Erdichtung von Unmöglichkeiten über die Verzerrung und Umkehrung der Wirklichkeit bis zur aufschneiderischen Übertreibung, alle in den drei geschichtlichen Formen der Jagd-, Reise- und Kriegslüge. Satirisch gewendet, wird die Lügendichtung zur Lügenabstrafung und tritt damit in die Dienste der Moral. Die meist gleichen einzelnen Anekdoten sind international und lassen sich literarhistorisch von PLUTARCH an, bei Sindbad, im Talmud, in Legenden etc. nachweisen. Vom 14. bis zum 17. Jahrhundert erscheinen die Lügengeschichten in der Schwankliteratur, in den Fazetien, im ‹Eulenspiegel› und außerdem zusammengefaßt in einer Sammlung, vereinigt auf einen Namen: ‹Der Fincken Ritter. Die History vnd Legend von dem trefflichen vnd weit erfarnen Ritter, Herrn Policarpen von Kirrlarissa, genandt der Fincken Ritter, wie der drithalb hundert jar, ehe vnd er geboren ward, vil land durchwandert, vnd seltzam ding gesehen, vnd zů letst von seiner Mutter für todt ligen gefunden, auffgehaben, vn[d] erst von newem geboren worden› (Straßburg etwa 1560; 1568 u. ö.; mit Holzschnitten, die aus WICKRAMS ‹Losbuch› entlehnt sind). Unter einem ‹Finckenritter› verstand der unbekannte Autor einen losen Gesellen oder Herumtreiber, der angeblich im Schwabenkrieg 1499 zum Ritter geschlagen wurde. Das im Elsaß entstandene kleine Volksbuch enthält eine aus Lügenschwänken zusammengesetzte Verspottung der fabelhaften Reisebeschreibungen des JOHN MANDEVILLE, der *Brandan-Legende* oder prahlerischer Landfahrer, wie sie KASPAR SCHEIDT in seiner Verdeutschung von DEDEKINDS ‹Grobianus› schildert.

Von den *Prosa-Auflösungen* mittelhochdeutscher Versepen wurden der ‹Wigalois› bis Ende des 18. Jahrhunderts, ‹Tristan und Isolde› bis 1664, der ‹Stauffenberger› oder ‹Ritter von Stauffenberg› bis Ende des 16. Jahrhunderts neu aufgelegt. Ein gern gelesenes Volksbuch war auch der ‹Sigenot›. Es gibt von ihm Drucke von 1490 bis ins 17. Jahrhundert. Der ‹Orendel› wurde 1512 in Prosa aufgelöst. Nicht zu Volksbüchern wurden die Prosaisierungen des ‹Wilhelm von Österreich› von JOHANN VON WÜRZBURG und des ‹Barlaam und Josaphat› von RUDOLF VON EMS. Bei ‹Peter Leu› von ACHILLES JASON WIDMANN beginnen die Drucke ab 1550.

Eine epische Versdichtung von den Abenteuern des jungen Siegfried ist das Volkslied ‹Der Hürnen Sewfrid›. Die Dichtung wurde vermutlich im 13. Jahrhundert abgefaßt. Das Original ist verlorengegangen. Das Lied liegt nur in Drucken des 16. Jahrhunderts vor, deren erster in Nürnberg bei KUNEGUND HERGOTIN zwischen 1527 und 1538 erschien, mit Holzschnitten von HANS SEBALD BEHAM. Es ist das Werk *eines* Verfassers und entstand noch im 15. Jahrhundert. Das Lied umfaßt 179 Strophen und ist im Hildebrandston geschrieben. Er erzählt von Sewfrid, dem Sohn König Sigmunds im Niederland: Sewfrid beim Dorfschmied, Drachenkampf, die Hörnung seiner Haut, Sewfrid am Hofe König Gybichs, die Erwerbung des Nyblinger Hortes, die Befreiung der vom Drachen entführten Krimhilt, die Hochzeit in Worms und Sewfrids Ermordung. Die Uneinheitlichkeit des Inhaltes kommt davon, daß der Verfasser mehrere Berichte vereinigte, ohne die Widersprüche auszugleichen. ‹Der Hürnen Sewfrid› wurde während des 16. und auch noch zu Beginn des 17. Jahrhunderts viel und gern gelesen (acht vollständige Drucke). Eine niederdeutsche Übersetzung erschien Hamburg 1549 im Druck; eine tschechische Bearbeitung 1615. Von der Versdichtung abzuleiten ist das Prosavolksbuch vom gehörnten Siegfried, das 1694 zum erstenmal erwähnt wird, dessen ältester erhaltener Druck 1726 in Braunschweig und Leipzig erschien: ‹Eine wunderschöne Historie Von dem gehörnten Siegfried›. Die Vorlage war das Lied, der Inhalt wurde jedoch erweitert.

Von Kaiser FRIEDRICH BARBAROSSA erzählt das Buch ‹Ein warhafftige history von dem Kayser Friderich, der erst seines Namens, mit einem rotten Bart›. Es berichtet, wie bei der Belagerung Jerusalems Herzog Eckart anstelle der verlorenen Fahne aus seinem Bundschuh ein Panier machte; von der Gefangenschaft Friedrichs beim Sultan; der Belagerung und Einnahme Venedigs; dem Entschwinden des Kaisers. – Bekannt sind drei Drucke Landshut 1519, Augsburg 1519 und Straßburg 1520. Fast den ganzen Text des Volksbuches nahm JOHANNES ADELPHUS MULING in sein Werk ‹Ein warhafftige Beschreibung des Lebens Barbarossa› (Straßburg 1520, 1530, 1535) auf.

Bemerkenswert durch den Inhalt, unbeholfen in der Form ist GEORG THYMS epische Versdichtung ‹Thedel von Walmoden›. GEORG THYM, eig. KLEE (ca. 1520–1561) stammte aus Zwickau, war Schüler MELANCHTHONS und wirkte später als Schulmeister und Rektor an verschiedenen Orten.

Er ist auch Verfasser grammatischer Schriften und lateinischer Gedichte, eines in deutsche Verse gebrachten ‹Handbüchleins der christlichen Lehre› und Herausgeber einer Hymnensammlung. THYM dichtete in Wernigerode über Aufforderung LUDOLFS VON WALMODEN nach Familiensagen und sonstigen Überlieferungen ‹Des Edlen Gestrengen, weitberümbten, vnd Streitbaren Heldes Thedel Vnuorferden von Walmoden, tapfferer, menlicher, vnd Ritterlicher Thaten, viel hübsche, alte wunderbarliche Geschicht› (Magdeburg 1558 u. ö.). Diese Geschichte des Thedel von Walmoden ist ein Nachfahre der auf mythische Vorstellungen zurückgehenden Sage von HEINRICH DEM LÖWEN. Sie wird hier mit den Kämpfen der deutschen Ordensritter in Livland in Zusammenhang gebracht.

Von den durch ELISABETH VON NASSAU-SAARBRÜCKEN (vgl. Bd. IV/1, S. 74 ff.) aus dem Französischen übersetzten Epenstoffen wurden ‹Loher und Maller› (Drucke 1513, 1514, 1567), ‹Hug Schapler› in der Bearbeitung CONRAD HEINDÖRFFERS (von 1500 bis 1571 fünf Drucke) und ‹Herpin› (von 1514 bis 1590 fünf Drucke) zu Volksbüchern umgearbeitet. Zu einem beliebten Volksbuch wurde der von ELEONORE VON ÖSTERREICH aus französischer Prosa übertragene Ritterroman ‹Pontus und Sidonia› (von 1509 bis 1587 neun Drucke; ein niederdeutscher 1601). Noch beliebter wurde das nach der Übersetzung durch THÜRING VON RINGOLTINGEN gearbeitete Volksbuch ‹Melusine› (von 1506 bis 1587 rund sechzehn Drucke). Der durch MARQUART VON STEIN aus dem Französischen übertragene ‹Ritter von Turn› erlebte von 1513 bis 1593 rund sieben Drucke. Von den Arbeiten des JOHANNES HARTLIEB wurde zu einem Volksbuch der ‹Alexander› (von 1503 bis 1573 fünf Drucke). Die durch HANS MAIR verdeutschte ‹Historia destructionis Trojae› des GUIDO DE COLUMNA erlebte zwar die Mehrzahl der Drucke bereits im 15. Jahrhundert, wurde aber dennoch von 1510 bis 1599 als ‹Trojas Zerstörung› noch viermal aufgelegt. Die aus dem Lateinischen stammende Version des ‹Herzog Ernst› wurde zwischen 1500 und 1560 fünfmal gedruckt. HEINRICH STEINHÖWELS ‹Apollonius von Tyrus› zwischen 1516 und 1601 sechsmal, OTTO VON DIEMERINGENS Reisebeschreibung des JOHN MANDEVILLE zwischen 1501 und 1584 fünfmal, HELIODORS ‹Theagenes und Chariklea› noch im 16. Jahrhundert neunmal.

Aus den frühhumanistischen Übersetzungen der italienischen Renaissance-Novellistik (vgl. Bd. IV/1, S. 570 ff.) wurden zu deutschen Volksbüchern: NICLAS VON WYLES Übertragung der Novelle des ENEA SILVIO ‹Euriolus und Lucretia› (Drucke 1550, 1560) und WYLES Übertragung von BOCCACCIOS ‹Guiskard und Sigismunda› (Druck 1580); HEINRICH STEINHÖWELS Übersetzung von PETRARCAS ‹Griseldis› (zwischen 1502 und 1590 rund zehn Drucke); das Erstlingswerk des jungen BOCCACCIO ‹Florio und Biancefora› (zwischen 1500 und 1587 fünf Drucke).

Von Geschichtensammlungen und Didaktik wurden zu Volksbüchern umgearbeitet: ‹Die sieben weisen Meister› (von 1511 bis 1600 rund dreißig Drucke); ‹Salomon und Markolf› (von 1510 bis 1593 etwa zehn Drucke); ‹Das Buch der Beispiele der alten Weisen› (von 1501 bis 1592 etwa vierzehn Drucke); der ‹Lucidarius› (von 1503 bis 1598 etwa vierzig Drucke, z. T. unter dem Titel ‹Kleine Cosmographia›). Keine besondere Verbreitung im Volk fand die Übersetzung der ‹Gesta Romanorum› mit ihren fabelhaften Geschichten. Sie wurden nur 1512 und 1538 gedruckt.

Zu Volksbüchern wurden im 16. Jahrhundert, wie gezeigt, auch Werke einzelner namhafter Dichter oder einzelner Sammlungen von Geschichten und Schwänken. Obgleich in Versen abgefaßt, wurde ‹Die Geschichte des Pfarrers vom Kahlenberg› von 1500 bis gegen 1600 etwa zwölfmal gedruckt; die ‹History Peter Lewen› in der Bearbeitung WIDMANNS zwischen 1550 und 1573 viermal. Eine Art Zusammenfassung der ritterlichen Volksbücher gab das ‹Buch der Liebe› (1587), das bei FEYERABEND in Frankfurt a. M. erschien (vgl. S. 206 f.).

Neben der großen Zahl in Form und Erlebnisgestaltung verschiedener Übersetzungswerke und den aus der mittelalterlichen Überlieferung stammenden Prosa-Auflösungen und Stoffen stehen nur wenige deutsche Eigenschöpfungen an Volksbüchern. Es sind einerseits Schwanksammlungen, wie der ‹Eulenspiegel›, das ‹Lalebuch› und die ‹Schildbürger›, ‹Claus Narr›, ‹Hans Clauert›, andererseits romanhafte Gebilde wie der ‹Fortunatus› und das *Faustbuch*. Während die meisten romanhaften Prosawerke lange Zeit brauchten, bis sie zu Volksbüchern werden, beginnt sofort als Volksbuch die ‹Historia Von D. Johann Fausten›.

Literarhistorisch und ideengeschichtlich steht das *Volksbuch vom Doktor Faust* in der Tradition der Literatur der *Artes magicae* des Humanismus und der Renaissance und der nachreformatorischen Teufelsliteratur. Die Beliebtheit dieser Gattung erhellt aus der Tatsache, daß der Verlagsbuchhändler SIEGMUND FEYERABEND ein umfangreiches Kompendium von Teufelsschriften sammelte und als ‹Theatrum Diabolorum› 1569 und 1575 (Frankfurt a. M.) auflegte.

In den Jahrzehnten der Renaissance und Reformation hatten die Berichte über den Magier SIMON, wie sie in der Apostelgeschichte, Petruslegende, bei altchristlichen und antiken Autoren überliefert und erörtert werden, erhöhte Bedeutung gewonnen. Die kirchliche Literatur und Wissenschaft sieht in SIMON einen vorchristlichen Gnostiker. IRENÄUS bringt ihn in Verbindung mit der tyrischen Dirne HELENA, der letzten Frau, in der die göttliche Ennoia [Vorstellung, Idee] nach ihrer Emanation unter dämonischem Zwang gefangen gewesen sei und von SIMON befreit wurde. Aus antiken Profanschriftstellern erfuhr man, daß SIMON im Jahre 66 im Theater zu Rom in Anwesenheit Kaiser NEROS als

erster Aeronaut mittels angehefteter Flügel einen (mißglückten) Flug-
versuch unternahm. Die altchristliche Romanliteratur (Pseudo-Klemen-
tinen, Acta Petri) verwendet als beliebtes Motiv die Begegnungen Si-
MONS mit dem Apostel PETRUS und malt Streitreden oder Wettkämpfe
im Wunderwirken der beiden phantasievoll aus. Obgleich die mittelalterliche Kirche den Glauben an Teufelspakte, Hexerei und Zauber-
künste streng verurteilte, lebte er gleich vielen anderen heidnischen Erinnerungen in lockerer Verbindung mit dem christlichen Dogma beim
Volke fort und wurde erneut lebendig in einer Zeit, als die Bibel in
jedermanns Hände kam und die antike christliche und profane Literatur neu erschlossen wurde. Wenn die Wittenberger Reformatoren, ME-
LANCHTHON u. a., über *Doktor Faust* sprachen, stellten sie unwillkürlich
seine Gestalt in die von SIMON MAGUS ausgehende Tradition.

Alte Magussagen, Zauber- und Teufelsgeschichten bilden auch den
einen Teil des *Volksbuches vom Doktor Faust*. Sie werden um eine Ge-
lehrtengestalt des deutschen Humanismus angeordnet. Das andere sind
Themen und Tendenzen der zweiten Hälfte des 16. Jahrhunderts: Erkenntnisdrang, der auch vor dem Übernatürlichen nicht haltmacht; Verlangen nach Beherrschung der kosmischen Kräfte und jenseitiger Sphä-
ren. Sie zu befriedigen und zu ermöglichen, kann nur mit Hilfe dämonischer Mächte geschehen. Nach LUTHERS Lehre ist jedoch der Glaube
wesentlicher als die Erkenntnis und steht höher als Wissen. Der Titel
des *Faustbuches* enthält, wie bei Schriftwerken gegen 1600 häufig, eine
Art Inhaltsangabe: ‹Historia Von D. Johann Fausten, dem weitbe-
schreyten Zauberer vnnd Schwartzkünstler, Wie er sich gegen dem Teuffel auff eine benandte zeit verschrieben, Was er hierzwischen für seltzame Abentheuwer gesehen, selbs angerichtet vnd getrieben, biß er endtlich seinen wol verdienten Lohn empfangen. Mehrertheils auß seinen
eygenen hinderlassenen Schrifften, allen hochtragenden, fürwitzigen vnd
Gottlosen Menschen zum schrecklichen Beyspiel, abscheuwlichen Exempel, vnd treuwhertziger Warnung zusammen gezogen, vnd in den Druck
verfertiget›. Darunter das Zitat aus der Epistel des Jakobus 4, 7: «Seyt
Gott vnderthänig, widerstehet dem Teuffel, so fleuhet er von euch».
Dieses *Faustbuch* wurde zuerst 1587 durch den protestantischen Drucker
JOHANN SPIESS in Frankfurt a. M. gedruckt und war als eine Abschrek-
kungslegende gedacht. Es erschien ohne Verfassernamen. Die 68 Kapitel,
aus denen der Druck besteht, sind nur im ‹Register› (und nicht im
Text) durchgezählt. In der ‹Vorred› kündigt SPIESS auch einen Druck
in lateinischer Sprache an.

Die Überlieferung des *Faustbuches* ist nicht einheitlich. Wir haben
außer dem zitierten Druck (A¹) noch andere Fassungen. Zunächst die
«Vorred An den Leser» und drei Pluskapitel der Wolfenbütteler
Handschrift (um 1582/86; Text vermutlich aus Süddeutschland). Ferner

die Textergänzungen des Druckes A² (Frankfurt 1588; neu: ‹Zeugnuß
der H. Schrifft, von den verbotten Zauberkünsten›), der Fassungen B
(Frankfurt 1587?; Ergänzung um acht Kapitel, veränderte Reihenfolge
nach Kapitel 35, mehrere Kapitel interpoliert und umgearbeitet), C¹
(1587; Erweiterung um fünf Erfurter und ein Leipziger Kapitel, Epigramm ‹Dixeris infausto› und Distichen ‹Lectori S.›), N (Lübeck 1588;
Abfassung in Niederdeutsch; neu: Epigramm ‹Quisquis es›). Eine Vers-
bearbeitung des *Faustbuches* ‹Ein warhaffte vnd erschröckliche Geschicht: Von D. Johann Fausten› erschien Tübingen 1587/88. Seine
Autoren (Tübinger Studenten) und der Drucker (ALEXANDER HOCK)
wurden auf Befehl des württembergischen Hofes wegen Mißachtung der
kirchlichen Autorität verhaftet. Bis zum ‹Faustbuch› WIDMANNS 1599
sind zweiundzwanzig selbständige Drucke bekannt. Der Autor des
Faustbuches ist bis heute nicht eruiert. Den Hauptinhalt der Historie,
die uns mitten in die Literatur der *Artes magicae* versetzt, sahen Verfasser und Verleger, schon im Titel ausgedrückt, darin ‹Wie er sich gegen dem Teuffel ... verschrieben, Was er hierzwischen für seltzame
Abentheuwer gesehen, selbs angerichtet vnd getrieben, bis er endtlich
seinen wolverdienten Lohn empfangen›. Um den berichteten Geschehnissen Wahrheitsfiktion zu verleihen und damit ihre Wirkung auf die
Leser zu verstärken, werden sie (im letzten Kapitel) als den eigenen
Aufzeichnungen FAUSTS entnommen hingestellt.

Die Persönlichkeit, von der das Buch berichtet, hat tatsächlich existiert. Dieser DOKTOR FAUST war etwa fünfzig Jahre vor dem Erscheinen
des Buches gestorben. Obgleich die Zeugnisse dürftig und z. T. unsicher
sind, haben ALFRED ZASTRAU und HANS HENNING mit Erfolg versucht,
FAUSTS Lebensgang zu rekonstruieren.

Demnach war JOHANNES (GEORG), FAUST (DOKTOR FAUST, SABELLICUS), geboren um 1480 im Dorfe Knittlingen bei Maulbronn, gestorben 1540/41 zu
Staufen (Breisgau), der außer- oder voreheliche Sohn eines wohlhabenden
Bauern namens JOHANN CHRISTIAN GERLACH und dessen Magd. Ein Stiefbru-
der GEORG GERLACH bekannte sich zum Täufertum und emigrierte im Alter
zu seinen Glaubensbrüdern nach Mähren (Wischau). FAUSTUS, d. i. der Glückhafte, erwarb eine höhere Schulbildung, zog im Lande unstet umher, praktizierte als Wanderarzt und Wahrsager, Astrologe, Nekromant, als zweiter
SIMON MAGUS, ja als *Magus maximus*; eine Zeitlang war er auf Empfehlung
FRANZ VON SICKINGENS Schulleiter in Kreuznach. Urkundlich erscheint FAUST
von 1506 bis 1540 oder 1541, als er im Gasthaus ‹Zum Löwen› in Staufen
den Tod fand und sein Büchernachlaß durch ANTON GRAF VON STAUFEN übernommen wurde.
Die erste ausführlichere Charakterisierung FAUSTS steht in einem Brief des
durch seine aszetischen und historischen Schriften bekannten Abtes JOHANNES
TRITHEMIUS zu Würzburg vom 20. August 1507 an den Astronomen JOHAN-
NES VIRDUNG zu Heidelberg. Der Abt schreibt dem Gelehrten, der FAUSTS Besuch erwartete, daß dieser als Magister, Gaukler und Scharlatan im Lande
umhergezogen sei; er habe sich als «principem necromanticorum» [Fürst

der Totenbefrager] ausgegeben, betitle sich Astrolog, Zweiter Magier Simon, Chiromant, Aeromant, Pyromant, Zweiter in der Hydromantie; habe sich gerühmt, die Werke des PLATO und ARISTOTELES im Falle eines Verlustes aus dem Gedächtnis wiederherstellen zu können; er könne alles tun, was Christus getan habe, so oft und wann er wolle; er wisse und vermöge alles, was die Menschen wünschen; FAUST habe das Vertrauen FRANZ VON SICKINGENS gewonnenn und durch diesen ein Lehramt erhalten; sei aber wegen moralischer Verfehlungen verurteilt worden und deshalb geflohen.

Ein kürzeres, gleichfalls nicht sehr freundliches Zeugnis aus dem Jahre 1513 stammt von dem Humanisten KONRAD MUTIANUS RUFUS. Am 12. Februar 1520 zahlt der Kammermeister HANS MULLER zu Bamberg an FAUST zehn Gulden für ein dem Bischof GEORG III. SCHENK VON LIMBURG angefertigtes Horoskop. Im Jahre 1528 wird FAUST als Wahrsager durch den Rat aus Ingolstadt ausgewiesen, 1532 verwehrt ihm der Rat in Nürnberg Zuzug und freies Geleit. MELANCHTHON berichtet über FAUSTS Aufenthalt zu Wittenberg unter Kurfürst JOHANN (1525–1532), LUTHER gedenkt seiner in den ‹Tischreden›. Um 1532/33 scheint eine Begegnung FAUSTS mit AGRIPPA VON NETTESHEIM stattgefunden zu haben. Als PHILIPP VON HUTTEN 1534 seine erste Expedition nach Venezuela antrat, prophezeite ihm der Philologe JOACHIM CAMERARIUS eine glückliche, FAUST eine böse Fahrt und traf das Richtige. Über FAUSTS Tod berichten der Wormser Arzt PHILIPP BEGARDI, MELANCHTHON, der Baseler Geistliche JOHANNES GAST und die *Zimmersche Chronik*.

Den meisten Berichten gemeinsam ist der dämonische Eindruck der Gesamtpersönlichkeit unter der ländlichen und städtischen Bevölkerung; zum Stichwort der Zauberei lieferte LUTHER dasjenige der Teufelsbündnerei. FAUST war offenbar Außenseiter, zwischen den Konfessionen, den legitimen Wissenschaften und den sozialen Ständen stehend.

Seit den 30er Jahren setzt um FAUST eine fortschreitende Anekdotenbildung ein. Man sieht sie außer an den Quellen für seine historische Existenz bis zum Erscheinen des *Faustbuches* etwa bei ANDREAS HONDORFF im ‹Promptuarium Exemplorum› (1568), in den Werken von LUDWIG LAVATER ‹Von Gespänsten› (1569), WOLFGANG BÜTTNER ‹Epitome Historiarum› (1576), KONRAD GESNER ‹Epistolae Medicinales› (1577), LEONHARD THURNEYSSER ZUM THURN ‹Onomasticum› (1583). Dieser außergewöhnliche Mensch wurde zu einer mythischen Gestalt. Die Humanisten lehnten ihn ab, billigten ihm aber z. T. einen Sonderrang zu. Das einfache Volk scharte sich um ihn. Die Großen der Zeit bedienten sich seines Rates und Wissens. PHILIPP BEGARDI stellte seinen Ruhm dem des PARACELSUS gleich. Nach dem Jahre 1560 verschwimmen allmählich die Umrisse der historischen Figur und FAUST wird zum Träger einer kollektiven Magiersage. Zauberschwänke niederer Art und einzelne Züge aus dem Leben gehobener Magie gruppieren sich um den Namen FAUST. Der Verfasser der ‹Historia› (1587) arbeitete sie um zu einem warnenden Lebensbilde mit bestimmten Tendenzen.

In dem *Faustbuch von 1587* sind verschiedene schriftliche Aufzeichnungen und mündliche Berichte um die Gestalt des Humanisten und

Magiers DOKTOR FAUST gruppiert. Die wichtigsten gedruckten Quellen,
aus denen der Autor schöpfte, waren außer den schon genannten Werken von HONDORFF und BÜTTNER: JOHANN WIERUS' (WEYER), ‹De praestigiis daemonum› (1568; deutsch von FUGLIN 1586); die bei EGENOLFF
gedruckte Sammlung der ‹Sprichwörter› (1570); BRANTS ‹Narrenschiff›
(1494); des PETRUS DASYPODIUS ‹Dictionarium Latino-Germanicum et
vice versa› (1535 u. ö.); HARTMANN SCHEDELS ‹Weltchronik› (1493); der
‹Elucidarius› (1572); des JACOBUS DE TERAMO ‹Belial teutsch› (1508);
HANS SACHS' ‹Lobspruch der statt Nürmberg› (1530) und die ‹Historia: Ein wunderbarlich gesicht Keyser Maximiliani, löblicher gedecht-
nuß, von einem nigromanten› (1564); LUTHERS ‹Tischreden› (1566)
und MELANCHTHONS ‹Loci communes rerum thologicarum›(1563, 1565);
AUGUSTIN LERCHEIMERS ‹Christlich bedencken vnd erjnnerung von Zauberey› (1585); JOHANN JAKOB WECKERS ‹De secretis› (1582); MICHAEL
LINDENERS ‹Katzipori› (1558) u. a. Das sind Vorlagen geographischer,
theologischer, naturwissenschaftlicher, historischer und literarischer Art.
Die erzählten Zaubereien sind meist Zauberschwänke. Dem *Faustbuch
von 1587* liegen offenbar ältere Fassungen voraus, die aber verloren
sind. Die Vorlage, die um 1575 angesetzt wird, dürfte die Übertragung
einer lateinischen Lebensbeschreibung ins Deutsche gewesen sein.

Der Verfasser oder Urheber des 1587 gedruckten *Faustbuches* war
höchstwahrscheinlich ein orthodoxer lutherischer Geistlicher. Die erste
Frankfurter Ausgabe enthält einen vom 4. September 1587 datierten
Widmungsbrief des Verlegers JOHANN SPIESS an CASPAR KOLLN, kurfürstl.
mainzischen Amtsschreiber, und HIERONYMUS HOFF, Rentmeister in
Königstein, eine ‹Vorred an den Christlichen Leser›, drei Teile Text,
den Bericht über FAUSTS Handlungen in seinem letzten Lebensjahr und
ein Register. In der Dedikation berichtet der Verleger, die ‹Historia›
sei ihm neulich durch einen guten Freund von Speyer mitgeteilt und
zugeschickt worden.

Der 1. Teil (Kap. 1–17) berichtet von Fausts Geburt und Studien, über
Faust als Arzt und wie er einige Male den Teufel beschwor (seine Absicht ging dahin, «das zulieben, das nicht zu lieben war, dem trachtet er Tag
und Nacht nach, name an sich Adlers Flügel, wollte alle Gründ am Himmel
vnd Erden erforschen»), von Fausts Disputationen mit dem Teufel und Geist
Mephistophiles, der Verschreibung an den Teufel auf vierundzwanzig Jahre
– die mit Fausts Blut geschrieben und besiegelt wird –, in welcherlei Gestalt der Teufel Faust erscheint, von der Dienstbarkeit des Geistes, von Fausts
Plan, sich zu verheiraten und dem Einspruch des Teufels, der Übergabe des
großen Buches betreffend Zauberei und Nigromantia, über verschiedene Fragen, die Faust an Mephisto stellt: über die Hölle, das Regiment der Teufel,
die verstoßenen Engel, was der Geist an Fausts Stelle, wenn er ein Mensch
wäre, von Gott erschaffen, tun wollte, daß er Gott und den Menschen gefiele.
Eingeschoben (als Kap. 7) in diese Prosahistorien sind drei Strophen über
Fausts Verstocktheit.

Der 2. Teil mit der (eigenen) Überschrift ‹Folget nun der ander Theil dieser Historien von Fausti Abenthewren vnd andern Fragen› (Kap. 18–32) erzählt über Fausts Tätigkeit als Astrologe und Kalendermacher und von Fausts Disputationen mit seinem Geist über die Wissenschaft der Astrologie, über Winter und Sommer, über Lauf, Zierde und Ursprung des Himmels, die Erschaffung der Welt und des Menschen. Bei diesen letzteren Themen bekommt Faust den gottlosen und falschen [averroistischen] Bericht: Die Welt sei «vnerboren vnnd vnsterblich»; auch das menschliche Geschlecht sei von Ewigkeit her gewesen. Nach diesen Eröffnungen werden Faust die höllischen Geister, insbesondere die sieben obersten Teufel gestalthaft in grotesken Fratzen vorgestellt und Faust auf Luftreisen in die Hölle gefahren, in den Weltraum, über Europa (mit Schilderung der bekanntesten Städte nach SCHEDELS ‹Weltchronik›), Vorderasien und Nordafrika, ins Paradies. Dem folgen Eröffnungen über Kometen, Planeten, die Plagegeister der Menschen, Sternschnuppen und das Wesen des Donners.

Der 3. Teil, überschrieben ‹Folgt der dritt vnnd letzte Theil von D. Fausti Abenthewer, was er mit seiner Nigromantia an Potentaten Höfen gethan vnd gewirckt. Letztlich auch von seinem jämmerlichen erschrecklichen End vnnd Abschiedt› (Kap. 33–68), bringt Fausts Abenteuer, die er mit Hilfe seiner Schwarzkunst an Fürstenhöfen getan und getrieben und berichtet über Fausts Ende. Faust erweckt vor Kaiser KARL V. ALEXANDER D. GR. und dessen Gemahlin. Faust zaubert einem Ritter ein Hirschgeweih an den Kopf; er verschlingt einem Bauern ein Fuder Heu samt Wagen und Pferden; führt auf ihr Begehren drei Grafen durch die Lüfte nach München. Faust betrügt einen Juden und einen Roßtäuscher, frißt ein Fuder Heu, verzaubert Studenten, einen betrunkenen Bauern und treibt Wucher beim Verkauf von Schweinen. Faust verübt Abenteuer am Hofe der Fürsten zu Anhalt; fährt mit seiner Gesellschaft in den Keller des Bischofs von Salzburg; feiert mit Studenten die Fastnacht und beschwört am Weißen Sonntag vor den Studenten die Gestalt der schönen Helena; verzaubert einem Bauern die Wagenräder; stört in Frankfurt a. M. die Künste von vier Zauberern (Abhauen und Wiederansetzen ihrer Köpfe). Diese Abenteuer und Zauberstücke könnte man beliebig fortsetzen. Der Redaktor der Erstausgabe läßt nunmehr einen Warner auftreten. Fausts Nachbar, ein gottesfürchtiger Arzt und Theologe, der Fausts Tun und Lassen gesehen, mahnt ihn, von seinem gottlosen Leben abzustehen und sich zu bekehren, und stellt ihm die Folgen vor Augen. Die Mahnungen bleiben nicht ohne Eindruck. Aber der Teufel ruht nicht und nötigt Faust zu einer zweiten Verschreibung. Nach dieser kuppelt Faust mit Hilfe seiner Zaubereien zwei Personen zusammen, zieht um Weihnachten in seinem Garten Sommergewächse und Blumen, entzieht sich der Rache des Ritters, dem er das Hirschgeweih an den Kopf zauberte, hebte in seinem 19. und 20. Paktjahr an, ein «Säuwisch vnnd Epicurisch leben zu führen», findet im 22. Jahr einen Silber- und Goldschatz und zeugt im 23. Jahr mit Helena einen Sohn, den er *Iustum Faustum* nennt.

In einer eigenen Kapitelgruppe (60–68) ‹Folget nu was Doctor Faustus in seiner letzten Jarsfrist mit seinem Geist vnd andern gehandelt, welches das 24. vnnd letzte Jahr seiner Versprechung war›. Faust macht sein Testament und setzt darin seinen Diener Wagner zum Erben ein. Je näher das Ende kommt, desto übler ergeht es Faust; er bejammert sein teuflisches Wesen und seinen frühen Tod. Der böse Geist hat dafür nur Hohn und Spott. Die Angst vor der Hölle und ihren Qualen und Peinigungen wird immer größer. Nach Ablauf der 24 Jahre erscheint der Geist mit der Verschreibung und verkündet ihm, daß der Teufel in der nächsten Nacht seinen Leib holen werde. Auf Fausts ‹Weheklag› sucht ihn der Geist mit falscher Schriftauslegung zu trösten: Das Gericht findet erst in ferner Zeit statt; niemand weiß, wie es sich um die Verdammnis verhält [die orthodoxe Kirche lehrt, daß die endgültige Vergeltung erst nach der Auferstehung erfolgt]; der Teufel habe ihm einen stählernen Leib und eine ebensolche Seele verheißen, er würde darum nicht leiden wie andere Verdammte. In einem Dorfe unweit Wittenberg verbringt Faust mit seinen vertrauten Gesellen, Magistern, Bakkalaurei und Studenten den letzten Tag. Nach dem Abendessen hält er ihnen eine Abschiedsrede, in der er sein Tun in den letzten 24 Jahren enthüllt und sie ermahnt, es nicht so zu machen, wie er es getan habe, sondern Gott vor Augen zu haben und ihn zu bitten, er wolle sie vor des Teufels Trug und List behüten. In der Nacht tötet der Teufel sein verzweifeltes Opfer. Im Dorfe wird der verstümmelte Leib begraben. Als die Magistri und Studenten nach Wittenberg zurückkehrten, fanden sie in Fausts Wohnung «diese deß Fausti Historiam» von ihm selbst aufgezeichnet ohne das Ende, das sie hinzufügten. Ebenso, was sein Famulus aufgezeichnet hatte, von dem ein neues Buch gesondert erscheinen wird. Am selben Tag, an dem Faust sterben mußte, verschwand auch Helena mit dem Sohn.

In den Erfurter-Leipziger Kapiteln, den Pluskapiteln von C¹, schenkt Faust den Leipziger Studenten ein Faß Wein; seinen Erfurter Zuhörern stellt Faust die Homerischen Helden vor Augen; er will die verlorenen Komödien des TERENZ und PLAUTUS wieder auffinden; Faust bei einer Gasterei; er richtet selbst eine solche an; ein Mönch in Erfurt will Faust bekehren. Die acht Pluskapitel von B sind lediglich schwankhaften Charakters.

Die ‹Historie›, der Roman ist wohlüberlegt komponiert. Der Held steigt aus dem Bauernhaus empor zum Theologen, wendet sich von der Gottesgelehrsamkeit ab, studiert die Geheimwissenschaften und wird ein Weltmensch, Mediziner, Astrologe, Mathematiker und ist in der Rhetorik erfahren. Von verheißungsvollen Ahnungen nigromantischen Wissens ergriffen, ergibt er sich in seinem Erkenntnisdrang und Fürwitz der Magie, beschwört den Teufel, wird zu einem Pakt mit dem Bösen verführt, bekehrt sich nicht, trotz aller Warnungen, und endet tragisch. Dieser Held hat einen Begleiter und Gegenspieler, der den Fall bewirkt. Beide stehen zu der theologischen Grundidee im Widerstreit. Die Handlung zeigt den glänzenden Aufstieg und das schaurige Ende des Grüblers und Teufelbanners, alles bunt ausgesponnen und psychologisch fundiert. Ähnlich wie in den Sagen oder Legenden von *Cyprian, Robert dem Teufel,* der *Päpstin Johanna, Theophilus* u. a., ist das Hauptmotiv eine Teufelsbündnersage.

Ganz im Sinne LUTHERS triumphiert der Glaube über das Wissen, und die Gerechtigkeit des Menschen vor Gott wird durch den Glauben bewirkt. Möglicherweise war der Verfasser ein Gegner der humanistisch gelehrten, konzilianteren und versöhnlichen Gefolgsleute MELANCHTHONS, die in den 70er Jahren von den Gnesiolutheranern scharf bekämpft wurden. Der Gegensatz zum Altkirchlichen zeigt sich darin, daß Mephistopheles, der Teufel und Geist, Faust in Gestalt eines ‹grauen Mönches›, d. i. eines Minoriten erscheint; er belehrt Faust auch im Sinne der spätscholastischen Populartheologie und verführt ihn zu niedrigstem Sinnengenuß. Neben dem theologischen Gedankengehalt und der lutherischen Einstellung stehen naturwissenschaftliche Betrachtungen. Es interessieren vor allem Himmel und Erde, die Welt der Gestirne, das Planetensystem, der Erdball. Noch überwiegen zwar die mittelalterlichen Vorstellungen, aber der Drang nach einem Begreifen der ‹Weltumstände› und naturwissenschaftlichen Zusammenhänge ist gleichwohl vorhanden. Wie schon im Titel ausgesprochen, hat der Roman eine erbaulich-moralische Tendenz und bietet eine Unmenge wissenschaftlicher und magisch-abergläubischer Elemente. Vom Standpunkt des strengen Luthertums mahnt das *Faustbuch* die Leser, sich das Schicksal des Magiers und Teufelbündners zu Herzen zu nehmen. Ein vollendeter Kunstroman ist das *Faustbuch* nicht, dazu hat es noch allzuviele aufzählende und moralisierende Berichte. Doch war der Verfasser gewiß kein unbedeutendes Talent, denn seit ihm ist *Faust* nicht nur eine Gestalt der Sage und Dichtung, sondern auch Symbol eines spätmittelalterlich-neuzeitlichen Menschentums.

Vermutlich schon 1588 wurde das *Faustbuch* ins Englische übersetzt, 1592 ins Flämische und Holländische, 1598 ins Französische. Gleich nach dem *Faustbuch 1587* erschienen Volkslieder. Der Engländer CHRISTOPHER MARLOWE dramatisiert kurz vor 1590 die ‹Historia› und läßt sie in London aufführen. GEORG RUDOLF WIDMANN erweiterte das beliebte Volksbuch auf drei Teile (Hamburg 1599) und fügte einen ausführlichen Kommentar mit Erläuterungen und Parallelen hinzu. Eine antipäpstliche Tendenz wird deutlich. Der Famulus Wagner bekam größeren Raum. WIDMANN folgte JOHANN NIKOLAUS PFITZERS Bearbeitung (1674), streicht aber das Helenamotiv stärker heraus. Die Bearbeitung durch den CHRISTLICH MEYNENDEN (vielleicht CHRISTOPH MIETHEN aus Dresden) 1725 folgte ebenfalls WIDMANN, bringt aber kaum mehr als die Fabel. Gleichwohl war sie eine bedeutsame Quelle für GOETHES Wissen um die Faustgestalt und seine symbolische Weltdichtung, die Fausttragödie.

Das im Schlußkapitel des ältesten *Faustbuches* angekündigte ‹neuw Buch› von Fausts Famulus Wagner erschien als Fortsetzung des *Faustbuches 1593* als ‹Ander theil D. Johann Fausti Historien darin beschrieben ist: Christophori Wagners, Fausti gewesenen Discipels auffgerichter Pact mit dem Teuffel, so sich genandt Auerhan, vnd jhm in eines Affen gestalt erschienen, auch seine Abenthewrische Zoten vnd possen, so er durch beforderung des Teuffels geübet vnd was es mit jhm zuletzt für ein schreckliches ende genommen. Neben einer feinen beschreibung der Newen Inseln ... Alles aus seinen verlassenen schrifften genommen› (Paris 1593; neun Drucke bis 1601).

Es wird meist viel zu wenig beachtet, daß das Faustproblem nicht allein im Volksbuch, sondern im letzten Viertel des 16. Jahrhunderts und im Frühbarock auch im Drama aufgeworfen wurde, und zwar von katholischer wie von protestantischer Seite. Das Thema ist bekanntlich verwandt mit der *Theophilus-Legende*. Diese Heiligengeschichte läßt sich bis ins 6. Jahrhundert zurückverfolgen: Der verleumdete Priester und Bischof Theophilus setzt sich durch magische Künste mit dem Teufel in Verbindung und schließt mit diesem ein Bündnis. Er wird mit Hilfe des Teufels rehabilitiert, lebt als Bischof in Saus und Braus, aber allmählich kommt die Reue. Er tut Buße und wendet sich an die Gottesmutter Maria. Mit ihrer Hilfe erhält er den mit seinem eigenen Blut unterschriebenen Teufelspakt zurück und wird gerettet. – Ein Drama ‹Theophilus› wurde zuerst 1582 auf der Jesuitenbühne in München gespielt; dann an vielen anderen Orten: 1587 in Graz.

Im selben Jahr 1587, in dem das *Faustbuch* erschien, dichtete JAKOB GRETSER die erste Fassung des ‹Udo›, elf Jahre später verbesserte er das Stück. Der Stoff geht ebenfalls auf eine Legende zurück. Vorgeführt wird Udos Unbegabtheit, das Lasterleben des Bischofs, der Seelenkampf mit den dämonischen Mächten, der Höllensturz des Kirchenfürsten. Udo hat die Gnadengaben Gottes zum Dienst seiner eigenen Lüste verkehrt. Er scheitert und geht selbstverschuldet zugrunde.

Das Faustproblem in ethisch-theologischer Fassung suchte JAKOB BIDERMANN in seinem ‹Cenodoxus› zu gestalten (1602 in Augsburg aufgeführt). Er braucht keinen Teufelspakt mehr, keinen verletzten Ehrgeiz des Theophilus, kein Mirakel wie im ‹Udo›, der Teufel wird durch Allegorisierung der Seelenkräfte vergeistigt. Das gesamte Streben des berühmten Professors an der Sorbonne ist auf Ichvergötterung gerichtet, sein Lebensziel bilden irdische Größe und Ehre. Er wird auf Erden bewundert und gepriesen. Am Ende des dritten Aktes setzt der Tod dem eitlen und egoistischen Leben ein Ziel. Während Cenodoxus auf Erden feierlich bestattet wird, tagt im Jenseits das Gericht, das ihn verdammt.

Im Drama des lutherischen Theologen und Vertreters eines werktätigen Christentums JOHANN VALENTIN ANDREAE ‹Turbo sive moleste et frustra per cunctas divagans ingenium› (Straßburg 1616), ‹Renovatus Turbo› (1640), ergibt sich die Hauptgestalt der Magie, erkennt aber schließlich, daß alles menschliche Denken und Trachten seinen Sinn nur in der Beziehung zu Gott bekomme.

Eine Teufelslegende aus der ‹Heiligen Regel für ein vollkommenes Leben› (2. H. 13. Jh.) bot die Grundlage für das Volksbuch vom ‹Bruder Rausch›. Zur Legende kam die niederdeutsche Volkssage vom häuslichen Poltergeist. Das Ergebnis war die niederdeutsche Reimdichtung vom ‹Broder Rusche› [Lärmer] mit Verführungsversuch des Teufels und seiner Niederlage durch den Abt. Es geht gegen Unkeuschheit, Völlerei und Streitsucht und gegen die Entartung der Klosterzucht. Am Schluß steht ein Teufelswunder, angeregt von der Dichtung vom ‹Ritter Zeno› (niederdeutsch, 14. Jh.), der aus dem Morgenlande die Reliquien der Heiligen Drei Könige nach Mailand brachte. Der Stoff ist derb, aber eindrucksvoll, der Erzählstil rasch fortschreitend, die Gestalten und das Geschehen sind anschaulich vergegenwärtigt. Der ursprünglichste Text findet sich in einem Druck aus der Offizin der Brüder vom gemeinsamen Leben von JOACHIM WESTFAEL in Stendal (etwa 1488). Weitere verbesserte Drucke ca. 1490 und 1520/30, hochdeutsche

Drucke von 1508–1590. Erweitert durch eine Reihe schwankhafter Erzählungen (darunter zwei ‹Eulenspiegel›-Geschichten), wurde die niederdeutsche Dichtung im 16. Jahrhundert in den Niederlanden zu einem Volksbuch verarbeitet.

Erst an der Grenze des Jahrhunderts taucht in der Volksbuchliteratur die *Geschichte vom ewigen Juden* auf. Die Sage war zur Zeit der Kreuzzüge ins Abendland gekommen. Die ältesten Berichte stehen in den ‹Flores historiarum› des englischen Chronisten ROGER VON WENDOVER († 1236) und in den ‹Chronica Maiora› seines Famulus MATTHAEUS PARISIENSIS (gedr. 1571 und 1586). Ein armenischer Bischof soll nach Europa gekommen sein und vom ewigen Juden erzählt haben. Der von Christus verfluchte Cartaphilus war Türhüter des PILATUS und muß bis zum Ende der Welt über die Erde wandern, weil er dem kreuztragenden Christus auf seinem Leidensweg eine kurze Rast versagte und ihn weiterstieß. Später bekehrte sich der Hartherzige zum Christentum und hieß nun Josephus. Der im 16. Jahrhundert erstarkende Glaube an das bevorstehende Weltende gab Anlaß zur Wiederaufnahme der Sage: Verschiedene Menschen wollten den ewigen Juden gesehen haben, wie er ruhelos durch die Städte und Dörfer Deutschlands wanderte. Hier ist er ein Schuster und heißt *Ahasverus*. Die von einem ungenannten Verfasser unter Benützung der ‹Chronica Maiora› besorgten Drucke des Volksbuches ‹Wunderlicher Bericht von einem Juden aus Jerusalem bürtig, und Ahasverus genannt, welcher fürgiebt, er sei bei der Kreuzigung Christi gewesen› erschienen in Leyden, Bautzen, Danzig 1602. Die Nachrichten über das Erscheinen Ahasvers in Deutschland reichen jedoch zurück in die erste Hälfte des 16. Jahrhunderts. Zumindest beruft sich CHRYSOSTOMUS DUDULAEUS aus Westfalen in seiner Schrift ‹Gründliche und wahrhaftige Relation ... von einem Juden Namens Ahasvero von Jerusalem› (1634) auf PAUL VON EITZEN (1522–1598). Dieser, General-Superintendent zu Schleswig, habe ihm und auch anderen Studenten einige Male erzählt, daß er in seiner Jugend den ewigen Juden selbst gesehen habe.

Als er während seiner Studienzeit in Wittenberg einmal im Winter 1542 zu seinen Eltern nach Hamburg reiste, sei ihm dort folgendes begegnet: «Man habe in der Kirche unter der Predigt daselbst einen Mann, der eine lange Person mit langen, über die Schulder hängenden Haaren gegen die Cantzel oben barfuß stehen da gesehen, welcher mit solcher Andacht die Predigt angehöret, daß wenn der Name Jesus genennet, er sich zum hohesten und demütigsten geneigt, an seine Brust inniglichen geschlagen und geseuffzet». Als man ihn fragte, wer er sei, habe er gesagt, er sei ein geborener Jude aus Jerusalem, Namens Ahasverus, seines Handwerks ein Schuster. Er lebe seit der Kreuzigung Christi. Als dieser sich auf seinem Leidensweg bei seinem Haus etwas anlehnen wollte, «habe er aus Eiffer un[d] Zorn umb Ruhms willen bei andern Juden, den Herrn Christum fort zu eilen abgetrieben und gesprochen, er solle sich weg verfügen, wohin er gehörte, so habe ihn Christus darauf stracks angesehen und zu ihm mit diesen Worten gesprochen: Ich will anhie stehen und ruhen, aber du solt gehen bis an den jüngsten Tag».

Dieser Bericht PAULS VON EITZEN, den auch der protestantische Verfasser des Volksbuches zitiert, stammt vom 9. Juni 1564. Darin wird aber schon vom Jahre 1575 gesprochen und in einer Nachschrift erwähnt, der ewige Jude soll auch in Danzig gesehen worden sein. DUDULAEUS änderte die Daten: 1542 in 1547, 1564 in 1602. Das Volksbuch erreichte 1602 noch neun Auflagen und wurde bis 1723 kontinuierlich gedruckt. ALBERT SOERGEL zählte bereits 1905 über zweihundert dichterische Bearbeitungen des Stoffes seit GOETHE.

f) ‹Amadis›. Fischart. Übersetzungen antiker Epik ins Deutsche. Die Rezeption des spätgriechischen Romans. Feyerabend: ‹Buch der Liebe›

Von der Romanliteratur konnte der ‹Amadis› nicht Volksbuch werden. Aus dem Französischen übersetzt, blieb der Ritterroman abgesondert und übte erst auf die Barockepik nachhaltige Wirkung aus. Die Urform des ‹Amadis› stammte aus Portugal oder Spanien. Erhalten ist eine von GARCI RODRIGUEZ DE MONTALVO um 1492 bearbeitete und 1508 gedruckte spanische Fassung in fünf Büchern. Der Roman erzählt die Geschichte des tugendsamen Prinzen Amadis von Gallien, dessen Abenteuer und Irrfahrten, sowie die Vermählung mit der stolzen Königstochter Oriana und gleichzeitiger Erlangung eines großen Königreiches. Die Fortsetzungen des Werkes berichten die märchenhaften Schicksale der Nachkommen des Paares. Der spanische ‹Amadis› zeichnete ein Wunschbild menschlichen Lebens, einen wagemutigen Helden, und vertritt eine geistig-sinnliche Lebensauffassung. Der ‹Amadis› wurde 1540 von NICOLAS DE HERBERAY ins Französische übersetzt. Die erste deutsche Ausgabe der ‹Hystorien von Amadis auß Franckreich› begann 1569 bei SIEGMUND FEYERABEND zu Frankfurt a. M. zu erscheinen und umfaßte 24 Bücher. Die Ausgaben wurden stets erweitert: in Spanien bis zu 12, in Frankreich bis zu 24, in Deutschland bis zu 30 Büchern. Mit der Übertragung ins Deutsche trat neben das vergröberte Rittertum der Volksbücher und den Realismus WICKRAMS ein idealisiertes, galantes Rittertum, ohne Wirklichkeitsgehalt und mit viel Fabelhaft-Phantastischem. Im Mittelpunkt steht die Liebe als Gesetz und Pflicht. Die Ritter müssen eine Unzahl von Ungeheuern bekämpfen, sowie zahllose Turniere und Schlachten bestehen; es gibt Riesen, Feen und Zauberer. Nichts konnte man aus dem ‹Amadis› für den Aufbau lernen, wohl aber vertiefte Psychologie und geschmeidiges Erzählen. Es ist bezeichnend, daß man ‹Amadis-Schatzkammern› erscheinen ließ, in denen Reden, Briefbeispiele, Gespräche etc. aus dem Werk zusammengestellt waren und als

Beispiele dienen sollten, wie z. B. ‹Schatzkammer schöner vnd zierlicher
Orationen, Sendbrieffen, Gesprächen vnd dergleichen, auß den vier vnd
zwentzig Büchern des Amadis von Franckreich zusammengetragen›
(Straßburg 1596).

An den französischen satirisch-grotesken Prosaroman des FRANÇOIS
RABELAIS mit seiner humanistisch-reformatorischen Ideenwelt, an die
Podagra-Enkomien von WILLIBALD PIRCKHEIMER und JOHANNES CARNA-
RIUS und an die antirömische Satire des Holländers PHILIPP VAN MARNIX
knüpft JOHANN FISCHART an, der nach MURNER bedeutendste Satiriker des
Zeitalters. FISCHART trat von 1575 an für den Calvinismus ein und
wurde eifriger Verfechter der Geistigkeit dieser Glaubensrichtung. Seine
Satire richtet sich gegen die Mendikantenorden der Franziskaner und
Dominikaner und gegen die Jesuiten. Da FISCHARTS Werk in Bd. V,
S. 105 ff. ausführlich behandelt ist, können wir uns hier auf das abschlie-
ßend Notwendige beschränken.

JOHANN FISCHART (1546/47–1590) aus Straßburg, Sohn eines Gewürzhänd-
lers, war der bedeutendste deutschsprachige Schriftsteller der Protestanten in
der Zeit der Gegenreformation. Straßburg hatte damals etwa 25 000 Einwohner, mehrere Druckereien, ein hochstehendes Kunsthandwerk. Seit 1529
war die Reformation eingeführt; der Humanismus fand reiche Pflege; auch
Wiedertäufern und Hugenotten gewährte man Aufenthalt. GEILER, BRANT,
MURNER, WIMPFELING hatten dort gewirkt; am Gymnasium JOHANNES STURM.
Nach dem Besuch der Schule in Straßburg kam FISCHART nach Worms, wo
ihm sein Taufpate KASPAR SCHEIDT, der Übersetzer des ‹Grobianus› von DE-
DEKIND, geistige und literarische Anregungen besonders des französischen und
antiken Schrifttums vermittelte. Kenntnis der calvinistischen Niederlande und
Englands, die Bekanntschaft mit dem Hugenottentum in Paris vergrößerten
seinen Horizont. Das Studium der Rechtswissenschaften in Siena brachte ihn
mit der italienischen Renaissance in nähere Berührung; 1575 wurde er in Basel zum Doktor juris promoviert; 1576 erhielt er in Straßburg das Bürgerrecht;
1581 wurde er Advokat am Reichskammergericht in Speyer und heiratete dort
ANNA ELISABETH, die Tochter des Elsässer Chronisten BERNHART HERTZOG; drei
Jahre später wurde er gräflicher Amtmann in Forbach bei Saarbrücken.
FISCHART trat 1575 vom Luthertum zum Calvinismus über. Er verstand mehrere lebende Sprachen und verfügte über eine umfassende Belesenheit.

FISCHARTS schriftstellerische Wirksamkeit umfaßt ungefähr achtzig
Werke und erstreckt sich über die verschiedensten Gebiete. Vor allem
das Jahrzehnt von 1570 bis 1580, während dessen FISCHART in Straßburg
lebte, war von eifriger literarischer Tätigkeit erfüllt. FISCHART arbeitete
mit seinem Schwager BERNHARD JOBIN, der in Straßburg einen Verlag
und eine Druckerei besaß, eng zusammen. Was zustande kam, waren
weniger eigene Werke, sondern Bearbeitungen, Erweiterungen fremder
Vorlagen und Übersetzungen, alles jedoch mit Hilfe eines äußerst gewandten Sprachstiles zu höchst originellen Leistungen umgeprägt.
FISCHART war Satiriker und Didaktiker; er polemisiert, paraphrasiert

und scheut vor der Persiflage nicht zurück. Er schrieb als Volksschriftsteller; er reagiert heftig auf aktuelle Nöte der Zeit; er kämpft gegen
den katholischen Imperialismus Spaniens, gegen Rom und die Habsburger. Als Elsässer verfügte er über ein ausgeprägtes Deutschbewußt-
sein. Auch als Kirchenlieddichter war er tätig.

FISCHART begann seine literarische Wirksamkeit mit protestantisch-
polemischen Pamphleten und kann von der Streitdichtung nicht ablas-
sen bis zum Ende seines Schaffens. Über diesen Teil seiner Publikationen
war bereits S. 152 die Rede.

Das bekannte Volksbuch, in dem Eulenspiegel nun zum Vielfraß,
Faulpelz und Trunkenbold wird, setzte FISCHART als ‹Eulenspiegel Rei-
mensweiß› (Frankfurt a. M. 1572) in Reime um und erweiterte es.
FISCHART bearbeitet, kritisiert und kommentiert durchaus im Sinn der
reformierten calvinischen Moral.

‹Aller Practick Groszmütter› (1572 u. ö.) verspottet die damals in
großer Zahl jedes Jahr erscheinenden ‹Praktiken›, d. s. astrologische
Kalender. FISCHART parodiert deren Darstellungsart. Später allerdings
(1581) gab er selbst die ‹Reformierte Alchimy oder Alchimiebesserung›
heraus mit zahlreichen Wundertätereien.

Satirische Tierdichtung ist ‹Flöh Haz, Weiber Traz› (Straßburg 1573,
zweite Bearbeitung 1577). Vorgeführt wird ein Prozeß der Frauen gegen die Flöhe. Der Stoff hat eine Tradition, die von der Antike bis zu
den Neulateinern reicht. Bei FISCHART stammt der erste Teil in der ersten Fassung von MATTHIAS HOLZWART. Der Floh klagt über die schlechte
Behandlung durch die Weiber. Er erzählt der Mücke seine Erlebnisse.
Der zweite Teil führt die Rechtfertigung der Frauen und den Urteilsspruch Jupiters vor Augen. FISCHART ist in der Streitsache ‹Flohkanzler›.

Aus konkretem Anlaß entstand die Reimdichtung ‹Das Glückhafft
Schiff von Zürich› (Straßburg 1576). Straßburg hatte 1576 Zürich zu
einem Schützenfest eingeladen. Die Zürcher Abordnung wollte die Tüch-
tigkeit ihrer Mannschaft und die politische Verbundenheit der beiden
Städte bekunden. Man vermochte, zu Schiff einen am 20. Juni 2 Uhr in
Zürich mitverladenen Topf mit heißem Hirsebrei bis Sonnenuntergang
noch warm nach Straßburg zu bringen. Das 1588 zwischen Straßburg,
Zürich und Bern geschlossene Bündnis verherrlichte FISCHART in mehreren Gedichten.

Für die vom Podagra Geplagten besorgte FISCHART das ‹Podagrammisch Trostbüchlin› (1577). Es beruht auf den Podagra-Apologien von
CARNARIUS und PIRCKHEIMER, die FISCHART ins Deutsche übersetzte und
in seiner Art erweiterte und aufschwellte.

Zur Gattung der Eheliteratur gehört ‹Das Philosophisch Ehzucht-
büchlin› (Straßburg 1578). Es wollte Lebenshilfe und Mahnung sein,
lehnt sich an PLUTARCH und ERASMUS, behandelt Ehe und Kindererzie-

hung. Der Mann soll über die Frau nicht herrschen wie über einen leibeigenen Knecht oder über eine Sache, «sonder ganz gleicher masen, wie die Sele vber den leib herschet, nåmlich inn gleicher libthat vnd freundlichkeit gegen einander stehn, vnd inn gleichmåsiger naigung zusammen stimmen». Die Kinder sollen rechtzeitig zur Arbeitsamkeit erzogen werden.

FISCHARTS Hauptwerk wurde die ‹Geschichtklitterung›: ‹Affenteurliche vnd Vngeheurliche Geschichtschrift Vom Leben, rhaten vnd Thaten der for langen weilen Vollenwolbeschraiten Helden vnd Herrn Grandgusier, Gargantoa, vnd Pantagruel, Kônigen inn Utopien vnd Ninenreich (o. O. 1575, 2. erweiterte Ausgabe 1582, dort erst im Titel die heute übliche Kurzbezeichnung). Es beruht auf FRANÇOIS RABELAIS' (1495 bis 1553) satirisch-groteskem Roman ‹Gargantua und Pantagruel› (1532 bis 1562), der durch Darstellung der kirchlichen, staatlichen und bürgerlichen Zustände ein großartiges Sittenbild Frankreichs im 16. Jahrhundert entrollt, mit Ausfällen gegen das geistliche Gericht, das Erziehungssystem, die Scholastik der Sorbonne und mit übermütiger Verspottung des Papsttums. Für seine Nachdichtung übernahm FISCHART das Grundgefüge der Handlung, erweiterte es jedoch durch zahllose Einfälle, Ergänzungen, Abschweifungen, Zutaten u. dgl. auf das Dreifache.

Das Werk erzählt zunächst die Genealogie und das Schlemmerleben des Riesenkönigs Grandgousier, seine Vermählung mit Gargamella, die wunderbare Geburt des Sohnes Gargantoa. In den Kapiteln über die Erziehung polemisiert FISCHART, anknüpfend an die ‹Dunkelmännerbriefe›, gegen den mechanischen Lehrbetrieb der Scholastiker und mancher Humanisten. Die Studienzeit Gargantoas wird abgebrochen durch die Teilnahme am Krieg gegen den Nachbarn Pircrochol. Dem Sieg folgt ein milder Frieden. Am Schluß errichtet man *Thelema*, die humanistisch-utopische Abtei vom freien Willen. Das Schicksal Pantagruels (bei RABELAIS im 2. Buch) hat FISCHART nicht mehr behandelt.

FISCHART verwandelte das Renaissancewerk des Franzosen in ein grotesk-grobianisches Gebilde voller Witze und Späße, aber auch voll Moralpredigten. Neben der Satire steht Didaktik im Sinne eines calvinistischen Erziehungswillens. Bei RABELAIS weltmännisch renaissancehaftes Lebensgefühl und bildkräftige Darstellung weltlicher Zustände, bei FISCHART reformierte tendenziöse Moralsatire und calvinistische Bürgerideologie. Von den Zusätzen FISCHARTS sind zu erwähnen: die moralisierenden, grobianisch belehrenden Partien, das Kapitel über die Ehe, die ‹Truncken Litanei› mit der vielgerühmten Schilderung eines Saufgelages. Immer wieder kommt FISCHART in der ‹Geschichtklitterung› auf PARACELSUS und dessen Ideen zu sprechen.

FISCHART übersetzte ferner 1581 JEAN BODINS Schrift über das Hexenwesen ‹De magorum daemonomania› (‹Vom Außgelaßnen Wütigen Teufelsheer›) und gab den ‹Malleus maleficarum› (‹Hexenhammer›) von JAKOB SPRENGER und HEINRICH INSTITORIS heraus (1582). Zusammen mit GEORG NIGRINUS-SCHWARTZ übertrug er den ‹Antimachiavellus› (1580). Im selben Jahr übersetzte er das 6. Buch des ‹Amadis›-Romans. Eine Übersetzung der Schrift des WOLFGANG LAZIUS ‹De gentium aliquot migrationibus› wurde begonnen. FISCHART brachte weiters 1584 in überarbeiteter Form die Reimdichtungen ‹Die Gelehrten, die Verkehrten› und ‹Vom Glaubenszwang› des Sprichwörtersammlers und spiritualistischen Theologen SEBASTIAN FRANCK (vgl. S. 81) zum Druck, ohne FRANCKS Namen zu nennen. Auf Wunsch des MELCHIOR WIEDERGRIEN VON STAUFENBERG erneuerte der Straßburger Organist BERNHARD SCHMIDT die ‹Geschicht Herrn Petern von Stauffenberg› (vgl. Bd. IV/1, S. 78) zu einem Adelsspiegel (1588). FISCHART verfaßte dazu eine Prosavorrede und einen gereimten Prolog. In der Vorrede beruft er sich auf PARACELSUS als einen Bewahrer dieser Legende. Mit TOBIAS STIMMER, dem Illustrator der ‹Geschichtklitterung›, gab FISCHART zahlreiche Holzschnitt-Bilderserien heraus: über biblische Historien, ‹Wundersterne und Kometen›, die großen Reformatoren, den Antichrist, den Papst; ferner Bilderbogen mit den ‹XII Ersten Alten Teutschen König vnd Fürsten›, die Bilder der 28 Römischen Päpste seit 1378, die astronomische Uhr am Straßburger Münster, Tierbilder im Straßburger Münster.

FISCHART war ein Sprachschöpfer ersten Ranges. Seine Sprache ist sinnenhaft, wort- und ausdrucksreich. Er faßte die bis dahin vorhandenen literarischen Mittel und Formen sowie das gesamte Vokabular der Zeit zusammen, schöpfte aus der Umgangssprache wie aus der Literatursprache. Wuchernde Formen stehen neben grobianischem Realismus und arabeskenhaft-metaphorischer Phantastik.

Von FISCHART angeregt wurde der Student MARX MANGOLD für sein ‹Marckschiff, oder Marctschiffer Gespräch, von der Franckfurter Meß› (1596), in dem sich ein Student und ein Brillenhändler über ihre Beobachtungen und Erfahrungen auf der Frankfurter Messe unterreden. Von MANGOLD stammt auch ein ‹Marckschiffs Nachen, Darinn nachgeführret wirdt, was in dem nächst abgefahrnen Marckschiff außgeblieben› (1597).

Durch die *Übersetzungen der antiken und humanistischen Autoren*, seien es Epiker, Dramatiker, Philosophen oder Historiker, drang der Renaissance-Humanismus im Verlauf des 16. Jahrhunderts auch in die nichtwissenschaftlichen und außergelehrten Kreise. Diese Übersetzungsliteratur erzieht, wie WOLFGANG STAMMLER richtig bemerkte, das deutsche Publikum zur neuen Form- und Weltanschauung und bildet die geistige Ergänzung zur sog. ‹deutschen Renaissance› in der Bau- und Bildkunst.

Von den römischen Epikern waren es OVID und VERGIL, die man eindeutschte. OVIDS ‹Metamorphosen› in der Erneuerung durch JÖRG WICKRAM (vgl. S. 181) wurden auch noch in der zweiten Hälfte des 16. Jahrhunderts gedruckt (1551, 1564, 1581). Erst 1571 folgte die Übersetzung durch JOHANNES SPRENG (vgl. S. 274). Eine Bearbeitung besorgte JOHANNES POSTHIUS 1563. SPRENG, vom Meistergesang her bekannt, ist eine interessante Übersetzerpersönlichkeit. Er schrieb zunächst zu 178 Zeichnungen des Nürnberger Kupferstechers und Holzschnittmeisters VIRGIL SOLIS (1514–1562), die ihren Stoff aus OVIDS ‹Metamorphosen› bezogen, den erklärenden Text. Dieser Text bringt zu jedem Bild eine kurze Prosabeschreibung, dann eine an OVID sich anlehnende *enarratio* in Distichen, schließlich ebenfalls in Distichen die *vera interpretatio*, die z. B. in Apollo, der die Daphne verfolgt, den Teufel sieht, wie er der Seele des Menschen nachstellt; oder die aus dem Tod der Semele in den Armen Jupiters die schädlichen Folgen der Wollüstigkeit herausliest. Diese ‹Metamorphoses Ovidii› (1563) von SOLIS und SPRENG boten für Goldschmiede, Maler, Graphiker etc. eine Fülle wirksamer Motive. Um sie auch weiteren Kreisen des Volkes zugänglich zu machen, übertrug SPRENG diesen seinen lateinischen OVID in deutsche silbenzählende Reimpaare: ‹Metamorphoses oder Verwandlungen› (Frankfurt a. M. 1564). SPRENG übersetzte ferner in deutsche Reimpaare des Italieners MARCELLUS PALINGENIUS STELLATUS ‹Zwölff Bücher, zu Latein Zodacus vitae, das ist, Gürtel des lebens genannt› (Frankfurt a. M. 1564), HOMERS ‹Ilias› und VERGILS ‹Aeneis› (1610). Der diesen letzten Veröffentlichungen beigegebene Nekrolog SPRENGS führt ferner Übertragungen der ‹Adagia› des ERASMUS und des BASILIUS an. Von VERGIL übertrug STEPHAN RICCIUS die ‹Eklogae› 1567 (1573), die ‹Georgica› 1585.

Von großer Bedeutung wurde die *Rezeption der antiken Epik, besonders des spätantiken Romans*. Verwandtschaft mit dem hellenistischen Roman zeigt bekanntlich das biblische Buch Esther. Sein literarischer Charakter äußert sich in einer spannungsreich gestalteten Erzählung und der Bemühung um einen historischen Charakter. Die Hauptrolle hat eine Frau, die mit leicht erotischem Akzent geschildert ist. Dieser Akzent wird stärker in den griechischen Zusätzen (Einschaltungen und Rahmenstücken) zum Buch Esther. Parallelen zum Estherbuch bieten das Buch Judith und Weiterbildungen alttestamentlicher Erzählungen bei PHILO und JOSEPHUS.

Die Übersetzung der ‹Odyssee› in deutsche Prosa durch den Münchener Stadtschreiber SIMON SCHAIDENREISSER, ‹Odyssea. Das seind die allerzierlichsten vnd lustigsten vier vnd zwaintzig bücher des eltisten kunstreichesten Vatters aller Poeten Homeri von der zehenjärigen irrfart des weltweisen Kriechischen Fürsten Ulyssis› (Augsburg 1537; Neudrucke 1538 und 1570), stellte in die nur einfach die Ereignisse aneinanderreihende Erzählweise der Zeit nun ein Epos mit perspektivisch durch die Maße von Raum und Zeit abgewogener Entfaltung der Geschehnisse. Das Epos zeigt einen Helden - klug, beständig und zielstrebig

im Reiche des Schicksals und der Fortuna, eine Welt - bunt, bedroht, be-
glückend. Die erste Übertragung der ‹Ilias› in Prosa besorgte JOHANN
BAPTIST REXIUS (1584). Die Übertragung JOHANNES SPRENGS wurde erst
1610 gedruckt. JOHANN ZSCHORN, Schulmeister zu Westhofen im Elsaß,
verdeutschte HELIODORS ‹Aethiopische Geschichten› nach der durch STA-
NISLAUS WARSCHEWICZKI besorgten Übertragung aus dem Griechischen ins
Lateinische (Basel 1552): ‹Aethiopica Historia. Ein schöne vnnd Liebliche Histori, von einem großmütigen Helden aus Griechenland vnd
einer vberschönen Junckfrawen, eines Königs dochter der schwartzen
Moren (der Jüngling Theagenes vnnd die Junckfraw Chariclia genant)
darinnen Zucht, Erbarkeit, Glück vnd Vnglück, Freud vnd Leid, zu
sampt viel guter Leren beschrieben werden› (Straßburg 1554, 1559 u. ö.).
Diesen späthellenistischen Liebesroman hatte der Phönizer HELIODOR gegen 300 n. Chr. abgefaßt. Das Werk mit seinen erregenden Geschehnissen, dem spannenden Ablauf, der erbaulichen Haltung und vorgeblichen
Gelehrsamkeit wurde Muster und Vorbild der Romantechnik in ganz
Europa. Der Roman zeigt das für die Epik notwendige freie Walten
mit den Zeitverhältnissen beim Einsatz des Erzählens, bei Höhen der
Erregung im Gesamtverlauf und beim Nachholen der Vorgeschichte. Dieses Anlagegesetz gilt noch für WIELANDS ‹Agathon›. Die HELIODOR-
Übersetzung vermittelte den Deutschen ferner die große Spannung zwischen Ich und Du, die Zuordnung zweier junger Menschen und die
Verwirklichung ihrer Zusammengehörigkeit trotz aller Widerstände.
In dieselbe Richtung weist die ‹Geschichte des Ismenius und der Ismene›
von EUSTATHIOS, die Historie von der treuen Liebe der beiden, wie sie
‹nach langwiriger übung Cupidinis, widerwertigkeit zu Land vnd Meer
letztlich widerumb bei göttlicher güte vnd aller Welt ihrer Bestendigkeit
halben gnad gefunden, vnd sich als ein Exempel aller standhafften Liebhaber vorgestellt haben›. Sie wurde von LELIUS CARANI aus dem Griechischen ins Italienische und von JOHANN CHRISTOPH ARTOPEUS, GEN.
WOLCKENSTERN ins Deutsche übertragen (Drucke 1573, 1594). Des APU-
LEIUS Roman ‹Von ainem guldnen Esel› verdeutschte 1538 JOHANN SIE-
DER, Sekretär des Bischofs von Würzburg. Der Grammatiker JOHANNES
CLAJUS gab seinen ‹Variorum carminum libri quinque› (Görlitz 1568)
im vierten Buch eine Übersetzung von HESIODS Schrift ‹Werke und Tage›
bei.

Die Bestimmung der Literatur des 16. Jahrhunderts von den *Druckern
und Verlegern* aus zeigt sich beispielhaft an SIEGMUND FEYERABEND (1528
bis 1590). Er war gelernter Form- und Holzschneider und hatte einige
Jahre in Italien gearbeitet. Seit 1559 Frankfurter Bürger, entwickelte er
sein Verlagsgeschäft in der Folge zu «einer der größten Verlegerfirmen
Deutschlands» (J. BENZING). FEYERABEND pflegte so ziemlich alle Wissen-
schafts- und Literaturzweige, vorwiegend auch volkstümlich-historische

Werke. In ihrem Rahmen faßte er im ‹Buch der Liebe› (Frankfurt a. M.
1587) dreizehn der beliebtesten romanhaften Prosaerzählungen zusammen. Der von Jost Amman mit Holzschnitten illustrierte Sammelband
enthält: ‹Octavian›, ‹Magelone›, ‹Galmy›, ‹Tristrant und Isalde›, ‹Ca-
mill und Emilie›, ‹Florio und Bianceffora›, ‹Theagenes und Chariclia›,
‹Gabriotto und Reinhard›, ‹Melusina›, ‹Ritter von Turn›, ‹Pontus und
Sidonia›, ‹Herpin›, ‹Wigoleis›. Für ‹Theagenes und Chariclia› war
Feyerabends Vorlage die Übersetzung der ‹Aethiopischen Geschichten›
durch Johann Zschorn.

2. Die neulateinische Epik

Seitdem der Humanismus um 1520 durch die religiösen Auseinandersetzungen in den Hintergrund gedrängt, überschichtet und modifiziert
wurde, ist *das neulateinische Epos* mit der lyrischen Dichtung des Zeitraumes weder an Umfang noch an Qualität gleichrangig. Manches ist über
gutgemeinte, aber unbeholfene Versuche kaum hinausgekommen. Neben
umfangreichen Produkten stehen Fazetien und lustige Kurzgeschichten
sowie kleine balladenhafte Stücke. Der geistig literarischen Struktur des
Zeitalters entsprechend begegnen an Hauptgattungen: 1. das religiöse
Epos, und zwar weniger legendarischen als biblischen Inhaltes; 2. das
geschichtliche Epos; 3. das biographische Epos; 4. das allegorische Epos;
5. die komische Epik. Dem didaktischen Wesenszug der Epoche gemäß
ist die Epik häufig von lehrhaften Tendenzen getragen. Bei größeren
Dichtungen bedienen sich die Poeten des homerisch-vergilischen Kunst-
griffes, daß sie mit ihrer Erzählung erst in einem späteren Zeitpunkt der
Handlung einsetzen und das vorausgegangene Geschehen durch einen eingeschobenen Rede-Bericht nachholen. Neben dem Hexameter wird auch
das Distichon verwendet; Fazetie und Kurzgeschichte sind in Prosa abgefaßt.

Während die deutschsprachige erzählende Literatur des Reformationszeitalters viele Interessenten fand, blieb die epische Dichtung der Neulateiner beinahe zur Gänze unerforscht. Gewiß: ihr Umfang, ihr Sinngehalt, ihr Wert und
auch ihre Wirkung lassen die Produkte hinter den volkssprachigen Erzeugnissen zurückstehen. Aber ihre bloße Existenz in der Epoche und ihr Konnex
mit der anderen Epik zwingen, sie einem einigermaßen vollständigen Litera-
turbild einzuordnen. Was wir zu bieten vermögen, geht über eine Kategori-
sierung der verschiedenen Einzelgattungen und über die Anführung der namhaftesten Denkmäler kaum hinaus. Es fehlen immer noch Neuausgaben und
Einzeluntersuchungen.

a) Die verschiedenen Gattungen

Nach der Reformation wandten sich die Epiker nur mehr wenig der *Legende* zu. Eine Ausnahme machte JOHANNES MYLIUS († 1575) mit einem Gedicht über den HL. POLYKARP und einer Dichtung von 150 Strophen, die das alte mystische Thema der Vermählung Christi mit seiner Braut, der Seele, behandelt. Die Reformationshumanisten interessierte mehr das *biblische Epos*. Dieses ist außerordentlich umfangreich, der dichterische Wert der Erzeugnisse aber häufig gering. Gern werden der Kampf Michaels und der Engelsturz behandelt. Der Theologe FRIEDRICH WIDEBRAM verarbeitet das auch im Mittelalter oft behandelte Thema vom Gericht Gottes über den sündig gewordenen Menschen zu einer epischen Darstellung. PAUL DIDYMUS (1547–1581), Professor der Poesie in Jena, erzählt die Erschaffung der Welt und des Menschen sowie dessen Sündenfall (1569). ANDREAS CALAGIUS (1549–1609), ein Schlesier, faßt Genesis und Exodus bis zum Tode des Moses episch zusammen. BALTHASAR DIETRICH schildert in einem ‹Diluvium Noe› (1578) die Sintflut. Das Opfer Abrahams fand in JOHANNES SECKERWITZ und PAUL FABRICIUS Bearbeiter. Der Joseph-Stoff interessierte ELIAS CORVINUS, PAUL DIDYMUS und MARTIN TURNAU. Joseph und Susanna als Beispiele verherrlicht (1555) JOHANNES CLAJUS. HIERONYMUS OSIUS setzte die Bücher Samuel, der Könige und der Chronik in Verse um. JOHANNES MAJOR dichtet eine ‹Simsoniade› in zwei Büchern. HENRICUS OTHO faßte die Geschichte der jüdischen Könige in Verse (1559). Die Geschichte Daniels bringt MATTHAEUS GOTHUS in Hexameter. Nach den Büchern Samuels, der Könige und Chronika schuf NIKODEMUS FRISCHLIN seine ‹Hebraeis› (1590, gedr. 1599). Von den Apokryphen bevorzugte man Daniel in der Löwengrube und Susanna. Dichterisch hochwertiger als die meisten dieser Bearbeitungen alttestamentlicher Stoffe sind die epischen Dichtungen, die THOMAS NAOGEORG in seine Satiren eingelegt hat. Er schildert den Sturz der Engel, das Paradies, Adam und Eva nach der Austreibung, Kains Jugend, Nimrod. Eine Messiade wie die ‹Christias› des GIROLAMO VIDA haben die deutschen Neulateiner nicht hervorgebracht. FRIEDRICH DEDEKIND erzählt in seinen ‹Metamorphoses sacrae› (1565) das Leben Jesu vom Erlösungsentschluß des Vaters bis zur Grablegung. KASPAR NENTWICH aus Forchheim faßte das Leben Christi im Umriß zusammen (1563). Einzelne Episoden aus dem Neuen Testament werden in Form von Kleinepen meist gewandter gestaltet als in umfangreicheren Gebilden. Gemäß der Ablehnung LUTHERS, im Drama das Leiden Christi sentimental vorzustellen, tritt auch in der Epik die Passion zurück. Eine Ausnahme macht MELCHIOR NEUKIRCH in seiner ‹Historia passionis ... Jesu Christi› (1580). Beliebt waren aber Themen wie der bethlehemitische Kindermord, der Tod des Judas, bei dem man vor Apostasie warnen konnte. PANTALEON CANDIDUS, WEISS (1540–1608) aus Ybbs in Niederösterreich, Rektor und Generalsuperintendent in Zweibrücken, knüpfte den Streit zwischen Himmel und Hölle an den Gang der Jünger nach Emmaus (1564?). JAKOB STRASSBURG, um 1560 Professor in Leipzig, behandelt die drei Stadien der Versuchung Christi durch den Teufel und füllt die Pausen dabei mit Kämpfen zwischen Furien, bzw. der Fides und ihren Schwestern. Wie WIDEBRAM wählt auch STRASSBURG das Gericht Gottes über den Menschen zum Thema einer epischen Dichtung. An Einzelgestalten des Neuen Testamentes werden in den Mittelpunkt gestellt Johannes der Täufer von JOHANNES LANGE (1503 bis 1564) aus Freistadt in Schlesien, und die Bekehrung des Apostels Paulus von ACHATIUS CUREUS (1562) und CASPAR REPPUSIUS (1581). Erzählende biblische Elemente enthalten auch die Hymnen auf Weihnachten, Ostern, Pfingsten, das Fest Johannes des Täufers oder die Hochzeitsgedichte.

In der *geschichtlichen Epik* nahmen die Dichter bereitwillig Ereignisse des Zeitgeschehens zum Gegenstand epischer Gedichte: die Ritterschaftsbewegung SICKINGENS, den Bauernkrieg, die Vertreibung und Rückführung Herzog ULRICHS VON WÜRTTEMBERG, das Ende des Wiedertäuferreiches in Münster, den Schmalkaldischer Krieg, die Kämpfe gegen die Türken, den Dithmarschen Krieg u. dgl. Als Gegner SICKINGENS schildert BARTHOLOMEUS STEINMETZ, LATOMUS in einer ‹Actio memorabilis Francisci ab Sickingen cum Trevirorum obsidione, tum exitus eiusdem› (Köln 1523) den Untergang des Reichsritters. JOHANNES LANGE dichtet eine Elegie ‹Ad Jesum Christum ... contra Turcas› (1539).

JOACHIM MYNSINGER VON FRUNDECK D. Ä. feiert in einer Dichtung ‹Austria› (Basel 1540) das habsburgische Kaiserhaus. SIMON LEMNIUS nahm in seinem unvollendeten Epos ‹Rhaeteis› (1544/50) den Widerstand der Schweizer gegen MAXIMILIAN I. 1499 zum Thema; JOHANNES ATROCIANUS und JOHANNES PEDIUS TETHINGER den Bauernkrieg; EOBANUS HESSUS die Rückführung ULRICHS VON WÜRTTEMBERG durch PHILIPP VON HESSEN; JOHANNES FABRICIUS BOLANDUS, 1543 zu Köln immatrikuliert, in einer Epopöe von zehn Büchern die Errichtung und den Fall des Reiches der Wiedertäufer in Münster (1546); JOHANN FORSTER (1576 bis 1613) u. a. den Schmalkaldischen Krieg. Vielfach behandelt wurden Wirken und Sterben des Herzogs MORITZ VON SACHSEN. HIERONYMUS OSIUS und KASPAR ENS erzählten über den Dithmarscher Krieg 1559. JOHANN BOCER schrieb zwei große Epen über Dänemark und Holstein und über Mecklenburg ‹Carminum de origine et rebus gestis regum Daniae et ducum Holsatiae ... libri V› (1557) und ‹De origine et rebus gestis ducum Megapolensium libri III› (1560). ARNOLD GOERINUS († 1557), Fraterherr in Hildesheim, verfaßte ein Gedicht auf den Sieg KARLS V.

über FRANZ I.; ZACHARIAS ORTH (vgl. S. 304) ein Gedicht auf Stralsund (1562). Größere und kleinere Epen stammen von KASPAR BRUSCH. Sie behandeln Schicksale seiner böhmischen Heimat oder versifizieren Klostergeschichten. Der Bischof zu Kulm und in Ermland JOHANNES DANTISCUS verherrlichte den Zug SIGISMUNDS nach Ungarn und den Sieg über den Wojwoden der Moldau. In Siebenbürgen besang JOHANNES LEBEL († 1566) die Geschichte des Dorfes Thalmosch ‹De oppido Thalmus› (1542). CHRISTIAN SCHESAEUS († 1585) schilderte die Zeitgeschichte Ungarns. Ein Epos des ELIAS CORVINUS über die Türkenkriege des JOHANNES HUNYADI blieb ungedruckt. Der bereits genannte PANTALEON CANDIDUS, WEISS verfaßte ein ‹Carmen de corona Caroli Magni› (1564), eine ‹Bohemais› (1587) und bearbeitete in den sechs Büchern seiner ‹Gotiberis› (1587) die Schicksale der Gotenkönige in Spanien. Stoffe aus der antiken Geschichte behandelten VEIT WINSHEIM in der Erzählung von den Töchtern des Scedasus (1551) und PETRUS PAGANUS (1532–1576) in dem Epos vom Kampf der Horatier und Kuriatier (um 1565). GEORG MAURITIUS D. Ä. (1539–1610) schilderte in drei Büchern ‹De universali excidio Hierosolymae› (1564) den Untergang Jerusalems. CHRISTOPH STYMMELIUS brachte das Urteil des Paris in Distichen. BALTHASAR STRAUB aus Ortenberg bearbeitete die Belerophon-Sage (1563). JOHANNES CLAJUS wurde zum Vers-Chronisten der Goldberger Schule: ‹Libellus de Origine et Conservatione Scholae Goldbergensis› (Görlitz 1563).

Geringer ist die Zahl der *biographischen Epen.* BERNHARD HOLTORP schilderte die Wanderung des STANISLAUS LASCO in ‹De peregrinatione magnifici ac generosi domini Stanislao Lasco liber› (Königsberg 1548). HEINRICH SPINAEUS berichtete in einem elegischen Gedicht ‹Historia clarissimi et vigilantissimi D. Conradi Clingi ...› (1556), die Geschichte des Franziskaners KONRAD KLINGE († 1556), des beharrlichen Gegners der Reformation in Erfurt. Eine Teufelsverschwörung wird durch den von Gott erweckten KLINGE vereitelt. GEORG CALAMINUS (1547–1595) beschrieb das Leben des Straßburger Arztes JOHANN WINTHER. MICHAEL HASLOB behandelte ‹Leben und Heimgang des Georg Sabinus› (1567).

Wie die bildende Kunst machte auch die neulateinische Poesie viel von der *Allegorie* Gebrauch. Der dem PIRCKHEIMER-DÜRER-Kreis angehörige THOMAS VENATORIUS läßt in seinem Epos ‹Draco mysticus›, ‹Der mystische Drache› (1530) die wahren Gottesstreiter LUTHER und seine Anhänger gegen die heidnischen Götter und den römischen Drachen kämpfen. JOHANNES POLLIUS (ca. 1490–1562) schildert ‹De tribus monstris Ecclesiam vastantibus Avaritia, Ambitione, Superstitione› (Marburg o. J. [1539]). Darin schickt Pluto ‹die drei die Kirche verwüstenden Ungeheuer› Habsucht, Ehrgeiz und Aberglauben aus, um das Evangelium zu unterdrücken. Sie erreichen in Rom ihren Zweck und der Strom des Verderbens ergießt sich über die Christenheit. JOHANNES BREIDBACH läßt in der ‹Militia christiana› (1560) die aus der Unterwelt gekommenen Gestalten Ketzerei, Heuchelei, Götzendienerei und andere Laster erfolglos gegen die Gottesstreiter ankämpfen. GEORG THYM, KLEE versucht in einer ‹Allegoria picturae Christophori recitata per dialogum› (Wittenberg 1555) die Deutung der Christophorus-Bilder. Im übrigen sind die epischen Hauptgattungen häufig mit allegorischen Elementen verquickt. In besonderem Maße gilt dies für biblische Epen, wie JOHANNES MAJORS schon erwähnte ‹Simsoniade› oder für RUDOLF GWALTHERS ‹Monomachia Davidis et Goliae et allegorica eiusdem expositio› (ca. 1550).

Einen verhältnismäßig breiten Raum nimmt die *komische Epik* in Gestalt von *Fazetien* und *lustigen Kurzgeschichten* ein. Die von Italienern und Deutschen wie POGGIO, TÜNGER, ADELPHUS MULING, BEBEL u. a. vor der Reformation gepflegte Gattung lebt in Neuausgaben, Bearbeitungen, Sammlungen weiter. Aber auch Neues kommt dazu.

Bereits während der Glaubenskämpfe gab OTTMAR LUSCINIUS-NACHTIGALL (vgl. Bd. IV/1, S. 506) seine ‹Joci ac sales mire festivi› (Augsburg 1524) in Druck. LUSCINIUS will durch Scherze und Witze sich und dem Leser über die düsteren Zeitverhältnisse hinweghelfen. Auf Karrikatur und Satire verzichtet er, doch Schlüpfriges glaubt er nicht entbehren zu können. In den Text sind griechische Zitate eingefügt. Hauptzweck ist die Unterhaltung.

In den Niederlanden ließ ADRIAN BARLAND (1488–1552), Professor in Löwen, ‹Jocorum veterum ac recentium libri tres› (Antwerpen 1529) erscheinen und stützte sich dabei stark auf GIOVANNI PONTANOS ‹De Sermone›.

Aus BEBEL, LUSCINIUS u. a. schöpfte der Baseler Prediger JOHANNES GAST († 1572) in seinen ‹Sermones convivales› (Basel 1541 u. ö.). Die öfter aufgelegte Sammlung dieser lustigen ‹Tischgespräche› fand weite Verbreitung und wurde eine Quelle des *Faustbuches*. Produkte komischer Kleinepik aus Antike und neuerer Zeit vereinigte JAKOB VIELFELD, POLYCHORIUS, MULTICAMPIANUS in seinem Schwankbuch ‹Amoenissima et pudica Jocorum Facetiarumque sylva› (Straßburg 1542). Die Auswahl aus VALERIUS MAXIMUS, POGGIO, LUSCINIUS ist im Hinblick auf Zucht und Sitte getroffen. Nicht näher untersucht scheint noch immer die ‹Sylva sermonum jucundissimorum› (Basel 1568) des JOHANNES HULSBUSCH. Er übersetzte darin u. a. zehn Kapitel aus dem ‹Wegkürzer› des MARTINUS MONTANUS und 43 Nummern aus der ‹Gartengesellschaft› des JAKOB FREY ins Lateinische.

Einen Aufschwung nahm die Fazetiendichtung begreiflicherweise bei einem Talent wie NIKODEMUS FRISCHLIN. Seine Ausgabe ‹Facetiae selectiores› erschien Leipzig 1600. Das Vorbild war BEBEL, viele der Geschichten sind in Schwaben, Bayern und der Pfalz lokalisiert. In der Form macht sich der Einfluß der deutschsprachigen Schwankdichtung bemerkbar. Frischlin gestaltete das Buch zu einer Sammelausgabe von Fazetien und lustigen Geschichten, indem er den eigenen Erzeugnissen die Produkte Bebels, solche Poggios, des Adelphus Muling und des Jakob Heinrichmann anfügte.

Teilweise auf Sammlungen seines Vaters Dionysius sollen die ‹Jocoseria›, d. s. Schwänke und Anekdoten, von Otto Melander, Holzapfel († 1640) zurückgehen, die von 1600 bis 1626 in verschiedenen Fortsetzungen und Auflagen erschienen sind und auch ins Deutsche übersetzt wurden.

Der Hauptvertreter des großen *komischen Epos* war Friedrich Taubmann (1565–1613), Professor der Poesie in Wittenberg. Er verfaßte um 1587 zwei komische Epen. Das eine behandelt das Schicksal der Martinsgans (‹Martinalia›), das andere (‹Bacchanalia›) schildert eine zeitgenössische Fastnachtfeier. Im Thema des ersteren wurde Johann Sommer mit seiner ‹Martins Ganß› (1609) der Nachfolger.

Noch von Konrad Celtis angeregt zeigt sich der Schlesier Nikolaus Hussovianus zu seinem ‹Carmen de statura, feritate ac venatione Bisontis› (Krakau 1523), ‹Von der Gestalt, Wildheit und Jagd des Wisents›.

Teilweise dem *didaktischen Gebiet* zuzuzählen ist Anton Mocker († 1607) mit seiner ‹Psychomachia inter Rationem et Voluntatem, Virtutes et Vitia› (1596). Vernunft und Wille geraten in Streit. Auf seiten der Voluntas stehen die Laster und Begierden, auf seiten der Ratio die Tugenden, die schließlich den Sieg davontragen.

Balladenhafte oder poetisch ausgeschmückte *Wiedergabe ungewöhnlicher Begebnisse* liegt vor: bei Eobanus Hessus, der den Auszug der Studenten aus Erfurt infolge der ausgebrochenen Pest schildert; bei Joachim Mynsinger von Frundeck, der einen Unfall Paduaner Studenten auf der Fahrt nach Murano, unter denen er sich selbst befand, anschaulich beschreibt; bei Georg Calaminus, der ein Unglück im Hause eines Edelmannes erzählt. Zu solchen Erlebnisschilderungen kamen ähnliche anekdotische Darstellungen erdichteter Art.

b) Makkaronische Poesie. Leberreime

Im 16. Jahrhundert gelangte nach Deutschland auch die *makkaronische Poesie*. Ihre Eigenart besteht darin, «daß in einer scherzhaften Absicht Wörter einer fremden Sprache in die Grundsprache eingemischt sind, die nach den Gesetzen derselben flektiert werden» (C. Blümlein). Diese Grundsprache kann Griechisch, Lateinisch, Französisch etc. sein. Schon bei Ausonius (310–393) findet man griechische Hexameter mit griechisch flektierten lateinischen Wörtern. Als Erfinder der Sprachmischung des *ge-*

nus maccaronicum, wie sie im 15./16. Jahrhundert in Italien, Frankreich, Spanien, England, Holland und Deutschland auftaucht, gilt der Italiener TIFI DEGLI ODASI (TYPHIS ODAXIUS, † 1488). Von ihm erschien 1493 ein in Hexametern abgefaßtes ‹Carmen macaronicum de Patavinis quibusdam arte magica delusis› in lateinischer Sprache, diese aber mit italienischen, lateinisch flektierten Wörtern vermischt und die italienischen Bestandteile der lateinischen Syntax angepaßt. Das Wort ‹maccerone› bezeichnet die Lieblingsspeise der Italiener, hatte aber auch den Nebensinn ‹Tölpel›. FISCHART verdeutschte die ‹versus maccaronici› mit ‹Nudelverse›. Der Hauptvertreter der makkaronischen Poesie wurde TEOFILO FOLENGO (MERLINUS COCCAJUS, 1492–1540) mit seinem großen burlesk-parodistischen Ritterepos ‹Maccaroneae› (1517, erweitert 1521) und seiner ‹Moschea› (1530; deutsche Bearbeitungen von HANS CHRISTOPH FUCHS 1580 und BALTHASAR SCHNURR 1612), die den Krieg der Mücken und Ameisen behandelt.

In Deutschland erscheint, abgesehen von deutsch-lateinischen Mischversen und -elementen in SEBASTIAN BRANTS ‹Narrenschiff› und den ‹Epistolae obscurorum virorum›, das älteste Makkaronisch in THOMAS MURNERS ‹Kirchendieb- vnd Ketzer-kalender› (1527): «Galgibus in hangis Kreiorum nagere beinis». Mehrfach gebraucht HANS SACHS das Makkaronische um die Mitte des Jahrhunderts in Fastnachtspielen, vereinzelt MICHAEL LINDENER in ‹Katzipori›, HANS WILHELM KIRCHHOFF in ‹Wendunmut› und GEORG NIGRINUS in der ‹Widerlegung der Ersten Centurie› (1517). Viele makkaronische Verse finden sich in FISCHARTS ‹Gargantua›. In der Gesamtheit verwenden die Mischdichtung zwei satirische Gedichte: der ‹Pasquillus auf den protestirenden Krieg 1546›, d. i. ein Mahnruf an die Führer des Schmalkaldischen Bundes, und das ‹Pancketum Caesareum› (1548), das der Stimmung der unterlegenen Protestanten während des Augsburger Reichstages Ausdruck verlieh. An das letztere schloß sich eine kleine ‹Benedictio Mensae in Pancketum› (1548). Die bekannteste deutsche makkaronische Dichtung ist in niederdeutsch-lateinischer Mischsprache die ‹Floia, cortum versicale, de flois schwartibus, illis deiriculis, quae omnes fere Minschos, Mannos, Weibras, Jungfras etc. behuppere et spitzibus suis schnaflis steckere et bitere solent. Autore Gripholdo Knickknackio ex Floilandia. Anno 1593› (hochdeutsche Bearbeitung 1689). Der Verfasser ist nicht ermittelt. Das kleine Epos schildert in Hexametern die Plage, die alle Menschen, besonders die Frauen, von diesen blutsaugenden Kerbtieren erdulden müssen.

Auch im Barockzeitalter fand die für scherzhafte Gegenstände geeignete makkaronische Poesie Pfleger und Liebhaber.

Eine längere mündliche Überlieferung schon im 16. Jahrhundert ist anzunehmen für die *Leberreime*, d. s. kurze improvisierte Gesellschaftsgedichte, deren Eingangsworte das Stichwort ‹Leber› aufweisen. Sie

wurden zuerst von MICHAEL STAHLSCHMID (Paderborn 1600) in hoch-
deutscher und von JOHANN JUNIOR 1601 in niederdeutscher Sprache gesammelt. JUNIORS ‹Rhythmi mensales› bilden das Vorbild für JOHANNES
SOMMERS ‹Hepatologia Hieroglyphica rhythmica› (1605), einer Sammlung von 500 Leberreimen. Der Verbreitung dieser Gattung im Barockzeitalter kam die Vorliebe des Humanismus für Sprichwörter und Sinnsprüche sowie die allegorische Emblemendichtung entgegen.

c) Podagraliteratur

Aus dem Literaturzweig der ironischen Enkomien, dem Gegenstück der
humanistischen Lobgedichte, und der antiken Scherzdichtung erwuchs im
16. Jahrhundert auch eine *Podagraliteratur*; zuerst lateinisch, dann auch
deutsch. Auf die Enkomien oder Laudes in lateinischer Prosa folgten
deutsche epische und dramatische Versdichtungen. In ihnen wird das
Objekt meist als Allegorie aufgefaßt und mit den Mitteln des Verglei-
ches und der Verteidigung in seinen Vorzügen und Nützlichkeiten gepriesen und gerühmt. Die ironischen Enkomien nehmen berüchtigte
Personen, schädliche Tiere, Torheiten, Unsitten, Laster und Krankheiten
zum Gegenstand und verteidigen sie eifervoll mit Witz und Gelehrsamkeit zum Scherz oder zur Belehrung der Leser.

Die Verfasser der Podagradichtungen beziehen sich gerne auf das
LUKIAN zugeschriebene ‹Tragopodagra›, kein Enkomion, sondern ein
kleines Drama, in dem die schmerzvolle Herrschaft der Gicht dargestellt
wird. Weitere Anregungen gab die seit PAULUS DIAKONUS immer wieder
erzählte Fabel vom Podagra und dem Floh oder der Spinne. PETRARCA
erzählt die letztere in einem Brief (‹De rebus familiaribus epistolae› 3,
13) an den Kardinal JOHANNES COLUMNA. Im Sinn dieser Fabeln gilt von
SEBASTIAN BRANT bis ins 17. Jahrhundert das Podagra als die Krankheit
der Wohlhabenden. ERASMUS VON ROTTERDAM verglich sie in seinem
‹Podagrae et Calculi ex comparatione utriusque Encomion› mit der
Steinkrankheit und sang ihr Lob. Mit Benutzung LUKIANS verfaßte der
französische Mediziner CHRISTOPHORUS BALISTA eine ‹Concertatio in
podagram› in lateinischen Distichen und gab darin eine Therapie des
Übels. Am wirksamsten für das Schrifttum des 16. Jahrhunderts aber
wurde WILLIBALD PIRCKHEIMERS ‹Apologia seu Podagrae Laus› (Nürnberg 1522). Diese Podagra-Schrift (vgl. über sie Bd. IV/1, S. 547 f.)
wurde bis ins Barockzeitalter öfter gedruckt, übersetzt und nachgeahmt.
In ihrem Gefolge stehen HANS SACHSENS ‹Gesprech der Götter ob
der edlen vnd bürgerlichen Kranckheit des Podagram oder Zipperlein›
(1544), NIKOLAUS PRAUNS Gespräch ‹Podagrischer Traum› (1546). Im
Anschluß an PIRCKHEIMERS Podagraschrift dichtete der italienische Arzt
und Naturphilosoph HIERONYMUS CARDANUS aus Pavia ein ‹Podagrae

Encomium›. Es wurde von einem Anonymus als ‹Podagrischer Meß-
kram› (Frankfurt a. M. 1557 und 1567) ins Deutsche übertragen. Wohl
in Kenntnis LUKIANS, doch unabhängig von den neueren Vorgängern
hielt JOHANNES CARNARIUS, VLEESCHOUWER (1520–1562) aus Gent, 1552
an der Universität Padua eine scherzhafte Lobrede ‹De Podagrae Laudibus Oratio› (Padua 1553). Die Veröffentlichung ist dem Freiherrn
SIEGMUND VON HERBERSTEIN gewidmet. Auf CARNARIUS und PIRCKHEIMER
basiert FISCHARTS ‹Podagrammisch Trostbüchlein› (1577) (vgl. S. 202). In
dramatischer Form behandelte das Motiv EOBANUS HESSUS in einem ‹Ludus Podagrae› (1534). In einer deutschen Bearbeitung davon, ‹Eyn ver-
antworttung Podagrae Vor dem Richter: vber vilfaltige klage der armen Podagrischen rott› (Mainz 1537), wird die Gicht vor den Richter
geschleppt, um sich zu verantworten; ein geplagter menschlicher Chor
sang Lieder in antiken Metren.

ELIAS ANHART aus Graz, «Physicus auff der Schemnitz in Hungerischen
Pergstetten», verfaßte ein ‹Consilium Podagricum. Das ist, Wie man
sich vor dem Podagra hueten ... solle› (Wien 1560), mit Übersetzung
der Rede des CARNARIUS. GEORG FLEISSNER schließlich erzählt in seiner
Reimpaardichtung ‹Ritterorden deß Podagrischen Fluß› (1594 u. ö.) im
ersten Teil die göttliche Herkunft des zarten Fräuleins Podagra, die
Zeus neben seinen Schemel aufnimmt, und wie die Krankheit einen Ritterorden gründet und die Zeit mit Spiel und Kurzweil verbringt. Der
zweite Teil besteht aus einer freien Bearbeitung der Schrift des CAR-
NARIUS.

Die Podagraschriften LUKIANS, PIRCKHEIMERS, BALISTAS und die Schrift
‹Morbidi duo et laus Podagrae› des Jesuiten JAKOB PONTANUS veröffent-
lichte der Straßburger Arzt MICHAEL TOXITES unter dem Titel ‹De Poda-
grae laudibus doctorum hominum lusus› (Straßburg 1570). Eine große
Anzahl neulateinischer Gedichte auf das Podagra ist abgedruckt in dem
Sammelwerk ‹Amphitheatrum Dornavii›, 2. Teil (1619).

Die Gattung der Podagraliteratur wirkt über den unserer Darstellung gesetzten Zeitraum hinein in die Übergangszeit vom 16. zum
17. Jahrhundert und in das Barock: im Drama etwa bei JAKOB AYRER,
in der Zeitkritik und Satire bei HANS MICHAEL MOSCHEROSCH, in der Enkomiastik bei GEORG BARTHOLD PONTANUS VON BRAITENBERG und JAKOB
BALDE.

d) Satire und grobianische Literatur

Der Gipfel der *neulateinischen Satire,* NAOGEORG, wird vorbereitet durch
den bereits genannten JOHANNES POLLIUS, einen Schüler des JOHANNES
MURMELLIUS. POLLIUS gibt in seiner ‹Ecclesiastomoria› eine satirische Betrachtung der Zeitumstände mit besonderer Berücksichtigung der religiö-

sen Verhältnisse. Die Satire im großen Stil aber schuf erst Thomas Naogeorg. Er verwendete dafür das Drama (vgl. S. 360 ff.) und die episch-satirischen Formen. Als eine Art Kommentar zum ‹Pammachius› kann das ‹Regnum papisticum› (Basel 1553, vermehrt 1559; deutsch 1555 u. ö.; englisch 1570), ‹Das päpstliche Reich› gelten, eine episch-satirische Hexameterdichtung in vier Büchern. Geschildert werden der Ursprung des päpstlichen Stuhles, die Üppigkeit des Oberhirten und seiner Leute, die Gliederung der Hierarchie, die katholische Glaubenslehre und der Kultus (mit interessanten Schilderungen der Vierzehn Nothelfer, des Brauchtums und der kirchlichen Feste), maßlos in der Häufung von Anklagen. Schon 1542 hatte Naogeorg ‹Satyrarum libri quinque› verfaßt (gedr. Basel 1555). Diese ‹Fünf Bücher Satiren› sind sein satirisches Hauptwerk. Es nimmt sich in den Hauptteilen vor: den ungebildeten und anmaßenden Klerus, den Dünkel des Dichterlings, die Schattenseiten des Reichtums, besonders aber die Apostaten und Konvertiten; doch auch die neuen evangelischen ‹kleinen Päpste› und Adeligen, die nach dem freigewordenen Kirchengut langen, werden nicht verschont. Gesondert daraus gedruckt wurde die Satire ‹In Catalogum Haereticorum› (1559) gegen den ersten römischen ‹Index librorum prohibitorum›.

Zu ungefähr derselben Zeit, als Naogeorg mit seiner satirischen Tätigkeit begann, erschien auch jene lateinsprachige Satire, die von der ganzen Gattung den größten Erfolg erreichte. Dies vor allem deswegen, weil sie in jene Form gefaßt wurde, die einem Grundzug des Zeitalters entsprach: Friedrich Dedekinds ‹Grobianus›. In ihr erreicht der Kampf des ausgehenden Mittelalters gegen die immer ärgere Unfläterei den Gipfel. Es ist Satire, in der Absicht zu bessern.

Das Wort ‹Grobian› erscheint zuerst in Conrad Zeningers ‹Vocabularius teutonicelatinus› (1482) als Verdeutschung für *rusticus*. Zum Patron der wüsten Schlemmer erhob den Grobian Sebastian Brant in der ersten Auflage des ‹Narrenschiffes› (1494) im 72. Abschnitt ‹Von groben Narren›. Thomas Murner ließ ihn in der ‹Schelmenzunft› (1512) in Gestalt eines Schweines den Vorsitz einer Tafelrunde ungebärdiger Gesellen führen. Dem Sankt Grobian folgten ähnliche und verwandte Heilige, wie der Weinpatron Sankt Reblinus, Sankt Schweinhardus, Sankt Stolprian, Sankt Überwust u. a.

Die *grobianische Literatur* nahm ihren Ausgang von der mittelalterlichen Anstandsliteratur, im besonderen von den Tischzuchten des späten Mittelalters, als nämlich mit zunehmender Neigung zur Satire diese Literaturgattung ins Gegenteil umschlug und ironische Anweisungen zu möglichst rüdem und unflätigem Benehmen gab, mit der Absicht, abschreckend und erziehend zu wirken, indem der Befolger lächerlich gemacht wird. Den Übergang dazu zeigen eine Tischzucht von Jakob Köbel (1492) und eine Hans Krug oder Hans Kemnater zugeschriebene Parodie des ‹Cato›, ‹Wie der meister seinen sun lert› (Anfang 15. Jh.), in denen die alten ernsten Vorschriften ebenfalls ins Gegen-

teil umgekehrt werden und der Jüngling zu möglichst rohem Benehmen auf-
gefordert wird. Am wirksamsten vorgearbeitet aber hat der Satiriker SEBA-
STIAN BRANT. Er schob in die zweite Auflage seines ‹Narrenschiffes› (1495) den
Abschnitt ‹Von disches vnzucht› (110a) ein, in dem nur mehr das Treiben die-
ser Gattung Narren abschreckend geschildert wird. Eine Verbreiterung der
Tischzucht BRANTS bildet ‹Eyn schön Reygenlied von Sant Grobian› (um 1550).
HANS SACHS endlich behandelte die Tischzucht in dreierlei Weise: ernst gemeint als kurze Tischzucht 1534, als Umdichtung in Liedform 1542 und als
Schwank mit Umkehrung ins Grobianische (‹Die verkert Tischzucht›) 1563.
Außer den Tischzuchten haben auf die Ausbildung der grobianischen Literatur
bestimmend eingewirkt die Dichtungen vom Schlaraffenland mit dem alten Motiv vom Land der Faulenzer und Schlemmer – speziell der Zug, daß der
träge, gefräßige und flegelhafte Mensch reich belohnt und geehrt wird –, weiters die ironischen Enkomien mit ihrem Lob auf die diversen Laster und
schließlich die umfängliche Trinkliteratur.

Zur Parodie geworden sind die Anstandsregeln bereits in der kleinen deutschen Prosaschrift ‹Grobianus Tischzucht bin ich genant, den
Brüdern im Seworden wolbekant› (Worms 1538; 1583 ins Niederdeutsche
übersetzt), genannt der ‹Kleine Grobianus› von W. S. (WILHELM
SALZMANN?). Darin werden in Form eines Erlasses der Brüderschaft des
Sau-Ordens in sechzehn Artikeln Ratschläge erteilt, wie man rücksichts-
los und jeder guten Sitte zum Hohn seinen Appetit befriedigen kann.
Dieser ‹Kleine Grobianus›, von dem die Bezeichnung haften blieb, ist
unmittelbarer Vorläufer von DEDEKINDS Werk.

FRIEDRICH DEDEKIND (1524–1598) aus Neustadt am Rübenberge gab
seiner lateinischen Dichtung den Titel ‹Grobianus. De morum simplici-
tate›, ‹Über einfältige Sitten› (Frankfurt a. M. 1549). DEDEKIND wirkte
seit 1551 als Pastor in Neustadt, später als Pfarrer in Lüneburg und
war seit 1553 vermählt mit JULIANA CORDUS, der Tochter des humanistischen Epigrammatikers. Als Student der Theologie in Marburg, später
in Wittenberg, konnte DEDEKIND den Grobianismus der Studenten beobachten. In Marburg wurde er auch mit seinen literarischen Quellen bekannt, mit älteren Tischzuchten, der Trinkliteratur, mit BRANTS ‹Narrenschiff›, des ERASMUS ‹Lob der Torheit› und ‹De civilitate morum pue-
rilium›. DEDEKIND schrieb seinen ‹Grobianus› schon in jungen Jahren.
Die in lateinischen Distichen abgefaßte Satire gilt als eines der poetischen Hauptwerke des 16. Jahrhunderts. DEDEKIND gibt nicht moralische Vorschriften, sondern fordert scheinbar zu einem ungesitteten
Betragen auf, hauptsächlich bei Tisch. Dem Verfasser des kulturgeschichtlich hochbedeutsamen Werkes gelang es, bei scheinbarem Wohlbehagen
und Mitmachen am Grobianismus den satirischen Grundgedanken ungemein anschaulich zu gestalten. Er hat Phantasie und Humor und zeichnet den Helden als plastische Persönlichkeit.

In der Vorrede setzt DEDEKIND seinem Freund SIMON BINGIUS die Tendenz
der Dichtung auseinander: Er will zum abschreckenden Beispiel die rohen Sitten zur Darstellung bringen. «Wer noch einen Funken von Ehrgefühl im Leibe

hätte, würde, wenn er auf ihn passende Schilderungen fände, über sich erröten und sich bessern. Beleidigt fühlen aber könnte er sich nicht, denn die Lehren würden gleichsam lachend und scherzend vorgetragen.» DEDEKIND teilt den Stoff nicht besonders geschickt in zwei Bücher. Im ersten wendet er sich an Söhne des Hauses oder an im Hause dienende Knaben und Jünglinge, im zweiten an erwachsene Personen. Mit den erstgenannten geht er das ganze Tagewerk durch vom Aufstehen bis zum Einschlafen. Die Tischzucht ist dabei die Hauptsache. Im zweiten Buch wird gezeigt, wie man sich zu verhalten hat als geladener Gast und wie als Gastgeber. Ein richtiger Grobian steigt nicht aus dem Bett, bevor der Tisch gedeckt ist. Waschen und Kämmen sind ungesund, Kleiderpflege ist überflüssig. Wer im grobianischen Orden Ehre und Lohn erreichen will, mißachtet alle Gesetze des Anstandes bei Tisch, im Umgang mit Standespersonen und mit Frauen; außerdem lasse er allen Äußerungen seiner Leiblichkeit freien Spielraum. Ein Diener sei möglichst selbstsüchtig und faul, stelle sich taub und dumm, setze ehrbare Gäste unter Alkohol und ekle sie fort; wohl aber kümmere er sich um die Schlemmer, mache mit ihnen mit und wenn sich dann ein Streit erhebt, werfe er sämtliche Gäste aus dem Hause. Ist der Grobianus selber als Gast geladen, dann erkundige er sich vorher beim Diener nach der Speisekarte und sehe bei der Tafel möglichst auf seinen Vorteil; er gehe spät hinweg und führe sich auf der Gasse ungebührlich auf. Selber Wirt, behandle er seine Gäste so, daß sie ein zweites Mal nicht wiederkommen.

Mit dem mittelalterlichen und derben Inhalt des Reformationszeitalters kontrastiert reizvoll die formvollendete Eleganz des lateinischen Verses und die mit klassischer Bildung wohlvertraute Ausdrucksweise. Bemerkenswert ist, daß dem Dichter die von PETRUS POMPONATIUS entwickelte Seelenlehre des aristotelischen Averroismus bekannt war.

Der Erfolg seines ‹Grobianus› veranlaßte DEDEKIND, als er Pastor in Neustadt war, zu einer Neubearbeitung. Das 1552 erschienene Werk weist durch Einschub neuer und Erweiterungen alter Abschnitte, durch Einfügung von Schwänken aus BEBELS ‹Facetien› und auch mündlichen Schwankgutes beträchtliche Anschwellungen auf. Der ironische Ton wurde dabei mitunter zur Strafpredigt. Zuletzt wird auch noch ein drittes Buch für die Damen angeschlossen. Bei der dritten Bearbeitung (1554; bis 1704 noch 15 Auflagen) gab DEDEKIND nach dem Muster seines Übersetzers KASPAR SCHEIDTS den Kapiteln Überschriften und fügte eine ‹Grobiana› hinzu.

Die erste Verdeutschung des ‹Grobianus› besorgte KASPAR SCHEIDT († 1565), Schulmeister in Worms. Sein ‹Grobianus, Von groben sitten, vnd vnhöflichen geberden› (Worms 1551; bis 1615 noch 14 Auflagen) trägt auf dem Titelblatt die Aufforderung: ‹Liß wol diß büchlein offt vnd vil, Vnd thů allzeit das widerspil›. SCHEIDT paßte seine Arbeit formal und inhaltlich der Vorlage an. Er übersetzte in schlichte Reimpaare und bediente sich einer mannigfach belebten und grobkörnigen Ausdrucksweise. Auf diese Art kam ein durchaus volkstümliches deutsches Werk zustande. Außerdem fügte SCHEIDT seiner Vorlage eine Menge neuer Späße und Schwänke sowie Randbemerkungen hinzu, so daß sein

‹Grobianus› auf den doppelten Umfang anwuchs. Auch den Grundgedanken hat er deutlicher herausgearbeitet. »Er tritt als Schulmeister
Grobianus auf und weist bei jedem Streich auf die Anschauungen und
Regeln seiner Schule hin, die er als die einfachen, natürlich derben Gewohnheiten der alten unverdorbenen Zeit darzustellen versuchte»
(A. HAUFFEN - C. DIESCH). SCHEIDTS ‹Lobrede von wegen des Meyen, mit
vergleichung des Frülings vnd Herbsts› (1551) und ‹Die frölich Heim-
fart› (nach 1552) sind Gelegenheitsdichtungen, die mit dem Hauptwerk
kaum etwas gemein haben. Das Werk ‹Reformation, Lob vnd satzung
der Musica› (1561) zeigt SCHEIDT in Verbindung mit der Wormser Meistersingerschule. Eine geplante Bearbeitung des ‹Eulenspiegel› besorgte
erst SCHEIDTS Schüler FISCHART.

DEDEKINDS dritte Bearbeitung des ‹Grobianus› von 1554 übertrug
WENDELIN HELLBACH, Pfarrer in Eckardshausen, 1566 in deutsche Reimpaare und versah sie mit schwankhaften Zusätzen; ‹Grobianus vnd
Grobiana. Von vnfletigen, groben, vnhöflichen sitten, vnd Bäwrischen
gebärden› (gedr. Frankfurt a. M. 1572). HELLBACHS Übertragung kürzte
und übersetzte in deutsche Prosa 1607 PETER KIENHECKEL. Unmittelbar
übertrug DEDEKINDS Werk 1640 WENZEL SCHERFFER VON SCHERFFEN-
STEIN in deutsche Alexandriner.

DEDEKIND war bis ins hohe Alter dichterisch tätig. Er faßte die
Sprüche Salomons in lateinische Distichen und den deutschen Katechismus LUTHERS in lateinische Jamben. Außerdem verfaßte er zwei Dramen
(vgl. S. 331).

Fortgeführt wurde auch *die Satire* der Anhänger der Reformation
gegen die Anhänger der alten Kirche und umgekehrt die Satire der Altgläubigen gegen die Neuerer. Besonders in Bayern fanden die ‹Klage
der Messe› und der ‹Nemo evangelicus› (1528) des JOHANNES ATROCIA-
NUS aus Kolmar mannigfach Nachfolger. Gegen Ende des Jahrhunderts
kam, schon aus gegenreformatorischen Impulsen, dazu der halbdramatische ‹Synodus oecumenica theologorum protestantium› (Graz 1593)
des JOHANNES DOMINICUS HESS. Der mit den kryptocalvinistischen Streitigkeiten in Zusammenhang stehende ‹Synodus avium› des JOHANNES
MAJOR wurde bereits an anderer Stelle genannt (vgl. S. 135 und S. 294).
Die literarische Satire pflegte der aus dem Schülerkreis des GEORG SABI-
NUS kommende MICHAEL ABEL.

Aus den Beständen der Moralsatire, der Teufelsliteratur, des Grobianismus, FISCHARTS etc. schöpfte der Satiriker, Übersetzer und Sprichwörtersammler JOHANNES SOMMER (1559-1622), Pfarrer zu Osterweddin-
gen. Seine vierbändige ‹Ethographia Mundi› (1608/09) entwirft in
Knittelversen einen ironisch-grobianischen Sittenspiegel der damaligen
Zustände.

In der Form der direkten Ironie, wie sie SEBASTIAN BRANT im ‹Narrenschiff› und KASPAR SCHEIDT im ‹Grobianus› anwandten, werden «siebzehn Regeln der lasterhaften Weltkinder für Völlerei, Buhlerei, Müßiggang, Verschwendung und andere Untugenden» (J. BOLTE) aufgestellt und mit vielen Beispielen aus DEDEKIND-SCHEIDT, dem ‹Theatrum diabolorum›, dem ‹Lalebuch› etc. versehen. Stilistisch diente FISCHARTS ‹Gargantua› zum Vorbild. Die Aufnahme beim Lesepublikum veranlaßte SOMMER, dem ersten Teil drei weitere Teile folgen zu lassen.

3. Selbstzeugnisse und Biographien; Memoiren, Autobiographien, Tagebücher, Reisebeschreibungen, Lebensbeschreibungen

Formen und Ansätze einer *Biographik* und zu *Selbstzeugnissen* fanden sich im ausgehenden Mittelalter und im Renaissance-Humanismus. Im Gefolge der antiken Lebensbeschreibung hatte das Christentum eine breite *Hagiographie* vielfältigen und bunten Inhaltes ausgebildet. Die Mystik des Hoch- und Spätmittelalters förderte die Aufzeichnung persönlicher religiöser Erlebnisse und deren Mitteilung an Gesinnungsfreunde; angeregt durch die Heiligenleben, verfaßte man in einzelnen Frauenklöstern *Viten* begnadeter Nonnen. Dieser religiösen Biographik und Autobiographik traten gegen Ende des Mittelalters *weltliche Lebensbeschreibungen* zur Seite. Der autobiographisch bestimmten Epik und Chronistik am Kaiserhof und an den Fürstenhöfen folgten in den bürgerlichen Städten Aufzeichnungen von Geschehnissen und denkwürdigen Ereignissen in *Familienchroniken* und *Gedenkbüchern*. Die Pilgerreisen in die europäischen Wallfahrtsorte und nach Kleinasien, die Handelsfahrten, besonders in die neuentdeckten Länder, führten zur Ausbildung einer *Reiseliteratur*. Sie steht vielfach in Verbindung mit der Topographik.

Humanismus und Renaissance brachten zu der mittelalterlichen Hagiographie und den autobiographischen Aufzeichnungen wieder die originale weltliche Biographik und Selbstdarstellung der römischen und griechischen Antike sowie der Kirchenväter. Das Vorbild der Alten wurde übertragen auf die eigene Epoche. Die Katalogwerke des TRITHEMIUS bestehen zumeist aus Kurzbiographien. Zu Biographien von Zeitgenossen und größeren Autobiographien kommt es im Renaissance-Humanismus, abgesehen von dem noch im Spätmittelalter verwurzelten JoHANNES BUTZBACH, erst im weiteren Verlauf des 16. Jahrhunderts.

Infolge der Reformation treten in den protestantischen Gebieten die Hagiographie und die mystischen Selbstzeugnisse in den Hintergrund. Fort lebt aber noch die *Ritterbiographie* und breiter werden die *adeligen und bürgerlichen Aufzeichnungen*: Familien- und Städtechroniken, Gedenkbücher, Haushalts- und Tagebücher, Reiseberichte u. dgl. Bei den Reisebeschreibungen interessieren Amerika, der Orient, aber auch Rußland. Die Gattung der Selbstbiographie erhebt sich zu Leistungen wie der THOMAS PLATTERS oder KONRAD PELLIKANS und bildet sich immer deutlicher zu einer selbständigen Gattung heraus.

Autobiographie und Biographie sind Persönlichkeitserfassung und -darstellung durch Sprache und Schrift. Die Persönlichkeitswiedergabe in der bildenden Kunst erfolgt meist im Porträt. DÜRER sagte einmal, eine der Hauptaufgaben der Malerei sei es, die Gestalt der Menschen nach ihrem Ableben zu bewahren, d. h. deren Wesen und irdische Erscheinung vor dem Vergessenwerden zu retten. Ähnliches gilt auch für die Lebensbeschreibung. Doch Autobiographie als Selbsterfassung und -darstellung und Biographie als Kunst, die Seele und das Schicksal des anderen abzubilden, oder auch die Anwendung der historischen Sehweise auf die biographische Einzeldarstellung gab es noch nicht. Selbstdarstellung oder die Seele des anderen abzubilden, gelingt eher dem bildenden Künstler als dem Dichter oder Historiker. Mit den Selbstbildnissen und der Porträtkunst eines DÜRER, GRÜNEWALD oder HOLBEIN u. a. vermögen die deutsche Autobiographik und Biographik weder des Humanismus noch des Reformationszeitalters zu konkurrieren. Allein bei DÜRER entsprechen der Selbstdarstellung in der Bildkunst autobiographische Schriften. Themen der Ansätze zu einer Biographik sind Persönlichkeiten des Humanismus, der Reformation und auch der Bildkunst. Als Nachfahre der adeligen ‹Ehrenrede› tritt die Grabrede oder Leichenpredigt auf.

Auch bei den *Selbstzeugnissen und Biographien, Memoiren, Autobiographien, Tagebüchern, Reisebeschreibungen und Lebensbeschreibungen* entfalten sich die im ausgehenden Mittelalter angebahnten oder vom Humanismus ausgebildeten Formen weiter. Zu Beginn des 16. Jahrhunderts ist noch immer die chronikartige Form der Selbstzeugnisse die häufigste, erst allmählich erscheint die Erzählung als zusammenfassende Darstellung. Die Autoren gehören dem Adel, dem Bürgertum der Städte, den Klöstern und den Gelehrtenkreisen an. Naturgemäß spiegeln auch diese Denkmäler weitgehend die religiösen, politischen und sozialen Auseinandersetzungen wider. Jeder sieht die Dinge und Geschehnisse von seiner ständischen und beruflichen Atmosphäre. Die Gegenreformation bringt schließlich aus Spanien Werke nach Deutschland wie die Selbstbiographie und die geistlichen Tagebücher des HL. IGNATIUS VON LOYOLA und die autobiographischen Schriften der HL. THERESIA (†1582).

Bei KAISER MAXIMILIAN war das autobiographische Moment außergewöhnlich stark in die spätmittelalterliche Vers- und Prosa-Epik, ja überhaupt in das gesamte literarische Schaffen des Herrschers eingedrungen und auch im 16. Jahrhundert gibt es noch eine Reihe *Ritterbiographien*. Ferner hängen die historischen Denkwürdigkeiten eng mit der

Geschichtsschreibung zusammen. Der aus tirolisch-schwäbischer Familie stammende Landsknechtführer GEORG VON FRUNDSBERG (1473?–1528), Teilnehmer am Schweizerkrieg 1499, Streiter in Diensten MAXIMI-LIANS I., KARLS V. u. a., wurde durch die Siege von Bicocca 1522 und Pavia 1525 zum vielbesungenen Volkshelden. Sein Geheimschreiber auf dem letzten Kriegszug in Italien 1527/28 ADAM REISNER beschrieb GE-ORG und KASPAR VON FRUNDSBERGS (1501–1536) Kriegstaten: ‹Historia und warhafftige Beschreibung von Herrn Georgen von Frundsberg ... Kriegsßthaten› (Frankfurt 1568). Der Reichritter aus schwäbischem Ur-adel GÖTZ VON BERLICHINGEN (1480–1562) verfaßte Lebenserinnerungen, betitelt ‹Lebensbeschreibung des Herrn Gözens von Berlichingen› (gedr. erst Nürnberg 1731). Er nahm 1504 am Landshuter Erbfolgekrieg teil, verlor dabei die rechte Hand, die durch eine eiserne ersetzt wurde, wirkte 1514 im Dienste des Herzogs ULRICH VON WÜRTTEMBERG an der Niederwerfung des Armen Konrad mit, kämpfte 1519 für Herzog UL-RICH gegen den Schwäbischen Bund, schloß sich früh der Reformation an, übernahm 1525 im Bauernkrieg die Führung der Aufständischen im Odenwald, focht 1542 gegen die Türken und 1544 gegen Frankreich. Die ‹Lebensbeschreibung› diente dem jungen GOETHE als Quelle für sein Drama. Ein kulturgeschichtlich aufschlußreiches Tagebuch schrieb der schlesische Junker HANS VON SCHWEINICHEN (1552–1616), fürstlicher Hofmarschall zu Liegnitz. Die während der Jahre 1568–1602 geführten Aufzeichnungen gewähren Einblick in das mitunter sehr naturalistische Dasein der Zeit und bringen zugleich auch das Leben des wanderlusti-gen Herzogs HEINRICH. Der Landsknechtführer SEBASTIAN SCHERTLIN VON BURTENBACH (1496–1577), der 1519 im Heer des Schwäbischen Bundes gegen ULRICH VON WÜRTTEMBERG und 1525 gegen die aufständischen Bauern diente, 1527 die Erstürmung von Rom und den Feldzug in Neapel mitmachte, dann im Schmalkaldischen Krieg die oberdeutschen Truppen gegen den Kaiser führte, befaßte sich ebenfalls im Alter mit der Aufzeichnung seiner Lebensgeschichte: ‹Leben und Taten des Herrn Sebastian Schertlin von Burtenbach durch ihn selbst beschrieben› (Frank-furt 1777). Unter den Familienchroniken ragt hervor die Zimmersche Chronik, die Familiengeschichte der schwäbischen Grafen von ZIM-MERN (vollendet 1566/67), deutsch verfaßt von Graf FROBEN CHRISTOPH VON ZIMMERN (1519–1567) und seinem Sekretär JOHANNES MÜLLER, reizvoll, aufschlußreich für Volks-, Sitten- und Sagenkunde.

Zum anderen war hauptsächlich das Bürgertum der Städte an der Niederschrift der Denkwürdigkeiten und Lebenserinnerungen und der Ausbildung der Autobiographie beteiligt, Gelehrte, Schulmeister, Juri-sten, religiös bestimmte Persönlichkeiten, Kaufleute. Der im Bergbau und Metallhandel tätige Nürnberger Ratsherr und Krieger CHRISTOPH FÜRER D. Ä. (1479–1537) verfaßte 1536, wahrscheinlich angeregt von

CHRISTOPH SCHEURL, eine gedrängte Geschichte seines Geschlechtes, «welchermaßen ers in büchern und briefen gefunden, auch wie ers von seinem vatern gehört hat». Den biographischen Notizen über seinen Vater reiht FÜRER seine eigenen Lebenserinnerungen an. Diese schildern die kaufmännischen Lehr- und Wanderjahre, die Teilnahme an Kampfspielen und an Kriegszügen in Italien und Württemberg (1519). Aus der Chronik des Augsburger Malers GEORG PREU D. Ä. (1512–1537) ersieht man den Haß des gemeinen Mannes gegen die Reichen und Mächtigen. Der Schweizer JOHANN JAKOB KESSLER, Mitarbeiter JOACHIMS VON WATT, 1537–1567 Lehrer an der Lateinschule in St. Gallen, seit 1571 Pfarrer, verfaßte in Mußestunden die für die Schweizer Reformationsgeschichte 1523–1539 aufschlußreichen ‹Sabbata›. Eine der bedeutsamsten Selbstbiographien des ganzen 16. Jahrhunderts stammt von THOMAS PLATTER (1499–1582) aus Grächen im Wallis, Ziegenhirt, fahrender Schüler, Seilergeselle, der, wenn er «dem Handwerk nachging, den Homerum mit sich trug», später Buchdrucker, Verleger CALVINS, 1544 bis 1578 Leiter der Baseler Stadtschule. Seine ‹Lebensbeschreibung› vermittelt ein anschauliches Bild seines Daseins, der Zeit und der Bildungsverhältnisse. Die Briefe an seinen Sohn FELIX, halb deutsch, halb lateinisch, sind ein ergreifendes Dokument der Briefliteratur der Zeit. Dieser FELIX PLATTER (1536–1614), Stadtarzt und Professor in Basel, schuf eine der ersten Einteilungen der Krankheiten nach ihren Symptomen in seiner dreibändigen ‹Praxis medica› (1602–1608). Auch von ihm gibt es eine Selbstbiographie.

Die inneren und äußeren Nöte, in die Klosterleute, die dem Glauben der alten Kirche treublieben, durch die reformatorischen Umwälzungen gerieten, zeigen die ‹Denkwürdigkeiten› der CHARITAS PIRCKHEIMER, Äbtissin des Klarissenklosters zu Nürnberg, aus den Jahren 1524 bis 1528. Sie schildern, wie sie jahrelang ihr Kloster klug, heldenmütig und standhaft gegen die Einführung der Reformation und die Aufhebungsversuche des Nürnberger Rates verteidigte.

Zur Gattung der historischen Erinnerungen gehört der ‹Bericht von der Wiedertäuferei in Münster› des HEINRICH GRESBECK. Der Verfasser, ein Tischler, sympathisierte anfangs mit den Taufgesinnten, wandte sich aber später wieder von ihnen ab. Sein Werk ist eine der aufschlußreichsten Quellen für die Ereignisse in Münster. Selbstzeugnisse sind ferner Lieddichtungen, in denen Täufer ihre eigenen erlittenen Verfolgungen und Peinigungen schildern.

Vielfach das Gepräge einer Selbstbiographie tragen die Aufzeichnungen des JOHANNES OLDECOP (1493–1574) aus Hildesheim. Er saß ab 1514 als Student in Wittenberg unter den Zuhörern LUTHERS, der auch sein Beichtvater war. Gleichwohl blieb er Katholik, wurde 1528 Kanonikus zum hl. Kreuz in seiner Vaterstadt und 1549 Dechant. Früh schon scheint er begonnen zu haben, ‹Annales› niederzuschreiben. Die eigentliche, in mittelniederdeutscher Sprache abgefaßte ‹Chronik› beginnt 1500 und reicht bis 1573. Schauplätze sind hauptsächlich das niedersächsische Land und das Stift Hildesheim. Außer den persönlichen Erlebnissen und politischen Vorgängen werden auch «Sitte und Volksglaube, geistliche Spiele und Festlichkeiten, Lieder und Urkunden berücksichtigt» (K. EULING). Bei den meisten der erzählten Vorgänge war OLDECOP Augenzeuge.

Aus der Perspektive des lutherisch gesinnten Großbürgertums schrieb BARTHOLOMÄUS SASTROW (1520–1603) aus Greifswald, zuletzt Bürgermeister in Stralsund, für seine Kinder. Sein Werk vereinigt Familienchronik, persönliche Erlebnisse, Stadtgeschichte und Sittenschilderung. Der kluge Mann und Politiker erfaßt in breiter Darstellung das reale Leben seiner Epoche und Umwelt, die Auseinandersetzungen des Bürgertums mit dem Adel sowie der städtischen Plebs, das Elend im Gefolge des Schmalkaldischen Krieges etc.; nicht selten stellt er die Dinge und Geschehnisse mit Humor und Sarkasmus vor Augen; auch der Sinn für die Unwägbarkeiten des Daseins war ihm nicht fremd. Die Lebenserinnerungen des altgläubigen Juristen HERMANN VON WEINSBERG (1518–1598) schildern von 1550 bis 1587 die Kölner städtische und ländliche Umwelt. Das Tagebuch des Augsburger Patriziers LUKAS REM (vgl. Bd. IV/ 1, S. 161) zeigt die Welt der Großkaufleute. Die ‹Denkwürdigkeiten› (1519–1553) des GEORG KIRCHMAIR (vgl. Bd. IV/1, S. 146) aus Tirol, erst reformatorisch gesinnt, dann wieder Katholik, führen alle revolutionären Auswüchse auf die Reformation zurück.

In die Daseinsverhältnisse kleiner Leute im Elsaß, das Leben des Klerus, die Universitäts- und Gelehrtensphäre und schließlich in die reformatorischen Geschehnisse gewährt Einblick die Selbstbiographie des aus der Umgebung ZWINGLIS bekannten Hebraisten und reformierten Theologen KONRAD PELLIKAN. In seinem für die Kenntnis des Humanismus und der Reformation hochbedeutsamen ‹Chronikon› schildert der aus Armut zu hohem Ansehen aufgestiegene Autor in erster Linie für den Sohn und die Neffen anschaulich und lebensvoll: die Erinnerungen seiner Kindheit, die Studienzeit, den Eintritt in den Franziskanerorden 1493, die weitere gelehrte Ausbildung in Tübingen, die Lehrtätigkeit in Basel und Ruffach, seine Guardianate in Pforzheim und Basel, die Reisen durch Deutschland, nach Frankreich und Italien, den Übertritt zur Reformation und seine Tätigkeit als Professor des Hebräischen und Schrifterklärer in Zürich seit 1526.

Von den Katholiken schildert JOHANN ECK am Ende seines Lebens in einer autobiographischen ‹Epistola de ratione studiorum suorum› (1538) seinen Studiengang.

In die Frühgeschichte der europäischen wissenschaftlichen Autobiographie gehört auch PARACELSUS mit den vielen persönlichen und autobiographischen Zügen in seinen Werken (besonders in den ‹Defensiones Septem›).

In deutlicher Zunahme begriffen sind die *Tagebücher*. Anfangs noch vom Humanismus geprägt bei CUSPINIAN und AVENTIN, später mehr persönlich reflektierend bei PETRUS CANISIUS, TYCHO BRAHE u. a. Der Erhaltung unmittelbarer Äußerungen einer großen Persönlichkeit dient das Tagebuch des temperamentvollen Kanzelredners KONRAD CORDATUS, HERTZ (1480–1546) aus Leombach bei Wels in Oberösterreich mit Aufzeichnungen in LUTHERS Haus und an LUTHERS Tisch. CORDATUS hatte in Wien und Ferrara studiert, war katholischer Priester in Ungarn und dort an der Ausbreitung der Reformation beteiligt. Vor der einsetzenden Verfolgung floh er nach Wittenberg (1524) und notierte und sammelte als erster LUTHERS ‹Tischreden›.

Das eigene Leben mit den wichtigsten Momenten aus dem Leben LUTHERS verbindet GEORG SPALATINS (1484–1545) ‹Vita Georgii Spalatini›. Die autobiographischen Aufzeichnungen des FLACIUS ILLYRICUS sind enthalten in der ‹Narratio actionum et certaminum bona fide conscripta› (1557; auch deutsch). STEPHAN ISAAC (1542–1597) lieferte die Selbstbiographie eines bekehrten Juden, katholischen Priesters und Lutheraners in seiner ‹Historia› samt einer ‹Apologie› (1586). Der Protestant LUKAS GEIZKOFLER (1550–1620) aus Sterzing schildert in seiner Autobiographie die Bartholomäusnacht 1572 in Frankreich.

Infolge der reformatorischen Auseinandersetzungen wurden die im ausgehenden Mittelalter beliebt gewesenen Pilgerreisen ins hl. Land (vgl. Bd. IV/1, S. 162 f.) nunmehr meist unterlassen. Eine Ausnahme machte der Anhänger der alten Lehre PETER III. FÜSSLI (1482–1548), Glockengießer und Artilleriehauptmann in Zürich. Er unternahm 1523 mit HEINRICH ZIEGLER eine Pilgerfahrt nach Jerusalem und hat sie beschrieben. Von PETER FÜSSLI stammt auch ein Augenzeugenbericht der Schlacht von Kappel.

Naturgemäß finden auch Entdeckungsfahrten und Reisen in *Reisebeschreibungen* und fachliterarischen Werken ihren Niederschlag. Die Übersetzung des ‹Novus Orbis›, der die Reisen des AMERIGO VESPUCCI erzählt, erschien 1534 in Basel als die ‹New welt›.

Zu den wenigen deutschen Werken, die von den zahlreichen Expeditionen nach Amerika im 16. Jahrhundert nähere Kunde geben, gehören die Reiseberichte des NIKOLAUS FEDERMANN und HANS STADEN. NIKOLAUS FEDERMANN (um 1505–1542) aus Ulm war Handelsbeauftragter der WELSER und unternahm 1530 und 1534–1539 Expeditionen in Venezuela, um in Amerika für Deutschland Fuß zu fassen. Die WELSER hatten von KARL V. einen Teil Venezuelas zu Pfand genommen und dahin zur Kolonisation und Goldsuche eine Flotte entsandt. FEDERMANN führte den ersten Nachschub, wurde Vizestatthalter und unternahm Kriegszüge in das Innere des Landes. Erst nach seinem Tode gab sein Schwager HANS KIFFHABER den Reisebericht in Druck: ‹Indianische Historia› (Hagenau 1557). HANS STADEN aus Homburg in Hessen beschrieb seine zwei zwischen 1547 und 1554 gemachten Reisen von Portugal und Spanien nach Brasilien in den zwei Büchern ‹Wahrhafftig Historia vnnd Beschreibung einer Landtschafft der Wilden, Nacketen, Grimmigen Menschenfresser Leuthen in der Newen Welt America gelegen› (o. O. u. J., Vorrede 1556) und ‹Wahrhafftiger kurtzer Bericht aller von mir erfarnen händel und sitten der Tuppin Inbas, deren gefangener ich gewesen bin, Wonen in America› (Frankfurt a. M. o. J.). Besonders bemerkenswert sind die Berichte über die Gewohnheiten und Gebräuche der Indianer, in deren Gefangenschaft sich STADEN neun Monate befunden hatte. Sein Reisebuch erlebte im 16. Jahrhundert viele Auflagen und wurde ins Französische, Flämische und Lateinische übersetzt. Auch der Neffe ULRICHS VON HUTTEN, PHILIPP VON HUTTEN († 1546), ging 1535 im Dienste der WELSER nach Venezuela und nahm am Entdeckungszug von GEORG HOHERMUT (1535–1538) teil. Nach dessen Tod trat er einen neuen Zug nach Südamerika an und gelangte bis zum Oberlauf des Guaviare. Die ‹Zeitung aus India Junckher Philipus von Hutten› wurde erst 1785 veröffentlicht.

Die Verhältnisse in den neuentdeckten Erdteilen, hier Südamerika, die Besitznahme und die wirtschaftliche Ausbeutung des Landes und der Bevölkerung führt ULRICH SCHMIDEL (geb. um 1500/1511) vor Augen. Sein zwischen 1554 und 1562 verfaßter Bericht seiner ‹Reise nach Süd-Amerika in den Jahren 1534 bis 1554› erschien in der Sammlung ‹Neuwe Welt› (Frankfurt a. M. 1567) bei dem Verleger FEYERABEND. Von seinen Reisen nach Übersee, seiner Gefangenschaft und von mannigfachen Abenteuern berichtet auch HANS ULRICH KRAFFT (1530 bis 1621), der in Diensten süddeutscher Kaufmannshäuser tätig war. Er hat Sinn für die Natur der fernen Länder, die Bewohner und deren Lebensverhältnisse.

Reisetagebücher liegen vor im ‹Diarium› des pfälzischen Hofarztes JOHANN LANG über seine Reise nach Granada (1527) und im Tagebuch des schon genannten LUKAS REM. Der österreichische Diplomat SIEGMUND FREIHERR VON HERBERSTEIN (1486–1566) besuchte fast ganz Europa. Berühmt wurde sein historisch-geographisches Werk über Rußland, ‹Rerum Moscoviticarum commentarii› (Wien 1549, deutsch 1557; 10 lateinische, 7 deutsche Auflagen im 16. Jh.), Aufzeichnungen über die Geschichte, die Zustände und das Land, das HERBERSTEIN 1516 bis 1518 und 1526/27 als kaiserlicher Gesandter besuchte. Auch seine bis 1553 reichende Selbstbiographie ist bemerkenswert. Eine Beschreibung Rußlands bzw. des Moskauer Staates durch HEINRICH VON STADEN wurde erst in neuerer Zeit aus einer Handschrift ediert. GORIES PEER ließ Hamburg 1561 ein kleines niederdeutsches Gedicht ‹Van Island› erscheinen, in dem er alles beschrieb, was er auf einer Reise in Island gesehen. Der Humanist und Bergmann HANS DERNSCHWAM (1494–um 1568) aus Brüx in Böhmen führte sein Tagebuch auf einer kaiserlichen Gesandtschaftsreise 1553–1555 zum türkischen Sultan nach Konstantinopel und Kleinasien und bietet wirtschafts- und kulturpolitische Beobachtungen. SALOMON SCHWEIGGER (1554–1622), Prediger beim Wiener Gesandten in Konstantinopel, später Pfarrer an der Nürnberger Frauenkirche, schildert in der Schrift ‹Ein newe Reyßbeschreibung auß Teutschland nach Constantinopel vnd Jerusalem› (1589; gedr. 1608 u. ö.) die Reise von Wien in die Türkei und in das hl. Land sowie die dortigen Sitten, Bräuche und die politischen Zustände. Der Frankfurter Verleger SIEGMUND FEYERABEND veranstaltete 1584 im ‹Reisbuch des Heiligen Landes› eine Sammlung mittelalterlicher Reisebeschreibungen. Die als Unterhaltungslektüre gedachte Ausgabe erlebte 1609 eine auf zwei Bände erweiterte Neuauflage.

Gattungsmäßig sowohl der erzählenden Literatur als auch der Geschichtsschreibung kann die *Biographie* oder *Lebensbeschreibung* angehören. Als Teilgebiet der schönen Literatur muß sie sich an das authentisch Faktische und dokumentarisch Beweisbare halten. Das braucht sie nicht zu hindern, mit dem Individuellen auch das Allgemeine zu literarisch gehobener Darstellung zu bringen.

Im ausgehenden Mittelalter waren die Heiligen-Leben entweder Legendendichtung oder Erbauungsliteratur. Biographischen Charakter trugen auch die Schwestern-Viten der Mystikerinnenklöster und die zur Heroldsdichtung gehörigen Ehrenreden. Der Renaissance-Humanismus griff auf die antiken und frühchristlichen Denkmäler der Biographik zurück und nahm sie zu Vorbildern. Um nichtlateinkundigen Lesern die antiken Hochleistungen zugänglich zu machen, übersetzte man PLUTARCHS ‹Vitae Parallelae› ins Deutsche. In Italien hatte PETRARCA das Genre der profanen Sammelbiographie zu erneuern versucht und BOCCACCIO mit einer ‹Vita› DANTES die Dichterbiographie gepflegt. Von Deutschen versuchte RUDOLF AGRICOLA ein ‹Leben Petrarcas› in Form einer Festrede. Freunde des KONRAD CELTIS aus der *Sodalitas litteraria Rhenana* fügten den posthum edierten ‹Oden› eine ‹Vita› des Dichters bei. Anhänger der neuen wie der alten Glaubenslehren erachten die persönlichen Erlebnisse eines Menschen und die aus dessen sozialem Standort und konfessioneller Zugehörigkeit resultierenden Bekenntnisse der Erwähnung und Überlieferung wert.

Versuche von umfangreicheren Lebensbeschreibungen sind die LUTHER-Biographien von CYRIACUS SPANGENBERG (Predigten, die er seit 1562 an LUTHERS Geburts- und Sterbetagen gehalten hat) und JOHANNES MATHESIUS, ‹Historien von ... Martini Luthers anfang, lehr, leben vnd sterben› (Nürnberg 1566), ebenfalls ein Predigtzyklus. Bemerkenswert sind ferner: BEATUS RHENANUS mit biographischen Nachrichten über ERASMUS

VON ROTTERDAM vor der Ausgabe der Werke 1540; JOHANN KESSLERS
Biographie VADIANS; JOHANNES STURMS Biographie des BEATUS RHENA-
NUS (1551); JOACHIM CAMERARIUS mit den umfänglichen Schriften der
‹Narratio de Helio Eobano Hesso› (Nürnberg 1553) und der Biographie
MELANCHTHONS ‹De Philippi Melanchthonis ortu, totius vitae curriculo
et morte narratio diligens et accurata› (Leipzig 1566). Was im ausgehenden Mittelalter die gereimte Ehrenrede war, ist im Reformationszeitalter die in lateinischer oder deutscher Prosa gesprochene und gedruckte *Leichenrede* auf namhafte Persönlichkeiten, wobei meist auch ein
Wesensbild des Verstorbenen entworfen wird. Die zeitgenössischen Biographien wurden zwar als Sachquellen für ältere und neuere Darstellungen benutzt, zu ihrer literarischen Form als Biographie stehen aber
Untersuchungen noch aus.

In der Kunstgeschichte, genauer: der Künstlerbiographie, erscheint
zwischen BUTZBACHS ‹Libellus de claris picturae professoribus› von
1505 (vgl. Bd. IV/1, S. 674 f.) und JOACHIM SANDRARTS ‹Teutscher Akademie› 1675–1679 als einziger der Nürnberger Schreib- und Rechenmeister JOHANN NEUDÖRFFER (1497–1563) mit seinen ‹Nachrichten von
Künstlern und Werkleuten› (1547). Er verzeichnet und berichtet über
79 Persönlichkeiten, die bis 1547 in Nürnberg gelebt haben. Wie BUTZ-
BACHS Arbeit wurde auch die NEUDÖRFFERS erst in neuerer Zeit veröffentlicht. Das Feld beherrscht der italienische Kunsthistoriograph GIOR-
GIO VASARI mit seinen ungleich gewandteren und gehaltvolleren ‹Le vite
d’ piu eccellenti Pittori, Scultori e Architettori› (1550 und 1568). NEU-
DÖRFFERS ‹Nachrichten› hat im 17. Jahrhundert ANDREAS GULDEN fortgesetzt und um fünfzig Namen vermehrt.

4. Vom Epos und von den Historien zum Roman.
Prosa der Gegenreformation.
Aegidius Albertinus

Überblickt man zusammenfassend die Entwicklungsstufen und Gattungen der *Prosa-Epik* im 16. Jahrhundert, wird man feststellen können:
Weiterleben und gepflegt werden die *Historien*; der Roman und die
romanhafte Erzählung lösen sich mehr und mehr von der Erbauungsliteratur und Didaktik; die eigenen Ansätze im Epos, in der Geschichtsschreibung, in den Selbstzeugnissen und in der Reiseliteratur erstarken
und wirken mit fremden Impulsen hin zur Ausbildung des *Romans* als
Literaturgattung.

Fabel und Tierdichtung enden am Schluß der Epoche im satirischen
Tierepos ROLLENHAGENS. Neue Impulse für die Fabeldichtung werden
dem 17. Jahrhundert nicht mehr gegeben. Von den schwankhaften Erzäh-

lungen und Fazetien treten die derben Großsammlungen in den Hintergrund. Wohl aber zeigt der ‹Till Eulenspiegel› eine starke Lebenskraft und wird bis 1618 und von 1675 an wieder gedruckt. Das aus den Schwanksammlungen der 50er Jahre schöpfende ‹Lalebuch› findet 1597 eine neue Rahmung. Die schon im folgenden Jahr erscheinende Bearbeitung transferiert die Torenstreiche nach Schilda in Sachsen. Diese ‹Schildbürger› werden bis ins 18. Jahrhundert immer wieder neu aufgelegt.

Von den romanhaften Prosaerzählungen zeigen JÖRG WICKRAMS ‹Knabenspiegel› und ‹Von guten und bösen Nachbarn› Keime und Ansätze zu einem Entwicklungs- und Bildungsroman sowie zu einem deutschen Familienroman. Aus der breiten Gattung der Volksbücher ragt das *Faustbuch* durch vielversprechende Ansätze zum Roman und Drama hin hervor. Wohlüberlegte Komposition der Historie, die psychologische Fundierung, die Buntheit des Geschehens, das Weltbild zeigen, was aus der Legenden-, Sagen- und Volksbuchtradition an eigenen Schöpfungen zum Roman hin möglich war. Im Prozeß der Rezeption des spätgriechischen Romans und der antiken Epik wirken die ‹Odyssee›-Übertragung SIMON SCHAIDENREISSERS und die Verdeutschung von HELIODORS ‹Theagenes und Chariklea› stark auf die Erzählkunst des 17. Jahrhunderts. JOHANNES SPRENGS deutsche ‹Aeneis› und ‹Ilias› (1610) leiten Kriegerisches und Staatlich-Politisches aus der Antike ins Barock.

Doch europäisch gesehen, waren der deutschen Literatur Frankreich, Italien, Spanien, England in der Ausbildung der Romanform voraus. Um die Mitte des 16. Jahrhunderts wird der spanisch-französische ‹Amadis› rezipiert. FISCHART entzündet sich für sein Hauptwerk an einem Abenteuerroman RABELAIS'. Viel wichtiger aber für die *Prosa der Gegenreformation* und für die Zukunft wurde AEGIDIUS ALBERTINUS durch die Übersetzung des spanischen Schelmenromans.

Die Einbeziehung Spaniens in den habsburgischen Machtbereich, die Herkunft und Verbundenheit des Jesuitenordens zu Spanien, die dort entstandene neue Mystik und die durch Dominikaner und Jesuiten erfolgte Erneuerung der katholischen Theologie ergaben auch zunehmende Beziehungen zur Literatur der Pyrenäenhalbinsel. Tatsache ist nun, daß sich an ihr ein volkstümliches deutsches Schrifttum herausbildet. Diese neue Entwicklung wird angebahnt durch AEGIDIUS ALBERTINUS (um 1560–1620), einem Holländer aus Deventer, der von den Jesuiten erzogen wurde und am katholischen bayerischen Hofe tätig war. ALBERTINUS fungiert als eine Art Gegenspieler FISCHARTS, aber eine Generation jünger, nicht Calvinist, sondern Katholik, der die Menschen bessern und die Welt reformieren will. Beide behandeln Zeitfragen, pflegen die Paraphrase und ausbauende Übersetzung. Ungefähr die Hälfte der Werke des ALBERTINUS stammt aus dem Spanischen, aber er schöpft auch aus dem Italienischen und Französischen. Von den Spaniern war sein Hauptgewährsmann der Franziskaner ANTONIO DE GUEVARA (ca. 1480–1545), Hofprediger KARLS V., Chronist, Bischof von Guadix und Mondoñedo, Kritiker des Hoflebens, scharfer Gegner der ‹Amadis›-Romane, wichtiger Wegbereiter des Stoizismus im Abendland. GUEVARAS Schriften, besonders ‹Libro áureo del emperador Marco Aurelio› (1529 u. ö.), ein Fürstenspiegel, und ‹Menosprecio de corte› (1539), eine Apologie des Landlebens, hatten mit ihrem didaktisch-moralischen Inhalt und dem für den Manierismus bezeichnenden antithesen- und metapherreichen Stil in ganz Kultureuropa großen Erfolg.

ALBERTINUS ist (vgl. Bd. V, 121 ff.) Didaktiker und Erzähler. Mittelalterliche Überlieferung, wie Summen und Specula, kreuzen sich mit modernen Interessen. Er übersetzte GUEVARAS ‹Menosprecio de corte› ins Deutsche (1604) und verfaßte das für die Kultur- und Sittengeschichte bedeutsame, der Teufelsliteratur nahestehende Werk ‹Lucifers Königreich und Seelengejäid: Oder Narrenhatz› (München 1616). Mit der Bearbeitung des Romans ‹Der Landtstörtzer Gusman von Alfarache oder Picaro genannt› (München 1615; und noch mindestens 8 Auflagen) von MATEO ALEMAN (1599) wurde ALBERTINUS zum Begründer des deutschen pikaresken oder Schelmen-Romans als literarische Gattung.

Auf ALBERTINUS als Übersetzer des spanischen Schelmenromans folgt MARTIN OPITZ für den Staatsroman mit der Übertragung der ‹Argenis› (1621) von JOHN BARCLAY und für den Schäferroman mit der ‹Arcadia› (1626) von PHILIPP SIDNEY. Was im Barock schließlich in der Gattung dominiert, sind der politisch-historische Roman, GRIMMELSHAUSEN mit seinen volkstümlichen Erzählwerken und ein Realismus bei dem Nachfahren GRIMMELSHAUSENS, dem Musiker JOHANN BEER.

VIERTES KAPITEL

DIE LYRISCHE DICHTUNG

Im gesamten betrachtet, unterscheidet man bei der *lyrischen Dichtung* des Reformationszeitalters eine deutschsprachige und eine lateinische, eine religiöse und eine weltliche. An Gattungen treten in Erscheinung: Volkslieder oder besser volkstümliche Lieder als der Gesamtheit des Volkes entstammend oder ihr geläufig; Kunstlieder als Produkte und Aussagen dichterischer Einzelpersönlichkeiten; Gesellschaftslieder als Ausdruck des Fühlens und Vorstellens der bürgerlichen Mittelschicht in den Städten; Spruchdichtung der Meistersinger und Pritschmeister. Durch die Reformation bedingt, scheidet sich die deutschsprachige Lyrik schärfer als früher in eine religiös-kirchlich orientierte Lieddichtung und eine weltliche Lyrik. Die religiös ausgerichtete steht in der Anfangsphase der Glaubenskämpfe mit Lied und Spruch im Dienste der konfessionellen Auseinandersetzungen, klärt sich aber im Laufe der Entfaltung durch den Einbau in die Liturgie zum Bekenntnis-, Erbauungs- und Kirchenlied und wird vereinigt in den Gesangbüchern.

Seit etwa 1500 ist auch die Ausbildung einer deutschen *Renaissancelyrik* im Gange. Sie wird von Gebildeten geschaffen und zeigt humanistischen Einschlag, weist eine edlere Wortgebung auf als das Meisterlied und ist formal glatter als das volkstümliche Gesellschaftslied. Die dem Kunstlied näherstehende Renaissancelyrik und das volkstümliche Lied sind in den Liederbüchern und -sammlungen nicht streng getrennt. Um die Mitte des 16. Jahrhunderts greifen die an der Renaissancemusik orientierten Tonsetzer ein und geben häufig der Melodie das Übergewicht über den Text. Die eigentliche deutsche Renaissancelyrik findet ferner weniger in den deutschsprachigen Dichtungen als in der Lyrik der Neulateiner ihre Ausprägung. Am Ende des 16. Jahrhunderts liegt in der Geschichte des Liedes eine tiefe Zäsur; es kam zur Prägung eines neuen Liedtypus.

Volkstümliches Singlied, Gesellschaftslied, Volksballade, historisch-politisches Lied, Renaissancelyrik waren zuerst mündlich oder handschriftlich, dann auf fliegenden Blättern verbreitet und wurden schließlich in Liederbüchern zusammengefaßt.

Wir versuchen den Gesamtbestand zu gliedern in: 1. Weltliche Lyrik in deutscher Sprache, volkstümliche Lyrik, Spruchdichtung, historisch-politisches Lied; darunter fallen das volkstümliche Singlied, die Volks-

ballade, die Renaissancelyrik, die Namenlieder und Lieder auf die
Wahlsprüche der Fürsten und Städte, die Bilddichtung und die Totentänze, die Liederbücher und Liedersammlungen, die Dichtung der Herolde und Pritschmeister; 2. das religiöse Lied; mit Lied und Spruch im
Dienste der reformatorischen Auseinandersetzungen, geistlichem Lied
und Kirchenlied, wobei die namhaftesten Dichter religiöser Lieder und
die gebräuchlichsten Gesangbücher der verschiedenen Glaubensrichtungen miteinbezogen werden; 3. Meistergesang; als Schulkunst und in seiner Ausbreitung über das deutsche Kulturgebiet mit der Zentralgestalt
des HANS SACHS, die gedruckten Lieder meistersingerischer Kunstübung
und die außerhalb der Singschulen stehenden Dichter, soweit sie die Regeln des Meistergesanges befolgen; 4. die neulateinische Lyrik vom Beginn der Reformation bis gegen Ende des 16. Jahrhunderts; mit den verschiedenen Zentren und Persönlichkeiten, dem Versuch einer Neubelebung der altchristlichen Dichtung, der Pflege der Lyrik in den einzelnen
Territorien, unter Hervorhebung der stärksten Begabungen, wie JOHAN-
NES SECUNDUS, PETRUS LOTICHIUS, SCHEDE MELISSUS u. a., der Anakreontiker und Formalisten; 5. die Anfänge neuer Kunstlyrik.

Weder die deutschsprachige volkstümliche Lyrik noch das religiöse
Lied, weder der Meistergesang noch die Lyrik der Neulateiner haben
sich in Deutschland zu etwas Höherem vereinigt oder neue Hochdich-
tung hervorgebracht. Wohl aber bereitete sich eine solche Kunstwelt unter italienischem Einfluß im benachbarten Frankreich vor. Am Anfang
stehen CLÉMENT MAROT und THÉODORE DE BÈZE. Ihnen folgen bei der
Dichtergruppe ‹Plejade› insbesondere JOACHIM DU BELLAY und PIERRE
DE RONSARD. Der französische Vorgang wirkt über PAUL SCHEDE ME-
LISSUS nach Deutschland hinüber.

1. Weltliche Lyrik in deutscher Sprache.
Volkstümliche Lyrik. Spruchdichtung.
Das historisch-politische Lied

Die *weltliche Lyrik* des Reformationszeitalters ist in weitem Umfang
volkstümliches Singlied, bürgerlich-ständisches Gesellschaftslied, Volksballade, historisches Lied und geschichtliches Gedicht, Renaissancelyrik.
Ein großer Teil davon wird in Sammlungen und Liederbüchern vereinigt. Die Herolds- und Wappendichtung des ausgehenden Mittelalters
findet in den Pritschmeistern ihre Ausläufer. Der handwerkliche Meistergesang erreicht in den Städten seine Blütezeit. Erst gegen Ende des
Jahrhunderts bildet sich, anschließend an das Gesellschaftslied, eine
Kunstlyrik individueller Prägung heraus.

Das weltliche Lied war Eigentum des Volkes, der Gebildeten und der einfachen Menschen, der Jugend, der Handwerker und Bauern, der Landsknechte und Soldaten. Vieles, was schon in früherer Zeit entstanden war, wurde erst im 16. Jahrhundert überliefert. Was schon in Handschriften um die Mitte des 15. Jahrhunderts begann, setzt sich nun fort: Auch das im ‹Unterliterarischen› lebendige Singlied jeder Art als Ausdruck vielschichtiger Geselligkeit steigt in den Druck auf und wird in Liederbüchern gesammelt. Geistlichkeit und weltliche Behörden sahen viele dieser Lieder mit scheelen Augen an und wetterten dagegen. KARL GOEDEKE stellte einige Äußerungen dieser Art zusammen. Nur zwei besonders bezeichnende seien angeführt: 1. ‹Herr Erasmus von Roterdam verteutschte außlegung vber Paulus Corinth. 1, 14. Vom Gesang› (1521): «Es erschallet [in der Kirche] also von pusaunen, krumbhörnern, pfeiffen vnd orgeln, vnd darzu singt man auch darein. Da hört man schentliche vnd vnerliche bullieder vnd gesang, darnach die hurn vnd puben tantzen. Also laufft man häufig in die kirchen, wie auf ein pan oder spielhauß, etwas lustigs vnd lieplichs zu hören». 2. JOACHIM ABERLIN, ‹Ain kurtzer begriff vnd innhalt der gantzen Bibel› (1534): «Die summ des alten vnd newen Testaments ist wol als kurtz als ring zů lernen als der Berner, Ecken außfart, Hertzog Ernst, der hürne Sewfrid, auch ander vnnütze, langwirige vnd hailloß lieder vnd maistergesang, der schandbaren, ehrlosen vnd vnchristlichen so ainer oberkait zů verbieten wol anstünd, geschwigen, damit man nit allein die zeyt übel anlegt, sonder auch offt vnd dick biß zů den blutigen köpffen wider ainander gesungen hat».

a) Volkstümliches Singlied. Volksballade. Historisch-politisches Lied. Bilddichtung und Totentänze

Das ausgehende Mittelalter verfügte in der Kunstdichtung über die Ausklänge des Minnesangs und der Dorfpoesie und besaß in der volkstümlichen Lyrik das bürgerlich-ständische Gemeinschaftslied, die sog. Volksballade und das historische oder historisch-politische Lied, ferner Kinderlieder und Kinderreime. Das 16. Jahrhundert wird allgemein als eine Blütezeit der volkstümlichen Lyrik bezeichnet.

Aber der Begriff bedarf einer Bestimmung. Ein ‹Volkslied› nach den romantischen Vorstellungen als vom ‹Volk› oder von der ‹Volksseele› gedichtet, gab es auch im Reformationszeitalter nicht. Auch die Volkslieder sind ursprünglich individuelle Schöpfungen, von einem einzelnen gedichtet, und wollen, wie die Schlußstrophen oft beweisen, als Individuallieder gelten. Doch nicht in der Entstehung, sondern in der *Aufnahme und Tradierung* besteht die wesentliche Eigentümlichkeit des Volksliedes. Lyrische Dichtungen wurden nur dann von breiteren Volkskreisen aufgenommen, wenn sie in Inhalt, Sprache, Anschauungsweise,

Denk- und Sinnesart ihrem Empfinden und Geschmack entsprachen. Da bei der mündlichen Weitergabe und Überlieferung die Verbindlichkeit des dichterischen Wortes nicht gegeben war, konnten die Lieder neuen Situationen und neuen Stimmungen angepaßt werden. Solche produktive Umgestaltungen können auch ursprünglich als Kunstlieder geschaffene Gebilde, etwa ein Tagelied, oder die individuell subjektive Aussage eines Dichters zum *Volkslied* werden lassen. Die Lieder werden umgesungen und zersungen.

Was man im Reformationszeitalter bis etwa 1580 *Volkslied* nennt, gehört zur Lyrik der Epoche. Diese Lyrik ist nach Inhalt, Formen und Typen eine Weiterbildung der Gegebenheiten im ausgehenden Mittelalter. Auch soziologisch ist dieses Volkslied nicht Dichtung einer ‹unterliterarischen Schicht›, sondern stammt z. T. noch aus Adelskreisen, aus dem Klerus, dem Stadtbürgertum, und diese gesellschaftliche Lyrik wandert in der zweiten Hälfte des Jahrhunderts weiter zu Handwerkern und Bauern und wird somit in allen Schichten des Volkes heimisch. Volkslieder als Liedgut der tiefsten Schicht sind selbst im 16. Jahrhundert noch kaum erhalten.

Als man sich im ersten Drittel des 16. Jahrhunderts bemühte, neue Melodien zu schaffen, kam es zu einer vom Musikalischen abhängigen Liedform, die man als *Gesellschaftslied* bezeichnet. Literarhistorisch bildet das Gesellschaftslied eine Einheit mit der volkstümlichen Lyrik.

Erfaßbar und zu überschauen ist der Bestand an *volkstümlicher Lyrik* und mit ihm Gestalt und Leben der Gattung im Reformationszeitalter hauptsächlich in den Sammlungen, Einblattdrucken, Flugblättern und Liederbüchern. Aber vieles von dem damals lebendigen Liedgut hat nicht den Weg in den Druck oder in die Schrift gefunden, ist entweder für immer verloren oder wurde erst von der neueren Volksliedforschung im umgeformten Zustande aufgezeichnet.

Kommt man vom Textlich-Thematischen her, kann man die deutsche volkstümliche Lyrik gruppieren in *Gattungen* wie: Liebeslieder, volkstümliche Balladen und Zeitungslieder, Legendenlieder und geistliche Volkslieder, Arbeits- und Handwerkerlieder, erzählende und historische Lieder, Namenlieder und Lieder auf die Wahlsprüche der Fürsten und Städte, Bilddichtung und Totentänze. Die Liederbücher und Liedersammlungen enthalten Spott-, Rätsel- und Lügenlieder, Streitgespräche und Wettlieder, Schwanklieder, Kinderlieder usw., die überdies in der mündlichen Tradition leben.

Die *Formen* der volkstümlichen Lyrik sind nach den Gattungen verschieden. Beim Singlied werden in der Metrik und Strophik vier- und sechszeilige Strophen mit kreuzweise gereimten Versen besonders beliebt.

Bei den volksmäßigen *Liebesliedern* stammen viele Einkleidungen und Motive, insbesondere das Liebesthema, aus dem mittelalterlichen Minnesang. Freilich werden die Personen soziologisch eine oder die andere Schicht tiefer gesetzt. Zäh erhalten sich die Ausdrücke Tagelied, Tageweise; fort lebt auch die Totentanzstimmung der Spätgotik. Auch hier werden die Situationen den geänderten Verhältnissen angepaßt. Selbstverständlich treten zu den alten Elementen solche aus der Gemeinschaftssphäre: Blumen- und Vogelallegorik, Handlungen aus dem Arbeitsleben des Bürger- und Bauerntums, Brauchtum und Sitte etc.

Im deutschen Volksgesang kennt man rund 250 *Balladentypen.* Die Beliebtheit der von adeliger Gesellschaft ausgehenden Gattung begann schon im 13. Jahrhundert. Bevorzugte Stoffe und Themen sind Familienereignisse, Liebe in den verschiedenen Phasen (wie Werbung, Verführung, Unebenbürtigkeit, Ehebruch), Taten und Verbrechen, das Walten dämonischer und magischer Mächte, Tiere und Pflanzen. Alte Stoffe leben im Reformationszeitalter weiter. So erscheint seit 1530 das Lied vom ‹Hürnen Seyfried› in Drucken. Anstelle der Ballade tritt aber dann auch schon das *Zeitungslied,* das in ‹Neuen Zeitungen› aktuelle Ereignisse der Politik, des höheren Privatlebens, Katastrophen, Himmelszeichen, Wunder u. dgl. behandelt und darüber berichtet. Das neben den Balladen bestehende *historisch-politische* Lied hat ältere und neuere geschichtliche Ereignisse und Persönlichkeiten zum Gegenstand. *Legendenballaden* oder legendenhafte Lieder mit Schicksalen von Heiligen, Märtyrern, mit Wundern etc. grenzen an das *geistliche (Volks-)Lied.* Auch dieses gehört zum volkstümlichen Singlied. Zwischen dem geistlichen (Volks-)Lied und dem Kirchenlied bestehen für Texte und Melodien wesentliche Verbindungen. Nur mit Anlehnung an das ‹Volkslied› konnten die Böhmischen Brüder und LUTHER ein Gemeindelied schaffen, bei dem das Kirchenvolk gemeinsam in einer ihm verständlichen und zusagenden Weise sang. Eine Abgrenzung zwischen geistlichem (Volks-) Lied und Kirchenlied ist weder vom Textlichen aus noch vom Musikalischen her möglich. Unterscheiden aber wird man zwischen dem in die offiziellen Gesangbücher aufgenommenen Lied- und Melodiengut und den außerhalb der Kirche und Liturgie tradierten, zu Andachten, Wallfahrten u. dgl. gesungenen Liedern.

Vom ‹Lied des vierten Standes› sind die bekanntesten die Bauernklagen und die Bergmannslieder. Die ersteren treten uns im sozialkritischen Flugblattlied entgegen. Für die *Arbeits- und Handwerkerlieder,* die zur Regelung und Förderung körperlicher Arbeiten gesungen wurden, geschichtliche Linien nachzuzeichnen, ist infolge der ungünstigen Überlieferung kaum möglich.

Die in großer Zahl auftretenden *erzählenden und geschichtlich-politischen Gedichte* berichten in Spruchform oder verwenden das Lied. Seit den schweizerisch-burgundischen Kämpfen 1476/77 wurde es üblich, jedem größeren geschichtlichen Ereignis einen Spruch oder ein Lied, manchmal auch beides, zu widmen. Der Spruch war zum Rezitieren oder Lesen, das Lied zum Singen bestimmt. Die Dichter waren meist Teilnehmer an den Geschehnissen. Häufig halten sie ihren Namen zurück. Die Kriegsdichtungen wurden meistens von *Landsknechten* verfaßt. Unter den Dichtern, die sich nennen, begegnen auch Landsknechtoffiziere, so BALTZER VON GIETHEN, MEINRAT HAMME, JOACHIM LANDAUER u. a.; ebenso sind Geistliche als Dichter bekannt, wie z. B. VINCENTIUS HARDEN. Gelegentlich erscheinen auch entfernte Zeitgenossen als Verfasser, wie etwa WOLFGANG VON MAEN, oder gänzlich Unbeteiligte, wie CYRIACUS SCHNAUSS, PETER WATZDORF u. a. Vieles mag auch verloren sein und ist nur noch aus der Anführung der Singweise bekannt.

Zunächst seien einige Lieder vermischten Inhalts genannt. König KARL besingen die elf Strophen von PAMPHILUS GENGENBACH ‹Ir churfürsten all gemeine› (1519) über die Wahl zum römischen König oder ‹Ein new Lied von Künig Karel: Mit freüden will ich singen› von MERTEIN WEISSE. Den Feldzug in Lothringen 1521 behandelt ‹Ain new Lyed in des Wyßböcken thon›. Vom Liede ‹Frantz Sickinger das edel blůt, das hat gar vil der Landsknecht gůt› sind nur die Anfangsverse und der Ton bekannt. Die Einnahme von Doornick 1521 besang WOLFGANG VON MAEN, die Einnahme Mailands 1521 ein niederdeutscher Landsknecht. Andere Lieder haben die Schlacht bei Bicocca, die Einnahme Pavias 1524/25 und GEORG VON FRUNDSBERG zum Thema.

Eine ganze Gruppe von Sprüchen und Liedern befaßt sich mit der Hildesheimer Stiftsfehde Bischof JOHANNS und Herzog HEINRICHS VON LÜNEBURG mit HEINRICH IX. D. J. und WILHELM VON BRAUNSCHWEIG-WOLFENBÜTTEL, Herzog ERICH VON CALENBERG und Bischof FRANZ VON MINDEN 1518–1523, bei der zuletzt das ‹Große Stift› an die welfischen Fürsten fiel. Andere Gedichte berichten von Herzog ULRICH VON WÜRTTEMBERG (1498–1550), seiner Hochzeit mit SABINA VON BAYERN 1510, seiner Vertreibung durch das Heer des Schwäbischen Bundes 1519 und seiner Rückführung 1534. Von populären Persönlichkeiten wurden in Liederreihen besonders FRANZ VON SICKINGEN und ULRICH VON HUTTEN gefeiert. HUTTENS eigenes Lied ‹Ich habs gewagt mit sinnen› und die Lieder CONTZ LEFFELS auf HUTTEN gehören hieher. Eine umfangreiche Gruppe bilden die zahlreichen Gedichte vom Bauernkrieg 1525. In einem Lied über die Ereignisse in Franken nennt sich WILHELM NUEN als Verfasser. Für den ‹Geckenkrieg› zeichnet LIENHART OTT. Das Spruchgedicht ‹Ein warhafftig erschröcklich Histori von der Bewrischen vffrur› sieht die Ursache der Erhebung in der Lehre LUTHERS. Vorstufen der Räuberballaden kann man sehen in den Liedern auf den Seeräuber KLAUS KNIPHOF, der 1525 zu Hamburg enthauptet wurde, und auf den Seeräuber MARTIN PECHLIN, der 1526 auf der See im Kampf erschossen wurde. Ganze Liederserien behandeln auch MORITZ VON SACHSEN, die Türken- und Franzosengefahren. Dazu kommen ‹Neue Zeitungen› mit Nachrichten über Mordgeschichten, Hinrichtungen, Naturereignisse u. dgl. Einige Lieder betreffen die ‹ausschaffung der Juden von Regenspurg› und Rothenburg. Zahlreiche andere befassen sich mit König LUDWIG VON UNGARN und seinem Tod in der Schlacht bei Mohacz 1526, besonders aber mit der Belagerung Wiens 1529 und der Zurückschlagung der Türken nach dem Osten. Hervorzuheben ist etwa das 39 sechszeilige Strophen umfassende Lied von CHRISTOFFEL ZELL, welches vorgibt, nach Augenzeugenberichten die «gantz handlung der Türcken in Vngern vnd Oesterreych» und die «belegerung der stat Wien» zu schildern (1529). Verständlich, daß auch Landgraf PHILIPP VON HESSEN (1504–1567), der Führer des politischen Protestantismus, und die Krisensituation der Packschen Händel (OTTO PACKS gefälschte Akten eines angeblichen Bündnisses katholischer Fürsten veranlaßten Landgraf PHILIPP zum Vorgehen gegen die Bischöfe von Bamberg, Würzburg und Mainz) 1527/28 zu Themen geschichtlicher Gedichte wurden. Ebenso die Ereignisse in der Schweiz mit der Schlacht zu Kappel 1531, dem Aufstand der Evangelischen in Solothurn 1533, der Schlacht zwischen dem Herzog von Savoyen und den Bernern 1535 und dem Genferkrieg 1536; die Errichtung des Täuferreiches in Münster mit Belagerung und Einnahme der Stadt 1535; der Krieg der Dithmarscher gegen König CHRISTIAN VON DÄNEMARK 1531; die Schlacht in Fünen 1535; die Gellersche [Geldrische] und Burgundische Schlacht; die Schlacht bei Carignan und Carmagnola in Piemont 1544, besungen von KASPAR SUTER, der dabei mitgefochten; das niederdeutsche Lied ‹Van Dirik van dem Berne› (1531) entnimmt den Stoff der deutschen Heldensage.

Besonders zahlreich sind die hochdeutschen und niederdeutschen Gedichte auf HEINRICH IX., 1514 bis 1542 († 1568) Herzog von Braunschweig-Wolfenbüttel. Obwohl er in der Hildesheimer Stiftsfehde 1519 bei Soltau besiegt wurde, gewann er mit kaiserlicher Hilfe 1523 große Teile des Hochstiftes. Als Vorkämpfer der Fürsten entschied er 1525 gegen die aufständischen Bauern die Schlacht bei Frankenhausen. Nachdem er in Spanien und Italien gekämpft hatte, bedrängte er 1528 die lutherisch gewordenen Städte Braunschweig und Goslar und trat 1538 der katholischen Liga gegen den Schmalkaldischen Bund bei. BURKHARD WALDIS griff mit vier historischen Liedern in den Schriftkampf um den Herzog ein. Eine ‹Wahrhaftige Zeitung› und eine ‹New Zeytung›, zwei Spruchgedichte, und verschiedene Lieder schildern die Eroberung Wolfenbüttels und die Vertreibung des Herzogs, andere Lieder berichten von seinem Versuch der Rückeroberung des Landes und wie er 1548 bei Nordheim in Gefangenschaft geriet, weitere den Sieg des (durch die Schlacht

bei Mühlberg 1547 wieder befreiten) Herzogs 1553 mit MORITZ VON
SACHSEN über Markgraf ALBRECHT VON BRANDENBURG-KULMBACH, die
letzten Lieder schließlich haben seinen Tod zum Thema.

Als KARL V. mit den Franzosen und Türken zum Frieden gekommen
war, brach im Sommer 1546, ausgelöst durch SCHERTLIN VON BURTENBACH,
in Oberdeutschland der Schmalkaldische Krieg aus, der infolge der Un-
einigkeit der protestantischen Fürsten und Städte schon im nächsten Jahr
mit dem Zusammenbruch der Schmalkaldischen Front und mit der Auflösung des Bundes endete und den Kaiser auf die Höhe seiner Macht
führte. Protestantische und katholische Spruch- und Lieddichter haben
die mit dem Schmalkaldischen und markgräflichen Krieg verbundenen
Ereignisse zum Thema genommen. Auf evangelischer Seite tritt u. a. JO-
HANNES SCHRADIN mit Spruchgedichten hervor, einer ‹Meldung ... der
anschleg ... wider die Protestirenden Stende› (1546) und einer ‹Ex-
postulation, das ist klag vnd verweyß› Deutschlands gegen KARL V.
(1546/47). Auf der anderen Seite dichtet JORG LANG von Simelbrunnen
‹Ein New gut kayserisch Lied› (‹Weh Euch, jr armen reichstet›) im
Ton des aus den mittelalterlichen Passionsspielen bekannten Judasliedes
(‹O du armer Judas, was hastu gethon›). Einem ‹sechsischen Meidlin›
wird eine ‹klag vnd bitt› zugeschrieben, die im Ton ‹Erhalt uns,
Herr, bei Deinem Wort› zu singen ist. Weitere Lieder befassen sich mit
der Belagerung der Stadt Leipzig (1547), dem Interim von 1548 oder
richten sich gegen die Calvinisten; bemerkenswert sind auch einige Dichtungen, die der Frage des Widerstandrechtes der Evangelischen gegenüber dem Kaiser gewidmet sind.

Der Volksballade kommen Erzeugnisse wie das Lied auf den Raub-
ritter EPPELE VON GAYLINGEN oder das Lied auf den unschuldig hingerichteten Obersten SEBASTIAN VOGELSPERGER nahe. Eine eigene Gruppe bilden die Lieder auf Städte oder auf Ereignisse um diese Städte, wie Magdeburg, Ulm, Frankfurt, Schweinfurt, Hamburg, Lübeck u. a. Auch die
Ereignisse im Deutschen Ordensland werden in den Dichtungen behan·
delt: der Krieg mit den Russen 1558 u. a., ebenso Geschehnisse in Ungarn und Kämpfe mit den Türken. HANS SACHSSENER behandelt den Aufruhr in Olmütz (1558); BALTZER VON GIETHEN die Schlacht bei Falken-
burg 1565; CHRISTOPH MEYER die Schlacht bei Gröningen 1568. Auch
Ereignisse in Italien, England, Portugal, Frankreich, den Niederlanden
finden ihren Niederschlag.

Auf fliegenden Blättern und in den Liederbüchern begegnen nicht selten
sogenannte *Namenlieder*. Darunter versteht man Gedichte, deren Strophenanfänge einen Personennamen ergeben. Das häufige Vorkommen
solcher in die Nähe der Akrostichen gehöriger Künsteleien mit Namen
von fürstlichen Persönlichkeiten beweist, daß die genannten Personen

nicht die Verfasser dieser Gedichte sind, sondern diese ihnen nur zu-
geeignet wurden und wie aus ihrem Munde gesprochen erscheinen sollen.

Die Anfangssilben der drei Strophen des Liedes ‹Mag ich unglück nicht
widerstan› ergeben MaRiA. Gemeint ist MARIA (1505–1558), Schwester Kaiser KARLS V., Königin von Ungarn, durch den Tod des Königs LUDWIG 1526
verwitwet. Ihr wird auch das Lied ‹Ach got was sol ich singen› auf den Tod
ihres Gemahls zugeschrieben. «Casimir Markgraf zu Brandenburg» ergeben
die Strophenanfänge des Liedes ‹Capitan Herr Gott vater meyn›, das zuerst
im Erfurter Enchiridion 1526 auftaucht und dann in fast alle hoch- und niederdeutschen Gesangbücher überging. Das Lied ‹Fred giff vns leve here im
'loven rein›, zuerst im Magdeburger niederdeutschen Gesangbuch 1534 stehend,
ergibt in den Anfangssilben der Strophen «Fredderick koninck tho Denmarck».
Lebhaft regten die traurigen Schicksale des Kurfürsten JOHANN FRIEDRICH VON
SACHSEN († 1554) die Dichtung an. Es existieren sowohl Lieder mit seinem
Titel als auch andere, die in seinem Namen gedichtet wurden. Bei dem Gedicht
‹Des Gefangenen Christlichen Churfürsten rechter Titel ... jn ein Lied ver-
fasset› (1548) ergeben die Anfangszeilen der fünf Strophen «Von Gottes
Gnad Johans Fridrich». In dem Heft ‹Zwey schöne Newe Lieder, deß frommen
Johansen Friderichen von Sachsen, welche Er in seiner Gefängknuß gedichtet
hat› stehen: ‹Wies Gott gefällt so gfällts auch mir› und ‹Ich habs gestalt ins
Herren Gwalt›. Bei dem Lied der Herzogin von Preußen DOROTHEA ‹Von Gott
dem Herren haben wir Das edel Wort so klare›, gedruckt in HANS KUGEL-
MANNS ‹Etliche Teutsche Liedlein› (Königsberg 1560), ergeben die Anfangssilben
der neun achtzeiligen Strophen: «Von Gottes Gnaden DoroTheA Hertzoge In
Prewssen». In ‹Hertzog Moritzenn, des Churfürsten zů Sachsen Lied [Mein
herz das hat kein trawen nicht], welches er gemacht hat, Ee er auß seinem
Land hinweg ist geritten›, ergeben Anfangsbuchstaben und -silben der siebzehn
Strophen: «MORIZ Herrzog Zů Sachsen ChurFürst BurgGraf Zů MagDe-Burg».
Neben den Namenliedern auf Fürsten wurde solche auch auf andere Personen
gedichtet, etwa von PAUL EBER oder ANDREAS KNÖPKEN.

Ähnlich wie die Namenlieder sind die *Lieder auf die Devisen oder
Wahlsprüche der Fürsten und Städte* nicht von den Inhabern der Symbola geschrieben, sondern von Dichtern, die sich empfehlen wollten.

Bekannt sind geistliche Lieder zum Gedächtnis König CHRISTIANS III. VON
DÄNEMARK ‹Auff sein Symbolum: Ach Gott schaff deinen willen (‹Ach got du
liebster vatter mein›)› und auf die Devise ‹Zu Gott mein trost allein sonst
anders kein› (‹Zu Got mein trost allein ich stell›) oder auf des regierenden
Königs FRIEDRICH Wahlspruch ‹Mein hoffnung zu Gott allein› (‹Mein hofnung
trost und zuversicht›). JOHANNES HAGIUS faßte ‹Kurtze, außerlesene Symbola›
auf Kaiser MAXIMILIAN II., GEORG FRIEDRICH VON BRANDENBURG und andere
Adelige zusammen und gab sie Nürnberg 1569 in Druck. Ebenso setzte er ‹in
Reimweiß› das Symbolum der Stadt Nürnberg ‹Nur Gott mein burg› und veröffentlichte das Lied 1569.

Von den im ausgehenden Mittelalter noch bei der Lyrik behandelten
Gattungen der *Bilddichtung* und *Totentänze* geht im Reformationszeit-
alter das Gemäldegedicht in die Formen der Bilderbücher und in die
Emblemenliteratur über und muß daher beim didaktischen Schrifttum

(vgl. S. 401 ff.) behandelt werden. Bei den Totentänzen ändert sich wohl die inhaltliche Tendenz, ihre Zuordnung zur Spruchdichtung soll jedoch aufrecht bleiben.

Obwohl durch Renaissance und Reformation der *Totentanz* (vgl. Bd. IV/1, S. 216 ff.) seinen mittelalterlichen Sinn verlor, lebte die Gattung, meist im Sinne HOLBEINS gewandelt, weiter, sei es als Neufassung des Themas oder als illustrierte Ausgabe alter Werke. Aus der älteren, zur Buße mahnenden Todesvision wird eine Erinnerung an die Vergänglichkeit alles Irdischen. Der von SEBALD BEHAM in Nürnberg gezeichnete, von HANS SACHS mit Reimen begleitete ‹Pauern dantz› (1528) ist eigentlich schon eine Parodierung des Totentanzes.

Von den Totentanzbildern sind die HANS HOLBEINS d. J. die bekanntesten. Die um 1525 entstandene, aber erst 1538 u. ö. nur mit französischen oder lateinischen Versen veröffentlichte Holzschnittfolge zeigt, wie der Tod die Menschen, hoch und niedrig, Mann, Weib und Kind überall und jederzeit verfolgt; Adam und Eva, Papst und Kaiser, Mönch und Weltgeistlicher, Edelmann und Arzt, der reiche Mann, der Astrologe, die Herzogin, der Narr, der Spieler, der Dieb – alle sind sie auf dem Wege zum Gericht Gottes.

Ein ‹Todtentantz› mit Bildern nach HOLBEINS Holzschnitten und mit deutschen Versen erschien Augsburg 1544. KASPAR SCHEIDTS ‹Der Todten Dantz, durch alle Stende vnd Geschlecht der Menschen› (o. O. 1557 u. ö.) hat dazu eine gereimte Vorrede und den Sermon CYPRIANS VON KARTHAGO ‹Über die Sterblichkeit› sowie den Sermon des JOHANNES CHRYSOSTOMUS ‹Von der Geduld› angefügt. Ein siebenbürgisch-sächsischer Totentanz ist mit VALENTIN WAGNERS ‹Imagines mortis› (Kronstadt 1557) gegeben. Bekannt sind ferner ein prosaischer niederdeutscher Totentanz des 16. Jahrhunderts, ein Zimmernscher Totentanz und ein ‹Todtentantz Durch alle Stendt der Menschen› (St. Gallen 1581), gereimt und mit ‹schönen Figuren› bebildert. Eine illustrierte Ausgabe mittelalterlicher Denkmäler besorgte HULDREICH FRÖLICH mit ‹Zwen Todentäntz, Deren der eine zu Bern zu Sant Barfüssern, der Ander aber zu Basel auff S. Predigeren Kirchhof mit Teutschen Versen dazu auch die Lateinischen kommen ordenlich sind verzeichnet› (Basel 1588).

Die zum Thema Berührungen zwischen Wort- und Bildkunst gehörigen deutschen und neulateinischen *Bilderbücher* verlieren um die Mitte des 16. Jahrhunderts zusehends ihren volkstümlichen Charakter und erhalten einen gelehrten Anstrich und kunstdidaktischen Zweck, indem sie als Musterbücher für Maler Verwendung finden.

b) Die Liederbücher und Liedersammlungen

Bei den *Liederbüchern und Liedersammlungen* gehen Handschriftliches und Gedrucktes noch lange nebeneinander. Im Inhalt dominiert einmal Geistliches und einmal Weltliches, Adeliges steht neben Bürgerlich-Volkstümlichem. Sehr liederreich zeigte sich das 16. Jahrhundert auf niederrheinisch-westfälischem Gebiete. Zu Handschriften mit großteils geistlichem Inhalt, wie dem *Werdener Liederbuch,* dem Liederbuch der ANNA VON KÖLN und dem der KATHARINA TIRS aus dem Nirsinkkloster in Münster, kommen andere mit zumeist weltlichen Liedern. Die bekanntesten sind: das Liederbuch der Herzogin AMALIA VON CLEVE, die *Benckhäuser Liederhandschrift, Berliner Liederhandschriften von 1568, 1574 und 1575,* die (verschollene) Liederhandschrift des Grafen HANS GERHARD VON MANDERSCHEID und die Liedersammlung des Freiherrn FRIEDRICH VON REIFFENBERG D. J. (1588). Diese Liederbücher weltlichen Inhaltes verdanken ihre Entstehung der Mode adeliger Kreise, wie Stammbücher mit Denksprüchen so auch Liederstammbücher anzulegen.

Auf die handschriftlichen Liederbücher des 15. Jahrhunderts mit volkstümlichem Inhalt folgten im 16. Jahrhundert *gedruckte Liederbücher* dieser Art. Das erste war das bei ERHART ÖGLIN Augsburg 1512 erschienene. ‹Öglins Liederbuch› enthält 42 deutsche und 7 lateinische Texte zu vier Stimmen aus dem Repertoire der kaiserlichen Hofkapelle. Ein Vierzeiler bereichert die Kenntnis des Volksgesanges: «Zwischen berg und tiefen tal da ligt ein freie straßen, wer seinen bulen nit haben mag, der muß in faren lassen». ÖGLIN war der erste deutsche Drucker, der Noten mit beweglichen Lettern setzte. Auch in ‹Peter Schöffers Liederbuch›, Mainz 1513, gedruckt bei PETER SCHÖFFER, sind die volkstümlichen Lieder nicht zahlreich. Es enthält 60 weltliche und 2 geistliche deutsche Lieder zu vier Stimmen aus dem Repertoire der Stuttgarter Hofkapelle Herzog ULRICHS. Ebenfalls bei PETER SCHÖFFER wurde ein *Liederbuch ohne Titel,* vermutlich Mainz 1513/18, gedruckt. Teilweise in Niederungen des Geschmackes führte das Liederbuch des ARNT VON AICH (Köln wahrscheinlich 1513). Es enthält 73 weltliche und 3 geistliche Lieder zu vier Stimmen. Aus älteren Drucken 1525/26 abgeschrieben ist die Liederhandschrift VALENTIN HOLLS, im Besitz der Familie MERKEL in Nürnberg. Sie enthält Sprüche, geistliche Gedichte, 60 weltliche Lieder, darunter Meister- und Gesellschaftslieder. Als gute Quelle für volkstümliche Lieder erscheinen ‹Etliche geistlich vnd weltlich Bergkreien› (Zwickau 1531, 1533, 1536; Nürnberg 1537). Reigen war ursprünglich ein Tanz, später ist er ein Lied. Weitere ähnliche Sammlungen waren ‹Ander schöene Bergkreyen› (Nürnberg 1547), ‹Das drit teyl der Bergreyen› (Nürnberg o. J.), ‹Bergkreyen: Auff zwo stimmen componirt› (Nürnberg 1551), ‹Berckreyen› (Nürnberg 1574), ‹Ander teyl der Berckreyen› (Nürnberg

1574). Nürnberg war ein Hauptort des Druckes von Liederbüchern. Dort erschien 1534 auch ‹Johann Otts Liederbuch›, erster Teil, 121 Stück zu fünf Stimmen, weltliche und geistliche Lieder. Drucker war HIERO-NYMUS FORMSCHNEIDER, der Verleger DÜRERS. In Nürnberg bei KUNE-GUND HERGOTIN wurden 1534 ‹Schöner auserlesener lieder X› gedruckt.

Spezielle Gattungen waren die Graslieder, Gassenhauer, Reiterlieder. *Graslieder* sind Lieder erotischen Inhaltes, Buhllieder, zunächst derbe Liebeslieder, die das Motiv der Grasmagd (Viehmagd) benützen. Eine Sammlung ‹Graßliedlin› (o. O. u. J.) umfaßt 28 Stück für vier Stimmen. *Gassenhauer* sind Lieder, die auf der Gasse gesungen wurden, Lieder, wie sie besonders nächtliche Gassengänger sangen. Eine Sammlung ‹Gassenhawerlin› erschien zu Frankfurt a. M. o. J. und 1535 bei dem Volksbuchverleger CHRISTIAN EGENOLFF und enthält 21 Lieder, darunter ein geistliches, bzw. 39 weltliche Lieder; neben zahlreichen Hofweisen mit für Gebildete bestimmten Texten in Sätzen namhafter Komponisten steht eine geringere Anzahl volksliedhafter Gebilde. *Reiterlieder* sind Lieder von oder für Reiter. Eine Sammlung ‹Reutterliedlin› erschien zu Frankfurt a. M. bei EGENOLFF 1535 und enthält 38 Stück. Aus der noch zu erwähnenden ‹Musica Teusch› HANS GERLES, aus ‹Johann Otts Liederbuch› und HOLLS Handschrift stammen die 88 ‹Gassenhawer vnd Reutterliedlin› (o. O. u. J. [Straßburg 1536?]). In den Liederbüchern von ÖGLIN, PETER SCHÖFFER, ARNT VON AICH, EGENOLFF ist ein großer Teil desjenigen Liedgutes enthalten, das man *Renaissancelyrik* bezeichnet hat.

Wie die Drucke der Volksbücher im Verlauf des 16. Jahrhunderts immer zahlreicher wurden, so auch die der Liedersammlungen. ‹Fünff vnd sechzig teütscher Lieder, vormals imm truck nie vß gangen› erschienen 1536 zu Straßburg bei PETER SCHÖFFER und MATTHIAS APIARIUS. Der letztere und sein Sohn SAMUEL APIARIUS druckten später in Bern viele Volkslieder mit Musiknoten. WOLFGANG SCHMELTZLS gesammelter ‹Guter seltzamer vnd künstreicher teutscher Gesang› wurde zu Nürnberg 1544 gedruckt. Zu den bekanntesten Sammlungen gehören die des Arztes GEORG FORSTER (geb. um 1514 zu Amberg, † 1568 in Nürnberg). Die umfangreichen Kollektionen enthalten einen großen Teil der vor und nach der Reformation in den mittleren Schichten des Volkes beliebten Lieder. Seine fünf Teile ‹Schöner, frölicher, frischer, alter und newer Teutscher Liedlein› erschienen 1539–1556. FORSTER schöpfte z. T. aus älteren Sammlungen, besonders aus ÖGLIN, SCHÖFFER und OTT, brachte aber auch Liedgut, das ihm von Pflegern der Gattung zufloß: ‹Ein außzug guter alter vnd newer Teutscher liedlein› I (Nürnberg 1539, 1543, 1549, 1552, 1560, 1561; mit 130 Liedern zu vier Stimmen); II (1540 mit 71, 1549 mit 78 Liedern); III (1549 und 1552 mit 80 Liedern); IV (1556 mit 40 Liedern); V (1556 mit 52 Liedern). FORSTER änderte an den Liedern häufig das Wort zugunsten der Melodie. Er betonte, nicht der Texte wegen, sondern der Komposition halber die Lieder in Druck zu geben. In seiner an Motiv- und Formvariationen reichen Sammlung steht Volkstümliches neben Verskunststücken, Lehrhaftem, Fremdsprachigem und Sprachgemisch. Außer italienischen Einwirkungen zeigen sich solche aus den Niederlanden. Von weiteren, anonym erschienenen, Liederbüchern enthält das ‹Liederbüchlein› (Frankfurt a. M. 1578) 262 weltliche Lieder, das ‹Groß Liederbuch› (Frankfurt a. M. 1599) 281 Lieder. In den Niederlanden wurde das ‹Antwerpener Liederbuch›, ‹Een schoon liedekens Boeck› (Antwerpen 1544), zusammengestellt. Auch im deutschen Norden war das volkstümliche Lied beliebt, wie ‹Etliche teutsche liedlein› (Königsberg i. P. 1568) beweisen. Halb religiös, halb weltlich scheinen die ‹Ansinglieder, so von alters her von der Jugend zu unterschiedlichen Zeiten und Fest Tägen im Jar vor den Heusern gesungen worden und noch zu singen pflegen› (Straubing 1590) zu sein.

Auch verschiedensprachige Kunstliedersammlungen enthalten deutsche Stücke. So finden sich in den ‹Trivm vocvm carmina› (Nürnberg 1538) 14 deutsche Lieder. Ähnlich verhält es sich mit den ‹Trivm vocvm Cantiones centvm› (Nürnberg 1541) oder den ‹Tricinia›, d. h. Dreigesänge (Wittenberg 1542), wo sich unter den 90 Stücken allerdings nur 8 deutsche finden. Deutsche (68) und einige französische Lieder druckten JOHANN VON BERG und ULRICH NEUBER um 1550 zu Nürnberg. In den ‹Bicinia [Zweigesängen, Duetten] gallica, latina, germanica› (Wittenberg 1545) finden sich 32 deutsche Stücke. Die ‹Selectissimae nec non familiarissimae Cantiones›, gesammelt und herausgegeben von SIGMUND SALBLINGER (Augsburg 1540), enthalten Motetten und deutsche, französische, niederländische und italienische Lieder. Deutsch, französisch, italienisch, lateinisch sind auch die ‹Hundert vnd fünfftzehen guter newer liedlein› (Nürnberg 1544), genannt ‹Johann Otts Liedersammlung von 1544› zum Unterschied von seinem bereits genannten ‹Liederbuch›. Das große Liederbuch des PAULUS VAN DER AELST (Deventer 1602) zeigt bereits die Wende zum Barock.

Selbstverständlich existierten im 16. Jahrhundert außer den schon genannten Handschriften eine große Anzahl nur handschriftlich angefertigter Liederbücher, die nicht zur Drucklegung bestimmt waren. Von erhaltenen handschriftlichen Sammlungen seien angeführt: der Heidelberger Codex 343 mit fast 200 Nummern, das ‹Ambraser Liederbuch› von 1582, mehrere Codices in der Berliner Staatsbibliothek. Eine Minneallegorie und Gesellschaftslieder aus der Wende des 16. zum 17. Jahrhundert zum Inhalt hat ‹Das Raaber Liederbuch› im Besitz der Bibliothek des Bischöflichen Priesterseminar zu Raab (Györ) in Ungarn. Die Texte stammen aus dem bairisch-österreichischen Sprachgebiet.

Schon K. GOEDEKE hat beachtet, daß zahlreiche Liedersammlungen *Tonsetzern* zu verdanken sind, bei denen das Eigenschöpferische nicht der

Text darstellte, sondern die Komposition. Sie interessieren den Germanisten wohl wegen des Wortlautes, sind aber in erster Linie Musikwerke und wurden auch unter dem Namen der Tonsetzer herausgegeben. Die Ausgaben schöpfen ihre Texte anfangs noch aus dem landgängigen Bestand, verzichten aber bald auf solche Quellen und schaffen sich für ihre Zwecke eigene Wortlaute, die z. T. von Übersetzungen aus dem Italienischen, Französischen etc. stammen, teils fremden Melodien untergelegte Texte, kleine schwankhafte Gedichte, gelegentlich auch eigene Erzeugnisse sind. Diese Lyrik, die den Übergang in das Barockzeitalter wesentlich mitbildet, ist verbunden mit Liederbüchern unter den Namen: ORLANDO DI LASSO, MATTHEUS LE MAISTRE, IVO DE VENTO, CHRISTIAN HOLLAND, GALLUS DRESSLER, MATHIAS GASTRITZ, JAKOB REGNART, ALEXANDER UTENTHAL, CASPAR GLANNER, LEONHARD LECHNER u. a.

Eine Gruppe für sich waren zunächst die für den praktischen Gesang oder die Lehre bestimmten Bücher mit deutschen Liedern. So gab der Lautinist, Geiger und Lautenbauer HANS GERLE in Nürnberg eine ‹Musica Teusch› (1532) heraus für Geigen und Lauten. Darin finden sich auch 24 deutsche Lieder. Oder HANS NEUSIDLER († 1563) ließ Nürnberg 1536 ‹Ein Newgeordnet Künstlich Lautenbuch› in zwei Teilen erscheinen. In Heidelberg wirkte im gleichen Sinne der Lautinist des Kurfürsten OTTO HEINRICH SEBASTIAN OCHSENKHUN (1520–1574), mit einem ‹Tabulaturbuch auff die Lauten› (1558).

Von namhaften Tonsetzern komponierte Lieder enthält bereits die Sammlung ‹Schöne, außerlesene Lieder, des hochberümpten Heinrici Finckens› (Nürnberg 1536). Darin stammen Nr. 1 bis 30 von HEINRICH FINCK, Nr. 31 bis 42 von J. S[THAL], Nr. 43 bis 46 von ARNOLD VON BRUCK, Nr. 47 von STEFFAN MAHU, Nr. 48 bis 56 von LUDWIG SENFL. Der Kapellmeister JAKOB MEILAND veröffentlichte ‹Newe außerlesene Teutsche Liedlin› (Nürnberg 1569) und ‹Neuwe außerlesene Teutsche Gesäng› (Nürnberg 1569 und Frankfurt 1575). Schon vor ihm begann der Dresdener Kapellmeister ANTONIO SCANDELLI mit seinen Liedersammlungen ‹Newe teutsche Liedlein› (Nürnberg 1565 u. ö.) und ‹Newe lustige weltliche teutsche Lieder› (Dresden 1567).

Unter dem Namen des wohl größten Komponisten des 16. Jahrhunderts, ORLANDO DI LASSO (1532–1594), der von 1562 bis zu seinem Tode die Münchener Hofkapelle leitete, erschienen die Sammlungen ‹Newe Teütsche Liedlein mit Fünff Stimmen› (München 1567), ‹Der Ander Theil Teutscher Lieder, mit fünff stimmen› (München 1572), ‹Der dritte Theil Schöner Newer Teutscher Lieder, mit fünff Stimmen› (München 1576), ‹Newe Teutsche Lieder. Geistlich vnd Weltlich, mit vier stimmen› (München 1583) u. a. m. Von ORLANDO DI LASSO, dessen Schaffen fast alle Gattungen weltlicher und geistlicher Vokalmusik der Epoche umspannt, nahmen die Motetten oder Spruchgesänge im Repertoire der protestantischen Kantoreien bis ins Barock einen hervorragenden Platz ein. Von MATTHEUS LE MAISTRE, Kapellmeister am kursächsischen Hofe, wurden ‹Geistliche vnd Weltliche Teutsche Geseng mit Vier und Fünff Stimmen› (Wittenberg 1566) gedruckt, von dem Münchener Hoforganisten IVO DE VENTO ‹Newe Teutsche Liedlein, mit Fünff stimmen› (München 1569 u. ö.) und außerdem 1570, 1571, 1573 etc. noch weitere Sammlungen.

Als einer der hervorragendsten deutschen Schüler ORLANDO DI LASSOS gilt der Südtiroler LEONHARD LECHNER (ca. 1553–1606), Lehrer und Chorregent in Nürnberg, zuletzt als Hofkapellmeister in Stuttgart. LECHNER ist Tonsetzer zahlreicher vier- bis vierundzwanzigstimmiger Kompositionen, wie Motetten, Messen, Bußpsalmen, einer Johannes-Passion, des Hohenliedes, und zahlreicher zwei- bis sechsstimmiger weltlicher und geistlicher Lieder und Madrigale. An Liedersammlungen erschienen: ‹Newe Teutsche Lieder, zu drey Stimmen, nach art der Welschen Villanellen› (Nürnberg 1576 und 1577), ‹Der ander Teyl Newer Teutscher Lieder, zu drey Stimmen› (Nürnberg 1577), ‹Newe Teutsche Lieder, mit Vier vnd Fünff Stimmen› (Nürnberg 1577), ‹Newe Teutsche Lieder ... mit fünff stimmen gesetzet› (Nürnberg 1579) und weitere Ausgaben 1582, 1588 und 1589.

c) Die Herolde und Pritschmeister

An die Herolds- und Wappendichtung des ausgehenden Mittelalters anzuschließen sind die literarischen und poetischen Produkte der *Herolde* und der *Pritschmeister*. Sowohl der Kaiser als auch einzelne Territorialfürsten besaßen auch noch im weiteren 16. Jahrhundert Berufsherolde, d. h. königliche oder fürstliche Boten und Verkündiger. Der bekannteste ist wohl KASPAR STURM (1475–1548) aus Oppenheim, der kaiserliche Reichsherold, der LUTHER 1521 zum Reichstag nach Worms brachte. Man kann sich seine Persönlichkeit an einem Silberstiftporträt vergegenwärtigen, das DÜRER auf der Reise in die Niederlande 1520 zu Aachen gezeichnet hat. STURM verfaßte nicht nur Berichte über das Verhör LUTHERS, über SICKINGENS Tod, über die Vorgänge auf dem Reichstag zu Augsburg 1530 und chronikalische Schriften, sondern auch eine Abhandlung über die Entstehung des Heroldsamtes: ‹Eyn kurtzer begriff vnd anzeygung: wie erstlich durch Mosen vnnd nachuolgens durch Römische Keyser das ampt der Erenholden auffkummen› (o. O. [Mainz] 1524).

Die *Pritschmeister* des 16. und 17. Jahrhunderts waren Gelegenheits- und Stegreifdichter. Ihre Aufgabe war es, fürstliche und reichsstädtische Festlichkeiten poetisch zu verherrlichen. Die Beschreibungen sind daher meistens in Versen abgefaßt und ihr eventueller Druck ist gut ausgestat-

tet. Den Namen *Pritschmeister* führten sie von der Pritsche, einem Schlag-
und Klapperholz, mit dessen lautem Schlage sie Aufmerksamkeit erregten. Das Abschätzige, das später mit dem Namen des Trägers verbunden wurde, haftet ihm im 16. Jahrhundert noch nicht an. Die Pritschmeister, die in deutscher Sprache schrieben, hatten gelegentlich unter den
Neulateinern Konkurrenten, wie z. B. Georgius Sibutus und Jakob Micyllus, die ähnliche Beschreibungen eines Turniers und eines Schützenfestes lieferten. Die Dichtungen der Pritschmeister bieten dem Geschichts-
und Kulturgeschichtsforscher ein noch immer nicht voll ausgeschöpftes
Quellenmaterial. Verschiedene Herren- und Freischießen beschrieb in
Reimen der ‹geschworne und bestölte Pritzenmeister› Lienhard Flexel:
Beschreibung des Herrenschießens mit der Büchse in Passau (1556), des
großen Herrenschießens in Rottweil (1558), des großen Schießens mit
dem Stachel in Stuttgart (1560); das fürstliche Freischießen zu Innsbruck (1569); das Frei- und Herrenschießen mit der Armbrust in Worms
(1575). Blasius Brun dichtete einen ‹Lobspruch von den hochlobl[ichen]
Thaten vnd herkomen des Herrn Wilhelm, Printz zu Oranien, vnd der
Fürstin Anna Hertzogin zu Sachsen› (1561) und einen ‹Lobspruch› von
deren Hochzeit (1561).

Auf den Schützenfesten Südwestdeutschlands, Österreichs und der
Schweiz betätigte sich als Pritschmeister seit den 50er Jahren Heinrich Wirri (Anf. 16. Jh.–um 1572) aus Aarau in der Schweiz, Spruchdichter, Festordner, Schauspieler, namentlich in Rollen aus der Passionsgeschichte, Spielveranstalter. Außerdem besang und feierte er große
Hochzeiten und Hoffeste. Von Wirri sind im ganzen 17 gedruckte Dichtungen bekannt. Von ihm stammt die ‹Geschicht von dreyen Spilern in
der Stadt Willisow, welcher einer mit Namen Ulrich Schrötter vom
Teüffel sichtbarlich hinweckgefürt› (1554). Diese Geschichte wird in der
Teufelsliteratur oft erzählt, z. B. im ‹Spielteufel› (1562) und im ‹Fluch-
teufel› (1564). Als «obrister Britschenmeister in Schweitz» schildert
Wirri 1563 die Krönung Maximilians II. zum König von Ungarn, 1568
bringt er das ‹Keyserliche Schiessen› zu Wien in Reime. Im selben Jahr
feiert er als «teütscher Poet und Obrister Prütschenmeister in Österreich»
die Hochzeit des Pfalzgrafen Wilhelm bei Rhein mit Renata von
Lothringen. Auch die Vermählung des Erzherzogs Karl von Österreich mit Maria von Bayern 1571 stellte er «in Teutsche Carmina» dar.
Das einzige Nicht-Gelegenheitsgedicht Wirris behandelt die Erschaffung der Welt und den Sündenfall.

Ebenfalls die Hochzeit des Pfalzgrafen Wilhelm mit Renata 1568 beschrieb Hans Wagner. Von Hans Weyttenfelder, «Sayler vnnd Brit-
schenmaister im Österreich, seßhafft zu Wolckersdorff», stammt ‹Ein
schöner Lobspruch vnd Heyrats Abred zu Wien, vnd in dem Land Oester-
reich vndter der Enns gebreuchig, Wie man die Weyber die Zeyt jhres

Lebens halten, vnnd jhnen außwarten woll, Damit Sie lang schön bley-
ben, Vnnd jren Männern nicht abgünstig werden› (Augsburg o. J.). Der
‹Lobspruch› fand Gefallen und wurde auch ins Niederdeutsche übertragen (gedr. 1576). Eine Beschreibung des großen Armbrustschießens in
Zwickau (1574) lieferte BENEDIKT EDELPÖCK, Pritschmeister des Erzherzogs FERDINAND VON TIROL. PETER FLEISCHMANN, «Ehrnholdt», dichtete
eine ‹Description des Reichstages Rudolfen II. zu Augsburg› (1582).
GEORG RÖSCH VON GEROLDSHAUSEN (1501–1565) aus Lienz in Osttirol,
Lateinschullehrer, dann Tiroler Landesbeamter, verfaßte in Knittelversen den ‹Tiroler Landreim› (1557; 2. Fassung 1558), d. i. ein Gedicht
zum Preise von Land und Leuten Tirols, und einen ‹Wunschspruch
von allerlei Welthändeln› (1560).

Neben den Meistersingern betätigten sich auch die Pritschmeister als
dramatische Dichter. BENEDIKT EDELPÖCK berichtet, es seien schon «viel
Historien der heiligen Schrift spielweis von etlichen Pritschenmeistern
gestellet». Erhalten scheint aber nur das stark mittelalterlich-volkstüm-
liche Weihnachtsspiel, das EDELPÖCK 1568 dem Erzherzog widmete. In
den Nürnberger Ratsverlässen wird der Pritschmeister WOLF MOST als
Schauspielunternehmer genannt. Urkundliche Nachrichten besagen auch,
daß HEINRICH WIRRI im Lande umherzog und in Köln (1558), Nürnberg (1561), Schaffhausen (1563) Aufführungen veranstaltete.

Durch Humanismus und Renaissance hatte sich die alte Wappendichtung (vgl. Bd. IV/1, S. 204 ff.) zur *literarischen Emblematik* gewandelt.
Die Zersetzung und Verbindung mit Neuem zeigt sich in JOST AMMANS
‹Wappen- und Stammbuch› (1589). Hier werden die fürstlichen, adeligen und bürgerlichen Wappen zwar mit je acht bis zehn Versen versehen, doch nicht mehr beschreibend nach Art der ehemaligen Herolde,
sondern man versucht, sie unter Heranziehung von Farben-, Blumen-
und Tiersymbolik zu erklären.

2. *Das religiöse Lied*

Beim religiösen Lied ist grundsätzlich zu unterscheiden zwischen *geistlichem Lied* im allgemeinen und *Kirchenlied* im besonderen. Geistliche
Lieder als literarische, halbliterarische und unterliterarische Gebilde
gab es schon das ganze Mittelalter hindurch; auch ein während des Gottesdienstes innerhalb oder außerhalb der Kirche von der Gemeinde gesungenes Kirchenlied existierte bereits vor Ausbruch der Glaubenskämpfe. Ein offiziell in die Regelform des Gottesdienstes eingefügtes Gemeindelied heimischer Sprache wurde freilich erst durch die Reformation geschaffen, und zwar von sämtlichen auftretenden Glaubensrichtungen, Lutheranern, Reformierten, Täufern und Katholiken. Doch konnte

man bei dem nun entstehenden breiten Liedgut an schon vorhandene
Ansätze und Gegebenheiten anknüpfen. Alle von den verschiedenen Konfessionen in Gesangbüchern des 16. Jahrhunderts dem Gebrauch zugelei-
teten Lieder sind *Bekenntnislieder*. Ihre Dichter sind fast durchgehend
Männer mit akademischer Bildung. Die Produkte sind als zweckbestimm-
te literarische Dichtungen beeinflußt von älterer geistlicher Lyrik in lateinischer und deutscher Sprache und von den biblischen Psalmen.
Die Bekenntnislieder stehen als eine Art ‹schwebender Mitte› zwischen
Meistergesang und Singlied. Ähnlich wie das letztere ist das Kirchenlied
der Reformationszeit in seiner Entwicklung nicht zu trennen von der
Chor- und Instrumentalmusik.

Im ausgehenden Mittelalter (vgl. Bd. IV/1, S. 191 ff.) hatte sich das
seit dem 11. Jahrhundert vorhandene geistliche Kunstlied bis zur Reformation fortgesetzt. Hauptvertreter waren der MÖNCH VON SALZBURG
und HEINRICH VON LAUFENBERG. Daneben wurde seit dem Ende des
15. Jahrhunderts ein deutsches Kirchenlied sichtbar, das zusammenwuchs
aus geistlicher Kunstdichtung und volkstümlichem religiösem Lied. Das
geistliche Lied unterhalb der bürgerlich-städtischen Kreise haben wir vor
uns gehabt in den Wallfahrtsliedern, Pilgerliedern, Leisen, Rufen,
Kreuzliedern, Jakobsliedern u. a. Volksgesänge niederer Art spiegelten
insbesondere die Geißlerlieder wider. Im 14. Jahrhundert war auch eine
Schichtenmischung der höheren Liedkunst mit dem geistlichen Volksgesang eingetreten. Ein Beispiel dafür boten Graf PETER VON ARBERG und
seine ‹Große Tageweise› von der heiligen Passion, die zu einem der beliebtesten und verbreitetsten deutschen geistlichen Lieder des Spätmittelalters wurde.

Lied und Spruch stehen im 16. Jahrhundert während der ersten Phase
der Reformation auch im Dienste der Kirchenkämpfe. Als LUTHER dar-
anging, für seine evangelische Kirche eine gesonderte volkssprachige Liturgie einzurichten, teilte er neben der Verkündigung des Wortes Gottes
dem Gemeindegesang eine dominierende Funktion zu. Dies führte zur
raschen Ausbildung eines umfangreichen evangelischen Kirchenliedschat-
zes. LUTHER selber begann *geistliche Lieder* zu dichten und Gemeinde-
gesangbücher zusammenzustellen. Das daneben und nach ihm entstehende
evangelische *Kirchenlied* ist Produkt dichterischer *Einzelpersönlichkeiten,*
seine Aussage allerdings wird meist auf die Kultgemeinschaft eingestellt.
Von den anderen Glaubensrichtungen haben die Schweizer Reformatoren
dem deutschsprachigen Kirchengesang eine wesentliche Stelle im Gottesdienst eingeräumt. Der Calvinismus duldete den Gemeindegesang nur
in der Form des Psalmliedes. Die Lieder der Taufgesinnten waren anfangs Märtyrerlieder, dann aber Gemeinschaftsgesang. Von den Anhängern der Geistkirche sind nur einzelne Lieddichtungen bekannt. Umfangreich hingegen ist das Liedgut der katholischen Kirche, das in einer

Reihe von *Gesangbüchern* vereinigt wurde und bis tief in das Barock-zeitalter hinein seine Fortbildungen und Erweiterungen findet.

Das geistliche Lied des 16. Jahrhunderts bietet nur in seltenen Fällen subjektive Erlebnislyrik; in der Mehrzahl ist es katechetisch-didaktischer Art. Allein der vierte Band von WACKERNAGELS Werk druckt von aus-gesprochenen Katechismusliedern über 250 Nummern; dazu kommt noch eine große Anzahl Versifizierungen von Psalmen und Evangelientexten. Bei den Protestanten drang von den Evangelien her, bei den Katholiken von den Heiligenviten her ein episches Element in viele geistliche Lieder.

a) Lied und Spruch im Dienste der reformatorischen Auseinanderset-zungen

Neben der Gesprächsliteratur und den ‹Büchlein› wurden auch die For-men von *Lied und Spruch* in die Dienste der Auseinandersetzungen ge-nommen. Die Grenzen sind nicht immer scharf zu ziehen. Auch in der historischen Lyrik steht eine große Anzahl von Liedern und halbepi-schen Sprüchen mehr oder weniger im Dienste der religiösen Auseinander-setzungen und bemüht sich, dafür oder dagegen Parteinahme zu erwek-ken. Ebenso benutzen namhafte Dichter die Formen für denselben Zweck. Doch es existiert als besondere Gruppe eine Menge von Liedern und Sprüchen, Streit- und Spottgedichten, halbepischen Historien etc., die sich speziell mit Reformationsangelegenheiten befassen. Ihre The-men sind die evangelische Lehre, ihre Wegbereiter und ersten Opfer, die Verfolgungen der Täufer, dogmatische Meinungsverschiedenheiten zwischen den verschiedenen Glaubensrichtungen oder innerhalb einer Konfession, die alten Orden, die Abendmahlsfragen, der Antichrist, die Badener Disputation 1526 etc. Gerühmt und als Beispiel vor Augen ge-stellt werden die Märtyrer der Reformationszeit.

Die *Sprüche*, erzählende Lieder oder Historien knüpfen gern an HUS und SAVONAROLA, aber auch an THOMAS MORUS an: ‹Geistlicher Blut-handel Johannis Husz› (1521), ‹Ein glaubwürdige Anzeigung des To-des Hr. Thomae Mori› (1535), ‹Historie vom Leben vnd Tode Hie-ronymi Savonarole› (1556). Die *Lieder* berichten meist über das Schick-sal einzelner Verfolgter. Auch wurden Lieder verbreitet, die Verfolgte selbst im Gefängnis verfaßt hatten. Ein Flugblatt (o. J.) brachte z. B. ‹Ein Schön Lied, von ainem Christlichen Prediger, wie er von deß Worts Gottes wegen ist verfolgt vnd getödt worden›, ein anderes Flugblatt (1523) ‹Ein lied [LUTHERS] von den zween Merterern Christi, zu Brüssel . . . verbrandt›. Denselben Stoff behandelte SEBASTIAN FRÖSCHL (1496 bis 1570), Diakonus in Wittenberg, in ‹Dye history, so zween Augustiner Ordens gemartert seyn zu Bruxel› (1523). Ein ‹Sendbrief› des JAKOB PROPST berichtet über den Märtyrertod des HEINRICH VON ZÜTPHEN (1488

bis 1524) im Dietmarschen. Von HEINRICH selbst wurde im Kerker das
Lied ‹Hilf Gott, daß mir gelinge› (gedr. 1527) gedichtet. In Form einer
Historie, eines Berichtes und eines Liedes wurden der Ketzerprozeß und
die Hinrichtung des Wiener Bürgers JAKOB TAUBER (1524) behandelt.
Eine große Anzahl von Liedern galt Schicksalen einzelner Wiedertäufer.
‹Zway Schöne newe Lieder› (o. O. u. J.) bringen in Strophe 5 des ersten
Liedes die Verse:

> Wir schlieffen in den wälden vmb,
> Man sucht vns mit den hunden,
> Vnd füert vns mit den Lämlein stum,
> Gefangen vnd gebunden,
> Man zeicht vns auch der widertauff,
> Für ketzer vnd auffrierer,
> Wir seind geacht wie schaf zur schlacht,
> Als aller welt verfürer.

Ereignisse des Jahres 1527 behandeln: Die Geschichte des Leidens und
Sterbens LIENHART KEYSERS (LENHART KÄSER), zu Passau verurteilt und
zu Schärding verbrannt; die Geschichte des Täufers MICHAEL SATTLER,
1527 in Rottenburg mit neun anderen Männern verbrannt, während
gleichzeitig zehn Frauen ertränkt wurden; das Marterlied über die Enthauptung des ehemaligen Meßpriesters HANS SCHLAFFER in Schwaz 1527.
Aus dem Jahre 1528 stammen: JOHANN FABERS ‹Vrsach, warumb der Widertäuffer Patron vnd erster Anfänger Doct. Balth. Hubmayer zu Wien
auf den 10. Tag März 1528 verbrant sey›; ein Lied des Wiedertäufers
JÖRG BLAUROCK, der zu Klausen im Etschlande 1528 mit HANS VON DER
REUE verbrannt wurde; ein Lied, das der Wiedertäufer HANS HUT 1528
zu Augsburg im Kerker gemacht hat; ein Lied LIEPOLT SCHNEIDERS, der
1528 in Augsburg enthauptet wurde. THOMAS BLARER berichtet in einem
Lied, wie LUDWIG HÄTZER 1529 zu Konstanz enthauptet wurde (1529).
Ein Spruchgedicht und ein Lied galten der Verbrennung der adeligen
Jungfrauen URSULA und MARIA VON BECKEN. Als warnendes Beispiel nahmen Autoren beider Seiten FRANCESCO SPIERA (vgl. S. 324) in Padua,
der 1548 von der neuen Lehre zur alten zurückkehrte und in Verzweiflung fiel.

   Auch die Streitigkeiten innerhalb der lutherischen Glaubensrichtung
boten Anlaß zur Lieddichtung. Es gab ein Lied gegen die Adiaphoristen
und Lieder gegen das Augsburger Interim.

b) Reformatorisches geistliches Lied und Kirchenlied. Dichter religiöser Lieder. Die Gesangbücher. Das katholische Kirchenlied

Geistliches Lied und Kirchenlied sind nahe verwandt, doch nicht identisch (vgl. Bd. IV/1, S. 191). Als geistliches Lied kann man jedes Lied bezeichnen, das einen geistlichen Inhalt hat. Das Kirchenlied bildet den im Gottesdienst gemeinsam gesungenen Teil der religiösen Dichtung. Die Geschichte des deutschen Kirchenliedes gehört in den Rahmen der Entstehung der deutschen Dichtung im allgemeinen. Das Kirchenlied hat daher am Form- und Stilwandel der deutschen Dichtung Anteil und wird inhaltlich bestimmt von der kirchlichen Lehre der Zeit und den Verhältnissen des jeweiligen religiösen Lebens.

Die Wurzeln des *deutschen Kirchenliedes* liegen für Text und Melodie in der lateinischen Liturgie. Der aus der Litanei stammende Ruf ‹Kyrie eleison› erscheint bereits im 9. Jahrhundert durch Zusätze zu einer Liedstrophe erweitert. Diese Strophe ist noch für das 12. Jahrhundert bezeugt. Als die kurzen Liedstrophen bereits zu längeren Liedern ausgebildet waren, wurde jede Strophe refrainartig durch das ‹Kyrie eleison› abgeschlossen. Man nannte diese Lieder daher Leise. Für das 12. Jahrhundert bezeugt GERHOH VON REICHERSBERG in seinem Psalmenkommentar (1147) die weite Verbreitung des geistlichen Volksgesanges. Noch im 12. Jahrhundert entstanden u. a. die Lieder ‹Christ ist erstanden› und ‹Nun bitten wir den heiligen Geist›. Beide sind aus Sequenzen hervorgegangen. Im 14. und 15. Jahrhundert kam das Aufblühen der volkstümlichen Dichtung auch dem Kirchenlied zugute. Man flocht in die deutschen Schauspiele vielfach deutsche Lieder ein. In die unterliterarische Schicht des geistlichen Liedes gewähren die Geißlerlieder (vgl. Bd. IV/1, S. 192 f.) Einblick. Die Mystik hat auf das Kirchenlied anscheinend nicht besonders fördernd gewirkt, denn sie war entweder Angelegenheit einzelner Persönlichkeiten oder blieb auf enge Kreise beschränkt. Im 14. Jahrhundert begegnen auch schon die Kontrafakte – d. s. Umdichtungen weltlicher Lieder in geistliche, wobei die weltliche Melodie beibehalten wird –, die im 15. und 16. Jahrhundert sehr beliebt wurden. Die geistlichen Lieder in der Volkssprache wurden z. T. in der Kirche gesungen, z. T. außerhalb der Kirche, bei Wallfahrten, geistlichen Spielen, Bußfahrten etc. Zum Bestandteil der kirchlichen Liturgie wurde das Kirchenlied jedoch erst durch die Reformation erhoben. Dadurch bekam das Kirchenlied eine Stellung, die es bisher nicht hatte. Es wird ein Hauptmittel bei der Neuordnung des Gottesdienstes.

Die Geschichte des Kirchenliedes fällt weithin mit der Geschichte des *Gesangbuches* zusammen. Wir unterscheiden ein katholisches und ein evangelisches Kirchenlied, wobei im letzteren auch die Lieder der Brüderunität und der Taufgesinnten subsumiert sind. Während das altkirch-

liche Lied Begleiterscheinung des Gottesdienstes war, ist das evangelische
Kirchenlied die Hauptform der aktiven Teilnahme der Gemeinde an
der Liturgie. Eine Sonderart des Kirchenliedes stellt der Psalmengesang im Gottesdienst CALVINS dar. ZWINGLI hat ebenso wie LEO JUD
geistliche Lieder gedichtet, gab aber im Zürcher Gottesdienst dem Gesang keinen Raum. Das Kirchenlied ist gesungenes Lied. Wort und Weise
bilden eine Einheit. Unter Gesangbüchern versteht man Liederbücher,
die vor allem für den Gebrauch der Gemeinde im Gottesdienst bestimmt
waren. Die Gattung gewann mit der Reformation eine besondere Bedeutung. Als Vorläufer gelten altkirchliche Liedersammlungen des Spätmittelalters und ebenfalls handschriftliche Liederbücher aus den Kreisen
von Bruder- und Schwesternschaften wie etwa das Liederbuch der ANNA
VON KÖLN (um 1500) oder des *Wienhäuser Liederbuch*. An nichtkatho-
lischen Gesangbüchern vor der Reformation sind ein tschechisches Brü-
der-Gesangbuch mit rund 90 Liedern (gedr. 1501) und weitere tschechische Gesangbuchdrucke bei den Böhmischen Brüdern, bei den Utraquisten und bei kleineren Gruppen bekannt.

Das Kirchenlied des 16. Jahrhunderts zeigt in seiner Form Verbindung mit dem weltlichen Singlied, mit den altkirchlichen Hymnen, besonders aber mit dem Meistergesang. Viele religiöse Lieder sind in Strophe und Reim nach den Regeln der Meistersinger gebaut. Ebenso verbindet das musikalische Element das Kirchenlied eng mit dem Meistergesang.

Die umfangreiche Produktion an Kirchenliedern brachte naturgemäß
große Wertunterschiede mit sich. Kritik am Mangel des künstlerischen
Elementes übte SEBASTIAN FRANCK in der Schrift ‹Wie mann Beten vnnd
Psallieren soll› (1537). Aber den meisten Verfassern und ihrem Publi-
kum stand der gläubige und didaktische Inhalt höher als die formale
Vollendung.

Das evangelische Kirchenlied deutscher Sprache kommt von LUTHER und
vom deutschen Zweig der Böhmisch-mährischen Brüderunität her und ist
im Grunde die Erneuerung des ambrosianischen Gemeindegesanges. Was
vom altkirchlichen Liedbestand brauchbar war, wurde den neuen Bedürfnissen angepaßt. Eine rasch einsetzende umfangreiche Neudichtung
fügte sich geschickt dem Ton des geistlichen volkstümlichen Liedes und
den kirchlichen Erfordernissen. Fliegende Blätter, Hefte und Gesangbücher sorgten für rasche Verbreitung. Das Programm gab LUTHER in der
‹Formula Missae› (1524). In der ‹Deudschen Messe› (1526) hat das Lied
bereits seinen festen Platz. Die Anfänge machte LUTHER selbst. Von 32
Liedern des Wittenberger Chor-Gesangbuches (1524) stammen 24 von
ihm; bis 1543 fügte er weitere 12 hinzu. Mithelfer waren JUSTUS JONAS,
PAULUS SPERATUS, ELISABETH CREUTZIGER, LAZARUS SPENGLER, JOHAN-

NES AGRICOLA, später HANS SACHS, SEBALD HEYDEN, JOHANN GRAMANN, JOHANN WALTHER u. a. Der nächst LUTHER bedeutendste Kirchenlieddichter der Frühzeit, MICHAEL WEISSE, kam aus dem deutschen Zweig der Böhmischen Brüder. Der dritte ist AMBROSIUS BLARER.

Das ragende Beispiel für das *deutsche Kirchenlied der Reformation* waren LUTHERS Lieder (insgesamt 36). Sie entstanden von 1523 an, zunächst als ‹Zweckpoesie›. Der Reformator betrachtete sie als ein Stück Übersetzungsarbeit, d. h. Übertragung von Psalmen und Hymnen in singulare deutsche Kirchenliedform. Die frühen Psalmenverdeutschungen (Ps. 14; 124; 128) und die Hymnen für Advent und Pfingsten haften noch eng an den Vorlagen und sind sprachlich hart und spröde. Weitere Psalmenlieder (Ps. 12; 67; 130) erscheinen bereits freier und enthalten eine evangelische Auslegung. Noch ungebundener bewegt sich die christlich-eschatologische Paraphrase von Ps. 46, 2–8, das berühmteste LUTHER-Lied, ‹Ein feste Burg ist vnser Got›. Die liturgische Aufgabe, die dem Volksgesang zufiel, verlangte eine deutsche Versfassung lateinischer Prosatexte wie des *Credo* und des *Tersanctus*. Die Vollendung erreichte LUTHERS derartige Übertragungskunst im deutschen *Te Deum*, wo bei strengstem Anschluß an die lateinische Vorlage hochrangige liturgische Poesie erreicht wurde. Der Dichter LUTHER zeigt sich am klarsten, wo er nur als Bearbeiter und Verbesserer tätig ist: im Ausbau einstrophiger Vorlagen, etwa lateinischer Antiphonen und Hymnen, oder noch deutlicher im Ausbau deutscher Leise. Das Mächtigste, was dabei dem Dichter LUTHER gelang, ist das dreistrophische

> Mitten wir im Leben sind
> mit dem Tod umfangen

nach dem ‹Media vita in morte sumus› des NOTKER BALBULUS. Auf dem altdeutschen Fronleichnamsleis ‹Gott sei gelobet vnd gebenedeiet› baute LUTHER das dreistrophige Abendmahlslied auf. Freier als in diesen Fällen schaltete er mit dem altkirchlichen *Victimae paschali*. Von LUTHERS 36 Liedern sind sieben ohne Vorlage, darunter aus der Frühzeit das Evangeliumlied ‹Nu freut euch lieben Christen gmein› (1523) und das ‹Lied von den zween Merterern Christi, zu Brüssel ... verbrandt›, das im Ton der Volksballade ‹Ein neues lied wir heben an› einsetzt und in zwölf Langstrophen eine heils- und endgeschichtliche Selbsterhellung der Reformation gibt; aus der Spätzeit das Kinderlied auf die Weihnacht ‹Vom himel hoch da kom ich her› und das ‹ander Christlied›, das LUTHERS Glauben an die Rechtfertigung eindrucksvoll bekundet. Manche Lieder LUTHERS wurden als Flugblätter verbreitet.

Von den Böhmischen Brüdern hatten die tschechischen Gemeinden schon 1501 und 1519 eigene Gesangbücher drucken lassen. Für die deutschen Brüdergemeinden stellte MICHAEL WEISSE unter Mitwirkung von

JOHANN HORN und unter Zustimmung der Senioren ein Gesangbuch zusammen. MICHAEL WEISSE (ca. 1488–1534) war erst Mönch in Breslau, seit 1518 Mitglied der Böhmischen Brüder, dann Seelsorger und Prediger der ‹Deutschen Gemeine Gottes und Christlichen Bruderschaft› in Landskron. Von ihm stammt ‹Ein New Geseng buchlen› (Jungbunzlau 1531) mit 157 deutschen Liedern, davon 137 von WEISSE selbst gedichtet oder bearbeitet. Er ordnete die Lieder bereits nach inhaltlichen Gesichtspunkten und bringt von fast allen Liedern die Noten: Psalmlieder, Hymnen in freier Nachdichtung, Kyrien-Tropen, Sequenzen, Historien, Lehrlied und Hauslied. WEISSE hatte zur Vorlage das alte, bisher im Gebrauch der deutschen Gemeinden gestandene lateinische Kanzional. Aus ihm übersetzte er vier Lieder ins Deutsche. Alle anderen stammen von ihm selbst. Es war das reichhaltigste Gesangbuch in deutscher Sprache, reicher als die lutherischen Gesangbücher. WEISSES Lieder fanden in fast allen evangelischen Gesangbüchern Aufnahme. Einen Auszug aus WEISSES Gesangbuch ließ KATHARINA ZELL, die Frau des Straßburger Predigers MATTHEUS ZELL, 1534 in Straßburg drucken. Mehrfach nachgedruckt wurde WEISSES Gesangbuch zu Ulm 1538 bis 1541. Eine Durchsicht der Texte besonders im Hinblick auf die Abendmahlslehre nahm JOHANN HORN vor. Diese revidierte Ausgabe erschien Nürnberg 1544: ‹Ein Gesangbuch der Brüder in Behemen vnd Merherrn, die man aus Haß vnd Neid Pickharden, Waldenses etc. nennet›. Die nächste vermehrte Auflage erschien in zwei Bänden 1566: ‹Kirchengeseng, darinnen die Heubtartikel des Christlichen glaubens kurtz gefasset vnd ausgeleget sind›. Es ist das umfangreichste Gesangbuch der Brüder. Von den zwei Teilen enthält der erste, um 180 Lieder erweiterte Band ausschließlich Lieder der Brüder. Unter den Verfassern sind JOHANN GELETZKY mit Psalmenübersetzungen, MICHAEL THAM und PETER HERBERTUS zu nennen. Der zweite Teil mit 108 Liedern bringt nur protestantische Verfasser: LUTHER, JOHANNES AGRICOLA, AMBROSIUS und THOMAS BLARER, ELISABETH CREUTZIGER, PAUL EBER, JUSTUS JONAS, HANS SACHS, LAZARUS SPENGLER, PAULUS SPERATUS, BURKHARD WALDIS u. v. a. Das Gesangbuch erlebte 1580 eine unveränderte Neuauflage.

WEISSE war nächst LUTHER ohne Zweifel der bedeutendste Dichter geistlicher Lieder der Zeit. HORN, JOHANNES AGRICOLA, PETRUS HERBERTUS formten in stärkerem Maß, als es in der Reformation geschah, das Volkslied um. Vorherrschend blieb dabei das streng geprägte Gemeindelied in kirchentonaler Bindung der Melodien. Aus Tageszeiten- und Tischliedern sowie den Kleinausgaben der Gesangbücher kann man erkennen, daß auch im Hause oder in kleineren Zirkeln geistlicher Gesang geübt und gepflegt wurde.

Neben LUTHER und WEISSE der dritte bedeutende Kirchenlieddichter der Frühzeit war AMBROSIUS BLARER oder BLAURER (1492–1564) aus

Konstanz, Benediktinermönch zu Alpirsbach, dann Reformator Württembergs, der, als die Stadt Konstanz dem Interim angeschlossen wurde, nach Biel ging und zu Winterthur starb. Von BLARER, der auch mit ZWINGLI engen Verkehr pflegte und noch 1537 in Fragen der Kirchenbilder auf dem ‹Götzentag› zu Urach einen radikalen Standpunkt vertrat, sind zwei Schriften bekannt: ‹Warhafft verantwortung Ambrosij Blaurer an aynem ersamen weysen Rat zů Costentz, anzaygend warumb er auß dem Kloster gewichen› (1523) und ‹Ir gwalt ist veracht – ir kunst wirt verlacht – Ir liegens nit gacht – gschwecht ist ir bracht – Recht ists wieß Gott macht› (1524). BLARER dichtete im Winter 1522/23 sein frühestes ins Gesangbuch aufgenommenes Lied: ‹Wie's Gott gefällt, gefällts auch mir›. Das Konstanzer ‹New Gesangbüchle› (1536, 1540) enthält von ihm Lieder hohen Ranges. Erst in späterer Zeit zum Druck gelangten ‹Etlich geistliche gsang vnd lieder vor jaren geschriben durch meister Ambrosium Blaurern, zůsammengestellt durch Gregorium Mangolt› (1562).

Das evangelische Kirchenlied neben und nach LUTHER weist eine umfangreiche Produktion auf. Der persönliche Gehalt ist fast immer gering. Die Texte sind zumeist lehrhaft, aber trotz viel Nüchternem und Schematischem finden sich auch volkstümliche und ergreifende Lieder; dogmatische Streitigkeiten bleiben nicht ganz ausgeschaltet. Bearbeitet werden häufig die Psalmen und andere Bibeltexte. Ältere Lieder erfahren Umdichtungen; man übersetzt lateinische Hymnen und schafft Kontrafakturen. In formaler Hinsicht machen sich die Einflüsse des Volksliedes und des Meistergesanges bemerkbar. Viele dieser Dichter geistlicher Lieder ließen ihre Produktion als Einzeldrucke oder in kleinen Heften mit zwei, drei und auch mehr Liedern erscheinen. Aus Magdeburg wird z. B. berichtet, daß ein alter Tuchmacher 1524 die Lieder ‹Aus tiefer Not schrei ich zu Dir› und ‹Es woll uns Gott gnädig sein› als Einblattdrucke feilbot und den Leuten vorsang.

An Dichtern lutherischer Richtung seien nur einige der bedeutsameren genannt. PAULUS SPERATUS (1484–1554), ein Schwabe, der in Österreich wirkte, 1522 in Wien eingekerkert war und später Bischof von Pomesanien wurde, einem der vier Bistümer des Deutschordensstaates Preußen. Er gab das ‹Achtliederbuch› heraus (vgl. S. 259). Von ihm stammen u. a. die Lieder ‹Es ist das heil uns kummen her› und ‹Ich ruff zu dir herr Jesu Christ›. Aus dem Erfurter Humanistenkreis stammte JUSTUS JONAS (1493–1555), von dem ‹Wo gott der herr nicht bei uns hält› und ‹Herr Jhesu Christ, dein Erb wir sind› herrühren. JOHANNES AGRICOLA steuerte zu der ‹Weyse Christlich Mess zu halten› (1524) das Lied ‹Frölich wollen wir alleluja singen› bei. Die niederdeutsche Sprachform pflegte NIKOLAUS DECIUS († 1541), dem ‹Allein got in der höge sy ehr›

zugewiesen wird. Der Nürnberger Ratssyndikus LAZARUS SPENGLER schuf
die beliebten Lieder ‹Durch Adams fal ist gantz verderbt› und ‹Ver-
gebens ist all müh und kost›. Dem Maler und Buchdrucker HEINRICH
VOGTHERR D. Ä. (1490– nach 1540) werden ‹Auß tieffer not schrey ich zu
dir, Gott wöllst dich mein erbarmen› (1524; auch LUTHER) und ‹Herr gott
ich trau allein vff dich› zugeschrieben. JOHANN GRAMANN, POLIANDER
(1487–1541), Amanuensis ECKS auf der Disputation zu Leipzig, hernach zur Reformation übergetreten und von LUTHER nach Preußen empfohlen, wird in der Rigaer Ordnung 1549 als Verfasser des Liedes ‹Nun
lob mein seel den herren, was in mir ist den namen sein› genannt. Der
ehemalige Kartäuser, dann Bürger zu Straßburg, LUDWIG ÖLER dichtete
‹Ach herr, wie sind meinr feind so vil› und ‹Erhör mich wann ich rüf
zů dir› u. a.; der einstige Mönch, später Vikar und Organist zu St. Thomas in Straßburg, WOLFGANG DACHSTEIN schrieb ‹Der törecht spricht, es
ist kein gott› (1525); der Chorsänger am Straßburger Münster MATTHEUS
GREITER († 1552) u. a. ‹Es seind doch selig alle die›, ‹Hilff herre gott dem
deinen knecht›. LUTHERS Famulus und späterer Prediger in Nürnberg
VEIT DIETRICH (vgl. S. 52) ist der Verfasser der Lieder ‹Herr es sind
heiden in dein erb mit grossem grimm gefallen›, ‹Bedenk o mensch die
grosse gnad› und des Osterliedes ‹Wir Christen all ytz frölich sein›.
HERMAN VULPIUS und JAKOB KLIEBER veröffentlichten um 1530 (Nürnberg bei KUNEGUND HERGOTIN) ‹Vier geistliche Reyenlieder›: ‹Nun
kum herzů du junge schar› (‹In dem thon wie man vmb krentz singt›)
von VULPIUS, die anderen drei von KLIEBER, darunter ‹Der Maye, der
Maye, bringt vns der blümlein vil› und ‹Ich weiß der herr der ist mein
hirt› (Ps. 32) im Ton ‹Heint hebt sich an ein abent tantz›. Als Einzeldrucke erschienen von MATTHÄUS FRIEDRICH aus Görlitz ‹Zwey schöne
newe geistliche Lieder› (1556), das erste ‹Wacht auff, jr werden Deutschen, es thut euch warlich not›, und von JOACHIM MAGDEBURG (1525 bis
nach 1583), einem Mitarbeiter des FLACIUS an den ‹Centurien›, ‹Zwe
schöne Gesenge› (o. O. u. J.), der eine über die vier ersten Verse des 36.
Psalmes, der andere über die äsopische Fabel vom Wolf und Schaf wider
die Papisten, Interimisten, Diaphoristen. Derselbe Verfasser gab auch
‹Christliche vnd Tröstliche Tischgesenge› für die Jugend heraus (1571).
JEREMIAS HOMBERGER aus der Steiermark verfaßte ‹Ein schön lied von
der Rechtfertigung des Armen Menschens für Gott, durch die vermischung
der gerechtigkeit vnnd Barmhertzigkeit, nach der schönen betrachtung
des Heiligen Bernhardj vber den 85. Psalm. Im thon 'Ich stund an einem
Morgen'› (Abgesang: ‹Von Satana dem stoltzen Feind›). PAUL EBER
(1511–1569), MELANCHTHONS Famulus, später Generalsuperintendent,
dichtete eine Reihe von Liedern, darunter ‹Herr Jesu Christ, war mensch
vnd gott›. Auch Frauen kommen als Kirchenliedschöpfer vor, so MAGDA-
LENA ALLBECK mit dem Gedicht ‹Mag es denn je nicht anders sein›.

In der Schweiz hatte OEKOLAMPADIUS den reformierten deutschen Kirchengesang eingeführt und ebenfalls eine wichtige Stelle im Gottesdienst
zugewiesen. Sein Mithelfer WOLFGANG CAPITO dichtete die Lieder ‹Gib
frid zu unser zeit, o Herr, groß not ist ietz vorhanden› (1522), ‹Ich
bin ins fleisch zum tod geborn› und ‹Die nacht ist hien; der tag bricht
an›. Nach einem alten Jakobslied – es gab eine ganze Reihe geistlicher
Umdichtungen der Jakobslieder – schuf JOHANN XYLOTECTUS, ZIMMER
MANN († 1526) das Gedicht ‹Welcher das ellend buwen wöl, der mach
sich vf und rüst sich schnell›. Von dem Dramatiker JOHANNES KOLROSS
stammen ‹So gott zum haus nit gibt sein gunst› (1526) und ‹Herr ich
erheb mein seel zu dir› u. a. Dem LEO JUD schreibt das Froschauersche
Gesangbüchle (1540) vier Lieder zu, darunter ‹Dem kunig und regenten din› und ‹Din, din soll sin das herze min›. Von dem ehemaligen Mönch
WOLFGANG MUSCULUS, MEÜSSLIN (1497–1566) stammen ‹Der Herre
ist mein treuer hirt› (1533) und ‹Christe der du bist tag und liecht›.
Dem Dramatiker JAKOB FUNCKELIN teilt das Froschauersche Gesangbuch
(1570) sieben Lieder zu, darunter ‹Ehr sey gott im höchsten thron› aus
FUNCKELINS ‹Spyl von der Empfengknuß vnd Geburt Jesu Christi›
(1553) und ‹Gnad vnd frid und reichen segen›.

Auch die *Täufer und Taufgesinnten* haben ein umfangreiches religiöses
Liedgut geschaffen. Die ersten Lieder dichteten die Schweizer Brüder.
Es waren meist Märtyrerlieder. Sie wurden zum Teil von den Hutterern
übernommen, deren breite Lieddichtung mit dem Jahre 1535 einsetzt.
Dem Inhalt nach besteht dieses frühe Liedschaffen aus zwei großen Gruppen: Erbauungsliedern und historischen Dichtungen zur Erinnerung an
den Tod ihrer Märtyrer; dogmatische Lieder sind auffallend wenige
vorhanden. Als Dichter treten auf: THOMAS MÜNTZER, HANS HUT, GEORG
VOM HAUSE JAKOB (JÖRG BLAUROCK; verbrannt), FELIX MANZ (ertränkt),
HANS KOCH und LENHARD MEISTER, GEORG WAGNER (1527 zu München
verbrannt), HANS LANGENMANTEL (zu Weissenhorn enthauptet), LIEPOLD
SCHORNSCHLAGER, MICHAEL SATTLER (verbrannt), LEONHARD SCHIEMER
(Barfüßer, Schneider, 1528 zu Rattenburg a. J. verbrannt), OSWALD
GLAIT, HENSLAIN VON BILACH, LIEPOLT SCHNEIDER (1528 zu Augsburg
enthauptet), HANS SCHLAFFER (enthauptet), LUDWIG HÄTZER (enthauptet;
seine bekanntesten Lieder: ‹Erzörn dich nit o frommer Christ› und ‹Gedult solt han vff Gottes ban›), ANNELEIN VON FREIBURG (1529 ertränkt),
JÖRG STEINMETZ (1530 zu Pfortzen enthauptet), GEORG GRÜENWALD
(1530 verbrannt). Mit dem Einsetzen der Lieddichtung der Hutterer wird
die Produktion immer ausgedehnter. Manche der Täufer-Lieder erschienen in Einzeldrucken. Später wurden sie als ‹Außbund Etlicher schöner
Christlicher Geseng› (vor 1571) zusammengefaßt. Eine umfangreiche
Liedersammlung der Wiedertäufer, geschrieben von SEBASTIAN KIRMES-

SER 1581, wurde in der Bibliothek des Preßburger Domkapitels aufbe-
wahrt.

Besonders häufig schildern die Lieder die Leiden jener täuferischen
Glaubensgenossen, die für ihre Überzeugung den Tod oder Verfolgungen erlitten haben. So das Lied auf FELIX MANZ, der 1527 in Zürich ertränkt wurde, ein Lied auf die 1528 zu Bruck a. d. M. hingerichteten
neun Brüder und Schwestern, ein anderes auf die 1529 zu Alzei am
Rhein getöteten Brüder. Bei den zahlreichen Liedern auf die hutterischen Märtyrer kommt es vor, daß einzelne Brüder ihre Gefangenschaft
selbst beschreiben. Sonst schildern spätere Dichter das Geschick hervor-
ragender Märtyrer oder besondere Leiden. LEONHART ROTH etwa feiert
in einem Lied die 1539 auf der Burg Falkenstein gefangenen und später nach Triest auf die Galeeren gebrachten südmährischen Hutterer.
HANS AMON setzte die Dichtung fort, indem er in einem zweiten Lied
ihre Befreiung besang. Die große Anzahl der Märtyrerlieder hat den
Verdacht erweckt, die Brüder hätten eigene Liederdichter gehabt, deren
Aufgabe es war, die Hingerichteten zu besingen. Der maßgebendste
Dichter unter den Hutterern ist ihr Dogmatiker PETER RIEDEMANN (vgl.
S. 73 f.). Von ihm allein sind 45 Lieder bekannt. Viele hutterische Lieder
schließen sich an das Volkslied an, als jener Gattung, die den Brüdern
am besten vertraut war; so etwa der Schmied HANS RAIFFER mit seinen
Dichtungen. Die von den Hutterern gebrauchten Melodien sind zumeist
geistlichen Liedern der Protestanten, Katholiken und Böhmischen Brüder entlehnt.

Von den *Lieddichtern der Geistkirche* seien genannt: THOMAS MÜNTZER,
in dessen ‹Deutsch Euangelisch Messze› (1524) sich neun Lieder finden, wie ‹O herre erlöser alles volks›, ‹Gott heiliger schöpfer aller
stern›, ‹Herodes o du bösewicht› u. a.; das acht Blätter umfassende Heft
von SEBASTIAN FRANCK ‹Wie mann Beten vnnd Psallieren soll, Ein Wol-
gedichter, Schriftreicher Psalm›; der Laientheologe und Anhänger
SCHWENCKFELDS, JÖRG BERCKENMEYR, der 1525–1545 in Ulm lebte, mit
‹O herr bis du mein zuversicht› und ‹O du betrübter Jesu Christ›. Von
BERCKENMEYR stammen auch das Büchlein ‹Zeyger der Heiligen Geschrift› (1525) und ‹Sprüch auß der heyligen gottlichen schrifft›.
Schwenckfeldianer war auch DANIEL SUDERMANN.

Die Lieder der Reformation wurden zuerst in Form von Einblattdruck-
ken verbreitet, die man bald in kleine Hefte und Bücher vereinigte. Die
Gesangbücher der Reformation waren lange Zeit meist Drucker- oder
Verleger-Unternehmungen, denen durch Vorreden oder Mitarbeit der
Reformatoren halbamtlicher Charakter verliehen wurde. Selten waren sie
ausdrücklich für den Bereich der Kirche bestimmt.

Das erste lutherische Gesangbuch war das Wittenberger ‹Geystliche gesangk Buchleyn› (Wittenberg 1524), zu dem LUTHER eine Vorrede schrieb und dessen musikalische Gestaltung wahrscheinlich JOHANN WAL-THER (1496–1570), Kapellmeister der Kurfürsten zu Sachsen, besorgt hatte. Es umfaßt 32 deutsche und 5 lateinische Lieder. Das Wittenber-ger ‹Achtliederbuch› ‹Etlich Christlich lider, Lobgesang vnd Psalm, dem rainen wort Gottes gemeß› (1524), war lediglich eine verlegerische Zu-sammenfassung der als Einblattdrucke verbreiteten älteren LUTHER-Lie-der. In ähnlicher Weise kamen die beiden Erfurter ‹Enchiridien›, das ‹Fürbefaß-Enchiridion› und das ‹Schwarze-Horn-Enchiridion› (beide 1524), zustande. Die Wittenberger Gesangbücher mit ihren Liedern von LUTHER, PAULUS SPERATUS, JUSTUS JONAS, ELISABETH CREUTZIGER erhiel-ten bald eine Art kanonischen Rang und wurden vielfältig nachgeahmt.

Für die Geschichte der Wittenberger Gesangbücher ist das von JOSEPH KLUG (1529 u. ö.) besonders wichtig. Wie rasch der Liedbedarf anwuchs und wie beliebt das neue Liedgut war, ersieht man an den Gesangbü-chern wie ‹Etliche Christliche Gesenge vnd Psalmen, welche vor bey dem Enchiridion nicht gewest sind› (Erfurt 1525), ‹Enchiridion› (1526 bei HANS LUFFT), ‹Geistliche Lieder› (1528 bei HANS WEISS; Erfurt bei Jo-HANN LÖRSFELD; Zwickau 1525, 1528; Breslau 1525; Nürnberg 1525, 1527, mit Psalmliedern von HANS SACHS).

Die niederdeutsche Gesangbuch-Geschichte beginnt mit den Rostocker Gesangbüchern von 1525 und 1531, mit Vorreden von JOACHIM SLÜTER, und den ersten amtlichen Kirchen-Gesangbüchern für Riga (1530 u. ö.). Von Leipziger Gesangbüchern sind das ‹Enchiridion› von MICHAEL BLUM (1529) und das Gesangbuch von 1529 erwähnenswert. JOHANN SPANGEN-BERG (vgl. S. 302), zuletzt Generalsuperintendent in Eisleben, bietet in seinen drei Liederbüchern ‹Alte vnd newe Geistliche Lieder› (Erfurt 1543), ‹Cantiones ecclesiasticae ... Kirchengesenge Deudtsch› (Magde-burg 1545) und ‹Zwölff Christliche Lobgesenge vnd Leissen› (Witten-berg 1545) Eigenes und Fremdes. Auch SPANGENBERGS Sohn CYRIACUS war mit den Ausgaben ‹Christlichs Gesangbüchlein› (Eisleben 1568) und ‹Der gantz Psalter Dauids Gesangsweise› (1582) in diesem Sinne tätig.

LUTHERS Bemühungen erreichten ihren Gipfel in der Prachtausgabe der ‹Geystlichen Lieder. Mit einer newen vorrhede D. Mart. Luth[ers] (Leip-zig, VALENTIN BABST 1545), einer Erweiterung des Gesangbuches von KLUG mit insgesamt 124 Liedern. Die Vorrede LUTHERS betont die wer-bende Kraft des evangelischen Liedes. Außer Liedern von MICHAEL WEISSE bringt es aus dem ältesten Wittenberger Bestand Lieder von HANS SACHS, LAZARUS SPENGLER, KONRAD HUBERT, PAULUS SPERATUS und JOHANNES AGRICOLA.

Zur Verbreitung der reformatorischen Liedweise trug besonders GEORG RHAW (1488–1548) bei. Er war von Leipzig, wo er als Thomaskantor gewirkt hatte, nach Wittenberg übergesiedelt und eröffnete dort 1525 eine Musikaliendruckerei. Seine für den Kantoreigebrauch bestimmte Sammlung ‹Newe deudsche geistliche Geseng mit vier und fünf Stimmen› (1544) bot eine Auswahl von 123 Tonsätzen der namhaftesten musikalischen Zeitgenossen.

Ganz anders verhalten sich die Dinge in Straßburg. Dort gab man zwar früh die Brüderlieder heraus, pflegte aber in den eigenen Gesangbüchern eine streng liturgisch-biblizistische Haltung; so etwa im ‹Deutsch Kirchenamt› (1525) und in ‹Psalmen, Gebet und Kirchenübung› (1526), und ließ sich später durch Konstanzer und täuferische Einflüsse bereichern. Der ‹New gesang psalter› (1538) brachte zuerst den gereimten Psalter, dann erst die üblichen geistlichen Lieder. Hervorzuheben ist das großformatige Straßburger Gesangbuch von 1541 mit Vorrede von BUCER. Die Ausgabe des Großen Kirchengesangbuches, Straßburg 1560, besorgte KONRAD HUBERT (1507–1577), Kanonikus zu St. Thomas in Straßburg.

JOHANNES ZWICK († 1542), Pfarrer zu Riedlingen, 1525 Prediger zu Konstanz, besorgte das 1540 bei FROSCHAUER in Zürich erschienene ‹Nüw gsangbüchle›. Es enthält Lieder, die z. T. in der Kirche, z. T. außerhalb anstatt «der üppigen und schandtlichen wältliederen» gesungen werden sollen. Zur Verdrängung weltlicher Lieder bestimmt waren auch HEINRICH KNAUSTS ‹Gassenhawer, Reuter vnd Bergliedlein, Christlich moraliter, vnnd sittlich verendert› (Frankfurt a. M. 1571), d. s. Kontrafakturen im volkstümlichen Ton.

VALENTIN TRILLER (ca. 1493–1573), evangelischer Pfarrer in Panthenau, schuf ein Chorbuch für den Dorfgebrauch: ‹Ein Schlesisch singebüchlein› (1552; Breslau 1555 und 1559). Es enthält 152 von TRILLER stammende Texte, die auf der LUTHER-Bibel fußen. An Melodien gebraucht er: 5 reformatorische, 25 weltliche Kunst- und Volksweisen, mittelalterliche Hymnen, Cantionen, Antiphonen, Leise u. ä.; die 10 zwei- und 47 dreistimmigen Sätze sind z. T. Kompositionen des 14. Jahrhunderts. Von THOMAS HARTMANN stammt ‹Der kleine Christenschild. Hand-, Haus-, Reise-, Gesang- vnd Betbüchlein› (1562); von WOLFGANG AMMON, Pfarrer in Dinkelsbühl, ein ‹Neuw Gesangbuch, Teutsch vnd Lateinisch› (Frankfurt a. M. 1571). Die Lieder des LUTHER-Biographen JOHANNES MATHESIUS (1504–1565) aus Rochlitz in Böhmen vereinigt die Sammlung ‹Schöne geistliche Lieder›, herausgegeben von FELIX ZIMMERMANN (Nürnberg 1580). Als Pfarrer zu Wetten gab JOHANNES RAUW, RAVIUS († 1600) 1589 ein ‹Gesangbuch› mit meist vierstimmig von ihm gesetzten Melodien heraus. NIKOLAUS SELNECKERS (vgl. S. 366) ‹Christliche Psalmen, Lieder vnd Kirchengesenge› (Leipzig 1587) umfassen Eigenes und Lieder anderer Dichter. Doch damit ist der unserer Darstellung gesetzte Zeitraum bereits überschritten.

Zum späteren evangelischen Kirchenlied gehört auch LUDWIG HELM-
BOLD (1532–1598) aus Mühlhausen in Thüringen, ein Humanist, der die
lateinische Schulpoesie geistlichen und moralischen Inhaltes pflegte, aber
auch zahlreiche deutsche Lieder dichtete, wie das Vertrauenslied ‹Von
gott will ich nicht laßen› (1563) oder das Danklied ‹Nun last uns Gott
dem Herren›. HELMBOLDS in mehreren Sammlungen vereinigte Lieder
wurden von JOHANN ECKARD und JOACHIM VON BURGK vertont.

Die Versifizierung der Psalmen durch BURKHARD WALDIS, ‹Der Psalter,
In Newe Gesangs weise, vnd künstliche Reimen gebracht› (Frankfurt a. M.
1553), mit vierstimmigen Sätzen von J. HEUGEL, und durch SIGMUND
HEMMEL, ‹Der gantz Psalter Dauids, wie derselbig in Teutsche Gesang
verfasset› (Tübingen 1569), wurden bald durch das Psalmwerk von
AMBROSIUS LOBWASSER (s. u.) infolge seiner gefälligeren Tonsätze in den
Hintergrund gedrängt.

In *musikalischer Hinsicht* lagen bei JOHANN WALTHER die Tonfolgen
und Weisen gewöhnlich im Tenor. Eine von der Wittenberger Weise un-
abhängige Melodik kam mit dem Gesangbuch der Böhmischen Brüder.
Unter den mehrstimmigen Werken ragt die Sammlung GEORG RHAWS
hervor. Das erste evangelische Choralbuch schuf LUKAS OSIANDER (1534
bis 1604), Hofprediger Herzogs LUDWIG VON WÜRTTEMBERG, durch seine
‹50 geistliche Lieder und Psalmen ... kontrapunktsweise ...› (Nürnberg 1586).

In die rasch nacheinander erscheinenden Wittenberger, Erfurter, Leipziger Gesangbücher bis zum Babstschen Gesangbuch (1545) floß aus dem
niederdeutschen Gebiet und aus den oberdeutschen Städten ein erprob-
ter Liederbestand zusammen. In diesen wesentlich lutherischen Kirchenliedern um 1550 herrschen die Psalmenlieder vor; die Niederdeutschen
waren im liturgischen Lied führend; in den Anfängen pflegte man das
evangelische Lehrlied. Den Kern des Babstschen Gesangbuches bildet ein
z. T. vorreformatorischer Kanon von Festliedern.

Das gottesdienstliche Lied der Reformierten, Zwinglianer und Calviner,
beruht ausschließlich auf Bibelpartien, genauer gesagt auf dem Psalter.
Das *calvinische Gesangbuch* ist daher im wesentlichen Psalmenübersetzung. Die Entstehung dieser Art von Kirchenliederbuch reicht bis 1532
zurück. Damals begann der reformatorisch gesinnte Hofdichter FRANZ' I.
VON FRANKREICH, CLÉMENT MAROT, biblische Psalmen in französische gereimte Verse zu übersetzen. CALVIN selber gab während seiner Straßburger Zeit dreizehn der Übertragungen MAROTS mit acht eigenen Dichtungen in der Sammlung ‹Aulcuns Pseaulmes et Cantiques, mys en chant›
(Straßburg 1539; 2. Ausg. 1542) heraus. Auch nach seiner Rückkehr in die
Schweiz war CALVIN in Genf um den volkssprachlichen Psalmengesang
bemüht. Das 1562 vollendete französische Psalmenbuch (49 von MAROT,

101 von CALVINS Nachfolger, THÉODORE DE BÈZE), das bald für die an-
derssprachigen Calviner in ihre Landessprache übersetzt wurde, ist das
offizielle calvinische Gesangbuch. Von 1562 bis 1565 erschienen 63 Ausgaben dieses *Genfer Psalters*. Die dritte Auflage in der Vertonung durch
CLAUDE GOUDIMEL wurde teilweise von PAUL SCHEDE MELISSUS (1572)
und vollständig von AMBROSIUS LOBWASSER ins Deutsche übertragen.
Diese letztere Übersetzung ‹Der Psalter des Königlichen Propheten
Dauids, In deutsche reymen verstendiglich vnd deutlich gebracht› (vor
1565, gedr. Leipzig 1573) erreichte über 60 Auflagen und blieb bis ins
18. Jahrhundert die Grundlage aller reformierten Gesangbücher.

Auch die *Sekten* hatten ihre Gesangbücher. Waren die Gemeinden klein
und arm, so wurde das Liedgut meist nur handschriftlich überliefert.
Doch sind auch zahlreiche Gesangbücher der Sekten gedruckt worden.
Das früheste aus Täuferkreisen ist vermutlich das ‹Geistliche Liederbuch› des (1529–1536) DAVID JORIS. Er kam von MELCHIOR HOFMANN,
SEBASTIAN FRANCK und der deutschen Theologie zu den Täufern. Schon
vor dem Straßburger Gesamtpsalter von 1538 ließen die Täufer von
Augsburg und Umgebung mehrere ähnliche Werke drucken. Der ‹Außbund Etlicher schöner Christlicher Geseng, wie die in der Gefengnuß
zu Passaw im Schloß von den Schweitzern, vnd auch von andern recht-
gläubigen Christen hin vnd her gedicht worden› (vor 1571; erste bekannte Ausgabe 1583) besteht aus zwei Teilen. Der ältere ist der zweite
Teil mit 51 Liedern jener Schweizer Brüder, die man 1535 in Passau eingekerkert hatte, darunter 12 Lieder von HANS PETZ und 11 Lieder von
MICHEL SCHNEIDER. Der erste Teil entnahm 5 Lieder dem Gesangbuch
der Böhmischen Brüder, 11 sind Übersetzungen aus dem niederländischen Gesangbuch ‹Het Offer des Heeren› (1563), weitere 11 sind ebenfalls Übersetzungen aus dem Niederländischen, die meisten anderen behandeln den Tod einzelner Schweizer Brüder. Der ‹Außbund› wurde
vom 16. bis ins 19. Jahrhundert immer wieder neu gedruckt. Zu diesem
Gesangbuch der Brüder trat eine Reihe kleinerer Liederdrucke, meist
dogmatischen oder erbaulichen Inhaltes. Die 1914 erschienene Ausgabe
‹Die Lieder der Hutterischen Brüder› umfaßt 344 Nummern. Ihre namhaftesten Dichter waren PETER RIEDEMANN und HANS RAIFFER.

Der Katholizismus hatte bereits vor Ausbruch der Reformation Sammlungen geistlicher Lieder. Gleichwohl veranlaßten nun die evangelischen
Gesangbücher katholische und im weiteren Gefolge die Ausbildung eines
katholischen Kirchenliedes. Die katholischen Gesangbücher boten nicht
nur lateinische und deutsche vorreformatorische Lieder, Rufe u. a. und
eigene Neudichtungen, etwa von SEBASTIAN BRANT, GEORG WITZEL u. a.,
sondern übernahmen auch evangelische Gesänge, teils original, teils über-

arbeitet. Die wichtigsten *katholischen Gesangbücher* stammen von MICHAEL VEHE und JOHANN LEISENTRITT. Neben diesen ist auch GEORG WITZEL als Sondererscheinung anzuführen. Erwähnenswert sind ferner die Tegernseer Gesangbücher von ADAM WALASSER 1574 und 1581 mit vielen volkstümlichen Liedern und Rufen, die gereimte Psalmenübertragung von KASPAR ULENBERG (Köln 1582), die Liederbücher des JOHANN HAYM VON THEMAR (Augsburg 1584, 1590) und das Innsbrucker Gesangbuch 1587, 1588 und 1589. Lokal begrenzt blieb noch der Tiroler ‹Hymnarius: durch das gantz Jar verteutscht, nach gewöndlicher Weyß und Art zu syngen, so yedlicher Hymnus gemacht ist› (Schwaz 1524).

MICHAEL VEHE gab in Leipzig 1537 unter Heranziehung eigener, zeitgenössischer und alter Texte und Melodien das erste katholische Gesangbuch mit Musiknoten heraus: ‹New Gesangbüchlin Geystlicher Lieder›. Es enthielt 52 Texte; die zeitgenössischen Texte verfaßten u. a. KASPAR QUERHAMMER und GEORG WITZEL.

JOHANN LEISENTRITT (1527–1586) aus Olmütz, seit 1551 Kanonikus, 1559–1586 Dekan des Kollegiatsstiftes Bautzen, seit 1560 bischöflicher Generalkommissar der beiden Lausitzen, trat der Einführung der Lehre LUTHERS in den Lausitzen entgegen. Als fruchtbarer katholischer Schriftsteller verfaßte er Gebetbücher, Erbauungsschriften, Ritual- und liturgische Bücher, theologische Streitschriften. Er setzte sich für die Verwendung des Deutschen bei Spendung der Sakramente ein und wollte die Meßfeier in deutscher Sprache abhalten. Sein deutsches Kirchengesangbuch ‹Geistliche Lieder vnd Psalmen der alten Apostolischer recht vnd warglaubiger Christlicher Kirchen, so vor vnd nach der Predigt, auch bei der heiligen Communion, vnd sonst in dem haus Gottes, zum theil in vnd vor den Heusern ... mögen gesungen werden› (zwei Teile, Bautzen 1567) wurde für Deutschland bahnbrechend. Es enthält 251 Gesänge und 137 Melodien; 1573 folgte eine zweite, 1584 eine dritte Auflage mit 347 Texten und 247 Melodien.

Der Erasmianer und Vermittlungstheologe GEORG WITZEL (vgl. S. 93) förderte das geistliche Lied durch seine ‹Odae christianae. Etliche Christliche Gesenge, Gebete und Reymen, für die gotsförchtigen Layen› (Mainz 1541) und den ‹Psalter ecclesiasticus. Chorbuch der Heiligen Catholischen Kirchen› (Mainz 1550).

Mit allgemeiner Teilnahme und nachhaltiger Ausdauer wurden im 16. Jahrhundert das *Kirchenlied und der erbauliche Gesang* gepflegt. Die in der theologischen Polemik aufkommende scharfe Scheidung ist auf dem Gebiet der geistlichen Lieddichtung zunächst nur in geringem Umfang vorhanden. In die Sammlungen wurden alte katholische Dichtungen, Lieder der Mährischen Brüder, Lieder der Lutheraner und der Reformierten, Gesänge von Wiedertäufern, Märtyrerlieder und Lieder von allerlei Sektierern ohne strenge Auswahl aufgenommen. Aus den Einblattdrucken kamen die Lieder in die Gesangbücher und umgekehrt. Erst von der Mitte des 16. Jahrhunderts an macht sich ein konfessioneller Purismus bemerkbar, ohne aber durchdringen zu können.

3. Der Meistergesang

Wie Bd. IV/1, S. 218 ff. ausgeführt wurde, entfaltete sich nach einer spruchdichterischen Vorphase im 14. und fahrenden Spruchdichtern im 15. Jahrhundert neben den Ausläufern des ritterlich feudalen Minnesangs in den Städten ein seßhafter bürgerlicher *Meistergesang*. Seine erste Phase bildeten aus Laien bestehende *Singbruderschaften*, die von Geistlichen unterrichtet wurden und sich bei ihrer Liedpflege der deutschen Sprache bedienten. Dieser noch kirchlich bestimmten, aber im Zusammenhang mit den Laienbewegungen des späten Mittelalters stehenden Bruderschaftsorganisation folgte mit dem Erstarken der Zünfte eine handwerkliche Ausgestaltung zu Vereinigungen von Liebhabern der Sing- und Dichtkunst in zunftmäßiger Organisation. Man ging von der gemeinsamen Liedpflege über zu eigener Dichtung. Äußerlich die Tradition des Minnesangs und der Spruchdichtung aufnehmend, pflegten diese Handwerker eine Dichtung, die gehaltlich der gesellschaftlichen Stellung und den Welt- und Lebensanschauungen mittleren Stadtbürgertums entsprach. Während dieser zweiten Phase wird der Meistergesang in den aus verschiedenen Vorformen entstandenen *Singschulen* gepflegt. Neben den Mitgliedern aus den Kreisen der Handwerksmeister kamen manche auch aus dem Lehrberuf; das gebildete und noch halb adelige Patriziat hielt sich davon zurück. Unter Singschule verstand man in erster Linie die Vereinigung der Meistersinger einer Stadt, dann aber auch die einzelne Singveranstaltung, sei es ein Wettsingen erst noch in der Kirche, dann im Rathaus. Die Singschulen als Vereinigung waren gemäß dem bei den Handwerken üblichen Brauch in die bekannten Stufen gegliedert: Schüler, Schulfreund und reproduktiver Singer, Dichter, poetisch und musikalisch schaffender Meister, Merker. Der Meister war berechtigt, einen von ihm geschaffenen Ton mit einem Titel zu benennen. Diese Singschulen bestimmten Form, Gehalt und Zielsetzung des Meistergesanges. Die Form war das Lied. An Stoffen werden bis gegen 1500 religiöse Themen bevorzugt, dann aber auch weltliche, besonders geschichtliche Stoffe zugelassen. Man bezweckte Erbauung, Belehrung, Kunsterprobung und Unterhaltung. Die Regeln und Vorschriften der für erlernbar gehaltenen Dichtkunst und für die Vertonungen waren in der *Tabulatur* festgelegt. Bald nach 1500 dehnten manche Meistersingerzünfte ihre Kunstübung von der Lied- und Spruchdichtung aus auf das dramatische Gebiet, so daß sowohl einzelne Meistersinger sich als

Dramatiker betätigten als auch Singschulen Spielaufführungen veranstalteten.

Dieser *Meistergesang der Zünfte* ist demnach zu Beginn des 16. Jahrhunderts bereits *schulmäßig organisiert und weit verbreitet*. Seine stärkste Entfaltung erreichte er, gefördert von der wirtschaftlichen und gesellschaftlichen Erstarkung des handwerklichen Stadtbürgertums, aber erst im Zeitalter der Reformation. Wie nicht anders zu erwarten, haben die Veränderungen im Religiösen auch die Thematik und Zielsetzung des Meistergesanges entsprechend beeinflußt, zumal seine hauptsächlichen Pflegegebiete sich der lutherischen Glaubensrichtung anschlossen.

Die gesamte Wesensart und die rasche Ausbreitung des Meistergesanges führten dazu, daß auch *außerhalb der Singschulen* zahlreiche Dichtungen entstanden, von Meistersingern oder nichtzünftigen Poeten, welche nach den Regeln der Poetik und Musiklehre der Meistersinger gefertigt waren, und daß es Dichter gab, die keiner Singschule angehörten, jedoch formal oder teilweise auch geistig in die Nähe des Meistergesanges gehören. Auch viele Kirchenlieder sind nach Meistersingerregeln gedichtet.

Der Meistergesang war eine kunstpflegerische Nebenbeschäftigung von Handwerkern. Seine zunftbürgerliche Gebundenheit, die gesellschaftliche und ideologische Begrenztheit seiner Mitglieder, die Enge der Teilnehmerkreise hielten ihn zunehmend außerhalb des lebendigen geistigen und literarischen Lebens der Zeit. Der Regelzwang und die häufig vorhandene phantasielose Nüchternheit verhinderten bedeutendere künstlerische Leistungen. Die gegen Ende der Epoche einsetzende Stagnation des Zunftwesens führte schließlich zu seinem Verfall.

Infolge seiner Abgeschlossenheit und mangels Kontaktes mit der zeitgenössischen Dichtkunst hat der Meistergesang die weitere Entfaltung der Literatur des 16. Jahrhunderts nicht mitgemacht, sondern blieb konservativ bei seiner Kunstübung stehen. Als HANS GLÖCKLER in Nürnberg 1583 bei dem Versuch einer inneren Reorganisation die alte Schulordnung neu bearbeitete, geschah dies nicht im Sinn einer neuen Generation, sondern es wurde die genaue Beachtung der alten Vorbilder wieder eingeschärft. Man fertigte eifrig nach den Regeln Gedichte an, sammelte Lieder und schrieb sie ab, hatte aber keine dichterischen Talente. Wegen der starren Konvention treten wohl viele Singschulen, aber nur wenige eigene Persönlichkeiten in Erscheinung. Von ihnen seien genannt: in Nürnberg HANS SACHS, HANS VOGEL, ADAM PUSCHMANN; in Augsburg ONOPHRIUS SCHWARZENBACH, JOHANNES SPRENG, DANIEL HOLTZMANN; in Breslau WOLFGANG HEROLD. Sonst schafft meist nur die Mittelmäßigkeit. Im folgenden können lediglich die Hauptorte mit Singschulen, die namhaftesten Dichter und besonders bemerkenswerte Lieder angeführt werden.

a) Als Schulkunst. Seine Ausbreitung über das deutsche Kulturgebiet.
Hans Sachs

Der *Meistergesang*, wie er am Anfang des 16. Jahrhunderts an HANS
FOLZ in Nürnberg in Erscheinung trat, verbreitete sich im Laufe des
16. Jahrhunderts über viele Städte des deutschen Sprach- und Kultur-
gebietes vom Rhein bis zur Oder und Moldau und vollendet sich nun
als ausgesprochene *Schulkunst*. Er ist ein städtisch-zünftlerisches Gegenstück zu der von den Universitäten und höheren Schulen ausstrah-
lenden neulateinischen Dichtung der Akademiker. Infolge der vielen einzelnen Singschulen ist die Zahl der Meister beinahe unübersehbar. Die
Veranstaltungen sind: Hauptsingen, Zechsingen, Fest-Schulen. Der
Stoffkreis der Meistergesänge wird wesentlich erweitert. Beim Hauptsingen wurden auch weltliche ernste Stoffe gestattet; man schöpfte aus Sage
und Geschichte sowie der eigenen Gegenwart. Nach Anschluß der Bür-
gerstädte an die Reformation ist der Inhalt weitgehend religiöser Art
oder zeigt Eintreten für den neuen Glauben. Erst allmählich nehmen
die weltlichen Stoffe wieder zu. Es werden Roman- und Novellenstoffe
in vielstrophige Meisterlieder umgedichtet. Um derart umfangreiche
Versgebilde (15 und mehr Strophen) lebhafter zu gestalten, teilte HANS
SACHS solche Zyklen in Triaden mit verschiedenen Tönen ein, wie etwa
‹Tristan und Isolde› in 15 Strophen zu je 5 × 3 Tönen. Ein weiterer
Schritt war, daß HANS SACHS dann überhaupt nur Strophen in wechseln-
den Tönen lieferte, so etwa den ‹Oktavian› in sechs Strophen und Melodien. Dieses Vorgehen fand viele Nachahmer. Noch im Barock versifizierte und vertonte AMBROSIUS METZGER OVIDS ‹Metamorphosen›
nach WICKRAMS Bearbeitung des ALBRECHT VON HALBERSTADT in 155
‹Liedern›. Auch Legendenstoffe und Fabeln wurden herangezogen; gerne
dichtete man Lieder zum Lobe der Kunst des Meistergesanges, die man
der zunehmenden Instrumentalmusik entgegenstellte. Beim Zechsingen
nahmen im Verlaufe des 16. Jahrhunderts die schwankhaften und
schlüpfrigen Stoffe zu: der ‹Eulenspiegel› und die Schwanksammlungen
der Zeit wurden ausgeschöpft. Auch BOCCACCIOS ‹Decamerone› und andere Renaissancenovellen fanden Bearbeiter. Die Bauern und Landsknechte, zänkische und buhlerische Frauen wurden vorgenommen; in
den protestantischen Singschulen bot noch immer der katholische Klerus
ein beliebtes Objekt der Angriffe.

In der Poetik wird das Hauptgewicht gelegt auf metrisch-musikali-
sche Exaktheit, Reinheit der Reime, Sprachrichtigkeit und inhaltliche
Qualität. Die Hauptmasse der Regeln in der *Tabulatur* sind Reimre-
geln. Der Meistersinger muß vor allem kunstgerecht reimen lernen. Im
weiteren ist der Meistergesang betonte Verskunst. Der Meistersinger
mußte auch imstande sein vorzutragen. Die sprachlichen Vorschriften

zielen auf ein gutes Deutsch im Sinn der Kanzleisprache und LUTHERS Bibeldeutsch. Einer der Merker soll ein ‹grammatikstudierter› Mann sein. Die inhaltlichen Vorschriften wünschen auch, daß einer der Merker Theologe sei oder gründlicher Kenner der Bibel. Überall steht das Normhaft-Allgemeine vor dem Eigenschöpferisch-Individuellen.

Bei der Entwicklung der Singschulen erscheint der Ausgangsort Mainz gewesen zu sein. Doch auch in Straßburg und Worms existierten frühe Singbruderschaften. Durch Handwerksgesellen, die nach den Gesetzen ihrer Zünfte auf Wanderschaft gehen mußten, erfolgte im 15. Jahrhundert eine rasche Ausbreitung der neuen Sangespflege und Dichtart nach Süddeutschland und in die mitteldeutschen Städte, wo ein gut entwikkeltes Handwerk vorhanden war, aber auch nach Ostdeutschland, Schlesien und Mähren. Norddeutschland und die meisten österreichischen Länder scheinen sich vom Meistergesang ferngehalten zu haben. Ebenso fand er in der Schweiz keinen rechten Anklang.

Hauptort und Zentralfigur sind Nürnberg und HANS SACHS (1494 bis 1576). Er ist in Meistergesang, Schwankerzählung, Historie, Fabel, Tragödie, Komödie und Fastnachtspiel, Dialog und Kampfgespräch unermüdlich tätig – ein Dichter von immensem Arbeitsfleiß und Produktionseifer.

HANS SACHS war der Sohn des nach Nürnberg eingewanderten Schneiders JÖRG SACHS. Der Knabe besuchte von 1501 bis 1508 die städtische Schule, kam mit 15 Jahren zu einem Schuhmacher in die Lehre und wurde durch den Leinweber LIENHART NUNNENBECK in die Grundlagen des Meistergesanges eingeführt. Nach Beendigung der Lehrzeit begab er sich 1511–1516 auf Wanderschaft und gelangte dabei durch Bayern nach Österreich, Franken, in die Rheingebiete, die Niederlande und nach Mitteldeutschland, Thüringen, Sachsen. In Frankfurt a. M. wurde er nach Ablegung der verlangten Examina in die Zunft der Meistersinger aufgenommen. Dieser Landschafts- und Erlebnisraum blieb entscheidend für sein Weltbild. Nach eigener Aussage wurde ihm im oberösterreichischen Wels die Berufung zum Dichter zuteil. In dem Gespräch ‹Die Neun gab Muse› vom Jahre 1536 sagt die erste Muse Klio zu ihm:

> O jüngling, dein dienst sey,
> Das dich auff teutsch poeterey
> Ergebest durch-auß dein leben lang,
> Nemblichen auff meistergesang,
> Darinn man fürdert Gottes glori,
> An tag bringst gut schrifftlich histori,
> Dergleichen auff trawrig tragedi,
> Auff spil und fröliche comedi,
> Dialogi und kampff-gesprech,
> Auff wappenred mit worten spech,
> Der fürsten schilt, wappen pleßmiren,
> Lobsprüch, die löblich jugent zieren,
> Auch aller art höflich gedicht
> Von krieg und heydnischer geschicht,
> Dergleich auff thön und melodey,

Auff fabel, schwenck und stampaney,
Doch alle unzucht auß-geschlossen,
Darauß schandt und ergernuß brossen.

Auffällig bei der Aufzählung dieser neun zu pflegenden Gattungen der deutschen Dichtkunst ist die Nennung von Wappenblasonierung, Ehrenrede und aller Art hofgemäßer Gedichte.

Wieder in Nürnberg, heiratete HANS SACHS 1519 die 17 Jahre alte KUNI-GUNDE CREUTZER aus Wendelstein; 1520 wurde er Meister im Schuhmacher-handwerk. Daneben machte er sich an die Erneuerung der durch Streit und Mißgunst gestörten Meistersingerschule. Mit Entschiedenheit schloß er sich der lutherischen Bewegung an. Als Ausdruck seiner Zuwendung zur Reformation entstanden Sprüche, Lieder und Dialoge, wie: ‹Die Wittenbergisch Nachtigall, die man ietz höret vberall› (1523), vier Prosadialoge, darunter die ‹Disputa-tion zwischen einem Chorherren vnd Schuhmacher darinn das wort gottes vnnd ein recht Christlich wesen verfochten würdt› (1524) und ‹Eyn gesprech von den Scheinwercken der Gaystlichen, vnd jren gelübdten› (1524) u. a. Als er 1527 zu einer Holzschnittfolge ‹Eyn wunderliche Weyssagung, von dem Bab-stumb, wie es yhm biß an das endt der welt gehen sol› vierzeilige Reime dich-tete, in denen der Untergang des Papsttums prophezeit und LUTHERS Refor-mation verherrlicht wurde, beschlagnahmte der vorsichtige Rat Nürnbergs die Auflage und vermahnte den Dichter, «seines Handwerks und Schuhmachens zu warten», sich des Reimemachens und Bücherschreibens jedoch hinfort zu enthalten.

Nach 40jähriger Ehe starb 1560 die Frau. HANS SACHS hat ihr das Gedicht ‹Der Wunderliche Traum› gewidmet. Im Jahre 1561 vermählte er sich ein zweites Mal: mit der 27jährigen Witwe BARBARA HARSCHER. Alle sieben Kin-der aus erster Ehe starben vor dem Vater. Seine menschliche Erscheinung ist durch zahlreiche Bildnisse überliefert: einen Holzschnitt von HANS BROSAMER (1545), ein Ölbild von ANDREAS HERNEISEN, das den 80jährigen darstellt, Kupferstiche von BALTHASAR JENICHEN (1567) und JOST AMMAN (1576) und eine zeitgenössische Medaille.

HANS SACHS war einer der fruchtbarsten Dichter der deutschen Li-teratur, Lyriker, Epiker und Dramatiker. Er pflegte alle Gattungen in volkstümlicher Form für ein mittleres und kleinbürgerliches Publikum. HANS SACHS übertraf die früheren Nürnberger Dichter wie FOLZ und ROSENPLÜT, die älteren Meistersinger und seine Zeitgenossen an Fülle und Umfang des Stoffes, Mannigfaltigkeit der Formen und sittlichem Ernst. Alles, was Sitte und Zucht zuwiderlaufe, hat er nach eigener Aus-sage von seiner Dichtung ausgeschlossen. Das hinderte ihn aber nicht, mit scharfem Blick für reale Einzelheiten die Derbheit seiner Zeit un-befangen abzuschildern. Niemals rang er irgendwie und längere Zeit mit seinen Stoffen, sondern produzierte leicht und rasch. Als er 1567 eine gereimte ‹Summa all meiner Gedicht› zusammenstellte, hatte er bis dahin über 6000 Dichtungen verfaßt: 4275 Meistergesänge in 275 ver-schiedenen (davon 13 eigenen) Tönen, ungefähr 1700 Reimpaardichtun-gen, unter ihnen 208 Spiele, 73 geistliche und weltliche Lieder mit 16 eigenen Tönen, darunter 7 Prosadialoge. Sechs dieser Dialoge haben sich erhalten – die einzige Prosa, die es von HANS SACHS gibt. Alle Werke schrieb er selbst in 34 Foliobände zusammen. Davon sind 14 heute noch in Zwickau, andere in Nürnberg, Dresden, Leipzig, Berlin, den USA. Von den etwa 6205 Werken, die HANS SACHS nach EDMUND GOETZE insgesamt geschrieben hat, fallen auf jedes Jahr seiner literarischen Tätigkeit etwa 114 größere und kleinere Dichtungen. Gedruckt erschienen die Dichtungen in einer Sammelausgabe bei CHRISTOPH HEUSSLER in Nürnberg: 1. Bd. 1558, 2. Bd. 1560, 3. Bd. 1561, 4. Bd. 1578, 5. Bd. 1579. Die Meistergesänge wurden nicht aufgenommen. Die Ausgabe ist wiederholt gedruckt.

HANS SACHS ist einer der stoffreichsten deutschen Dichter, aber er gestaltet seine Stoffe weniger, er reproduziert sie. Die Grundlage seiner Arbeit boten das Mittelalter, die Volks- und Schwankbücher, die Antike, Humanismus und Renaissance, zeitgenössische Vorkommnisse. Die Mehrzahl der Stoffe bezog er aus der Lektüre. Durch eine umfassende Belesenheit bemächtigte er sich nahezu aller damals erreichbar gewesenen Stoffe der Weltliteratur. In ihrer Reproduktion für das einfache Volk liegt sein historisches Verdienst. Die Humanisten arbeiteten mit ihren Verdeutschungen für den Adel und die Patrizier der Städte, HANS SACHS vermittelte das literarische Bildungsgut den Handwerkern und der Unterschicht. Für seine Stoffwahl verstand er es geschickt, die Übersetzungsliteratur zu nützen. Die Bibel las er in der Übertragung LUTHERS, die ‹Aeneis› von VERGIL in der Übersetzung von THOMAS MURNER, HOMERS ‹Odyssee› in der Übertragung von SIMON SCHAIDENREISSER, er kannte LIVIUS, OVID, HERODOT, XENOPHON, PLUTARCH; er befaßte sich mit den Kirchenvätern und las im Koran. Von der italienischen Renaissance-Literatur wußte er um PETRARCA und BOCCACCIO; das ‹Decamerone› benützte er in der Übersetzung SCHLÜSSELFELDERS, das ‹Buch der berühmten Frauen› in der Übertragung STEINHÖWELS. Von historischen und kosmographischen Schriftwerken der Zeit waren ihm u. a. bekannt: das ‹Buch der Chroniken und Geschichten› (1493) HARTMANN SCHEDELS, das deutsche ‹Chronicon Germaniae› (1538) des SEBASTIAN FRANCK, die mit Karten versehene ‹Cosmographia universalis› (deutsch 1541). Teilweise kannte er auch REUCHLIN, ERASMUS, MELANCHTHON. In ihm lebte noch vieles von der Literatur des späten Mittelalters. HANS SACHS übernahm die Stoffe und gab ihnen eine deutsche volkstümliche Fassung. Er war der Ansicht, jeder Stoff sei in jeder beliebigen Form darstellbar. Das Thema von den ‹Ungleichen Kindern Evas› z. B. hat er viermal bearbeitet: als Meisterlied (1547), als Fastnachtspiel (1553), als Komödie (1553), als Schwank (1558). Über den Bücherbestand seiner Bibliothek gibt ein eigenes Verzeichnis vom Jahre 1562 Auskunft.

Als Dichter begann HANS SACHS mit Lyrik und Meistergesängen. Und vom Meistergesang aus wird am besten auch sein anderes Schaffen aufgerollt. Sein erstes datiertes Gedicht stammt vom 1. September 1513 und ist das ‹Buhlscheidlied› (‹In dem hofton Brenbergers›), ein Lied, das den Abschied von der Geliebten zum Thema hat. Es wurde nicht als Meisterlied angesehen, sondern als ein spätritterliches Minnelied, denn es war ‹in kürczen Hoff dönlein› gedichtet. In München dichtete er 1514 sein ‹erst Bar› im langen MARNER-Ton, genannt ‹Gloria patri, lob vnd ehr›. Auch im weiteren war HANS SACHS Lyriker, vor allem Meistersinger. Er folgte dabei zunächst den überlieferten Formen und Stoffen. Seine Thematik wird durch schulmäßige Stoffe, Literarisches und Persönliches bestimmt: Gotteslehre, Bibel, Sakramente, Marienpreis, Fragen der Meistersingerzunft, Lob der Vaterstadt, Eindruck der Wanderjahre, Geschichte, Türkengefahr, Gegenwartsfragen, große und kleine Vorgänge, Volksliedartiges, Liebeslied, Stoffe aus Roman- und Novellenvorlagen (z. B. aus dem ‹Ritter von Turn›). Wichtig ist, daß HANS SACHS die Thematik über das Religiöse nach der weltlichen Seite erweiterte. Die meisten Gedichte haben eine moralische, pädagogische oder politische Nutzanwendung. Obwohl in ihrer Gesamtheit nicht zum Druck gedacht, wurden die Meisterlieder doch teilweise in Einzeldrukken verbreitet: ‹Ein kleglich lied, von eines Fürsten tochter vnd einem Jüngling, die von lieb wegen beyde jr leben haben verloren›, ‹Ein new Lied, Von eines Ritters Tochter, der jr Bůl an jren armen starb›, ‹Die zwölff durchleuchtige Weyber des alten Testaments›, ‹Ein schön Lied von dem Pfarher im federfaß›, ‹Die Zerstörung Jherusalem›, ‹Der Reich Jüngling›, ‹Wie der Engel Marie den gruß bringt›, ‹Tristan und Isolde›. HANS SACHS hat wesentlich zur Reform der Nürnberger Meistersingerschule beigetragen. Er brachte sowohl eine stoffliche Erweiterung als auch einen frischeren Rhythmus in die Kunstgattung.

Von den Tönen, die HANS SACHS selbst erfand, seien genannt: die ‹Silberweis› (1513), der ‹Gülden Ton›, die ‹Hohe Bergweis›, die ‹Morgenweis› oder ‹Tagweis›, der ‹Kurze Ton›, der ‹Lange Ton›, die ‹Spruchweis›, der ‹Rosenton›. Im ganzen sollen es sechzehn Melodien gewesen sein.

Unter dem Einfluß der Reformation wandte HANS SACHS sich auch der geistlichen Lieddichtung zu, offenbar auf LUTHERS Aufruf hin, ihm für das deutsche Gesangbuch Beiträge zu liefern. Die Lieder erschienen z. T. in Einzeldrucken, z. T. in Sammlungen: ‹Das Liedt Maria zart, verendert vnd Christlich Corrigiert› (‹O Jesu zart, götlicher art›) (1524), ‹Die Fraw von hymmel›, verändert in ‹Christum von hymel rüff ich an› (1524), ‹Wach auff in Gottes namen du werde Christenheyt› (1524), ‹Ach Jupiter hetst duß gewalt›, verändert in ‹O Gott vater du hast gewalt› (1524), ‹Etliche geystliche, in der schrifft gegrünte lieder für die layen zu singen› (1525 u. ö.), ‹Dreytzehen Psalmen zůsingen, in den vier hernach genotirten thönen› (1526), ‹Wir glauben all an eynen gott› (der christliche Glaube in 12 Strophen) u. a. Das Lied ‹Wach auff, meins hertzen schöne, du christenliche schar› ist bis in die Gegenwart in manchen Gesangbüchern zu finden. In seiner Spätzeit setzte HANS SACHS noch den ganzen Psalter in Reime. Als LUTHER starb, dichtete er ‹Ein Epitaphium oder Klagred ob der Leych M. Luthers›.

In einer Vision, die er gehabt, läßt er ‹Frau Theologia› den Tod des Reformators beklagen:

> O du trewer und küner heldt,
> Von Gott, dem Herren, selb erwelt,
> Für mich so ritterlich zu kempffn,
> Mit Gottes wort mein feind zu dempffn,
> Mit disputirn, schreybn und predigen,
> Darmit du mich denn thetst erledigen
> Auß meiner trübsal und gezwencknuß,
> Meyner babylonischen gfencknuß,
> Darinn ich lag so lange zeyt . . .

Der Dichter tröstet die ‹Theologia›:

> Du heylige! sey wolgemut!
> Got hat dich selbs in seyner hut,
> Der dir hat überflüssig geben
> Vil treflich männer, so noch leben.
> Die werden dich handhaben fein
> Sampt der gantz christlichen gemeyn;
> Der du bist worden klar bekand
> Schir durchauß in gantz teutschem land.

Zur didaktischen Spruchdichtung gehören: ‹Ein Tischzucht› (1534), ‹Erklerung der tafel des gerichts des Malers Apolles› (1534), ‹Die zwen vnd sibentzig namen Christi› (1540), ‹Der ganz hausrat› (1544). In der Nachfolge von PETER SUCHENWIRTS Lügenlob ‹Von Herrn Gumolf Lappen von Ernwicht› gehört das satirische Gedicht ‹Der vollen prueder wappen› (1540), in dem ein Herold dem Dichter ein Wappen «plesinirt»: Schild mit drei Würfeln, Fladen, Bratwürsten und Helm aus Stroh. Häufig aus Meisterliedern umgearbeitet sind die Städtegedichte auf Salzburg, München u.a. Als im 16. Jahrhundert beliebte Gattungen pflegte HANS SACHS auch die Fabel und die Historie (vgl. S. 158 und 166 f.). Er behandelte die Fabelstoffe in Spruchgedichten wie in Meistergesängen. Sein dramatisches Schaffen gehört in das Kapitel von den alten Spielgattungen zur Zeit der Reformation (vgl. S. 340 ff.).

HANS SACHS ist zwar die dominierende Erscheinung des Meistergesanges seiner Heimatstadt, aber er war nicht der einzige, der neben seinem Handwerk diese Dichtungsart pflegte, sondern er hatte eine ganze Reihe Mitstrebender. Es gab in *Nürnberg* im 16. Jahrhundert gleich drei Meistersinger mit Namen VOGEL. Der älteste, NIKLAS VOGEL, dichtete noch in den altüberlieferten Tönen. Erhalten von ihm ist eine in des SCHIL-

LERS ‹Hofton› abgefaßte Lied-Dichtung, die das Gleichnis vom verlorenen Sohn, eng an LUTHERS Text (LUK. 15) angelehnt, zum Thema
hat. HANS VOGEL († vor 1554), Taschner, erfand rund zwanzig neue
Weisen meist beträchtlichen Umfanges: Engelweis, frischen, gefangen
Ton, Glas-, Hund-, Jungfrau-, Klagweis, kurzen, langen Ton, Lilien-,
Reben-, Sauer-, Schalweis, Schatzton, schwarzen und strengen Ton, Süß-
weis, überlangen, verwirrten Ton, Vögelweis. Diese Töne waren sehr beliebt. HANS SACHS verfaßte in ihnen 282 Gedichte. Inhaltlich diente der
überwiegende Teil von HANS VOGELS Liedern der Bibeldichtung. Ihm
gelang es, das ganze Buch Jonas in einen dreistophigen Meistergesang
zu komprimieren. Seine weltlichen Gesänge meiden historische Stoffe
und bringen dafür melancholische Liebesgeschichten nach BOCCACCIO,
Schwänke über Mönche, Nonnen und böse Ehefrauen, u. a. über POG-
GIOS Eremita. VELTEN WILDENAUER nahm 1554 eine Sammlung der Lieder
HANS VOGELS in Angriff. Von MICHAEL VOGEL († 1576) berichten die
Nürnberger Ratsprotokolle, daß er mit SIXT LUDEL u. a. ‹Komödie agie-
ren› wolle. Von seinen Dichtungen wurde am bekanntesten das geistliche
Trostlied ‹Mach mich heilsam o Gote›. In Liederzyklen hat M. VOGEL
die ‹Geschichte von Apollonius› 1563 in neun Liedern, die ‹Von den
vier Liebhabenden› 1564 in sieben, den ‹Hugdietrich› 1566 in drei, den
‹Hug Schapler› 1571 in vier, ‹Mai und Beaflor› 1575 in sieben Gesängen erzählt, die in den verschiedensten Meistertönen abgefaßt sind. Zu
solchen Liederzyklen, die Volksbuchstoffe in Meistertöne fassen, gehören
u. a. auch HANS SACHSENS ‹Magelone›, MARTIN MAIERS ‹Ritter Trimu-
nitas›; 1588 wurde das Thema vom ‹Kaiser Octavian› unter die Teilnehmer eines Freisingens aufgeteilt.

Aus Schlesien stammte und dorthin kehrte wieder zurück der Hauptvertreter des sinkenden Meistergesanges, ADAM ZACHARIAS PUSCHMANN
(1532–1600) aus Görlitz.

Er lernte nach dem Besuch der Lateinschule das Schneiderhandwerk und
ging auf Wanderschaft. In Augsburg kam er bei SCHWARZENBACH und SPRENG,
seit 1555 in Nürnberg bei HANS SACHS in die Bereiche des Meistergesanges.
Der letztere würdigte ihn seines Umganges und seiner Unterweisung; 1570
war PUSCHMANN Kantor in Görlitz, Ende der 70er Jahre Sprach- und Rechenmeister in Breslau; Reisen und Sangesfahrten führten ihn an den Rhein,
nach Kolmar, nach Steyr, Olmütz und Iglau.

In Nürnberg dichtete PUSCHMANN 1556 sein erstes Lied und eignete
sich gegen 300 Weisen an. Die unter Mithilfe eines sachverständigen
Musikers nach dem Muster der *Kolmarer Handschrift* angelegte Sammlung ‹Ein genotiert Buch, darinnen über 300 alte und neue schöne Meistertöne oder Melodieen sind aufgenotiert und zu jeder Melodey ein
geistlich Lied geschrieben› (1587) enthält von PUSCHMANN 33 Töne
und 80 Lieder. Der theoretischen Seite seiner Kunst ist die Tabulatur

gewidmet, die PUSCHMANN nach dem Brauch in Nürnberg, Augsburg etc. zusammenstellte: ‹Gründtlicher Bericht des Deutschen Meistergesangs› (Görlitz 1571; 1584 und 1596 umgearbeitet). PUSCHMANN benennt seine Töne zumeist nach Vögeln. Etwa neun Zehntel der Lieder versifizieren LUTHERS Bibelübersetzung. Die weltlichen Lieder bringen die Tabulatur in Reime oder erzählen Schwänke nach WICKRAM und PAULI; als bestes gilt das ‹Elogium reverendi viri Johani Sachs› (1576), ein Lobspruch auf seinen Lehrer. Der ‹Gründtliche Bericht› ist der erste Versuch einer Gesamtdarstellung des meistersingerischen Regelgebäudes. PUSCHMANN ist ferner Verfasser einer ‹Comedia Von dem Patriarchen Jacob, Joseph vnd seinen Brüdern› (1580; gedr. 1592) nach LUTHERS Bibelübersetzung (Gen. 32 ff.).

Weiters gehörte der Nürnberger Singschule 1534–1548 der aus München stammende JÖRG SCHECHNER (ca. 1500–1572) an. Er hatte 1527/ 1528 als Taufgesinnter seine Heimat verlassen und war 1530 in Nürnberg als Färbermeister ansässig geworden. Lange Zeit einer der führenden Köpfe der Nürnberger Singschule war GEORG HAGER (1552–1634), gebürtiger Nürnberger, Schuhmacher und Schüler des HANS SACHS. Von ihm sind aus fast 1000 gedichteten Meisterliedern 659 bekannt. Er erfand 17 Töne. Wahrscheinlich ist er auch der Verfasser der ‹Comedi von dem Crocodil-Stechen zu Nürnberg›. Aus der Schweiz trat BENEDIKT VON WATT (1568–1616) 1591 in der Nürnberger Singschule auf.

Wie selbst kaum in Nürnberg stand in *Augsburg* der Meistergesang in der zweiten Hälfte des 16. Jahrhunderts in Blüte. Dem Geiste mancher Reformatoren entsprach es, daß die Meistersinger 1534 den Rat baten, ihnen zu erlauben, anstelle der antiken heidnischen Fabeln und Historien geistliche Lieder singen zu dürfen, so wie ihre Vorfahren schon sechshundert Jahre vorher getan hätten. Sie beriefen sich dabei auf eine alte, vom Rate vorher erhaltene Ordnung und ersuchten um die Zustimmung zur Abhaltung ihrer Schulen an den Sonntagen vor der Abendpredigt. Der Rat bewilligte ihnen die Barfüßerkirche; später bezogen sie eine Stube in der St. Jakobspfründe. Außer den Handwerkern waren unter den ordentlichen Mitgliedern sechs Schulmeister, zwei Schreiber, ein Student, ein Anwalt, ein Notar und ein Prokurator. Den künstlerischen Höhepunkt erreichte die Augsburger Schule durch ONOPHRIUS SCHWARZENBACH, MARTIN DIR und FRANK LUKAS, als bedeutendste Erscheinung gilt JOHANNES SPRENG. Die Stärke des Barchentwebers ONOPHRIUS SCHWARZENBACH lag weniger in seinen meist geistlichen Texten, sondern in einer Fülle verschiedener viel benützter Töne. Er war mehr eine musikalische denn poetische Begabung. Von ihm stammen: «eine Alber-, Barat-, kurze Blüh-, grobe Hoch-, Hochchor-, Klee-, Kreuz-, kurze, lange Maiblum-, Mohren-, frühliche Morgen-, neue, kurze Schlag-, goldne Thron- und überlange Tagweise». Das Beispiel für Beziehungen der Singschule zu den oberen und gebildeten Schichten in Augsburg ist der Übersetzer und Meistersinger JOHANNES SPRENG (1524–1601). Er hatte in Wittenberg den Magistergrad erreicht, lehrte in Augsburg einige Zeit am St. Annengymnasium die klassischen Sprachen, betrieb weitere Studien in Heidelberg und waltete schließlich als öffentlicher Notar in seiner Vaterstadt Augsburg. SPRENG verdankte seine dichterische Schulung dem Meistergesang und blieb ihm sein Leben lang treu. Von ihm sind von 1547–1599 mehr als 150 Liedertexte bezeugt, kein Ton. Stofflich behandelte SPRENG überwiegend Bibelpartien, zumeist nach LUTHERS Text, im einzelnen spielt dabei aber auch die Züricher Bibel eine große Rolle. Außer geistlichen Stoffen verwendete er Anekdoten und, seiner humanistischen Bildung entsprechend, HOMER und LUCREZ, HORAZ und OVID, LIVIUS, SUETON, JUSTINUS, VALERIUS MAXIMUS, PLINIUS, BOCCACCIO und PETRARCA; die Lieblingsquelle aber war PLUTARCH. Die Neigung, die Tatsachen moralisch und religiös auszudeuten, ist unverkennbar. Zu den auserlesenen Zwölf der Meistersinger in Augsburg gehörte ferner der protestantische Tendenzdichter MARTIN SCHROT (vgl. S. 151). Aus Augsburg stammte auch DANIEL HOLTZMANN (ca. 1536 bis ca. 1620), Meistersinger in Eßlingen, Kürschner in Wien und hier vermutlich gestorben. Er brachte nach einer Prosa-Übersetzung von 1520 die *Cyrillus-Fabeln* in deutsche Reime: ‹Spiegel der Natürlichen Weyßhait, durch den alten in Got gelerten Bischof Cyrillum mit fünff vnd neüntzig Fablen vnd schönen Gleichnussen beschriben, yetzund von newem inn Teütsche Reymen, mitt schönen Figuren, Auch hüpschen Außlegungen› (Augsburg 1571 u. ö.) und betätigte sich als Dramatiker.

Als sich in *Straßburg* 1597 die Meistersingerzunft neu konstituierte, widmete ihr CYRIACUS SPANGENBERG handschriftlich sein Buch ‹Von der kunst der musica, auch von auffkommen der meistersänger› (Straßburg 1598).

Außer diesen und den Bd. IV/1, S. 228 ff. weiters genannten Orten besaßen im 16. Jahrhundert namhafte Singschulen: Nördlingen (1506 bis 1634), Frankfurt a. M. (seit 1514), Ulm (1517–1839), Donauwörth (nach 1517), Rothenburg o. d. T. (1556 wiedererrichtet), Schwaz (1532 bis 1602), Zwickau (vor 1540), Steyr (1540–1616), Kolmar (seit 1546), Magdeburg (16. Jh.), Wels (1549–1601), Breslau (1571–1670), Iglau (1560/71–1620); die Singschule von Memmingen bestand von 1600 bis 1875. In Eferding läßt sich eine Singschule erst seit 1604 nachweisen, sie bestand aber vielleicht schon im 16. Jahrhundert. In anderen Städten, wie Görlitz, scheint es keine Singschulen gegeben zu haben, wohl aber lebten dort einzelne Meistersänger, die auf ihren Gesellenwanderungen in Süddeutschland die Kunst gelernt hatten und sie nach der Rückkehr in die Heimat oder nach erlangter Seßhaftigkeit weiterpflegten. In *Ulm* sangen die Meister nach Ausweis der Ratsprotokolle 1517 im Schulhaus, 1538 im Franziskanerkloster, 1547 in der Schaustube des

Rathauses, 1562 im Kürschnerhaus, 1570 in der Barchenschule. Die Ulmer Meister nannten ihre Vereinigung anfangs Bruderschaft und verfolgten eine stark religiöse Tendenz, die der Rat 1525 zu mäßigen suchte;
1530 trat die Stadt der Augsburger Konfession bei; 1543 hatten die
Meister ihre Lieder zur Zensur den ‹Religions-Herren› vorzulegen. Die
Singschule in *Kolmar* wurde 1546 durch JÖRG WICKRAM gegründet. Sie
war wie Freiburg i. Br. stark kirchlich katholisch orientiert. Das erhaltene Gemerkbuch ist die Tabulatur.

In *Magdeburg* übte VALENTIN VOIGT (vgl. S. 346) erst im Alter die
Kunst des Meistergesanges. Die aus seinem Besitz stammende *Jenaer
Handschrift* enthält nur Gedichte von VOIGT selbst. In *Zwickau* erscheint als Wiedertäufer HANS WITZSTAT aus Wertheim. Von ihm sind
einige Lieder bekannt: ‹Komt her zu mir spricht Gottes Son› (1536);
‹Der Gaystliche Buchßbaum, Von dem Streit des Fleischs wider den
Gayst›; ein Lied von der Gefährlichkeit dieser Welt; ‹Ein newes Gedicht, zeigt an die notturfft eines Conciliums›; ein Kriegslied ‹Frisch
auff jr werden Teütschen, redt vnser vater land›; ein Lied von den Handwerksgesellen, ‹die die wochenn schlemmen wöllen›. In *Breslau* wirkte
in der 2. Hälfte des 16. Jahrhunderts WOLFGANG HEROLD. Er stammte
vermutlich aus Augsburg und gilt wie HANS SACHS, SEBASTIAN WILD u. a.
als begabter Komponist. In *Iglau* treten seit 1571 die Meistersinger als
behördlich anerkannte Vereinigung auf.

Während der Meistergesang in der *Schweiz* nicht recht Fuß fassen
konnte, fand er in Verbindung mit der Reformation in *Tirol* und *Oberösterreich* gute Aufnahme. Diese Singschulen hatten ihre Blütezeit von
etwa 1560 bis 1600. Den Anstoß zur Gründung gaben die vielen wan-
dernden Handwerksgesellen. Zu *Schwaz* in Tirol, der ältesten, seit 1532
nachweisbaren Singschule fanden die Veranstaltungen an Feiertagen im
Gerichtshaus unter Aufsicht der Obrigkeit statt. In dem Augsburger
Druck ‹Drey newe lieder› (1536) ist das zweite ‹Von den XV zeichen
vor dem jüngsten tag› von MATTHEIS GORGNER aus Schwaz. Zu *Steyr*
in Oberösterreich bestand von ca. 1540 bis 1616 eine Singschule; 1562
war sie voll ausgebildet. Ihr namhaftestes Mitglied, das 15 eigene Töne
erfand, war der Ahlenschmied SEVERIN KRIEGSAUER. Der Nadler PETER
HEIBERGER stellte zwei große Liedersammlungen zusammen. Eine Tabulatur für die Steyrer Singschule verfaßte 1562 LORENZ WESSEL von Essen
(Handschriften Dresden M 7 und M 16). Sie bildete die Grundlage für
die Iglauer Tabulatur von 1571. Für *Wels* kann um 1549 das Bestehen
einer Singschule angenommen werden; sie lebte bis 1601. Als Mitglieder
sind THOMAS STROHMAIR, der 1577/78 ein ‹Gesangbuch Teutschr Meistergesang aus ald vnnd Newem Testament› mit 126 Meisterliedern
schrieb, und PAUL FREUDENLECHNER zu nennen, dem ebenfalls eine umfangreiche Meistersinger-Handschrift zu verdanken ist.

Zu Beginn des 16. Jahrhunderts dehnten die Meistersinger ihre Kunstübung vom Vortrag von Meistergesängen auch auf das *dramatische Gebiet* aus. Die frühesten Belege für Aufführungen von Dramen durch
die Meistersingerzunft stammen aus Mainz. Dort wurden zur Fastnachtzeit von Meistersingern aufgeführt: 1510 das *crimen Bernense* von 1509
(‹Von fier ketzeren Predigerordens zu Bern im Schweizerland›); 1511
ein Spiel von der Torheit der Welt; 1512 ein Spiel von der Jungfrau
Sigismunda und Tancred; 1521 ein Spiel vom Erfurter Pfaffensturm;
1522 ein Spiel von einem Dompfaffen und der schönen Eselin (Elselin?);
1523 das Spiel vom Ehebruch Ritter Alexanders mit einer schönen
Frau; 1524 das Spiel, wie Joseph in Ägyptenland verkauft wird. Also:
Zeitereignisse, Moralitäten, Novellenstoffe, biblische Stoffe. In Nürnberg versprach HANS SACHS 1550 in einer Einladung zu einer Singschule
mit Vorträgen der Meistersinger: «Auch wollen wir wie andre Jahr da
ein Comedi halten». In Augsburg fand 1550 das erste Spiel statt, «das
ist gewesen Die fünf Betrachtnussen. Da ist Abraham Ottendorfer die
Junkfrau gewesen, und Andreas der alt Mann und der Spüzendrat ist
der Jüngling gewest». In Nördlingen bittet die Meistersingerzunft 1553,
vor Ostern mehrmals ein Spiel von Lehre, Leiden und Auferstehung
Christi aufführen zu dürfen und beruft sich bei neuerlichen Ansuchen
1559 und 1569 darauf, daß die Meistersingeraufführungen in Nürnberg,
Augsburg, Ulm, Eßlingen eine ständige Gepflogenheit seien. Das formale Vorbild für die Meistersingerdramen boten in der Hauptsache die
Tragödien und Komödien des HANS SACHS (vgl. S. 340 ff.). Sie wurden
von den Singschulen und von besonderen Spielgesellschaften aufgeführt.
In Augsburg wurde dem Schulmeister und Meistersinger SEBASTIAN
WILD das Spielen von Stücken gestattet.

*b) Gedruckte Lieder meistersingerischer Kunstübung. Außerhalb der
Singschulen stehende Dichter*

Den Mitgliedern der Meistersingerzünfte war die Drucklegung und Veröffentlichung ihrer in den Singschulen vorgetragenen lyrischen und
spruchdichterischen Produkte verboten. Gleichwohl existiert eine große
Anzahl von *gedruckten Liedern* und *lyrisch-epischen Gebilden meistersingerischer Kunstübung*, die nach den Regeln der Poetik und Musiklehre der Meistersänger gedichtet sind, aber für ein allgemeines Publikum bestimmt waren. GOEDEKES Grundriß verzeichnet I (²1884),
S. 309 ff. und II (²1886), S. 253 ff. davon eine Menge. Ihre Verfasser
sind z. T. bekannt, z. T. wurden die ‹Historien› und Lieder anonym veröffentlicht. Die Poeten waren entweder Meistersinger oder hatten von
den Singschulen gelernt bzw. eine Meistersingerhandschrift studiert.

Zunächst erschienen bald nach Erfindung des Buchdruckes als Flugblätter oder kleine Hefte *erzählende Lieder* nach den Tönen des zu den alten Meistern gezählten REGENBOGEN, des MARNER, des FRAUENLOB. Die Stoffe schöpfte man aus der mittelalterlichen Epik, den Bereichen der Sage und des Märchens, auch des Schwankes. Beispiele bieten im ausgehenden 15. und beginnenden 16. Jahrhundert u. a. LUDWIG BARTHOLOME in Nürnberg, MARTIN MAIER von Reutlingen, LIENHART NUNNENBECK und Balladen wie die vom ‹Edlen Möringer›, dem ‹Bremberger›, dem ‹Tannhäuser› etc. Anonyme erzählende Lieder noch aus der vorreformatorischen Zeit sind etwa ‹Kaiser Karls Recht› (Bamberg 1493), in dem es sich nicht nur um das Shylock-Problem, sondern auch um eine Apotheose der salomonischen Weisheit KARLS D. GR. handelt, oder das Meisterlied ‹Der Graf von Savoyen› (Erfurt 1497), eine Bearbeitung des volksläufigen Themas von dem treuen Paare, das getrennt wird (weil der Graf von Savoyen seine Gattin schiffahrenden Kaufleuten verkauft) und sich nach vielen Gefahren und Abenteuern am Hof des Königs von Frankreich wiederfindet.

Eine zweite Gruppe bilden die *Liebeslieder* oder ‹Buhllieder› *und lehrhaft moralisierende Stücke*. Sie beginnen 1470/80 und reichen bis um 1570. Thematisch interessante Lieder sind: ‹In lauberß thon neu Fraghe vnd Anthwort› (‹Seyt heint gesanges arte Ist komen auff die ban›) (o. O. u. J.) enthält Rätselfragen und Lösungen wie im Traugemundslied; ‹Drey schöne neüwe Lieder. Das erst, Ein hüpsche Tagweiß,von einem trauwen Wächter›, das zweite ‹Tröstlicher lieb, ich mich stäts üb›, das dritte ‹Ich bin versagt, gegen einer Magd›; das Wächterlied, gefaßt als ‹Hornruf› (‹Ich freyer Wächter tritt daher›) Straßburg o. J.).

In der Tradition der Liebesdichtung steht ADAM VON FULDA, der 1510 drei solcher Meisterlieder drucken ließ, steht in seinen Anfängen aber auch HANS SACHS. Etwas später dichtet BALTHASAR WENCK ein Lied ‹Von den bosen weyben› (Nürnberg 1521), mahnt JOSEF ULE zur Keuschheit, veröffentlicht JOHANN KAUFFUNGEN ein Lied ‹Von dem heiligen Ehstandt› (1550), ALEXANDER HELDT eines ‹Von der Ruten vnd Kinderzucht›. Von der älteren Generation behandeln JÖRG SCHILLER und HERMANN FRANCK, von der jüngeren JOHANN STAIGER in Meistersingertönen die Stände der Welt oder den Lauf der Welt.

Eine dritte Gruppe solcher in Metrik und Melodie dem Meistergesang folgender gedruckter Lieder behandelt *geistliche und religiöse Stoffe*. Vor der Reformation Legendarisches, Mariengrüße, Rosenkranzlieder, die Passion Christi etc., während und nach der Glaubensspaltung werden die Inhalte den gewandelten Lehren angepaßt, die meistersingerischen Formen und Weisen bleiben bis ins Barockzeitalter.

HANS OBER veröffentlichte ein Lied ‹Von dem geytzigen Mammon› (gedr. 1530) und ein Meisterlied mit dem Thema der Verachtung des ‹Pfennigs›, das sich gegen die «reich Hansen vnd gewerbesleut desgleych

den geystlich man» richtet. Ein dem Meistersinger VEIT KESSLER zuge-
schriebenes Lied paraphrasiert im Sinn der Präfiguration das 30. Kapitel der Genesis. Von MICHEL MÜLLER, einem Meistersinger der 2. Hälfte
des 16. Jahrhunderts, sind ‹Ein Jungfrauen Lob› und das Gedicht von
dem Kaufmann bekannt, der einem Juden ein Marienbild versetzte,
d. h. Bekehrung eines Juden durch die Wunder des Bildes. BENEDIKT
GLETTING dichtete u. a. ‹Ein schöne Tageweis, Von der liebhabenten seel
zu Gott jrem gemahel auß dem Vater vnser› (1564). Von dem HANS
SACHS-Schüler AMBROSIUS ÖSTERREICHER stammen das Lied ‹Von der
Welt vnd dem Jüngsten tage› und das ‹Lied von einer geneschigen Meyd,
die zwey hüner fraß›. Trotz der häufig katechetisch-lehrhaften Absichten zeigen sich in den geistlichen Gesängen ein starkes Gefühl und neue
dichterische Kräfte, die, geführt von LUTHER, die Gattung des Kirchenliedes befruchteten und dieses zu reicher Blüte brachten.

Wie es gedruckte Meisterlieder gab, die außerhalb der Singschulen entstanden sind, gab es auch *außerhalb der Singschulen stehende* individuell
hervortretende *Dichter*, die sich den Formen und teilweise auch dem
Geiste des Meistergesanges anschlossen. Einer von ihnen war JÖRG
GRAFF (1475/80–1542), Landsknecht und Poet, Angehöriger der Gürt-
ler- und Beutlerzunft in Nürnberg, Verfasser historischer Lieder, Kirchenlieddichter.

GRAFF stand in jungen Jahren als Landsknecht in den Diensten Kaiser
MAXIMILIANS I. und nahm an dessen Feldzügen teil. Nach schwerer Ver-
wundung erblindet, lebte er seit 1517 in Nürnberg und verdiente sich als
gewöhnlicher Liedersänger seinen Lebensunterhalt. Als er um die Weih-
nachtszeit 1518 seinen Hauswirt erschlug, wurde er verurteilt, doch niemand
wollte den Blinden fortgeleiten, und er flüchtete sich von einem Stadtkloster
ins andere: Erst gewährten ihm die Augustiner, dann die Kartäuser, hierauf
die Kunigundenkapelle Asylrecht. Aus Nürnberg dann doch verwiesen, tauchte
er 1524 in den Rheingegenden auf, schließlich wieder in Nürnberg als Kol-
porteur niederer Bücherware, immer tiefer sinkend.

GRAFFS Lieder, Meistergesänge und Sprüche sind inhaltlich wie formal der Spiegel seines Lebens. Das Lied ‹Von dem Kunige Karl› ruft
zum Kampf gegen Frankreich, ein Spruch ‹Vom Kayser Maximilian und
vom Bapst› zum Kampf gegen die Türken. Weit über dem Durchschnitt
steht sein prächtiges Lied ‹Von der Griegßleuht Orden› (‹Gott gnad dem
großmechtigen Keyser frumme›) im Ton ‹Wöl wir das korn schnyden›.
Eine Umdichtung des Liedes ‹Es het ein meitlein ein schůch verlorn›
ist das Kirchenlied ‹Gottes huld ich verloren han›. Als Vorbereitungs-
gedicht zum Sterben war gedacht ‹Das ich nit kan sünd lan›. GRAFF
ging mit der Reformation. An anderem zeigt sich deutlich das Abglei-
ten ins Volkstümliche, besonders wo er Geschautes und Erlebtes gestaltet, etwa in dem ‹Lied von dem Heller›. Er kennt das lichtscheue Ge-

sindel Nürnbergs. Im Lied ‹Von eynem Jäger› schildert er Liebesaben-
teuer unter dem Bild einer Jagd. Das Dirnenleben, die Kuppelei, den
Leichtsinn schildern ‹Ein new Liede von Pulerey› und das nach Wien
lokalisierte ‹Lied von eyner Vischerin, wie sie hat gestifftet vier mordt›;
eine obszöne Sache ist das ‹Lied von den kelbel mayden vnd dem
Schlenkerspraten›. Im Meisterlied ‹Ein notturfftige betracht der knebel›
(gegen 1530) reicht er den gescholtenen Männern und Junggesellen, dem
Buhler, dem Säufer, dem Prahler, dem Herumtreiber den Knebel, d. h.
eine Art Narrenzeichen. GRAFF war ein Mann der Wirklichkeit, dem es
auf das Inhaltliche ankam. Sein aufschlußreicher Wortschatz bedient sich
auch ungebräuchlicher und rotwelscher Ausdrücke.

Von dem blinden Württemberger Dichter WOLF GERNOLT stammen
Spruchgedichte, teils strophisch, teils dialogisch, manches von großer
Frische. Erwähnung verdienen: ein Lied ‹Des himmels straßen heiß
ich›; ‹Das Vatervnser›, ‹Aue Maria› und ‹Der heylig Glaub, jeweils
außgelegt in spruchß weis›, ein Spruch ‹Von dem menschlichen Leben
vnnd dem Tode› (1553); das Lied ‹Von dem Meydlin zů Rod, im Spei-
rer Bisthůmb, welch in dreien Jaren nichts gessen noch getruncken hat›
(1564).

4. Die neulateinische Lyrik vom Ausbruch der Reformation bis gegen Ende des 16. Jahrhunderts

Die neulateinische lyrische Dichtung des Reformationszeitalters schließt
sich, wie nicht anders zu erwarten, an die Lyrik des älteren Humanismus und der Blütezeit, deren Entfaltung in Bd. IV/1, S. 601 ff. zur
Darstellung gebracht wurde. Viele der dort genannten und charakteri-
sierten Persönlichkeiten leben bis weit hinein in die Zeit der religiösen
Auseinandersetzungen und produzieren weiter in lateinischer Sprache.
Doch die Zeiten der optimistischen jungen Humanistenpoeten, die sich
als Vorboten eines neuen Lebens gefühlt und geriert hatten, waren mit
dem Durchbruch der Reformation vorüber. Auch der lyrische Antrieb
niederer Minne, wie er bei KONRAD CELTIS hervorgetreten war, hat während der Reformationsepoche keine Fortsetzer mehr. Die religiösen und
sozialen Ausbrüche waren ihrer gelegentlich paganischen Entfaltung nicht
günstig. Es entsteht zwar eine umfangreiche neulateinische Dichtung, sie
ist jedoch weithin magistrale oder pastorale Gelehrtendichtung in Versen und angeregt von der humanistischen Philologie und dem Unterricht
in Poetik und Rhetorik.

Die *neulateinische Lyrik* spiegelt nur begrenzt die reformatorischen
Auseinandersetzungen wider und hat zum größten Teil weltlichen Inhalt. Sie führt die Traditionen der Humanistenpoesie weiter und ist

immer Produkt dichterischer Einzelpersönlichkeiten, bestimmt für höher
gebildete Kreise. In ihr findet auch vielerlei von dem seine Ausprägung,
was man *Renaissancelyrik* nennen kann.

In Erscheinung treten und gepflegt werden alle Formen der Lyrik:
Ode, Elegie, Ekloge, Epigramm usw. In der Nachfolge des KONRAD
CELTIS und seiner Schüler steht eine gehobene Liebesdichtung. Den Ge-
fühlswerten der Freundschaft, in der nach antikem Vorbild viele Humanisten eine Grundlage aller menschlichen Beziehungen erblickten, entspricht eine umfängliche *Panegyrik* mit gegenseitigen Lobgedichten. In
ihre Nähe gehören die *Propemptica* oder Geleitgedichte und wenigstens
formal auch die *Lob- und Preisgedichte auf Fürsten und Gönner*. Dem
Individualempfinden entsprangen weiters die vielen *Trauergedichte*,
Epicedien, Epitaphien, Nänien, Threnodien auf Freunde und Gönner,
ebenso wie die zahlreichen Epithalamien und *Glückwunschgedichte* zu
den verschiedensten Gelegenheiten. Nach OVID und EOBAN HESSE sind
die *Heroiden* oder die Heldenbriefe geschrieben; als allegorische Figur
stellte man die Heroide in den Dienst des patriotischen Gedankens. Von
VERGIL und EOBAN HESSE ist eine *bukolische Dichtung* angeregt, in der
sich das neue Naturgefühl zeigt. Ähnliches gilt für das zwischen Lyrik
und Epik liegende, nur dem Humanismus eigentümliche *Hodoeporicon*
oder Reisegedicht, für das ebenfalls EOBAN HESSE in der Beschreibung
seiner Reise zu ERASMUS 1518 ein anregendes Muster gegeben hatte. Von
Italienern und Deutschen wie ENEA SILVIO, MARCUS ANTONIUS SABEL-
LICUS und KONRAD CELTIS vorgebildet, wurden *Städte-Gedichte und
-Beschreibungen* beliebt. Der im Humanismus vertiefte geschichtliche
Sinn produzierte *historische Gedichte* und *Beschreibungen von Turnie-
ren und Schützenfesten*, wie sie in deutscher Sprache die Pritschmeister
anfertigten. Der von Anfang an stärker als in Italien pädagogisch ausgerichtete deutsche Humanismus brachte im Verein mit dem neuorga-
nisierten höheren Schulwesen eine breite *didaktische Dichtung* mora-
lisch-lehrhaften Charakters hervor. In ihrer Nähe stehen *Satire* und didaktische Epigrammatik, wobei die Gattungen sowohl allgemein wie persönlich ausgerichtet sind. MARTIAL, HUTTEN, EURICIUS CORDUS wurden
zum Vorbild genommen. Wie zu erwarten, pflegte ein beträchtlicher Teil
der neulateinischen Lyriker des Reformationszeitalters die *religiöse
Dichtung*, sei es, daß sie ihre Thematik aus der christlichen Heilsgeschichte bezog, sei es, daß sie Reflexionspoesie und Gedankendichtung
schufen. Als Ganzes betrachtet, lehnte sich die neulateinische Lyrik des
Reformationszeitalters sprachlich und formal an die römisch-antiken
Gattungen sowie an die italienische und deutsche Poesie des vorreformatorischen Renaissance-Humanismus. Wesenszüge ihrer deutschen Ausprägung sind verstärktes Naturgefühl, Heimat- und Vaterlandsliebe,
Freundschaftsempfinden, Freude an der persönlichen Umwelt und Idyl-

lik, Hinneigung zum Biographischen. Schon infolge ihrer Sprache wurde die neulateinische Lyrik nicht so weit wie etwa das Drama in die konfessionellen und politischen Auseinandersetzungen einbezogen. Als Versmaß war die Vereinigung von Hexameter und Pentameter in der Elegie besonders beliebt. Das bedeutendste lyrische Talent des humanistisch-neulateinischen Protestantismus war der Landsmann ULRICH VON HUTTENS, PETRUS LOTICHIUS SECUNDUS. Neben der Dichtung, z. T. ihr voran geht eine umfängliche Kunsttheorie in Poetik und Rhetorik.

Die neulateinische Lyrik hat in dem noch aus der Schule WILHELM SCHE-RERS stammenden GEORG ELLINGER einen spezialisierten Betreuer gefunden. Doch seine drei Bände ‹Italien und der deutsche Humanismus in der neulateinischen Lyrik› (1929), ‹Die neulateinische Lyrik Deutschlands in der ersten Hälfte des sechzehnten Jahrhunderts› (1929) und ‹Geschichte der neulateinischen Lyrik in den Niederlanden vom Ausgang des fünfzehnten bis zum Beginn des siebzehnten Jahrhunderts› (1933) konnten nicht zu Ende geführt werden und blieben überdies ohne Bibliographie.

Eine Aufgliederung der neulateinischen Lyrik von Beginn der Reformation bis gegen Ende des 16. Jahrhunderts zeigt folgende mit dem Lehrbetrieb an den Universitäten und der Kultur der Städte und Fürstenhöfe verbundene Wirkungskräfte, Bestrebungen, Zentren und Persönlichkeiten: a) als Anreger die vom Renaissance-Humanismus ausgebildete Philologie und die Disziplinen der Poetik und Rhetorik; MICYLLUS, CAMERARIUS, MELANCHTHON; die lyrische Dichtung in den Universitätsstädten Erfurt und Wittenberg; b) den Versuch einer Neubelebung der altchristlichen Dichtung; c) neulateinische Lyriker in den verschiedenen Territorien; d) repräsentative Persönlichkeiten: JOHANNES SECUNDUS, PETRUS LOTICHIUS, SCHEDE MELISSUS; e) die Anakreontiker; Formkünste.

a) Anregungen von der Philologie, Poetik und Rhetorik; die lyrische Dichtung in den Universitätsstädten Erfurt und Wittenberg

Die neulateinische Dichtung, insbesondere die Lyrik, wird im 16. Jahrhundert maßgeblich inspiriert zunächst von der *Philologie,* ihrem Wiederaufgreifen, ihrem Studium und ihrer Interpretation antiker römischer und griechischer Dichtwerke, gleichgültig ob dies ein Privatgelehrter oder Professor an einer höheren Lehranstalt besorgte. Weitere und noch wirkungsvollere Anregungen gingen vom Vorlesungsunterricht in *Poetik und Rhetorik* an den Artistenfakultäten der Universitäten aus, bei dem nicht allein die Theorie der Dicht- und Redekunst gelehrt, sondern auch die Anfertigung von lateinsprachigen Gebilden der beiden Disziplinen zu einem bestimmten Thema praktisch geübt wurde. Auf diese Weise erhielten besonders an den von MELANCHTHON soweit als möglich

zur Synthese von Renaissance-Humanismus und Reformation gebrachten Hochschulen zahlreiche Talentierte, die später selber als Lehrer an
Lateinschulen, als Pfarrer oder Beamte einer Kanzlei wirkten, ihre poetische Ausbildung und Aufmunterung zu eigener Betätigung. Auch in
weniger Begabten und selbst in vielen anderen wurden dadurch der
Sinn und das Verständnis für neulateinische Dichtungen geweckt.

Wie Bd. IV/1, S. 619 ff. gezeigt, hatte sich schon am Anfang des Jahrhunderts in *Erfurt-Gotha* eine Gemeinschaft von Anhängern der neuen
Bildung zusammengefunden und ein Zentrum der humanistischen Blütezeit gebildet. Das geistige Oberhaupt war KONRAD MUTIANUS RUFUS,
in dichterschen Belangen fiel diese Stellung EOBAN HESSE zu. In diesem
Kreise treten zum erstenmal auch die Merkmale der nachhumanistischen Gelehrtendichtung ins Leben. Innerhalb dieser Atmosphäre entstanden die frühesten beachtlichen Leistungen der neulateinischen Lyrik. Aus der rein humanistischen Dichtung löst sich eine neue langlebige
Gelehrtenpoesie. Auf EOBAN HESSE, EURICIUS CORDUS und PETER EBER-
BACH folgten JAKOB MICYLLUS und JOACHIM CAMERARIUS.

JAKOB MOLSHEM oder MOLTZER, nach der Gestalt eines Dialoges von
LUKIAN MICYLLUS genannt (1503–1558), aus Straßburg, studierte von
1518 bis 1522 an der Universität Erfurt, wo er im Kreise EOBAN HES-
SES sich mit CAMERARIUS anfreundete. Von Erfurt übersiedelte er nach
Wittenberg. Später wirkte er in Frankfurt und als Professor für Griechisch in Heidelberg. Aus des MICYLLUS Frühzeit stammen Epicedia und
die ‹Elegia de duobus falconibus› (gedr. 1539). Bemerkenswert ist der
Schluß des Trauergedichtes auf PETRUS MOSELLANUS. Als der Verklärte in
die elysischen Haine eintritt, kommen ihm seine Geistesgenossen entgegen: HERMOLAO BARBARO Hand in Hand mit PICO DELLA MIRAN-
DOLA, REUCHLIN, HUTTEN u. a. Umfangreich ist die Gelegenheitsdichtung
des MICYLLUS: Gedichte, die Teilnahme an fremdem Unglück, Schmerz
über eigenes Leid ausdrücken, etwa das Lied auf den Tod EOBAN HES-
SES (1540), in dem er die Lebensgeschichte des Verstorbenen vergegen-
wärtigt, einen Überblick über dessen Schaffen gibt und den Dichterberuf
würdigt; oder die Trauergedichte auf SIMON GRYNÄUS und JOHANNES
REIFENSTEIN; noch unmittelbarer wirkt die Elegie auf den Tod der Frau
des MICYLLUS (1548). Eine andere Gruppe bilden Trostgedichte an
Freunde, wie PAUL CISNER u. a. Der Dichter rührt ans Herz, wo er die
Formen des Zeitgeschmackes überwindet, etwa in dem Gedicht ‹Brief an
Melanchthon› (1535) oder in dem Widmungsgedicht zu seiner metrischen
Bearbeitung einiger Psalmen (1532). Aufschlußreich sind Selbstge-
spräche, die Einblick gewähren in seelische Kämpfe und den Zwiespalt
zwischen Familienpflichten und Dichter- und Gelehrtenberuf, wie es in
dieser Zeit nicht häufig anzutreffen ist. Verständlich, daß ein gefühls-
betonter Mensch wie MICYLLUS inneren Anteil nahm an der damaligen

Schicksalslage Deutschlands. Ein längeres Gedicht beklagt «das Elend und die Unglücksfälle der Welt und der jetzigen Zeit» und stellt dem Deutschland seiner Zeit ein begeistertes Bild des alten Deutschland von ARMINIUS bis zum Pippinischen Geschlecht entgegen. Wo MICYLLUS die Empfindungen des Inneren gestaltet, versteht er es, ihnen anschaulichen Ausdruck zu verleihen, indem er das Landschaftliche miteinbezieht. Schon früh schildert er in einem an MELANCHTHON gerichteten ‹Hodoeporikon› (1526) seine Reise von Wittenberg nach Frankfurt a. M.: der Wald im Regen, Schneegestöber im Söllinger Bergland, die Umgebung von Erfurt, das Bild Leipzigs mit seinem Messebetrieb u. a. Ein eindrucksvolles Bild des Gesehenen gibt der poetische Bericht, den MICYLLUS an CAMERARIUS über den Brand des Heidelberger Schlosses (1527) richtete. In die zweite Heidelberger Zeit gehört das ‹Toxeuticon oder der Schützenwettkampf› (1554), eine Schilderung des Schützenfestes, das Kurfürst FRIEDRICH veranstaltete. Zur Gelegenheitsdichtung gehört die lateinische Umdichtung des deutschen Volksliedes vom ‹Buchsbaum und Felbiger [Weidenbaum]›. Dem Zeitgeschmack entsprachen die Epigramme über die römischen (deutschen und griechischen) Kaiser und die Grabinschriften. Wirksamer noch sind die religiösen Gedichte, wie das Stück ‹Vom Fall und der Erlösung des Menschen›. Wie die Epigrammatik ist auch die Satire wenig aggressiv. Als MICYLLUS durch die Intrigen eines falschen Freundes aus Frankfurt weggehen mußte, faßte er LUKIANS ‹Verleumdung des Apelles› in dramatische Form. MICYLLUS war eine reine, gefühlvolle Seele, eine sanfte, schwermütige, nach Freundschaft sich sehnende Natur. Beim Inhalt seiner Dichtungen fühlt man zuweilen den Zwang, niemals bei der Form. Was anspricht, ist in erster Linie das Formale. Er verwendet meist den elegischen Vers, selten den Hexameter. Posthum erschienen gesammelt ‹Sylvarum libri V› (Frankfurt a. M. 1564).

Als der hervorragendste deutsche Philologe des 16. Jahrhunderts nach dem Tode des ERASMUS VON ROTTERDAM gilt JOACHIM CAMERARIUS, CAMERMEISTER (1500–1574) aus Bamberg, eine Persönlichkeit, deren Gesichtskreis fast alle Wissenschaften umfaßte.

In Leipzig und 1518–1521 zu Erfurt im Kreise MUTIANS und EOBAN HESSES in den Humanismus eingeführt, ging CAMERARIUS 1521 nach Wittenberg und schloß sich aufs engste MELANCHTHON an. Auf MELANCHTHONS Empfehlung wurde er 1526–1535 Rektor des neugegründeten Gymnasiums in Nürnberg; 1535 berief man ihn an die Universität Tübingen; von 1541 bis zu seinem Lebensende wirkte er an der Universität Leipzig als Reformator und Lehrer sowie als Ratgeber und Vertrauter des Kurfüsten.

Dem universalen Können des CAMERARIUS gemäß besteht sein Schriftwerk aus zahlreichen Ausgaben antiker Werke mit Erläuterungen; Übersetzungen aus dem Griechischen ins Lateinische und aus dem Deutschen ins Lateinische; Schul- und Handbüchern der alten Sprachen; vielen lateinischen Gedichten; einer Menge theologischer, historischer und biographischer Schriften, darunter das Lebensbild des EOBANUS HESSUS und die zur Zeitgeschichte ausgeweitete Biographie MELANCHTHONS; einem umfangreichen Briefwechsel. Das Kernstück seines Lebenswerkes bilden die philologischen Arbeiten. Sie waren für die damalige Zeit von großer Bedeutung. Das Gebiet der griechischen Literatur betrafen die Ausgaben der Idyllen des THEOKRIT (1530 und 1545), der Tragödien des SOPHOKLES (1534), der Fabeln des ÄSOP (1538), der Werke des HERODOT (1540), des THUKYDIDES (1540), der Homerischen Dichtungen (1541), der Werke des THEOPHRAST (1541) u. a. Der lateinischen Literatur gehören an eine Ausgabe des QUINTILIAN, eine hervorragende Ausgabe der PLAUTUS-Komödien (Basel 1558) und Kommentare zu verschiedenen Schriften CICEROS. Die Leistungen auf dem Gebiet der Bibelexegese bestehen aus Kommentaren zum Neuen Testament und zu Jesus Sirach. Eine umfangreiche ‹Katechesis› (griechisch 1551, lateinisch 1563) will junge Menschen in die Geheimnisse des christlichen Glaubens einführen. Formal der Rhetorik, gehaltlich den biographischen Schriften zuzuordnen sind die Gedenkreden für Herzog EBERHARD IM BARTE und die zehn Reden auf den Kurfürsten MORITZ.

CAMERARIUS ist als Dichter härter und rauher als sein Freund MICYLLUS; ihm mangeln häufig Glätte und Formvollendung. Seine kleinere lyrische Dichtung, meist aus der Nürnberger Zeit, ist aber gute Gelegenheitspoesie: Epicedien, Epitaphien, Epigramme, die letzteren gesammelt Nürnberg 1531. Direkt aus der Situation heraus entstanden poetische Schreiben, z. B. eines an DANIEL STIBAR, den Freund des DOKTOR FAUST. Der zweiten Auflage seiner ‹Kephalaia christianismou› (1545) fügte CAMERARIUS einen zur Gattung der Heroide gehörigen erdichteten Briefwechsel hinzu zwischen dem Apostel Paulus und den Ältesten der Gemeinde zu Ephesus. Große Ereignisse der Zeit, die ihn berührten, fanden Niederschlag in seiner Dichtung. Wie MELANCHTHON und MICYLLUS verehrte er Kaiser KARL V. Zwei Gedichte geben davon Zeugnis: ‹Carolus sive Vienna Austriaca›, ‹Karl oder das österreichische Wien› (1532), das die Türkengefahr behandelt, und ‹Carolus sive Tunete›, ‹Karl oder der Zug nach Tunis› (1534). Die eigene Lehr- und Erziehertätigkeit verklärte CAMERARIUS in ‹Praecepta honestatis atque decoris puerilis› (1528), später ‹Praecepta morum ac vitae accommodata aetati puerili› (Leipzig 1544; 1554), ‹Sittliche Vorschriften für die Jugend›, in Prosa und in Versen. An diese Vorschriften schlossen sich zeitlich die Reisegedichte ‹Elegia hodoiporikai› (1538) an, im ganzen fünf Elegien. Die erste (1524) ist an MELANCHTHON gerichtet und schildert die Hüttenwerke Annabergs. Die zweite (1526) hat persönliches Gepräge, verwünscht das ruhelose Wanderleben und preist das Landleben. Die vierte (1538) beschreibt

eine Reise nach Wittenberg und nimmt im Sinne seines Freundes ME-
LANCHTHON scharf gegen die Epigramme des SIMON LEMNIUS Partei. Die
zwei restlichen (3 und 5) sind weniger bedeutend. Eine der Modeformen
der neulateinischen religiösen Lyrik benützt CAMERARIUS, indem er die
‹Klagelieder des Propheten Jeremias› in lateinische Anapäste übertrug
und mit Beigaben versah, in denen die Zeitverhältnisse beklagt werden
und in einer Ode Deutschland ermahnt wird, «daß es sich zu seinem
Heile bekehre». Das Beste, was CAMERARIUS dichterisch zu sagen hatte,
enthält seine Idyllendichtung: Die Eklogen erschienen 1558. Es sind
zwanzig an der Zahl, achtzehn in lateinischer, zwei in griechischer Sprache. Ihnen fehlt nicht das Persönliche, CAMERARIUS bemüht sich um
realistische Gestaltung; mythologisch-pastorale Erfindungen fallen ihm
leicht; reizvolle Züge verschönern die Gebilde. Hervorzuheben sind die
Eklogen ‹Carpolimäus› und ‹Battus›, in denen Sorgen vor drohenden
kriegerischen Ereignissen zum Ausdruck kommen, die Menschen
wie MELANCHTHON und CAMERARIUS damals erfüllten. Andere
Eklogen lassen die pädagogischen Absichten des Dichters erkennen und
warnen vor Stolz und Ehrsucht, vor Liebesleidenschaft; die Ekloge ‹Il-
lus› verbindet mit der Schilderung eines idyllischen Landlebens das
moralische Endziel: Gottesfurcht, Kindesliebe, Vermeidung alles Bösen,
besonders Müßiggang und Schamlosigkeit. In anderen, dem bäuerlichen
Leben entnommenen Eklogen, führt der Dichter zurück in die Zeit der
grausamen Reaktion unmittelbar nach den Bauernkriegen. CAMERARIUS
ergreift für die Bedrückten Partei. Friedlichere Zustände schildert die
Ekloge ‹Der Landmann›, eine Idylle im besten Sinn. Vortrefflich ist
auch die Idylle ‹Phyllis› mit realistisch geschauter Welt des Bauerntums.
An gesammelten Druck-Ausgaben seien genannt: ‹Epicedia› (Nürnberg
1531), ‹Votum seu preces› (Leipzig 1563), ‹Psalmi septem› (Leipzig
1573). Noch weit ins Barockzeitalter hinein wirkte sein Handbuch der
Emblematik (vgl. S. 403). Weltbekannt wurde CAMERARIUS dadurch, daß
er die drei in deutscher Sprache abgefaßten theoretischen Werke DÜRERS
ins Lateinische übersetzte und ihnen dadurch die Verbreitung in ganz
Kultureuropa ermöglichte.

Die Universität *Wittenberg* besaß seit ihrer Gründung 1502 einen verhältnismäßig starken humanistischen Einschlag, der sich rasch vergrö-
ßerte und schon frühzeitig zu einer humanistisch-neulateinischen Dichtung führte. Hauptanreger war wohl der Italiener RICHARD SBRULIUS
(vgl. Bd. IV/1, S. 625), um den sich ab 1507 ein Kreis bildete, zu dem
OTTO BECKMANN, CHRISTIAN BEYER, ANDREAS CRAPPEN, WOLFGANG
CYCLOPIUS, JOHANNES FERRARIUS MONTANUS, THILONINUS PHILHYMNUS,
GEORGIUS SIBUTUS, GEORG SPALATIN gehörten. Ihre poetischen Produkte sind inhaltlich und formal Übergangserscheinungen. Die meisten

begannen mit Liebespoesie und religiöser Dichtung. Der einzige, den
man einen Dichter nennen könnte, war CRAPPEN, das andere lag meist
unter dem Durchschnitt; literarisch nicht uninteressant ist GEORG SIBU-
TUS. Gleichwohl wurde durch diesen Kreis der Boden für die neulateinische Gelehrtendichtung vorbereitet.

Der Thüringer SIBUTUS hatte noch KONRAD CELTIS in Wien zum Lehrer gehabt, war gekrönter Dichter, ging als Arzt nach Köln, dann nach
Wittenberg, wo er 1505 in der Matrikel erscheint. Er hatte in Köln in
einem ‹Panegyricus› 1500 die Ankunft Kaiser MAXIMILIANS I. gefeiert
und verherrlichte in einer ‹Silvula in Albiorim illustratam› (1506) Wittenberg. Scherzhafter Art ist das ‹Carmen de Musca Chiliana› (1507).
Durch SBRULIUS scheint SIBUTUS in weltlich-erotische Stimmungen gelenkt
worden zu sein, wie eine andere Hexameterdichtung aus dem Jahre
1507 bezeugt. Die den Herzögen FRIEDRICH und JOHANN VON SACHSEN
gewidmeten ‹Torniamenta› (Wittenberg 1511) beschreiben in heroischen
Versen ein in Wittenberg abgehaltenes Turnier. In den ‹Dunkelmän-
nerbriefen› kommt SIBUTUS nicht gut weg: Der obskure Magister
Schlauraff bezeichnet ihn als seinen Lehrer in der Logik und in Anspie-
lung auf die ‹Kilianische Fliege› wird ihm nachgesagt, er habe in zweiter
Ehe eine ‹antiqua vetula› geheiratet. Nach einem Aufenthalt in Rostock
1520 scheint er sich wieder nach Wien gewendet zu haben. Ein Panegyricus auf König FERDINAND (Wien 1527; gedr. 1528) zeigt ihn als Anhänger der alten Kirche, Gegner der Türken und der Wiedertäufer.

Das Bleibende in der neulateinischen Dichtung Wittenbergs geht auf
PHILIPP MELANCHTHON zurück. Als er 1518 in die Stadt kam, wurde
er zunächst in den Bann der Persönlichkeit und Gedankenwelt LUTHERS
gezogen. Erst zwischen 1523 und 1526 etwa fand er wieder den Weg
zurück zu seinen humanistischen Idealen und sammelte einen Kreis meist
jüngerer Menschen um sich, die er nicht nur für Wissenschaft und Religion begeisterte, sondern auch für die Neubelebung der lateinischen
Dichtung. Wie als Lehrer sonst ging er auch hier mit seinem Beispiel
voran. Schon 1528 ließ er drei Bücher ‹Epigrammata› erscheinen, die
nach seinem Tode auf sechs Bücher (Wittenberg 1562) erweitert wurden.
Es sind weniger Epigramme in unserem Sinn, eher Augenblicksprodukte,
sogar versifizierte Ankündigungen und Ermahnungen an die Studenten etc. Dennoch gewähren sie einen tiefen Blick in das Wesen der Persönlichkeit von LUTHERS nächstem Mitarbeiter. Sie zeigen seine trüben
und frohen Stimmungen, sein Gemütsleben und seine Religiosität; er
stellt eine biblische oder antike Gestalt oder ein ungewöhnliches Natur-
ereignis an den Anfang und knüpft daran religiöse Betrachtungen; daneben stehen Epicedien und Gelegenheitsgedichte etwa auf LUTHER,
Kindheitserinnerungen, festgehaltene Eindrücke und Stimmungen aus
der Wirksamkeit für die Reformation bei den Religionsgesprächen und

den Regensburger Verhandlungen, die Sorgen während des Schmalkaldischen Krieges.

Zu der verinnerlichten Natur MELANCHTHONS in absolutem Gegensatz stand der talentierteste Dichter seiner Umgebung, die bedeutendste Erscheinung des älteren Wittenberger Dichterkreises, GEORG SABINUS, SCHÜLER (1508–1560) aus Brandenburg.

SABINUS kam 1523/24 nach Wittenberg und trat in Beziehung zu ME-LANCHTHON; 1530 begleitete er seinen Lehrer auf den Reichstag nach Augsburg. Nach einer Italienreise heiratete er MELANCHTHONS 14jährige Tochter ANNA († 1547). Seit 1538 war SABINUS Professor der Rhetorik in Frankfurt a. d. O., 1544 Rektor der Universität Königsberg, von wo er 1555 wieder nach Frankfurt zurückkehrte. Er starb auf der Rückkehr von einem Aufenthalt in Italien.

Das lyrische Werk des SABINUS liegt vor in sechs Büchern ‹Elegiae› (1530–1551), dem Buch der Hendekasyllaben und in seinen Epigrammen. Die gesammelten Gedichte des SABINUS zeigen die Bilder der Zeitgenossen, mit denen er in Verbindung stand: des EOBAN HESSE, CAMERARIUS, STIGEL, der Kirchenfürsten Erzbischof ALBRECHT, DANTISCUS, HOSIUS, des italienischen Freundes PIETRO BEMBO u. a. Von den beiden Eklogen schildert die erste (1525/26) die Gefangennahme FRANZ' I. bei Pavia, die zweite benützt die pastorale Form für Gelegenheitsdichtung. In der Liebeslyrik spiegeln sich Werbung, Brautstand und Vermählung; in einem Trauergedicht wird dem befreundeten DANTISCUS gleichzeitig der Tod ANNAS und des BEMBO angezeigt. Echtere Töne als die Liebesdichtungen scheinen die Freundschaftsgedichte zu verraten. Einen beträchtlichen Widerhall fand die Türkengefahr. Mit dem Aufruf ‹An Deutschland› hängt zusammen eine allegorische Heroide, in der Germania an FERDINAND I. schreibt, ihm ihr Leid klagt und ihn auffordert, an der Spitze der Deutschen stehend, die Türken zu besiegen. Weiten Raum im Schaffen des SABINUS nimmt das epische Element ein. Wir kennen ein annalistisches Epos über die deutschen Kaiser bis KARL V. (1532) und viele erzählende Elegien über Schauermärchen oder Zeitereignisse. Als Mittel zur Vergegenwärtigung der Vorgänge dienen Reden, die von den einzelnen Personen gehalten werden. In der Elegie, in der SABINUS die Erstürmung Roms, den Sacco di Roma (1527), behandelt, erzählt die wehklagende Roma ihr bitteres Geschick und fleht um die Gnade des Kaisers. Episch ist auch das Reisegedicht mit einem Bericht über die italienische Reise des SABINUS. An gesammelten Druckausgaben seien genannt die ‹Poemata› (Straßburg 1538, 1544, Frankfurt 1588, Leipzig 1563 u. ö.).

Was SABINUS mitunter an Tiefe mangelte, wurde durch formale Vorzüge überdeckt. Er vermag als Erzähler die Ereignisse in bezeichnenden Einzelheiten wiederzugeben und Vergangenes lebhaft zu vergegenwärtigen; er hat einen sicheren Blick für das Wesentliche der Naturbilder

und das Umgebende. Seine Schilderung des «nicht von Menschen, sondern von Göttern gegründeten Venedig», die Schilderung seiner Italienreise über den Brenner mit der Alpenlandschaft, aber auch die Schilderung der märkischen Ebene zeigen ein bedeutendes Können und
außerordentliche Gewandtheit im Ausdruck. Erreicht darin wird er,
nach GEORG ELLINGERS Urteil, allein von EOBAN HESSE und PETRUS LO
TICHIUS SECUNDUS, übertroffen lediglich von MICYLLUS.

Von SABINUS ging eine nachhaltige Förderung der neulateinischen
Dichtung aus. Sein namhaftester Schüler war JOHANNES SCHOSSER GEN.
AEMILIANUS (1534–1585) aus Emleben, der in Königsberg entscheidenden Einfluß erfuhr, später Lehrer in Schmalkalden war und 1560 Nachfolger des SABINUS in Frankfurt wurde. Der größte Teil von SCHOS
SERS Lyrik ist Gelegenheitsdichtung. An Sammlungen erschienen von ihm
‹Poemata› (Leipzig o. J.) und ‹Poemata›, 11 Bücher (Frankfurt a. d. O.
1585 und 1598). Ein anderer Königsberger Schüler des SABINUS war
ANDREAS MÜNZER, dessen poetische Tätigkeit in drei Büchern Elegien
und einigen Eklogen (1550) vorliegt. Ein dritter Schüler war der Schweizer FELIX FIEDLER († 1553), den eine ‹Beschreibung der Flüsse Deutschlands› berühmt machte.

Ein Freund des Sabinus war JOHANNES DANTISCUS, EIG. VON HÖFEN
oder FLACHSBINDER (1485–1548) aus Danzig, Hofmann und Diplomat,
Bischof von Kulm und später von Ermland. Eine Persönlichkeit, die
auf ihren Gesandtschaftsreisen mit vielen bedeutenden Menschen in Verbindung kam, so mit HERNANDO CORTEZ in Spanien, mit KOPERNIKUS
u. a. Von seinen Dichtungen verdankt eine Reihe ihre Entstehung der
höfischen Stellung des Verfassers. Gefühlstiefer ist seine der Frühzeit
zugehörige Liebesdichtung. Eine große Elegie ‹De nostrorum temporum
calamitatibus sylva› (Bologna 1529, dann Köln 1530) behandelt Sektenbildung und Ketzerei sowie die Türkengefahr, steht also im Dienste
zeitpolitischer Ideen. Das umfangreiche Ermahnungsgedicht ‹Carmen
paraeneticum› (1538) an EUSTATHIUS VON KNOBELSDORF trägt stark
autobiographischen Charakter und bekämpft die neue Lehre. Eine Strafrede ‹Jonas propheta› (1538) richtet sich an die Bewohner Danzigs, von
der Ketzerei zum alten Glauben zurückzukehren. In der vorwiegend
dem Religiösen zugewandten Alterszeit entstand auch das ‹Buch der
Hymnen› oder ‹Hymnen, dem Prudentius nachgeahmt› (1548). Zu dem
Dichterkreis, den DANTISCUS um sich scharte, gehören der Kardinal
STANISLAUS HOSIUS (1504–1579) und EUSTACHIUS VON KNOBELSDORFF
(1520–1571), zuletzt Domdechant in Breslau. Während HOSIUS einen
ausgedehnten Briefwechsel unterhielt und sich als Polemiker betätigte,
stammen von KNOBELSDORFF zwei Städtegedichte über Löwen und Paris,
das letztere mit ausführlicher Darstellung der Geschichte der Jungfrau
von Orleans. Sonst ist KNOBELSDORFF hauptsächlich Gelegenheitsdichter.

Tiefer veranlagt als SABINUS, doch nicht so glänzend nach außen erscheint JOHANNES STIGEL (1515–1562) aus Gotha, Professor der Poesie erst in Wittenberg, dann am Gymnasium in Jena. Die Gesamtpersönlichkeit wird beherrscht von einer religiösen und moralischen Grundstimmung. Im dichterischen Lebenswerk STIGELS steht die geistliche Dichtung an erster Stelle. Es sind Gebilde wie die umfangreiche Elegie ‹De angelorum custodia›, die Gedichte auf die einzelnen christlichen Feste, die ‹Disticha in Evangelia dominicalia memoriae causa conscripta› (Wittenberg o. J.), die Passionsgedichte. Religiöse Vorstellungen verbinden sich nicht selten mit Natureindrücken. Geschautes wird in die Sphäre des Empfindungslebens gerückt, äußeres und inneres Geschehen vom Gemüt aufgenommen; das Innere jedoch im Kern zu erfassen und darzustellen, gelingt meist nicht. STIGEL war auch ein betonter Kunstfreund, der die Werke der bildenden Kunst in die Dichtung miteinbezieht. Wenig umfangreich und unselbständig an italienische Neulateiner angelehnt ist STIGELS Liebesdichtung. Anders verhält es sich mit seiner Gelegenheitsdichtung. Sie begleitet das ganze Dasein und ist sehr ausgedehnt. Hervorzuheben sind ein elegisches Trauergedicht auf den Sohn LUKAS CRANACHS, JOHANN LUKAS, ein Gedicht auf die Vermählung HEINRICHS VIII. mit ANNA VON CLEVE, Hochzeitsgedichte auf STIGELS Landesfürsten, das Gedicht auf die Vermählung des SABINUS mit ANNA MELANCHTHON. STIGELS individuelle Poesie ist häufig umhüllt, bedient sich der Allegorie und mündet ins Religiöse. Dadurch wird eine Einladung zur Feier des Martinsfestes zu einer kleinen Erzählung; eine ähnliche Behandlung wird einem ‹Gedicht gegen das Fieber› (1538) zuteil. Als sich die Zeitverhältnisse verdüsterten, sah STIGEL mit besorgtem Blick in die Zukunft: Es entstand nun eine Reihe ‹Klage›-Gedichte. Zweimal befaßte STIGEL sich mit dem Schicksal seines Freundes, des Nürnberger Ratsherrn HIERONYMUS BAUMGÄRTNER, der 1544 von dem Ritter ALBRECHT VON ROSENBERG überfallen und gefangen wurde, und gestaltet es zu einer Anklage gegen seine Zeit. Als der Schmalkaldische Krieg ausbrach, wurde der Dichter stark davon berührt. In einem Aufruf versuchte er, Deutschland wachzurütteln. Wie MELANCHTHON floh auch STIGEL aus Wittenberg. Er schickte an den Lehrer und Freund poetische Sendschreiben mit Berichten über sein Ergehen und Zeitklagen.

Als STIGEL 1547/48 nach Jena übersiedelte, hatte seine Dichtung auch dem Lehramt zu dienen. Er dichtete in elegischen Maßen Schulreden, kleidete seine kosmogonischen Anschauungen unter dem Titel ‹Subterranea› (‹Das unterirdische Reich›) in Versform. Auch Gedichte an Freunde sind aus dieser Zeit zu nennen. STIGEL stand auf seiten MELANCHTHONS. Als 1557 MATTHIAS FLACIUS ILLYRICUS als Professor nach Jena berufen wurde, griffen FLACIUS und dessen Anhänger ihn an. Die

kleine Heroide ‹Die Saale an die Ilm› gehört noch in das Jahr 1551,
das Gedicht an MELANCHTHON (1557) aber zeigt schon seine Leiden um
des verehrten Lehrers willen. Die weiche Natur des Dichters bekundet
ein aus dem Jahre 1557 stammendes Gedicht, das in die Stille des Hauses und die Welt der Leiden führt, die sich dort abspielen. Wie kein
anderer Dichter stellte STIGEL seine Kunst in den Dienst der protestantischen Sache. Er feierte die zum Schmalkaldischen Konvent erschienenen Theologen (1537), er behandelte die Frage der Beteiligung am Konzil und den Tod LUTHERS. Häufig verwendete er die Form der allegorischen Heroide. So schreibt Germania an KARL V., an Landesfürst JO-
HANN FRIEDRICH, an PHILIPP VON HESSEN. Die großen religiösen und
geschichtlichen Ereignisse klingen auch in STIGELS idyllische Dichtung
hinein: der Eindruck der Persönlichkeit LUTHERS (Ekloge ‹Der Hirt›
1531), der Tod JOHANNS DES BESTÄNDIGEN (1532), die Sorge um den in
Algier weilenden Kaiser (Ekloge ‹Jolas› 1542/43); ein ‹Hymnus auf
den heiligen Geist› und Eklogen feiern die Entlassung JOHANN FRIED-
RICHS aus der Gefangenschaft – Ereignisse und Tatsachen, die damals
das Gespräch des Tages bildeten. Die späteren Eklogen STIGELS zeigen
den Einfluß von SANNAZAROS Fischeridyllen. Zur Einkleidung persönlicher Gefühle und Gedanken benützte der Dichter die Eklogenform in
dem Gedicht ‹Corydon› (1534), das von BAPTISTA MANTUANUS beeinflußt ist, besonders aber in den zwei Eklogen aus späterer Zeit ‹Comata› (die eine Episode aus der 7. Idylle des THEOKRIT umgestaltet)
und ‹Striges› (‹Die Nachtgeschöpfe›).

An Versmaßen verwendete STIGEL hauptsächlich das elegische Maß,
in den Eklogen den Hexameter, in den Oden die sapphische Strophe.
Die Ausdrucksmittel erfahren keine besondere Steigerung. Wo breit angelegte Bilder erscheinen, stammen sie von HOMER. STIGEL übertrug vier
Gesänge der ‹Odyssee› ins Lateinische. Von ihm stammt auch das deutsche Kirchenlied ‹O mensch wiltu für gott bestan›. An Sammelausgaben der Dichtungen erschienen: ‹Poemata›, Buch 1–8 (Jena 1566–1569),
Buch 9 (Jena 1572); ‹Poemata›, zwei Bände (Jena 1577), und nochmals ‹Poemata› (Jena 1600).

Man vermag von STIGELS 16. Lebensjahr an seine literarische Tätigkeit zu überblicken; bald nach Erreichung des 20. Lebensjahres war
seine Eigenart bereits ausgeprägt; in späteren Jahren tritt in der Gestaltung das Erlebnis stärker hervor. Wo STIGEL das Wesen der Dichtkunst erörtert, ist er eines Sinnes mit MELANCHTHON. Sah MELAN-
CHTHON die Aufgabe des Menschen in der Pflichterfüllung gegen Gott
und die Mitmenschen, so will STIGEL von der Dichtung, daß sie zu Gottes
Lob erklinge, das Wissen um die Gottheit verbreite und sittliche Richt-
linien gebe. STIGEL versuchte, seine Poesie auf den Resultaten der neuen
Lehre aufzubauen. Er glaubte, für die von MELANCHTHON geschaffenen

Grundgedanken der Reformation den dichterischen Ausdruck gefunden zu haben.

Schüler MELANCHTHONS und eine Zeitlang befreundet mit SABINUS und STIGEL war der Graubündner SIMON LEMNIUS (LEMM nach der Mutter), MARGADANT neulateinischer Dichter, Satiriker und Übersetzer.

Er kam nach einer entbehrungsreichen Jugend und nach kurzem Schulbesuch in Chur nach Augsburg, etwa 1530 nach München als Schüler des WOLFGANG ANEMOECIUS (WINDHUSER), 1533 bezog er die Universität Ingolstadt. Schon um diese Zeit veröffentlichte er einzelne Dichtungen. Ende 1533 oder Anfang 1534 begab er sich nach Wittenberg, wo er 1535 Magister wurde. Als Schüler MELANCHTHONS verkehrte er in dessen Hause und wurde von ihm gefördert.

Offenbar aus der Absicht, sich für eine Professur an der Universität zu empfehlen, veröffentlichte LEMNIUS seine erste Gedichtsammlung ‹Epigrammata libri duo› (Wittenberg 1538) und widmete sie dem Erzbischof und Kurfürsten ALBRECHT VON MAINZ. Außer den Gedichten an den Kirchenfürsten stehen darin poetische Episteln an Freunde und Gönner, bei italienischen Neulateinern wie PONTANO geschulte Liebesgedichte, anekdotenartige Erzählungen u. a. Die Zueigung an LUTHERS alten Feind führte zu einem schweren Zusammenstoß mit dem Reformator. Der verärgerte LUTHER empfand sich und andere angesehene Personen unter verkappten Namen angegriffen, verlas von der Kanzel eine Erklärung und ließ sie als ‹Ernste zornige Schrift D. M. L. wider M. Simon Lemnii Epigrammata› (1538) drucken. Das ebenfalls eingeleitete akademische Disziplinarverfahren endete mit der Relegation von der Universität. LEMNIUS, der aus Wittenberg geflohen war, wurde damit in die Krise seines Lebens hineingestoßen. Er wandte sich zunächst in die Mark, erschien dann im Herbst am Rhein und ließ in Basel eine vermehrte Neuauflage der Epigramme drucken: ‹Epigrammaton libri III. Adiecta est quoque eiusdem Querela ad Principem› (1538). Hinzugefügt war ein Epigramm an Erzbischof ALBRECHT und Gedichte, die sich mit Freunden und voll Zorn und Klagen über das erlittene Unrecht besonders mit den Feinden in Wittenberg befassen. Alle Schuld wird LUTHER zugeschoben, den LEMNIUS mit wildesten Vorwürfen überhäuft. Bei der gesamten Schrift empfindet man die Kraft persönlicher Erlebnisse und die Begabung, Äußeres und Inneres zu einem geschlossenen Bild zu verbinden. Frühjahr 1539 veröffentlichte LEMNIUS auch noch eine ‹Apologia ... contra decretum, quod ... Vitebergensis Vniversitas ... euulgavit›. Darin verlangt er die Rückgabe seines Hausgerätes und seiner Bibliothek und die Aufhebung des Relegationsbeschlusses; andernfalls würde er als Kenner des Wittenberger Stadtklatsches den ganzen Helikon und Parnaß gegen seine Feinde in Bewegung setzen. Diese Drohung löste der erregte Mann ein in der ‹Monachopornoma-

chia› (1538), einer frechen, aber virtuos geschriebenen satirischen Komödie (vgl. S. 323), die in der «gesamten polemischen Literatur des Reformationszeitalters einzig in ihrer Art dasteht». Der Zusammenstoß mit
LUTHER war nicht nur das Hauptereignis im Leben des LEMNIUS, sondern
er zeigt darüber hinaus auch die tiefe, unüberbrückbare Kluft zwischen
Luthertum und antik-heidnischem, mehr formal ausgerichtetem Humanismus südlicher Prägung.

Frühjahr oder Sommer 1539 kehrte LEMNIUS in seine Schweizer Heimat zurück und übernahm die Stelle eines Lehrers an der Nikolaischule
in Chur. Wahrscheinlich im Hinblick auf dieses Amt hatte er die ‹Elegia in commentationem Homeri de bello Troiano› (1539) verfaßt, eine
formvollendete Inhaltsangabe der ‹Ilias›. Als Frühjahr 1542 seine
‹Amorum Libri IV›, eine Sammlung leidenschaftlicher Liebesgedichte,
die sich in der Mehrzahl mit der niederen Minne befassen, erschien und
allgemeine Entrüstung hervorrief, wurde er aus dem städtischen Schul-
dienst wieder entfernt.

Die ‹Amores› zeigen weder Reichtum an Erfindung noch Vielfalt der
mythologischen Einkleidung. Bei allem Mangel an Idealisierung verhilft
eine glühende Liebesrhetorik jedoch der Trauer und dem sehnenden
Verlangen des Dichters, seiner derben Sinnenfreude und Genußsucht, seinen Klagen und inbrünstigen Wünschen zu starker Wirkung. Umgebung
und Natur werden mit dem persönlichen triebhaften Liebesleben in Einklang und zu einem geschlossenen Bild zu bringen gesucht; das eigene
schwere Lebensgeschick ist miteinbezogen.

Nach seinem Weggang aus Chur wandte LEMNIUS sich nach Italien, wo er
1543 in Bologna von ACHILLES BOCCHI in die Academia Ermatena aufgenommen und zum Dichter gekrönt wurde. Noch im selben Jahre gab er eine lateinische Übersetzung der griechischen Weltgeographie des DIONYSIUS PARIE-
GETES in Druck: ‹Dionysius Lubicus poeta, De situ habitabilis orbis› (Venedig
1543), gewidmet HERCULES II. VON FERRARA. Sommer oder Herbst 1544 tauchte
der Weitgewanderte wieder in Chur auf, wurde abermals an der Lateinschule angestellt und bekleidete das Lehramt bis zu seinem Tod an der Pest.

In den letzten Lebensjahren hatte sich LEMNIUS der Übertragung der
‹Odyssee› und der ‹Batrachomyomachia› in lateinische Verse zuge-
wandt. Sie erschienen bei OPORIN in Basel: ‹Odysseae Homeri libri
XXIIII. ... Accessit Batrachomyomachia› (1549), gewidmet König HEIN-
RICH II. VON FRANKREICH.

Im vierten Buch der ‹Amores› bildet den Grundgedanken eines Gedichtes der Kampf zwischen Liebesglut und Wissensdrang, ein zweites
versinnbildet in allegorischer Einkleidung die Hinwendung zur vater-
ländischen Poesie. Und tatsächlich schuf der formgewandte Mann ungefähr im letzten Lebensjahrzehnt eine umfassende epische Darstellung des
Schweizerkrieges von 1499, kurz ‹Rhaeteis› genannt. Sie gelangte erst

1792 in einer mangelhaften Übersetzung der ersten sieben Bücher ins Deutsche an die Öffentlichkeit, gilt aber als die bedeutendste selbständige Leistung des Dichters. Aus dem Nachlaß gedruckt wurden die 1547 bis 1550 entstandenen Hirtengedichte ‹Bucolicorum Aeglogae quinque› (Basel 1551), die sich an EOBAN HESSE, EURICIUS CORDUS, STIGEL und an den Italiener ANDREAS NAUGERIUS, NAVAGERO anschlossen. Verloren scheinen vier Bücher eines Lehrgedichtes ‹De virtutibus et moralibus› und ein ‹Carmen gratulatorium ad Joannem Frisium›. In neuerer Zeit wurden LEMNIUS die ‹Threni magistri Joannis Eckii in obitu Margaretae concubinae suae› (1538, zwei Auflagen) zugeschrieben.

LEMNIUS war seiner Herkunft und dem Aussehen nach Halbromane und ein von Unrast beherrschter Mensch. Sein literarisches Werk macht ihn zu einem der schärfsten Satiriker und Pamphletisten der Reformationszeit, aber doch nicht nur zum ‹Schandpoetaster›, sondern auch zu einem hervorragenden Vertreter des deutschen Humanismus, ersten namhaften Übersetzer der ‹Odyssee› und frühen historischen Epiker der deutschen Schweiz. Durch den Konflikt mit LUTHER war er ungewollt zum Mittelpunkt einer historischen Affäre geworden und wurde in einen ganz anderen Wirkungskreis verschlagen. Ein großes, namentlich formales Talent, ein schwächerer Charakter vielleicht, hatte er viel Sinn für die griechisch-römische Antike und wenig Verständnis für die reformatorische Bewegung. In den ‹Amores› stellt er wie kaum ein anderer deutscher Neulateiner die eigene Person mit kraftvollem Realismus in den Vordergrund. Und dieses unbeschönigte Selbstbildnis zeigt «eine wilde, ungebändigte Natur mit heißen Trieben und leidenschaftlichem Begehren» (G. ELLINGER).

Zu den bevorzugten Schülern MELANCHTHONS gehörte auch MELCHIOR VOLZ, ACONTIUS (ca. 1515–1569) aus Oberursel im Mosellande, seit dem Wintersemester 1534/35 in Wittenberg, zuletzt Rat des Grafen VON STOLBERG. Von ihm sind zwei in seine Wittenberger Zeit fallende Arbeiten erwähnenswert: ein Trauergedicht auf den Tod des ERASMUS (1536; gedr. 1541) und zwei Gedichte zur Hochzeit des SABINUS (1537). ACONTIUS nahe stand GEORGIUS AEMILIUS, OEMLER (1517–1569), LUTHERS Schwager, später Superintendent zu Stolberg am Harz. Er begann mit Elegien, dichtete ein ‹Propempticon› (1537) und versifizierte später biblische Geschichten, die Apokalypse, die Sonn- und Festtagsevangelien, die Episteln u. a. AEMILIUS schrieb auch Deutschsprachiges, wie ‹Etliche schöne Propheceien oder weissagung des alten Testaments von Christo› (1560). Mit ACONTIUS, AEMILIUS, SABINUS und STIGEL befreundet war JOHANNES HEUNE oder HÜHNE, GIGAS (1515–1581) aus Nordhausen, seit 1535 in Wittenberg, zuletzt in Schlesien als Pfarrer tätig. Seine Dichtungen gehören der ersten Lebenshälfte an und sind gesammelt in den ‹Silvarum libri IV› (Wittenberg 1540), ‹Vier Bücher

poetischer Wälder›. Vorbilder waren EOBAN HESSE, EURICIUS CORDUS
u. a. Voraus ging eine ‹Klage der Kunst› (1539). Aus der zweiten Hälfte
von HEUNES Leben stammen beachtenswerte deutsche Predigten und
geistliche deutsche Lieder. Zu dem Kreis gehörte ferner JOHANNES SA-
STROW (1515–1545) aus Pommern, der Bruder des bekannten Autobio-
graphen. Von ihm erschienen ‹Progymnasmata› (1538), eine ‹Querela
ecclesiae› (1542), ein Trauergesang auf den englischen Märtyrer ROBERT
BARNES und ein Fürstenspiegel, ‹Die Pflichten des Fürsten› (beide 1542).
Erst in Wittenberg, dann in Erfurt lebte HEINRICH KRANICHFELD (geb.
ca. 1535), von dem eine Ekloge ‹De nativitate filii Dei Christi Jesu›
(1558), eine Ode ‹De puero Jesu› und ein Hexametergedicht über die
Wohltaten Christi bekannt sind.

Die Angehörigen des *älteren Wittenberger Dichterkreises* lebten noch
in der Zeit vor dem Schmalkaldischen Kriege. *Die jüngere Gruppe* ragt
bereits in die Zeit der kryptocalvinischen und philippistischen Kämpfe.
Alle litten sie mehr oder minder schwer unter den dogmatischen und
politischen Streitigkeiten der Zeit. Zu der jüngeren Gruppe gehört ein
ganzer Kreis dichterisch tätiger Persönlichkeiten aus verschiedenen Gebieten Deutschlands.

Anhänger MELANCHTHONS und Gegner des FLACIUS war JOHANNES
MAJOR, MAYER (1533–1600) aus Joachimsthal in Böhmen, 1556 in Wittenberg, dann in Mainz und wieder in Wittenberg, wo er seit 1560 Vorlesungen über VERGIL und HORAZ hielt. Von MAJOR existieren viele geistliche und weltliche lateinische Gedichte, Lyrisches und Halbepisches. Ein
Bändchen Elegien und Epigramme mit Jugendarbeiten, ‹Epigrammatum liber›, erschien Leipzig 1552. Sein Bestes hat er in der Satire geleistet, die Hauptmasse seiner Produktion liegt aber auf lyrischem und
halbepischem Gebiet. In dem ‹Synodus avium depingens miseram fa-
ciem ecclesiae propter certamina quorundam› (1557) veranstalten die
Vögel nach dem Tode des Schwans eine Synode, um einen neuen König
zu wählen. Die einen sind für die Nachtigall [MELANCHTHON], andere für
den Kuckuck, die Amsel oder den Hahn. Beinahe wäre als größter
Schreier der Kuckuck [FLACIUS] König geworden. Weil dies nicht geschah, verfolgt er in Feindschaft die Nachtigall und ihre Gefolgsleute.
– Der biblisch-geistlichen Dichtung gehören an ‹Simson› (1558), ‹Para-
disus seu hortus Adami› (Wittenberg 1558), ‹Bellum seminis et serpen-
tis› u. a. An Sammlungen erschienen ‹Opera› I, II (Wittenberg 1574) und
III (1566) und ‹Elegiae›, 2 Teile (1584 und 1589).

FRIEDRICH WIDEBRAM (1532–1585) aus Pößneck in Thüringen, seit
1569 Professor in Wittenberg, zuletzt Kirchenrat in Heidelberg, ist
hauptsächlich geistlicher Lyriker. Universitätsgepflogenheiten behandelt
sein Hexametergedicht ‹Typus depositionis scholasticae› (Wittenberg
1569); eine andere Jugenddichtung mit geistlichem Einschlag ist die

‹Palamaedia›, in der die verschiedenen Verwendungen von Stroh gezeigt werden. Im ‹Hodoeporicon exilii› beschreibt er die Geschichte seiner Absetzung und Einkerkerung.

Ebenfalls aus Thüringen stammte HIERONYMUS OSIUS († 1575), Professor der Poesie in Wittenberg, später in Jena, Gelegenheitsdichter,
Übersetzer eines Teiles der griechischen Elegiker ins Lateinische. Von ihm
stammen ein enkomiastisches Gedicht auf die Astronomie, ein Gedichtzyklus über das bevorstehende Wormser Religionsgespräch (1557),
eine ‹Historica descriptio belli ditmarsici heroico carmine› (1558) und
schließlich ‹Aesopi fabulae carmine elegiaco redditae› (Wittenberg 1564,
Frankfurt 1574).

Von MELANCHTHONS Schwiegersohn KASPAR PEUCER (1525–1602) aus
Bautzen, seit 1554 Professor in Wittenberg, ist ein ‹Idyllion de Lusa-
tia›, ‹Idyll von der Lausitz› (1583, gedr. 1594) bemerkenswert. Von
BRUNO SEIDEL (1530–1591) aus Querfurt, einem Sprichwörtersammler
und Arzt, Gegner des PARACELSUS und Anhänger der Medizin der Alten,
erschienen erst Jugenddichtungen in sieben Büchern 1555, dann ‹Poematum libri sex› mit Elegien, Oden, Idyllen und Epigrammen. THOMAS
MAUER (1536–1575), ein Schlesier, veröffentlichte zu Wittenberg 1560
zwei Bücher Gedichte. HEINRICH HUSANUS (1533–1587) aus Eisenach
begann in Wittenberg mit religiösen Gedichten. NATHAN CHYTRÄUS besorgte ihm 1577 eine Ausgabe. Als weitere Sammlung wurden 1587 versifizierte Gebete auf die Sonn- und Festtage veröffentlicht, ‹Dierum do-
minicarum preces anniversariae› (2. Aufl. 1601). Persönlich Religiöses
enthalten die ‹Imagines›, ‹Bilder› (1573), Umschreibungen von Stellen aus
dem 1. und 2. Buch Mosis. Das letzte Werk waren die ‹Bitten› an seinen Sohn, ebenfalls Religiöses. Als Kirchenliederdichter unter den späteren Nachfolgern LUTHERS stand an erster Stelle NIKOLAUS SELNECKER
(vgl. S. 366). Geringer ist der Wert seiner neulateinischen Dichtungen,
erwähnenswert aber ein Rückblick auf sein Leben, den er 1590 in der
Kirche zu Hildesheim als Superintendent selbst vortrug. Als letzter der
jüngeren Wittenberger Gruppe gilt JOHANNES CASELIUS, BRACHT VON
KESSEL (1533–1613), aus Göttingen, in Deutschland und Italien ausgebildet, von Kaiser MAXIMILIAN II. zum Dichter gekrönt, angesehener
akademischer Lehrer, zuletzt Professor in Helmstedt, der in Oden und
Elegien Religiöses, Lehrhaftes, Gnomisches behandelte. Ein ‹Carmen in
natalem Christi› erschien Wittenberg 1554. CASELIUS dichtete auch in
griechischer Sprache.

Die erst 1502 gestiftete junge Universität Wittenberg wurde durch
MELANCHTHONS Wirksamkeit (ab 1518) mit dem Geiste des Humanismus
erfüllt und war als Hauptort der lutherischen Reformation bald auch
die meistfrequentierte deutsche Hochschule. Die Stadt, neben Torgau
zugleich Residenz Kurfürst FRIEDRICHS DES WEISEN, bildete einen Sam-

melplatz verschiedener Begabungen, Theologen, Philologen und ein Zentrum der neulateinischen Dichtkunst humanistisch-reformatorischer Geisteshaltung, Dissidenten und Pamphletisten nicht ausgeschlossen.

b) Versuch einer Neubelebung der altchristlichen Dichtung

In *Italien* hatte HIERONYMUS SAVONAROLA gegen den zunehmend heidnisch-antiken Charakter der Renaissance Stellung genommen. In diesem Geiste versuchten GIOVANNI PICO DELLA MIRANDOLA († 1494) und noch mehr dessen Neffe JOHANNES FRANCISCUS (d. J.) (1469–1533) eine streng christliche, im Dienste der Religion stehende Poesie ins Leben zu rufen. Bei JAKOB WIMPFELING und seinen Anhängern, denen ebenfalls die unbeschränkte Rezeption der antiken Gehalte Sorgen bereitete, bei JOHANN BEUSSEL (vgl. Bd. IV/1, S. 602) u. a. griffen solche Versuche auf *Deutschland* über. Es entsprach dem Wesen des deutschen Reformationszeitalters, daß angesichts der verstärkten religiösen Durchdringung des gesamten Kulturlebens auch in der neulateinischen Lyrik ähnliche Bestrebungen auftauchten.

Nachdem schon BEATUS RHENANUS die Dichtungen PICOS D. J. durch eine Ausgabe in Deutschland verbreitet hatte, gab der später um die Einführung der Reformation in Breslau verdiente AMBROSIUS MOIBANUS (1494–1554) 1517 die drei berühmten umfänglichen Hymnen PICOS an die Dreieinigkeit Gottes, an Christus und Maria heraus und fügte zwei eigene religiöse Gedichte daran.

Vor allem aber erstrebte man in Wittenberg im Zuge der humanistischen Studien eine *Renaissance der altchristlichen Dichtung*. Voran stehen die beiden Freunde GEORG FABRICIUS und ADAM SIBER.

Der Schulmann GEORG FABRICIUS, GOLDSCHMIED (1516–1571) aus Chemnitz, zuletzt Rektor des Gymnasiums zu Meißen, begann mit Reisegedichten, die seinen vierjährigen Aufenthalt in Italien, die Reise nach Straßburg und Heimateindrücke behandeln. Am deutlichsten kommt sein Wesen zum Ausdruck in den Oden, deren erstes Buch 1545 erschien, die Gesamtausgabe in drei Büchern 1552. Wie viele Zeitgenossen sah FABRICIUS die dunklen Seiten des Daseins; der strenge Lutheraner glaubte die Reformation bedroht und kämpfte gegen die alte Kirche. Sein höchster Wunsch war, ein frommer Sänger zu werden, der Gott ständig lobpreist. Vorbilder waren ihm SEDULIUS, PRUDENTIUS u. a. Die Dichtungen sind in den ‹Poematum sacrorum libri XXV› (Basel 1567) gesammelt. Von den ‹Fünf Büchern Hymnen› begleiten die ersten drei Bücher den Leidensweg Christi, die letzten zwei füllen Hymnen zu den Festen, Gedichte, Gebete, Betrachtungen. Das Buch ‹Heroicon› behandelt die biblischen Patriarchen, die Führer des jüdischen Volkes, die Richter, die Apostel und die Evangelisten. Die ‹Paeanum angelicorum libri III›, ‹Lobgesänge auf Engel› schildern die Aufgaben der einzelnen Gottesboten und der Engelgruppen. An weiteren Sammlungen und Druckausgaben sind erwähnenswert: ‹Heiliger Kriegsdienst› (3 Bücher), ‹Himmlische Siege› (gleichfalls 3 Bücher) und ‹Amores›, als eine Art christlicher OVID gedacht; weiters ‹Epithalamia› (Leipzig 1551), ‹Itinera› (Basel 1560) und 15 Bücher ‹Poemata sacra› (Basel 1560). FABRICIUS verfaßte ferner eine Poetik (‹De re poetica libri VII›; 1574), besorgte Klassikerausgaben und war als Historiograph, Archäologe und Topograph literarisch tätig.

Die Vorbilder und Muster des Fürstenschulrektors zu Grimma, ADAM SIBER (1516–1584) aus Schönau im Erzgebirge, waren SEDULIUS, ALCIMUS AVITUS, von den neueren sein Freund FABRICIUS, STROZZI D. J., BEMBO. Seine Vorschriften, die auch für ihn maßgebend waren, lauten in seiner Formulierung: «Verzichte nicht auf die Rhythmen und die Worte des großen Virgil, sondern auf die Sachen, statt der Waffen besinge Heiliges und Gott; verzichte auf die Liebesgluten des üppigen Ovid und zeige, wie sehr uns Gott liebt». SIBERS Gedichtsammlungen ‹Proseuchon›, ‹Eucharistion›, ‹Epinicion›, ‹Hierostichon› umschreiben im wesentlichen Partien aus dem Alten und Neuen Testament. Was an Dichterischem fehlt, wird durch kulturgeschichtlichen Gehalt aufgewogen. An Ausgaben erschienen: ‹Poematum sacrorum libri XVI› (Basel 1556), ‹Psalterii sive carminum Davidicorum libri V› (Basel 1559), ‹Poemata sacra in Canticum Salomonis et threnos Jeremiae›.

Auf katholischer Seite trat der noch aus der Blütezeit des Humanismus herkommende JOHANNES DANTISCUS (vgl. S. 288) in seinen Spätwerken, besonders im ‹Buch der Hymnen›, für eine Neubelebung der frühchristlichen Dichtung ein: Er sagt sich von Apollo und den Musen los und will nur mehr der religiösen Erbauung dienen.

Als weitere Anhänger einer Renaissance der altchristlichen Poesie betätigten sich HERMANN BONNUS (1504–1548), der mit ‹Hymnen und Sequenzen› (gedr. 1559) die altchristliche Hymnenliteratur im reformatorischen Sinn umgestalten und wieder gebrauchsfähig machen will, ANDREAS ELLINGER, JOHANNES MYLIUS, VALENTIN SCHRECK und JOHANNES GALLUS, der einen kleinen Erfurter Dichterzirkel um sich sammelte, zu dem BARTHOLOMÄUS HÜBNER, ANTON MOCKER und LUDWIG HELMBOLD gehörten.

ANDREAS ELLINGER (1526–1582) vereinigte unter Berufung auf FABRICIUS religiöse Dichtungen im Stil altchristlicher Hymnen zu einer Art von umfangreichem Stundenbuch (1578), mit der Absicht, sie wie vor der Reformation zu den verschiedenen Tagzeiten singen zu lassen.

Im Gefolge der Bemühungen um eine Neubelebung und Schaffung einer christlichen Dichtung in antiken Formen und Gattungen stehen auch die sog. *Kontrafakturen*, in diesem Fall Transponierungen heidnisch-antiker Lyrik ins Christliche. HENRICUS STEPHANUS II. gibt 1575 eine Anleitung zur Herstellung solcher Kontrafakturen und betitelt seine Bücher ‹Christliche Oden›, ‹Kirchliche Oden›, ‹Heilige Oden›. JOHANN BURMEISTER liefert einen ‹Christlichen Martial› (1612) in lateinischer Sprache, WILHELM ALARDUS einen ‹Christlichen Anakreon› (1613), CASPAR ROTH ein ganzes Buch ‹Parodiarum in veterum poetarum sententias et odas celebriores liber› (1615).

c) Neulateinische Lyriker in den verschiedenen Territorien

Viele der *neulateinischen Dichter* lassen sich nicht um einen geistigen Mittelpunkt gruppieren oder in Dichterkeise einreihen. Eine ergänzende Übersicht erfolgt am leichtesten nach ihrer *Zugehörigkeit zu den einzelnen Landschaften*. Aber auch dabei kann man nicht so ohne weiteres an die in Bd. IV/1, S. 501 ff. gebotene Überschau des Renaissance-Humanismus als literarische und didaktische Bildungsbewegung an den Höfen, in den Städten und an den Universitäten des deutschen Sprach- und Kulturraumes anschließen. Vor allem sind geographische Verschiebungen festzustellen, und zwar eine Verlagerung der Schwerpunkte vom Südosten und dem Westen nach Mitteldeutschland, Norddeutschland und nach dem Osten. Noch immer ist auch der alte humanistische Wandertrieb nicht erloschen, so daß Herkunftsland und Wirkensstätte häufig verschieden sind. Österreich, die Schweiz, der Südwesten und Westen treten zurück, Sachsen und Thüringen mit Erfurt und Wittenberg werden Zentren neulateinischer Dichtung, der Reformations-Humanismus erfaßt auch Norddeutschland und den Osten wie Preußen und Schlesien. Der bedeutendste Neulateiner der ersten Hälfte des Jahrhunderts JOHANNES NICOLAI SECUNDUS ersteht auf niederländischem Gebiet.

Wien und Österreich sind durch die immer drohendere Türkengefahr und die schließliche Belagerung der Stadt 1529 in kulturellen Belangen stark behindert. Noch immer ist Wien Zuzugsgebiet aus dem Westen und Norden. Der Übergangszeit gehören die beiden in Wien wirkenden Söhne des schwäbischen Grammatikers JOHANNES BRASSICANUS an.

Aus der Frühzeit des JOHANNES ALEXANDER BRASSICANUS (1500 bis 1539) stammen eine Gedichtsammlung ‹In divum Carolum electum Rom[anorum] Reg[em] Idyllion. Elegiae. Dialogi. Epigrammata. Xenia.› (Frankfurt a. M. 1519) und die ‹Dialogi in divum Carolum› (Augsburg 1519). An ULRICH VON HUTTEN knüpft BRASSICANUS an, indem er als scherzhaftes Gegenbild zu dessen ‹Nemo› den ‹Pan-Omnis› (1519) aufstellt. Philologische Arbeiten betreffen die Ausgaben der Bukoliker CALPURNIUS SICULUS und NEMESIANUS (1519), des ‹Eros drapetes› (‹Amor fugitivus›) des griechischen Dichters MOSCHOS (1524) und des ‹Hymnus in Apolinem› u. a. JOHANN LUDWIG BRASSICANUS († 1549) schildert in einem an JOACHIM CAMERARIUS gerichteten ‹Hodoeporikon› (nach 1535) eine Donaufahrt aus seiner Heimat nach Wien.

Aus Schlesien waren nach Österreich KASPAR URSINUS VELIUS und GEORG VON LOGAU (vgl. Bd. IV/1, S. 617 ff.) gekommen. Etwas später übersiedelte auch PAUL FABRICIUS (1529–1588) aus Lauban, übernahm in Wien eine Professur der Medizin und fungierte als Hofmathematiker. Sein zur Dichterkrönung HEINRICH ECCARDS verfaßter ‹Actus poeticus in gymnasio Viennensi celebratus› (Wien 1558) enthält als Beigabe ‹Die Insel der Poesie›, d. i. eine Art versifizierter Poetik. Biblische Dichtung sind die ‹Historia de divo Abrahamo mactaturo filium Isaac carmine scripta› (Nürnberg ca. 1550) und die Ekloge ‹Tityrus. Idyllion de natali servatoris nostri› (Wien 1554).

In der *Schweiz* lebten JOACHIM VON WATT bis 1551 und HEINRICH LORITI GLAREANUS bis 1563, letzterer mehr auf wissenschaftlichem Gebiet, als Philologe, Geograph und Musiktheoretiker tätig. Basel blieb weiter ein Hauptort des Buchdruckes und Verlagswesens. Aus Graubünden stammte, aber in Wittenberg und Halle wirkte der Neulateiner SIMON LEMNIUS. Erst nach längeren Irrfahrten landete er als Lehrer in Chur, ging aber bald darauf nach Italien (vgl. S. 291 ff.).

Der Anhänger ZWINGLIS, Dramatiker und Kirchenlieddichter RUDOLF GWALTHER behandelte in einem heroischen Gedicht die ‹Monomachia Davidis et Goliathi›. Sein Sohn RUDOLF GWALTHER d. J. (1552–1577) besang in der Elegie ‹Argo Tigurina› (1576) die Hirsebrei-Fahrt der Züricher Schützen nach Straßburg als eine Art Argonautenfahrt. JOHANNES MÜLLER († 1542) aus Rhellikon bei Zürich dichtete eine ‹Stockhornias, qua Stockhornus mons versibus heroicis describitur›. Der Schwerpunkt der Schweizer Dichtung im Reformationszeitalter liegt nicht in der Lyrik, sondern im Drama, dem reformatorischen wie dem katholischen.

Aus *Schlettstadt* stammte der dort als Lehrer tätige JOHANNES SAPIDUS (1490–1560), von dem 1520 ‹Epigrammata› und 1534 eine ‹Sylva epistolaris seu Barba› erschienen. Dem Gebiet der *Pfalz* zugehörig ist DIETRICH REYSMANN (ca. 1503–1543/44) aus Heidelberg, befreundet mit dem Tiroler TOXITES. Seine Hauptwerke sind beschreibender Art. ‹Fons Blavus›, ‹Der Blautopf› (1531) schildert Blaubeuern und Umgebung; die ‹Enchromata Spirae› (1531) geben eine Beschreibung Speyers. Beide vereinigten Natur, Baudenkmäler und Menschen zu farbenreichen Gemälden; das Glanzstück bildet die Beschreibung des Speyer Domes. Von den Gelegenheitsgedichten ist eines an KARL V. gerichtet, ein anderes geht auf den Tod des Astronomen JOHANNES STÖFFLER (1531). Einer metrischen Bearbeitung des Propheten Amos (1543) fügte REYSMANN einen poetischen Brief ‹An die Nachwelt› bei. Nachfahre REYSMANNS war NIKOLAUS CISNER (1529–1583) aus Mosbach in der

Pfalz, Professor in Heidelberg, Verfasser von Psalmenübertragungen und -paraphrasen. Die Ekloge über das Lob des Maien und des Frühlings, sein bekanntestes Stück, gestaltete er einmal in einem Idyllion und einmal in einer Prosarede, wohl im Anschluß an ein älteres Stück deutscher volkstümlicher Poesie.

Aus Sterzing in *Tirol* stammte MICHAEL TOXITES, SCHÜTZ (1515 bis 1581), ein Mann unsteten und bewegten Lebens, tätig in Württemberg, in Straßburg etc., Dichter und Mediziner, als solcher eifriger Anhänger des PARACELSUS, dessen Herausgabe und Erklärung der Schriften er betrieb. Als man ihn in Urach, wo er als Lehrer tätig war, verdächtigte, gegen den Pfarrer pasquillantische Verse gerichtet zu haben, schrieb er das Gedicht ‹Die Klage der Gans› (1540). In Straßburg dichtete er den an der Pest verstorbenen Theologen SIMON GRYNÄUS, CAPITO und JAKOB BEDROTTUS ‹Grabinschriften› und eine ‹Apotheosis›, außerdem eine ‹Paideusis praktike›, ‹Ermahnende Lehranweisung› für König EDUARD VI. VON ENGLAND: einen Abriß der protestantischen Glaubenslehre in Distichen, eingekleidet in ein Traumbild. Bei dem Plan großer religiöser Dichtungen ‹Die Liebe Christi› und ‹De rerum natura› sollte mit der letzteren ein christliches Gegenstück zu LUCREZ geschaffen werden.

In *Hessen* sind neben und nach EOBAN HESSE und EURICIUS CORDUS vor allem zwei Neulateiner tätig. NIKOLAUS ASCLEPIUS BARBATUS († 1571), Professor in Marburg, begann mit zwei in Paris entstandenen Büchern ‹Epigramme› (1520) und einem ‹Panegyricus auf Hutten und Sickingen› (1522). Ihnen folgten als größere Werke ‹Sacrarum elegiarum libri tres› (Basel 1567) und das ‹Enchiridion poeticum›, ‹Poetisches Handbuch› in fünf Büchern (1568), das den Inhalt der Evangelien dichterisch umschreibt. JUSTUS VULTEIUS (ca. 1528–1575), ebenfalls Professor in Marburg und religiöser Dichter, zeigt in ‹Poemata libri V› (1612) starkes Temperament und Hervortreten des Persönlichen. Aus Hessen stammt schließlich auch die repräsentative Erscheinung des PETRUS LOTICHIUS SECUNDUS.

Der begabteste Lyriker des *schwäbischen Gebietes* war JOACHIM MYNSINGER VON FRUNDECK D. Ä. (1514–1588), Kanzler HEINRICHS VON BRAUNSCHWEIG und von dessen Söhnen. Seine Elegien, Hymnen und Epigramme erschienen 1540. Er pflegte die Gelegenheitsdichtung; Liebe, Freundschaft, Natur, Zeitbelange bilden die Themen. Bekannt sind eine ‹Neccharides›, ‹Die Neckarnymphen› (1540), eine ‹Aufforderung zum Türkenkrieg›, ein ‹Naufragium Venetum›, Hymnen für Festtage, ein Epos ‹Austrias› (1540), eine Übersetzung des ‹Froschmäusekrieges› aus dem Griechischen ins Lateinische.

In den Kreis der FUGGER führt, gleich PEDIONEUS, TATIUS ALPINUS und AURPACH, auch HIERONYMUS WOLF (1516–1580) aus Öttingen in

Schwaben, der große Gräzist. Er war sechs Jahre lang Bibliothekar und Sekretär JAKOB FUGGERS. WOLF verfaßte Gelegenheitsgedichte, vor allem aber beschäftigte ihn das Türkenproblem, das er mit dem unglücklichen Zustand Deutschlands verband; er pries ZRINY und feierte den Sieg bei Lepanto: ‹De christianae classi divinitus concessa victoria contra Turcos› (1571).

Nach *Franken* gehören JOACHIM CAMERARIUS und PAUL SCHEDE MELISSUS. Aus Nürnberg stammte HEINRICH ECCARD, der Beziehungen zu den Wittenbergern unterhielt, ein Gelegenheitsdichter und Lyriker, dessen kleine Sammlung 1553 erschien.

In *Bayern* war ein Sammelplatz von Neulateinern aus verschiedenen Gebieten die seit CELTIS und LOCHER als Pflegestätte der Poetik und Rhetorik geltende Universität Ingolstadt. Aus Tirol oder dem Bündnerland kam JOHANNES PEDIONEUS RHAETUS, ein Anhänger der alten Kirche, seit 1545 Professor in Ingolstadt. Von ihm sind an Lyrik ‹Elegien› (1549) und das ‹Buch der Hymnen› (1552) bekannt. Ein Epos auf die Taten KARLS V. ist mißglückt. Die ‹Berühmten Redner› sind eine Art versifizierter Literaturgeschichte.

Freund und Kollege des PEDIONEUS in Ingolstadt war JOHANNES LORICHIUS († 1569) aus Hadamar, Rat WILHELMS VON ORANIEN. Ein ‹Hodoeporicon› (Marburg 1541) schildert die Reise PHILIPPS VON HESSEN zum Religionsgespräch nach Regensburg. Von LORICHIUS stammen ‹Aenigmatum libri III› (1528 u. ö.) und ein versifizierter Katalog großer Juristen. MARKUS STREICHER, MARCUS TATIUS ALPINUS, ein Bauernsohn aus dem Engadin, Professor in Ingolstadt und Kanzler des Bischofs von Freising, widmete RAIMUND FUGGER die Sammlung ‹Progymnasmata› (Augsburg 1533) mit Gedichten auch der befreundeten Angehörigen eines Ingolstädter Poetenkreises. VEIT AMERBACH (1503–1557), einflußreicher Professor in Ingolstadt, sammelte 1550 seine Gedichte. AMERBACHS Schüler JOHANN AURPACH (1531–1582) aus Niederaltaich, dessen Dichtungen erstmals 1554 in vier Büchern erschienen, zeigt mit Elegien, Trauergedichten, Epigrammen und Lyrischem eine ansehnliche Begabung; die zweite Folge von AURPACHS Gedichten entstand 1554 bis 1557 in Padua, wo auch die ‹Zwei Bücher Gedichte› (1557) gedruckt wurden. Sie enthalten hauptsächlich Hendekasyllaben, aber auch Oden und vergegenwärtigen den Umgang mit den Freunden in Italien, die sich um PETRUS LOTICHIUS sammelten. Als Kanzler des Bischofs von Regensburg veröffentlichte AURPACH ein Bändchen ‹Anacreonticorum Odae› (München 1570; deutsch von JOHANN ENGERT, Ingolstadt 1584). Die neulateinische Lyrik trägt in Deutschland überwiegend protestantischen Charakter, AURPACH ist der bedeutendste, den der deutsche Katholizismus hervorgebracht hat. Protestanten waren der Dramatiker MARTINUS BALTICUS aus München, außer Gedichten und Epigrammen Verfas-

ser einer metrischen Umschreibung der Sonntagsevangelien und -episteln,
der Tonsetzer LEONHARD PAMINGER (1495–1567) und dessen zwei Söhne
SOPHONIAS und BALTHASAR. Von LEONHARD PAMINGER, der sich als Übersetzer von Schauspielen des PLAUTUS, TERENZ, MACROPEDIUS u. a. betätigt haben soll und als Komponist sich der Hochschätzung LUTHERS,
MELANCHTHONS, des VEIT DIETRICH u. a. erfreute, wurden ‹Poematum
libri duo› erst posthum 1587 herausgegeben. Die der Lyrik zugewandte
Wesensseite des Dramatikers THOMAS NAOGEORG zeigt sich in Satiri-
schem, Epigrammatischem und Didaktischem. Seine ‹Satyrarum libri quinque› erschienen Basel 1555. Von Erlebnislyrik sind die Grablieder auf
seine zweite Frau und sein Töchterlein hervorzuheben.

  Thüringen und Sachsen bringen meist nur eine Nachlese zu den beiden Wittenberger Kreisen und zur Gruppe um GEORG FABRICIUS. Noch
dem Zeitalter LUTHERS gehört JOHANN SPANGENBERG (1484–1550) an,
ein Niedersachse, aber in Thüringen tätig. Er pflegte Geistliches, indem
er die Sonntagsevangelien (Wittenberg 1539) und das Psalterium (1544)
versifizierte und im ‹Triumph Christi› das Motiv der Höllenfahrt behandelte. Erwähnenswert sind auch eine Bearbeitung der ‹Wahl des Herkules› und ein Versuch, Motive aus HUTTENS beiden ‹Fieber›-Dialogen
in Hexameter zu bringen. Epigone war GREGOR BERSMAN (1537–1611)
aus Annaberg, ein Schüler des FABRICIUS, Professor in Leipzig, Rektor
des Gymnasiums in Zerbst. Von ihm sind eine Umdichtung des Psalters,
geistliche Eklogen und enkomiastische Dichtung bekannt. Seine ‹Poemata› erschienen in zwölf Büchern Leipzig 1576 und 1591. MICHAEL
BARTH (1530–1584), auch aus Annaberg, ist Verfasser des Städtegedichtes
‹Annaberga. Libri tres› (Basel 1551), einer ‹Wanderung durch Sachsen›, ‹Hodoeporicon seu iter Saxonicum carminice›, und von Distichen
‹de patriarchis, prophetis, apostolis etc.› (Leipzig 1572). Fast ausschließlich in der Hochzeitsdichtung betätigte sich CHRISTOPHORUS
SCHELLENBERG († 1576), ebenfalls aus Annaberg. Seine ‹Carminum nup-
tialium libri II› erschienen 1568. Aus der von ADAM SIBER geleiteten
Fürstenschule zu Grimma kam JOHANNES CLAJUS (1535–1592) aus Herz-
berg a. d. Elbe, der Vers-Chronist der Goldberger Schule und Verfasser einer ‹Grammatica germanicae linguae›. Seine ‹Precationes› (vier
Bücher Wittenberg 1568, vollständig in fünf Büchern Leipzig 1589)
wenden das kräftige individuelle Gefühl ins Religiöse. In zwei Elegien
‹Castitatis et Pietatis Praemium in Josepho et Susanna› (1555) wird
der bekannte Stoff behandelt. Des CLAJUS ‹Carmina sacra›, geistliche Gedichte, Evangelienerklärungen, Gebete, erschienen Görlitz 1568 in drei
Büchern gesammelt. Dasselbe Jahr brachte in fünf Büchern ‹Varia carmina›, ‹Vermischte Gedichte›, einschließlich der Epigramme. Von GEORG
MYLIUS aus Borna sind zwei Bücher Elegien (1551) bekannt.

  Aus Löbau in der *Oberlausitz* kam JOHANN LAUTERBACH (1531–1593) nach Wittenberg zu MELANCHTHON, Epiker, Rätseldichter, Liebeslyriker, Epigrammatiker, seit 1567 Rektor in Heilbronn. Seine Produktion ist gesammelt in ‹Epigrammatum libri VI› (Frankfurt 1562), ‹Panareton sive Poematum libri octo› (Frankfurt 1594) und ‹Aenigmata› (Frankfurt 1601). Sein Talent als Tonsetzer bezeugt die ‹Cithara Christiana. Christliche Harpffen Geistlicher Psalmen vnd Lobgeseng sieben Bücher› (Leipzig 1585).

In *Norddeutschland* knüpften zahlreiche Neulateiner an die humanistische Tradition an. Sie kamen großenteils aus der Münsterer Domschule und von MURMELLIUS. Ein Teil war evangelisch, ein Teil katholisch. Zu den letzteren gehören HEINRICH VAN DEM HIMMEL, HENRICUS URANIUS oder COELICUS (1494–1572), Didaktiker und Lyriker, Verfasser einer Schrift ‹De ludi magistrorum miseriis et aerumnis› (Köln 1567), und GERHARD ROVENIUS. Auf evangelischer Seite stehen JOHANNES POLLIUS (vgl. S. 210 f.), Verfasser des kleinen Epos ‹Die drei die Kirche verwüstenden Ungeheuer›, und JOHANNES BUSCHMANN († 1564), Verfasser von Städtegedichten, insbesondere eines Preisliedes auf Hannover (1544). Aus Friesland stammte CYPRIANUS VOMELIUS (1515–1578), von dem ‹Sylvarum libri tres› (1540) und ein ‹Liber sylvarum› (1547) bekannt sind. Auch FRIEDRICH DEDEKIND, der Schöpfer des ‹Grobianus›, versuchte sich in der geistlichen Epik: ‹Metamorphoseon sacrarum libri quinque› erschienen Schmalkalden 1565. Der in die Streitigkeiten des späteren Luthertums verwickelte MATTHIAS BERG († 1592), Rektor in Braunschweig, verfaßte zwei Bücher ‹Evangelischer Gedichte› (1573). HENNING CONRADINUS (1538–1590) aus Hamburg nahm sich zum dichterischen Vorbild den Schotten GEORG BUCHANAN. Empfänglich für bildende Kunst, ließ er sich wiederholt durch Kunstwerke zu Dichtungen anregen. Sein ‹Epigrammatum historicus liber› wurde Antwerpen 1581 gedruckt, die ‹Poemata› folgten Rostock 1607.

In *Mecklenburg* fand der gebürtige Meißner ANDREAS MYLIUS (1528 bis 1594) einen Wirkungskreis als herzoglicher Rat. Von ihm gibt es Gelegenheitsdichtungen, Umschreibungen von Psalmen und langer Bibelpartien. In seiner besten Elegie (1578) enthüllt er sein Innenleben.

In *Pommern* war der Hauptvertreter der neulateinischen Dichtung der Schlesier JOHANNES SECKERWITZ, SECCERVITIUS (ca. 1525–1583), Professor der Poesie in Greifswald, Lyriker und Dramatiker, Verfasser der ‹Pomeraneidum libri quinque›, ‹Pommernlieder› (Greifswald 1582), teils versifizierte Poetik, aber auch eine beachtenswerte Schilderung der Fahrt des Pommernherzogs BOGISLAW X. ins hl. Land, und der ‹Daneidum sive carminum de rebus Danicis libri IV›, ‹Dänenlieder oder von dänischen Begebenheiten› (Stettin 1581). Außerdem stammen von ihm geistliche Gedichte, Eklogen, Elegien, Umschreibungen biblischer Bücher, eine Klage über den Tod KARLS V. (1558), eine ‹Querela Germaniae de bellis civilibus›, ‹Klage Deutschlands über die Bürgerkriege› (1553) und eine ‹Ephemeris christiana›, Gebetsoden (1583). Einheimisch pommerscher Lyriker war ZACHARIAS ORTH (ca. 1535–1579) aus Stralsund. Sein Hauptwerk ist ein Städtegedicht auf Stralsund (1562). Seine ‹Carmina› erschienen 1562. Ebenso geschickt wie des Lateinischen bediente sich ORTH der griechischen Sprache, hauptsächlich für historische Dichtungen.

Nach *Westpreußen* gehört HEINRICH MOLLER (1528–1567), Hesse von Geburt, Erzieher des schwedischen Prinzen GUSTAV, zuletzt Rektor des Gymnasiums in Danzig, mit Gelegenheitsgedichten und seinem Hauptwerk ‹Drei Bücher heiliger Gedichte› (Danzig 1564). Aus Marienburg stammt ACHATIUS CUREUS (1530–1594). Von ihm sind ‹Praecepta moralia, ex oratione Isocratis ad Demonicum› (1557), ein ‹De formando studio artium liberalium carmen› (1560) und eine ‹Threnodia tempore pestis› (1564) bekannt. In *Ostpreußen* bildete sich um GEORG SABINUS ein Schüler- und Freundeskreis.

Aus der eigenen Landschaft stammende und aus anderen Gebieten gekommene Dichterpersönlichkeiten lassen auch den deutschen *Norden* als eifrig tätigen Hervorbringer und Pfleger neulateinischer Lyrik erscheinen.

In der Mark *Brandenburg* war die Universität Frankfurt a. d. O. unter der Führung KONRAD WIMPINAS antilutherisch eingestellt. Erst Kurfürst JOACHIM II. leitete, beraten durch MELANCHTHON, eine Neugestaltung ein und brachte eine Reihe tüchtiger Lehrkräfte in die Stadt, darunter aus Wittenberg GEORG SABINUS, um den sich bald ein namhafter Schülerkreis scharte. SABINUS weilte zweimal in Frankfurt und zwei neulateinische Dichter fühlten sich ihm als Anreger verpflichtet. Der eine war JOHANN BOCER (wohl 1525–1565) aus Minden, der andere MICHAEL HASLOB. BOCER studierte 1541–1547 an den Universitäten Leipzig, Wittenberg, Frankfurt a. d. O. und wirkte später als Professor in Rostock. Von ihm stammen eine anschauliche Beschreibung der Stadt Freiburg, ‹Fribergum in Misnia› (Leipzig 1553), ferner Elegien (erstes Buch Leipzig 1554), ‹Sieben Eklogen› (1563), Epigramme und vier Bücher ‹Sacra carmina et piae precationes›, ‹Geistliche Gedichte und fromme Gebete› (Rostock 1565). Eine Elegie an seinen Lehrer MELANCHTHON entwirft ein trübes Bild des «Wahnsinns des Greisenalters der Welt», in der es nichts Gutes mehr gibt. Die Eklogen betreffen Höfisches, die Kirche von Schwerin, Idyllenhaftes, Patriotisches.

Von MICHAEL HASLOB (1540–1589) aus Berlin, seit 1572 Professor der Poesie in Frankfurt a. d. O., dem Biographen seines Lehrers SABINUS, besitzen wir Gelegenheitsgedichte, ‹Idyllia quatuor. Amyntas, Philetas, Aeglus, Alcon› (Frankfurt a. d. O. 1561), d. s. Trauereklogen, die den Tod LUTHERS, MELANCHTHONS, des SABINUS und LOTICHIUS beklagen, und zahlreiche religiöse Dichtungen (zehn von vierzehn Büchern der Gesamtausgabe 1588). Bei ihm begegnet das von HUTTEN in die Dichtung eingeführte Fieber: ‹Febris› (1577). Ein Zyklus ‹Meine Hochzeit› bildet den Beginn einer Art Hochzeitspoesie. Das Naturgefühl kommt am besten in den Sammlungen ‹Frühlingsgarten› (1572), ‹Frühlingsgedichte› (zwei Teile 1577/78) und in der Elegie ‹Lob des Winters› (1572) zum Ausdruck, die in die Sammlung ‹Das Land, Frühling, Sommer; der Winter und dessen Lob› (1577) aufgenommen wurde. Sämtliche Seiten der Persönlichkeit zeigen die zwei Bücher ‹Elegien› (1587). Zu HASLOBS Freunden gehörte MICHAEL ABEL (ca. 1540 – ca. 1605) aus Frankfurt a. d. O., dessen gesammelte Dichtungen 1590 erschienen.

In *Schlesien* wirkte, noch aus der humanistischen Bewegung herkommend, JOHANNES LANGE, gelehrter Diplomat, Verfasser von Gedankenlyrik und Zeitdichtung wie zweier umfangreicher Türkenelegien. Seine Oden auf den Schmalkaldischen Krieg, ‹Carminum lyricorum liber› (1548) sind meist Gebete, die Mitglieder des Kaiserhauses verrichten. Der aus Leonberg stammende NIKOLAUS REUSNER (1545–1602) sammelte und edierte Reisegedichte: ‹Hodoeporicorum sive itinerum totius fere orbis libri VII› (Basel 1580).

Für *Böhmen* ist repräsentativ KASPAR BRUSCHIUS (1518–1559) aus Schlackenwalde, der Verfasser wegen ihres Stoffreichtums wichtiger Geschichtswerke. Seine Lyrik ist in zwei Sammlungen vereinigt, den ‹Silvae› (1543) und den ‹Poematia› (1553). Dazu wurde vieles auch einzeln veröffentlicht oder ist in seine geschichtlichen und topographischen Werke eingelegt. Erwähnung verdienen seine Kaisergedichte (1541), seine patriotische Lyrik, seine Epitaphiendichtung. Zu den besten Leistungen neulateinischer Idyllik gehört die Ekloge ‹Chloris› (1544) auf den Tod der Tochter des Grafen GÜNTHER VON SCHWARZBURG. Das ‹Hodoeporicon Pfreimdense› (1554) schildert eine Reise von Passau nach Pfreimd in Bayern. BRUSCHIUS versifizierte auch die ‹Proverbia Salomonis› (1539). Von den Elegien sei die ‹Elegia de Mulda flumine› (1544) genannt. Aus dem böhmischen Erzgebirge kam ELIAS CORVINUS. Er veröffentlichte Leipzig 1568 eine Sammlung seiner ‹Poemata› und ist Verfasser einer umfangreichen Elegie über ‹Die Würde und Erhabenheit der Poesie› (1559). In einer anderen Elegie zeigt er sich unzufrieden, daß seine Joachimsthaler Landsleute nur Befriedigung darin finden, «die Eingeweide der Mutter Erde zu durchwühlen». Es scheint ihm ein überheblicher Frevel, in die Bereiche des Unterweltlichen einzudringen.

d) Repräsentative Persönlichkeiten: Johannes Secundus, Petrus Lotichius, Schede Melissus

Als der bedeutendste Neulateiner der ersten Hälfte des 16. Jahrhunderts gilt der Niederländer JOHANNES NICOLAI SECUNDUS (1511–1536) aus Den Haag, der außer in seiner Heimat auch in Frankreich und Spanien lebte, ein Gelegenheitsdichter, besonders ein Lyriker im Goetheschen Sinn. Er nahm die antike Dichtung nicht nur in sich auf, sondern hat sie aus sich heraus neu geschaffen. Wie viele andere folgte SECUNDUS inhaltlich zunächst getreu seinen Vorbildern, speziell PROPERZ, bald aber machte er sich frei von den Fesseln der Nachahmung und gelangte früh zu voller Selbständigkeit. In seiner nur kurzen Lebenszeit schuf der unruhig-leidenschaftliche Dichter Liebeslyrik (‹Julia›-Zyklus u. a.), Elegien und Oden, poetische Briefe, Funera, Epigramme, Echogedichte und eine Heroide; Epicedien gelten ANDREA ALCIATO und THOMAS MORUS. In den ‹Basia›, die noch GOETHE entzückten, hat er alles, was im Altertum und in der Renaissance an Abwandlungen der Kußmotive vorlag, zu einem Ganzen vereinigt und in zyklischer Form aus unmittelbarem Erleben umgestaltet und wiedergeboren. Die Gebilde der antiken Mythologie und Sage waren für SECUNDUS von Kindheit an lebendiger geistiger Besitz. Er fühlte sich heimisch in der heiteren Sinnenwelt des Altertums. Die religiöse Problematik der Zeit berührte ihn wenig. Nur als die Wiedertäufer-Unruhen 1534 von Münster auf die Niederlande überzugreifen drohten, bat er Gott in einer Ode um Hilfe. Alle poetischen Schöpfungen des SECUNDUS spiegeln wirkliches Leben wider. Er dichtete unmittelbar unter dem Eindruck des Erlebten. Sein Schaffen ist ganz persönlich. Unablässig bemühte er sich um die poetische Form. Die sichere Wiedergabe des Gegenständlichen hat ihre Ursache z. T. auch darin, daß SECUNDUS nicht bloß Dichter war, sondern auch bildender Künstler, Bildhauer. Sein Interesse an bildlichen Darstellungen zeigt sich in Beschreibungen von vorhandenen, geplanten und fingierten Kunstwerken. Was ihn in St. Denis angesichts der Grabdenkmäler KARLS VII. und LUDWIGS XII. bewegte, sprach er in einer Elegie aus. SECUNDUS hat die Dichtung der neueren Zeit bis in die zweite Hälfte des 18. Jahrhunderts angeregt und mitbestimmt. Seine ‹Opera› erschienen gesammelt Utrecht 1541, Paris 1561 und 1582.

Die überragende Erscheinung, der einsame Höhepunkt der neulateinischen Lyrik in Deutschland war PETRUS LOTICHIUS SECUNDUS (1528 bis 1560) aus Schlüchtern in Hessen, SECUNDUS genannt zur Unterscheidung von seinem Onkel, dem Abt PETRUS LOTICHIUS zu Schlüchtern. LOTICHIUS II. war bäuerlicher Herkunft und erhielt in der protestantischen Klosterschule von Schlüchtern seine erste höhere Bildung, erschien sodann in Frankfurt als Schüler des MICYLLUS, studierte in Marburg Medizin, ging 1545 nach Leipzig und studierte in Wittenberg unter CAMERARIUS und MELANCHTHON; als Reisebegleiter lebte er vier Jahre in Frankreich. LOTICHIUS ist einer der wenigen Dichter der Zeit, denen es gelang, ihr Innenleben zu gestalten, ein Mensch «voll tiefen wahren Gefühles, Kraft und Anmut des Ausdrucks, Klarheit und Sicherheit der Anschauung» (K. GOEDEKE), der das Gedicht «zum wirklichen Träger

des seelischen Bekenntnisses macht» (G. ELLINGER); Versenkung in die
klassischen Dichtwerke steht neben der Freude an der Landschaft. Jo-
HANNES HAGIUS, einer seiner Jugendfreunde, schrieb die Biographie
(1585). Die ‹Poemata› erschienen Leipzig 1563 (1566, 1580, 1586), die
‹Opera omnia› Leipzig 1586 (1594, 1603 u. ö. bis 1778).

Schon in der Frühzeit dichtete LOTICHIUS ‹Elegien› (später insgesamt
4 Bücher), daneben Gelegenheitsgedichte und Liebeslyrik. Der Schmalkaldische Krieg gab der Persönlichkeit die entscheidende Wendung. Er
nahm vor der Einschließung Magdeburgs des Vaterlandes und der Religion wegen Kriegsdienste, war ihnen jedoch weder äußerlich noch innerlich gewachsen und fiel in eine schwere Krankheit. Diese brachte die
Erweckung zum Dichter. Dem Kriegsjahr entstammte das 1. Buch der
Elegien (1547). Hauptthema ist der Widerwille gegen das kriegerische
Handwerk. Das 2. Buch führt in die Zeit des Aufenthaltes in Montpel-
lier und Paris. Aufmerksam werden die Reste der Antike betrachtet.
Das ganze Buch ist von innerem Leben durchpulst: Liebe von einer
Zartheit und Reinheit, wie sie im 16. Jahrhundert und in der deutschen
Literatur selten ist; Freundschaft, Gelegenheitsdichtung, Natur und
Landschaft – aufgefangen im Spiegel und in der Stimmung der eigenen
Seele. Als der Dichter in die Heimat zurückkam, fand er ein verwüste-
tes Land. Er begab sich nach Italien, Padua und Bologna, wo er den
Doktorgrad der Medizin erwarb. Die Schicksale von der Rückreise aus
Frankreich und die Erlebnisse in Italien bilden den Hintergrund für das
3. Buch der Elegien: Empfindungen, die mit Natureindrücken verbun-
den sind, Heimatgefühl; Höhepunkt der schöne Trauergesang auf eine
französische *puella tunicata,* eine Elegie an GEORG SABINUS, ein Trauergedicht auf DANIEL STIBAR. Die Schlußelegie wirft einen Rückblick auf
die Erlebnisse und Gefahren der Wanderjahre. Bei LOTICHIUS ist die
Dichtung eng mit dem Leben verbunden. Die ersten drei Bücher der
Elegien legen ein poetisches Tagebuch vor. Das gilt auch für das letzte
Buch. LOTICHIUS begab sich nach Würzburg und nahm bald darauf einen
Ruf als Professor der Medizin und Botanik nach Heidelberg an, wo er
sich als Mensch, Lehrer und Arzt größten Ansehens erfreute. Erst
32 Jahre alt, starb er. Den Heidelberger Endjahren entstammen die Elegien des 4. Buches, ausgenommen die erste. Es sind Epithalamien, Epi-
cedien und religiöse Gedichte; das bedeutendste Trauergedicht ist MELAN-
CHTHON gewidmet. Die kleineren Arbeiten des LOTICHIUS sind in den
‹Carmina› gesammelt. Darin stehen das elegische Gedicht ‹Auf das Land-
gut am Neckar› und das Gedicht ‹Klage des Liebenden› u. a. Während die
Elegien ausgeführte Kunstwerke sind, geben die ‹Carmina› mehr Augen-
blicksimpressionen.

Beide Sammlungen, die Elegien und die ‹Carmina›, zeigen «eine Verbindung von sanfter Schwermut, reinem zarten Sinn und treuer Hingabe» (G.

ELLINGER); in beiden stehen Klagen über die drangvolle Zeit, freundschaftliche Gefühle, Religiöses, tiefe individuelle Bekenntnisse; auch die Eklogen sind geprägt von individuellem Ton. Die Stimmung wird ihm durch das Erlebnis geweckt; doch nur ein kleiner Teil der Schicksale vermochte die dichterische Schöpferkraft anzuregen. LOTICHIUS war ein weicher, reizbarer, empfindsamer Mensch, Heroisches und Wildes lagen ihm fern; idyllische Landschaftsbilder fand er wesensgemäß, stille, gefaßte Schönheit, nicht Brausen und Donnern. Seine Bilder und Vergleiche sind aus dem Leben der Gegenwart, aber die großen Bewegungen der Zeit haben ihn nicht so erfaßt wie die Poesie und sein Dichterberuf; immer will sich die Persönlichkeit aussprechen. In der Form ging er allzu Künstlichem aus dem Wege. Als Neulateiner lehnt er sich an klassische und zeitgenössische Vorbilder an, besonders an die Elegiker, TI-BULL, OVID, CATULL, VERGIL, FLAMINIO, MOLZA, BEMBO, FRACASTORO, NAUGE-RIUS, SANNAZARO, PONTANUS. Gleichwohl gilt er als der bedeutendste deutsche Lyriker vor KLOPSTOCK, weil er persönlichen Erlebnisstoff zu geschlossener Gestalt zu fügen vermochte und Grundformen seelischer Bewegung widerspiegelt.

Bei den Personen, an die LOTICHIUS seine Gedichte richtete, lassen sich zwei Gruppen unterscheiden, erstens die Vertreter der älteren Zeit, unter ihnen MELANCHTHON, MICYLLUS, CAMERARIUS, MICHAEL BEUTHER, GEORG SABINUS, JOHANNES STIGEL, GEORG FABRICIUS u. a., zweitens Alters- und Standesgenossen, wie etwa MELISSUS und POSTHIUS. In Padua gehörten zu seinen Freunden JOHANN AURPACH, GEORG MARIUS, JO-HANNES SAMBUCCUS, HILARIUS CANTIUNCULA, in Heidelberg ADAM GELPH, KARL HÜGEL, JOHANNES POSTHIUS. HILARIUS CANTIUNCULA gab 1555 zu Venedig zwei Bücher Hendekasyllaben heraus. Sie zeigen ihn als zarte Natur, melancholisch, aber lebhaften Gefühles. Bei MICHAEL BEU-THER lag der Schwerpunkt auf historisch-chronologischen Arbeiten. Er übertrug als erster den ‹Reinke de Vos› ins Hochdeutsche. In Marburg wurde die Begabung des JOHANNES FABRICIUS MONTANUS (1527–1566) aus Zürich von LOTICHIUS erkannt. Den Schlüssel zu seinen Dichtungen bieten zwei Lebensabrisse von MONTANUS selbst. Hervorzuheben sind die Eklogen ‹Orion› anläßlich des Todes seiner ersten Frau, ‹Das glückliche Leben›, ‹Die Armut› und die Elegie auf WILHELM TELL. Seine gesammelten Dichtungen erschienen 1556.

Bereits an die Wende des hier darzustellenden Zeitraumes gehört PAUL SCHEDE MELISSUS (1539–1602) aus Melrichstadt in Franken, ein Schüler STIGELS in Jena, 1560–1564 in Wien und von Kaiser FERDINAND zum Dichter gekrönt. Seine neulateinische Dichtungen liegen vor in den Sammlungen ‹Schediasmata›, ‹Stegreifgedichte› (Frankfurt a. M. 1574 u. ö.) und ‹Meletemata›, ‹Übungen, Betrachtungen› (Frankfurt a. M. 1595). Das Erbe seines Freundes PETRUS LOTICHIUS führte JOHANNES POSTHIUS (1537–1597) aus Germersheim weiter, der mit MELISSUS einen neuen Abschnitt in der neulateinischen Poesie einleitete. Er gilt als das stärkste Talent unter den späten Neulateinern (vgl. Bd. V, S. 33). Bis in die 90er Jahre dichtete er nur lateinisch, in den letzten Jahren seines

Lebens aber brachte er die Sonntagsevangelien in deutsche Verse und
unterlegte ihnen französische Singweisen. Ebenso übertrug er den Äsop
ins Deutsche. Vielseitiger und fruchtbarer neulateinischer Dichter war
auch der Calvinist NATHAN CHYTRÄUS (1543–1598) aus Menzingen (vgl.
Bd. V, S. 49). Auch er ging von weltlichen Stoffen zu religiösen Themen
über und auch bei ihm sind Ansätze da, die Verbindung mit dem Schrifttum in der Volkssprache aufzunehmen. Er bildete in Elegien und Epigrammen an ELISABETH VON ENGLAND das große höfische Huldigungsge-
dicht aus. Der Beliebtheit, die noch immer die Gattung der Hodoeporica
genoß, kam CHYTRÄUS mit einer Sammlung solch poetischer Reisebeschreibungen entgegen.

Das *Epigramm* erreichte bereits an der Grenzscheide zwischen hu-
manistischer und neulateinischer Literatur in EURICIUS CORDUS (vgl.
Bd. IV/1, S. 622 ff.) seinen Höhepunkt. Wesentlich tiefer steht SIMON
LEMNIUS. Epigramme tauchen in fast allen Werken der Neulateiner auf.
Im besonderen genannt seien nur der dem Kreis um PAUL SCHEDE ME-
LISSUS angehörige SEBASTIAN SCHEFFER (um 1570) und HENRICUS FABRI-
CIUS (1547–1612), der sich ebenfalls über den Durchschnitt erhob.

e) Die Anakreontiker. Formkünste

In Zusammenhang mit der Rezeption der griechischen Literatur durch
den europäischen Humanismus steht das Bekanntwerden mit der griechischen Lyrik. Schon 1494 hatte JOHANNES LASCARIS in Florenz die
‹Anthologia Graeca Planudea›, die ‹Griechische Anthologie›, in der
Ursprache herausgegeben. WILLIBALD PIRCKHEIMER hatte bald nach
dem Erscheinen der Sammlung ein Exemplar erworben und begonnen,
einzelne Epigramme ins Lateinische zu übertragen; in seiner Lyrik sind
auch die ersten Nachwirkungen spürbar. Doch zu einer starken Einflußnahme auf die deutsche Literatur ist es zunächst nicht gekommen. Dies
geschah erst wesentlich später, als der französische Buchdrucker HEN-
RICUS STEPHANUS II., HENRI ESTIENNE (1528–1598) zu Paris 1554 seine
epochemachende pseudoanakreontische Sammlung von 60 Liedern veröffentlichte und im Anhang eine das Metrum des griechischen Originals
nachahmende Übersetzung ins Lateinische beigab. Der Herausgeber hielt
die Dichtungen – die handschriftliche Quelle für seinen Druck hat er
zeitlebens verschwiegen – für echt anakreontisch. In Wirklichkeit stammten diese ‹Anacreontea› aus teils alexandrinischen, teil nachchristlichen
Zeitabschnitten. Das Hauptcharakteristikum der Lieder ist eine anmutig
tändelnde liebes- und weinselige Genußfreudigkeit. Der Motivkreis dreht
sich ständig um die Themen Liebe und Wein in den verschiedensten Abwandlungen. Aber diese spielerisch-scherzhafte *anakreontische Dichtung*
übte auf die Literatur von ganz Europa eine nachhaltige Wirkung aus,

die in Deutschland im 18. Jahrhundert ihren Höhepunkt erreichte. Schon im 16. Jahrhundert veröffentlichte JOHANN AURPACH, wie S. 301 erwähnt, ein Bändchen anakreontischer Oden. Sie wurden als einzige Sammlung eines deutschen Neulateiners durch JOHANN ENGERT, seit 1572 Professor der Poesie in Ingolstadt, ins Deutsche übersetzt. Die Oden führen vielfach in den Kreis der Familie des Dichters und die kleine Welt des häuslichen Daseins, berühren aber auch große Fragen des öffentlichen Lebens. Zur selben Zeit finden sich in den Dichtungen des MICHAEL HASLOB gelegentlich mythologische Motive und Versarten, bei PAUL SCHEDE MELISSUS manch rhetorische Formen der griechischen Anakreontik.

Schon die frühmittelalterliche lateinische Literatur kannte verschiedene *formale Spielereien.* So konnte etwa jedes Wort mit dem gleichen Buchstaben beginnen. Bekannt war von dem Mönch HUGBALD zur Zeit KARLS DES KAHLEN die ‹Egloga de calvis in qua omnis dictiones a litera C. incipiunt› (Erfurt 1501; Basel 1519). Oder aus dem 16. Jahrhundert: ‹Primus papa potens pastor pietate paterna Petrus, perfectam plebem pascecudo paravit› (1521); ‹Pugna Porcorum per P. Portium Poetam. Paraclesis pro potore› (1542). Einer der Hauptvertreter dieser Art war CHRISTIANUS PIERIUS aus Köln: ‹Maximilianus minor, Maximiliano magnipotenti etc.› (1566); ‹Paupertas poetarum, praestigiis pertinacique Plutonis pugna parata› (1566); ‹Christus crucifixus. Carmen cothurnatum catastrophicumque› (1708). NICOLAUS MAMERANUS († 1566) aus Luxemburg, Historiker und Dichter am Hofe KARLS V., verfaßte eine Schrift über die Jagd, in der jedes Wort mit C beginnt. Auch FRISCHLIN war solchen Künsteleien nicht abgeneigt. Im späten Altertum und im frühen Mittelalter hatte man es verstanden, durch hervorgehobene Buchstaben Teppichmuster, Bilder u. dgl. darzustellen. Beispiele boten die Gedichte des PUBLIUS OPTATIANUS PORFYRIUS oder HRABANUS MAURUS mit ‹De Laudibus sanctae Crucis› (mit einer Vorrede WIMPFELINGS 1501). Im Barockzeitalter werden solche Spielereien häufiger.

5. Anfänge neuer deutschsprachiger Kunstlyrik

Kunstlyrik als Aussage dichterischer Individualitäten oder Sprachgestaltung in künstlerischer Form sind Schöpfungen wie etwa ZWINGLIS Gedichtzyklus aus Anlaß seiner Genesung von der Pest, HUTTENS ‹Ich habs gewagt mit Sinnen› u. a., ein beträchtlicher Teil der Kirchenlieddichtung, vieles von der religiösen Lyrik, ein Teil der historischen Lieder, selbstverständlich der ganze Meistergesang und die Produkte der Pritschmeister. Gleichwohl zeigt sich im letzten Drittel des 16. Jahrhunderts in der deutschen lyrischen Dichtung eine Erschöpfung der alten Formen und das Bestreben nach einer neuen Behandlung des Verses. Die Verbesserungsbemühungen und Anfänge des Neuen beginnen in den Bereichen des Kirchenliedes und der weltlichen gesungenen Kunstdichtung. Die Voraussetzungen schufen Einwirkungen der europäischen Spätrenaissance von Italien, Frankreich und den Niederlanden, und zwar aus der Musik und aus der Dichtung.

Seit OTTAVIANO DEI PETRUCCI (1466–1539) in Venedig 1501 als erster Figuralmusiknoten mit Bezeichnung verschiedener Zeitdauer druckte, wurde Italien ein Hauptland der Musik. Man führte die Chromatik ein, es bildete sich ein neuer Liedstil heraus, bei dem der *cantus firmus*, den Deutschen und Niederländern geläufig, verschwand und in dem die übrigen Stimmen sich verständigten. Bedeutsam wurden dann für die Einwirkung auf Deutschland insbesondere CLÉMENT MAROT (ca. 1494–1544) mit seiner Psalmenbehandlung, ORLANDO DI LASSO und JAKOB REGNART. MAROT stand nach seiner Tätigkeit als französischer Hofdichter in Diensten der MARGARETE VON NAVARRA und der Herzogin RENÉE VON FERRARA. Seit langem der Reformation zugeneigt, floh er 1543 nach Genf und begegnete dort CALVIN. Von MAROTS Psalmenübersetzungen waren zunächst dreizehn Lieder in das erste Gesangbuch CALVINS aufgenommen worden (vgl. S. 261); 1542 erschienen 30 Psalmen im Druck, zwanzig Jahre später das vollendete französische Psalmenbuch. Die Vertonungen des reformierten Psalters von 1562 stammten von LOUIS BOURGEOIS, GUILLAUME FRANC, CLAUDE GOUDIMEL. Dieser *Genfer-* oder *Hugenotten-Psalter* wurde zu einem literarischen und musikalischen Mittelpunkt des Calvinismus.

Die Bestrebungen seines deutschen Zweiges, aus den französischen Voraussetzungen ein deutsches calvinisches Gesangbuch (vgl. S. 262) zu schaffen, werden nun für die formale Ausbildung einer neuen volkssprachigen Kunstlyrik in hohem Maße bedeutsam. Als erster unternahm es der Lutheraner AMBROSIUS LOBWASSER (1515–1585) aus Schneeberg im Erzgebirge, Professor der Rechte in Königsberg, den reformierten Psalter ins Deutsche zu übersetzen, wobei man sich im Text streng an die Melodien zu halten hatte und die Vorlage in Strophenform und Silbenzahl genau nachbilden mußte. LOBWASSER hatte den Genfer Psalter in Frankreich kennengelernt und widmete seine 1565 vollendete Arbeit dem Herzog ALBRECHT D. Ä. VON PREUSSEN. Auf LOBWASSER folgte PAUL SCHEDE MELISSUS, seit 1567 in Frankreich in Beziehungen zu den Reformierten, 1568–1571 in Genf, wo er sich dem Calvinismus zuwandte, zuletzt in Heidelberg von FRIEDRICH III. VON DER PFALZ 1570 beauftragt, ein Gesangbuch der Pfälzer Reformierten zu schaffen. Das Ergebnis waren ‹Die Psalmen Davids In Teutische gesangreymen, nach Frantzösischer melodeien ûnt sylben art› (Heidelberg 1572). SCHEDE übersetzte die ersten fünfzig Psalmen von MAROT und BÈZE, dazu die Gebote Gottes und Simeons Gesang. Er unterschied dabei nach französischer Art zwischen männlichem und weiblichem Reim, behandelte ebenso die Zäsur und beachtete das Hiatusverbot, strebte jambischen Rhythmus an und wollte Silbenzählung mit dem akzentuierenden Prinzip vereinen. Auch in seinen anderen Dichtungen bemühte sich SCHEDE, der deutschen Dichtkunst neue Formen zuzuführen und versuchte sich als einer der ersten im Sonett und im Alexandriner. In Zusammenhang mit der Herstellung der kurpfälzischen Kirchenordnung im Geiste des Calvinismus steht auch die dritte Übersetzung des Hugenotten-Psalters durch den Freiherrn PHILIPP VON WINNENBERG (1538–1600): ‹Psalmen des Königlichen Propheten Dauids auff die Frantzösische Reimen vnd art› (Speyer 1588).

Um 1570 kam es neben dem volkstümlichen Lied, dem Kirchenlied und neben der neulateinischen Dichtung zur Ausbildung einer *neuhochdeutschen Kunstlyrik* individueller Prägung und persönlicher Gestaltung. Sie wird verkörpert durch den Niederländer JAKOB REGNART (1540–1599), Hofkapellmeister in Wien, und dessen ‹Kurtzweilige Teutsche Lieder, zu dreyen Stimmen, Nach art der Neapolitanen oder Welschen Villanellen›, 3 Teile (Nürnberg 1576–1579), durch CHRISTOPH VON SCHALLENBERG (1561–1597), der zunächst in lateinischer, dann in deutscher Sprache dichtete, und einem Anonymus, dessen mit SCHALLENBERGS verwandte Dichtungen im sog. *Raaber Liederbuch* erhalten sind. Weder SCHALLENBERGS Gedichte noch die des Anonymus fanden zu ihrer Zeit den Weg zur Drucklegung, sondern wurden erst 1910 und 1959 veröffentlicht.

Sowohl die sich anbahnende neue religiöse Lieddichtung als auch die Anfänge einer neuen Kunstlyrik stehen schon jenseits des hier darzustellenden Zeitraumes.

FÜNFTES KAPITEL

DAS DRAMA DER REFORMATIONSEPOCHE

Als in Deutschland die Reformation ausbrach, gab es auf dem Gebiet des *Dramas* eine breite Menge spätmittelalterlicher geistlicher Spiele verschiedener Arten, weltliche Spiele, gemeinhin genannt Fastnachtspiele, und bereits auch ein lateinisches Humanistendrama mit Komödie, zeitgeschichtlichen Stücken, Festspielen und Allegorien. Alle genannten Typen waren der Erbauung und Unterhaltung gewidmet. Diese dramatische Dichtung erfährt *im Reformationszeitalter* wesentliche Veränderungen.

Die *spätmittelalterlichen geistlichen Spiele* werden weitgehend zurückgedrängt; die meisten Oster-, Passions-, Weihnachts-, Prozessions- und Legenden-Spiele, alles Schau-Spiele, finden in den protestantischen Gebieten ein jähes Ende. Ganz erloschen ist aber die Tradition des ausgehenden Mittelalters doch nicht. Sie lebt in den katholisch gebliebenen oder rasch rekatholisierten Territorien begrenzt weiter und eine gewisse Anzahl Dramen, deutsche und lateinische, behandeln immer noch die Auferstehung, Leidensgeschichte und Geburt Christi. Die *weltlichen Spiele* dauern zwar an, werden aber nunmehr von namentlich bekannten Dichtern gepflegt und z. T. auch in die Dienste der religiösen Auseinandersetzungen gestellt. Der *Humanismus* hatte begonnen, teils im Anschluß an die römisch-griechische Antike, teils veranlaßt durch ein neues Persönlichkeitsgefühl, ein *personales Drama* heraufzuführen, d. h. ein Drama, das Motive und Schicksal eines Einzelmenschen vorführt und moralisch-weltanschaulich auswertet. Diese Anfänge macht man sich nun zunutze. Bei SENECA, und, sobald sie rezipiert waren, auch bei den griechischen Tragikern, konnte man als ein dramatisches Grundelement den Kampf sehen: Helden, die kämpfen und siegen oder unterliegen. Aus den dialogartigen Einkleidungen werden nach und nach Dramen mit kunstvoller Handlungsführung, Spannung retardierenden Momenten und verschlungenen Nebenhandlungen. Die neuen Lebens- und Glaubensformen erhalten ihre Gestaltung nicht mehr in *Schau*-Stücken, sondern mehr und mehr im *Wort*-Drama. Man wählt aus dem Alten oder Neuen Testament eine Einzelgestalt heraus und führt in Rede und Gegenrede einen religiös-moralisch bedeutsamen Abschnitt ihres Lebensganges vor Augen. Als Vorbilder für die Konzentration auf das Einzelne und für die Formgebung des Gesamten dienten die antiken Komödien und Tragödien mit ihrer Gliederung in Akte, mit ihren Chören etc.

bei TERENZ, PLAUTUS, SENECA, ARISTOPHANES. Eine neue Raumauffassung und Raumbewältigung war die nächste Folge. Von den *Ansätzen zu diesem personalen Wortdrama* und mithin *zu einer neuen, vom Mittelalter abgegrenzten Dramenkunst* führen im 16. Jahrhundert nur einzelne zu vorläufigen Resultaten. Erstrebt wird die Ausbildung einer zur Gegenwart sprechenden Dramenwelt. An die Stelle der alten Autoritäten treten neue; die Bibel wird häufig unmittelbare Quelle. Während die mittelalterlichen Spiele Heilstatsachen veranschaulichten, ist es das Bestreben fast aller Dramatiker des 16. Jahrhunderts, einen moralisch-religiösen Lehrsatz zu exemplifizieren.

Das *Drama des Reformationszeitalters* will weitgehend bestimmte Tendenzen, Bestrebungen und Lehrmeinungen spiegelartig anschaulich machen und verbreiten. Nicht ästhetische Probleme oder zwischenmenschliche Konflikte wie im späteren Drama werden vor Augen gestellt, sondern Stoffe und Geschehnisse, die sich für eine Unterweisung, Erbauung oder für den Lobpreis Gottes eignen. Der *Zweck* und das Ziel dieser Dramatik sind weithin die gleichen wie in der Predigt. Indirekt und besonders im weiterlebenden Fastnachtspiel spielt selbstverständlich auch das Moment der Unterhaltung mit, kann gelegentlich sogar dominieren.

Das Drama des Reformationszeitalters hatte eine *doppelte Aufgabe* zu erfüllen. Es wurde in die Dienste der Glaubenspolemik gestellt und es sollte im Rahmen der Schule oder der moralischen Unterrichtung des Volkes pädagogisch wirken. Die Vorreden, Widmungen und Prologe der Stücke betonen immer wieder die glaubensstärkende Wirkung des Schauspiels, und in den Titelzusätzen bekunden die Verfasser nicht selten ihre Absicht der ethischen Einflußnahme auf die Zuschauer. Die soziale Funktion des Dramas war insofern bedeutend gedacht, als es viele die Zeit bewegenden Lehren, Gedanken und Ideen repräsentierte und auf die Menschen zur Wirkung brachte.

Das Drama der Reformationsepoche stand dem *Leben der Zeit* sehr nahe. Im Fastnachtspiel wurden die Ereignisse der jüngsten Vergangenheit vorgeführt; in den Kampfdramen konnte man in den biblischen Gestalten sogleich die prominenten Zeitgenossen erkennen. Wie in den geistlichen Spielen des Mittelalters die Szenen um die sündige Magdalena breit ausgemalt waren, so nun in den Stücken vom verlorenen Sohn die Sauf- und Buhlszenen, in den Lazarus-Dramen der Luxus der Reichen – alles sehr realistisch und lebensnahe. Was im Drama an Zeitkritik, Moralsatire u. dgl. aufscheint, hat es mit der episch-satirischen Literatur gemeinsam.

Als *Verfasser* der Dramen betätigten sich Schulmeister, Geistliche, Amtsschreiber, Handwerker, vorzüglich Meistersinger. Das *Ethos* ihrer Stücke ist christlich-reformatorisch, stadtbürgerlich-häuslich und rechtschaffen, demokratisch. Heroische Züge sind selten und auch die wirtschaftlichen und sozialen Gegensätze dringen in das neue Drama kaum ein. Dagegen ist eine Neigung zu Sittenbildern unverkennbar. Die eigentlichen Lehrgegenstände bilden moralische Bewährung in Sittsamkeit, Folgsamkeit, Sparsamkeit, zumeist demonstriert an biblischen Beispielen. Das Schauspiel der Reformationszeit arbeitet weder mit Spannung noch mit Ausstattungsillusion; es ist anachronistisch.

Die *Leistung* der Dramen-Verfasser besteht bei vielen Produkten hauptsächlich darin, daß ein gegebener Stoff in Akte und Szenen gebracht wurde. Es ging nicht um die dichterische Gestaltung einer dramatischen Idee, sondern um Dialogisieren und Inszenieren oft rein epischer Stoffe zur Darstellung in einem Spiel. Man wollte Texte für Spiele schaffen. Diese Texte sollten dem Geiste der Lehre entsprechen, zu der sich der Verfasser oder das Publikum, vor dem gespielt wurde, bekannte. Wie das mittelalterliche Spiel zuletzt den Bereich von der Weltschöpfung bis zum Weltende umfaßte, werden auch nun alle nur möglichen biblischen Geschichten in Szenen umgesetzt, daneben historische und novellistische Stoffe, meist ebenfalls mit einer christlichen Moral. Man erstrebte eine moralpädagogische Wirkung durch Aufführung und durch Drucklegung.

Sprachlich betrachtet, besteht die dramatische Dichtung von 1520 bis gegen Ende des Jahrhunderts aus *deutschen* und *neulateinischen* Stücken. Eine sinnvolle Scheidung nach diesem Gesichtspunkt ist für die Gesamtgattung kaum möglich. Die engen Konnexe lassen dies einfach nicht zu. Dem *Inhalt* nach sind es *weltliche* und *religiöse* Spiele. In beiden Richtungen tritt die dichterische Persönlichkeit, ihre Begabung und ihr individuelles Können, prägnanter hervor als im ausgehenden Mittelalter. Bei den großen Dramen wird man gut tun, zwischen *Lese*texten und *Spiel*texten zu unterscheiden.

Über die *dramatischen Grundbegriffe* hatte man im allgemeinen keine klaren Vorstellungen. Die humanistisch Gebildeten wußten wohl gattungsmäßig zu unterscheiden zwischen *tragoedia* und *comoedia*; ein aus Tragödie und Komödie gemischtes Schauspiel nannten sie *tragicomoedia*. In der volkstümlichen Redeweise aber verwendete man das Wort ‹Komödie› für jedes Bühnenwerk. Bei HANS SACHS heißt bekanntlich jedes Spiel, das gut ausgeht, ‹Komedi› und jedes Stück, das schlecht ausgeht, ‹Tragedi›. Für den dramatischen Schwank verwendete man nach wie vor die Bezeichnung Fastnachtspiel.

Aufbaumäßig und in stilistischer Hinsicht herrscht in den Dramen weiter das spätmittelalterliche breite Nebeneinander der geistlichen Spiele und die lockere Revueform der Fastnachtspiele. Die durch die Schule des Humanismus gegangenen Neulateiner hingegen konzentrieren den Stoff auf das Wichtigste, arbeiten mit Boten und Berichten und ersetzen damit die Zwischenglieder. Gemeinsam sind der ernsten Gattung nur die religiöse Grundstimmung und die religiösen Elemente, einen einheitlichen Stil gibt es im Reformationsdrama nicht.

In die klassisch stilisierten Dramen wurden nicht selten derbkomische oder idyllische Interscenia, Interludi, Zwischenspiele, eingeschoben. Auf diese Weise und auch sonst drangen volkstümliche Elemente und Tendenzen, Bilder und Anschauungen aus dem Volksleben, Mundartliches usw. in das Stildrama ein. Charakteristik der Personen im modernen Sinn lag meist nicht in der Absicht der Autoren. Sie wollten entweder naturgetreue Gestalten oder stilisierte Typen schaffen. Nur allmählich und in wirklich guten Werken kommt es zu einer durchgeformten Darstellung menschlicher Charaktere und Schicksale.

Im *neulateinischen* Drama macht sich das mittlere *Schulwesen* als Pflegefaktor sehr stark geltend. Es kommt zur Einrichtung eines protestantischen und eines katholischen Schuldramas. Dabei ist noch immer ein wesentlicher Zweck, die jungen Darsteller zu üben in der ‹Pronunciation vnd Action› ‹vnd geberde›, sie ‹höffligkeit vnd Mores› zu lehren, wie die Vorschriften der Rhetorik es verlangen. Häufig spielten die Schüler zur Fastnacht eine lateinische TERENZ-Komödie und ein deutsches biblisches Stück.

Ein Prolog eröffnet. Das Argument, bei lateinischen Schuldramen später auch deutsch gesprochen, enthält die Inhaltsangabe. Wie im ausgehenden Mittelalter erfolgte vielfach noch der feierliche Ein- und Umzug der Darsteller vor dem Spiel. Seit REUCHLIN und WIMPFELING gliederte man die Stücke in Akte und Szenen. Aus der antiken und der Renaissance-Tragödie übernahm man den Chor, der durch Gesänge die Akte beschloß und die Folgerungen aus dem Gesehenen zog. Zum Schluß prägte ein Epilog oder der Chor nochmals die beabsichtigte Moral.

Die neuen Wesenszüge der Gattung zeigen sich im neulateinischen Drama vor allem an den drei Dichtern WILHELM GNAPHEUS, GEORG MACROPEDIUS und THOMAS NAOGEORG, davon einer der Reformation zugeneigt, einer Katholik und einer leidenschaftlicher Kämpfer gegen Rom, alle drei Humanisten. Sie entnehmen die strukturellen Grundlagen zur Darstellung ihrer Gedanken und Vorstellungen großenteils der römischen Komödie und der mittelalterlichen Moralität. Ausgesprochener Tendenzdramatiker im Sinne des Protestantismus ist dabei nur NAOGEORG.

Theatergeschichtlich vollzog sich im Drama der Reformationsepoche der Übergang vom bühnenlosen Fastnachtspiel und der Simultanbühne der geistlichen Dramatik zur Sukzessionsbühne. Die Spiele im Freien werden durch Aufführungen in geschlossenen Räumlichkeiten auf einem erhöhten Podium abgelöst. Der meist übliche Bühnenbau war die ‹Terenzbühne› mit einer Wand und mehreren Türen als Hintergrund.

Das Humanistendrama kannte bereits einen rein ästhetischen Zweck. Das Reformationsdrama verfolgt konfessionelle, polemische und moralische Ziele. Belehrung und Erbauung werden mit Unterhaltung verbunden. Gleichwohl ist das deutsche, besonders das mitteldeutsche Reformationsdrama bemüht, zu einem *Stildrama* zu gelangen.

Die *Entfaltung des deutschen Dramas* im Reformationszeitalter setzte in der Schweiz ein, wo man auf spätmittelalterlichen Voraussetzungen und Volksspielen biblischen Inhaltes aufbauen konnte. Dann folgten Süddeutschland und das Elsaß, der Raum Nürnberg-Augsburg, schließlich Sachsen.

Eine vom Standort des Spätmittelalters ausgehende *Überschau* über die gesamte Gattung zeigt Negatives und Positives, Verluste und Gewinne. Zu den *Minuspunkten* gehören: Der weitgehende Wegfall der spätmittelalterlichen geistlichen Spiele, die Tatsache, daß Begabungen wie Thomas Naogeorg u. a. sowie ein großer Teil der Neulateiner ihr Talent in den Dienst der Kirchenkämpfe oder bestimmter Tendenzen stellen; der Verlust der ideellen Einheit innerhalb der Gattung. Zu den *Plusposten* müssen gezählt werden: Die Ausbildung eines protestantisch oder katholisch bestimmten deutschen und lateinischen Dramas mit verschiedenartigen dramatischen Exegesen und Experimenten für die theatralischen Formen, wobei sich als die drei Haupttypen Moralitäten, Bibeldramen und Historienstücke abzeichnen; die Möglichkeiten für ein deutschsprachiges Bürgerdrama in den Städten, die Fastnachtspiele und das Meistersingerdrama; die Weiterpflege und Vervollkommnung des Schuldramas, die Anfänge der Jesuitendramatik, die ersten Englischen Komödianten; durch die auch auf die griechische Tragödie übergreifende Rezeption des antiken Dramas und die einsetzende Kenntnis Shakespeares die beginnende Ausbildung einer vom Mittelalter unabhängigen Dramenkunst.

Wir überblicken zunächst *die Gattung während der ersten Phase der Glaubenskämpfe,* die Stellung der Reformatoren zum Drama und zeigen die dramatische Dichtung im Dienste der Auseinandersetzungen. Im weiteren ist ein zweites Hauptstück den *alten Spielgattungen zur Zeit der Reformation* gewidmet. Die Wege führen von den spätmittelalterlichen Gegebenheiten zum religiösen Spiel des Reformationszeitalters, zu weiteren Moralitäten und allegorischen Humanistenstücken, weiteren Fastnachtspielen und Meistersingerdramen sowie den Schöpfungen des Niklas Manuel, Jörg Wickram und Hans Sachs. Ein drittes Hauptstück soll die *Ansätze einer neuen, vom Mittelalter abgegrenzten Dramenkunst* vor Augen führen, und zwar am neulateinischen und deutschsprachigen Drama in verschiedenen Gebieten, an Schuldrama und Bürgerspiel. Hiebei werden die Neulateiner Gnapheus, Macropedius und Naogeorg, die Übersetzungen antiker und humanistischer Dramen ins Deutsche und die Leistungen eines Sixt Birck, Paul

REBHUN und NIKODEMUS FRISCHLIN zu charakterisieren sein. Mit den
Anfängen des Jesuitendramas und den *ersten Englischen Komödianten*
setzen die Übergänge zum Barock ein.

1. Die Gattung während der ersten Phase der Glaubenskämpfe

Für die *Reformatoren* war das *Drama* keine zentrale Literaturgattung
wie die Bibelübersetzung, das Kirchenlied, das Gebrauchsschrifttum.
Gleichwohl sahen sich die Glaubenserneuerer veranlaßt, zu den verschiedenen Arten der Gattung, d. h. zu dem breiten Strom der geistlichen Spiele, zur Humanistendramatik und zu den volkssprachigen
weltlichen Spielen, grundsätzlich und faktisch Stellung zu nehmen. In
der Praxis war es dabei zunächst so, daß die *geistlichen Spiele* abgeschafft oder weitgehend zurückgedrängt, das *Humanistendrama* und die
Fastnachtspiele in die Dienste der Kirchenkämpfe gestellt und ideell den
geänderten Glaubensauffassungen angepaßt wurden. Unmittelbar nach
der Leipziger Disputation entsteht der ‹Eckius dedolatus›. In der Schweiz
benutzt NIKLAS MANUEL 1522 das Drama und die Bühne zur Polemik
gegen das Papsttum. In Nürnberg beginnt 1527 HANS SACHS seine in
reformatorischem Geist gehaltene dramatische Produktion, in Riga führt
BURKHARD WALDIS 1527 ein evangelisches Tendenzstück auf, in Zürich
spielt man 1529 die Parabel vom reichen Mann und armen Lazarus.

LUTHER, der gelegentlich als der Erwecker der protestantischen Dramatik angesprochen wurde, hat diese gewiß nicht erst ins Leben gerufen, zumal seine Äußerungen über das Drama erst 1530 einsetzen. Wohl aber hat
LUTHER die dramatische Gattung durch seinen Zuspruch gefördert, freilich mit gewissen Einschränkungen und im Sinn seiner Glaubenslehren
und der Ausrichtung des neu organisierten Schulwesens. Doch nicht
allein LUTHERS Stellung zum Drama ist von Belang, sondern auch die
Haltung ZWINGLIS, der Täufer und die CALVINS.

a) Die Stellung der Reformatoren zum Drama

Bei Erörterung der *Stellung der reformatorischen Glaubensrichtungen
zum Drama* ist zu unterscheiden zwischen ihrer Haltung zu den geist-
lichen Spielen, zum humanistischen Schuldrama und zu den weltlichen
Spielen. Die Stellung zu den geistlichen Spielen hat eine gewisse
Parallelität mit jener zur religiösen Bildkunst. Wegen der geänderten
Glaubensmeinungen über die Heiligenverehrung fielen automatisch alle
Legendenspiele, Marienklagen etc. weg. Die tiefgreifenden kirchlichen
Umordnungen in den Pfarren und Klöstern, die in den Städten und
Märkten oft sehr bewegten Auseinandersetzungen zwischen Alt- und Neu-

gläubigen waren insgesamt der Pflege geistlicher Spiele oder gar ihrer weiteren Entfaltung überaus ungünstig. Ausdrücklich stellten sich LUTHER und seine Anhänger gegen die überall in Deutschland verbreiteten *Passionsspiele,* die entsprechend der spätmittelalterlichen Geltung der Leidenstheologie die Hauptmasse der Spielaufführungen bildeten. Im ‹Sermon von der Betrachtung des heiligen Leidens Christi› sagt er, es sei besser, daß sich jemand im Leiden Christi übe und die Früchte seines Leidens genieße, denn daß er alle Passion höre. Auch gefiel ihm die oft sentimentale Auffassung des Leidens Christi in den Spielen nicht. Im Hinblick auf die Ablehnung der Passionsspiele stimmte MELANCHTHON mit LUTHER überein. Gebilligt wird von beiden im Verlauf der Konsolidierung des Protestantismus *das humanistische Schuldrama* und zwar wegen seines Nutzens für die formale wie die ästhetische Bildung der Jugend, ausgerichtet selbstverständlich nach den neuen evangelischen Lehrsätzen. LUTHER billigte auch die Aufführung biblischer Dramen vor dem Volk aus moralischen Motiven. MELANCHTHON pflegte selbst die Aufführung antiker Stücke aus schulpädagogischen Gründen. LUTHER aber warnte vor dem übertriebenen Kult der alten Komödiendichter. Fast alle bejahenden Äußerungen LUTHERS beziehen sich auf Schulaufführungen und Schauspiele mit biblischen Themen. Nur die wichtigsten seien angeführt.

Am 2. April 1530 schrieb LUTHER an NIKOLAUS HAUSMANN in Zwickau: «Ich würde es nicht ungern sehen, daß Christi Taten in den Schulen, lateinisch und deutsch, ordentlich und unverfälscht zusammengestellt, aufgeführt würden zu ihrem Gedächtnis und zur Belebung der Gemütsverfassung der Jugend [propter rei memoriam et affectum iunioribus augendum]». Öffentlich empfahl LUTHER die Spiele 1534 in den Vorreden zu den biblischen Büchern Judith, Tobias, Esther und Daniel. In der Vorrede zum Buch Judith sagt er: «Und mag sein, daß sie [die Juden] sölch geticht [Judith] gespielt haben, wie man bey vns die passion spilet, vnd ander heiligen geschicht, damit sie yhr volk vnd die Jugent lehreten, als in einem gemeinen bilde, oder spiel, Gott vertrawen, from sein, vnd alle hülff vnd trost von Gott hoffen, in allen nöten, wider alle feinde». In der Vorrede zum Buche Tobias heißt es: Wie Judith «eine gute, ernste, tapfere Tragödie», so gibt Tobias «eine feine, liebliche, gottselige Komödie». Ähnlich äußert sich LUTHER in der Vorrede zu den Büchern Esther und Daniel über diese Stoffe und über die Geschichte von Susanne, von Habakuk u. a. Die aufschlußreichste Empfehlung der Spiele steht in den ‹Tischreden›: «Dr. Cellarius fragte D. M. Luther um Rat: Es wäre ein Schulmeister in Schlesien, nicht ungelehrt, der hätte ihm fürgenommen, ein Komödien in Terentio zu agiren; Viel aber ärgerten sich daran gleich als gebührte einem Christenmenschen nicht solch Spielwerk aus heidnischen Poeten. Was er D. Lutherus davon halt? Da sprach er: Komödien zu spielen soll man um der Knaben in der Schule willen nicht wehren, erstlich daß sie sich üben in der lateinischen Sprache; zum andern daß in Komödien fein künstlich erdichtet, abgemalt und gestellet werden solche Personen, dadurch die Leute unterrichtet und ein jeglicher seines Amts und Standes erinnert und vermahnet werde, was einem Knecht, Herrn, jungen Gesellen und Alten gebühre und für die Augen gestellt aller Dinge Grad, Ämter und Gebühren, wie sich ein jeglicher in seinem Stande halten soll, wie in einem Spiegel. Zudem werden darinnen angezeigt und beschrieben die listigen Anschläge und Betrug der bösen Bälge u. dgl. was der Alten und jungen Knaben Amt sei, wie sie ihre Kinder zum Ehestande ziehen und halten, wenn es Zeit mit ihnen ist etc. Solchs wird in Komödien fürgehalten, welches sehr nütz und wohl zu wissen ist.» – «Und Christen sollen Komödien nicht ganz und gar fliehen, darum daß bisweilen grobe Zoten und Buhlerei darin seien, da man doch um derselben willen auch die Bibel nicht dürfte lesen. Darum ists nichts, daß sie solches fürwenden und um der Ursache willen verbieten wollen, daß ein Christ nicht sollte Komödien mögen lesen und spielen».

Für die Beurteilung der Dramatik der Reformationszeit ist aufschlußreich der Brief des WENZESLAUS LINCK an den Pfarrer PETRUS PITHONIUS in Windesheim vom 13. März 1539. Demnach ist die Dramatik eine Ergänzung des kirchlichen Lebens.

LINCK schreibt, «da ein großer Teil der Menschen die heilsame Lehre nicht leiden, geschweige denn aufnehmen wolle, sondern nach ihren eigenen Lüsten ihre eigenen Lehren aufladen, nach dem ihnen die Ohren jücken, die Ohren von der Wahrheit wenden und sich zu den Fabeln kehren, so müsse man jetzt Gottes Wort und Lehren guter Sitten der tollen Welt und ungezogenen Jugend mit Predigen, Gesängen, Reimen, Liedern, Sprüchen, Spielen der Komödien, Tragödien etc. vortragen, ob vielleicht die das Predigen nicht hören, noch sonst Zucht leiden wollen, durch Spiel oder Gesänge möchten erworben werden» (H. HOLSTEIN).

Im Streit um die Aufführung geistlicher Spiele 1543 zwischen JOACHIM GREFF und dem Pfarrer SEVERINUS STAR in Dessau trat LUTHER in einem Brief an GEORG VON ANHALT vom 5. April 1543 mit Nachdruck für den Dramatiker ein und meinte, der Fürst möge nicht dulden, daß ein toller Kopf die ‹neutralia damnabilia› schelte. Ähnlich wie LUTHER äußerten sich auch die anderen vier Gutachter, MELANCHTHON, GEORG MAJOR, HIERONYMUS NEPUS und PAUL EBER. MAJOR meinte, solche Schauspiele bewegen das Volk bisweilen mehr als die öffentliche Predigt. Nicht allein LUTHER, sondern auch seine Wittenberger Freunde bejahten und förderten die geistlichen Schauspiele. MELANCHTHON, der *praeceptor Germaniae,* veranstaltete 1516 eine TERENZ-Ausgabe, ebenso 1525. In MELANCHTHONS Privatschule (seit 1521) bildete dieser römische Dramatiker den Mittelpunkt des lateinischen Unterrichtes. Überdies wurden von den Schülern klassische Dramen aufgeführt.

Fast alle *evangelischen Schulordnungen* empfahlen die Lektüre des TERENZ und außer der Interpretation und Rezitation auch die Aufführung von Terenzischen Komödien. Neben TERENZ wurde PLAUTUS gespielt.

In den *reformierten Gegenden der Schweiz* beließ man zunächst das spätmittelalterliche Drama – soweit sein Inhalt der neuen Lehre nicht widersprach – in seiner Buntheit, Mannigfaltigkeit und Anschaulichkeit, war aber auch dort bestrebt, und zwar viel entschiedener, die mittelalterliche Form zu einem neuen protestantisch-humanistischen Stil umzubilden, im Schuldrama und im religiösen Schauspiel. Als in Zürich 1531 in der Großmünsterschule unter der Leitung von GEORG BINDER eine Aufführung des ‹Plutos› von ARISTOPHANES in griechischer Sprache stattfand, war die Musik der Zwischenspiele von ZWINGLI komponiert.

Die *Täufer* sind zwar öfters Gegenstand von Agriffen im Drama der Reformationszeit, von ihrer Stellung zum Drama scheint jedoch nur eine vereinzelte Nachricht über Aufführungen deutschsprachiger Spiele in Münster Aufschluß zu geben. In CALVINS ‹Gottesstaat› wurden theatralische Darbietungen erst auf religiöse Themen beschränkt und schließlich ganz verboten.

Die Fortführung des Studiums der römischen und griechischen Dramatiker durch protestantische Philologen und die Bejahung der Schaffung und Aufführung biblischer Dramen durch LUTHER zog in den Gebieten, die seiner Glaubensrichtung folgten, eine eifrige Pflege der Bühnendarstellung antiker Stücke und der biblischen Dramatik nach sich. Die konservative Haltung ZWINGLIS gegenüber den spätmittelalterlichen Spielen und die ebenfalls eifrige Pflege der humanistischen Studien machten die Schweiz zu einem Hauptland des Dramas im Reformationszeitalter, das Altes mit Neuem verband.

b) Die dramatische Dichtung im Dienste der Auseinandersetzungen

Bald nach Ausbruch der Reformation wurde ebenso wie die anderen Literaturgattungen auch das *Drama in den Dienst des Kirchenkampfes* gestellt. Eine Unzahl religiös-polemischer Auseinandersetzungen ist in Gestalt von Dialogen und Streitgesprächen niedergelegt. Bald aber bedienten sich die beiden einander bekämpfenden Parteien auch der ausgebildeten Formen des Fastnachtspieles, der Komödie, des Gegenwartsdramas und der Moralität, um ihre Lehrmeinungen anschaulich zum Ausdruck zu bringen und den Gegner zu verunglimpfen. Die kirchlichen Gegensätze äußern sich ebenso in den Dramen aus der Zeitgeschichte.

Gleich an der Schwelle des Kirchenkampfes steht ein dem Drama nahes satirisches Werk von größtem Talent, freilich auch ärgster Verzerrung und schonungsloser Bosheit, der ‹Eckius dedolatus› (vgl. S. 106 ff.). Der im Anschluß an LUKIAN von HUTTEN geschaffene satirisch dramatische Dialog wird hier in den Dienst des Gegenwartskampfes gestellt. Die Gesprächstechnik ist von großer Anschaulichkeit und Plastizität, der Dialog wird beinahe zur Komödie. Elemente der alten Fastnachtspiele, Antikes von PLAUTUS und SENECA und Humanistisch-Reformatorisches, namentlich von der Satire der ‹Epistolae obscurorum virorum›, sind annähernd harmonisch zur Synthese gebracht.

Aus einem lateinischen Original abzustammen scheint das Pariser Spiel ‹Ein Tragedia oder Spill, gehalten in dem künigklichen Sal zu Pariß.

1524›, überliefert in einem alten Druck und in einer Handschrift JOHANN
KESSLERS für dessen ‹Sabbata›. Die Verfasserfrage ist nicht geklärt. LUD-
WIG GEIGER glaubte, das Stück sei von GUILLAUME FAREL, dem Reformator der französischen Schweiz, der 1523 aus Paris nach Basel geflohen
war.

Der Inhalt des Spieles ist in Kürze folgender: Papst und Kardinäle sind
in dem königlichen Saal zu Paris versammelt. Vor ihnen brennt ein mit Asche
überdecktes Feuer. Da tritt der alte REUCHLIN auf, hält der Versammlung den
traurigen Zustand der Kirche vor Augen und mahnt zur Abstellung der Schäden;
mit einem Stabe entfernt er die Asche vom Feuer und läßt die Flamme auflodern. Ihm folgt ERASMUS; er will niemand verletzen, empfiehlt keine Maß-
regeln, läßt das Feuer brennen, setzt sich zu den Kardinälen und empfängt
ihre Ehrenbezeugungen. Danach erscheint ULRICH VON HUTTEN, schilt den Papst
den Antichrist, schmäht in arger Weise die Versammelten, entfacht mit einem
Blasebalg das Feuer, fällt jedoch in seinem Zorn zu Boden und ist tot. Schließlich kommt LUTHER im Narrenkleid einer Mönchskappe, eine Bürde Holz auf
der Achsel, wirft dieses Holz in die Glut, daß es aufflammt und die ganze Welt
erleuchtet. Von Schrecken erfaßt, berät die Versammlung über die Vorgänge.
Ein dicker Bettelmönch erklärt sich namens des Ordens bereit, den Handel zu
beendigen. Der Papst befiehlt auf Antrag der Versammelten, die Sache den
Bettelmönchen zu übergeben, die bereits in Konstanz den JOHANN HUS überwunden hätten und stellt ihnen hohe Belohnungen in Aussicht. Aber aus dem
Wasser, das die Mönche auf das *lumen evangelicon* gießen, wird gebrannter
Wein und die Flamme lodert umso höher empor. Die entsetzten Mönche ver-
lassen den Saal, das Kardinalskollegium drängt den Papst, er solle die Elemente
bannen und verfluchen. Aber Bann und Fluch haben ihre Macht verloren. Von
Zorn bewegt, gibt der Papst seinen Geist auf.

Ein allegorisches Spiel, in dem als szenischer Apparat das Bild eines
entflammt werdenden und zu löschen versuchten Feuers benützt wird.
Der Verfasser sah LUTHER und seine Tat in der Reihe und im Gefolge der
humanistischen Reformforderungen. THOMAS VENATORIUS erbat sich in
einem Brief 1524 aus Nürnberg von SPALATIN ein Exemplar der Komödie.

Eine Umarbeitung des Spieles soll 1530 als Pantomime (*Comoedia
muta*) vor KARL V. und seinem Bruder FERDINAND in Augsburg aufgeführt worden sein. So wenigstens berichtet der Jesuit JAKOB MASEN
in seinem ‹Speculum imaginum veritatis occultae› (Köln 1664).

REUCHLIN wirft die Scheiter in den Saal, ERASMUS macht vergeblich den Versuch, sie zu ordnen, LUTHER zündet sie an, der Kaiser schlägt mit dem Schwert
in die Flammen, um sie auszulöschen, entfacht sie aber nur noch mehr, der
Papst verwechselt in seiner Verwirrung den Eimer und gießt statt Wasser Öl
in die Flammen, wodurch diese zu furchtbarer Höhe auflodern und der Papst
zur Flucht gezwungen wird.

Später richtet sich die *dramatische Polemik* hauptsächlich gegen die
Person LUTHERS. Solche Dramen gab es in deutscher Sprache bei Fast-
nachtsaufführungen schon bald nach dem Auftreten LUTHERS, in lateinischer Sprache im Schuldrama erst im Lauf der 30er Jahre. Aber auch vor-

her schon benützten katholische Polemiker die Form des lateinischen Dramas. In England führte 1528 zu Greenwich der Schulmeister JOHN RIGHTWISE in Gegenwart des Hofes eine lateinische Komödie auf, die LUTHERS Heirat mit KATHARINA VON BORA auf die Bühne brachte. In Deutschland verfaßte der dem Kreise um COCHLAEUS in Leipzig angehörige Magister JOHANN HASENBERG den ‹Ludus ludentem Luderum ludens, quo Johannes Hasenbergius Bohemus in Bacchanalibus Lypsiae, omnes ludificantem Ludionem, omnibus ludendum exhibuit› (Leipzig 1530). Das vieraktige Stück ist formal noch nach Art der Dramen LOCHERS gestaltet, nur ist die Dialogführung geschickter und lebhafter.

In der Zueignung an COCHLAEUS wird die Hoffnung geäußert, das Gebilde möge LUTHER zur Reue, Versöhnung mit der alten Kirche und Trennung von seiner Frau veranlassen. Darauf folgt ein allegorisches Prozeßspiel vor dem Richterstuhl des Philochristus gegen LUTHER. Es treten LUTHER (Luderus) und KATHARINA VON BORA auf, Religio und Spes, Haeresis (Ketzerei) mit Seditio und Corruptio Scripturae (Bibelfälschung). Gleich im ersten Akt preist LUTHER Spielen, Possentreiben und Schwelgen; KATHARINA VON BORA bereut ihren Fehltritt und weist LUTHER zurück. Im zweiten Akt beklagt Religio ihren trostlosen Zustand, wird aber von einem Abgesandten Roms getröstet. Der dritte Akt bringt Haeresis mit ihren Begleiterinnen. Im vierten hält ein Orator Christianus als Ankläger LUTHER seine Vergehen vor, besonders die Bekämpfung des *liberum arbitrium*, die eine *execrabilis inertia* zur Folge haben. Als LUTHER seine Irrtümer nicht eingesteht, gibt Philochristus den Landsknechten den Befehl, LUTHER abzuführen und zu verbrennen. Der Epilog prophezeit mit Benützung der vierten Ekloge VERGILS eine erneute Glanzzeit der alten Kirche.

Das ärgste Stück gegen LUTHER und seine Freunde hat SIMON LEMNIUS zum Verfasser (vgl. S. 291 ff.). Er rächte sich für seine Relegation aus Wittenberg mit einem satirischen Drama, das er unter dem Pseudonym ‹Lucii Pisaei Iuvenalis Monachopornomachia› (o. O. u. J. [1538], ‹Mönchsmetzenkrieg›, erscheinen ließ.

Die Schmähkomödie beginnt mit einer Zuschrift und einem Zueignungsgedicht an LUTHER, den Erzbischof von Wittenberg, Primas von Sachsen, Propheten Deutschlands, Störer des Friedens, Urheber des schrecklichen Aufstandes, der fromme Poeten verfolgt und die Göttinnen Roms aus Wittenberg vertrieb, der viele tausend Bauern dem Tode opferte und dauernd das Volk zum Kriege aufhetze. Das Drama selbst ist in drei Akten eine Folge von höchst unzüchtigen Gesprächsszenen aus dem Eheleben LUTHERS, des JUSTUS JONAS und SPALATINS, umrahmt vom Auftreten der Liebesgötter, der Venus, des Gottes der unerlaubten Ehen usw. Ein Chor babylonischer und zyprischer Freudenmädchen sorgt für den Schluß.

Einen zeitgeschichtlichen heimischen Stoff, und zwar den Bauernkrieg, nahm HERMANN SCHOTTENIUS HESSUS zum Thema seines Dramas ‹Ludus Martius sive bellicus› (o. O. 1526). SCHOTTEN, der Schulmeister in Köln war, führte das Stück zur Fastnacht mit seinen Schülern auf. Es sollte für diese eine *stili exercitatio* sein.

Die in etwa 25 Szenen geschilderten Ereignisse hatten sich im vergangenen Jahr abgespielt. Zunächst klagen in einer Reihe von Gesprächen die Landsleute über den unerträglichen Druck, der auf ihnen lastet. Die Kriegsgöttin Bellona, in blutrotem Gewand, das Schwert gezückt, reizt sie auf zur Empörung. Pax, eine Lilie in der Hand, mahnt zur Geduld. Der Fetialis (Feldgeistliche) der Bauern verhandelt mit den Rittern Hannibal (übermütig), Aeneas (versöhnlich) und Ulysses (schlau). Die Bauern verlangen von den Fürsten Milderung ihrer Lasten. Es kommt aber zum Ausbruch des Krieges. Die Bauern fallen über Burgen und Klöster her, metzeln einen Grafen nieder, werden jedoch in der Feldschlacht besiegt. Die Kämpfe der Bauern mit den Fürsten und Rittern werden mit stärkster Realistik geschildert: Schlachtgetümmel kommt auf die Bühne, die Bauernweiber beklagen die Gefallenen. Schließlich erfolgt entgegen dem historischen Sachverhalt die Versöhnung der streitenden Parteien.

SCHOTTEN versucht unter Zuhilfenahme humanistischer Stilmittel zeitgeschichtliche Ereignisse in einen zeitlos-typischen Vorgang zu transponieren. Die Adeligen und die Bauern (Dorfschulze, Winzer etc.) zitieren aus TERENZ, PLAUTUS, VERGIL, HORAZ, OVID, JUVENAL, ERASMUS und aus der lateinischen Bibel. Das Stück wurde als ‹Le jeu des Mars› ins Französische übersetzt. In einem zweiten Stück, ‹Ludus imperatorius› (Köln 1527), zeigt SCHOTTEN eine Teufelsversammlung und läßt Allegorien menschlicher Leidenschaften auftreten. Es scheint für Zwecke der Deklamation bestimmt gewesen zu sein.

Ein vorreformatorisches, aber noch immer aktuelles Thema behandelte LUTHERS Freund JOHANNES AGRICOLA (vgl. S. 383) in seiner ‹Tragedia Johannis Huss, welche auff dem Vnchristlichen Concilio zu Costnitz gehalten› (Wittenberg 1537). Das anonym erschienene fünfaktige gereimte Stück ist eine Dramatisierung, besser gesagt: Inszenierung des Ketzerprozesses auf dem Konzil zu Konstanz, der 1415 mit der Verbrennung des tschechischen Vorreformators endete. Zur Darstellung kommen Zitation, Anklage, Verurteilung, Degradation und das Martyrium. Die polemische Tendenz ist gegen die päpstliche Partei gerichtet. Das Stück wurde am Hofe des Kurfürsten JOHANN FRIEDRICH VON SACHSEN zu Torgau aufgeführt.

Das Schicksal FRANCESCO SPIERAS (1502–1548), eines italienischen Rechtsanwaltes, der zum Protestantismus übergetreten war, vor dem Inquisitionsgericht in Venedig aus Furcht widerrief und infolge dieser ‹Sünde wider den hl. Geist› in Schwermut verfiel, machte JOHANNES REINHARD zum Gegenstand seines Dramas ‹Ein wünderliche Geschicht, Francisci Spierae, wie er inn Verzweyflung kommen, vnd in der selbigen gestorben sey› (Königsberg 1561).

Das Augsburger Interim nahm der Hamburger Kürschner LIBORIUS HOPPE zum Vorwurf eines Spieles. Besorgt um das Schicksal der evangelischen Kirche, läßt er revueartig die Propheten und Apostel, schließlich auch LUTHER, vor Christi Thron treten, für die Kirche um

Hilfe zu bitten. Der Herr tröstet sie mit dem Hinweis auf das Jüngste Gericht.

Daß auch die *Täufer* dem geistlichen Spiel nicht abgeneigt waren, zeigen die Vorgänge in Münster. Wie bereits S. 74 f. ausgeführt, errichtete der radikale Zweig der Taufgesinnten 1534 in Münster das ‹Neue Reich›. Das Heer des Bischofs FRANZ VON WALDECK und seiner Bundesgenossen belagerte 16 Monate lang die Stadt, bis sie am 24. Juni 1535 gestürmt wurde. In Münster führten die Täufer zuweilen in der Kirche Schauspiele auf, die ein Gleichnis der hl. Schrift oder die Verspottung der Messe zum Inhalt hatten. Während der Belagerung fand 1535 ein ‹Spiel vom reichen Mann und armen Lazarus› statt: «Wann der rike man ein spruk gedain hadde mit Lazarus, so stunden beneden der stellinge dry pipers mit werspipen und spelden ein stuck mit drei stimmen. Dan so sprack der rike man wieder an, und an so spielden de pipers wieder an». Man nimmt an, daß es in niederdeutscher Sprache geschah. Anreger war offenbar JOHANN VON LEYDEN selbst.

Schon die Gegenreformation wird von BARTHOLOMÄUS RINGWALDT in seiner Komödie ‹Speculum mundi› (1590) miteinbezogen.

2. Die alten Spielgattungen zur Zeit der Reformation

Wie weit während der *Reformationsepoche* im einzelnen und in gewissen Gebieten *die Tradition* der spätmittelalterlichen Oster-, Passions-, Weihnachts-, Prozessions- und Legendenspiele doch noch fortlebte oder bei Durchführung der Gegenreformation auf sie wieder zurückgegriffen wurde, scheint bisher nicht zur Genüge geklärt. Man wird überdies gut tun, zwischen einem *Fortleben* und einer *Fortwirkung* zu unterscheiden. In katholisch gebliebenen Gebieten und bei altgläubigen Dichtern ist die spätmittelalterliche Tradition bis ins Barockzeitalter lebendig, aber auch protestantische Autoren haben sich der Fortwirkung nicht verschlossen. In katholischen Städten und Landschaften oder in Gebieten, die bald wieder zur alten Kirchenlehre zurückkehrten, war die Fortbildung oder das Wiederanknüpfen an die alten Spielgattungen von sich aus leicht gegeben. Beispiele dafür bietet das katholische Bürgerdrama in der Schweiz und im Elsaß (vgl. S. 373 ff.). Darüber hinaus enthalten aber auch in Österreich viele erst in Handschriften aus späterer und neuerer Zeit bekannt gewordenen geistlichen Volksschauspiele sowohl inhaltlich als auch sprachlich vorreformatorische Elemente.

Noch eng dem Mittelalter verhaftet zeigt sich ein Passions- und Osterspiel aus dem 16. Jahrhundert in einer Handschrift des Benediktinerstiftes Admont. Als ‹Diener› Herzog ALBRECHTS VON BAYERN beschrieb der vom Meistergesang in Eßlingen her bekannte DANIEL HOLTZMANN ein

‹Fronleichnams Spiel› (1574); außerdem verfaßte er eine gereimte Komödie ‹Die Hochzeit zu Cana in Galilea› (1576) und eine ‹Tragödi von der Edlen Witfraw Felicitas› (Regensburg 1577).

Die Thematik der alten geistlichen Spielgattungen im protestantischen Geiste formte neu BARTHOLOMÄUS KRÜGER aus Spernberg bei Zossen, 1579–1587 Organist und Stadtschreiber in Trebbin (Mark), Herausgeber der Schwanksammlung ‹Hans Clauert› (vgl. S. 175). Er verfaßte eine ‹Action Von dem Anfang vnd Ende der Welt› (1579; gedr. o. O. 1580), deren Motto MATTH. 25 abgab: «Darumb wachet, dann jr wisset weder Tag noch Stunde, in welcher des Menschen Sohn kommen wird». Es ist das Thema der mittelalterlichen Spiele, die (etwa zu Fronleichnam) das gesamte Heilsgeschehen von der Weltschöpfung und dem Sündenfall bis zum Weltgericht vorführten, nun allerdings in reformatorischem Sinn gedeutet.

Der 1. Akt des Dramas zeigt in einer Art Exposition die Geschehnisse von der Engelschlacht bis zur Ausstoßung der Menschen aus dem Paradies. Die Teufel geben ihre Sache noch nicht verloren und führen einen Tanz auf. Die fernere Alternative lautet: Sieg des Guten oder Triumph des Bösen, Erlösung oder ewige Verdammnis. Der 2. Akt zeigt Szenen des Weihnachtsspieles, die Taufe Christi, die Annahme der Jünger. Luzifer äußert Bedenken über Christi Geburt, der Satan sucht ihn zu beschwichtigen. Er kann zu Beginn des 3. Aktes die Kreuzigung melden. Die Teufel veranstalten eine lustige Zecherei. Da kommt Christus mit der Siegesfahne zur Hölle, entführt Adam und Eva u. a. Christus entsendet seine Apostel und fährt auf in den Himmel. Auch Luzifer entsendet die Seinen in eine neue Welt. Der 4. Akt spielt im Jahrhundert der Reformation. Die Lehre LUTHERS wird durch Christophorus gegen den Katholiken Franciscus verfochten. Engel krönen den Christophorus. Posaunen verkünden den Jüngsten Tag. Christus hält mit den Aposteln das Weltgericht im Sinne der Gnaden- und Rechtfertigungslehre LUTHERS: Die Verdammten müssen Luzifer folgen, die Auserwählten führt Christus zum Vater.

Aus der Verbindung kompositorischer Fähigkeit mit der Begabung zu realistischer Detailschilderung entrollte KRÜGER ein großartiges Weltbild aus dem Geiste der Epoche.

Für das Spiel ‹Wie die Pewrischen Richter einen Landsknecht vnschuldig hinrichten laßen, Vnd wie es ihnen so schrecklich hernach ergangen› (1579, gedr. o. O. 1580) entnahm KRÜGER den Stoff aus dem ‹Regentenbuch› des GEORG LAUTERBECK.

Ein Landsknecht, der von einem Bauerngericht zum Tode verurteilt wird, lädt vor der Hinrichtung seine ungerechten Richter in das Tal Josaphat, den Ort des Jüngsten Gerichtes. Innerhalb eines Jahres wird der Landsknecht gerächt. Der eine Bauernrichter wird vom Blitz erschlagen, der andere bei einem Gelage erstochen, der dritte als Dieb gehenkt, der vierte durch Krankheit dahingerafft.

KRÜGER gibt ein realistisches Zeitbild und wirklichkeitsnahe Einzelepisoden: Sauf- und Spielszenen, Gerichtsszenen, Streitszenen, Henkerszenen. Als die Teufel den Schulzen zur Hölle schleppen, singen sie eine Parodie auf das alte Weihnachtslied ‹In dulci jubilo›. Weil es aber nicht recht klingen will – es fehlt der Baß –, wird der Mönch Quirinus, der ärgste Bösewicht des Stückes, gezwungen, im Höllenchor den Baßpart zu singen.

a) Vom spätmittelalterlichen geistlichen Spiel zum religiösen Spiel des Reformationszeitalters. Die Moralitäten und allegorischen Humanisten-dramen

Innerhalb des Fortlebens und der Fortwirkung des spätmittelalterlichen Dramas lassen sich die Wege, die *von den geistlichen Spielen zum religiösen Spiel des Reformationszeitalters* führen, zunächst verfolgen von den Bearbeitungen einzelner biblischer und legendärer Stoffe neben und innerhalb der mächtig angewachsenen Passionsspiele, dann aber auch von den mittelalterlichen *Moralitäten* und dem *allegorischen Humanistendrama* her.

Bei den Passionsdarstellungen in Frankfurt a. M. 1498 wurden vor der Passion Christi vier andere Szenen aufgeführt: das Opfer Abrahams, die Geschichte der Susanna, der reiche Mann und der arme Lazarus, der verlorene Sohn. Im Heidelberger Passionsspiel (1514) waren unter den Präfigurationsszenen die Geschichten von Susanna, Hiob, Joseph mit größter Ausführlichkeit dargestellt. Man hat den Eindruck, daß sich aus dem großen *Passionsdrama einzelne Spielabschnitte loszulösen* begannen. Ein solch losgelöstes kurzes Spiel hat man offensichtlich in dem (Bd. IV/1, S. 269 erwähnten) Mondsee-Wiener ‹Susanna›-Drama vor sich. Das in Cod. Vind. 3027 aus der Zeit knapp vor 1500 überlieferte Stück umfaßt nur 400 Verse und steht der Heidelberger Susannen-Szene nahe. In einigen Henkersreden spürt man die Einwirkung der Fastnachtspiele. Als Brücke können ferner folgende Daten gelten: Die Parabel vom verlorenen Sohn wurde 1498 in Frankfurt a. M., im Februar 1519 in Kolmar aufgeführt; die ‹Susanna› der Frankfurter und Heidelberger Szenen und des Wiener Spieles erscheint wieder bei Sixt Birck in Basel 1532, in Magdeburg 1535 und bei Paul Rebhun 1536; Szenen vom Erzvater Jakob und seinem Sohn Joseph wurden 1494 in Löwen aufgeführt, sie kommen in der Heidelberger Passion von 1514 vor; in Mainz wurde 1524 ein Stück von Josephs Verkauf nach Ägypten dargestellt; ihm folgen 1534 der ‹Jakob› des Greff in Magdeburg und der ‹Josephus› des Cornelius Crocus. Die Parabel vom reichen Mann und armen Lazarus erscheint 1498 in Frankfurt, 1529 in Zürich, 1543 bei Krüginger in Joachimsthal. Johannes der Täufer (600 Verse) kommt im Alsfelder Passionsspiel vor, wird 1498 in Dortmund gespielt, 1515 in Frankfurt a. M., 1529 in Hall in Tirol. Doch sind das alles nur einzelne biblische Gestalten

und Episoden, die man nach Ausbruch der Kirchenkämpfe weiter kon-
zedierte.

Der Prediger und Magister HIERONYMUS TILESIUS (vgl. Bd. IV/1,
S. 269) aus Hirschberg in Schlesien gab 1565 DIETRICH SCHERNBERGS
Legenden-‹Spiel von Frau Jutten› neu heraus, damit es der Polemik
gegen die katholische Kirche diene. TILESIUS fügte «historische Zeugnisse» von NAUKLERUS, VOLATERRANUS, VALERIUS ANSHELM bei und gab
zum Beschluß dem Flacianer CHRISTOPH IRENÄUS zu einer Polemik das
Wort.

Ein zweiter Weg vom geistlichen Spiel des Mittelalters zum Drama
der Reformationsepoche führt von den mittelalterlichen *Moralitäten* (vgl.
Bd. IV/1 S. 267 ff.) und dem *allegorischen Humanistendrama* etwa des
BENEDICTUS CHELIDONIUS (vgl. Bd. IV/1, S. 646 f.) zu weiteren erbaulichen Bühnenspielen, die den Kampf zwischen Gut und Böse durch
typische oder allegorische Personen ernst oder satirisch zur Darstellung
bringen. Die Verfasser knüpfen meist an biblische, auch klassische Motive, Gestalten und Gleichnisse, wie die Geschichte vom ägyptischen
Joseph, die Parabel vom verlorenen Sohn, den plötzlichen Tod eines
Weltmannes u. dgl. an. Für die Moralitäten wird in Deutschland das
16. Jahrhundert eine Hauptzeit. Die Gipfelleistungen liegen bei Dramen
wie dem ‹Hecastus› des Reformkatholiken GEORG MACROPEDIUS (vgl.
S. 357) und dem ‹Mercator› des Protestanten THOMAS NAOGEORG (vgl.
S. 362). Vor, neben und nach ihnen steht eine Reihe von Moralitäten im
engeren Sinn, die entweder an das ‹Jedermann›-Thema oder an Allegorien anknüpfen.

Eine lateinische Bearbeitung des von PETER VAN DIEST (vgl. Bd. IV/1,
S. 271) ins Niederländische übersetzten ‹Everyman› veranstaltete der
Maastrichter Geistliche CHRISTIAN ISCHYRIUS, STERCK aus Jülich in sei-
nem ‹Homulus› (Köln 1536).

In dem Stück erhält Mors von Gott den Befehl, dem ruchlosen Menschen
sein Ende anzukündigen. Das ‹Menschlein› erhält die Ladung vor Gottes Richterstuhl und erlangt nur mit Mühe vom Tod einen kurzen Aufschub. Vergeblich
wendet sich Homulus indes an seine zahlreichen Freunde und Verwandten und
an seinen Reichtum um ihr Geleit auf seinem schweren Gang. Auch die von ihm
allzusehr vernachlässigte Virtus ist zu schwach, um zu helfen, weist ihn aber
an ihre Schwester Cognitio, die ihn gemeinsam mit Confessio vor den Thron
der Gottesmutter Maria führt. Diese sagt ihm ihre Hilfe zu und bittet am Throne
Gottes für den sündigen Homulus. Auf ihre Fürsprache sowie durch Buße und
Empfang der Sterbesakramente wird er gerettet. Zwei kleine Teufelchen beklagen den Verlust der Seele.

Der ‹Homulus› ist gegen die Reformation gerichtet und bekämpft die
lutherische Rechtfertigungslehre; mit dem ‹neuen Pastor› ist vermutlich
LUTHER selbst gemeint.

Den ‹Homulus› des ISCHYRIUS übersetzte der Kölner Buchdrucker

JASPAR VON GENNEP († ca. 1580) ins Deutsche. In der Vorrede sagt er, er habe den Stoff etwas erweitert und dem Spiel den Namen ‹Der sünden loin ist der Toid› gegeben (Köln 1540; 7 Aufl. bis 1669; ab der 2. Aufl. [1548] Titel wieder ‹Homulus›). Die Zusätze entnahm GENNEP dem ‹Hecastus› des MACROPEDIUS, dem Schauspiel des LEONHARD CULMANN ‹Wie ein Sünder zůr Bůß bekärt wirdt› und aus PAMPHILUS GENGENBACHS ‹Spiel von den zehn Altern›. GENNEP gab zwar die Akteinteilung seines Vorbildes auf, nicht aber die sinnvolle Gliederung. Der ebenfalls katholische Bearbeiter versetzt den ‹Jedermann› in die Umwelt des rheinischen Kaufmannslebens, stärkt ihn durch Tugend, Bekenntnis und Beichte, läßt ihm die Fürbitte der Mutter Christi erfahren und führt ihn so zum Tod. GENNEP war auch Verfasser einer Komödie ‹Susanna› (1552).

Die Prosa des mittelalterlichen ‹Processus Belial› erfuhr durch PETRUS MECKEL (vgl. S. 399) die Umformung in ein dramatisches Gedicht.

Der nachwirkende Einfluß des allegorischen Humanistendramas, insbesondere des KONRAD CELTIS und BENEDICTUS CHELIDONIUS, zeigt sich bei JOHANNES PRASINUS, PRASCH († 1544) aus Hallein, Sekretär des Bischofs FRIEDRICH NAUSEA in Wien. Sein allegorisches Drama ‹Philaemus› (Wien 1548) wurde nach dem Tode des Verfassers von WOLFGANG SCHMELTZL zum Druck gebracht. Das Stück zeigt deutlich zeitkritische Wesenszüge im Hinblick auf die politischen Verhältnisse in Wien nach der ersten Türkenbelagerung und versucht eine mythologisierende Darstellung der durch die Türken in Deutschland geschaffenen Lage. Es gehört somit zu den Türken- und Friedensdramen des Reformationszeitalters.

Erst in seiner Schweizer Heimat, dann in Straßburg wirkte der als Lexikograph bekannte PETRUS DASYPODIUS, HASENFRATZ (um 1490–1559) aus Frauenfeld oder dessen Umgebung. Seine Komödie ‹Philargyrus (sive ingenium avaritiae)› (um 1530; gedr. Straßburg 1565) wendet sich moralisch gegen den Geiz als Wurzel aller Übel und Ursprung sozialer Mißstände.

In dem formal an ARISTOPHANES und PLAUTUS angelehnten Stück führt Philargyrus, der Geldgierige, den blinden Plutus, den Gott des Reichtums, in sein Haus. Darauf wird gezeigt, wie Philargyrus seinen Diener Not leiden läßt, einem mittellosen Schuldner den Mantel wegnimmt, den Arbeitern den gerechten Lohn vorenthält, der armen Penia das Almosen verweigert. Zuletzt aber bekehrt sich Philargyrus doch zu einem Philantropus.

In der Charakteristik an den ‹Lazarus› des JOHANNES SAPIDUS erinnert die ebenfalls ‹Philargyrus› (1546) benannte lateinische Komödie des Schweizer Historikers HEINRICH PANTALEON. Darin sollte am Beispiel des Zöllners Zachaeus die protestantische Rechtfertigungslehre dargelegt werden. FELIX PLATTER berichtet in seiner Selbstbiographie, daß bei der

Aufführung in Basel nicht bloß Studenten, sondern auch Professoren-
töchter mitwirkten.

Der allegorische Streit zwischen Tugenden und Lastern, wie ihn PINI-
CIAN und CHELIDONIUS in der Synthese von mittelalterlicher Moralität
und humanistischen Elementen dramatisch gestaltet hatten, wurde wieder aufgenommen und fortgeführt von JAKOB SCHÖPPER (vgl. S. 368) und
besonders wirkungsvoll von dem niederländischen Franziskaner LEVIN
BRECHT (1515–1560) aus Antwerpen in seinem Drama ‹Euripus. Tragoedia christiana de vitae humanae inconstantia› (Antwerpen 1549). Mit
gutem Grund haben die Jesuiten dieses ganz im katholischen Geist abgefaßte Spiel zu Beginn ihrer Theatertätigkeit häufig zur Aufführung gebracht.

Der Name des Euripus stammt aus den ‹Adagia› des ERASMUS und bezeichnet
einen wankelmütigen Charakter. Venus und Cupido bemühen sich, den Schwan-
kenden auf ihre Seite zu bringen. Obwohl er von guten Vorsätzen erfüllt ist
und bei seinem Auftreten von Timor Dei begleitet wird, sind sich die beiden
Verführer ihres Sieges sicher. So wie es bei MATTH. 7, 13 f. gleichnishaft geschrieben steht, dehnen sich vor Euripus zwei Wege, ein bequemer und ein
rauher, steiler. Er wählt, begleitet von Timor Dei und Tempus gratiae, den
zweiten, doch wird er bereits nach einer kurzen Strecke des Weges müde und
schläft ein. Der süße Gesang der Venus und die Gestalt Cupidos ziehen beim
Erwachen seine Blicke auf sich und er erliegt ihren Verführungskünsten. Der
alte Timor Dei wird weggeschickt, die rauhe Kleidung der geistlichen Rüstung
abgelegt und Euripus schmückt sich mit der *otiosa securitas*. Nur Tempus
gratiae bittet er zu bleiben. Das aber ist nur so lange möglich, als es der Wille
Gottes ist. In einer Liebesszene mit Venus erblickt Euripus unter dem Gewand
des Weibes Incestus, Moechia, Scelus, Gomorrae, Rixa, Aemulatio, Caedes u. a.
Entsetzt ergreift er die Flucht und steigt mit Tempus gratiae den rauhen Weg
weiter empor. Aber nochmals gelingt es Cupido, ihn von seinem Wege abzu-
lenken und Euripus verpflichtet sich dem Dienste der Venus, indem er ihr einen
Saphir als *symbolum coeli* übergibt. Doch sogleich folgt die tragische Wendung.
Mors und Pestis inguinaria, die Syphilis, treten auf und die letztere durchbohrt
mit einem Pfeil den schlafenden Euripus. Schmerzgepeinigt liegt er da, jam-
mernd und klagend, von allen verlassen. Auch Tempus gratiae klagt, daß er
das hochzeitliche Kleid, in dem er zum Gastmahl des Königs (MATTH. 22) hätte
erscheinen sollen, verloren habe. Euripus leidet entsetzliche Qualen, bis Mors
ihn auf Veranlassung der Pestis inguinaria den letzten Stoß versetzt. Der 5.
und letzte Akt spielt im Vorraum der Hölle. Dort muß die häßliche und gefes-
selte Anima Euripi von Venus, Cupido und den Teufeln Schläge und Spott erdulden, wobei ihr in realistischer Anschaulichkeit die Qualen der auf sie war-
tenden Hölle ausgemalt werden. Nach dem Schlußchor bittet eine Peroratio
um Nachsicht für den Dichter und die Spieler und um Beherzigung der vorge-
führten Lehren.

CLEOPHAS DISTELMAYER, Vikar am Liebfrauenstift in Augsburg, hat
den ‹Euripus› in deutsche Reimverse übersetzt: ‹Euripus. Eine schöne
Andächtige vnd Christliche Tragödia, vber die wort Matth. 7 Geth hin
durch die enge Porten … (Dillingen 1582).

Eine Nachbildung des ‹Euripus› versuchte der aus den Niederlanden stammende Professor in Ingolstadt HANNARDUS GAMERIUS in der Tragödie ‹Pornius› (1566).

Die verachtete Tugend wendet sich an Theophilus, er möge sich des lasterhaften Jünglings Pornius annehmen. Nach dem Schwanken des Pornius zwischen Virtus und Theophilus bzw. Voluptas, Amor und Venus, siegt die verführerische Venus. Wie im ‹Euripus› folgt dann die tragische Wendung. Im 5. Akt ist die Seele des Pornius bereits in der Hölle. Das gesamte Vermögen des Toten hat Venus an sich gezogen.

Als Nachfahre der Moralitäten zeigt sich der Holsteiner NIKOLAUS MERCATOR mit seiner Dichtung ‹Ein Vastelauendes Spil, van dem Dode vnde van dem Lëuende› (gedr. 1576). Das Motiv des Schlemmers aus dem ‹Jedermann›-Stoff mit der Strafe der Ehebrecherin durch das Eifergericht oder Opfer der Eifersucht (4. Mos. 5) verbindet der Pfarrer zu Frondorf JOHANNES WITTEL († nach 1582) in dem Schauspiel ‹Zelotypia› (Erfurt 1571). Der Schlemmer verfällt zum Schluß nicht dem Tode, sondern gesundet zu einem neuen Leben. In die Tradition der ‹Jedermann›-Dramen gehört schließlich ‹De Düdesche Schlömer› (Lübeck 1584) von JOHANN STRICKER (vgl. Bd. V, S. 65 f.)

Den ‹Jedermann›-Dramen stehen nahe das bereits erwähnte Spiel LEONHARD CULMANNS ‹Wie ein Sünder zůr Bůß bekärt wirdt›, ALEXIUS BRESNICERS ‹Comoedia von dem geystlichen kampff Christlicher Ritterschafft› (Freiburg 1553) und JOHANNES HEROS mit der Tragödie ‹Der jrrdisch Pilgerer› (Nürnberg 1562). In die Nähe der Totentänze und der Spiegelliteratur gehört ‹Der Todten Dantz, durch alle Stende vnd Geschlecht der Menschen› (o. O. 1557) des KASPAR SCHEIDT.

Als Dramatiker betätigte sich auch der Verfasser des lateinischen Gedichtes über die Grobianer (vgl. S. 217 ff.) FRIEDRICH DEDEKIND. Man kennt von ihm zwei Spiele, die allegorische Komödie ‹Der Christliche Ritter› (Ülzen 1576), nach dem 6. Kapitel (10–20) des PAULUS-Briefes an die Epheser, und den ‹Papista Conversus. Ein Newe Christlich Spiel von einem Papisten, der sich zu der rechten warheit bekeret vnd darüber in Gefengniß vnd gefahr des lebens kompt. Darauß er durch Gottes hülffe gnediglich erlöset wirdt› (Lüneburg 1596). ‹Der Christliche Ritter› ist anfangs ein großer Sünder, der erst, als er seine Vergehen bereut, vom Apostel die Verheißung Christi erhält. Im nun einsetzenden Kampf geht es nicht allein gegen Unglauben, Wollust, Verzweiflung, sondern vor allem gegen die ehemaligen Zechbrüder und den Fürsten der Hölle.

Nach CICERO ist die Komödie ein Spiegel des Lebens. Die Humanisten und Neulateiner haben ihm diese Wendung oft nachgesprochen. Sie fügt sich gut in die Gattung der *Specula* des ausgehenden Mittelalters. In einer großen Zahl Dramen des 16. Jahrhunderts kehrt sie im Titel wie-

der: ‹Schulspiegel›, ‹Knabenspiegel›, ‹Ehespiegel›, ‹Hexenspiegel›; VALEN-
TIN BOLTZ schrieb einen ‹Weltspiegel›, BARTHOLOMÄUS RINGWALDT ein
‹Speculum mundi›. Die dramatische Literatur des 16. Jahrhunderts will
zum großen Teil einen solchen Lebensspiegel geben. Der Verfasser stellt
dem Zuschauer oder Leser ein Idealbild vor Augen, dem er nachtrachten
soll: einen gerechten Daniel, einen keuschen Joseph, eine reine Susanna,
ein Musterehepaar Isaak und Rebecca etc.

Auf katholischer Seite will Erzherzog FERDINAND VON TIROL (1525 bis
1595), der Sohn König FERDINANDS I., in seinem Drama ‹Speculum vitae
humanae› (1584) ein Abbild des menschlichen Lebens zeichnen (vgl.
Bd. V, S. 90). Das in deutscher Sprache abgefaßte Stück kommt von der
Ehespiegelliteratur und Moralsatire her, aber auch Mysterien- und Fastnachtspiel, Allegorik und das aufsteigende Jesuitendrama sind ihm nicht
fremd.

Angeregt durch die ‹Everyman›- und ‹Lazarus›-Dramen sowie durch
die ‹Johannes›-Tragödien des 16. Jahrhunderts wurde BARTHOLOMÄUS
RINGWALDTS in protestantischem Geiste gehaltenes deutsches Versdrama
‹Speculum mundi› (Frankfurt a. d. O. 1590). Auch die Nachwirkung der
volkstümlichen Szenengruppen der geistlichen Spiele des Mittelalters ist
noch erkennbar; das Drama wird von einem Teufelsspiel beschlossen.
Dieser ‹Welt-Spiegel› (vgl. Bd. V, S. 66) bietet ein fesselndes und handlungsreiches Bild aus der Zeitgeschichte voll satirischer und polemischer
Tendenz.

RINGWALDT war ein scharfer Beobachter, anschaulicher Darsteller und
ein vorzüglicher Sittenschilderer. Die Laster werden bis ins Detail ausgemalt, die Roheiten mit weitgehender Naturtreue vorgeführt. Von
RINGWALDTS Jenseitsaspekten führen die Linien zu den schwungvollen
Schilderungen des JOHANN MATTHÄUS MEYFART.

*b) Die Fastnachtspiele und ihre Pflege. Das Meistersingerdrama. Niklas
Manuel. Jörg Wickram. Hans Sachs*

Das unter dem Sammelnamen *Fastnachtspiele* überlieferte deutschsprachige Drama bis zu Beginn des 16. Jahrhunderts war zusammengesetzt
aus Stücken in Revueform, Streit- und Gerichtsspielen, Sagen-, Märchen-
und Schwankartigem oder Gebilden, die politischer Satire dienten. Es
ist begreiflich, daß in den darauf folgenden Stücken dieser Art und Gattung nach Ausbruch der Reformation auch die Stürme der *Kirchenkämpfe*
ihren Widerhall fanden, sei es, daß einzelne Streiter die volkssprachige
Dramenform als Kampfmittel gegen die Gegner benützten, sei es, daß
reformatorische Tendenzen oder Tagesfragen in die Spiele Eingang und
darin Ausdruck fanden.

Den Übergang vom spätmittelalterlichen Fastnachtspiel zum Reformationsstück kann man am deutlichsten in der Schweiz ersehen, insbesondere an dem Buchdrucker und Bürger PAMPHILUS GENGENBACH in Basel (vgl. Bd. IV/1, S. 271 f.). In der Schweiz erfolgte bereits um 1510 das Aufkommen von Zeit- und Tendenzstücken; GENGENBACHS Spiele entstanden zeitlich alle noch vor Ausbruch der Kirchenstreitigkeiten, zeigen aber schon deutlich die Bereitschaft zur Aufnahme religiös-polemischen Gedankengutes.

Obgleich die Protestanten die Fastengebote verwarfen, behielten sie zunächst noch die *Fastnacht* bei und feierten die traditionellen Lustbarkeiten. Viele der erhaltenen Fastnachtspiele stammen daher von protestantischen Verfassern. Stücke von katholischen Autoren findet man in der Schweiz, am Mittelrhein etc. Der Stil der Spiele hat noch große Ähnlichkeit mit den spätmittelalterlichen komischen Spielen. Dem Geist der Zeit gemäß aber blieben die Verfasser nicht mehr anonym, sondern teilen entweder auf dem Titel oder im Schlußreim ihre Namen mit. Man findet unter ihnen Neulateiner wie KASPAR BRUSCH, den Mathematiker BROTBEIHEL, zahlreiche Geistliche und Schulmeister, Meistersinger etc. Alle aber bemühen sich um den Volkston und wenden sich an das Volk. In Stücken mit Prozeßform macht sich der Einlaß des römischen Rechtes bemerkbar. An die Stelle des Richters und der Schöffen tritt der Offizial, der Schreiber führt über die Verhandlung Protokoll. Die Darbietung der Spiele war anscheinend mannigfaltig wie im ausgehenden Mittelalter. Zurückgedrängt wurden nach der Reformation die unflätigen Elemente; das Bestreben nach moralischer Belehrung und allgemeiner Besserung durch Satire macht sich auch in den Fastnachtspielen bemerkbar.

Aus Urkunden, Chroniken und Spieltexten kann man ersehen, wie die religiöse Erregung im Fastnachtspiel zum Ausdruck kam.

Für *Danzig* berichtet der Chronist SIMON GRUNAU von einem Spiel, das die Vereinigung der Reinholdsbrüder zur Fastnacht 1522 aufführte und bei dem sich der Maler MICHAEL SCHWARZ, ein DÜRER-Schüler, besonders auszeichnete. Auf der einen Seite kam der Papst mit seinem Klerus, auf der anderen LUTHER, der sich ob des unevangelischen Treibens ereiferte. Beide taten einander gegenseitig in Bann. Hierauf erschien der Kaiser und verhängte über LUTHER die Acht. LUTHER aber warf die Kappe ab und «gesellte sich zu losen Stradioten» [Soldaten]. Zuletzt wurde er vom Teufel weggeführt. In *Stralsund* zogen als Mönche verkleidete Männer den Pflug durch die Straßen als Zeichen, daß die Stadt der Erde gleichgemacht werden solle, wie der Prophet MICHA 3, 12 von Jerusalem sagt – oder um auszudrücken, daß die Mönche in Hinkunft arbeiten müßten. Während des Faschings 1525 arrangierte der Schulmeister von St. Nicolai an drei Tagen Umzüge, an denen er zuerst als Papst, dann als Kaiser erschien, schließlich als Jesus, der Blinde und Lahme heilt. In *Königsberg* gab es 1524 ein Fastnachtspiel «von Luther wider den Papst, darinnen des Papstes, seiner Kardinäle und ganzen Anhangs Büberei genugsam angezeigt». In *Elbing* wurde 1522 in einem Fastnachtsaufzug ein Mönch gebracht, der den Ablaß verkaufte und von LUTHER zum Tode durch Ertränken verurteilt wurde; auch zeigte man Domherren, die den Weibern nachstellten. Noch 1531 ließ man bei einem Fastnachts-Reiteraufzug den Papst, umgeben von Kardinälen und Bischöfen, an die Mönche Ablaßbriefe verteilen. Zurückhaltender waren *Nürnberg,* wo 1522 ein Fastnachtspiel mit Verspottung des Papstes abgestellt wurde, und *Zürich,* wo 1523 Fastnachtsaufzüge verboten wurden, die Papst, Kaiser, Klosterleute, Fürsten etc. betrafen oder gar schmähten.

Das alles sind Berichte, die es nicht ermöglichen, sich von diesen Spielen genauere Vorstellungen zu machen. Häufig bedauert man es, nur den Titel überliefert zu haben. So wohl besonders bei einem für *Basel* erwähnten Stück, benannt ‹Bertschis Hochzeit›, vielleicht im Anschluß an WITTENWILERS ‹Ring›. Anders verhält es sich mit zwei derartigen Fastnachtspielen aus *Bern,* deren Texte erhalten sind und die gedruckt vorliegen. Sie wurden von Bürgersöhnen, auf offener Straße, dargestellt, das eine an Herrenfastnacht, das andere am darauffolgenden Sonntag. Der Dichter war NIKLAS MANUEL.

Wie bereits festgestellt, zeigt sich der Übergang vom spätmittelalterlichen Fastnachtspiel zum Reformationsstück am augenfälligsten in der *Schweiz.* Den entscheidenden Schritt vollzog NIKLAS MANUEL (ca. 1484–1536), der seinem Namen zur Unterscheidung meist DEUTSCH dazusetzte, Maler aus der Schule HOLBEINS, Architekt und Dichter, 1512–1528 Mitglied des Großen Rates zu Bern. Er nahm 1522 am Zuge der Schweizer nach Italien (bis zur Schlacht von Bicocca) teil, und war 1523 Landvogt in Erlach. Während der Abwesenheit MANUELS wurden seine beiden gegen das Papsttum gerichteten oben erwähnten Fastnachtspiele am 25. Februar und 5. März 1522 in Bern von Bürgersöhnen öffentlich aufgeführt (gedr. 1524 u. ö.) Das erstere, ‹Vom Bapst vnd seiner priesterschafft› oder (nach der ersten Szene) ‹Der Totenfresser›, ist im Thema verwandt mit der Satire des PAMPHILUS GENGENBACH ‹Jemerliche Clag über die Totenfresser›. Mit diesem derben Ausdruck sollten die habsüchtige Ausbeutung von Sterbefällen, die Seelenmessen, Gebete um Erlösung aus dem Fegefeuer, sollten Geistliche und ihr Anhang, die aus den Totenmessen Einkünfte bezogen, u. dgl. getroffen werden.

Der erste Auftritt zeigt den Papst umgeben von seinem Hofgesinde, Geistlichkeit und Kriegsleuten. Ein toter Reicher (der Vetter Bohnenstengel) wird herbeigetragen. Der Papst (Entchristelo) und die Priester (der Kardinal Anselm von Hochmut, der Bischof Chrysostomus Wolfsmagen und der Dechant Sebastian Schinddenbauern) frohlocken über dieses gute ‹Wildbret›. Auch eine Pfaffenmetze (Lucia Schnäbeli) und eine kupplerische Begine (Elsli Treibzu) treten auf. Doch der niedere Klerus spürt bereits die Veränderung des Volkes durch die Lehren LUTHERS. Grobe Bauern fangen im Wirtshaus mit den Geistlichen Dispute an über Glaubenssachen und wollen alles aus der Schrift bewiesen haben. «Sie hand das euangelium gefressen / Und sind jetzt mit dem Paulo besessen». «Der tüfel nem die truckergesellen / Die alle Ding in tütsch stellen». Bettler, Bauer, Edelmann fluchen dem Klerus. Der zweite Auftritt zeigt die Schweizergarde des Papstes. Ein Johanniter sprengt herbei: Rhodos ist in höchster Not vor den Türken. Aber anstatt Hilfe zu gewähren, antwortet der Papst, er brauche sein Geld, um mit den Christen Krieg zu führen. Mit Fluchen kehrt der Ordensritter um, es erscheint ein Türke und verspottet die

Christenheit. Es folgen eine Art Bauernrevue, in der sieben Bauern über den Ablaß klagen, ein Dialog zwischen dem Apostel Petrus und einem Kurtisan, der ihn über die Macht des Papstes aufklärt, und ein Dialog zwischen Petrus und Paulus, die im Papst den Antichrist erkennen. Der Papst hält nochmals Überschau über die Seinen, ein Prädikant betet um Gottes Gnade und den Sieg des reinen Evangeliums.

Die einzelnen Szenen sind lose aneinander gereiht, Hauptsache waren dem Verfasser die Angriffe gegen das ins Groteske verzerrte Papsttum und dessen Anhänger. Das zweite ähnlich geartete, aber kürzere Spiel, ‹Underscheid zwischen dem Papst vnd Christum Jesum› beruht in seiner Hauptwirkung auf einem lebenden Bild und führt in der Art der Holzschnitte LUKAS CRANACHS (1521) den Gegensatz zwischen Christus und dem Papst vor Augen. Hie Christus mit der Dornenkrone auf dem Haupte, auf einer Eselin reitend, gefolgt von seinen Jüngern und einer Schar von Armen, Blinden, Lahmen, Bresthaften – dort der geharnischte Papst im Triumph mit seinem Kriegsvolk, als ob er der Sultan wäre. Zwei Bauern kommentieren die Szene. Beide Spiele bzw. Fastnachtsaufzüge hatten großen Erfolg. Zwei Jahre später schuf MANUEL sein dramatisches Meisterwerk: ‹Der Ablaßkrämer› (1525).

Da das Geschäft in der Stadt nicht mehr recht geht, versucht Richardus Gygenstern von Hinderlist seinen Ablaßhandel auf dem Lande. Nach kurzer Betätigung wird er von Bauern und Bäuerinnen überfallen, die ihm das Geld wieder abnehmen. Um ihn zum Eingeständnis seiner Spitzbübereien zu veranlassen, wird er peinlich befragt, d. h. einer regelrechten Tortur unterworfen. Zum ersten binden sie ihn an ein Seil und ziehen ihn in die Höhe, worauf er sogleich Schandtaten bekennt; zum zweiten hängen sie, während er baumelt, Steine an seine Füße; da gesteht er auch seine schlimmsten Streiche. Äußerlich und innerlich entblößt, geht er von dannen, indes sich die Bauern das erschwindelte Geld teilen und den Rest einem Bettler schenken. Für die Einzelheiten der Folterung ist der erhaltenen Handschrift eine Zeichnung MANUELS beigegeben.

Auf den ‹Ablaßkrämer› folgten das Gespräch ‹Barbali› (1526) und das ‹Spyl von dem Elßlin trag den knaben vnd von Vly Rechenzan mit jrem Eelichen Gerichtshandel› (1529). ‹Barbali› ist ein junges Mädchen, das die Mutter in ein Kloster geben und zur Nonne machen möchte. Bibelkundig wehrt sich das Mädchen gegen die Ratschläge der Mutter und die Argumente der herbeigeholten Geistlichen. Das Spiel ‹Elßli trag den knaben› ist eine Variante des alten Fastnachtspieles von Rumpolt und Mareth, nun mit stark antipäpstlichem Einschlag. Der Streit der jungen Ehe wird in versöhnlicher Weise geschlichtet. NIKLAS MANUEL verfaßte ferner ein Lied über die Bicocca-Schlacht, ein Gedicht ‹Des Fabers vnd Eggen Badenfahrt›, d. i. ein Gedicht gegen FABER und ECK über das Religionsgespräch zu Baden im Aargau, den Sendbrief ‹Von der Messe Krankheit und Tod› (1528) und eine ‹Klagred der armen Götzen› (1528), d. h. Heiligenbilder, als 1528 durch das Reformationsmandat im Gefolge der Berner Disputation Messen und Bilder abgeschafft und entfernt wurden.

Das erste biblische Fastnachtspiel aus dem Geiste LUTHERS war des BURKHARD WALDIS ‹De parabell vam verlorn Szohn› (1527), in Riga aufgeführt und gedruckt. Das Thema ist die Rechtfertigung allein durch den Glauben, veranschaulicht durch die biblische Parabel und immer wieder betont in den Zwischenreden des ‹Actors›. Nach seiner Anrede stand ein Kind auf und verkündigte in niedersächsischer Mundart das Evangelium: «Hort dat Euangelion Jesu Christi. Luce am vyffteynden Capittel. Ein mynsche hadde twe ßöne, vnd der yůngeste vnder ohn sprack thom vader: 'Giff my vader dat deyl der gůder, dat my gebôrt'...».

Im ersten Teil werden Vater, liederlicher Sohn und frommer Sohn kontrastiert und das Wirtshausleben des Ungeratenen realistisch geschildert. Kenntnis der römischen Komödie und des deutschen Fastnachtspieles war beim Verfasser sichtlich vorhanden. Im zweiten Teil wird sowohl der als Mensch des 16. Jahrhunderts gezeichnete verlorene Sohn gütig aufgenommen als auch der Hurenwirt vom Actor bekehrt. Schließlich ist der Bekehrte der wahre Heilige, nicht der werkheilige ältere Sohn, der inzwischen in einen strengen Orden eingetreten ist und sich selbstgerecht seines mönchischen Lebens rühmt.

In der Prosa-Vorrede sagt der Dichter: «De wyle nu de affgôderye des fastelauendes van den heyden angefangen ock dorch de laruendregers tho Rome yerliken celebrert werdt, vnde by macht beholden, vnd nach nicht gentzlick vth vnßerm vleyschliken herten gerethen mach werden, de sůlfftigen tom geringsten yo mith eynem geystliken vastelauendt vorwandelen mochten. Derhaluen bewogen hebbe ick de parabell vamm vorloren ßone vorgenamen, vnde vp ydt Christlickste, wo my môglick was, gespeelt, vnde vor der Christliken gemeynte allhir tho Ryga vthgelecht».

In Bern wurde zur Fastnacht 1531 von jungen Bürgern das Reformationsspiel des HANS VON RÜTE († 1558) von ‹Heydnischer vnd päpstlicher Abgöttereyen› (gedr. Basel 1532) aufgeführt. Der Verfasser, Staatskanzleischreiber in Bern, hatte sich in der Tendenz wie in der Formgebung NIKLAS MANUEL zum Vorbild genommen. Er wollten ‹den ursprung, haltung vnd das End beyder› Abgöttereien vorführen.

Der Papst und seine Anhänger sind als habgierige Betrüger gezeichnet, der Teufel freut sich, daß sie Heiligenverehrung und Bilderkult pflegen, weil sie dadurch die Menschen von Gott ablenken. Die paganische Seite des Papsttums veranschaulichen Publius Trugfast und Jeronymus Selltenlär. Wenn Rat- und Hilfesuchende kommen, verweist sie Trugfast an die heidnischen Götter, Selltenlär an die katholischen Heiligen. Eine schwangere Frau weist der eine an Juno Lucina, der andere an die hl. Maria; einen Studenten an Minerva und an die hl. Katharina; einen Jäger an Diana und an den hl. Hubertus. Die Teufel bemühen sich, durch scheinbare Wundertaten das Volk in der Verehrung der Heiligen zu bestärken. Als ein Kaufmann vom guten Ausgang seiner Geschäfte berichtet, raten ihm die beiden, sich doch mit Hilfe des Neptun und des hl. Nikolaus auch dem Seehandel zuzuwenden. Zwei Dirnen bekommen von einem Papisten den Rat, ihr Gewerbe noch eine Zeitlang auszuüben und sich sodann der hl. Afra anzuvertrauen. Dem frommen Theodorus Gottlieb, der dieses Treiben mit Zwischenreden glossiert, wird von den Päpstlichen, die ein Gelage abhalten, gesagt, er solle schweigen, denn die Leute wollen einfach betrogen sein. Aber das Ende kündigt sich an. Gottlieb überzeugt einen Bauern davon, daß der Papst wie einst Luzifer sich neben Gott setzen wolle. Ein päpstlich gesinnter Doktor berichtet klagend, daß in Deutschland der gemeine Mann aufbegehre. Der Tod tritt auf und bestätigt die Nutzlosigkeit der papistischen Trostmittel im Jenseits. Schließlich verjagt ein Bär [das Wappentier von Bern], den altgesinnten Klerus aus seinem Gebiet. Teufel erscheinen und führen die Geistlichen ab.

Manche der hieher gehörigen satirischen Spiele tragen nur die Form des Dramas, ohne zur Aufführung bestimmt oder geeignet zu sein. Wahrscheinlich von JOHANNES COCHLAEUS stammte das ‹Bockspil Martini Luthers, darinnen fast alle Stende der Menschen begriffen vnd wie sich ein yeder beklaget der yetz leuffigen schweren zeyt ... Gehalten zu Rämmbach vff dem Schloß. 25. Jun. 1531› (Mainz 1531).

‹Bock› war ein Kartenspiel. Es treten auf und reden, jeder nur einmal: LUTHER, COCHLAEUS, ECK, FABER, ein verlaufener Mönch, eine verlaufene Nonne, ein verlaufener Pfaffe, ein Kaufmann, die Reichsstädte, ein Bürger, Handwerker, Krieger, Bauer, der alte Mann, THOMAS MURNER. LUTHERS Gegner beklagen die durch die Reformation einreißende Verderbnis. Das satirische Stück ist ganz nach Art der alten Fastnachtspiele geschrieben.

‹Der new Deutsch Bileams Esel. Wie die schöne Germania durch arge list vnd zauberey ist zůr Bäpst Eselin transformiert worden› (Straßburg 1540/50) bietet die dramatische Bearbeitung eines älteren Buches mit Benützung von HUTTENS ‹Clag vnd vermahnung›; bemerkenswert ist die Szene vom Ablaßkrämer, für die vielleicht MANUELS Dichtung benützt wurde. ‹Ein frischer Combißt [Sauerkraut], vom Bapst vnd den seinen etwann vber Teutsch-Landt eingesaltzen› (Straßburg 1540/50) ist nach einem älteren Gedicht GENGENBACHS gearbeitet und möchte zeigen, wie der Papst die weltlichen Herrscher vergeblich zu einem Krieg gegen das Luthertum zu bewegen sucht. Beide Bearbeitungen kommen aus der Druckerei des JAKOB CAMMERLANDER.

Als etwa ein Jahrzehnt nach Beginn der Reformation die ärgsten Umbruchkämpfe vorüber waren und die Gemüter sich einigermaßen beruhigten, dienten auch die Fastnachtspiele wieder mehr der *Unterhaltung* und der *allgemeinen Moralsatire* denn der Kirchenkampfpolemik. Davon wird ihre weitere Entfaltung im 16. Jahrhundert bestimmt.

In Kolmar wurde zur Fastnacht 1531 GENGENBACHS erweitertes ‹Spiel von den zehn Altern› aufgeführt. Der Bearbeiter blieb im Gegensatz zu GENGENBACH, der sich inzwischen der Reformation zugewandt hatte, auf der katholischen Seite.

Zum Waldbruder tritt ein als Frau verkleideter Teufel und verspricht ihm Reichtum, wenn er seine graue Mönchskutte ablege und seine Moralpredigten aufgebe. Der Einsiedler lehnt ab. Ein anderer Teufel tröstet den ersten mit der Bemerkung, daß sich um das Gerede des Alten ohnehin niemand kümmere. Als Abschluß der Reihe der zehn Alter erscheint die Gestalt des Todes.

Der Bearbeiter von GENGENBACHS Spiel war JÖRG WICKRAM. Er stand unter dem Einfluß der Schweizer. Im revueartigen Spiel ‹Der trew Eckart› (1532; gedr. Straßburg 1538) stellt er in 18 Auftritten verschiedenen Lebens- und Standestypen die volkstümliche Gestalt des Warners gegenüber; einem Bauern, der sich trotz guter Ernte mit anderen zusammengetan hat, um die Getreidepreise hoch zu halten, einem Ratsherrn, der arg bestechlich ist, einem Juden, der christliche Wucherer zu Konkurrenten hat, einem Landsknecht, einem Geistlichen, einem Handwerker, einem ungezogenen Kind, einem allzu nachsichtigen Vater, einem Ehebrecher, einem Spieler, einem Säufer. An BRANTS ‹Narrenschiff› schloß WICKRAM ‹Das Narren giessen› (1537; gedr. Straßburg 1538) an.

Ein alter Narr, der befürchtet, ohne Erben zu bleiben, läßt von einem Meister drei kleine Narren gießen, die sämtliche närrischen Vertreter der Welt herbeibringen: den Buhler, Trinker, Spieler, Alchimisten, Astrologen, Schatzgräber, Schützenfestbruder. Neben den Torheiten werden auch Laster und Verbrechen aufgenommen. Einer setzt dem anderen die Narrenkappe auf, bis schließlich der Nähterin das Tuch ausgeht. Der Alte sieht ein, daß er den Guß vergeblich teuer bezahlt hat – es laufen ohnedies genug Erben seiner Torheit in der Welt umher.

Aneinandergereihte Auftritte bietet auch WICKRAMS ‹Weiberlist›: ‹Ein new Faßnacht Spil, darinn angezogen werden etliche fürneme menner, so durch list der weiber betrogen worden seind› (1543).

Eine Frau schickt den in der Liebe noch unerfahrenen Jüngling zu den in Dingen der Liebe erfahrenen Klassikern, um sich Rat zu holen. Den Vorsitz hat Salomo; zur Seite sitzen David, Samson, Herkules, Paris, Odysseus, Vergil und Aristoteles. Trotz aller ihrer Warnungen geht der Jüngling der Frau ins Garn. Sie setzt ihm einen Kranz ins Haar. Zu spät merkt er, daß der Kranz mit Narrenschellen behangen ist.

Von WICKRAMS biblischen Dramen ist an anderer Stelle die Rede (vgl. S. 377).

Wie der Epiker WICKRAM schrieben auch die durch ihre Prosaschwänke bekannten JAKOB FREY und MARTINUS MONTANUS Dramen. FREY außer einem Fastnachtspiel, ‹Von einem Krämer oder Triackersman vnd zwey Mägdlen› (1533), zwei biblische Stücke: ‹Von dem armen Lasaro vnd dem reichen Mann› (Straßburg o. J.) und ‹Wie Abraham Isaac seinen sůn auffopffern solte› (Straßburg o. J.). MONTANUS hat drei Stoffe der italienischen Novelle BOCCACCIOS in Knittelversen bearbeitet, ‹Der vntrew Knecht (‹Decamerone› VII, 7), ‹Von zweien Römern Tito Quinto Fuluio vnd Gisippo› (‹Dec.› X, 8) und das ‹Spil von einem Grauen› (‹Dec.› II, 8), wobei er sie gleichzeitig in die Umwelt der Volksschauspiele versetzte.

Es war altes Spielgut, wenn in Szenen ein Quacksalber auftrat, den sein Knecht vorher als berühmten Doktor anpries. JAKOB FREY bringt

einen Theriakskrämer auf die Bühne, bei dem sich Bauern und Dienst-
mägde Arzneimittel kaufen. In einem 1560 in Freiburg i. Schw. aufge-
führten Arztspiel ‹Von Astrologie und Wahrsagen› kommt als neues
Motiv die astronomische Prognostikation dazu, mit der sich der Doktor
befaßt.

Es tritt eine Reihe von Leuten auf, die alle Rat und Hilfe benötigen: eine
liebesbedürftige Alte, eine ebensolche Jungfrau und ein ebensolcher alter Mann,
ein Junggeselle, ein Jude, ein Landsknecht, ein Edelmann, der übrigens klagt,
daß nun die Bauern in die Höhe kommen. Ihnen allen verkündigt der Doktor
Roßschwanz die Zukunft mit Späßen. Dann stellt er die Wetterprognose des
Jahres und behandelt fremde Menschen und Länder und auch Wunder.

Seine Kunst bezieht der Doktor u. a. aus dem ‹Eulenspiegel›, dem
‹Pfaffen vom Kahlenberg›, dem ‹Narrenschiff›, dem ‹Rollwagenbüchlein›,
im zweiten Teil aus der in Prosa abgefaßten ‹Practica Doctor Johannis
Roßschwantz von Langen Lederbach› (1509), aus der er auch seinen
Namen entlehnt hat.

Der Titel erinnert an MURNER, aber ansonsten völlig selbständig ist das
Schweizer Fastnachtspiel ‹Wie mann die Narren von einem beschweren
soll› (gedr. 1554), aufgeführt zu Mellingen im Aargau.

Narrenbeschwörer ist ein Doktor, der in gewohnter Weise durch einen Knecht
seinen Ruhm ausposaunen läßt. Als der Landesfürst davon hört, beschließt er,
sich und allen seinen Untertanen den Narren austreiben zu lassen. Der Hofnarr
muß im Land die Runde machen und jedem einzelnen beibringen, wie unbedingt
notwendig die Kur gerade für ihn sei. Auf diese Weise kommt es zu einer
Satire auf die verschiedenen Stände und Berufe: Feldhauptmann, Bürgermeister,
Ratsmitglied, Kaufmann, Bäcker, Fleischer. Schließlich ziehen sie alle unter
der Führung des Landesfürsten zum Doktor, der ihnen der Reihe nach das betreffende ‹Närrli› austreibt. Zuletzt bittet der Schlußsprecher Gott, er möge die
Eintracht der Eidgenossen erhalten.

Einer der bedeutendsten Dramatiker und Regisseure der Schweiz im
16. Jahrhundert war ZACHARIAS BLETZ (1511–1570), Bürger in Luzern,
Feldschreiber in Frankreich, Schulmeister, Stadtschreiber, päpstlicher Notar. Von ihm sind drei Fastnachtspiele erhalten. Der ‹Marcolfus› (1546),
auf dem Weinmarkt in Luzern gespielt, setzt in den Schwänken Markolfs
am Hofe Salomons bäuerlichen Mutterwitz gegen humanistische Schul-
weisheit. Ein Quacksalberspiel ‹Der Wunderdoktor› (1565) verspottet
Kurpfuscherei und menschliche Schwächen, indem verschiedene Narren
(Übermut, Hoffart, Völlerei etc.) vor Gericht geladen und verurteilt werden. ‹Der Narrenfresser›, eine höllenkopfartige Riesenfigur, verschlingt
alle Narrheiten. BLETZENS religiöses Spiel vom Antichrist und Weltgericht
wurde 1549 an zwei Tagen in Luzern im Stil mittelalterlicher Dramenkunst aufgeführt. BLETZ leitete 1545 und 1560 die berühmten Luzerner
Osterspiele. Für diesen Zweck erweiterte er den von HANS SALAT übernommenen Text.

Hans Rudolf Manuel (1525–1571), Sohn des Niklas Manuel, gab im Weinspiel ‹Vom edeln Wein und der trunknen Rotte› (Zürich 1548) ein realistisches Zeitbild (4238 Verse), um das Laster der Schlemmerei und Trunksucht bloßzustellen. Eigentlich ist es ein Gerichtsspiel, ‹darinn der edel wyn von der Truncknen rott beklagt›, von Rebleuten verteidigt und vom Richter freigesprochen wird. Dem Gerichtsverfahren geht eine großartige Wirtshausszene voran, in der die allegorische Gestalt des unter eine Gesellschaft von trinkfreudigen Burschen, Bauern, Kriegsleuten, Dirnen und Weibern gebracht wird. Die Musik spielt auf, es gibt Streit und Schlägerei. Das Spiel ist ein dramatischer Ausdruck der Trunkenheits-literatur, ein interessantes Seitenstück zum Trinkgelage im ‹Gargantua›.

Von Fastnachtspielen, die außerhalb der Schweiz und des Elsaß entstanden sind, mögen genannt werden: ‹Ein lustspiel, der weyber Reichstag genant› (Nürnberg 1537 u. ö.), d. i. der ‹Senatulus› aus den ‹Colloquia› des Erasmus, gereimt, ‹doch in der sententz nach verdeütscht›. Die Weiber beraten über eine permanente Repräsentation ihres Geschlechtes in der Art eines Senates. Den Kern des Spieles bilden die einzelnen Gegenstände der Beratungen. Matthias Brotbeihel, Astrologe und Kalendermacher in München, verfaßte ein Spiel von den ‹Leichtsinnigen Weibern› (Augsburg 1541). Es behandelt das Thema der Liebesnarren und bedient sich dabei historischer Beispiele: Dedameia, Flora, Yole-Achilles, Sardanapal, Herkules. Leonhard Freysleben veröffentlichte in Augsburg ein Fastnachtspiel von der ‹Weyßheit vnd Narrhait› (1550). Die Weisheit tritt als ein zerlumptes und verachtetes Weib auf, als ihre Gegnerin erscheint die Narrheit mit dem Buhler, Zecher, Spieler, Gassentreter, Schmarotzer u. a. Kaspar Bruschius, humanistischer Dichter und Historiker, gab in dem Fastnachtspiel ‹Von den sieben Weysen aus Kriechenlandt› (um 1550) eine Paraphrase des ‹Ludus septem sapientum› des Joachim Camerarius. Georg Reypchius aus Kronstadt in Siebenbürgen, Pfarrer zu Sindelfingen in Württemberg, hat es 1558 neu bearbeitet und erweitert, indem er dem Stücke u. a. einen Teil der ‹Zehn Alter› des Gengenbach einverleibte (gedr. Pforzheim 1559). Matthias Creutz, Bürger zu Andernach, verfaßte ein Fastnachtspiel, das lehrt, ‹wo man soll finden Trew, Legt auß das zweite Gotts gebott Lieb deinen nechsten neben Gott› (Köln 1552). Als die Treue in der ganzen Welt vergeblich Suchender erscheint ein Waldbruder, der sich an die verschiedenen Stände und Klassen wendet.

Auf alter Spieltradition konnte das neue Drama in *Nürnberg* aufbauen. Die zentrale Gestalt der reichen Dramenproduktion war Hans Sachs, kein Schulmeister, sondern ein Handwerker und Meistersinger (vgl. S. 267 ff.). Hans Sachs stand innerhalb der Tradition des Nürnberger *Fastnachtspieles* und *Meistersingerdramas* und war selbst ein anerkannter Meister in diesen Gattungen. Die Anregungen zu seinem dramatischen

Schaffen empfing er während seiner Jugend in Nürnberg und während seiner Wanderjahre. Die Spiele haben bei ihm neben der unterhaltenden auch eine erzieherische Aufgabe. In seinem ersten Stück, dem ‹Hofgesind Veneris› (1517), bedient er sich der alten Revueform und fügt am Schluß ähnlich wie GENGENBACH eine ernsthafte Moral an. Auch die späteren Stücke, die er 1533 bis 1540 nach längerer, wohl durch die Reformation bedingten Pause schrieb, haben noch Elemente der alten Nürnberger Spiele. Es treten auf: Pfarrer, Bauer, Handwerker, Kriegsmann, Bettler und klagen ihre Leiden; oder Buhler, Spieler, Trinker zanken vor Gericht um eine Erbschaft. Auch die kleine Genreszene wird nicht verschmäht. Nach wiederum einer Pause dramatisierte HANS SACHS ab 1544 die Schwänke zu *Fastnachtspielen*. Hauptquellen sind: BOCCACCIO, ‹Eulenspiegel›, PAULIS ‹Schimpf und Ernst›, gelegentlich auch ältere Spiele. Gestalten aus dem deutschen Lebensbereich, antike historische Persönlichkeiten, selbst Gott Vater, Petrus, die Kinder des ersten Menschenpaares treten auf oder erscheinen auf der Bühne. Es gibt viel Zank und Streit, vor allem zwischen den Eheleuten, es wird viel geprügelt. Meist ist es die bäuerliche oder bürgerliche Welt, in der die Stücke spielen. Die Edelleute BOCCACCIOS werden zu deutschen Stadtbürgern. Nur selten mehr führt der Dichter ritterliche Kreise vor. Manchmal wird mit realistischen Mitteln die Situation ins Groteske gesteigert und dadurch Komik erzielt. Der Narr hat seine besondere Rolle verloren. Das beste leistete HANS SACHS in den Einaktern. In seinen literarisch anspruchsvolleren Stücken, in denen er sich dem Schuldrama nähert, fällt er deutlich ab. Es sind dies seine 61 *Tragödien* und 64 *Komödien*, die uns erhalten sind. Sie bilden den Hauptbestand des *Nürnberger Meistersinger-Repertoires*. Die Tragödien behandeln einen ernsten Stoff. Die Komödien haben einen heiteren Inhalt, einen epischen Stil und eine didaktische Grundhaltung, die sich in den moralisierenden Prologen und Epilogen ausspricht. Schon bevor die breitere Produktion der Schuldramen einsetzte, hatten die Meistersinger Aufführungen veranstaltet, aller Wahrscheinlichkeit von Stücken im Stil der ernsten Fastnachtspiele. Das frühe Stück ‹Lucretia› (1527) von HANS SACHS könnte man in die Nähe ernster Fastnachtspiele stellen. Eine breitere Produktion aber wurde bei ihm erst durch die Schuldramen mit dem Jahre 1545 angeregt. Die *Meistersingerdramen* des HANS SACHS sind Spiele von 3 bis zu 10 Akten (meist 5, häufig auch 7) ohne Szeneneinteilung. Ein ‹Ernholdt› (Herold) eröffnet mit einer Begrüßungsrede und beschließt mit einer Moral. Gedacht sind die Stücke für eine Neutralbühne. Die Stoffe stammen aus der Bibel, dem ‹Decamerone›, den Volksbüchern, der Sagenwelt, der Geschichte des klassischen Altertums, seltener aus der deutschen Vorzeit; daneben finden sich Übersetzungen und Bearbeitungen. Die Materie wird aus der epischen in die dramatische Form übertragen, und zwar die Erzählung in ihrem ganzen Verlauf, so etwa bei ‹Tristant mit Isalde› (1553) oder ‹Jocaste› (1550). Die besondere Technik des Dichters durch Dialog und Monolog bei öfterem Szenenwechsel dagegen zeigt ‹Der Hugo Schapler› (1556). Charakteristik der Personen ist in den Dramen wenig zu finden. Dort allerdings, wo die handelnden Personen aus der bürgerlichen Umwelt des Dichters stammen, bringt er Menschen mit Fleisch und Blut und eigener Physiognomie zustande. Biblisches wird manchmal völlig verbürgerlicht und in die Zeit und das Milieu der Stadt Nürnberg gestellt.

Eine besondere Sache ist es mit dem Spiel ‹Der Tod im Stock› (1555). Darin behandelt HANS SACHS in der Form des Fastnachtspieles einen tragischen, in der gesamten Weltliteratur verbreiteten Stoff. Ein Einsiedler findet in einem Baumstumpf einen verborgenen Goldschatz. Dieser bringt erst ihm selbst, dann drei Räubern, die den Eremiten ermorden und einander den Reichtum nicht gönnen, den Tod.

Nur etwa 300 Zeilen umfaßt dieses Trauerspiel, das – um das Besondere zu betonen – ein Engel mit einer Ansprache eröffnet und beschließt. Trotz dieses engen Rahmens ist HANS SACHS in der Charakterisierung des frommen Waldbruders, dessen Seele durch den Fund beunruhigt ist, und in der bedrohend-lebendigen Zeichnung der drei Räuber ein seltenes Meisterstück gelungen.

Die sonstigen Komödien und Tragödien des HANS SACHS zeigen, was in seiner Art in deutschen Stücken um die Mitte des 16. Jahrhunderts zustande kommen konnte. Meist ist es Umsetzung und Gliederung eines epischen Verlaufes in Dialogszenen. HANS SACHS will keine innere Entwicklung darstellen, sondern handlungsreiches Geschehen bieten und anschauliche Typen vorstellen. Seine Darstellungsart hat GOETHE in ‹Dichtung und Wahrheit› (IV, 18) als ‹didaktischen Realismus› bezeichnet.

Die *Frühzeit* im dramatischen Schaffen des HANS SACHS umfaßt die Jahre von 1527 bis 1536. In ihr bevorzugt der Dichter historisch-mythologische Stoffe. Der Stil ist dem in den Fastnachtspielen sehr ähnlich, der Aufbau wenig überlegt. Vieles ist mehr dialogisierte Erzählung als Drama. In dieser Periode entstanden an Tragödien: ‹Lucretia› nach LIVIUS, ‹Die Virginia› (1530). ‹Der Caron mit den abgeschiedenen geisten› (1531), ‹Die opferung Isaac› (1533). An Komödien seien genannt: ‹Pallas vnd Venus› (1530), ‹Das Christus der war Messias sei› (1530), die Bearbeitung eines mittelalterlichen Prophetenspieles, ‹Der Pluto ein gott aller reichtumb› (1531) nach ARISTOPHANES, ‹Der Henno› (1531) nach REUCHLIN, ‹Ein Vatter, vnd ein Son, vnd ein Narr› (um 1531), ‹Judicium Paridis› (1532), ‹Tobias› (1533), ‹Esther› (1536). In der *Spätzeit* 1545 bis 1564 zeigen die Stücke ein stärkeres dramatisches Moment und wirkungsvollere Formen. Am instruktivsten ist eine *Übersicht nach Stoffen. Biblische Stoffe* behandeln die Tragödien: ‹Schöpfung, Fal vnd auß-

treibung Ade auß dem Paradeyß› (1548), ‹Die Enthaubtung Johannis›
(1550), ‹Absalom mit David› (1551), ‹Die Auferweckung Lasari› (1551),
‹Die Machabeer› (1552), ‹Die kintheit Mosi› (1553), ‹Der ganz Passio›
(1558), ‹Tragedia des jüngsten Gerichts› (1558). Komödien nach biblischen
Themen sind: ‹Der Hiob› (1547), ‹Jacob und sein Bruder Esaw› (1550),
‹Die Judith› (1551), ‹Judicium Salomonis› (1551), ‹Der ganz Prophet Jonas› (1551), ‹Die Abigayl› (1553), ‹Die vngleichen kinder Evä› (1553).
Antike Stoffe liegen zu Grunde a) den Tragödien: ‹Die vnglückhafte
Königin Jocaste› (1550), ‹Clitemnestra› (1554), ‹Zerstörung Troia› (1554),
‹Alcestis› (1555), ‹Cyrus› (1557), ‹Alexander Magnus› (1558); b) den Ko-
mödien: ‹Mucius Scävola› (1553), ‹Persones reit Aristotelem› (1554), ‹Die
irrfahrt Vlissi› (1555), ‹Der Perseus mit Andromeda› (1558), ‹Cleopatra
mit Antonio› (1560), ‹Romulus und Remus› (1560). *Deutsche Volksbuchstoffe* gestaltet HANS SACHS a) als Tragödien: ‹Tristrant mit Isalde› (1553),
‹Der Fortunatus mit dem Wunschhütlein› (1553), ‹Herzog Wilhelm mit
Agley› (1556), ‹Die Melusina› (1556), ‹Der Hörnen Sewfridt› (1557); b) als
Komödien: ‹König Dagobertus auß Franckreich mit des Forsters Kind›
(1551), ‹Der ritter Galmi mit der herzogin auß Britannien› (1552), ‹Die
schön Magelona› (1555), ‹Der Hugo Schapler› (1556), ‹Die treuen gesellen
vnd brüder Olwier vnd Artus› (1556), ‹Pontus und Sidonia› (1558). Aus
BOCCACCIO stammen a) die Tragödie: ‹Guisgardus und Gismunda›
(1545); b) die Komödien: ‹Die Violanta› (1545), ‹Griselda› (1546), ‹Titus
vnd Gisippus› (1546), ‹Florio mit der Bianceffora› (1551). *Historische und
andere Stoffe* gestalten a) die Tragödien: ‹Lisabetha› (1546), ‹Die sechs
Kempfer› (1549), ‹Die Königin Rosamunda› (1555), ‹Andreas der unge-
risch König mit Bancbano› (1561); b) die Komödien: ‹Die Königin auß
Frankreich mit dem falschen Marschalk› (1549), ‹Die Stulticia mit irem
hofgesind› (1552), ‹Camillus mit dem vntreuen schulmeister› (1553), ‹Die
schön Marina› (1556), ‹Der Waltbruder› (1559). Von *lateinischen Stücken*
bearbeitete HANS SACHS: Nach ALBRECHT VON EYBS PLAUTUS-Über-
setzung ‹Menechmo› (1548), nach dem ‹Eunuchus› von TERENZ die ‹Bulerin Thais› (1564), nach MACROPEDIUS ‹Von dem reichen sterbenden Menschen der Hecastus genant› (1549), den ‹Acolastus› (1556).

Die *Fastnachtspiele* des HANS SACHS, im ganzen 85 Stücke, gelten als
die klassische Formung der Gattung. Sie zeigen Humor, Witz, Beobach-
tungsgabe und theatralische Wirkungskraft, haben Akteinteilung und
können bei durchschnittlich 400 Versen sogar bis zu zehn Akte umfassen.
Die drei bis sechs Personen, die auftreten, sind Typen mit individueller
Note oder allegorische Figuren. Die Stoffe sind der deutschen Schwankliteratur, dem ‹Decamerone›, antiken Autoren, den ‹Gesta Romanorum›
etc. entnommen. Die frühere Ständesatire tritt zurück, vieles ist aus dem
realen Leben geschöpft. Am Beginn tritt meist ein Ehrenhold auf und
gibt eine Inhaltsangabe des Stückes. Fast alle Fastnachtspiele wurden in

Nürnberg, unter Mithilfe des Dichters, aber auch außerhalb der Stadt aufgeführt. An Spielen im Stil der Frühzeit und mehr in Art dramatischer Dialoge seien genannt: ‹Das hofgesind Veneris› (1517), ‹Eigenschaft der lieb› (1518), ‹Der Narrenfreßer› (1530), ‹Ein Richter, ein Buler, ein Spieler, vnd ein Trincker› (um 1531), ‹Das böß weib› (1533), ‹Das Narren schneiden› (1534), ‹Die Rockenstuben› (1536), ‹Das Krapfenholen› (1540). Der Spätzeit gehören an und über eine lebhaftere Handlung verfügen: ‹Der Schwanger Pauer› (1544), ‹Der Teufel mit dem alten Weib› (1545), ‹Der Teufel mit dem kaufmann vnd den alten weibern› (1549), ‹Der Nasentanz› (1550), ‹Der farend Schüler im Paradeiß› (1550), ‹Nicola der jung kaufman› (1550), ‹Klage Der warheit das sie niemandt Herbirgen wil› (1550), ‹Der Paur mit dem Küdieb› (1550), ‹Joseph vnd Meliss[us] fragen könig Salomon› (1550), ‹Das Wildbad› (1550), ‹Der böß Rauch› (1551), ‹Das Kelberbrüten› (1551), ‹Der Pawrenknecht wil zwo Frauen haben› (1551), ‹Der farent Schüler mit dem Teufelpannen› (1551), ‹Das heiß Eisen› (1551), ‹Der vnersettlich Geizhunger› (1551) mit der Gestalt des Simplicius, des Einfältigen, und dessen Freund Sapiens, ‹Der Baur im Fegefeuer› (1552), ‹Die listig Bulerin› (1552), ‹Eulenspiegel mit den blinden› (1553), ‹Eulenspiegel mit der pfaffenkellerin vnd dem pferd› (1553), ‹Der Tyrann Dionysius mit Damone› (1553), ‹Der rossdieb zu Fünsing mit den tollen diebischen bauern› (1553), ‹Der Neydhart mit dem Feyhel› (1562), ‹Die Kuplerin mit dem Thumherrn› (1563), ‹Das hobeln der groben Männer› (1567). Wie die Chronologie zeigt, ist der größere Teil der Fastnachtspiele zwischen 1550 und 1560 entstanden, allein in den Jahren 1550 bis 1554 verfaßte HANS SACHS 35 Spiele. Meist sind die Fastnachtspiele in freien Knittelversen abgefaßt: vierhebig, mit freier Taktfüllung, die Verszeile mit 6 bis 16 Silben.

Neben den Komödien, Tragödien und Fastnachtspielen verwendete HANS SACHS auch die halbdramatischen Formen der *Dialoge* und *Colloquia*, wie sie im ausgehenden Mittelalter, vom Humanismus und in der Frühzeit der Glaubenskämpfe eifrig gepflegt wurden. Er selber nennt diese Gebilde ‹Gespräch› oder ‹Kampfgespräch›. Sie setzen bei ihm etwa 1530 ein und währen bis gegen 1560. Ihr Inhalt betrifft die verschiedensten Gebiete. Charakteristisch scheinen folgende Themen: ‹Ein Kampffgesprech zwischen eyner Frawen vnd jhrer Haußmaydt› (1532); ‹Kampfgesprech zwischen dem tot vnd dem natürlichen leben, welichs vnter jn beden das beßer sei› (1533); ‹Ein Gesprech mit dem schnöden Müssiggang vnd seynen acht schendtlichen Eygenschafften› (1534); ‹Ein Gesprech, Die Neun gab Muse, oder Kunst Göttin, betreffendt› (1536); ‹Kampfgesprech zwischen fraw Tugent vnd fraw Glück› (1537); ‹Ein gesprech zwischen dem Sommer vnd dem Winter› (1538); ‹Gesprech mit einem Waldbruder wie frau Treu gestorben sei› (1541); ‹Ein ardtlich Gesprech der Götter, die zwitracht des Romischen Reychs betreffende› (1544); ‹Ein

Gesprech vnd klagred frau Arbeit vber den grossen müssigen hauffen›
(1546); ‹Vier schöne Gesprech zwischen S. Peter vnd dem Herren› (1553);
‹Die Geschwetzig Rockenstuben› (1557); ‹Ein klaggesprech uber das
schwer alter› (1558).

HANS SACHS ist eine im Grunde unproblematische Natur. Hervortreten
eine naive Bildungsbemühung, Freude am bürgerlichen Meistergesang,
Interesse für die Fragen und Nöte des Alltags. Das Bild, das sich die
Nachwelt von ihm gemacht hat, trägt noch immer leicht ironische Züge,
trotz GOETHES Zustimmung zu seiner Persönlichkeit. Am ehesten noch
lebendig aus seinem Riesenwerk ist einiges aus seinen Spielen.

Neben HANS SACHS übertrug in Nürnberg der deutsche Rechenmeister
JOHANN BETZ den ‹Henno› von REUCHLIN 1546 in die derbe Sprache
eines deutschen Fastnachtspieles. Der Schulmeister SALOMON NEUBER
erscheint mit einem Fastnachtspiel von ‹Contz Zwergen vnnd einem
Freyhartsbůben› (Augsburg um 1550). Der Schauplatz ist ein Bauern-
dorf, das Thema dessen Kampf gegen ein Kalb, von dem man meinte,
es habe einen Menschen gefressen.

Umfangreicher ist das Schaffen LEONHARD CULMANNS (1498–1562),
Schulmeister an der Spitalschule in Nürnberg. Er veranstaltete Aufführungen und schrieb selbst Dramen: ‹Ein Christenlich Teütsch Spil, wie
ein Sünder zůr Bůß bekärt wirdt› (Nürnberg 1539); ‹Ein teutsch spiel von
der auffrur der Erbarn weiber zů Rom wider jre männer› (Nürnberg
o. J.); ‹Ein schön weltlich spil von der schönen Pandora› (1544; gedr.
Augsburg). Quelle war HESIOD (Werke und Tage 48). Zur Strafe für den
von Prometheus verübten Raub des Feuers muß Hephaistos auf Befehl
Jupiters eine schöne und tugendhafte Jungfrau bilden, die von allen Göttern begabt wird: Pandora. Hermes führt sie zu Epimetheus, der sie zur
Frau nimmt. Aus der Büchse der Pandora kommen nun alle Übel, kommen Jammer und Plagen über die Menschheit. Doch die Hoffnung tröstet den Frommen und erlöst ihn von der Strafe. Man hat in CULMANNS
Werk eine Art weltlicher Moralität vor sich, der große Gegenstand war
dichterisch für ihn nicht zu bewältigen. Ähnlich hohe Ziele hat auch
‹Ein schön Teutsch Geistlich Spiel, Von der Widtfraw, die Gott wunderlich durch den Propheten Elisa mit Oel von jrem Schuldherren erlediget›
(1544; gedr. Nürnberg), in dem CULMANN (nach 2 Kön. 4) dreierlei will:
Die Glaubensstärke preisen, die der Christ haben muß, besonders dann,
wenn er sorgengeplagt und in Bedrängnis ist; auffordern zur Übung der
Barmherzigkeit und mildtätiger Liebe an den notleidenden Mitchristen;
warnen vor den Ideen der Taufgesinnten. Der Christ aber dürfe kaufen
und auch mit Gewinn verkaufen, Eigenes haben und borgen, müsse allerdings dem Bedürftigen auch stets willig helfen. Weiters hat CULMANN
auch ein Spiel von ‹Isaac und Rebecca› verfaßt.

Wenig später als CULMANN ließ HEINRICH HOFFOT sein Spiel vom

‹Ritter Ponto› in 10 Akten aufführen und gab es in Druck (1551). HANS
VOYT, Kaplan zu St. Lorenz, brachte 1552 eine Komödie ‹Vom reichen
Mann› zur Aufführung. Der Magister JOACHIM HELLER, Lehrer an der
Schule zu St. Egidien, erhielt 1552 vom Rat die Bewilligung zur Auf-
führung eines lateinischen Stückes und eines deutschen ‹Tobias›. Wegen
eines zweiten deutschen Stückes wurde ihm nahegelegt, lieber seine
Schulstunden ordentlich zu halten. Der Ratsdiener MARTIN GLASER ver-
faßte ‹Ein Comedi vnd Fassnacht Spil› (gedr. 1552), in dem er die Philo-
genia› des UGOLINO DE PISANIS nach der deutschen Bearbeitung AL-
BRECHTS VON EYB in Reime und Akte brachte. PETER PROBST († 1576),
Kornschreiber und Meistersinger, dichtete 1553–1556 in Nürnberg ‹Ein
schön Christlich Komödia› vom Blindgeborenen (nach JOH. 9) und sieben
Fastnachtspiele: ‹Von einem Mülner vnd seinem weib›, ‹Von zweyen
Lantzknechten›, ‹Von zwaierlei elltern›, ‹Von eines Bauren heirat mit
der pösen Elsen›, ‹Vom krancken Bauren vnd einem Doctor›, ‹Von zweyen
mendern›, ‹Von einem Freyhirtten vnd einer guten metzen›. Im Spiel
vom Müller und seinem Weibe gestaltete PROBST denselben Stoff, den
HANS SACHS im ‹Farent schueler mit dem deufel› und CLEMENS
STEPHANI in seinem Reimdrama ‹Satyra oder Bawrenspil› behandelten.
    Eine Reihe von Dramatikern steht im Gefolge von HANS SACHS. Bei
ihnen ist festzustellen, daß es einen allgemein gültigen Typ eines Meistersingerdramas nicht gegeben hat. Manche Meistersinger schlossen sich
mehr dem Handwerkerfastnachtspiel an, andere wieder mehr der Schulkomödie. SEBASTIAN WILD († nach 1583), Bürger und Meistersinger zu
Augsburg, verfaßte zwölf Schauspiele, die Augsburg 1566 gedruckt wurden: 1. ‹Die Geburt Christi›; 2. ‹Die versteinigung Stephani›; 3. ‹Der
Passion vnnd die Aufferstehung Christi›; 4. ‹Der Belial führt ein recht
mit Christo›; 5. ‹Vom krancken Kaiser Thito›; 6. ‹Der Junger gefengknuß›
(Ap. 5); 7. ‹Der Nabott› (3 Kön. 21); 8. ‹Das Gesetz Mose vnnd vom
guldin Kalb›; 9. ‹Vom Keyser Octaviano›; 10. ‹Die schön Magelona vnnd
Ritter Peter›; 11. ‹Die siben weysen Maister (Von des Kaisers Pencyanus
Son)›; 12. ‹Der Doctor mit dem Esel vnnd Spiegel der Wellt›. Der Meistersinger HIERONYMUS LINCK aus Glatz dramatisierte im ‹Ritter Julianus›
(1564) in 10 Akten eine mittelalterliche Version der Ödipussage. Von
zwei dem Kaiser MAXIMILIAN II. gewidmeten, nur handschriftlich erhaltenen Stücken behandelt das eine die Türkengefahr, das andere die
Zeit der Regierung König Salomons bis zu seinem Urteil. VALENTIN
VOIGT (1487, † nach 1558) aus Chemnitz, Bürger und Meistersinger in
Magdeburg, verfaßte, angeregt durch GREFFS ‹Jacob›, eine ‹Esther› (Magdeburg 1537) und wollte damit zeigen, wie Gott allzeit die Hoffart und
den Eigenwillen bestraft, die Demut und Gottesfürchtigkeit belohnt.
VOIGTS ‹Spiel von dem herlichen vrsprung ... des Menschen› (Magdeburg 1538) ist noch ein die ganze Welt- und Heilsgeschichte umfassendes

Gebilde. LEONHARD SOHWARTZENBACH dramatisierte BOCCACCIOS Novelle von Titus und Gisippus (1551). Nach dem Prolog zu schließen, war
das Stück dafür bestimmt, vor einer Fastnachtsgesellschaft gespielt zu werden. CLEMENS STEPHANI (ca. 1530–1592) aus Buchau, Lateinschulkan-
tor in Eger, gestaltete vor einem geistlich-allegorischen Drama ‹Eine
Geistliche Action auß Ludouici Bero[aldi] Dialogo: Wie man des Teuffels
listen vnnd eingeben, Fürnemlich in Sterbens stundt vnd Zeiten, ent-
pfliehen soll› (Nürnberg 1568) und dem bereits erwähnten Drama ‹Satyra
oder Bawrenspil› (Nürnberg 1568) auch einen hochtragischen Stoff, die
‹Historia von einer Königin aus Lamparden› (Nürnberg 1551), die Geschichte der Langobardenkönigin Rosamunde. Doch wie vier Jahre später
HANS SACHS ist es auch STEPHANI nicht gelungen, daraus eine wirkliche Tragödie zu machen.

Die Disputationszenen und Dialoge mit ihrer dramatischen Bewegung
und Spannung, wie sie etwa HANS SACHS in seiner ‹Disputation zwischen
einem Chorherren vnd Schuhmacher› geschaffen hatte, wurden theatra-
lisch richtig ausgeformt im Tiroler Reformationsspiel ‹Die zwen Stenndt›
(1535) in der Sammlung VIGIL RABERS.

Zu den Bauern, die mit dem Dorfrichter im Wirtshaus sitzen, tritt ein ent-
laufener Mönch, jetzt Freihart [Landfahrer] und ist Wortführer eines Gespräches
über die großen Tagesfragen. Der hinzukommende Dorfpfarrer muß sich manches scharfe Wort anhören; seine Drohung, die Bauern beim Domkapitel in
Brixen, von dem sie ihren Grundbesitz zu Lehen haben, anzuzeigen, wird abgewehrt. Der aus Wien als Student der Theologie zurückgekommene Sohn des
Richters entschließt sich, anstatt Geistlicher Bauer zu werden und zu heiraten.

Die dreiaktige Komödie eines unbekannten Verfassers vom Konzil zu
Trient zeigt eine Beratung des päpstlichen Konsistoriums über die Lehre
LUTHERS. Der genaue Titel lautet: ‹Radtschlag Des allerheiligsten Vaters
Bapstes Pauli des Dritten, Mit dem Collegio Cardinalium gehalten, wie
das angesatzte Concilium zu Trient fürzunemen sey, Anno 1545›.

Der Papst schickt vier Kardinäle und den Kanzler zu St. Petrus in den Himmel,
Rat einzuholen, wie man gegen LUTHER vorgehen solle. An der Himmelstür
treffen sie Papst JULIUS II. († 1513), der sich beklagt, daß man ihn nicht einlassen
wolle, während sieben andere Männer in den Himmel eingegangen seien:
REUCHLIN, PETRUS MOSELLANUS, JOHANNES RHAGIUS AESTICAMPIANUS, NIKO-
LAUS HAUSMAN, URBAN RHEGIUS, GEORG SPALATIN, GEORG HELT – Leute,
die zwar nicht heilig gewesen, aber Gott gefallen hätten. Petrus weist die
Kardinäle ab: Das Konzil sei unnütz, Christus selber werde kommen, Gericht
zu halten. Den gleichen Bescheid erhalten sie durch den Engel Gabriel von Gott.
Ein Brief an den Antichrist wird ihnen mitgegeben. Der Papst wünscht, nachdem
er den Brief gelesen und wütend zerrissen hat, das Konzil *ad calendas Graecas*
zu verschieben. Die Erscheinung des Teufels und ein Epilog beschließen das
Spiel.

3. Ansätze einer neuen, vom Mittelalter abgegrenzten
Dramenkunst. Neulateinisches und deutschsprachiges Drama
in verschiedenen Gebieten. Schuldrama, Bürgerspiele

Die von REUCHLIN, LOCHER, CELTIS, ihren Schülern und Zeitgenossen
angebahnten Formen der Komödie, des allegorischen Festspieles, der
Moralität, des historischen und politischen Gegenwartsstückes fanden
auch in der nächsten Generation ihre Pflege, inhaltlich freilich stellen
viele Humanisten ihre Dichtungen in die Dienste der Reformation.
Bei dem pädagogischen Grundzug, den der *deutsche Humanismus*
an sich hatte, blieb vieles an die höheren Lateinschulen gebunden,
und Tendenzen des Bildungsschulwesens beeinflussen den Inhalt der
Stücke.

Auf die allegorischen Huldigungsspiele des KONRAD CELTIS, JOSEPH
GRÜNPECK, BENEDICTUS CHELIDONIUS und auf die mythologisch-alle-
gorischen Spiele wie JAKOB LOCHERS ‹Iudicium Paridis› folgen im Reformationszeitalter in Verbindung mit französischen und niederländischen
Moralitäten Stücke, die den Menschen als Kampfobjekte der guten und
bösen Mächte vorführen. Als besondere Varietät der Moralitäten erscheint der ‹Jedermann›-Stoff. Gegen die Jahrhundertmitte hin teilen sich
die Spiele um die Unterdrückung oder Verbannung des guten Prinzips
in Friedensstücke und Religionsdramen.

Bei der Aneignung der Formen des *römisch-griechischen Dramas* steht
noch immer das Beispiel des TERENZ im Vordergrund. Die Komödien des
PLAUTUS wurden in ihrer Gesamtheit erst leichter zugänglich, als sie
JOACHIM CAMERARIUS 1552 zu Basel herausgab. Die Rezeption der Tragödie SENECAS hat zu nachschaffender Produktion erst sehr spät angeregt. Zwar finden sich frühe Entlehnungen bereits im ‹Eckius dedolatus›,
aber hier werden sie für travestierende Zwecke benützt. Erst bei SIXT
BIRCK in seiner ‹Susanna› (1532) und in geringem Maß im ‹Joseph›-Drama
(1535) des CORNELIUS CROCUS († 1550 als Jesuit in Rom) ist SENECAS Einwirkung spürbar. Später dann ist SENECA das große Vorbild für den
‹Joseph› (1584) des AEGIDIUS HUNNIUS. Richtig fruchtbar wird er erst für
die Spätzeit und für das lateinische Drama des Übergangs zum Barock.

Für die Beschäftigung mit den griechischen Tragikern und ihre Rezep-
tion war besonders eifrig MELANCHTHON tätig, indem er sie in zahl-
reichen Interpretationskollegien erklärte und 18 Tragödien des EURIPI-
DES und zwei des SOPHOKLES ins Lateinische übertrug, andererseits auch
Aufführungen antiker Trauerspiele veranstaltete. Die von ihm 1525 und
1526 angeregte Aufführung der ‹Hekabe› des EURIPIDES dürfte die erste
Aufführung einer griechischen Tragödie in Deutschland gewesen sein.
Als Text benutzte man vermutlich die Übertragung des ERASMUS.

MELANCHTHONS Tätigkeit, bei der ihm nicht das Ästhetische die Hauptsache war, sondern der moralische Nutzen, wurde durch PAUL EBER und GEORG FABRICIUS, der auch eine Abhandlung ‹De tragoediarum usu› verfaßte, fortgesetzt. Die erste vollständige Übersetzung des SOPHOKLES ins Lateinische lieferte THOMAS NAOGEORG (Basel 1558), nachdem ‹Aias› und ‹Philoktet› bereits 1552 im Anhang zu seinem ‹Judas›-Drama erschienen waren. Die Zunahme der Griechischkenntnisse im Verlauf des 16. Jahrhunderts machte indes allmählich die Übertragung ins Lateinische überflüssig. Zunächst las man zwar die römischen und griechischen Dramatiker, man führte auch die Stücke auf, aber die inneren Wesensgesetze der antiken Dramen nachzugestalten, war man noch lange nicht imstande.

Bereits zu Anfang des 16. Jahrhunderts hatten sich im neulateinischen Drama Ansätze zu einem *Schuldrama* im engeren Sinn des Wortes gezeigt. Diese Ansätze entwickelten sich weiter, als der Humanismus außer an den Artistenfakultäten der Universitäten auch in die Lateinschulen der Städte Eingang gefunden hatte. Mit der Reformation verbindet dieses Schuldrama humanistische und religiöse Tendenzen, teilt sich in einen katholischen und in einen protestantischen Ast und erzeugt *neulateinische* und *deutschsprachige* Stücke. Das *protestantische Schuldrama* erreichte bald einen großen Vorsprung und blühte das ganze weitere 16. Jahrhundert. Das *katholische Schuldrama* setzt zwar mit dem Niederländer MACROPEDIUS schon vor der Reformation ein, erlangt aber erst mit dem Auftreten der Jesuiten in der zweiten Hälfte des 16. Jahrhunderts größere Bedeutung, um dann freilich das ganze Barockzeitalter erhalten zu bleiben und eine wichtige Funktion für die gesamte Theatergeschichte zu übernehmen.

Neben den Schuldramen entfalteten sich in den Städten *Bürgerspiele.* Die Grenzen zwischen beiden Gattungen sind oft schwer zu ziehen.

An die Stelle der großen zusammenhängenden Darstellungen der christlichen Weltgeschichte, wie sie in den Oster- und Fronleichnamsspielen des ausgehenden Mittelalters gegeben wurden, treten im Gefolge der Reformation *Bibeldramen,* d. h. Dramatisierung einzelner Partien, Ereignisse oder Persönlichkeiten aus dem Alten und Neuen Testament: die Schöpfung und der Sündenfall, der Brudermord des Kain, die Opferung Isaaks, die Geschichte vom alten Isaak mit Jakob und Esau, der ägyptische Joseph, die Geschichte des Moses, Nabal, David, Samson, Jerobeam, Jeremias, Eli, Ruth, Hiob, Daniel, Tobias, Esther, Judith, Susanna u. a. Als Erbe des mittelalterlichen geistlichen Dramas wird den biblischen (und manchmal auch historischen) Stoffen ein präfigurativer Sinn unterlegt. Daneben fehlt es nicht an bedeutsamen Bezugnahmen zur Zeitgeschichte. Von den neutestamentlichen Stoffen stehen in erster Linie die Parabeln, die im Mittelalter fast gar nicht dramatisiert wurden, das Gleichnis vom verlorenen Sohn, vom barmherzigen Samariter, vom reichen Prasser und armen Lazarus, vom verlorenen Schaf, von den Arbeitern im Weinberg, vom Schuldner, von der Hochzeit des Königssohnes, von den klugen und törichten Jungfrauen, die Geschichte Johannes des Täufers, Ereignisse aus dem Leben Jesu, des Apostels Paulus u. a.

Bei den Bibeldramen tritt gegenüber der moralisch-pädagogischen Lehrhaftigkeit die dogmatische in den Hintergrund. Aber zur Gänze fehlt sie doch nicht. Greff bezeichnet als Hauptzweck seines ‹Lazarus› die Veranschaulichung der Lehre von der Auferstehung der Toten. Häufig, ja meist, wird mit den Dramen vom verlorenen Sohn die lutherische Lehre von der Rechtfertigung verknüpft.

Auch die Auseinandersetzungen innerhalb der Reformation machen sich nur begrenzt bemerkbar. Gegen die Taufgesinnten gerichtet ist es, wenn Knaust den Wiedertäufern die Fabel von den ungleichen Kindern Evas entgegenhält als Argument für die Notwendigkeit der Standesunterschiede; oder wenn Culmann hervorhebt, nicht nur die hartherzigen und wucherischen Kaufleute seien verwerflich, sondern auch die Täufer, die den Handel überhaupt für ein Unrecht ansehen. Der Standpunkt orthodoxer Lutheraner flacianischer Richtung findet durch Chryseus im ‹Hoffteufel› und bei Hoppenrodt im ‹Theatrum Diabolorum› seinen Niederschlag. Zacharias Poleus, Stadtkanzler zu Frankenstein (Schlesien), bezeichnet in seinem deutschen Drama über die Belagerung Samarias (1603) den Kleiderluxus als Strafe für die Verachtung des göttlichen Wortes, das durch einen Calvin, Schwenckfeld und die Wiedertäufer entstellt und verfälscht worden sei.

Eine besondere Schwierigkeit stellt sich dem lateinischen Drama im Gleichheitsproblem. Dem Christentum sind alle Menschen vor Gott gleich. Andererseits gibt es eine gottgewollte irdische Ungleichheit. Das hierarchische Gesellschaftsbild des Mittelalters mit seinen ungleich privilegierten Ständen wurde im 16. Jahrhundert aus dem religiösen Raum her in Frage gestellt. Nicht wenige Häretiker und Sekten wollten die transzendentale Gleichheitsidee auch im rein säkularen Raum vollstrekken. Ihnen traten die Reformatoren entgegen. Den stärksten Gegenpol bildeten die Vertreter der im Calvinismus wirksamen Prädestinationsvorstellungen mit der Annahme einer prinzipiellen Unüberwindbarkeit der Ungleichheit auch im Religiösen.

Die Dramatiker benützen für ihre Zwecke gern einen fabulosen Zusatz zur Geschichte des ersten Menschenpaares: Bei einem Besuch bestimmt Gott Vater von den Kindern Adams und Evas die einen zu Königen, Herrschern, Priestern und sonstigen angesehenen Würdenträgern, die anderen aber zu Bauern, Arbeitern, Handwerkern u. dgl. Die Fabel soll die Ungleichheit unter den Menschen durch die göttliche Ordnung rechtfertigen. In der Literatur erscheint die früheste Version in den ‹Eklogen› des BAPTISTA MANTUANUS (um 1470). In der deutschen Reformation wird die Erzählung in der Fassung MELANCHTHONS (1539) beliebt, in der Gott Vater mit den Kindern ein Examen abhält und sie, je nachdem sie gute oder schlechte Antworten geben können, einem hohen oder niederen Stand zuweist. Diese Version wurde bearbeitet von STIGELLIUS (1539), KNAUST (‹Tragedia von verordnung der Stende oder Regiment› 1539), BRUSCH (1544), LOSSIUS (1545), HANS SACHS (dreimal 1553 und einmal 1558), BAUMGART (1559), CHYTRÄUS u. a. HEINRICH KNAUST führt in der Widmung des Dramas an seinen Bruder KONRAD aus, «er beabsichtige die Lehre von der Ordnung der beiden vornehmsten Stände auf Erden, so Gott gestiftet habe, vor die Augen zu malen und zu halten: Kain gebe das Bild der wüsten und greulichen Leute, wie im Papsttum und neulich bei den Bauern und Wiedertäufern gesehen worden» (H. HOLSTEIN). Auch SIXT BIRCK nahm die Geschichte in seinem Drama ‹Eva› (1539) so auf, daß Gott Vater die Examensszene zu einer Warnung vor *opinionibus adulterinis* [falschen Meinungen] benützt; der kleine Kain sagt, er wisse nichts von einem künftigen Leben. Der lutherisch-orthodoxe NIKOLAUS SELNECKER läßt in seiner ‹Theophania› (1552, gedr. 1560) den Kain mit Bestimmtheit erklären, daß allein die Vernunft für den Menschen oberste Richterin und Lehrerin sei; außerdem bekennt er sich ganz ohne Scheu zur Prädestinationslehre CALVINS.

In formaler Hinsicht folgen die neuen Dramen meist dem Vorbild des TERENZ, d. h. sie bestehen aus Prolog, Argument (Inhaltsangabe), fünf Akten und Epilog. Dem Personenverzeichnis sind gelegentlich Anweisungen über Kostüme und Anordnung der Spieler und der Szenen beigefügt. Während die äußere Form fast überall gleich ist, gibt es in der inneren Struktur wesentliche Unterschiede, die zumeist aus der unterschiedlichen Bühnentechnik resultieren.

a) *Das neulateinische Drama. Schuldrama. Wilhelm Gnapheus. Georg Macropedius. Thomas Naogeorg. Bibeldramen, Komödien, Allegorisches*

Noch aus den geistigen Spannungen der reformatorischen Kämpfe «mit ihrem Drängen nach Stellungnahme und persönlicher Entscheidung» (H.-G. ROLOFF) kommt es ab 1529 durch die Leistungen zweier Niederländer, WILHELM GNAPHEUS und GEORG MACROPEDIUS, und eines Niederbayern, THOMAS NAOGEORG, zu einem ersten Höhepunkt des *neulateinischen Reformationsdramas*. Das Studium der römischen Komödien und auch noch die mittelalterlichen Moralitäten boten ihnen die Grundlagen und Vorbilder für ihre Darstellungsweisen und Charakterzeichnungen. Zur selben Zeit erscheinen, veranlaßt besonders durch LUTHERS Stellung zum Drama, auf protestantischer wie katholischer Seite zahlreiche *Bibeldramen:* von SIXT BIRCK, JOHANNES SAPIDUS, ANDREAS

DIETHER, MARTINUS BALTICUS, HIERONYMUS ZIEGLER, PETRUS PAPEUS, CORNELIUS LAURIMANUS u. a. Weit weniger umfangreich als die Zahl der Verfasser von Bibeldramen ist die der neulateinischen *Komödiendichter:* JOHANNES PLACENTIUS, ARNOLD MADIRUS, MATERNUS STEYNDORFFER, PETRUS DASYPODIUS, CHRISTOPH STYMMELIUS.

Das neulateinische *allegorische Drama* tritt in Erscheinung, außer bei MACROPEDIUS und NAOGEORG, bei JAKOB ZOVITIUS, JOHANNES ARTO-POEUS, JAKOB MICYLLUS, JAKOB SCHÖPPER, HIERONYMUS ZIEGLER, besonders bei JOHANNES PRASINUS, ANTONIUS SCHORUS und LEVIN BRECHT.

Beim *Schuldrama* hat anfangs das protestantische das Übergewicht. In der zweiten Hälfte des Jahrhunderts gewinnt mit der einsetzenden Gegenreformation das katholische zusehends an Boden. Die lateinische Schulkomödie nahm ihre Stoffe entweder aus dem geistlich-religiösen Bereich oder aus der Schwankliteratur und blieb so in beiden Fällen dem Mittelalter nahe. Selten schöpften die Dichter für ihre Dramen aus der Geschichte und Sage des klassischen Altertums.

Das *neulateinische Drama der Reformationsepoche* setzt sich zusammen aus den dramatischen Schöpfungen einzelner Humanisten und der akademischen Dramenpflege an den Universitäten, dem konfessionell orientierten Drama an den Lateinschulen und dem Ordensdrama der Jesuiten. An Möglichkeiten zeigen sich das Bibeldrama, die humanistische Komödie und das allegorische Drama. Zunächst noch in der Hauptsache akademisches Drama, wird es sehr bald in den Dienst der Kirchenkämpfe und der Propagierung der neuen konfessionellen Glaubens- und Morallehren gestellt. Die repräsentativen Höhepunkte bilden GNAPHEUS, MACROPEDIUS und NAOGEORG.

Ein neues Zentrum schöpferischer Dramendichtung bildete sich vorerst in den Niederlanden. Hauptgestalten sind WILHELM GNAPHEUS und GEORG MACROPEDIUS, der eine Anhänger der Reformation, der andere Katholik. Beide waren an Lateinschulen tätig und verbrachten einen großen Teil ihres Lebens in Deutschland. Es ist kein Zufall, daß der talentvolle Nachfahre REUCHLINS, MACROPEDIUS, Mitglied der Brüder vom gemeinsamen Leben war. Er dramatisierte als erster biblische Stoffe in antiken Formen. Die stark religiös bedingten Interessen dieser Niederländer bringen auch die Anteilnahme für die Moralitäten zu neuem Aufschwung. Von der römischen Komödie und der griechischen Tragödie des SOPHOKLES kommt der Bayer THOMAS NAOGEORG zum neulateinischen Drama; auch ARISTOPHANES hat er gekannt, ebenso die mittelalterlichen Oster- und Passionsspiele. NAOGEORG schrieb zuerst groß angelegte Kampfdramen, nach einem Zerwürfnis mit Lutheranern ging er über zu weniger tendenziösen Bibeldramen.

Für das neulateinische Drama des Reformationszeitalters müssen noch sehr oft die bibliographischen Angaben bei GOEDEKE (²II) und die Artikel von JOHANNES BOLTE, HUGO HOLSTEIN u. a. in der ‹Allgemeinen Deutschen Biographie› die Anhaltspunkte abgeben. Nur, was problem- oder theatergeschichtliches Interesse fand, ist einläßlicher bearbeitet. Es mangelt an Neuausgaben und Einzeluntersuchungen. Die Kapitel in WILHELM CREIZENACHS ‹Geschichte des neueren Dramas› II (²1918), RUDOLF WOLKAN ‹Das neulateinische Drama› in R. F. ARNOLD, ‹Das Deutsche Drama› (1925), die Sachartikel in den Nachschlagewerken können bei aller Verdienstlichkeit eine umfassende Gesamtdarstellung der Gattung nicht ersetzen.

Der Grundriß des neuen Dramas, die Komikotragödie, wurde ausgeprägt durch WILHELM (GUILHELMUS) GNAPHEUS, WILLEM DE VOLDER (1493–1568) aus Den Haag. Wie CORNELIS HOEN und HINNE RODE Anhänger der biblischen Richtung, verließ er 1531 die Niederlande, war 1535 bis 1541 Rektor der Lateinschule zu Elbing, 1544 bis 1547 Rektor des Pädagogiums und Professor an der Universität zu Königsberg; 1547 als Reformierter von der lutherischen Partei abgesetzt und ausgewiesen, war er sodann Prinzenerzieher in Ostfriesland, schließlich seit 1560 Rentmeister zu Norden. GNAPHEUS verband den Blick für das Alltagsleben seiner Heimat mit dem Wissen des Humanisten um die plautinisch-terenzische Formgebung. Noch als Lehrer in Haag verfaßte er das Drama ‹Acolastus sive de filio prodigo› (Antwerpen 1529 u. ö.). GNAPHEUS wollte mit dem ‹Acolastus›, dem Drama ‹Vom ausschweifenden oder verlorenen Sohn›, seinem Zeitalter ein MENANDER und TERENZ sein und fühlte sich als Gestalter einer neuen Dramenkunst.

Diese erste in die Öffentlichkeit gelangte Schulkomödie in lateinischer Sprache behandelt nach LUK. 15 die Parabel vom verlorenen Sohn, der zum Vater zurückkehrt: Den Weggang des Unerfahrenen vom Elternhaus, nachdem der Eigenwillige vom Vater das Erbteil empfangen, sein liederliches Leben in der Fremde, seine Reue im Elend und die Rückkehr in die Heimat. In engem Anschluß an die einzelnen Teile der biblischen Erzählung ist das Stück aufgebaut, am meisten ausgestaltet sind die Abschnitte, die in der Fremde spielen, namentlich das sinnenhafte Genußleben des Acolastus. Die Hauptfiguren sind der liebevolle, nachsichtige Vater Pelargus und sein verschwenderischer Sohn. Jeder hat einen Begleiter, der Vater den klugen Nachbarn Eubulus, der Sohn den selbstsüchtigen Freund Philautus. Mehrere aus dem antiken Lustspiel bekannte Orte und Figuren sind da: ein Parasit Pamphagus, ein Possenreißer und Schlemmer Pantolabus, das Gasthaus und ein Wirt Sannio, eine schöne Dirne Lais, ein Knecht Syrus, eine Magd Syra, eine Köchin Bromia. Die Personennamen sind durchwegs bedeutungsvoll. Das Grundproblem seines Stückes entnahm GNAPHEUS der Bibel, die dichterische Ausführung in Gestalt einer Komikotragödie ist sein Eigentum. Mit wohlüberlegter

Ökonomie und mit poetischem Gefühl hat GNAPHEUS seine Kenntnis des TERENZ und PLAUTUS benützt und ein durchaus einheitlich geschlossenes Werk zustande gebracht.

Von den fünf Akten des Dramas bilden der erste und fünfte den Rahmen, der zweite, dritte und vierte das Innenspiel. Ein Prolog eröffnet das Stück, ein Epilog mit moralischer Nutzanwendung beschließt es. Die Darstellung des Genußlebens, die Verwirklichung einer dichterischen Form, die ethische Aussage, die Charaktere des Vaters und Sohnes stellen eine hohe dichterische Leistung dar. Auf der Höhe einer Szene spricht Acolastus zu Lais: «O Lust des Lebens und der Götter Wonne! Wie alles sich mir frühlinghaft verklärt, was an dir und was um dich ich erblicke! Was forderst du? Ich gebe alles dir.» Das Sinnenglück erhält durch zwei eingeschobene Szenen im Vaterhaus einen vertiefenden Hintergrund. Im vierten Akt erfolgt der Zusammenbruch, der Verlust des Erbes im Würfelspiel, das Versagen der Geliebten und die Einsicht in die Ungültigkeit des Reiches der Fortuna. Die Welt der Lais brachte den ersten Höhepunkt. In letzter geistiger Entscheidung entschließt sich der Verlorene zur Heimkehr ins Vaterhaus. Die Wiederbegegnung mit dem Vater und die Aufnahme des Verlorenen im fünften Akt bilden den zweiten Höhepunkt: «Ach mein Vater, beschmutz dich nicht an mir! – Ich spüre keinen Schmutz an dir, weil ich dich liebe, Kind.»

Nach den Versen des Prologes (V. 5 ff.) wollte GNAPHEUS in dem Stück, das an sich lediglich eine dramatisierte Beispielerzählung ist, keine neuen Lehrmeinungen aufstellen oder verteidigen. Gleichwohl wurde er damit zum Hauptvertreter des protestantischen Schuldramas niederländisch-biblischer Ausrichtung. Denn überlegt gliederte er seinen Stoff in fünf Akte und verband mit dem Ethisch-Religiösen das Ästhetische einer gepflegten Verssprache und geschickter Dialogführung. Trotz dieser Vorzüge erreichte GNAPHEUS nicht die Gestaltungskraft des wenig älteren MACROPEDIUS, dessen ‹Verlorener Sohn› den Namen ‹Asopus› trägt. Aber der ‹Acolastus› errang fast kanonische Bedeutung, wurde oft neu aufgelegt – man kennt über 60 Auflagen aus dem 16. Jahrhundert – und ins Deutsche, Englische, Französische übersetzt. Den großen Erfolg und die Wirkung dieser als Sinnbild allgemein menschlicher Eigenschaften aufgefaßten Jugenddramas hat GNAPHEUS in seinen späteren Stücken, dem ‹Triumphus Eloquentiae› (Danzig 1541), dem ‹Morosophus de vera ac personata sapientia› (Danzig 1541), in der ‹Tragicocomoedia› über die Heuchelei ‹Hypocrisis› (Basel 1544) oder im ‹Misobarbus›, ‹Barthasser›, nicht mehr erreicht.

Im ‹Morosophus›, der in Elbing verfaßten Komödie vom gelehrten Narren, wählte GNAPHEUS zum Vorwurf das alte Märchen von der Stadt, auf die einst ein Regen herabfiel, durch den alle Einwohner verrückt wurden; ein Vernünftiger, der sich in ihrer Mitte zeigt, wird von den anderen für irrsinnig gehalten.

Der sternkundige Musikant Morus sah den Regen voraus und brachte sich rechtzeitig in seiner Wohnung in Sicherheit. Als er wieder in die Öffentlichkeit geht, wird er von den verrückt gewordenen Bauern verspottet. Um seiner närrischen Umgebung gleich zu werden, wäscht er sich in einer Pfütze mit dem verhängnisvollen Regenwasser. – Mit diesen Vorgängen verbunden ist eine Nebenhandlung, in der die von der Welt verachtete Sophia mit ihren Begleiterinnen Fides, Spes und Caritas bei einem armen Schuhmacher Unterkunft findet.

GNAPHEUS verfaßte auch pädagogische, erbauliche und historische Schriften. Hervorzuheben sind ein Bericht über den Tod des ersten nordniederländischen reformatorischen Märtyrers JAN DE BAKKER (JOHANNES PISTORIUS) und ein Lobgedicht auf Emden.

Literarisch vom geistlichen Drama des ausgehenden Mittelalters, den allegorischen Spielen der Rederijker und von REUCHLIN her, religiös von der Devotio moderna, kam der niederländische Reformkatholik GEORG MACROPEDIUS, JORIS VAN LANGVELDT (um 1475–1558). Er war Mitglied der Brüder vom gemeinsamen Leben, Rektor der Schule zu Herzogenbusch, Lüttich und seit 1535 zu Utrecht. Dieser katholische Mönch und Schulherr verfaßte zwölf Schauspiele, teils ernste Dramen religiösen Inhalts, teils possenähnliche Spiele aus dem täglichen Leben. In den letzteren führte er die derbkomischen Volksschwänke seiner Heimat in der Fastnachtzeit in antikem Gewande vor und stellt so in seinem dichterischen Schaffen neben die *Comoedia sacra* der biblischen Schauspiele Erneuerungen der *Comoedia palliata*. MACROPEDIUS gilt als der bedeutendste neulateinische Dramatiker des 16. Jahrhunderts, phantasiebegabt, geschickt in der Charakterzeichnung und Darstellung, beweglich, dabei voller Kraft und Realistik. Sein Vorbild war REUCHLIN, dazu kamen Anregungen aus PLAUTUS und TERENZ.

MACROPEDIUS dichtete bereits um 1510 die schon erwähnte Komödie ‹Asotus› (vor 1520 gedr.; Herzogenbusch 1537 u. ö.), eine stark unter plautinischem Einfluß stehende Bearbeitung der Parabel vom verlorenen Sohn. Sie überragt die Stoffgestaltung des späteren GNAPHEUS. Alle Vorgänge sind natürlich geschildert und tiefer motiviert. Nicht allein die Schwäche des Vaters, sondern vor allem die Herzenshärte des Bruders treibt Asotus aus dem Elternhaus. Er ist nicht von Grund aus böse, sondern gut und gewinnt die Sympathien der Zuschauer. Wie der Weggang, so wird auch die Rückkehr geschickt begründet. Ähnlich wie bei REUCHLIN ist die Sprache lebhaft und anschaulich. Durchaus harmonisch werden die Ereignisse und Menschen der Bibel und der Gegenwart in eine klassische Form gebracht. Der didaktische Grundzug äußert sich besonders in den von REUCHLIN übernommenen Chören.

Eine neue Auferstehung erlebte der Prodigus-Stoff in den Schulspiegelstücken ‹Rebelles› (Herzogenbusch 1535 u. ö.) und ‹Petriscus› (Herzogenbusch 1536). Der verlorene Sohn ist ein Schüler, die Schulverhältnisse bilden das Milieu. Die beiden Lustspiele bringen das Schülerleben auf die Bühne und verherrlichen den Schulmeister. Der Verfasser befolgt die alte Regel, daß die Komödie ein Spiegelbild des Lebens sein soll und schöpft aus seinen eigenen Erlebnissen. Dabei will er gleichzeitig seinen Zöglingen gute Lehren beibringen.

In den ‹Rebelles› werden zwei verzogene Muttersöhne vorgeführt, die nichts lernen wollen, den Lehrer, einen Hieronymianer – MACROPEDIUS war Ordensangehöriger der Eremiten des HL. HIERONYMUS –, verleumden, durch die Torheit ihrer Mütter auf die schiefe Bahn geraten und als Diebe schließlich vom Schulmeister vor dem Galgen gerettet werden. Die dankbaren Mütter laden den Schulmeister zu einem Mahl. Am Schluß eines jeden Aktes finden sich wie in den älteren geistlichen Spielen Teufelsszenen. Zwei Teufel kriechen aus ihrer Hölle und freuen sich im voraus über die sichere Beute, begleiten das Geheul der gezüchtigten Buben mit Gesang, müssen aber trotz eifrigen Lauerns schließlich doch beutelos abziehen.

Noch reicher und lebendiger ist die Handlung im Parallelstück der ‹Rebelles›, dem ‹Petriscus›. Der junge Petriscus bestiehlt seine Eltern und verdächtigt einen schuldlosen Knecht der Untat. Schuldiger als Petriscus sind seine Gefährten, die der Schulmeister zwar aus dem Frauenhaus holt, die aber schließlich doch am Galgen enden.

Die literarische Nachwirkung der beiden Stücke zeigt sich in WICKRAMS ‹Knabenspiegel› (1554) und den späteren Dramen vom Schülerleben, im ‹Almansor› (lat. 1578, deutsch 1582) des HAYNECCIUS, in der ‹Comoedia von dem Schulwesen› (1606) des MAURITIUS, den ‹Dyscoli› des SCHONAEUS u. a. m.

Ganz auf alter heimisch-volkstümlicher Grundlage ruhen des MACROPEDIUS Lustspiele ‹Aluta› (Herzogenbusch 1535 u. ö.), ‹Andrisca› (Köln 1539) und ‹Bassarus› (Utrecht 1540). Sie behandeln dieselben Themen wie das zeitgenössische niederländische, deutsche und französische Fastnachtspiel, nur sind sie in klassisches Gewand gehüllt und kunstvoll komponiert, scheinbar leicht hingeworfen und doch farbensatt.

‹Aluta› ist eine einfältige Bäuerin, der zwei Schelme auf dem Markt ihre Hühner und Enten abschwindeln. Während sie auf die Bezahlung wartet, trinkt sie sich im Wirtshaus einen Rausch an und muß mit dem als Pfand zurückgelassenen Hahn die Zechschuld bezahlen. Schließlich zweifelt die Betrunkene an ihrer eigenen Identität und muß in ihrem Dorfe vom Geistlichen exorziert werden. Den Zuschauern wird in pädagogischer Absicht die Ergreifung und Bestrafung der Schelme mitgeteilt. Einem Chor von Bacchantinnen, der ausgelassene Lieder zum besten gibt, steht ein Chor von Bauersfrauen mit moralischen Gesängen gegenüber. – ‹Andrisca› ist eine böse und herrschsüchtige Frau, die sich dauernd betrinkt und mit dem Mann prügelt. Ihre Schwägerin Porna betrügt ihren Mann, wird aber trotz aller Schlauheit dabei erwischt, von ihm blutig geschlagen, mit Salz bestreut und in eine Pferdehaut genäht. Schließlich beruhigen sich die feindlichen Paare und setzen sich zu einem fröhlichen Mahl. – Im ‹Bassarus› betrügt ein schlauer Küster den knauserigen Pfarrer und den ebenso kargen Schultheiß, indem er sie zu einem Fastnachtsessen einlädt, ihnen aber die Leckerbissen ihrer eigenen Vorratskammern vorsetzt.

Die größte Leistung gelang MACROPEDIUS in der Gestaltung des ‹Jedermann›-Stoffes. Angeregt durch CHRISTIAN ISCHYRIUS, schrieb er zwei

Jahre nach dessen ‹Homulus› sein Drama von Todesnot und Rettung des reuigen Sünders, den ‹Hecastus› (grch. *jeder*). Noch vor der Drucklegung (Köln 1539) führte er es mit seinen Schülern in Utrecht auf. Macropedius ließ die allegorischen Gestalten bis auf die Virtus beiseite, führte Fides und für die Bekehrung den Priester Hieronymus ein und ersetzte weiters die Typen der verschiedenen Menschenklassen durch individuelle Persönlichkeiten. Das Drama bringt in geschlossen steigender Abfolge von fünf Akten einen zwingend typisierten Gang der Handlung: das Wohlleben des Hecastus, die Begegnung mit dem Boten des höchsten Herrschers, die vergeblichen Bemühungen um Begleiter zum Gericht, die Hilfe von Tugend und Glauben.

Hecastus ist ein von Haus aus edler Charakter, jedoch durch Genußsucht und Üppigkeit moralisch herabgesunken, lebt inmitten der realen Freuden des Lebens als ein reicher Mann, religiös korrekt und frei von Irrlehren. Da tritt plötzlich in dieses bürgerliche Familienidyll der Bote Gottes Nomodidaskalus und beruft den Hausherrn Hecastus vor den Richterstuhl Gottes. Alle Bitten des Vorgeladenen an die Verwandten und Freunde, ihn auf dem schweren Gang zu begleiten, sind vergeblich, selbst Plutus verweigert den Beistand. So nimmt der reiche Jedermann Abschied von seinen Angehörigen und erwartet einsam den Tod. Nun erscheint die vernachlässigte Virtus und verspricht Hilfe, zu der sie auch ihre Schwester Fides herbeirufen will. In der Zwischenzeit solle Hecastus den Priester zu sich bitten. Schon streiten die Söhne um die Erbschaft. Der Satan sucht im Verein mit dem Tod, den Hecastus durch ein langes Sündenregister zu schrecken. Doch der Priester stärkt seinen Glauben und reicht ihm die Sakramente. Die so im letzten Augenblick herbeigeführte Bekehrung schützt Hecastus wider den Teufel, der dem Tod Vorwürfe macht, er habe durch sein Zögern die Rettung ermöglicht. Hecastus ist reumütig und gottergeben verschieden. Ein tröstendes Gespräch des Priesters mit den Hinterbliebenen beendet das Drama.

In der Vorrede zur zweiten Ausgabe (Köln 1540) wehrte sich Macropedius gegen die Unterstellung, daß er durch Weglassen der Fürbitte Marias und indem er die Bußwerke gegen die Gestalt der Fides tauschte, sich der lutherischen Rechtfertigungslehre nähere. Er stellte fest, er habe einen Sünder schildern wollen, der sich unmittelbar vor seinem Tode bekehrt und dem daher zu Bußwerken keine Zeit mehr bleibt.

Der ‹Hecastus› hat von allen Dramen des Macropedius den größten Erfolg gehabt. Ohne Unterschiede führte man das Stück in katholischen und protestantischen Städten und Schulen Deutschlands auf. Die Buchdrucker veranstalteten zahlreiche Neuauflagen und man übersetzte es ins Deutsche, Dänische, Schwedische. Deutsche Übersetzungen stammen u. a. von Hans Sachs (1549), Laurentius Rappolt (1552), Cyriacus Spangenberg (1564) und Heinrich Peter Rebenstock (1568).

Außer diesen genannten Stücken hat Macropedius in sichtlichem Anschluß an die mittelalterlichen Oster- und Fronleichnamsspiele und die allegorischen Sinnspiele der Rederijker biblisch-religiöse Stoffe dramatisiert, offenkundig in erster Linie für Schulzwecke, einen ‹Lazarus mendicus› (Utrecht 1541), ‹Josephus› (1544), die ‹Passio Christi› (um 1545), weiters zählen hierher die Dramen ‹Adamus› (1552), ‹Hypomene seu Patientia› (Utrecht 1553) und ‹Jesus scholasticus› (Utrecht 1556). Ungedruckt blieb anscheinend die ‹Dimulla›. Alle stehen sie in der Geschicklichkeit der Handlungsführung, Motivierung und Sprachkunst weit über den sonstigen Erzeugnissen dieser Art.

Hervorzuheben ist der ‹Adamus›, eine zusammenhängende Darstellung der christlichen Heilsgeschichte, die zugleich Weltgeschichte ist, wie sie das Spätmittelalter kannte.

Adam und Eva erscheinen nach dem Sündenfall als Zuschauer einer Reihe von Geschehnissen des Alten Testamentes: bei der Opferung Isaaks, der Gesetzgebung auf Sinai etc. Ein Genius steht dabei und erläutert dem ersten Menschenpaar die präfigurative Bedeutung dieser Begebenheiten, die mit der Verkündigung der Geburt Christi, der Heimsuchung und dem Magnifikat abschließen.

MACROPEDIUS bevorzugte offensichtlich im höheren Alter solche Szenenreihen. In der ‹Hypomene› trösten Hypomene und Graphe eine Reihe biblischer Gestalten, die durch Unglück gestraft oder geprüft werden: den Dulder Hiob, den blinden Tobias, den armen Lazarus und zuletzt eine Schar armer Schüler, die Hunger und keine Bücher haben. Schließlich sind sie aber alle geheilt und zufrieden: Hiob gesund, Tobias sehend, Lazarus gesättigt, die Schüler glücklich.

Auf die ‹Rebelles› und den ‹Petriscus‹ des MACROPEDIUS geht eine Reihe späterer Schulkomödien vom Studentenleben zurück. So verfaßte CHRISTOPH STYMMELIUS, STUMMEL (1525–1588) aus Frankfurt a. d. O., Superintendent zu Stettin, in jungen Jahren die ‹Studentes. Comoedia de vita studiosorum› (Frankfurt a. d. O. 1549). Das oftmals aufgelegte und vielgespielte Stück bringt drei Studenten auf die Bühne, den fleißigen Philomates und dessen beide faule Jugendfreunde Acolastus und Acrates, die ihr Geld bei Weib und Spiel vergeuden.

Ferner schrieb MARTIN HAYNECCIUS, HEINECKE (1544–1611), Rektor in Grimma, der ähnlich wie MACROPEDIUS die humanistische mit der volkstümlichen Strömung zu verbinden suchte, den ‹Almansor: sive ludus literarius› (Leipzig 1578), der 1582 auch in Deutsch unter dem Titel ‹Almansor, der Kinder Schulspiegel› erschien. Die volkstümliche und humorvolle Seite zeigt HAYNECCIUS in der Komödie ‹Hansoframea siue Momoscopus› (Leipzig 1581), zu deutsch ‹Hansoframea, Hans Pfriem: Oder Meister Kecks› (1582), worin ein alter Märchenstoff dramatisch gestaltet wird. Angeregt offenbar durch LUTHERS 1544 und 1545 zu Wittenberg gehaltene Predigten vom Tod und der Auferstehung, die 1563 ANDREAS POACH herausgegeben hatte, und in denen der Reformator

u. a. auch das Märlein von Hans Pfriem erzählte, dem nichts recht ist und der alles besser weiß, macht HAYNECCIUS den Fuhrmann Pfriem und sein Gebaren im Jenseits zum Gegenstand einer Komödie.

Pfriem hat auf Erden ein Leben geführt, um dessentwegen ihm der Himmel verschlossen bleiben sollte. Es gelingt ihm aber doch infolge der Unachtsamkeit der Frau des Petrus hineinzukommen. Als er eines Tages wieder in die während seines Erdendaseins so häufig geübte Nörgelei und Besserwisserei rückfällig wird – den letzten Anlaß gibt ein ungeschickter Fuhrmann –, soll er aus dem Himmel gewiesen werden. Der rechte Schächer, Maria Magdalena, der Zöllner Zachaeus, Petrus, Paulus, der Gesetzgeber Moses werden aufgeboten, ihn auszuweisen. Aber Pfriem hält den heiligen Leuten ungeniert ihre auf Erden begangenen Fehltritte und Sünden vor und redet geringschätzig von der Heiligenverehrung. Als man schließlich die Unschuldigen Kinder gegen ihn aufbietet, beschenkt er die Kleinen mit Naschwerk und Obst und unternimmt mit ihnen einen Ausflug in die Gartenanlagen des Paradieses. Auf solche Weise bringt er den ganzen Himmel zur Kapitulation und darf weiter dort bleiben.

Beabsichtigt war offenbar eine Satire gegen die Rechthaber, Besserwisser und Klügler in Glaubensangelegenheiten. Das Motto unter dem Titel der Komödie lautet: «Seid still, vnd thut, was euch befohlen ist. 1. Thessal. 4. Solcher ist das Himmelreich. Matth. 18.».

Das Studentenleben behandelten schließlich auch ALBERT WICHGREVE († 1619) aus Hamburg im ‹Cornelius relegatus› (Rostock 1600) und HEINRICH KNAUST, ebenfalls aus Hamburg, in der Comoedia paedagogiae ‹Agapetus› (Köln 1600).

Hauptsächlich Bibeldramen verfaßte CORNELIUS LAURIMANUS († 1573) aus Utrecht, Schüler und 1554 Nachfolger des MACROPEDIUS, mit der Comoedia tragica ‹Exodus sive transitus maris rubri›, der Comoedia sacra ‹Esthera› (beide Löwen 1563), der ‹Esthera regina› (Straßburg 1596, mit deutschem Prolog, Argument und Epilog), den Comoediae sacrae ‹Miles christianus› (Antwerpen 1565), ‹Thamar› und ‹Tobias›, der Tragicomoedia sacra ‹Naboth›.

Bei den Niederländern war die Dramatisierung von Motiven der Schwankliteratur sehr beliebt. Im Anschluß an MACROPEDIUS verfaßten ARNOLD MADIRUS den zwar kurzen, aber publikumswirksamen ‹Pisander bombylius› (1540) und JOHANNES PLACENTIUS den ‹Clericus Eques› (1534) mit dem Motiv des fahrenden Schülers im Paradies und den ‹Lucianus Aulicus› (1534). In Deutschland folgte dem Vorbild von REUCHLINS ‹Henno› der *ludi moderator* zu Frauenfeld in der Schweiz PETRUS DASYPODIUS. Sein ‹Philargyrus› (vgl. S. 329) ist aber eher moralisierend denn schwankartig. Ebenso der schon mehrfach genannte HEINRICH KNAUST mit dem Stück ‹Pecuparumpius seu potius paupertas laeta› (o. O. 1573). Pecuparumpius i. e. «pius homo, pecunae parum habens». Es ist die ziemlich ungeschickt bearbeitete Anekdote von dem fröhlichen armen Schuster, der seinen reichen Nachbarn durch dauerndes Singen stört und der das Geld zurückweist, mit dem ihn der Reiche zum Schweigen bringen will. Die anziehendste und lebendigste Komödie dieser Art stammt von MATERNUS STEYNDORFFER (geb. 1517), der dem Erfurter Humanistenkreis nahe stand. Seine ‹Comoedia de matrimonio› (Mainz 1540) ist eine bäuerliche Liebes- und Ehegeschichte. Die Handlung dreht sich um zwei Bauernmädchen, die bereits vor der Heirat die Freuden der Liebe genossen haben und das Geheimnis nun ungewollt verraten. Interessant ist das Stück durch seinen Stil und seine Verskunst. Der reizvolle Gegensatz zwischen dem bäuerlichen Milieu und den elegischen Distichen mit ihrem mythologischen Beiwerk war ein bewußter Kunstgriff des Dichters. Bei demselben Verleger (IVO SCHÖFFER) und im selben Jahr, aber ohne Verfassernamen erschien ‹Eyn lustig vnd nutzlich Comödia, darinnen vil puncten der ehe, kinder zu zihen etc.›, die genau mit der STEYNDORFFERS übereinstimmt und den Prosastil, wie ihn ALBRECHT VON EYB in seinen deutschen Bearbeitungen lateinischer Komödien anwandte, nachahmt. Vermutlich beruht die lateinische Fassung auf der deutschen und beide rühren von STEYNDORFFER her.

Den Vorbildern der Antike nachstrebend und gleichzeitig vertraut mit den geistlichen Spielen des Spätmittelalters war der Niederbayer THOMAS NAOGEORG, KIRCHMEYER (1511–1563) aus dem Dorfe Hubelschmeiß bei Straubing a. d. Donau. Hervorgegangen aus dem Dominikanerorden, zunächst Bewunderer des ERASMUS, Meister des lateinischen Stils und guter Kenner der griechischen Klassiker, wandte er sich erst in reiferen Jahren unter schweren Auseinandersetzungen der Reformation zu und wurde zu einem ihrer dynamischsten Tendenzdramatiker.

NAOGEORG war 1533 Pfarrer in Mühltroff bei Plauen, 1535 in Sulza a. d. Ilm, 1541 in Kahla; 1541–1546 lebte er in Augsburg, bis 1548 in Kaufbeuren, 1548 bis 1550 in Kempten, bald in der Schweiz, bald in Württemberg, zuletzt war er Pfarrer zu Wiesloch. Die Beschäftigung mit dem Drama der Alten vermittelte ihm entscheidende Einsichten in diese Kunstgattung. Die genaue Kenntnis des heimischen geistlichen Dramas, namentlich der Oster- und Passionsspiele, veranlaßte ihn, deren Teufelsgestalten in sein Schaffen herüberzunehmen. Geistesgeschichtlich steht NAOGEORG inmitten der ideologischen Auseinandersetzungen seines Zeitalters. Seine theologischen Zerwürfnisse mit den orthodoxen Wittenbergern wurden schon 1536 durch abweichende Lehren über die Sünde vorbereitet; gegen 1544 lehnte er sich ungestüm gegen das Kirchenregiment des alten LUTHER auf; 1546 predigte er im Sinne KARLSTADTS gegen LUTHERS Abendmahlslehre und über den Empfang des hl. Geistes in der Taufe. Seine Schrift ‹In primam d. Johannis epistolam annotationes› mit der Lehre, daß ein Auserwählter des hl. Geistes nimmer verlustig gehen könne, trug ihm die Bedenken von LUTHER, MELANCHTHON, BUGENHAGEN ein. Dem befohlenen Widerruf von der Kanzel entzog er sich. Der Schmalkaldische Krieg schützte ihn vor Verfolgungen, aber sein weiteres Los war ein unstetes Wanderleben. Als Pfarrer zu Kempten verfaßte er die ‹Epitome ecclesiasticorum dogmatum› (Bern 1549), der eine ‹Agricultura sacra› (1550) folgte. Obwohl vom Luthertum dogmatisch abweichend und KARLSTADT, der Geistkirche und den Schweizer Lehren, beson-

ders CALVIN in manchem zugeneigt, verband NAOGEORG Begeisterung für LU-
THERS Person und Werk mit unabdingbarem Haß gegen den Papismus.

Man pflegt das dramatische Schaffen NAOGEORGS in zwei Perioden
einzuteilen. In der ersten ist er ausschließlich Lutheraner und erfüllt von
maßlosem Eifer für die Reformation, in der zweiten, in der Vollkraft er
selbst. Im ersten Schaffensteil verfaßte er Kampfstücke und Moralitäten,
im zweiten bearbeitete er hauptsächlich biblische Stoffe. Gleich im selben Jahr wie die ‹Monachopornomachia› des SIMON LEMNIUS erschien
das Erstlingswerk, die ‹Tragoedia nova Pammachius› (Wittenberg 1538),
‹Alleszerstörer›, mit Zuschrift an den Erzbischof von Canterbury, THO-
MAS CRANMER, und mit Widmung an MARTIN LUTHER. Es zeigt die
geniale Begabung des Verfassers. Ungestüm und leidenschaftlich über-
trifft dieses Schauspiel alles, was vor LUTHERS Schrift ‹Wider das Papsttum vom Teufel gestiftet› gesagt worden ist. Der großartige ‹Ludus de
Antichristo› des 12. Jahrhunderts war die Lösung der Aufgabe einer Darstellung des Weltgerichtes und der ihm vorangehenden Ereignisse im
Geiste des Hochmittelalters. NAOGEORG versucht eine Darstellung derselben Fragen und Probleme im Sinne der Geschichtsauffassung der Reformation und des 16. Jahrhunderts. Veranlaßt durch die Streitschriften-
literatur seiner Zeit, wollte er mit diesem Drama in symbolischer Darstellung den Verfall und die Entartung der alten Kirche zeigen, als einen
welthistorischen Prozeß, der zur Zeit Kaiser JULIANS einsetzt und in den
Reformationskämpfen seine Entscheidung findet.

Das vieraktige Drama beginnt mit einem Gespräch zwischen Christus, Petrus
und Paulus im Himmel. Ein Erzengel steht ihnen zur Seite. Die Endzeit ist nahe.
Die gealterte vernunftstolze Welt macht es nötig, daß der Satan von seinen
tausendjährigen Fesseln befreit und gegen Christi Namen und Religion los-
gelassen werde. Christus gibt dem Engel die Schlüssel zur Hölle, damit er die
Ketten des Teufels löse; gleichzeitig soll Veritas die Welt verlassen. Auf Erden
wird die weltliche Macht durch Kaiser Julian und dessen Kanzler Nestor verkörpert, die katholische Kirche durch Papst Pammachius und den Juristen Porphyrius, die große Menge durch den Botenläufer Dromo. Der befreite Satan
springt aus dem Höllenrachen und besichtigt den für ihn aufgestellten Thron-
sitz. Veritas und ihre Dienerin Parrhesia (Freimütigkeit) gehen ins Exil. Als
Statthalter des Satan sind Planus (Klügling), Stasiades (Mordmann) und Chremius (Schandlapp) tätig. Der eine sät die Häresie aus, der andere hetzt die
Armen gegen die Reichen auf, der dritte verbreitet Diebstahl und Wucher.
Weil der schwache Julian nicht alle Wünsche des Pammachius und seines Rat-
gebers erfüllt, verbünden sich diese beiden mit dem Teufel. Darauf krönt der
Satan Pammachius mit der dreifachen Krone der Finsternis und der Blindheit.
Pammachius wird der eigentliche Antichrist. Aufgrund der gefälschten Schenkung KONSTANTINS maßt sich der Papst weltliche Herrschaft an. Er setzt den Kaiser ab und belegt ihn mit dem Kirchenbann. Ein großer Staatsakt zeigt die ver-
derbliche Macht des Papsttums und die ganze Entartung seiner Kirche. Als
grotesk-parodistisches Sechstagewerk schafft Pammachius seine Kreaturen: Kardinäle, Mönchsorden, Domherren, Kirchen und Klöster, Reliquien, Heiligen-

statuen und Bilder, die Seelen im Fegefeuer und die Gnadenwunder. Planus bringt aus dem Morgenland die Botschaft, daß auch dort durch den Mohammedanismus ein satanisches Reich errichtet wurde. Zuletzt wird der Kaiser aufs tiefste gedemüdigt und unterworfen [nach dem historischen Vorbild der Unterwerfung BARBAROSSAS]. Aus Freude über den neuen Schöpfungsakt lädt der Satan alle Anwesenden zu einem üppigen Gastmahl in den Vorhof der Hölle. Während die Teilnehmer, von Trunkenheit überwältigt, in Schlaf versinken, hat im Himmel Christus mit Petrus und Paulus abermals eine Unterredung. Auf die Bitten der Veritas und des Petrus um Hilfe in dieser Not verweist sie Christus auf eine Burg in Deutschland, in der Theophilus (Gottesfreund LUTHER) lebe. Veritas und Paulus sollen ihn die Wege lehren und mit Wort und Schrift waffnen, damit er die Sache Christi zum Siege führe. Schon merkt Dromo den Ausbruch der Empörung und ruft die vom Höllenmahl trunkenen Schläfer zu Kampf und Krieg. Pammachius will die weltliche Macht in Bewegung setzen, Porphyrius die Gelehrten, Planus will Häresien bewirken, Stasiades die Bauern aufwiegeln, Chremius durch Bestechung wirken. Theophilus hat im Verein mit Veritas und Paulus ganz Deutschland gegen das Papsttum aufgebracht. Die gesamte antichristliche Meute rüstet sich nun zum Kampf. Währenddessen tritt der Epilogsprecher auf die Bühne: Niemand solle auf den fünften Akt warten; den werde Christus am Jüngsten Tag setzen. Der Kampf dauere noch an und das Trauerspiel werde erst zu Ende sein, bis Gott seinen Sohn abermals auf die Erde schickt, der dann die Seinen zu sich nehmen und die Gottlosen dem ewigen Feuer übergeben werde.

Angeregt zu diesem großen satirischen Zeitgemälde wurde NAOGEORG durch ARISTOPHANES. Die Tendenz, die Leidenschaft und der Haß stammen aus der Zeit. Der eigene Haß soll auch der Jugend eingepflanzt werden, für die das Drama bestimmt war. Der ‹Pammachius› hat drei Auflagen erlebt (außer Wittenberg 1538 noch Augsburg 1539, Basel 1541) und wurde viermal ins Deutsche übersetzt, zuerst von einem unbekannten Alemannen o. J., das zweite Mal (Augsburg 1539) ebenfalls von einem Unbekannten, dann von JUSTUS MENIUS (Wittenberg 1539) und von HANS TYROLFF (Zwickau 1540), der seine Übertragung vor der Veröffentlichung noch dem Dichter vorgelegt hat; eine Übersetzung ins Tschechische erschien Nürnberg 1546.

Zwar ebenfalls ein Kampfstück, aber auch Moralität war die zweite dramatische Gipfelleistung NAOGEORGS, die ‹Tragoedia alia nova, Mercator seu Iudicium, in qua in conspectum ponuntur apostolica et papistica doctrina, quantum utraque in conscientiae certamine valeat et efficiat, et quis utriusque futurus sit exitus› (o. O. 1540), ‹Der Kaufmann oder das Gericht›, gewidmet Herzog HEINRICH VON SACHSEN. Mit gewaltiger Leidenschaft und dramatischer Kraft wird das ‹Jedermann›-Thema des ISCHYRIUS und MACROPEDIUS dazu benützt, um die von LUTHER in der Neubearbeitung seines Kommentars zum Galaterbrief (1536) neuerdings scharf formulierte protestantische Rechtfertigungslehre dramatisch zu verkörpern.

Der sterbende Mensch ist ein Kaufmann und hat schwere Sünden begangen wie Brudermord, Ehebruch, Unterschlagungen, Meineid. Als der Bote Gottes

Lyochares (Freudenzerstörer) zu ihm kommen will, steht Conscientia, das Gewissen, an der Tür des Hauses. Verlockt von der Dirne Sors, mit der er Ehebruch trieb und einen Knaben Lucrum in die Welt setzte, hatte der Kaufmann sie einst verstoßen. Lyochares und Conscientia begeben sich ins Haus und kündigen dem erschrockenen Mercator sein Ende an. Während der Todesbote und Conscientia vor der Haustür standen, unterwies der Kaufmann eben seinen Sohn im Geldverdienen. Conscientia überwältigt Lucrum und Mercator muß Lyochares um Aufschub bitten. Während der Kaufmann bereits auf dem Sterbebett liegt, erinnert ihn Conscientia an seine Übeltaten. Neben dem Lager steht der Satan und wartet auf die Seele. Ohne Conscientia und den Teufel zu bemerken, nähert sich dem Sterbenden ein Pfarrer und rät ihm zu guten Werken, frommen Stiftungen, Wallfahrten u. dgl. Der Zuspruch aber bleibt wirkungslos, weil Conscientia dauernd Einspruch erhebt. Es gelingt dem Geistlichen nicht, diese unsichtbare Ketzerin zu beruhigen. Auch als er seine Medizin der guten Werke dem Sterbenden einflößt, nützt es nichts. Die Rettung kann nicht von einem ‹jämmerlichen Quacksalber›, sondern allein von Christus kommen. Dieser sieht vom Himmel auf die Welt herab und beobachtet das pflichtvergessene Treiben des Klerus. Er sendet den Gnadenlehrer Paulus und den Himmelsarzt Kosmas zu Mercator. Der Apostel nun belehrt den Sterbenden, daß ihn nicht seine Werkgerechtigkeit retten könne, sondern einzig und allein der Glaube und das Vertrauen auf Christus. Ein von Kosmas verabreichtes kräftiges Brechmittel und Nieswurz veranlassen den Kranken nach einem schweren Kampf im Innern, alle *opera bona*, die ihm der Pfarrer versetzte, wieder von sich zu geben: Wallfahrten, gute Werke, Fasten, Gebete, Ablaßbriefe, Kerzen, Bullen, Meßgewänder, Kelche, Altäre, zwei Wallfahrtsschuhe. Dieses Gemisch von Burleskem und Ernstem bildete wohl für die Zuschauer den Höhepunkt des Stückes. Die beiden letzten Akte zeigen im Jenseits das Gericht über Mercator und drei seiner Weggenossen, einen Fürsten, einen Bischof und einen Franziskanermönch. Die drei letzteren erscheinen schwerbeladen mit ihren Werken und vertrauend auf Ablaßbrief, Schutzheilige und Insignien. Der Kaufmann kommt ohne Gepäck, nur Conscientia gibt ihm das Geleite. Vor dem Richterstuhl Gottes liest der Satan einem jeden sein Sündenregister vor und der Erzengel Michael wägt die Verklagten. Bei den Anhängern der alten Kirche geht die Waagschale des Bösen hinunter und sie werden verurteilt, der gerechtfertigte Mercator hingegen wird in die Reihe der Seligen aufgenommen.

NAOGEORGS Stück ist straff in der Komposition, anschaulich in der Versinnlichung innerer Vorgänge, lebensvoll auch im Allegorischen und repräsentiert den Höhepunkt der vom niederländischen ‹Elckerlijk› ausgegangenen Dramenform. Der ‹Mercator› erlebte bis 1615 sieben Ausgaben und fand unter den Protestanten aller Länder eifrige Leser. Er wurde ins Holländische, Französische und in slavische Sprachen übersetzt; Übertragungen ins Deutsche sind vier bekannt, die erste 1541, die vierte von JAKOB RULICH 1595.

Verglichen mit dem ‹Pammachius› und ‹Mercator› fallen die späteren Stücke NAOGEORGS ab, so auch das Tendenz- und Kampfdrama ‹Incendia seu Pyrgopolinices› (Wittenberg 1541 und 1561), ‹Die Brände oder der Städtezerstörer›, eine ‹tragoedia recens nata, nefanda quorundam papistici gregis exponens facinora›, die in die Reihe der Pamphlete gegen

Herzog HEINRICH VON BRAUNSCHWEIG gehört, gegen den auch LUTHERS Schrift ‹Wider Hans Worst› gerichtet ist.

Mehrere Brände in reformierten Städten, besonders die Einäscherung der Stadt Einbeck gaben zu dem Gerücht Anlaß, der Herzog sei der Brandstifter. Es treten abermals Pammachius, Porphyrius und der Satan auf. Der Teufel macht ihnen Vorwürfe, sie seien nicht eifrig genug zu seinem Vorteil tätig. Als der 1539 verstorbene Holofernes [Herzog GEORG VON SACHSEN, der bekannte Beschützer der alten Kirche] zu seiner Enttäuschung in die Hölle verstoßen wird und einen Fluchtversuch durch den Rauchfang unternimmt, wird er dabei vom Satan im letzten Augenblick erwischt, in die Tiefe geschleudert und in Ketten gelegt. In einer Versammlung der Höllischen erscheint neben Oncogenes [Erzbischof ALBRECHT VON MAINZ] auch Pyrgopolinices und verkündet seinen Plan, die Städte durch Brand zu verwüsten. Die Brandstifter bekennen vor Philalethes [JOHANN FRIEDRICH VON SACHSEN], wer sie angeleitet. Pyrgopolinices aber meint, es handle sich bei den Betroffenen nur um Ketzer. Schließlich schlägt Pyrgopolinices dem Philalethes vor, in ihrem Rechtshandel das Reichskammergericht anzurufen. Dieser aber lehnt dessen Richter wegen Befangenheit ab und verweist auf den Richterstuhl Christi. Die Verurteilung des Mordbrenners und ein schwungvolles Chorlied beenden das Stück. Zwei Druckausgaben und drei Übersetzungen ins Deutsche bekunden seine günstige Aufnahme.

Bei aller Bewunderung LUTHERS wollte NAOGEORG sich als Theologe seine Freiheit wahren und sich keiner anderen Autorität als dem Bibelwort beugen. Schon früher der Hinneigung zu den Schweizern, zu CALVIN und den Schwarmgeistern verdächtigt, geriet er 1543 mit den Wittenbergern über seine Erklärung des 1. JOHANNES-Briefes in Konflikt. Dies gab ihm Anlaß, in der zweiten Schaffensperiode sich auf rein biblische Stoffe zu konzentrieren. Er schuf nach dem Buch Esther einen ‹Hamanus› (Leipzig 1543; deutsch von JOHANNES CHRYSEUS 1546, JOHANNES MERCURIUS und JOHANNES POSTHIUS [o. J.] und DAMIAN LINDTNER 1607) gegen Verleumdung und Tyrannei, eine Tragödie ‹Hieremias› (Basel 1551; deutsch von WOLFHART SPANGENBERG 1603).

Aus der Stimmung heftiger Opposition gegen das Interim und die einsetzende Gegenreformation entstand der ‹Judas Iscariotes, tragoedia nova et sacra› (Basel 1552; deutsch von JOH. MERCURIUS MORSHEIMER 1556). NAOGEORG verwendet darin die Begebenheiten aus der Passionsgeschichte zu einem zeitbezogenen religiös-politischen Kampfdrama. Die Hauptgestalt ist ein Ebenbild der von der Reformation wieder Abgefallenen und Schwachwerdenden, die um persönlicher Vorteile willen zu den Gegnern übergehen. Mit der Gegenpartei ist die alte Kirche gemeint. Wie LUTHER ist auch NAOGEORG der Auffassung: Wo Christus nicht regiert, herrscht der Teufel; Christus und der Satan kämpfen um die Herrschaft über die Menschen.

Das Drama zeigt den Weg des Judas vom ersten Ansprechen des Verführers Sargannabus bis zum schrecklichen Ende. Im Unterschied zu den mittelalterlichen Bearbeitern werden die Gestalt des Judas und seine Tat psychologisch herauszuarbeiten und zu motivieren versucht. Anfangs ist er noch ganz Apostel. Dann aber erstickt die Geldgier alle anderen Regungen der Seele. Er wird zum Defraudanten der Spenden, sein Wesen erfährt eine Veränderung und er beschließt nach der Salbung Christi im Hause des wiedererweckten Lazarus, sich von Christus loszusagen. Judas verrät seinen Herrn für eine geringe Summe Geldes an das Synedrium. Die Habgier des Verworfenen schlägt fast um ins Komische und Groteske. Christus wird verurteilt und danach an Judas vorbeigeführt. Conscientia und Phasutes bringen ihn zur Erkenntnis seiner Schuld, für die es keine Gnade gibt, nur Verzweiflung und Selbstmord. Die in eindrucksvollen Szenen dezidierte Darstellung dieser Vorgänge soll den Zuschauern so eindrucksvoll wie möglich das Verdammenswürdige der Judas-Tat vor Augen führen. Im ‹Mercator› waren Barmherzigkeit und Gnade Gottes das Ziel der Handlung. Der theologische Überbau macht das im ‹Judas› unmöglich.

Die Tragödie hat auch einen konfessionellen Lehrbezug. Von den Kirchenvätern betonte AUGUSTINUS, daß Judas das Böse freiwillig tut. Im Reformationszeitalter war die entscheidende Frage, ob und inwieweit Judas für seinen Verrat verantwortlich gemacht werden kann. Damit aber ist eine der ganz großen geistesgeschichtlichen Auseinandersetzungen zwischen Humanismus und Reformation berührt: Der Streit zwischen ERASMUS und LUTHER über die Willensfreiheit des Menschen (vgl. S. 40 f.), in dem das Judas-Problem ausdrücklich herangezogen ist. Auch MELANCHTHON, ZWINGLI und BUCER versuchten Judas-Exegesen. Insbesondere aber stellte CALVIN in seiner ‹Harmonia Evangelica› das Judas-Problem in den Rahmen seiner Prädestinationslehre. Und da zeigt sich nun, wie HANS-GERT ROLOFF nachwies, daß die theologische Konzeption von NAOGEORGS Drama durchaus der Judas-Exegese CALVINS entspricht: Der Mensch bleibt für seine willentlichen Entscheidungen verantwortlich; «am Judas-Geschehen sind in der gleichen Tat der Mensch, der Satan und Gott am Werk».

Die sechs Dramen NAOGEORGS wurden teils in lateinischer, teils in deutscher Fassung bis in den Anfang des 17. Jahrhunderts gespielt. Dem ‹Judas›-Drama hat NAOGEORG lateinische Übertragungen des ‹Aias› und ‹Philoktetes› beigegeben, offenbar die ersten Stücke der sieben Nachdichtungen von Dramen des SOPHOKLES, die er 1558 veröffentlicht hat. Auch die Bibeldramen unterlassen nicht ganz die Angriffe und Polemiken gegen die katholische Kirche.

MELANCHTHON hat NAOGEORG gelegentlich als «homo furiosus» und seine Dramen als «poemata maledica» charakterisiert. Das mag nicht so ganz zu Unrecht gesprochen sein. Die Genialität der Veranlagung ist damit nicht bestritten.

In die Nachfolge NAOGEORGS gehört JOHANNES CHRYSEUS mit seinem Tendenzstück ‹Hoffteufel› (vgl. S. 384). In schwächerer Gefolgschaft NAOGEORGS steht der schon weit in das 17. Jahrhundert hineinreichende HEINRICH KIELMANN (1581–1649) aus Wien, Konrektor am Gymnasium zu Stettin, mit einer Komödie ‹Tetzelocramia› (1617), geschrieben zum Jahrhundertgedenken an JOHANN TETZELS Ablaßkram.

CHRISTOPH BROCKHAGIUS, ein Westfale, verwendet knapp vor der Jahrhundertwende in der plautinisch gefärbten Tragicocomoedia ‹Nymphocomus› (Rostock 1595) die Parabel von den klugen und törichten Jungfrauen im lutherischen Sinn. Die klugen sind die Evangelischen, die törichten deren Gegner. Belial glossiert die Handlung und zieht zuletzt mit seiner Beute in die Hölle.

Von anderen Verfassern biblischer neulateinischer Dramen seien wenigstens die bemerkenswertesten genannt. PETRUS PAPEUS aus Flandern, Subrektor zu Menin, mit einer Komödie ‹De Samaritano evangelico› (Köln 1539), zu der ALEXIUS VANEGAS in Toledo einen Kommentar (1542) schrieb; PETRUS PHILICINUS mit einer ‹Tragoedia Esther› (1545; gedr. 1563), JACOB ZOVITIUS (geb. 1512) aus Drieschar in Brabant, Rektor zu Breda, mit den Komödien ‹Ruth› (Antwerpen 1533), ‹Didascalus› (Antwerpen 1534 u. ö.), ‹Ovis perdita› (Köln 1539); der reformierte Theologe RUDOLF GWALTHER mit der Comoedia sacra ‹Nabal› (1549), zum Troste derjenigen, die des Glaubens wegen verfolgt werden; CHRISTOPH STYMMELIUS mit einem ‹Isaac immolandus› (Stettin 1579); der Baseler Mediziner HEINRICH PANTALEON mit dem ‹Philargyrus› (1546), dem ‹Wucherer›, und der ‹Comoedia nova et sacra de Zachaeo publicanorum principe› nach dem Vorbild von SAPIDUS; NIKOLAUS SELNECKER (1530–1592) aus Hersbruck bei Nürnberg, Superintendent in Leipzig, mit der ‹Theophania, Comoedia nova de primorum parentum conditione› (Wittenberg 1560); MARTINUS BALTICUS (1532–1601) aus München, Schüler MELANCHTHONS, seit 1553 in München Nachfolger des HIERONYMUS ZIEGLER als Leiter der lateinischen Poetenschule, 1559 Rektor in Ulm, mit dem Spiel ‹Christi vinea› (1551), dem Drama comicotragicum ‹Adelphopolae› (Augsburg 1556), das den gesamten Joseph-Stoff behandelt (von ihm selbst ins Deutsche übersetzt, gedr. Ulm 1579), dem ‹Daniel› (Augsburg 1558; beigegeben eine lateinische Übersetzung des ‹Cyclop› von EURIPIDES), ‹Josephus› (Ulm 1579), ‹Christogamia seu Comoedia de Nativitate Christi› (Augsburg 1588 und Ulm 1589) und ‹Sennecharib› (Ulm 1590). Schließlich ANTONIUS SCHORUS († 1552) mit seiner Prosa-Komödie ‹Eusebia› (1550).

Darin ist die Titelgestalt die Religio, die ärmlich und abgerissen bei den verschiedenen Ständen, beim Bischof, beim Fürsten, beim Arzt, Juristen, Theologen, Vertreter der schönen Wissenschaften, bei Kaufleuten, Handwerkern, Weibern vorspricht und Aufnahme sucht, aber überall nur materielle Habgier findet und abgewiesen wird. Erst im 6. Akt, als Eusebia sich an die Armen wendet, wird sie freundlich aufgenommen.

Das Drama, das eine kühne Polemik gegen die Mächtigen der Erde in sich verschloß – SCHORUS mußte auf Beschwerde KARLS V. beim

Kurfürsten Heidelberg verlassen –, enthält Elemente aus den sozialen
Tendenzen der Schwarm- und Rottengeister.

Anscheinend erst auf protestantischer, dann auf katholischer Seite
stand ANDREAS DIETHER († 1561) aus Augsburg mit der ‹Historia sacra
Joseph› (Augsburg 1544) und den Komödien ‹Conversio Pauli› und ‹Vin-
cula Pauli› (beide Basel 1553). Das ‹Joseph›-Drama steht in der Nachfolge
des Stückes von CORNELIUS CROCUS (gedr. 1536), erstreckt aber die Handlung bis zur Ankunft Jakobs aus Ägypten.

Unverdächtiger Katholik war HIERONYMUS ZIEGLER (1514–1562) aus
Rottenburg, Professor in Ingolstadt, Augsburg und München. Von ihm
sind Bibeldramen und ein allegorisches Drama überliefert. Er behandelt
in der Tragödie ‹Heli sive Paedonothia› (Augsburg 1543) die Geschichte
des Eli als eine Art Schul- und Knaben-Spiegel, in der ‹Immolatio Isaaci›
(Augsburg 1543; deutsch 1544) die Opferung Isaaks, im Drama ‹Christi
Vinea› (Basel 1548) das Gleichnis von den Arbeitern im Weinberg, in
der Comicotragoedia ‹Ophiletes› (Ingolstadt 1549) das Gleichnis vom
Schuldner nach MATTH. 18, in den ‹Regales nuptiae› (Augsburg 1553)
die Hochzeit des Königssohnes nach MATTH. 22, in zwei Dramata
sacra ‹Infanticidium› (übersetzt von WOLFGANG HERMAN 1557) und
‹Parabola de decem virginibus› (beide Ingolstadt 1555) die Anbetung
der drei Könige mit dem Bethlehemitischen Kindermord und das Gleichnis von den klugen und törichten Jungfrauen, endlich noch den ‹Abel
justus› (Ingolstadt 1559). Von ZIEGLER stammen vermutlich auch noch
die Comicotragoedia ‹Protoplastus› (Augsburg 1545) mit Weltschöpfung
und Sündenfall, die Tragicocomoedia ‹Nomothesia› (1547) von der Gesetzgebung auf dem Berge Sinai an Moses und die Tragödia ‹Samson›
(Basel 1547) mit der Hoffnung auf Vergeltung und Sieg gegen die Türken. Der ‹Cyrus Major› (Augsburg 1547) schließlich ist ZIEGLERS Versuch,
die Jugendgeschichte des Perserkönigs im Stil der historischen und sagen-
haften Begebenheiten des Alten Testamentes zu dramatisieren.

Den katholischen Standpunkt vertrat auch ANDREAS FABRICIUS († 1581)
aus Hodege bei Lüttich, Professor in Löwen, dann Diplomat in Diensten
des Augsburger Bischofs und der bayrischen Herzöge. Er behandelt das
Motiv der schnöde behandelten Religion in der ‹Religio patiens› (Köln
1566). Im ‹Evangelicus fluctuans› (1569) übertrug er das Motiv vom
Kampf der Tugenden und Laster auf den Streit zwischen Katholizismus
und Protestantismus.

Catholicus und Evangelicus disputieren über die Rechtmäßigkeit und Mängel
ihrer Bekenntnisse. Pandora, die neue ‹Theologie›, wird mit Zügen der ‹mulier
stulta› (Prov. 9) und der babylonischen Hure geschildert. Nach mehrmaligem
Schwanken und öfteren Auseinandersetzungen mit Catholicus bekehrt sich
Evangelicus schließlich wieder zum Glauben der alten Kirche.

Weiters besitzen wir von FABRICIUS die biblischen Tragödien ‹Samson› (Köln 1569) und ‹Jeroboam rebellans› (Ingolstadt 1585). Schüler des FABRICIUS war der Dillinger Jesuit MICHAEL HILTPRANDUS. Er entwarf in seiner Tragicocomoedia ‹Ecclesia militans› (Dillingen 1573) ein großes allegorisches Geschichtsbild, das als Gegenstück zum ‹Pammachius› des NAOGEORG gedacht war.

Der Dortmunder Geistliche JAKOB SCHÖPPER (1512/16–1554) ist der Verfasser eines ‹Johannes decollatus› (Köln 1544 u. ö.), einer ‹Voluptatis ac Virtutis pugna› (Köln 1546 u. ö.), einer ‹Monomachia Davidis et Goliae› (Dortmund 1550), eines ‹Abrahamus tentatus› (Köln 1551), eines ‹Euphemus seu felicitatis Jacob› (1553) und einer ‹Ovis perdita› (Basel 1553). In der Geschichte vom alten Isaak mit Jakob und Esau gibt SCHÖPPER sich Mühe, den Betrug als gottgefälliges Werk hinzustellen. Wenn Jakob sagt: «Ich tue zwar etwas, wovon ich nicht möchte, daß ein anderer es mir täte, aber wenn Gott es so will!» – so sind das Anklänge an den ethischen Voluntarismus eines OCKHAM und der Nominalisten.

JOHANNES LORICHIUS (vgl. S. 301) aus Hadamar, Professor in Ingolstadt, schuf eine Komödie ‹Jobus› (Marburg 1543), ‹Hiob›, mit bemerkenswerten Schilderungen des Behemot und des Leviathan. JOHANNES ARTOPOEUS, TILENBERGER (1520–1566), Jurist in Freiburg i. Br., verfaßte Reden und allegorische Dialoge über Fragen der Wissenschaft und Lebensanschauung. Eine ‹Apotheosis Minervae› aufzuführen, wurde seinen Freunden 1549 von der Universität nicht gestattet. Frühe altkirchliche Reaktionen auf das protestantische neulateinische Drama sind die Märtyrerstücke des GREGOR HOLONIUS aus Lüttich oder Umgebung: ‹Catharina›, ‹Laurentius› und ‹Lambertias›, die Geschichte des hl. Bischofs LAMBERTUS von Lüttich (alle drei Antwerpen 1556).

Diese *Schuldramen* zeigen klassizistische Formen. Überall ist das Studium der römischen und z. T. auch griechischen Vorbilder zu bemerken. Die Prosa ist beinahe vollständig in den Hintergrund getreten. Die Mehrzahl der Stücke ist in Senaren geschrieben; aus inhaltlichen Gründen wechseln nach dem Vorbild des TERENZ gelegentlich Septenare und Oktonare. Jedes Stück ist in Akte eingeteilt; häufig ist auch ein Chor vorhanden. Der Prolog, zumeist in jambischen Trimetern, ist nach dem Vorbild des TERENZ gedichtet. Den Epilog dichtete man nach dem Vorbild bei PLAUTUS. Aber auch die Elemente der mittelalterlichen Entwicklung sind z. T. noch vorhanden, und zwar kommen sie hauptsächlich in den komischen Partien zum Vorschein. Für sie boten die geistlichen und weltlichen Spiele mit ihren Krämer- und Teufelsszenen und der Komik und Derbheit in den Fastnachtspielen reiche Anregungen.

Die *Aufführungen* der Schuldramen fanden ursprünglich mit den einfachsten Mitteln in den Unterrichtsräumen statt. Als die Spiele allmählich festlichere Formen annahmen, brachte man sie in Sälen, im Rathaus oder auf öffentlichen Plätzen in großer Aufmachung zur Darstellung. Zu den Angehörigen der Schüler kamen angesehene Bürger und Ratsherren als Publikum. Bühne und Kostüme wurden den geänderten Verhältnissen angepaßt. Die Angelegenheit der Schule wurde zu einer Sache auch der ganzen Stadt.

Dem Verlangen der antiken Komödie nach einem Spielfeld mit Straße, Zugang, Abgang, Auftrittsmöglichkeiten im Hintergrund, Hauszugängen, genügte die sog. ‹Badezellenbühne›, wie sie die Illustration der TERENZ-Ausgaben Ende des 15. Jahrhunderts zeigen. Da aber das neue Drama von den mittelalterlichen Spielen mit den biblischen Stoffen auch die epische Technik der Aneinanderreihung getrennter Schauplätze übernahm, machte man die *Terenzbühne* verwandlungsfähig. Dies geschah zunächst nicht in dekorativer Weise, sondern mit Hilfe fiktiver Verwandlung durch Rede und Bewegung; um Zeitdifferenzen zu verdeutlichen, legte man gelegentlich eine Zwischenszene ein, wie es schon die Neutralbühne des Mittelalters tat, oder bediente sich der Überleitungs- bzw. Vorbereitungsszene.

Von TERENZ und PLAUTUS wußte das neulateinische Drama, wie man Bewegung und Leben in die Handlung brachte. Derbes, Grobes, Groteskes ist mit der Komik vermengt.

Die Zahl der seit Beginn der Reformation auftauchenden *protestantischen neulateinischen Schulkomödien* ist überaus groß. Nahezu jede der im 16. Jahrhundert in Deutschland gegründeten Lateinschulen hatte den Ehrgeiz, eigene Stücke aufzuführen. Bei fast allen diesen Schuldramen steht der pädagogische und moralische Zweck im Vordergrund. Abgesehen von einer Anzahl weltlicher Stücke, ist das Stoffgebiet, aus dem man schöpfte, die Bibel. Die Ziele, die man bei der Abfassung und Aufführung neulateinischer Schulstücke vor Augen hatte, waren verschiedener Art. Zusammenfassend und klar hat sie NIKODEMUS FRISCHLIN in der Vorrede zu seiner ‹Dido› (1581) ausgesprochen: die Erwerbung der genauen Kenntnis der lateinischen Sprache, Übung des Gedächtnisses, gute Aussprache in der Öffentlichkeit, gesellschaftliche Gewandtheit und gute Umgangsformen. Um möglichst vielen Schülern diese rhetorisch-didaktischen Übungen zuteil werden zu lassen, vermehrte man die auftretenden Personen häufig über die Zahl, die das Stück an sich gefordert hätte. Alle Schuldramatiker waren bestrebt, ihre Stücke mit einer religiös-moralischen Sinngebung auszustatten.

Die *biblischen Dramen* hatten die Aufgabe, die Predigt zu unterstützen und durch Darstellung der Tatsachen der hl. Geschichte auf das anschauende Volk einzuwirken. Man war auch bestrebt, an Hand des Kirchenjahres diejenigen Evangelien vorzuführen, welche dem genannten Zweck am meisten dienten.

Antike Vorwürfe *allegorisch-didaktisch* behandelt JOACHIM CAME-
RARIUS im ‹Ludus septem sapientum› (1547). Der Philologe und Pädagoge
wollte damit jungen Leuten Lebensregeln und Anstandsvorschriften beibringen. Aus der Sage des klassischen Altertums schöpfte JAKOB MI-
CYLLUS in seinem Drama ‹Apelles Aegyptius seu calumnia fabula sce-
nica› (1531/32; gedr. Nürnberg 1583). JAKOB CORNER († nach 1569),
Schulmeister in Heckstett am Harz, übersetzte die Komödie ins Deutsche
und nutzte sie für die religiöse Polemik.

MICYLLUS dramatisierte die bekannte Erzählung LUKIANS, während er Schulrektor in Frankfurt a. M. war und selbst durch Nachstellungen und Verleum-
dungen zu leiden hatte. Er verschmolz die Erzählung, wie Apelles den Intrigen
seines Mitbewerbers Atiphilus entging, und die Geschichte des allegorischen
Bildes von der Verleumdung, so daß die gemalten Bildfiguren redend und han-
delnd in das Geschehen eingreifen. Apelles wird beim König als Verschwörer
verdächtigt, Alethia und Metanoea aber gelingt es, den König wieder umzu-
stimmen.

In diesen Zusammenhang gehören weiter die zahlreichen ‹Dido›-Dra-
men, deren bekanntestes von HEINRICH KNAUST (Frankfurt a. M. 1566)
stammt.

b) Übersetzungen antiker und humanistischer Dramen ins Deutsche

Infolge der weiten Verbreitung der Kenntnisse der antiken Sprachen
ist die Zahl und Art der *Dramen-Übersetzungen ins Deutsche* verhältnismäßig gering. Bei den Übertragungen kam es weniger auf Nachbildung der Form, mehr auf verständliche Wiedergabe des Inhaltes an. Die
Übersetzungen waren entweder für nichtlateinkundige Leser und Zuschauer oder für Schulzwecke bestimmt und erfolgten in Versen oder in
Prosa. Von den *römischen Autoren* waren es TERENZ und PLAUTUS, die
man übersetzte. An SENECA versucht sich erst MARTIN OPITZ. Für Aufführungen vor einem des Lateinischen unkundigen Publikum übersetzte man auch *neulateinische Dramen* ins Deutsche. Die Übersetzung
griechischer Dramatiker vollzog sich meist erst über das Lateinische. Des
Griechischen mächtige Humanisten wie RUDOLF AGRICOLA, ERASMUS,
WILLIBALD PIRCKHEIMER, MELANCHTHON u. a. wußten selbstverständlich schon sehr früh um die griechische Tragödie und Komödie. Ins
Deutsche wurden sie erst um die Wende der Epoche übertragen.
    Von den römischen Dramatikern wurde am häufigsten TERENZ über-
setzt. Der Rektor der Nikolaischule in Leipzig JOHANN MUSCHLER hat
die ‹Comedia Terentii Ecyra genant, in teutsche reymen gebracht› (gedr.
Nürnberg um 1530) und ‹zu Leipzig auff dem Rathauß offentl. gespilt›.
Der Magister HEINRICH HAM übersetzte die ‹Andria› in gereimte Verse
(Leipzig 1535). VALENTIN BOLTZ verdeutschte in Prosa gleich sechs Ko-

mödien: ‹Publij Terentij Aphri, sechs verteutschte Comedien› (Tübingen
1540). Die Übertragung enthält: ‹Andria›, ‹Eunuchus›, ‹Heautontimoru-
menos›, ‹Adelphoe›, ‹Ecyra›, ‹Phormio›. Eine Prosa-Übertragung zum Gebrauch in Schulen besorgte JOHANNES AGRICOLA: ‹P. Terentii Andria germanice reddita et scholiis illustrata› (o. O. 1543). Nicht zum Druck gelangte damals CLEMENS STEPHANI mit ‹Eunuchus› und ‹Andria› 1554 in
Reimen (Heidelberger Hs. 681). Der als Chronist bekannte JOHANNES
EPISCOPIUS, BISCHOFF aus Würzburg veröffentlichte: ‹Sechs Comoedien Publij Terentij Aphri ... in artliche vnd künstliche Teutsche Rheymen
... verfasset› (Frankfurt a. M. 1566).

Von Übersetzungen neulateinischer Dramen ins Deutsche seien nur
zwei erfolgreiche Beispiele genannt. GREGOR WAGNER verdeutschte in
gereimten Versen REUCHLINS ‹Henno›: ‹Ein hübsche Deutsche Comedi, die
da leret das Vntrew seinen eigen Herrn schlecht› (Frankfurt a. d. O. 1547).
JONAS BITNER übersetzte für die Straßburger Bühne GEORG BUCHANANS
‹Jephtes sive votum› (1557) als ‹Jephthes oder Gelübd› (gespielt 1567;
gedr. 1569).

Weniger zahlreich als die TERENZ-Verdeutschungen sind die Übertragungen des PLAUTUS. ALBRECHTS VON EYB Nachbildung der ‹Menaechmi› und ‹Bacchides› wurden 1511 und nochmals 1550 gedruckt. Der
als Dramatiker und Pädagoge bekannte JOACHIM GREFF verfertigte eine
gereimte Versübertragung von ‹Ein schöne Lüstige Comedia des Poeten
Plauti, Aulularia genant› (Magdeburg 1535). CHRISTOPH FREYSLEBEN
besorgte ‹Ain Kurtzweylig vnnd nit minder nutzlich Spyl der Plautisch
Stichus genant, zu Teütsch gebracht, gereymbt vnd gehalten zů Ingol-
statt› (Augsburg 1539). JONAS BITNER ‹verdolmetschte› die ‹Menaechmi›
(Straßburg 1570).

Dreizehn Schauspiele des TERENZ, PLAUTUS, MACROPEDIUS u. a. soll
der Tonsetzer, Lyriker und Verfasser deutscher Gespräche über reformatorische Themen LEONHARD PAMINGER übersetzt haben.

Um auch die Nicht-Lateinkundigen an den *Schuldramen* teilhaben zu
lassen, pflegte man in Zittau schon seit der Mitte des 16. Jahrhunderts
am Tage nach der Aufführung eines lateinischen Dramas dessen Übersetzung zu spielen. Sehr häufig wurden der Prolog und die *Argumenta
actuum,* die Inhaltsangabe, in deutscher Sprache abgefaßt, damit auch
weniger Gebildete dem Gang der Handlung folgen konnten. Gegen Ende
des 16. Jahrhunderts erzwang die immer größer und breiter werdende
schaulustige Menge die Berücksichtigung der des Lateinischen Unkundigen.

Symptomatisch für diese Situation ist die Klage FRISCHLINS im Ori-
ginalprolog zu den ‹Helvetiogermani›:

> ... Quod reliquum est, quaeso benignas date
> Aures, & vulgus non nihil compescite.
> Nam quia Latino sermone isthaec peragimus,
> Occlamant imperiti linguae: ogganniunt
> Mulieres, obstrepunt ancillae & servuli,
> Opifices, lanii, fartores, ferrarii,
> Sibique Germana linqua postulant dari
> Comoediam. Hoc quia non fit, nobis praeferunt
> Cybisteres, lanistas, funambulos,
> Petauristas, quibus gaudet plebecula.

Und in seiner Übersetzung:

> ‹So höret uns denn günstig zu, und haltet
> Den lieben Pöbel wie ihr könnt im Zaum.
> Denn weil das Stück lateinisch wird verhandelt,
> So murren, die die Sprache nicht verstehn,
> Belfern die Weiber, lärmen Mägd' und Knechte,
> Wurstmacher, Fleischer, Schmied' und andre Zünfte,
> Und fordern laut in deutscher Sprach' ein Stück.
> Da man dieß nicht gewährt, so ziehen sie
> Seiltänzer, Gaukler, Taschenspieler und
> Dergleichen Volk uns unverholen vor.›

An der 1538 gegründeten Akademie zu Straßburg zog der Rektor und Spielleiter JOHANNES STURM als erster programmatisch auch die Dramenschöpfungen der Griechen, EURIPIDES, SOPHOKLES, selbst AISCHYLOS und ARISTOPHANES, in seine Bestrebungen mit ein. Um allen Zuschauern das Verständnis zu ermöglichen, fertigte man auch in Straßburg teils kurze Argumenta in poetischer Form, teils richtige Übersetzungen an. Was davon jedoch im Druck erschien, fällt fast alles schon in den Beginn des 17. Jahrhunderts. Unabhängig von Straßburg übersetzte der durch seine TERENZ-Übertragung (1590) und ein ‹Spiel der Bauwren Faßnacht› bekannte MICHEL BAPST (1540–1603) von EURIPIDES die ‹Iphigenia in Aulide. Ein vberaus schöne Historia oder Comoediotragedia› (1584).

c) Das deutschsprachige Drama. Schuldrama. Bürgerspiele. Sixt Birck. Paul Rebhun. Nikodemus Frischlin

Aus dem lateinischen Schuldrama wuchs im Stammland der Reformation, in Sachsen, ein *deutschsprachiges Schuldrama* hervor. Man begann, wie im vorigen Kapitel etwa an JOHANN MUSCHLER oder HEINRICH HAM gezeigt wurde, mit Übersetzungen römischer Lustspiele. Schon bald da-

nach setzen die vielen deutschen Schuldramen ein, die hauptsächlich
verbunden sind mit den Namen JOACHIM GREFF, PAUL REBHUN, JO-
HANNES KRÜGINGER, JOHANNES CHRYSEUS, CYRIACUS SPANGENBERG,
GEORG ROLLENHAGEN, MARTIN HAYNECCIUS. Die Verbreitung des deut-
schen Schuldramas über Deutschland zeigt sich in Nürnberg bei LEON-
HARD CULMANN und GEORG MAURITIUS, in den Rheinlanden bei
JASPAR VON GENNEP zu Köln, in Hamburg bei HEINRICH KNAUST, in
Pommern bei LUDWIG HOLLONIUS, in Braunschweig-Lüneburg bei FRIED-
RICH DEDEKIND, in Mecklenburg bei BERNHARD HEDERICH. Nach Öster-
reich brachte es WOLFGANG SCHMELTZL. In der Schweiz ging das deutsch-
sprachige Schuldrama eine enge Verbindung ein mit dem Bürgerspiel und
wirkte in dieser Form zurück nach Sachsen, von wo es sich erneut über
Mittel- und Norddeutschland ausbreitete.

Das *deutschsprachige Bürgerspiel* hatte fast durchwegs reformatorisch-
ernsten Charakter. Die Dichter waren in der Schweiz häufig Bürger, in
Deutschland meist Geistliche und Schulmänner; dort wurden die Stücke
von den Bürgern, in Deutschland überwiegend von Schülern aufgeführt.
Die Spiele sind direkt für Aufführungen geschaffen und meist erst nachher, selten vorher, gedruckt worden. Eine große Anzahl dürfte überhaupt
ungedruckt geblieben und verloren sein. Von den gedruckten Stücken
wurden viele in der näheren und auch weiterer Umgebung ihres Ent-
stehungsortes gespielt und dabei jeweils nach Bedarf und Geschmack
abgeändert. Zunächst hielt man sich an spätmittelalterliche und biblische
Stoffe, in deren epische Breite sich allerdings mancher Anklang an die
Zeitbewegungen eindrängen konnte. Historische Spiele treten häufiger
erst im Verlauf des 16. Jahrhunderts auf.

Italien hatte als das für Aufführungen bestimmende Publikum die
Damen und Herren einer fürstlichen Hofgesellschaft, in Deutschland und
in der Schweiz waren es meist Stadtbürger. Das Theater war hier noch
von den mittelalterlichen geistlichen Spielen her der Marktplatz oder
von den Fastnachtspielen her die Wirtsstube oder Hausdiele. Die alte
Tradition und naturgemäß auch die Neulateiner wirken hinein in diese
bürgerliche Stadtwelt. Das alte Drama und das Theater werden jäh um-
gebildet.

Ausgangsland des deutschsprachigen Bürgerspieles war die *Schweiz,* in
der sich die Fortführung der traditionellen geistlichen Spiele des ausgehenden Mittelalters mit dem reformatorisch-humanistischen Drama
ähnlich wie im Elsaß verband.

In der deutschen Schweiz hatte sich in den Städten Zürich, Bern, Basel
die Bürgerschaft bald der Reformation zugewandt. Kleinere Städte wie
Luzern, Solothurn, Freiburg blieben katholisch. Die Luzerner Spiele etwa
wahren auf der einen Seite die mittelalterliche Unbefangenheit und lassen in einem Spiel vom Jüngsten Gericht 1549 auch einen ‹übelgelebten›

Papst› von Christus verdammen, veranstalteten andererseits 1531 auch die Aufführung eines Passionsspieles, um angesichts der Gefahren, die von Zürich und den Zwinglianern drohten, die Gnade Gottes und seiner hl. Mutter zu erflehen. RENWART CYSAT berichtet, daß zu den Luzerner Osterspielen auch die Protestanten herbeiströmten und sie mit Erbauung ansahen. Bekanntlich hat man in den reformierten Gebieten der Schweiz die Kirchen und den Gottesdienst mit unerbittlicher Konsequenz von den Bildwerken, Orgeln und allem liturgischen Beiwerk, das die Phantasie des Volkes ansprach, gesäubert. Etwas anders verhielt man sich gegenüber dem religiösen Drama. Hier ließ man zunächst vieles von der alten Buntheit, Vielfalt und Anschaulichkeit bestehen. Erst von etwa 1530 an zeigt sich das Bestreben, die überlieferte mittelalterliche Form zu einem neuen protestantisch-humanistischen Stil umzuformen. An Gattungen wurden gepflegt: Fastnachtspiele, Moralitäten, das Drama im Dienste der Kirchenkämpfe, realistische Zeitgemälde, altkirchlich-religiöse Spiele und reformatorische Stücke. Für die letzteren ist charakteristisch, daß Fragen des öffentlichen Lebens in Volksversammlungen und politischen Verhandlungen auf die Bühne gebracht wurden.

Als Dramaturg in Luzern und anderen katholischen Orten der Schweiz war der unstete HANS SALAT tätig. Neben seinen bereits genannten Werken (vgl. S. 95) dramatisierte er auch die Parabel ‹Von dem Verlornen oder Güdigen Son› (Basel 1537).

SALATS Drama ist ein Volksstück, ohne Akteinteilung, mit lokal gefärbten Szenen, mit Teufelsauftritten und, wie bei BURKHARD WALDIS, mit einem Zwischenredner. In einem Teufelsgespräch äußert jedoch der eine Teufel seine Freude über die neue Lehre von der Unnötigkeit der guten Werke. Auch ist der ältere Sohn sympathisch gezeichnet. Während eines Mahles trägt ein Gaukler eine altüberlieferte Geschichte vor. Dann erscheint ein alter Mann mit seinem Sohn, der im Wald aufgewachsen ist. Dem Jungen gefällt das liederliche Treiben recht gut. Der Alte belehrt ihn aber mit Nachdruck eines Besseren. Es sind einzelne, mehr lose aneinander gereihte Szenen, die SALAT dem biblischen Stoff hinzugefügt hat.

SALATS ‹History ... Von dem Rychen mann vnd dem armen Lazaro› (Zürich 1540) wurde bis weit ins Barockzeitalter neu aufgelegt und offenbar auch gespielt. SALAT war ferner an verschiedenen katholischen Orten als Spielleiter tätig: 1538 bei einer Passion, 1540 in Alpnach bei einem Osterspiel, 1545 bei einem Spiel, vermutlich einer Moralität, ‹Die Welt› in Freiburg; ferner bei einem Spiel ‹Traum des Paris› 1530.

Die Aufführungen in Luzern erreichten unter der Leitung des Stadtschreibers RENWART CYSAT (1545–1614), von dem z. B. ein ‹Osterspil› 1571 aufgeführt wurde, ihren Höhepunkt. Ebenfalls auf katholischer Seite stand der Schulmeister GEORG BRUN († 1552) in Freiburg mit seiner ‹Geschicht des Propheten Danielis› (Bern 1545). Das Stück war auf zwei

Tage eingerichtet und ist in vier Abteilungen gegliedert. Es umfaßt die gesamte Geschichte des Propheten mit Einschluß der apokryphen Bücher von Bel und dem Drachen.

Neben dem Luzerner SALAT war der begabteste Dramatiker der Altgläubigen JOHANNES AAL (ca. 1500–1551), Propst in Solothurn. Seine ‹Tragoedia. Joannis des Heiligen vorloüffers vnd Töuffers Christi Jesu warhaffte Histori› (Bern 1549) spielten die Solothurner Bürger am 21. und 22. Juli 1549 auf offenem Platz, an jedem Tag vier Akte. AAL erwies sich als vortrefflicher Gestalter, indem er alle Geschehnisse um den tragischen Kern des Täufer-Schicksals und um die Endphase seines Lebens gruppiert. Glanzvolle Hofszenen bei Herodes werden gegen die Einsamkeit des Helden in der Wüste gestellt. AAL zog außer den Evangelien auch JOSEPHUS FLAVIUS und HEGESIPPUS heran.

Im reformierten Geiste gestaltete die Spiele in Zürich GEORG BINDER († 1545), der Freund WATTS und ZWINGLIS, nach Studien in Wien seit 1524 Lehrer an der Großmünsterschule. Als Leiter ihres Schultheaters inszenierte BINDER Komödien von ARISTOPHANES und TERENZ. Am 1. Januar 1531 spielte er mit den Züricher Humanisten den ‹Plutos› von ARISTOPHANES in griechischer Sprache. BINDER selbst war Spielleiter, Prologsprecher und Darsteller des Plutos, ZWINGLIS Stiefsohn GEROLD MEIER spielte den Jüngling, KONRAD GESNER die Penia; ZWINGLI hatte die Chöre vertont und wohnte der Aufführung bei: «Der fromme Mann weinte vor Freude». BINDER übersetzte und erweiterte 1530 den ‹Acolastus› von GNAPHEUS und führte das Stück als ‹Comoedia von dem Verlornen Sun› mit seinen Schülern zu Neujahr 1535 auf (gedr. Zürich 1535 und 1536). SEBASTIAN GRÜBEL D. J. Schulmeister in Schaffhausen, übersetzte und spielte 1559 das lateinische Humanistendrama ‹Nabal› (Mühlhausen 1560) des RUDOLF GWALTHER. Den angestrebten Zweck verkündet GRÜBELS Prolog: Warnung vor der Trunksucht. Außer dem schon erwähnten Fastnachtspiel über die Abgötterei stammen von HANS VON RÜTE die Massendramen ‹Joseph› (Bern 1538) und ‹Gedeon› (Bern 1540), ferner ‹Wie Noe vom win vberwunden durch sin jüngsten Sun Cham geschmächt, aber die eltern beid, Sem vnnd Japhet geehret› (Bern 1546) und ‹Ein Kurtzes Osterspiel› (Bern 1552), ‹David und Goliath› (Bern 1555), ‹Von dem Könic Nebucadnezar› (gespielt 1535). Im ‹Noe› erscheint unter den Japhetiten auch Tuitsch (Thuisco) mit seinem Sohne Mannus, der davon berichtet, daß er auf hohen Alpen war und die Arche betrachtete. Von HANS HECHLER wurde zu Ultzendorf im Berner Gebiet zwischen 1530 und 1540 ‹Ein hüpsch neüw Spil, wie man alte weiber jung schmidet› (Augsburg 1540) zur Darstellung gebracht. In Zürich schuf der Bearbeiter des ‹Etter Heini› (vgl. Bd. IV/1, S. 287), JAKOB RUF, RUOF, RUEF († 1558), Steinschneider und Stadtwundarzt, sieben große geistliche und weltliche Spiele: ‹Die beschreybung Jobs› (1535); ‹Von deß her-

ren wingarten› (1539); ‹Joseph› (Zürich 1540); ‹Das lyden vnseres Herren
Jesu Christi› (Zürich 1545); ‹Spyl ... von dem frommen vnd ersten Eyd-
gnossen Wilhelm Thellen› (Zürich 1545); ‹Matrone Pauline› (um 1545);
‹Adam vnd Heva› (Zürich 1550). Im ‹Weingarten› geht es gegen den
Papst und seine Anhänger. Für das Passionsspiel benutzte RUF die ‹Grablegung› GUNDELFINGERS von 1494 und ähnlich ist auch der ‹Wilhelm Tell›
nach einem älteren Schweizer Spiel gearbeitet. JOSIAS MURER (1530 bis
1580), Topograph und Glasmaler in Zürich, schuf gleichfalls sieben Dramen und ließ sie in seiner Vaterstadt aufführen: ‹Naboth› (1556), ‹Be-
lägerung der Statt Babylon› (1559), ‹Der jungen Mannen Spiegel› (1560),
worin unter starker Benützung von SALATS ‹Verlorenem Sohn› gezeigt
wird, wie Männer durch schlechte Gesellschaft an den Bettelstab kommen;
ferner ‹Absalom› (Zürich 1565), zwei Spiele über Esther, ‹Hester› (1567)
und die ‹Vfferständnus Vnsers Herren› (Basel 1567), schließlich ‹Zorobabel› (1575). Die ‹Belagerung Babylons› hat 13 Akte, beschäftigte
111 Personen und dauerte zwei Tage. Aus Konstanz stammt JAKOB
FUNCKELIN († 1565 an der Pest), reformierter Geistlicher in Biel. Er bearbeitete das Gleichnis ‹Von dem Rychen Mann vnd armen Lazaro› (Bern
1551), verfaßte das ‹Spyl vom Lazaro› (1552), ließ 1552 durch die Stadt-
schüler ‹Die Historie von Loth und Abraham› aufführen und führte im
selben Jahr mit Bürgern und Bürgersöhnen vor dem Rathause die ‹Historie von Ahasverus und Esther› auf. Jedes der Spiele dauerte zwei Tage.
Der ‹Untergang Sodomas und Gomorrhas› wurde von den Schülern 1554
gespielt. FUNCKELIN schrieb ferner ‹Ein geistlich Spyl von der Empfengknuß vnd Geburt Jesu Christi› (Zürich 1553) und ‹Unsers Herren Auferstehung und Auffart› (gespielt 1562). Zur Unterhaltung des reichen
Mannes läßt er in der ersten Tragödie das ‹klein spyl› ‹Ein Strytt Veneris
vnd Palladis› aufführen. Die ‹Auferweckung des Lazarus› ist eine Bearbeitung des ‹Anabion› von SAPIDUS.

Für das ganze 16. Jahrhundert und darüber hinaus sind für das Schweizer Drama kennzeichnend: großer Textumfang, zahlreiche Personen, bewegte Handlung, viele Einzelheiten, breite Moral, Erziehung zu staats-
bürgerlicher Gesinnung, volkstümliche Elemente; bevorzugt werden ge-
schehnisreiche Stoffe des Alten Testamentes. Mit Massenszenen wie das
mittelalterliche Drama arbeitet auch VALENTIN BOLTZ († 1560) aus Rufach im Elsaß, 1550 Spitalpfarrer in Basel. Von seinen für die Bürger von
Basel und Mühlhausen bestimmten Dramen sind drei erhalten. Mit
Übersetzungen des TERENZ und SENECA trat er für die Verwendung der
Muttersprache ein: ‹Publij Terentij Aphri, sechs verteutschte Comedien›
(Tübingen 1540 u. ö.); ‹Senece Gesprächbüchlin Wider die vnuersehene
zufäl› (in Reimen; Basel 1552). Die kulturhistorisch aufschlußreichen
Dramen betreffen ‹Sant Pauls bekerung› (gespielt 1546; gedr. Basel 1551),
die ‹Oelung Dauidis deß jünglings, Vnnd sein streit wider den Risen

Goliath› (Basel 1554) und ‹Der Welt spiegel› (1550; Basel 1551, mit
Holzschnitten und Melodien für die Chöre). Das Spiel von ‹Pauli Bekehrung› hat zwar nur 2532 Verse, aber 74 Sprechrollen; ‹Der Welt Spiegel›, eine Moralität mit Totentanzmotiven, allegorischen Figuren und
bunter Szenenfolge, forderte für 600 Verse 150 Spieler an zwei Tagen;
in ‹Davids Ölung› sind 4000 Verse in sieben Akte gegliedert.

In Aarau verfaßte der Lateinschullehrer MATTHEUS ROTBLETZ eine
Tragödie ‹Samson. Die histori, wie der starck Samson von synem wyb
vnnd nachmalen durch die Mätzen Delila betrogen vnd vmb syn stercke
kommen ist› und ließ sie 1557 durch die junge Bürgerschaft aufführen
(gedr. Bern 1558).

Berührung mit dem Humanismus politischer Tendenz zeigt HEIN-
RICH BULLINGER, der Organisator der Zürcher Kirche. Von ihm stammt
‹Ein schön spil von der geschicht der Edlen Römerin Lucretiae› (Basel
1533), eine Art politisches Volksstück. BULLINGERS Absicht war, an einem
Stoff aus der römischen Geschichte seiner Gegenwart die Willkürherr-
schaft des Adels ad oculos zu demonstrieren. Das Schicksal der Titelheldin
Lucretia ist daher nur kurz behandelt. Aber gleich im ersten Teil wird
in einer Nebenhandlung die politische Tendenz deutlich, als ein Bauer
in das Feldlager des Statthalters kommt, um sein Recht zu suchen und
zur Antwort bekommt: «Nun klag dich nit, *wir* sind das recht!» Vollends
als Staatsaktion ist der umfangreiche zweite Teil angelegt. Brutus, der
Römer von echtem Schweizer Schrot und Korn, überzeugter Demokrat,
hält Gericht über die Anhänger des vertriebenen Königs.

Ähnlich wie in der Schweiz wirkte auch im *Elsaß* die volkstümliche
Spieltradition lange nach. Noch abhängig von den mittelalterlichen Spie-
len war TIBOLT GART († nach 1554), Bürger in Schlettstadt, mit seiner
biblischen Komödie ‹Joseph› (Straßburg 1540 u. ö.). Was GART über die
präfigurativen Joseph-Szenen der Passionsspiele Neues brachte, betraf die
Charakteristik der Personen, die Entwicklung seelischer Vorgänge, den
Aufbau einzelner Szenen und die Sprachbehandlung. Er stellt lebendige
Menschen auf die Bühne und seine Komödie gehört zu den bedeutend-
sten Dramendichtungen der Zeit. Verfasser biblischer Dramen war auch
JÖRG WICKRAM. Auf ein nach GEORG BINDERS ‹Acolastus›-Bearbeitung
verfaßtes ‹Spil von dem verlornen Sun› (Kolmar 1540), bestimmt für
Aufführungen in Kolmar, folgten ein ‹Tobias› (Straßburg 1551 und 1562)
mit 84 Personen und 14 Schauplätzen bei zweitägiger Spieldauer und ein
‹Apostelspiel› (1552). Zuletzt formte WICKRAM noch seinen Prosaroman
‹Der Knabenspiegel› (Straßburg o. J.) zu einem Drama vom Schul- und
Studentenleben. TOBIAS STIMMER (1539–1584) aus Schaffhausen, Illu-
strator und Holzschnittzeichner in Straßburg, verfaßte eine ‹Comedia
von zweien jungen Eheleuten› (1580). Der volkstümlichen Spieltradition

im Elsaß gehört auch MATTHIAS HOLZWART an, Stadtschreiber aus
Rappoltsweil, mit seinem ‹Spil von Künig Saul vnd dem Hirten Dauid›
(1571 in Basel aufgeführt). Das Stück dauerte zwei Tage, jeder Tag hatte
fünf Akte, es waren 100 sprechende und 500 stumme Personen mit-
tätig. Von PAUL REBHUN gelernt hat CHRISTIAN ZYRL, Schulmeister
zu Weißenburg am Rhein. Er verfaßte ein umfangreiches ‹Joseph›-Drama
(Straßburg 1573) in 12 Akten, eine ‹Rebecca› (1573) und ein ‹Urteil Salomonis› (1587). Der katholische Pfarrer JOHANN RASSER († 1597) ließ
1573 durch 97 Schüler ‹Ein Christlich Spiel von der Kinderzucht› (1573)
aufführen und verfaßte wenig später eine Komödie ‹Vom König, der seinem Sohn Hochzeit machte› (1575). Der im Elsaß lebende Württemberger
Arzt ALEXANDER SEITZ, bekannt durch populär-medizinische Schriften,
dramatisierte das Evangelium des 2. Sonntags nach Trinitatis: ‹Vom grossen Abentmal vnd den zehen Junckfrawen› (Straßburg 1540, nicht 1560).
Im Vorwort wird gegen die ‹schamparen und närrischen Fastnachtspiele›
und den Heiden TERENZ geeifert, die christlichen ‹Colloquia› des ERAS-
MUS und REUCHLINS ‹Sergius› werden hingegen gerühmt. Im Stück selbst
verband SEITZ die beiden Parabeln und benützte das Ganze zu religiösen
Disputationen und zur Polemik gegen den durch die Fürsten in der Zeit
des Schmalkaldischen Krieges ausgeübten Glaubenszwang.

War GNAPHEUS der Schöpfer der neuen biblischen Schulkomödie, so
gilt als sein erster bedeutender Nachfahre in *Deutschland* SIXT BIRCK,
XYSTUS BETULIUS (1501–1554) aus Augsburg, erst Weber, dann nach
höheren Studien bei EURICIUS CORDUS, EOBANUS HESSUS und JUSTUS
JONAS, bei HEINRICH GLAREAN, KONRAD PELLIKAN und BONIFACIUS
AMERBACH in Basel, dort 1530 bis 1536 Rektor einer Lateinschule und
seit 1536 Rektor des Annengymnasiums in seiner Vaterstadt. Man pflegt
seine dramatische Tätigkeit in eine Baseler und eine Augsburger Periode
zu scheiden. Die Grenze bildet das Jahr 1536. Dem ersten Zeitraum entstammen BIRCKS sechs deutsche, dem zweiten seine acht lateinischen Dramen. Während seiner Schweizer Wirksamkeit stand BIRCK unter dem
Einfluß der dortigen biblischen Schauspieldichtung, wie sie KOLROSS,
GEORG BINDER, BULLINGER u. a. vertraten.

Als erste Stücke entstanden ‹Ezechias› und ‹Zorobabel› (gedr. beide
Augsburg 1538). Im ‹Ezechias›, d. i. der biblische König Hiskia, wollte
BIRCK die Errettung von der assyrischen Kriegsgefahr darstellen. Der
‹Zorobabel› behandelt nach dem apokryphen dritten Buch Esra das Streit-
gespräch dreier Männer vor Darius über die Frage, was am stärksten
sei: der Wein, der König oder die Weiber. Sieger bleibt der jüdische
Bauer Zorobabel, der die Sache der Weiber vertritt und des Königs Gnade
gewinnt. Die Juden dürfen in ihr Land zurückkehren und den Tempel
wieder aufbauen. Auf diese beiden nicht sehr gewandten Stücke folgten

‹Die history von der frommen Gottesfürchtigen frouwen Susanna› (Basel
1532; in drei Akten; 1537 von BIRCK auch noch lateinisch bearbeitet),
die Komödie ‹Joseph› (aufgeführt vor 1535, gedr. 1539), das Drama ‹Judith› (Augsburg 1539; in fünf Akten) und ‹Beel. Ain Herrliche Tragedi
wider die Abgötterey› (Augsburg 1535 und 1539). In der ‹Susanna› tritt
zweimal ein Chorus auf, der dem Stück eine gewisse Gliederung verleiht, allerdings so, daß zwei Akte mit insgesamt 408 Versen einem dritten mit allein 792 Versen gegenüberstehen. Den Hauptteil bildet die
langatmige Gerichtsverhandlung mit acht Beisitzern. Gemütvoll wirkt
das später durch andere oft nachgeahmte Auftreten von Kindern. Nach
dem Urteilsspruch des klugen Daniel sagt das Söhnchen Susannas zu
ihm: «Du bist ein gutes Gsellelin Du hast erlost min Mütterlin» und
schenkt dem Retter in kindlicher Dankbarkeit sein Spielzeug, ein Stecken-
pferd und eine Windmühle. Ähnlich wie in der ‹Susanna› die Gerichtsszenen revueartig breit ausgeführt sind, geschieht dies im ‹Joseph› mit
den Staatsszenen. Der ‹Baal› handelt von der Staatsreligion. Für BIRCKS
in der Schweiz entstandene Spiele ist bezeichnend, daß er staatsbürgerlich
erziehen will. So oft es nur angeht, geben die moralischen Lehren nützliche Hinweise für die Verwaltung des Staates. Dies entsprach ganz dem
Geiste der Reformation ZWINGLIS, der auch Politiker war. Der Prolog zu
‹Susanna› betont, man könne hier lernen, wie «eine Oberkeit in Rath
und Recht» sich zu verhalten habe. Die ‹Judith› soll zeigen, «wie man
in Kriegsläufen, besonders so man von der Ehr Gots wegen angefochten
wirt, umb hilft zu Gott dem Herrn flehend ruffen soll.» Der ägyptische
‹Joseph› erscheint vor allem als umsichtiger Staatsmann und Lenker des
Gemeinwesens, nicht ohne zeitgenössische Hindeutungen auf Schwarm-
und Rottengeister, die keine Obrigkeit anerkennen wollen. Bemerkenswert ist, daß BIRCK in der Vorrede zum ‹Beel› den Zuschauern Vorwürfe
darüber macht, daß sie neben der Predigt auch noch die anschauliche
Belehrung durch die lebendigen Bilderfolgen der Schauspiele brauchen
und haben wollen. Dabei nennt er ein in Basel aufgeführtes Fastnachtspiel von ‹Bertschis hochzeyt›, das auf den Schwank ‹Von Metzen Hochzeit› (vgl. Bd. IV/1, S. 108 f.) zurückging. BIRCK gliedert im ‹Beel›, dem
Stück gegen die ‹Abgötterey›, den Stoff in drei Teile: Entlarvung der
Baalspriester, Anbetung und Tod des Drachen, Daniel in der Löwengrube. Die Szene im 1. Akt, in der Werkmeister Archimedes und seine
Gehilfen beauftragt werden, das Götzenbild und den Tempel zu zerstören, ist anscheinend als Rechtfertigung der Bilderstürmer gedacht.
BIRCK läßt dabei über alttestamentlichen Götzendienst in einer Art reden,
daß die Zuschauer dabei an die katholische Bilderverehrung denken –
ein Kunstgriff protestantischer Polemik. In der Vorrede zur ersten Auflage 1535 berichtet er, allerdings voll Mißbilligung, daß ein katholischer
Dramatiker (in einem verlorenen Stück) bei der Darstellung der Tempel-

beraubung durch Nebukadnezar auf die Bilderstürmer der Reformation hingewiesen habe.

In Augsburg wurde dann unter dem Einfluß von MELANCHTHON, MICYLLUS, JOHANNES STURM u. a. TERENZ zu BIRCKS Vorbild. Diese nunmehr ins Lateinische übersetzten bzw. in dieser Sprache abgefaßten Dramen sind die Textkomödie ‹Judith› (1536), die Umarbeitung seiner ‹Susanna› (1537; in fünf Akten), ‹De vera nobilitate› (1538), zwei Dialoge von zwei Jünglingen, die ein adeliges Mädchen lieben, ‹Eva› (1539) und ‹Sapientia Salomonis›, die beiden letzteren in OPORINS Sammlung ‹Dramata sacra› (Basel 1547). In derselben Sammlung stehen noch BIRCKS biblische Stücke ‹Beel› und ‹Zorobabel›, die von zweien seiner Schüler, MARTIN OSTERBINDER und JOHANNES ENTOMIUS, ins Lateinische übersetzt wurden. Unveröffentlicht scheint ein achtes Stück, ‹Herodes sive Innocentes›, geblieben zu sein, das den bethlehemitischen Kindermord zum Thema hatte. Die Fortwirkung von BIRCKS ‹Susanna› zeigt sich bei PAUL REBHUN, LEONHARD STÖCKEL und FRISCHLIN.

Die strophischen Chorgesänge und überhaupt in metrischer Hinsicht nahm sich BIRCKS ‹Susanna› auch JOHANNES KOLROSS († 1558) zum Vorbild, Lehrer und Geistlicher in Basel. Sein pädagogisch ausgerichtetes ‹Spil von Fünfferley betrachtnussen den menschen zůr Bůss reytzende› (Basel 1532) ist aber doch im Stil mehr nach Art der alten Moralitäten gehalten. Es berührt sich in seinen ‹Ars moriendi›-Motiven mit den ‹Jedermann›-Dramen und gemahnt zum anderen durch die Gestalt des leichtsinnigen Jünglings an die Parabel vom verlorenen Sohn.

Die Geschichte von der unschuldig verleumdeten Frau und dem weisen Jüngling ist auch das Thema des ersten Dramas von PAUL REBHUN (um 1500–1546) aus Waidhofen a. d. Ybbs in Niederösterreich, 1526 Kantor und Schulmeister in Zwickau, 1529 Schulmeister in Kahla, 1535 wieder in Zwickau, zuletzt Pfarrer und Superintendent in Ölsnitz. Sein ‹Susanna›-Spiel entstand in Kahla, wurde dort 1535 aufgeführt und erschien zwischen 1536 und 1544 in vier verschiedenen Ausgaben: ‹Ein Geystlich spil von der Gottfürchtigen vnd keuschen Frawen Susannen› (Zwickau 1536). REBHUNS literarische Leistung lag sowohl in der Textexegese wie in der dramatischen Formgebung.

Er verlieh dem Stoff durch verschiedene Ergänzungen und Hinzudichtungen besondere Akzente, strich an der Heldin die *constantia,* ihr Gottvertrauen, heraus, um das Idealbild einer frommen und züchtigen Gattin und Mutter zu veranschaulichen, gleichzeitig aber an den alten Richtern das Ende von Bosheit und Geilheit und die ewige Gerechtigkeit Gottes zu zeigen. REBHUN verteilte den Stoff auf fünf Akte und gliederte die Akte in Szenen. Die Handlung verläuft einsträngig, Neben- und Gegenhandlungen fehlen. Zu den inneren Gestaltungsmitteln des antiken Dramas ist er noch nicht vorgedrungen.

Auf die ‹Susanna› ließ REBHUN ‹Ein Hochzeitspil auff die Hochzeit zu Cana Galileae gestellet› folgen (Zwickau 1538, 1546; Nürnberg 1572). Das Hauptmotiv, das Weinwunder, entnahm er der Bibel (JOH. 2, 1 ff.), alles andere in dem Stück ist eigene Erfindung. Es wurde zu einem umfänglichen epischen Spiel, dessen Tendenz die Unterweisung über den ‹gottgeordneten Ehestand› sein sollte. In beiden Dramen erstrebte REBHUN einen höheren künstlerischen Stil. Bemerkenswert ist sein Bemühen, die Dialogverse und Chorverse in der Art von Trochäen und Jamben und unter Beachtung der deutschen Akzente zu bilden. Das sind Ansätze zu einem Versbau, den einige Menschenalter später MARTIN OPITZ durchführte. REBHUN versuchte ferner gemeinsam mit HANS TYROLFF das ‹Pammachius›-Drama NAOGEORGS durch Bearbeitung aufführbar zu gestalten. REBHUN machte das Drama bühnengerecht, TYROLFF besorgte die Übersetzung, die NAOGEORG (der 1541 Pfarrer in Kahla wurde) autorisierte. Diese deutsche Versfassung erschien Zwickau 1540. Von HANS TYROLFF selber stammen ein Drama, das den Kampf Davids mit Goliath zum Thema hat (1541), und ‹Die schöne Historia von der Heirat Isaacs vnd seiner lieben Rebecken, jnn ein Spiel Rheimweiss gesetzt› (Wittenberg 1539), worin er christliche Eheführung und christliche Kinderzucht vorführt.

In Bayern stellen SIMON ROTH und BALTHASAR KLEIN den Propheten ‹Jonas› (1532) und seine Bußpredigten zu Ninive samt deren Wirkung anschaulich auf die Bühne.

Die in *Mitteldeutschland* entstandenen Stücke sind weniger personenreiche Volksdramen, vielmehr in der Regel Schulkomödien, die neben dem allgemeineren reformatorischen einen ausgesprochen pädagogischen Zweck verfolgten, was in den Vorreden eigens betont wird. Spätere Stücke haben oft Auftritte mit Sittenschilderungen, durchwegs aber sind sie knapper und personalärmer angelegt als die Spiele in der Schweiz und im Elsaß. Vorbilder waren TERENZ und die ihm nachgebildete lateinische Schulkomödie.

JOACHIM GREFF († 1552) aus Zwickau, nach Studien in Wittenberg Schulmann und evangelischer Geistlicher in Magdeburg und Dessau, begann mit einer Übersetzung der ‹Aulularia› des PLAUTUS (1533; gedr. 1535). Es war die erste für solche Aufführungen übersetzte und gedruckte antike Komödie. GREFF gab mit ihr zusammen die von HEINRICH HAM übertragene ‹Andria› des TERENZ heraus. Dann verfaßte GREFF während seiner Magdeburger Zeit zusammen mit GEORG MAJOR das ‹Spiel von dem Patriarchen Jacob vnd seinen zwelff Sönen› (Magdeburg 1534 u. ö.) mit fünf in Szenen geteilten Akten, das erste deutsche Drama nach dem Vorbild des TERENZ. Die Neutralbühne wird durch gesprochene Dekoration, d. h. andeutende Rede in die einzelnen Schauplätze verwandelt. Hauptgestalt ist nicht Jakob, sondern Joseph mit der Potiphar-Geschichte.

Dem ‹Jakob›-Spiel folgten eine ‹Judith› (Wittenberg 1536), das Fastnacht-spiel ‹Mvndvs. Ein schöns newes kurtzes spiel von der Welt art vnd natur› (Wittenberg 1537), eine Dramatisierung der alten, vielfach bear-beiteten Fabel von Vater, Sohn und Esel, und als Teil einer Erzvätertri-logie ‹Abraham› (Wittenberg 1540); weiters ein ‹Osterspiel› (o. O. u. J. [1542]) mit der Thomas-Episode, ‹Lazarus› (Wittenberg 1545) als eine Bearbeitung des ‹Anabion› von SAPIDUS und ein ‹Zacheus› (Zwickau 1546).

In dem GEORG SABINUS gewidmeten ‹Spiel von der Welt Art und Natur› be-gegnen den Wanderern, die es niemandem recht machen können, immer neue Leute, Vertreter der verschiedenen Stände, die etwas auszusetzen haben: Bau-ern, die über die Städter klagen; Städter, die über die Bauern klagen; ein Bet-telmönch, dem wegen der Reformation niemand mehr Almosen reichen will; ein Landsknecht, der über einen bevorstehenden Friedensschluß klagt; ein Edel-mann, der die protzenhaften Bürger kritisiert. Zuletzt klagt der Vater über die Verderbtheit aller Stände und die allgemein herrschende Verwirrung:

> Summa: die Welt ist ein Quodlibet,
> Drum der vorwahr am besten thet,
> Der da wär nur von hinnen weit,
> Weit von der Welt in dieser Zeit.

Ein ‹schönes Lied von der Welt Sitten› mit Melodien beschließt das Spiel.

Auch im ‹Lazarus› wird die Anwendung der Musik empfohlen, spe-ziell von Musikstücken der Komponisten PHILIPP VERDELOTH, LUDWIG SENFL und JOHANN WALTHER. Nicht in allen Spielen hielt GREFF sich an die Form des TERENZ. Der ‹Abraham› hat sechs Akte, 7000 Verse und 53 Sprecher, der ‹Zacheus› drei Akte und 60 Sprecher; ‹Judith› for-dert zwei gleichzeitig sichtbare Schauplätze. Das sind alte volkstümliche Elemente. Das Gepränge der geistlichen Spiele lehnte GREFF jedoch ab; sein eigenes Osterspiel ‹Das Leiden vnd Aufferstehung vnsers Herrn Jhesu Christi› (Wittenberg 1538) sollte einen Ersatz bieten für die alte Passion.

Überzeugte lutherische Gläubigkeit und gemütvolles Ausmalen klein-bürgerlichen Lebens sind Charakteristika HANS ACKERMANNS (1. H. 16. Jh.), nach älterer Annahme Schulmeister, nach neuerer Goldschmied in Zwickau. ACKERMANN war Verfasser eines Schulstückes ‹Vom ver-lornen Sohn› (Zwickau 1536). Die 3. veränderte Ausgabe ‹Der unge-ratene Sohn› (1540) steht unter dem Einfluß der Bhandlung des Stof-fes durch HANS SACHS. Das Lehrhafte ist verstärkt, die lutherische Gna-denlehre als Hauptsinn herausgehoben. ACKERMANNS Stück wirkte auf die Dramen des ANDREAS SCHARPFENECKER (1544), NIKOLAUS RIS-LEBEN (1586), LUDWIG HOLLONIUS (1603) und JOHANN NENDORF (1608), indirekt auf NIKOLAUS LOCKE (1619) und die Englischen Komödianten. Das ‹Spiel von dem frommen Gottfürchtigen mann Tobia› (Zwickau

1539), PAUL REBHUN gewidmet, sollte den Zuschauern vor Augen führen, daß gläubiges Vertrauen auf Gott von diesem schließlich belohnt wird. Im ‹Spiel vom barmherzigen Samariter› (1545) wendet der Dichter den Stoff im Sinne der lutherischen Gnadenlehre polemisch gegen die altgläubige Auffassung.

Mit REBHUN verbunden war JOHANNES KRÜGINGER, CRIGINGERUS (1521–1571) aus Joachimsthal, Schulmeister und Pastor. Seine ‹Comoedia Von dem Reichen Mann vnd Armen Lazaro› (Zwickau 1543; erweitert 1555) verlangt eine große Simultanbühne, viele Personen (sprechende und stumme), Musik. Es soll dabei zugehen wie «in einem rechten Venus Berge». Für die Spieler sind ausführliche Bühnenanweisungen, fast schon moderne ‹Regiebemerkungen› beigegeben. Die ‹Tragoedia von Herode vnd Ioanne dem Tauffer› (Zwickau 1545) zeigt die Enthauptung auf offener Bühne und endet im fünften Akt wie ein Totentanz: Die Tochter wird vom Tod erwürgt, Herodes stirbt durch Selbstmord, Herodias wird, während sie an seiner Leiche klagt, vom Tode fortgeführt.

Der durch seine Sprichwörtersammlung bekannte JOHANNES AGRICOLA brachte in einer ‹Tragedia Johannis Huss› (Wittenberg 1537) den Ketzerprozeß, der auf dem Konzil von Konstanz durchgeführt wurde, auf die Bühne (vgl. S. 324). HUS erscheint nicht als Eiferer und Krakeeler, sondern fordert ruhig sein Recht, behauptet sich in den vielen Disputationsszenen, rühmt im Verhör WYCLIF und spricht ergriffen zum Volk. AGRICOLA macht ihn zum vorreformatorischen Heiligen und Märtyrer. Er fühlt mit seinem Helden, wenn HUS etwa, vertrauend auf das zugesicherte freie Geleit, den Konzilsaal betritt, dort freundlich begrüßt, bald aber beschimpft und verhaftet wird. Tendenziöse Bühnenanweisungen sollen die Wirkung verstärken. An das Stück knüpft sich ein vereinzeltes Beispiel einer zeitgenössischen literarischen Kritik auf dem Gebiete des Dramas. JOHANNES COCHLAEUS veröffentlichte 1539 unter dem Pseudonym JOHANN VOGELGESANG in seinem ‹Heimlich Gesprech von der Tragedia Johannis Hussen› eine abfällige Beurteilung. In dem ‹Gespräch› zwischen LUTHER und MELANCHTHON wird AGRICOLAS Stück mit den Tragödien des SOPHOKLES, EURIPIDES und SENECA verglichen und gerügt, wobei im einzelnen die große Personenzahl (38), der niedere Stil und die schlechten Reime bemängelt werden.

LUTHER-Wittenbergische Anregung wird sichtbar bei HEINRICH KNAUST, CHNUSTINUS (1524–nach 1577) aus Hamburg. Er studierte seit 1537 in Wittenberg und stand unter dem Einfluß von VALENTIN VOIGT. KNAUST dramatisierte in einer ‹Tragedia von verordnung der Stende oder Regiment› (Wittenberg 1539) die auch von HANS SACHS gestaltete Geschichte von den ungleichen Kindern Evas, nach der Version, die ihr MELANCHTHON gegeben hatte. In Berlin ließ KNAUST zu Dreikönig 1541 ein Spiel von der ‹Geburt Christi› (1541) aufführen, das mit der Verkündigung beginnt und mit dem Selbstmord des Herodes endet, der sodann von Teufeln in die Hölle geschleift wird. Da der aus Straßburg stammende Pfarrer CHRISTOPH LASIUS (1504–1572) in Spandau nur wenig später 1549 ebenfalls ein ‹Trostspiel› ‹Von der Geburt Christi› (Frankfurt a. d. O. 1586) aufführen ließ, das breite Teufelsszenen enthält, wurden beide wohl von älteren Traditionen angeregt. Die Geburt Christi wurde im 16. Jahrhundert in zweierlei Form dramatisiert: In der strengen Form nach TERENZ, die als erster KNAUST anwendete, oder in mittelalterlicher Weise, wie etwa durch den Pritschmeister BENEDIKT EDELPÖCK († 1602) in der ‹Comedie von der freudenreichen geburt . . . Christi› (1568) für Erzherzog FERDINAND VON TIROL.

Das erste und bedeutendste volkstümliche Teufelsschauspiel der Reformationszeit stammt von JOHANNES CHRYSEUS aus Allendorf. Solche Teufelsschauspiele erschienen von 1545 bis 1575 mehrere. Sie wurden dann von den Stücken der Englischen Komödianten verdrängt. Der offenbar von NAOGEORG angeregte CHRYSEUS bringt ein Daniel-Drama: ‹Hofteufel. Das Sechste Capitel Danielis, den Gottfürchtigen zu trost, den Gottlosen zur warnung, Spielweis gestellet, vnd in Reim verfast› (Wittenberg 1545). Die Widmung nimmt bezug auf die Gefangennahme und den Verlust der Kurwürde des Herzogs JOHANN FRIEDRICH VON SACHSEN. Das Stück ist in fünf Akte gegliedert. Darin wird die Geschichte vom Propheten Daniel in der Löwengrube zu einem protestantischen Kampfdrama benützt, das die Intrigen und Ränke der Schmeichler an den Fürstenhöfen vor Augen führen soll.

Der Hofteufel, der als Mönch verkleidet auftritt, ist von Beelzebub gesandt, um Daniel, den Statthalter, beim Kaiser zu Fall zu bringen. Daniel ist wie ein guter protestantischer Pfarrer gezeichnet, ausgestattet mit allen Tugenden des Propheten. Die Hofteufel sind die Papisten, der Papst heißt Pammachius. Zu Daniels Feinden gehören der LUTHER-Gegner Herzog HEINRICH VON BRAUNSCHWEIG und der Kardinal ALBRECHT VON MAINZ. Geschildert und getadelt werden ferner der Verfall der Reichsjustizpflege, die Herzenshärte der Richter, die Mängel des gerichtlichen Verfahrens etc. Im Epilog wird nochmals die Tendenz des Dramas formuliert: Gott errettet die Seinen und macht die Anschläge seiner Feinde zunichte; die Getreuen des Herrn sollen daraus Trost gewinnen.

Der mit Allegorien, Höllengestalten, einer großen infernalischen Orgie u. dgl. arbeitende ‹Hoffteufel› ist ein polemisches Gemälde der Zustände an manchen Fürstenhöfen und der damaligen Justizverhältnisse und gilt als die beste deutschsprachige Leistung der sächsischen Dramengeschichte. Die Wirkung reichte bis ins 17. Jahrhundert.

Auf *niederdeutschem Gebiet* begannen die Schauspiele im 15. Jahrhundert und dauerten bis ins 17. Jahrhundert. Abgesehen von den in hochdeutsche Spiele eingefügten niederdeutschen Possen bei FRANCISCUS OMICHIUS, JOHANNES BECHMANN, NIKOLAUS LOCKE, ist zunächst

‹De Brillenmaker und de X Boven› oder ‹Der Schevekloth› bekannt, aufgeführt zur Fastnacht 1520 von Hildesheimer Bürgern.

Der Brillenmacher ist ein Mensch, der durch seine Instrumente ein scharfes Erkennen ermöglicht; Schevekloth die Schieb- oder Wurf-Kugel eines Spieles. Das stark allegorisierende Spiel verspottet in großenteils heute nicht mehr verständlichen Anspielungen die Adeligen des Bistums, die sich gegen Finanzmaßnahmen des Bischofs JOHANN IV. von Hildesheim aufgelehnt hatten, sich diesem aber in der Schlacht auf der Soltauer Heide beugen mußten. Der Bischof tritt als Brillenverkäufer auf, der mit zehn Buben, den Adeligen, in Streit gerät. In einer der vier Handschriften, die das Spiel überliefern, wird berichtet, daß der Bischof dieses Spiel mit einem erklärenden Text auch in einem Kreuzgang habe abbilden lassen. Später habe die zur Herrschaft gekommene Gegenpartei das Gemälde zerstört.

Das Motiv, das NIKLAS MANUEL im ‹Barbali› und vor ihm bereits HANS SACHS in der ‹Disputation zwischen einem Chorherren vnd Schuhmacher› verwendet, die Klage der Geistlichen nämlich, daß der gemeine Mann nun die Bibel studiere und mit seinen Zitaten den Klerus in Verlegenheit bringe, erscheint auf niederdeutschem Gebiet bei einem gewissen M. BADO, MINDENSIS, ‹quondam dicipulus Erasmi Roterdami›, im ‹Claws Bur› (1523). Der Bauer Klaus vertritt in einer Wirtshausdebatte bibelkundig und handgreiflich die wahre Lehre Christi gegenüber einem Vikar, Fiskal und Doktor der Theologie. Dabei geht es weniger um die Person LUTHERS als um die Wahrheit.

Die alte Erfahrung, daß die revolutionären Parteien eine stärkere Energie und Kampflust entfalten als die konservativen, bestätigt sich auch in den kirchlichen Auseinandersetzungen des 16. Jahrhunderts. Man findet auf katholischer Seite weniger dramatische Polemiker als auf der protestantischen. Das unter dem Namen DANIEL VON SOEST gehende dialogische Gedicht ‹Ein gemeyne Bicht oder bekennung der Predicanten to Söst› (vgl. S. 96 f.) schildert in Form einer Komödie die Einführung der Reformation in Soest und das Treiben der dortigen Prediger, witzig, geschickt, in frischer lebendiger Darstellung. Eine zweite Schrift ähnlichen Inhaltes, ‹Ein Dialogon, darjnne de sprock Esaie am ersten Capitel, nömlich: Wü iß de getrüwe Stadt ein Hoern worden› (1537; gedr. 1539), ist in Form eines Dialoges zwischen Daniel und Philochristus abgefaßt.

Nach *Österreich* brachte das deutsche Schuldrama WOLFGANG SCHMELTZL (ca. 1500–ca. 1560) aus Kemnat in der Oberpfalz, seit 1542 Schulmeister am Schottenstift in Wien. Er verfaßte zwischen 1540 und 1551 sieben Dramen, alles Bearbeitungen beliebter Stoffe: ‹Aussendung der zwelff poten› (Wien 1542) in Verbindung mit dem Evangelium vom Jüngsten Gericht und der Frage des reichen Jünglings wegen des Gesetzes; die vier Komödien ‹Judith› (Wien 1542), ‹Vom dem plintgeboren Sonn› (1543), ‹Die hochzeit Cana Galilea› (1543), nach BINDERS ‹Acolastus› den ‹Verlornen Son› (1545); die ‹hystoria› von ‹David vnd

Goliath› (1545) und ‹Samuel vnd Saul› (1551), worin die Verderblichkeit der Rebellion vorgeführt werden sollte. Gleichwohl vermochte SCHMELTZL dem deutschen Schuldrama in Österreich keine feste und dauernde Heimat zu gründen. Nach SCHMELTZL sind daher nur wenige Versuche zu nennen. SIMON GERENGEL, ehemals katholischer Pfarrer zu Aspang, dann in Deutschland Anhänger der Reformation, verfaßte im Kerker und in Befürchtung eines ähnlichen Schicksals eine ‹Hystoria von der enthauptung des Heyligen Johannis des Tauffers› (1553). WOLFGANG HERMANN aus Öttingen, Katholik, behandelte das Opfer der hl. drei Könige und den bethlehemitischen Kindermord in einer Tragödie (gedr. Salzburg 1557). LEONHARD STÖCKEL, Schulmeister zu Bartfeld in Ungarn, verfaßte nach SIXT BIRCKS lateinischem Stück eine deutsche Tragödie ‹Susanna› (gedr. Wittenberg 1559). Das Drama wurde später in Prosa umgeschrieben und blieb als ‹Volksschauspiel› bis in das 19. Jahrhundert lebendig. Von THOMAS BRUNNER aus Landshut, Schulmeister in Steyr, stammen die Stücke ‹Jakob und seine zwölf Söhne› (gedr. Wittenberg 1566), ‹Tobias› (1568/69), ‹Isaac vnd Rebecca› (1569).

Als eine der namhaftesten Lateinschulen, die Dramenaufführungen pflegten, galt die Akademie in *Straßburg,* wo in den Jahren 1583 bis 1621 einunddreißig meist biblische Dramen über die Bühne gingen. Diese Straßburger Schulbühne wurde mit der Aufführung einer ‹Comoedia nova et sacra› über den wiederbelebten Lazarus, betitelt ‹Anabion sive Lazarus Redivivus› (1539), von JOHANNES SAPIDUS, WITZ (1490 bis 1561), dem Rektor der Schule, für viele Anstalten zum Vorbild. Seinen Höhepunkt erreichte das Straßburger Schultheater unter dem Rektor JOHANNES STURM (1507–1589). Von BUCER 1537 als Professor für klassische Sprachen und zur Organisation des Schulwesens nach Straßburg gebracht, gründete er mit JAKOB STURMS Hilfe ein evangelisches Gymnasium für klassisch-humanistische Bildung. Die Lehrordnung legte er in der Schrift ‹De literarum ludis recte aperiendis› (1538) nieder. STURM förderte neben den neulateinischen Schuldramen die Aufführung antiker Stücke, so daß er 1580 dem Stadtrat gegenüber feststellen konnte, daß innerhalb weniger Jahre nicht nur die wichtigsten Werke von TERENZ, PLAUTUS und SENECA, sondern auch von SOPHOKLES und EURIPIDES aufgeführt wurden.

Die dramatische Produktion in der zweiten Hälfte des 16. Jahrhunderts war ungemein breit und reichhaltig. Gespielt wurde von Handwerkern und Schülern. Gedruckt wurden zumeist die von den Schulmeistern verfaßten Stücke, von den Handwerkeraufführungen erfahren wir gewöhnlich nur aus Berichten und Stadtarchiven. Das Schuldrama bot gute Lehren am Beispiel biblischer oder profaner Stoffe, das Fastnachtspiel nicht viel mehr als grobe Späße. Aber es gibt auch Ansätze zu Neuem und Produkte, die auch heute noch Interesse erwecken.

JOHANNES RÖMOLD aus Duderstadt (Eichsfeld) verfaßte ein ‹Spiel von dem grewlichen Laster der Hoffart› (Eisleben 1564).

Es behandelt den gleichen Stoff wie HANS SACHS in ‹Kaiser Julianus› (1556), die Geschichte von dem König, der sich vermessentlich überhebt und durch Demütigung gebessert wird. König Balencius duldet im Lied seiner Sänger nicht das ‹Deposuit potentes›, denn er will nicht hören, daß Gott auch die Mächtigen vom Throne stieß. Da nimmt eines Tages, während er im Bade ist, ein Engel seine Gestalt an. Der König wird sofort verjagt, kommt nackt vor sein Schloß und muß alle möglichen Demütigungen erdulden, bis der Engel ihm schließlich die Königswürde zurückgibt. Nun läßt der Reumütige das ‹Deposuit› singen. Der dritte Akt ist ein Zwischenspiel mit Narrenszenen.

Der Schlesier HIERONYMUS LINCK (urk. 1558–1565) dichtete im Anschluß an das Buch der Könige (I, 1–3) eine ‹Comedi von Hoffart und Demut› (1565) und demonstrierte daran die Eitelkeit irdischer Hoffart. FRANCISCUS OMICHIUS († 1591), Schulmeister in Gustrow, machte die Geschichte von ‹Damon und Pythia› (Rostock 1578) zu einem Spiel, dessen Thema die Freundschaft ist. LUCAS MAI (1522–1598), Schulmeister in Hildburghausen, schrieb eine Komödie ‹Von der wunderbarlichen vereinigung Göttlicher gerechtigkeit vnd barmhertzigkeit› (Wittenberg 1562) im Stil REBHUNS. Sie behandelt nach einer Predigt des HL. BERNHARD VON CLAIRVAUX den Prozeß um die Seele des gefallenen Menschen mit Engelschlacht, Teufelsprügelei und Vertreibung des ersten Menschenpaares aus dem Paradies.

In MAIS Nachfolge griff GEORG SCHMID, Pfarrer zu Grünstadt bei St. Martin, die Allegorie des Rechtsstreites um die Seele der ersten Menschen in der Komödie ‹Adam und Eva› (1565) auf. Ein burleskes Nachspiel versucht, die Kräfte des Teufels und der Sünde lächerlich zu machen, um den Glauben der Gemeinde zu stärken.

Bei JOACHIM ARENTSCHE hält in der ‹Comoedia des Geistlichenn Malafitzrechtenn› (1587) Christus als Feldhauptmann Gericht über Adam, weil er die zehn ‹Kriegsartikel› übertreten hat. Sein fester Glaube rettet aber den Sünder. JOHANN BAUMGART, POMARIUS (1514–1578) dramatisierte in Magdeburg für eine Schulaufführung den biblischen Bericht vom weisen Urteil Salomons: ‹Jvditivm. Das gericht Salomonis› (1561), wortreich, schwerfällig im Gang der Handlung, nur die derben volkstümlichen Szenen zeigen Ansätze einer Charaktergestaltung. Am Schluß erfolgt eine dreifache allegorische Auslegung.

Von weiteren Verfassern deutscher Dramen seien wenigstens genannt: Ein Anonymus mit ‹Ein schön Tragoedia von Heli dem Hohenpriester vnd zwey seinen Sünen› (Nürnberg 1548), JOHANN NARHAMER aus Hof mit einer ‹Historia Jobs› (1546), THOMAS SUNNENTAG aus Waldsee mit einem ‹Spil von dem Ehebrüchigen Weib› (1552), ANDREAS

PFEILSCHMIDT aus Dresden mit einer ‹Esther› (1555), PETER PRAETORIUS mit einer ‹Historia von der Hochzeit Isaac vnd Rebeccae› (1559), DANIEL WALTHER mit einer ‹Historia von der entheuptung Iohannis Baptistae› (1559), WOLFGANG KÜNTZEL mit einem ‹Spiel vom König, so mit seinen Knechten rechnen wolte› (1561) und einer ‹Esther› (1564), ANDREAS HOPPENRODT mit dem ‹Gulden Kalb› (1563), MICHAEL SACHSE mit der ‹Tragedia von Stephano dem heiligen marterer› (1564), JOHANNES BISCHOFF mit einer ‹Comoedia Vom Schalkhafftigen Knecht› (1568) nach MATTH. 18, JAKOB CORNER aus Harzgerode mit ‹Apelles, Ein schöne Historia Wider die Verleumbder› (1569), GEORG SCHMID aus Jena mit ‹Adam und Eva› (1565), SAMUEL HEBEL aus Hirschberg mit einer ‹Judith› (1566).

Von Volksbuchstoffen, die in Spiele umgesetzt wurden, seien genannt die Dramatisierungen des Magelonenstoffes nach dem Volksbuch von 1527: die anonyme ‹Historia magelonae Spiel weiß jn Deutsche reimlein gebracht durch einen Studenten› (1539) mit einem Vorwort GEORG SPALATINS, HANS SACHS mit ‹Die schöne Magelone. Comedi mit 19 Personen und hat 7 Actus› (1555) und SEBASTIAN WILD mit ‹Ein Tragedi von dem Ritter Peter und der schön Magelona› (1566), sowie eine anonyme ‹Grysel› (‹Griseldis›?, Augsburg o. J.).

In Brandenburg, Pommern und Preußen betätigte sich als deutschsprachiger Dramatiker GEORG BÖMICHE, Magister und Kirchendiener in Brandenburg, mit einer Tragödie ‹Theomachus› (1565) und einer Komödie vom ‹Hirtenamt Christi› (1565). In Braunschweig-Lüneburg schuf KONRAD GRAFF, Prediger zu Duderstatt, eine ‹Susanna› (1566). In Mecklenburg dichtete der in Schwerin als Schulmann tätige BERNHARD HEDERICH eine Tragicocomoedia von ‹Dauid vnd Absolon› (1569).

In Magdeburg verfaßte GEORG ROLLENHAGEN, der Dichter des ‹Froschmeuseler› (vgl. Kap. 162 f.), ein Stück ‹Abraham› (1569), einen ‹Tobias› (1576), im Anschluß an JOACHIM LONEMANN ein Spiel ‹Vom reichen Manne und armen Lazaro› (1590) und ließ 1594 mit umfangreichen Prologen in deutscher Sprache den TERENZ aufführen.

In den 60er Jahren entstanden auch die später (1589/90) gedruckten kleinen neutestamentlichen Dramen des CYRIACUS SPANGENBERG: ‹Vom Cananeischen Weiblein› (MATTH. 15), ‹Von der Heilung des Besessenen› (LUK. 11), ‹Von der Ehebrecherin› (JOH. 8) und ‹Von der Speisung der Fünftausend› (JOH. 6), anspruchslose Hausspiele, die er durch seine eigenen und die Nachbarskinder aufführen ließ.

An die Grenze des zu behandelnden Zeitraumes gehören die deutschen Dramen des NIKODEMUS FRISCHLIN (1547–1590): ‹Frau Wendelgard› (1580), ‹Ruth›, ‹Hochzeit zu Cana›, die ‹Joseph›-Fragmente. Auch die lateinischen Dramen FRISCHLINS wurden durch Übersetzungen ins Deutsche verbreitet. Sein Bruder JAKOB übertrug die ‹Rebecca› (1589), die ‹Susanna› (1589) und den ‹Julius redivivus› (1585); sogar das LUTHER-Drama ‹Phasma› fand Übersetzer (1593 und 1606) (vgl. Bd. V, S. 78 ff.).

4. Die Anfänge des Jesuitendramas. Die ersten Englischen Komödianten.

Gemäß der Aufgabe der Erneuerung des Christentums und Restauration der alten Kirche, die sich der *Jesuitenorden* setzte, trat die erste Generation der Mitglieder – die zumeist aus den romanischen Ländern stammten, wo dem Schauspiel im kulturellen Leben eine große Bedeutung zukam – weit über den Umfang des protestantischen Schuldramas das Erbe der Zeit an, indem sie an Bestehendes anschloß oder halberloschene Traditionen wieder entfachte.

Um mit dem zeitgenössischen Theater konkurrieren zu können, wählte man zunächst aus den Moralitäten, dem biblischen Volksschauspiel und den Schulkomödien brauchbare Stücke aus und stellte sie unter Mitwirkung von Ordensangehörigen und Schülern auf die Bühne. Sehr bald setzte die eigene Produktion des Ordens ein. Sie äußert sich hauptsächlich in vier Arten von Stücken. Für das gebildete Publikum waren die *Dialoge* bestimmt. Sie waren vorzüglich auf Dialektik eingestellt und wurden im Rahmen von Festlichkeiten in der Kirche oder während der Prozessionen abgehalten. Diese halbdramatische Dialogliteratur beginnt in der ersten Hälfte der 60er Jahre (Köln 1561, Wien 1565) und hält bis gegen Ende des Jahrhunderts an. Der Wirkung auf die Gebildeten wie auf das Volk dienten *die geistlichen Spiele*. Sie wurden im Freien abgehalten und knüpften an die geistlichen Volksstücke des Mittelalters an und bilden diese weiter. Mit zunehmender Beherrschung des höheren Schulwesens und dem Vorhandensein weitläufiger Bauten bildete sich seit Ende des 16. Jahrhunderts das *Auladrama* heraus. Auf diesem Schultheater im engeren Sinn wurden die Prunkvorstellungen am Ende des Studienjahres oder zu besonderen Festlichkeiten abgehalten. Die Übernahme und Verwendung der italienischen Verwandlungsbühne bewirkte im Laufe des 17. Jahrhunderts eine neue Gestalt des Dramas. Um die Zöglinge der Jesuitenschulen für die Aufgaben dieser Darstellungen zu üben, gab es schließlich noch die *Declamationes,* monatliche Übungsstücke, die als interne Veranstaltungen auf einem Übungstheater meist mit vollem szenischem Beiwerk abgehalten wurden. Diese verschiedenen Arten der Stücke hinderten nicht, daß bei passender Gelegenheit, namentlich in der Frühzeit der Entwicklung, auch moralisierende Fastnachtspiele, Oster- und Passionsspiele, Weihnachts- und Fronleichnamsspiele auf die *Jesuitenbühnen* kamen.

Solange die lateinsprachige Jesuitenbühne ein Konkurrent des Humanisten- und Schuldramas war, stand der erzieherische Zweck im Vordergrund. Sehr bald aber dehnte man den Interessentenkreis über die Schule auf die Eltern, Verwandten und Bekannten aus, und schließlich wollte das *Jesuitenstück* mit allen verfügbaren Mitteln der Darstellungs-, Regie- und Inszenierungskunst auf die Zuschauer wirken und den Gebildeten wie dem Volk die Wahrheit und Rechtmäßigkeit der katholischen Lehre samt ihren Grundwahrheiten deutlich machen, und zwar als eine Art veranschaulichte, in Geschehen umgesetzte Predigt. War das Schuldrama des 16. Jahrhunderts zum großen Teil eine Erscheinung der Reformation, so ist das Jesuitenstück ein Ausdruck der Gegenreformation. Das Jesuitendrama wirkte am Ende des 16. Jahrhunderts und zu Beginn des 17. Jahrhunderts mächtig auf das Drama der Protestanten und erlebte durch das Auftreten von Persönlichkeiten wie MASEN und AVANCINUS eine zweite, bis ins 18. Jahrhundert währende Blüte.

Die Kunst des Dramas und Schauspiels war den Patres nicht Selbstzweck, sondern wurde von ihnen in den Dienst der Sache Gottes und der katholischen Kirche gestellt. Die Stoffe sind so gewählt oder in dem Sinne bearbeitet, daß sie zur Verachtung der Welt hinlenkten und die Wandelbarkeit des Glückes, die Kürze des Lebens und die Gefahr eines jähen Todes veranschaulichten. Der Kampf des sündigen Menschen mit den inneren bösen Neigungen und äußeren Dämonen, der Wert der Erlösung, die Notwendigkeit der Gnade, die Schrecken des Jenseits, die Möglichkeiten der kirchlichen Vermittlungshilfe – all diese Themen sollten vor Augen gestellt werden, um die Zuschauer dadurch zu einem bußfertigen Leben zu veranlassen. Die christliche Auffassung des Leidens als Prüfung Gottes und des Untergangs als Strafe für die eigenen Sünden ließen eine echte Tragik nur schwer aufkommen. Die scharf dualistische Weltanschauung aber ermöglichte den Kampf mit einem Gegenspieler, freilich meist nur äußerer tyrannischer und satanischer Macht. Die Heranziehung des Grausigen, Schauerlichen und Dämonischen diente der Wirkung zur Eindringlichkeit.

Die *Frühzeit des Jesuitendramas* war anfangs von den Moralitäten der niederländischen Renaissance, dem alten biblischen Volksschauspiel und der italienisch-plautinischen Schulkomödie beherrscht. Die ersten Dramen, die man aufführte, waren der ‹Euripus› des LEVIN BRECHT (Wien, Köln 1555), die Moralitäten ‹Hecastus› des MACROPEDIUS und der ‹Homulus› des JASPAR VON GENNEP, dann das Prodigus-Stück ‹Acolastus› des GNAPHEUS. Nach dieser Einführung und Legitimierung vor der Öffentlichkeit brachten die Jesuiten das Repertoire des Schultheaters, d. h. PLAUTUS und TERENZ auf die Bühne: ‹Aulularia›, ‹Captivi›, ‹Curculio›, ‹Menaechmi›, ‹Adelphi› etc., zu Wien, Dillingen, Prag, Innsbruck. Den Moralitäten und Schulstücken folgten die biblischen Dramen, wie etwa PETER MICHAELS GEN. BRILLMACHER ‹Athalia› oder ‹Absalon›, ferner biblische Stücke wie Adam, die Versuchung Abrahams, Saul und

David, Tobias (berührt sich mit der ‹Widerspenstigen Zähmung› SHAKE-SPEARES insofern, als Sara ihre ersten sechs Männer umbringt, bevor sie von dem gottseligen Tobias gezähmt wird), Susanna, Esther, Judith, Lazarus, Magdalena, die Enthauptung des Johannes u. a. m., deren Stoffe von MACROPEDIUS, CORNELIUS SCHONAEUS, JAKOB SCHÖPPER u. a. her bekannt waren. Auch einige der frühen Dramen JAKOB GRETSERS gehören hieher. Überdies konnten die Stücke vom verlorenen Sohn leicht zu Spielen vom Studentenleben und zu Schulspiegeldramen gelenkt werden.

Deutschland war durch seine religiöse Reformation bis ins tiefste aufgewühlt, viel zu sehr zerspalten und verwirrt, als daß sich Altheimisches und Humanistisches hätten organisch miteinander verbinden können. Was seit Beginn der reformatorischen Auseinandersetzungen an dramatischen Dichtungen und Spielen vordrang und zustande kam, waren *halbdramatische Lehrstücke* oder mit konfessioneller und politischer Polemik erfüllte Darstellungen von Handlungen. Neben der bürgerlich-klugen Ehrbarkeit, die schon das Denken SEBASTIAN BRANTS erfüllt hatte, verschaffen sich die neuen ethischen und Persönlichkeits-Grundsätze vorerst nur in der Kirchenlehre Gehör, ein von ihnen getragenes Drama läßt auf sich warten. Man vertraut noch immer der Macht der Lehre und des Wortes.

Anders lagen die Dinge in *England*. Dort brachte die Loslösung von der römischen Kirche keine ähnlich tiefen Erschütterungen und Veränderungen mit sich wie in Deutschland. In England konnte es leichter zu einer Synthese von Heimischem und Humanistischem kommen. Und dort entstand tatsächlich in der zweiten Hälfte des 16. Jahrhunderts ein hochwertiges *Drama im engeren Sinn,* ein *Berufsschauspielertum* und ein *Theaterwesen. Die Englischen Komödianten* brachten das Zustandegekommene Ende des 16. Jahrhunderts nach Deutschland.

SECHSTES KAPITEL

DIDAKTISCHES SCHRIFTTUM.
ARTESLITERATUR. WISSENSCHAFT

Im 16. Jahrhundert erschien in Verbindung mit der Reformation zunächst eine Fülle konfessionell ausgerichteten Lehr- und Kontroversschrifttums; bald jedoch drangen die neuen Anschauungen auch ein in Epik, Lyrik und Drama. Von dieser mittelbaren Didaktik zu unterscheiden sind eine direkte *lehrhafte Dichtung* und ein direktes *Lehrschrifttum*. Ihr Zweck ist, die Aufgaben der Zeit zu erfassen und eine Neuformung des Lebens anzustreben. Daneben gibt es eine *Artesliteratur* und ein *wissenschaftliches Schrifttum*. Als ein erster Hauptstrang tritt eine *didaktische und gnomische Dichtung* hervor, Sprichwörter, Beispielsammlungen. Der in der Reformation erstarkte Satansglaube fördert eine eigene *Teufelsliteratur*. Dem Laster des Alkoholismus will die *Trunkenheitsliteratur* entgegenwirken. Lehrgut in mittlere und niedere Kreise des Volkes tragen die Kalender, Wetterbüchlein, Prognostiken und Praktiken. Als anderer Strang lebt die Gattung der *Bilderbücher* weiter und einen besonderen Aufschwung nimmt die *Emblemenliteratur*. Die heimischen Bestände an Didaktik werden erweitert und ergänzt durch *Übersetzungen antiker und humanistischer Lehrschriften ins Deutsche*.

Während der religiösen Auseinandersetzungen wurden auch die *Artesliteratur,* das spätmittelalterliche und humanistische *Fachschrifttum* und die *Wissenschaft* weitergepflegt und ausgebaut. Die Hauptleistungen allerdings erbrachten Persönlichkeiten, die noch aus der vorreformatorischen Zeit stammen: KOPERNIKUS, PARACELSUS, SEBASTIAN MÜNSTER. Die Einrichtung des höheren Schulwesens im Geiste des Humanismus durch MELANCHTHON begünstigte die Pflege der *Artes liberales*. Aus dem *Trivium* werden bei der Poetik und Grammatik die Bemühungen um das Deutsch, die Sprachlehre und Sprachgeschichte, und um die altdeutschen Literaturdenkmäler zusehends intensiver. Die humanistische Historiographie versucht sich auf dem Weg zu einer exakten Wissenschaft in der Landesgeschichte, der griechisch-römischen Geschichte, der Geschichte der Völkerwanderungszeit und des Zeitgeschehens. Aus dem *Quadrivium* gelangt die mathematisch-naturwissenschaftliche Richtung des Humanismus über REGIOMONTAN hinaus zu Erkenntnissen, die das mittelalterliche Weltbild umstürzen. Bei den *Artes mechanicae* ermöglichen die mathematischen Wissenschaften und die Entdecker eine erweiterte Erdkunde und Kosmographie. Die Heilkunde, die Biologie und

Naturphilosophie machen sich das empirische Denken, die Chemotherapie und die Anatomie des menschlichen Körpers zunutze. Als Mediziner, Naturforscher, Naturphilosoph und Laientheologe wirkt dabei PARACELSUS. Bei den *Artes magicae* leben beide Arten der Magie z. T. in intensivierter Pflegeform weiter.

Beim didaktischen und wissenschaftlichen Schrifttum des Reformationszeitalters ist eine Scheidung in deutschsprachige und lateinische Werke nicht angebracht. Die Forschungslage ist wenigstens bei den führenden Persönlichkeiten und in den einzelnen Artes von der Geschichte der Fachwissenschaften her verhältnismäßig günstig.

1. Lehrdichtung und lehrhaftes Schrifttum

Neben der Fabeldichtung und didaktischen Tierdichtung mehr epischer Prägung tritt eine *Lehr- und Denkspruch-Dichtung* in lateinischer und deutscher Sprache hervor. Beide, besonders die Lehrdichtung, setzen die Kenntnis und das Wissen um die vorausgehende *deutsche,* die *antike* und die zeitgenössische *humanistische* Produktion der Gattungen voraus. Aus der altlateinischen Literatur LUCREZ, der in den sechs Gesängen von ‹De rerum natura› sich bemühte, das System EPIKURS in Verse zu bringen, von VERGIL das Landbau-Lehrgedicht ‹Georgica›, von den Griechen HESIODS ‹Erga kai Hemerai›, ‹Taten und Tage›, deren Hauptteil ebenfalls eine Lehre von der Landwirtschaft darbot. Beide Werke waren von den Humanisten wieder erschlossen worden und wurden eifrig gelesen. Doch solche umfangreichen Lehrgedichte in gebundener Rede sind in der deutschen Literatur des Reformationszeitalters nicht zustande gekommen, dagegen aber eine Menge Kleinformen in Prosa und Vers verschiedenen Inhaltes. Häufig sind Lehrdichtung, lehrhaftes Schrifttum und Wissenschaftsliteratur nicht streng von einander zu scheiden.

Das lehrhafte Schrifttum bedient sich der Form der Rede, versifizierter Pädagogik, teilweise auch noch des Exempels. Auch die Kleinform des Sprichwortes gab in den religiösen und geistigen Auseinandersetzungen die Möglichkeit, auf die Menschen in einem bestimmten Sinn einzuwirken. Man sammelt deutsche Sprichwörter, kommentiert sie und gibt sie in Druck, wie JOHANNES AGRICOLA und SEBASTIAN FRANCK.

Schon das ausgehende Mittelalter kannte Bilderbogen und *Bilderbücher,* d. h. bildliche Darstellungen mit Texten in Vers und Prosa. Humanismus und Renaissance brachten eine *Emblemenliteratur,* Emblematik und Sinnbildkunst hervor, d. h. eine literarische Gattung, in der Bild und Wort zu einer Einheit verschmolzen sind.

Als Themen der lehrhaften Literatur werden bevorzugt: das Verhältnis zur Obrigkeit, die Ehe, die Stände, die Macht des Geldes, Zwietracht,

Einigkeit, Fehler, Laster, Schwächen. Kommt Satire zur Anwendung, so ist ihr Endzweck immer auch die moralische Besserung der Menschen.

a) Didaktische und gnomische Dichtung. Teufelsliteratur. Trunkenheitsliteratur

Die Lehr- und Denkspruch-Dichtung in lateinischer Sprache ist ungemein umfangreich. Die gesamte neulateinische Dichtung zeigt sich durchsetzt von didaktischen Elementen. Diese lehrhafte Absicht stammt großenteils noch von der Humanisten-Poesie und ihrer Verbindung mit dem Unterrichtswesen her. So war für das mittlere und höhere Schulwesen die neulateinische Verskunst ein wirksames Mittel der Erziehung. Echte Dichtung kam dabei freilich nur in Einzelfällen zustande. Aber weil man nach neuen Einkleidungen suchte, stärkte man wenigstens die Kraft der Erfindung. An Gattungen und Formen treten hervor: 1. Eine große Anzahl versifizierter Universitätsreden. Sie haben meist didaktisches Gepräge und verbinden Poetik mit Rhetorik. – 2. Die Erzeugnisse der Enkomiastik, d. h. versifizierte Lob- und Preisreden auf verschiedene Wissenschaften und Disziplinen, wie etwa die Astronomie, Grammatik etc. – 3. Versuche, die neulateinische Poesie der Schule dienstbar zu machen. Dabei bringen ADAM SIBER, Rektor der Fürstenschule zu Grimma, und GEORG FABRICIUS, Rektor des Gymnasiums zu Meißen, recht anschauliche ‹Carmina› über das fest geregelte Leben ihrer Anstalten zustande. Auf Universität und evangelische Schule beziehen sich die Dichtungen des ANTON MOCKER in Erfurt, ein ‹Bellum scholasticum› (ca. 1552) und die ‹Paedonomia› (Erfurt 1596). Auf katholischer Seite wirkten in ähnlichem Sinn die Schulrektoren in Emmerich HENRICUS URANIUS (‹Ode scholastica›, Köln 1565 u. ö.) und GERHARD ROVENIUS (‹Cantilena scholastica›, Köln 1579 u. ö.).

Zur religiösen Lehrdichtung des 16. Jahrhunderts gehört die ‹Agricultura sacra› (Basel 1550) des THOMAS NAOGEORG. In fünf Büchern mit insgesamt 5000 Hexametern wird leicht faßlich dargelegt, welche Vorbildung tüchtige evangelische Pfarrer haben und wie sie sich im Amte verhalten sollen.

Die neulateinische Dichtung zieht in ihre Bereiche auch Dinge und Gegenstände mit ein, die man später nicht mehr als dem Bereich des Poetischen zugehörig betrachtete. Sogar EOBAN HESSE, allerdings Dichter und Arzt, versifizierte ‹Vorschriften zur Erhaltung einer guten Gesundheit› (‹Praecepta salubria› und ‹De tuenda bona valetudine›). Der Franke VINZENZ OBSOPOEUS erörtert in drei Büchern ‹Die Kunst des Trinkens› (‹De arte bibendi libri tres›, Nürnberg 1536) im Sinn des Maßhaltens. Ein Schüler MELANCHTHONS, MATTHÄUS DELIUS (1523–1544), machte ‹Die Kunst des Scherzens› (‹De arte jocandi libri IV›) zum Thema

der Lehrdichtung. Der Poetik sind die Lehrdichtungen des ELIAS COR-
VINUS und des kaiserlichen Leibarztes PAUL FABRICIUS gewidmet. Der
bereits genannte GEORG FABRICIUS faßte in einem Verzeichnis der hervorragendsten neulateinischen Dichter (1546 u. ö.) das Eigentümliche
jeder Persönlichkeit in ein Distichon. Ähnliches versuchte BARTHOLO-
MÄUS BILOVIUS in seinen ‹Gärten der deutschen Poeten› (1596).

Für die Gnomik sind charakteristisch die Gedichte des JOHANNES CA-
SELIUS und die Sammlungen der Sinnsprüche des MATTHAEUS ZUBER
(1571–1623).

Wie die frühneuhochdeutsche satirisch-didaktische Literatur und wie
einzelne Humanisten schätzte auch die Literatur des Reformationszeitalters die einprägsame kurze Rede, das Sprichwort. LUTHER selbst fügte
in seine für weitere Volkskreise bestimmten Schriften zahlreiche Sprichwörter ein. Er begrüßte auch die erste Sprichwörtersammlung des JO-
HANNES AGRICOLA, forderte in der Vorrede seiner Fabelsammlung zu weiterer Sammeltätigkeit auf und legte sich eigenhändig eine Sammlung
von nahezu einem halben Tausend Sprüchen an.

Die Hauptsammler deutscher Sprichwörter waren zwei mit der Geschichte der Reformation eng verbundene Persönlichkeiten, JOHANNES
AGRICOLA und SEBASTIAN FRANCK. Von AGRICOLA besitzen wir drei
Sammlungen: eine mit 300, eine zweite von 449, eine dritte von 500
Sprichwörtern. ‹Drey hundert Gemeyner Sprichworter, der wir Deutschen
vns gebrauchen, vnd doch nicht wissen, woher sie kommen› (Hagenau
1529 u. ö.), die erste Sammlung, dem Herzog JOHANN FRIEDRICH VON
SACHSEN gewidmet, wurde nach dem Zwickauer Nachdruck (1529) von
einem Unbekannten ins Niederdeutsche übertragen. Die zweite Samm-
lung, ‹Das Ander teyl gemeyner Deutscher sprichwortter, mit yhrer außlegung› (Hagenau 1529 u. ö.), wurde bald mit der ersten verbunden und
umfaßte nun ‹Sybenhundert vnd Fünfftzig Teutscher Sprichwörter› (Hagenau 1534 u. ö.). Erst die dritte Sammlung bringt wieder durchweg
Neues: ‹Fünfhundert Gemainer Newer Teütscher Sprüchwörter› (1548).
Die ‹außlegung›, die AGRICOLA beigab, löste bei LUDWIG VON PASSA-
VANT zwar eine Gegenschrift aus, aber sein Beispiel machte doch Schule.
So trat JOHANNES GLANDORP († 1564) aus Münster mit ‹Disticha ad
bonos mores paraenetica› hervor, EBERHARD TAPPE aus Lüne bei Lüneburg stellte deutsche Sprichwörter mit griechischen und lateinischen zusammen: ‹Germanicorum adagiorum centuriae septem› (Straßburg 1539
u. ö.).

Übertroffen wurde AGRICOLAS Sammlung nur durch SEBA-
STIAN FRANCK und zwar sowohl hinsichtlich Umfang wie Auslegung. In
seine ‹Sprichwörter. Schöne, Weise, Herrliche Clugreden vnd Hoffsprüch›
(Frankfurt a. M. 1541 u. ö.) nahm er außer Sprichwörtern auch sprichwört-
liche Redensarten, Fabeln und kleine Erzählungen auf.

Eine Sammlung von 1532 umfaßt ‹Sibent halbhundert Sprichwörter, Wie vnd wo sie in Teutscher Spraach von zier vnd abkürtzung wegen der Rede gebraucht werden› (Frankfurt a. M. bei CH. EGENOLFF 1532). Aus AGRICOLA, FRANCK, der Sammlung von 1532 und aus noch anderen Quellen wurden die bei EGENOLFF gedruckten ‹Klugreden› kompiliert und häufig neu aufgelegt: ‹Sprichwörter, Schöne, Weise, Herrliche Clugreden, vnd Hoffsprüch› (Frankfurt a. M. 1541 u. ö.). ANDREAS GARTNER aus Marienberg übertrug lateinische und deutsche Sprüche und Sprichwörter in Reime: ‹Teutsche Sprichwörter von den Sitten vnd gantzem Leben des Menschen› (Frankfurt a. M. 1566 u. ö.). ANTON MOCKER stellte ‹Proverbialia et moralia disticha Germanico-Latina› (o. O. u. J.) zusammen. GEORG MAYR, Schulmeister in Augsburg, gab zur Ergänzung der älteren Sammlungen eine Reihe von Lebens- und Sittenregeln heraus: ‹Etlich hundert schöner, lustiger vnd gemainer Teütscher Sprüchwörter› (Augsburg 1567). Der Lyriker und Arzt BRUNO SEIDEL veröffentlichte eine lateinisch-deutsche Sprichwörtersammlung ‹Sententiae proverbiales› (1568), bereichert unter dem Titel ‹Loci communes proverbiales› (1572) und abermals vermehrt als ‹Paroemiae ethicae sive sententiae proverbiales morales› (Frankfurt a. M. 1589) mit 3500 lateinischen Sprüchen in leoninischen Hexametern, denen eine deutsche Übersetzung beigefügt ist. In einer Art Vorspruch gibt SEIDEL eine Aufzählung der im 16. Jahrhundert beliebtesten Schwank- und Volksbücher. Von den späteren Sammlern, Bearbeitern und Herausgebern, die bereits die uns gesteckte Zeitgrenze überschreiten, sei nur noch der Satiriker JOHANNES SOMMER mit der Sprichwörtersammlung ‹Paroemiologia Germanica› (1606) und dem Rätselbuch ‹Aenigmatographia rhythmica› (1606) genannt.

Nachdem sich schon im 15. Jahrhundert bei den *Beispielsammlungen* ein Verfall gezeigt hatte, brachten der Humanismus und die Strenge der Reformation die Gattung des alten Exempels zum Erliegen. Ganz verschwunden freilich ist es im 16. und 17. Jahrhundert auch nicht. STEPHAN VIGILIUS übersetzte 1566 PETRARCAS Sammlung historischer Exempla ‹De rebus memorandis› ins Deutsche, DANIEL FEDERMANN die allegorisch-moralischen ‹Trionfi› 1578. LEONHARD BRUNNER übertrug 1535 das Exempelbuch des MARCUS ANTONIUS COCCIUS SABELLICUS. Die von ANTONIUS PANORMITA BECCATILLUS gesammelten ‹Dicta et facta› des Königs ALPHONS VON NEAPEL wurden von einem Anonymus für König CHRISTIAN VON DÄNEMARK verdeutscht und 1545 gedruckt. Nicht nur katholische Prediger benützen die alten Exempel weiter, auch evangelische Kreise verwenden das Beispiel für die Jugendbildung. Der Pfarrer ANDREAS HONDORFF († 1572) legte zu diesem Zweck ein deutsches ‹Promptuarium Exemplorum, Das ist: Historien vnd Exempelbuch› an, das 1568, 1570, 1572 und 1574 gedruckt und von PHILIPPUS LONICERUS

ins Lateinische übersetzt wurde: ‹Theatrum historicum sive Promptuarium exemplorum› (1575). Es ist nach den Zehn Geboten geordnet, umfaßt Geschichten aus alter und neuer Zeit und diente z. B. dem Autor
der Faust-Historie und FISCHART als Quelle.

Fast alle Natur- und Kulturreligionen kennen den Glauben an schädi-
gende Mächte und verkörpern in Religion, Sage und Dichtung schlechte
Eigenschaften und Laster in Gestalt von Dämonen. Der *Teufelsglaube*
des deutschen Mittelalters war zusammengesetzt aus Elementen der jü-
disch-christlichen Glaubenslehre und solchen der germanischen Mythologie. Nach der ersteren wurden der Teufel und die anderen Dämonen als
von Natur gut durch Gott geschaffen, sind aber durch ihren Abfall von
ihm zu bösen Geistern geworden. In der Mythologie wurden nach der
Christianisierung der germanischen Stämme die alten Götter zu Unhol-
den, Vertretern des Bösen und Geschöpfen der Hölle und lebten neben
dem christlichen Teufelsglauben als abergläubische Vorstellungen im
Volke weiter. Im Reformationszeitalter kommt es zur Ausbildung einer
eigenen *Teufelsliteratur,* in der vom kirchlichen Standpunkt gegen die
Laster und Sünden gekämpft wird.

Das deutsche Mittelalter kannte doch keine selbständige Teufelsliteratur, wohl aber Teufelsszenen im geistlichen Drama und älteren Fastnachtspiel, Satire wie des ‹Teufels Netz›, die Literaturgattung der Satansprozesse, auch Teufels- und Hexenglauben in Magie und Mantik und
der damit verbundenen Literatur der Geheimwissenschaften. Bei DANTE,
in Miniaturen des 13. bis 15. Jahrhunderts, bei GRÜNEWALD tritt der
Teufel mit drei Gesichtern auf als Zerrbild des dreieinigen Gottes und
Fürst der Augenlust, Fleischeslust und Hoffart des Lebens. Einen neuen
und erweiterten Geltungsbereich erhielt der Satan durch die *Teufelslehre*
der Reformation. Übereinstimmend sprechen die reformatorischen Bekenntnisse vom Teufel als dem Oberhaupt der gefallenen Engel, dem
Urheber alles Bösen und allen Übels. LUTHER selbst war von der realen
Existenz Satans fest überzeugt und schrieb ihm für sein eigenes Leben
eine große Rolle zu. Der Teufel ist für den Reformator das Werkzeug
des göttlichen Zornes; im ‹Großen Katechismus› führt er auch Natur-
katastrophen, Revolutionen, Pest, Geisteskrankheiten, Selbstmord auf
diabolische Einwirkung zurück. Für LUTHER wie ZWINGLI war das Papsttum der Teufel als Antichrist. Erst mit dem Zerfall des antiken drei-
stöckigen Weltbildes (Himmel, Erde, Unterwelt) im Gefolge der Lehren
des KOPERNIKUS und GIORDANO BRUNOS verblaßt gegen Ende des Re-
formationsjahrhunderts der personalistische Teufelsglaube.

Wenig mit der höllisch-teuflischen Kunst haben aber die sog. *Teu-*
felsbücher zu tun. Sie behandeln in der Hauptsache die persönlichen
Laster-Teufel. BERNHARD OHSES Versuch, Abkunft und geistigen Ort der

Teufelsbücher, besonders im Hinblick auf ihre Ansichten über das Böse, näher zu bestimmen, ergab, daß LUTHER die seiner Glaubensrichtung folgenden Verfasser durch bildhafte Aussprüche über das Böse zwar anregte, ihre Moraltraktate ‹Teufel› zu nennen, daß diese Teufelsschriften jedoch «in ihrer Thematik und Form sowie die Geisteshaltung ihrer Autoren» dem ausgehenden Mittelalter und dem Moralschrifttum der vorreformatorischen Zeit nahestehen. Als Verfasser erscheinen meist protestantische Pfarrer und Prediger.

In der aufkommenden, mehr sittengeschichtlich aufschlußreichen als dichterisch hochwertigen Teufelsliteratur werden alle schlechten Gewohnheiten und Laster durch *Teufelsnamen* geächtet. Man pflegt drei Hauptgruppen zu unterscheiden: 1. Persönliche Sünden und Laster (Geiz-, Wucher-, Neid-, Hoffart-, Zauber-, Lügen-, Sauf-, Zank-, Gelehrtenteufel etc.); 2. Ehe und Familie (Ehe-, Weiber-, Haus-, Gesindeteufel etc.); 3. Kirchliches und öffentliches Leben (Heiligen-, Pfründenstreit-, Fastnacht-, Gericht-, Hof-, Krieg-, Pestilenzteufel etc.). Für die reformatorischen Verfasser war in Stoffwahl und Stil das Vorbild LUTHER. Zuerst traten auf: JOHANNES CHRYSEUS (vgl. S. 384) mit einem ‹Hoffteufel›; ANDREAS MUSCULUS mit einem ‹Hosenteuffel› (Frankfurt a. d. O. 1556 u. ö.; auch niederdeutsch), einem ‹Fluchteuffel› (Frankfurt a. d. O. 1561), einem ‹Eheteuffel› (Frankfurt a. d. O. 1556) und einer Schrift ‹Von des Teufels Tyranney, Macht und Gewalt› (Erfurt 1561 u. ö.); CYRIACUS SPANGENBERG mit einem ‹Jagdteuffel› (1560 u. ö.); ERASMUS SARCERIUS mit einer Predigt ‹Wider das Teuflische vnordentliche vnd vihische Leben, so man die Fastnachts zeit treibt› (1551); LUDWIG MILICHIUS mit einem ‹Zauberteuffel› (1563 und 1564) und einem ‹Schrap Teufel› (1567 u. ö.). Ihnen folgten u. a. JACOBUS ACONTIUS mit ‹Satanae stratagematum libri octo› (Basel 1564 u. ö.; auch deutsch), SIMON MUSAEUS (1529–1582) mit einem ‹Melancholischen Teufel› (Tham 1572) und einem ‹Speculationischen Teufel› (Magdeburg 1579); EUSTACHIUS SCHILDO mit einem ‹Spielteufel› (o. O. 1561 u. ö.); JOHANN RHODE mit einem ‹Neidhard oder Neidteuffel› (Erfurt 1582) und einem ‹Schmeichler- oder Fuchsschwentzeteuffel› (Erfurt 1581). Aus der im ersten Halbjahrhundert nach Ausbruch der Reformation produzierten Teufelsliteratur sammelte und veröffentlichte der Frankfurter Verleger SIEGMUND FEYERABEND ein ganzes ‹Theatrum Diabolorum› (1569), d. i. ein umfangreiches Teufelskompendium. Der Buchhändler PETER SCHMIDT, ebenfalls in Frankfurt a. M., gab 1575 ein zweites ‹Theatrum Diabolorum› heraus, dessen 24 Teufel die Laster und verderbten Sitten der Zeit rügten. Bis zur Wende des Jahrhunderts erschienen noch 16 andere Teufelsbücher. Ihrer inneren Verwandtschaft entsprechend, sind die Teufelsbücher in Form, Stil und Anlage einander sehr ähnlich. Die Mehrzahl ist in Prosa abgefaßt. Zu Beginn wird der betreffende Teufel charakterisiert,

daran schließt sich eine Beschreibung seiner Tätigkeit und seines Herr-
schaftsgebietes. Das jeweils getadelte Laster wird als Wurzel aller Übel
hingestellt und dafür die schwerste Strafe Gottes angedroht. Am Schluß
werden Ratschläge erteilt, wie den Gefahren und Sünden gesteuert werden könne.

Der humanistisch gesinnte Jurist JOHANN VON SCHWARZENBERG geriet nach seiner Hinwendung zur Reformation in eine Polemik mit ECKS
Freund, dem Franziskaner KASPAR SCHATZGEYER. Als SCHWARZENBERG
eine umfangreiche ‹Beschwerung der alten Teufelischen Schlangen mit
dem Göttlichen wort› (Nürnberg 1525) veröffentlichte, richtete SCHATZ-
GEYER dagegen eine ‹Fürhaltung xxx. artigkl, so in gegenwärtiger verwirrung auf die pan gebracht, vnd durch ainen neuuen beschwörer der
alten schlangen gerechtfertigt werden, gründtlich ercklärt› (München
1525). Darauf erwiderte SCHWARZENBERG mit ‹Diß Büchleyn Kutten-
schlang genant Die Teuffels lerer macht bekant› (Nürnberg 1525) mit
Warnung und Vermahnung seines eigenen Sohnes.

PETRUS MECKEL († nach 1591) aus Pfeddersheim, Schulmeister zu
Neustadt an der Aisch, verfaßte ein ‹Gespreche, darinnen der Sathan
Anklager des gantzen Menschlichen geschlechts, Gott der Vatter Richter,
Christus der Mitler vnd Vorsprech ist› (Nürnberg 1571; Magdeburg 1608,
Leipzig 1640). Es ist eine literarische Weiterbildung des Themas der alten
Satansprozesse: Der Rechtsstreit um das Eigentum am Menschen, wobei
der Kampf um ihn aufgefaßt wird als Kampf gegen das Gottesreich. Die
Marienrolle erfuhr eine Umdeutung in protestantischem Sinn; zwischen
Satansprozeß und Streit der vier Töchter Gottes wird eine Synthese er-
strebt.

In engem Zusammenhang mit dem S. 215 ff. behandelten ‹Grobianus›-
Schrifttum steht die sog. *Trunkenheitsliteratur,* d. s. Schriften gegen das
Laster der Trunksucht. Die Bekämpfung erfolgt teils durch offenen Angriff, teils bloß durch derb-realistische Darstellung. Auch für diese Literaturgattung fällt die Hauptblüte in den darzustellenden Zeitraum.

Schon in der zweiten Hälfte des 15. Jahrhunderts findet man in verschiedenen Schriften Stellen gegen den zunehmenden Alkoholismus, so
etwa in dem ‹Buch von der Kunst, dar durch der weltlich Mensch mag
geystlich werden› (1477). SEBASTIAN BRANT widmete im ‹Narrenschiff› diesem Thema das Kapitel ‹Von füllen und prassen› (16). Bei ihm sind bereits
alle typischen Merkmale der folgenden Trunkenheitsliteratur zu finden:
Beispiele aus der Bibel, Bibelzitate, der Realismus der Darstellung. Auch
MURNER behandelte in der ‹Mühle von Schwindelsheim› das Thema.

Die erste ausschließlich der Trunksucht gewidmete Prosaschrift war JO-
HANN VON SCHWARZENBERGS Büchlein vom Zutrinken, ‹Der Zůdrincker
vnd Prasser Gesatze, Ordnung vnd Instruction› (Oppenheim 1512/13).

Er geht aus von der eben erlassenen Reichstagsverordnung gegen diese Gepflogenheit und schildert, wie die «höllischen Stände» an ihre Diener Sendbriefe ausschicken mit der Aufforderung, von der bisherigen Sitte nicht abzulassen. Gegen Ende dieser Epistel der Teufel erscheint eine «englische Botschaft» und will genau das Gegenteil: Die Zutrinker sollen von ihrem Tun abgebracht werden. SEBASTIAN FRANCKS umfangreiche und umständliche Schrift ‹Von dem grewlichen Laster der Trunkenheit› (Nürnberg 1531) schildert in 16 Abschnitten die verschiedenen Schäden, die Folgen der Trunksucht sein können. Die Schuldigen sind die Gesetzgeber und der Adel mit seinem schlechten Beispiel. Im selben Jahr veröffentlichte GEORG SPALATIN die Übersetzung einer Schrift HEINRICH STROMERS VON AUERBACH, ‹Eine getrewe, vleissige vnd ehrliche Verwarnung Widder das hesliche laster der Trunckenheit› (Wittenberg 1531). LEONHARD SCHERTLINS gereimter ‹Dialogus von Künstlichem vnd höflichem, Auch vihischem vnd vnzüchtigem Trinken› (Straßburg 1538), mit Holzschnitten von HANS WEIDITZ, verteidigt in der Gestalt des Bacchus den Wein und brandmarkt das sinnlose Saufen in der Gestalt des Silenus. HANS SACHS schrieb 1553 ein Gedicht ‹Der vollen Brüder Turnier› und behandelte in einer kleinen Schrift ‹Dreyerley schäden der Trunckenheit› (Nürnberg um 1555). Meistersingerisch gefärbt ist auch JÖRG WICKRAMS ‹Dialog von dem mächtigen Hauptlaster der Trunkenheit› (1551). Der «fromme Bruder» verweist auf biblische und antike Vorbilder der Abstinenz, der «Irrgänger» preist die Weinländer und den Traubensaft. Auch in den ‹Sieben Hauptlastern› (1556) behandelt WICKRAM im Anschluß an SCHERTLIN das Thema für die Jugend. Als Stufen der Trunkenheit schildert HIERONYMUS BOCK in dem Büchlein ‹Der vollen Brüder Orden› (o. O. u. J.) die Abfolge Lamm, Löwe, Schwein, Affe. Gereimt ist das warnende Spruchgedicht des Nürnberger Meistersingers DANIEL DRECHSELL ‹Ein Spruch des Propheten Esaiae wider die Trunckenheit vnd vberfluß des Weins› (Nürnberg 1563) im Anschluß an Jes. 5, 11 f. JOHANN VON SCHWARZENBERGS bereits genanntes Büchlein vom Zutrinken gab MATTHÄUS FRIEDRICH (ca. 1510–1559) aus Görlitz unter dem Titel ‹Sendbrieff des Hellischen Sathans an die Zutrincker› 1557 neu heraus und schrieb auch selber gegen das unmäßige Trinken den Traktat ‹Wider den Sauffteufel› (Frankfurt a. d. O. 1551 u. ö.) und den ‹Sendbrieff an die Follen Brueder im Deutschen Lande› (1555). Sowohl in sprachlicher als auch in stofflicher Hinsicht (Verpönung der alten deutschen Trunksucht) steht FRIEDERICH unter dem Einfluß ULRICH VON HUTTENS. Er erst verband die dämonische Personifizierung des Trunkenheitslasters mit der Teufelsvorstellung zur didaktisch-satirischen Teufelsliteratur. An den ‹Sauffteufel›, dessen Nachwirkung bis ins 17. Jahrhundert spürbar ist, lehnt sich EUSTACHIUS SCHILDO im ‹Spielteufel› an.

In den Fastnachtspielen wird die Trunksucht von ROSENPLÜT und

FOLZ sowie von HANS RUDOLF MANUEL im ‹Weinspiel› (vgl. S. 340) behandelt. Berührungen mit der Trunkenheitsliteratur weist auch FI-SCHART auf, besonders in seiner ‹Geschichtklitterung›. Doch ist in seiner berühmten satirischen ‹Truncken-Litanei› (8. Kapitel) die moralische Absicht gering und das Ganze getragen von der Freude an einer tüchtigen Kneiperei.

b) Bilderbücher, Emblemenliteratur

Zur Kunstgeschichte leiten über die *Bilderbücher*, d. h. Holzschnitt- oder Kupferstichwerke mit Texten, sei es Prosa oder Vers, die mit der Bilddarstellung zusammenhängen, den sakralen dazugehörigen Text bieten oder das Bild auslegen und erläutern: Apokalypsen, Passionen, Marienleben, Totentänze, Tierbücher, Stammbücher, Emblemata, Bilder biblischer Gestalten, Abbildungen berühmter Leute.

Bereits Ende des 15. Jahrhunderts beginnen die Buchwerke ALBRECHT DÜRERS: ‹Die heimlich Offenbarung Johannis› (1498), die beiden ‹Passionen› und das ‹Marienleben›. Die eigentlichen Bilderreimbücher werden durch das ‹Memorial der Tugent› (Augsburg 1534) von JOHANN VON SCHWARZENBERG eingeleitet. Die Verse sind ohne die Bilder kaum verständlich. Auch bei den Königsbildern des BURKHARD WALDIS ‹Vrsprung vnd Herkumen der zwölff ersten alten König vnd Fürsten Deutscher Nation› (Nürnberg 1543) sind die Verse nur Erklärungen. Auf die Bibel gegründete Bilderreime sind KASPAR SCHEIDTS ‹Todten Dantz› und FISCHARTS ‹Bibelbilderreime› (1576 u. ö.). JOST AMMANS ‹Biblische Figuren› (Frankfurt 1561) versah HEINRICH PETER REBENSTOCK mit kurzen Summarien. KONRAD LAUTENBACH schuf ‹Icones Evangeliorum, Das ist Kunstreiche Figuren vber alle Evangelia› (Frankfurt 1587).

Die Gattung der *Emblemenliteratur* erwuchs aus der Renaissance-Hieroglyphik und verdrängte in Deutschland die alte Wappenbeschreibung. Um die Mitte des 15. Jahrhunderts glaubte man in Italien, in den spätantiken änigmatischen Hieroglyphen, wie sie die ‹Hieroglyphica› des HORAPOLLON aus dem 2. Jahrhundert überliefern, eine ewig verständliche Bilderschrift wiederentdeckt zu haben. Nach ihrem Vorbild versuchte man eine monumentale Renaissance-Bilderschrift zu schaffen. Diese erscheint zuerst in den Illustrationen der ‹Hypnerotomachia Poliphili› des FRANCESCO COLONNA (1467; gedr. 1499). Aus Italien kam das Wissen um diese Bilderschrift über WILLIBALD PIRCKHEIMER und DÜRER nach Deutschland und in die deutsche Bildkunst.

Die älteste gedruckte deutsche Übersetzung der ‹Hieroglyphica› des HORAPOLLON findet sich in JOHANNES HEROLDS (vgl. S. 420) ‹Heyden Weldt vnd ihrer Götter anfangcklicher Ursprung› (Basel 1554), fol. 85 ff.: ‹Bildschrift oder entworffne Wharzeichen dero die uhralten Ägyptier in ihrem Götzendienst, Rhäten, Gheymnussen und der anliegenden Gschäfften sich an statt der buchstäblichen Schrifften gepraucht habend›. Vor jedem Buch sind die Hieroglyphen auf einer Tafel abgebildet. Schon im 15. Jahrhundert treten die *Gemälpoesien* auf, zunächst Folioblätter mit gereimter Auslegung. Einen Höhepunkt bilden die ‹Ehrenpforte› (1515) und der ‹Triumphzug› Kaiser MAXIMILIANS I. Beide sind ohne Wissen um die ‹Hieroglyphica› nicht verständlich. Später schildert FISCHART Gemälpoesien mehrfach im ‹Gargantua›. Er selbst hat sie mit Hilfe von TOBIAS STIMMER fleißig vermehrt.

Das *Emblem* ist bekanntlich eine Kunstform, die durch Vereinigung von Wort und Bild zu einem allegorischen Gebilde gekennzeichnet ist. Anlage und Aufbau sind bei dem Italiener ANDREA ALCIATO (1492 bis 1550) in dessen ‹Emblematum liber› (Augsburg 1531, von KONRAD PEUTINGER herausgegeben; in ca. 180 Ausgaben und Übersetzungen verbreitet) beispielhaft gegeben. Die ‹Emblemata› ALCIATOS erwuchsen aus der Renaissance-Hieroglyphik und der in Frankreich und Oberitalien entstandenen Impresen-Mode, deren Theoretiker PAOLO GIOVIO (‹Dialoge delle imprese militari ed amore› 1555) wurde. Eine Sammlung von Emblemen in Buchform nennt man *Emblembuch*. Darüber hinaus bezeichnet man mit dem Ausdruck eine Gattung von Büchern mit einem spezifisch bildlich-literarischen Inhalt, die außer Emblemen auch Impresen, Devisen, Materialien der Hieroglyphik, Castra doloris etc. enthalten. Bei ALCIATO hat das Emblem einen dreiteiligen Aufbau: *pictura* (das Bild), *inscriptio* (das darüberstehende Motto) und *subscriptio* (das Epigramm darunter). ALCIATOS Werk, das die darauf folgende umfangreiche Emblemenliteratur faktisch begründete, fügt dem Motto und dem hieroglyphischen Bild erklärende Verse hinzu, häufig unter Verwendung griechischer Epigramme. Die so angestrebte Vereinigung von Wissenschaft, Kunst und Philosophie sowie das Ziel, durch Bild und Deutung zur Sinnerkenntnis der Welt zu gelangen, entsprach offenbar besonders gut dem Zeitgeschmack. Ins Deutsche übersetzten ALCIATOS ‹Emblemata› WOLFGANG HUNGER (Paris 1542, mit lateinischem Text) und JEREMIAS HELD: ‹Kunstbuch Andreae Alciati› (Frankfurt 1566).

Von den Prototypen des Emblems (Ars hieroglyphica, Devisen, rebusartigen Gestaltungen, Festbauten, Festdekorationen) und aus der Entstehung des Emblems (Lemma, Epigramm, Icon) resultieren die verschiedenen Kategorien der Emblembücher: heroisch, ethisch-moralisch, didaktisch. Die Emblembücher sollten der Unterhaltung, Belehrung und Erbauung dienen, aber auch zu bildlicher Gestaltung anregen oder ihr als Vorlagen dienen.

Als getreuester deutscher Nachahmer ALCIATOS gilt der auch als Dramatiker bekannte MATTHIAS HOLZWART mit seinen ‹Emblematum Tyrocinia Sive Picta Poesis Latino Germanica. Das ist Eingeblümte Zierwerk oder Gemälpoesy. Innhaltend Allerhand Geheimnuß Lehren, durch Kunstfündige Gemäl angebracht vnd Poetisch erkläret› (Straßburg 1581). Auch der Ungar JOHANNES SAMBUCCUS (1531–1584), Hofhistoriograph der Kaiser MAXIMILIAN II. und RUDOLF II., gab sein Bestes in den ‹Emblemata› (Antwerpen 1564). Ein Handbuch der Emblematik schuf der aus dem DÜRER-PIRCKHEIMER Kreis stammende Humanist JOACHIM CAMERARIUS: ‹Symbolorum et emblematum … ex desumptorum centuria … collecta› (Nürnberg 1590 u. ö.).

Abbildungen berühmter Leute, Icones, sind häufig mit gereimten Sprüchen begleitet. Hieher gehören JOHANNES AGRICOLAS ‹Abcontrafactur vnd Bildnisse aller Großherzogen› (1564), NIKOLAUS REUSNERS ‹Icones seu imagines virorum literis illustrium› (Straßburg 1587), die Bildnisse der Päpste von FISCHART u. a.

Die Emblematik, zu deren Geschichte fast jede europäische Nation beigetragen hat, ist für die (zwischen Renaissance und Barock liegende) Stilrichtung des Manierismus und besonders für das Barockzeitalter die bezeichnendste der «bildlich-literären» Formen. In ihr wird die Annäherung von Wort und Bild soweit wie möglich folgerichtig vollzogen.

c) Übersetzungen antiker und humanistischer Lehrschriften ins Deutsche

Schon Ende des 15. Jahrhunderts begannen die *Übersetzungen antiken Lehrschrifttums ins Deutsche.* Von *griechischen* Philosophen und Moralisten wurden ARISTOTELES, PLUTARCH, THEOPHRAST, PLATO, HESIOD übertragen. Von ARISTOTELES wurden die ‹Problemata› bereits 1492, 1493 etc. in deutscher Übersetzung gedruckt. JOHANN ALTENSTEIG übertrug von ISOKRATES die Rede an Niokles (1517), WILLIBALD PIRCKHEIMER von ISOKRATES die Rede an Demonikus, von THEOPHRAST VON ERESO die ‹Moralischen Charaktere› und die ‹Gemälde› des KEBES (alle drei erst 1606 gedruckt). Eine gereimte Dolmetschung der ‹Tabula Cebetis› veröffentlichte HANS SACHS im dritten Band seiner Gedichte (1570).

Schon vor HIERONYMUS BONER hatte eine einzelne Lebensbeschreibung PLUTARCHS, die CAESARS, RINGMANN PHILESIUS ins Deutsche übertragen. Eine Sammlung der ‹Moralia› PLUTARCHS übertrug MICHAEL HERR ins Deutsche 1535, eine zweite HEINRICH VON EPPENDORF 1551, eine dritte JOHANN FISCHART 1578. Die moralische Schrift ‹Wie der Freund vom Schmeichler zu unterscheiden sei› übersetzte GEORG SPALATIN 1520; ‹Wie man von seinen Feinden Nutzen ziehen könne› übertrugen RINGMANN PHILESIUS 1519 und WILLIBALD PIRCKHEIMER (gedr. 1606); die ‹Apophtegmen› HEINRICH VON EPPENDORFF 1536. Einzelnes aus des JOHANNES STOBÄUS ‹Blumenlese merkwürdiger Stellen› übertrug 1551 GEORG FRÖLICH, dem auch die erste deutsche Übersetzung des PLATO zu verdanken ist. FRÖLICH fügte seiner Übersetzung des STOBÄUS zwei

Platonische Gespräche (‹Ob die Tugend geleret möge werden›. ‹Von dem Gerechten›) bei, die er aus KONRAD GESNERS lateinischer Version übertrug.

Von weiteren griechischen Autoren war es vor allem der aufklärerische Kyniker und Skeptiker LUKIAN, von dem einige Dialoge eingedeutscht wurden. ‹Gegen die Verleumdung› übersetzte u. d. T. ‹Von Klaffern› DIETRICH VON PLENINGEN 1516; ‹Das zwölfte Totengespräch› RINGMANN PHILESIUS 1507 (u. ö.); ‹Das 10. und 22. Totengespräch› JAKOB VIELFELD 1536; den ‹Timon› JAKOB SCHENK 1530; den ‹Philopseudes› HIERONYMUS ZIEGLER; ‹Calumnia, daß man den Afterreden nicht leichtlich glauben soll› HEINRICH KNAUST 1569.

Von den *römischen* Philosophen, Moralisten und Rhetorikern sind es BOETHIUS, DIONYSIUS CATO, CICERO und SENECA, die einem deutschen adeligen und bürgerlichen lateinunkundigen Laienpublikum zugänglich gemacht wurden. Schon 1473 und 1500 war die Schrift des BOETHIUS ‹Von den Trostgründen der Philosophie› gedruckt worden. Die 1491 erschienenen, aus dem Spätmittelalter her bekannten ‹Disticha› des DIONYSIUS CATO wurden weiter durch das ganze Jahrhundert in Druck gelegt. Besonders beliebt war auch CICERO. Nach TRITHEMIUS soll die Schrift ‹Über das Wesen der Götter› durch JOHANN GOTTFRIED VON ODERNHEIM schon vor 1495 übersetzt worden sein. Unbekannte übersetzten: ‹Von den Pflichten› 1488 und den ‹Spiegel der wahren Rhetorik› (1493; 1509). Im weiteren betätigte sich als CICERO-Übersetzer besonders eifrig JOHANN VON SCHWARZENBERG. Er verdeutschte: ‹Von den Pflichten› 1531 (u. ö.); ‹Von der Freundschaft› 1534 (1540); die ‹Paradoxa› 1536; das erste Buch der ‹Tusculanae Disputationes› 1534. Das Buch ‹Von dem Alter› übertrug JOHANN NEUBER 1522, gereimt CHILIANUS PISCATOR 1564; die ‹Rede für Marcellus› CHRISTOPH BRUNO 1542; die Briefe STEPHAN RICCIUS 1569; das ‹Buch von den Grenzen› ein Ungenannter 1536. Die philosophischen Schriften SENECAS wurden durch MICHAEL HERR übersetzt 1536 (u. ö.). SENECAS Schrift ‹Von den Haupttugenden› in Form einer poetischen Umschreibung mit lateinischem Kommentar erschien bereits 1515. Später übertrug diese Schrift und die ‹Über das glückselige Leben› CHRISTOPH BRUNO 1546. Der Bibelübersetzer NIKOLAUS KRUMPACH schrieb eine Vorrede zu dem Büchlein des Papstes AGAPETS I. an Kaiser JUSTINIAN ‹Wie sich ein Fürst halten soll› (1530).

Vom *italienischen Frühhumanismus* überträgt GEORG MOTSCHIDLER, Büchsenmeister in Wittenberg, 1539 ENEA SILVIOS ‹Epistola de Fortuna› in deutsche Reime. LORENZ KRATZER versuchte eine Verdeutschung von BALDASSARE CASTIGLIONES ‹Cortegiano›.

Eine Übersetzung der Hauptschrift des KOPERNIKUS ‹De revolutionibus orbium libri VII› ins Deutsche ist in der Grazer Handschrift 560 (Ende 16. Jh.) überliefert.

2. Artesliteratur, Fachschrifttum und Wissenschaft

Wie Bd. IV/1, S. 652 ff. gezeigt, gab es kaum ein Wissensgebiet, das dem *Humanismus* nicht neue Gedanken, Methoden und Erkenntnisse zu verdanken hatte: die Philologie und Pädagogik, Mathematik und Astronomie, Geographie und Geschichtswissenschaft, Naturkunde und Medizin. Die Anregungen zeitigen nun auf einzelnen Gebieten einmalige Großleistungen: im Übersetzungsschrifttum und Ausbau des höheren Schulwesens, in der Sternkunde bei KOPERNIKUS, in der Heilkunde bei PARACELSUS.

In den *Artes liberales* des Reformationszeitalters werden Trivium und Quadrivium von den humanistischen Doktrinen beherrscht. Neben lateinischen Lehrschriften der Poetik und Rhetorik erscheinen deutsche. Besondere Fortschritte erzielen Mathematik und Astronomie. Über die Astrologie gehen weiter die Meinungen auseinander. LUTHER hielt nichts von ihr, MELANCHTHON empfahl sie.

Die *Artes mechanicae*, Handwerk, Kriegswesen, Seefahrt mit Erdkunde und Handel, Landbau und Haushalt, Tiere und Wald, Heilkunde, Hofkünste, werden deutsch von HANS SACHS in ‹Eygentliche Beschreibung Aller Stände auff Erden› (1568) und lateinisch von HARTMANN SCHOPPER in ‹Panoplia, omnium illiberalium, mechanicarum aut sedentiarum artium genera continens› (Frankfurt a. M. 1568 und 1574) systematisch behandelt. SCHOPPERS ‹Rundschau› zeigt in einer Sammlung von Holzschnitten die verschiedenen Stände vom Papst bis zum *meretricum procurator*. Jedem Bild ist eine Erklärung in fünf Distichen beigegeben.

Die *Artes magicae* waren bei HARTLIEB noch ‹verbotene Künste›. Die Neuplatoniker, vorab PICO DELLA MIRANDOLA, unterschieden zwischen guter und böser Magie. AGRIPPA VON NETTESHEIM gründet die Magie auf den Zusammenhang des Alls und glaubte, daß der Mensch die in den Dingen ruhenden Kräfte erkennen und die höheren Mächte in seinen Dienst stellen könne. PARACELSUS nennt diese Künste ‹Artes incertae›. Faktisch zeigt die Reformationsepoche böse Magie bei DOKTOR FAUST, gute bei TRITHEMIUS, AGRIPPA VON NETTESHEIM u. a. Die Artes magicae sind nicht immer streng von den anderen Artes zu trennen.

Man erwarte nun von unserer Darstellung keine erschöpfende Wissenschaftsgeschichte der genannten allgemeinbildenden Lehrfächer, Disziplinen und Fertigkeiten. Von der noch aus dem Spätmittelalter fortlebenden deutschsprachigen Artesliteratur, dem nach 1520 entstandenen propädeutischen Schul- und Bildungsschrifttum des Humanismus und der im Reformationszeitalter geförderten Wissenschaftsliteratur in lateinischer und deutscher Sprache sollen nur diejenigen Persönlichkeiten herangezogen werden, die literarische, geistes- und kulturgeschichtliche Bedeutung haben. HUIZINGA hat mit Recht festgestellt, daß für das 16. Jahrhundert eine Sphäre halb-mystischen, abenteuerlichen, alchimistischen Suchens bezeichnend sei. In ihr stehen italienische, deutsche und französische Persönlichkeiten, wie der Mathematiker, Philosoph und Arzt HIERONYMUS CARDANUS, PARACELSUS, der Theologe und Philologe GUILLAUME POSTEL, der Staatstheoretiker JEAN BODIN, der Mediziner ANDREAS VESALIUS, der Technologe GEORG AGRICOLA.

a) Artes liberales. Aus dem Trivium: Grammatik, Poetik, Rhetorik, Dialektik; Geschichtsschreibung und Topographie. Aus dem Quadrivium: Mathematik, Astronomie, Kopernikus; Kunstliteratur; Musik

Noch mehr als im Humanismus werden im Verlauf des 16. Jahrhunderts die Fächer sowohl des *Triviums* als auch des *Quadriviums* in die philosophisch-historischen wie in die mathematisch-naturwissenschaftlichen Bereiche hinein ausgebaut und erweitert. Die immer noch vom Geiste des Humanismus, Antike und Empirie, inspirierten Bemühungen lassen es bereits in mehreren Disziplinen zu großen, ja bahnbrechenden Leistungen kommen.

Im *Trivium* oder der dreifachen Kunst- und Schulwissenschaft, Grammatik, Rhetorik, Dialektik, erfahren besonders die deutsche Grammatik und die Geschichtsschreibung Ausbildung und weitere Förderung.

Im *Quadrivium* oder den vier Teilen der Mathematik, Arithmetik, Geometrie, Astronomie und Musik, ersteht im Anschluß an die spekulativen und empirischen Traditionen des NIKOLAUS VON CUES und JOHANNES REGIOMONTANS das Werk des NIKOLAUS KOPERNIKUS mit seiner grundlegenden Veränderung des gesamten bisherigen Weltbildes.

In den drei ersten Hauptwissenschaften des höheren Schulunterrichts, *Grammatik, Rhetorik, Dialektik,* kommt es in der Poetik, deutschen Grammatik, besonders aber in der Geschichtsschreibung und in den Selbstzeugnissen zu umfänglichen und beachtenswerten Leistungen.

Der Humanismus mit seiner Pflege der drei heiligen Sprachen hatte selbstverständlich besonderes Interesse an den klassischem Latein gewidmeten, ebenso aber auch an griechischen und hebräischen Grammtiken und Wörterbüchern. Die Fortschritte in der Hebraistik sieht man deutlich an MATTHÄUS AUROGALLUS (um 1490–1543) aus Komotau (Böhmen), der LUTHER bei der Übersetzung des Alten Testamentes wichtige Dienste geleistet hatte. Er verfaßte eine hebräische und chaldäische Grammatik (1523–1525; 1531), ein hebräisches historisch-geographisches Reallexikon (1526–1539) und eine Chronik der Herzöge und Könige von Böhmen.

LUTHERS Bibelübersetzung, der Gebrauch des *Deutschen* in der protestantischen Liturgie, der Übergang vom Lateinischen zum Deutschen
bei Humanisten wie HUTTEN, die Ausbildung einer neuhochdeutschen
Kunstliteratur u. a. m. hatten die deutsche Sprache derart aufgewertet,
daß sich auch humanistisch gebildete Gelehrte wissenschaftlich mit der
deutschen Sprache befaßten und *Grammatiken und Poetiken* auszuarbeiten begannen. Was davon noch im 16. Jahrhundert zustande kam,
sind Anfänge.

Der Kampf um das Geltungsrecht der Muttersprache in der höheren
Literatur und den dichterischen Wert der Nationalsprachen setzt zuerst
in Frankreich ein. JOACHIM DU BELLAY manifestiert in seiner Schrift
‹La deffence et illustration de la langue francoyse› (1548) grundsätzlich
die kulturpatriotische, nationalsprachliche Umbildung des Humanismus.
Gleichwohl bleiben die Alten als Muster. Nur der Schößling sollte in
den nationalen Boden überpflanzt und dort großgezogen werden. – In
Deutschland wird eine solche Umbildung nach Ansätzen im 16. Jahrhundert erst im 17. hauptsächlich durch MARTIN OPITZ entfaltet.

Von den *Lexikographen* ist vor allem der als Dramatiker bekannte
PETRUS DASYPODIUS, erst Kaplan und Prediger, dann Schulmann, zu
nennen. Sein lateinisch-deutsches Schulwörterbuch ‹Dictionarium latinogermanicum› (Straßburg 1535), dem er 1536 einen deutsch-lateinischen
Teil anfügte und 1539 einen griechisch-lateinischen folgen ließ, war in
vielen Auflagen verbreitet. Es gilt als das erste namhafte hochdeutsche
Wörterbuch.

Ein ‹Fremdwörterbuch› (1571) mit rund 200 Vokabeln stammt von dem
Dramatiker SIMON ROTH.

Zunächst stand das Deutsche im Dienst des lateinischen Unterrichts.
Das grammatische Elementarbuch des Mittelalters war die ‹Ars minor›
des Römers AELIUS DONATUS. Sie behandelte in Form von Frage und
Antwort die Lehre von den Redeteilen. Von diesem Lehrbuch gibt es
seit dem 15. Jahrhundert vollständige Übersetzungen: *Deutsche Donate*.
In der zweiten Hälfte des 15. Jahrhunderts versuchten Schriften wie der
‹Tractatulus dans modum teutonisandi casus et tempora› (1451) mit Hilfe
des Deutschen ein sachliches Verständnis zu erreichen. Der ‹Tractatulus›
ist trotz seines lateinischen Titels deutsch abgefaßt. Andere Bücher wollen
dem Anfänger die Unterscheidung der grammatischen Kategorien erleichtern und eine Anleitung zum Übersetzen aus einer Sprache in die
andere geben, so etwa das ‹Exercitium puerorum grammaticale per dietas
distributum› (gedr. Antwerpen 1485 u. ö.). Im Gefolge des ‹Exercitium›
bringt JOHANNES COCHLAEUS in seinem ‹Quadrivium Grammatices›
(Nürnberg 1511 u. ö.) einen ‹Tractatus de formis declinandi et coniugandi Teutoniceque interpretandi casus et tempora›, d. i. ein eigenes
Kapitel über die Verdeutschungen des Flexionssystems. Anderen Lehr-

büchern fehlt zwar ein solcher Abschnitt, doch ziehen sie das Deutsche
zur Erklärung heran. In reichstem Maße tat dies JOHANNES AVENTIN
in seiner lateinischen ‹Grammatica› (München 1512) und in seinen
‹Rudimenta grammaticae› (1517). Eine bevorzugte Stellung nahm ferner
die für Anfänger bestimmte Grammatik des GEORG HAUER ein, der sog.
‹Hauerius› (1515; gedr. 1516 und 1517). Das zu Ingolstadt verfaßte Werk
enthält eine Sammlung von Aussprüchen berühmter antiker und humanistischer Autoren, ferner von Sprichwörtern und volkstümlichen Redensarten, alle von HAUER ins Deutsche übersetzt. An diesen lateinischen
Lehrbüchern war von Wichtigkeit die Erkenntnis, daß auch das Deutsche
grammatischer Darstellung fähig war. Aus den lateinisch-deutschen Büchern erwuchs die Flexionslehre der Grammatiken, die das Deutsch um
seiner selbst willen lehrten.

Als im 15. Jahrhundert das Deutsche immer mehr in den schriftlichen
Verkehr eindrang und der Schulunterricht allgemeiner wurde, treten auch
orthographische Anweisungen hervor. Den Bedürfnissen der Kanzleien
und des Unterrichtes verdanken die *deutschen Orthographiebücher* ihre
Entstehung und Existenz. Man pflegt zwei Gruppen zu unterscheiden:
Anweisungen zur deutschen Schreiberei, d. s. Arbeiten der Schreiber, und
Anweisungen zum Lesen deutscher Schriften, d. s. Arbeiten der Schul-
meister.

Die mittelalterlichen *Artes dictandi* oder Rhetoriken enthielten die
Lehre von den Teilen des *dictamen* und Anweisungen zum Schmuck
der Rede, die *flores dictaminis*. Als das Deutsche allmählich Geschäfts-
und Kanzleisprache wurde, entstanden im Anschluß an diese lateinischen
Anweisungen *deutsche Rhetoriken*. Die ältesten erhaltenen umfängli-
cheren orthographischen Bemerkungen stammen von NIKLAS VON
WYLE (1478). Unter seinem Einfluß steht die erste deutsche Rhetorik,
die eine vollständige orthographische Belehrung geben will, ‹Formulare
vnd duytsche Rethorica, ader der schryfftspiegel› (1527), eine Braun-
schweiger Kompilation, die in Köln gedruckt wurde. Ähnlichkeit mit
dem ‹Schryfftspiegel› zeigt JOHANN HELIAS MEICHSSNERS ‹Handbüchlin
gruntlichs berichts, recht vnd wolschrybens› (1538 u. ö.), eine deutsche
Rhetorik mit Briefformularen. Die bedeutendste Leistung aus den Kreisen der deutschen Schreiber stammt von FABIAN FRANGK, ‹Orthographia
deutsch› (Wittenberg 1531 u. ö.). Sie gibt bereits eine an der lateinischen
Theorie geschulte orthographische Systematik und behauptet die Existenz einer einheitlichen hochdeutschen Sprache. FRANGK glaubte, die
richtige Gestalt der Schriftsprache sei in Kaiser MAXIMILIANS I. Kanzleisprache, in LUTHERS Werken und den Drucken des Augsburger Verlegers
SCHÖNSPERGER verwirklicht.

Unter den Schulmeistern ist die bemerkenswerteste Persönlichkeit
VALENTIN ICKELSAMER in Rothenburg o. d. T. Er stand unter dem Ein-

fluß KARLSTADTS und verteidigte diesen literarisch gegen LUTHER. Beteiligt am Umsturz der Gemeindeverfassung, mußte er nach Niederwerfung der Bauern Rothenburg verlassen, unterrichtete in Erfurt und Augsburg und schloß sich dem Mystiker KASPAR VON SCHWENCKFELD an. Sein religiös erregtes Gemüt zeigen auch seine beiden Schriften: ‹Die rechte weis auffs kürtzist lesen zu lernen› (Erfurt 1527 und Marburg 1534) und ‹Ein teütsche Grammatica› (zwei Redaktionen: Augsburg o. J. und Nürnberg 1537).

Lesen ist für ICKELSAMER eine herrliche Gabe Gottes, die ein Holzhauer, ein Hirt auf dem Feld und ein jeder bei seiner Arbeit ohne Schulmeister und Bücher lernen könne. Anstelle der Buchstabiermethode setzt er die Lautiermethode und gibt phonetische Analysen der Laute; als mächtiges Hindernis des Lesenlernens wird die Inkongruenz von Schrift und Sprache erkannt. – Die ‹Grammatica› ist keine eigentliche Grammatik, sondern behandelt ebenfalls nur «den Verstand der Buchstaben, des Lesens und der teütschen Wörter».

Eine Anweisung zum Lesen und auch zum orthographischen Schreiben gibt die Schrift des JOHANN FABRITIUS ‹Eyn Nutzlich buchlein etlicher gleich stymender worther Aber vngleichs verstandes› (Erfurt 1532). Ihm folgten die ‹Leeßkonst› (1542) des ORTHOLPH FUCHSPERGER (ca. 1490–1566), der als erster auch ein Lehrbuch der Logik in deutscher Sprache herausgab: ‹Ain gründlicher klarer Anfang der natürlichen und rechten Kunst der waren Dialectica› (1533). Unabhängig von ICKELSAMER verfaßte JOHANNES KOLROSS, Dichter geistlicher Lieder und Dramatiker, sein ‹Enchiridion. Das ist hantbüchlin teutscher Orthographie, Hochteutsche sprach artlich zu schreiben vnd lesen› (Basel 1530 u. ö.). Das Buch gibt, klar und verständig disponiert, eine systematische Darstellung der ‹Orthographia› von FABIAN FRANGK. KOLROSS weiß aber nichts von der Gemeinsprache FRANGKS.

Reformabsichten in Metrik und Sprache verfolgte der Dramatiker PAUL REBHUN (vgl. S. 380 f.). Er lehnte die antikisierenden Quantitätsregeln ab und trat für die Akzentuierung des deutschen Verses ein, die Deckung von Versakzent mit Wort- bzw. Satzakzent, für regelmäßigen Wechsel von Hebung und Senkung. REBHUNS Bemühungen um eine Veredelung der deutschen Sprache erhellen aus dem Vorwort zu seiner deutschen ‹Pammachius›-Bearbeitung, in dem er von ‹ziren› und ‹mehren›, ‹schmükken› und ‹reich machen› des Deutschen redet. Aus einem Brief REBHUNS an den Zwickauer Stadtschreiber STEPHAN ROTH vom Jahre 1543 und dem Vorwort zur Ausgabe der ‹Susanna› 1544 geht hervor, daß er auch dabei war, eine im wesentlichen auf LUTHERS Schriftwerk basierende deutsche Grammatik abzufassen.

Der erste, der eine neuhochdeutsche Grammatik verfaßte, war der Dichter PAUL SCHEDE MELISSUS, doch seine ‹Introductio in linguam Germanicam› (1568–1572) ist verloren. Nach dem Muster von MELAN-

CHTHONS lateinischer Grammatik verfaßten LAURENTIUS ALBERTUS seine ‹Teutsch Grammatick oder Sprach-Kunst› (Augsburg 1573), ALBERT ÖLINGER seinen ‹Vnderricht der Hoch Teutschen Spraach› (Straßburg 1573/74) und JOHANNES CLAJUS seine deutsche ‹Grammatica Germanicae linguae: ex bibliis Lutheri germanicis et aliis ejus libris collecta› (Leipzig 1578 u. ö.). Alle drei sind sie lateinisch geschrieben.

Die von CELTIS, BEBEL und WATT so erfolgreich betriebene Kunstlehre in *Poetik und Rhetorik* wird auch nach der Reformation eifrig fortgesetzt und ausgebaut. Zur Wiedererschließung der antiken lateinischen Theoretiker tritt die Rezeption der griechischen Poetik und Rhetorik. An deutschen Neulateinern mit bedeutenden Poetiken sind zu nennen: EOBANUS HESSUS mit ‹Scribendorum versuum maxime compendiosa ratio› (Nürnberg 1526); JODOCUS WILKE, WILLICHIUS mit seinem ‹Liber de pronunciatione rhetorica› (Basel 1540), in dem erstmals in Deutschland der Vortrag «in theatro aut in theatralibus ludis» behandelt wird, und mit seinen ‹Commentaria in poeticam Horatii› (1545); RUDOLF GWALTHER mit einer Metrik ‹De syllabarum et carminum ratione› (1545 u. ö.); JOHANNES MURMELLIUS mit seinen ‹De ratione faciendorum versuum . . . tabulae› (1549), erläutert von EOBANUS HESSUS in dessen von MICHAEL LINDENER herausgegebenen ‹Explicatio Eobani Hessi› (1552); CHRISTOPH MYLAEUS im 4. Buch seines Werkes ‹De scribunda› (1551); GEORG FABRICIUS mit seinen ‹De re poetica libri septem› (1565 bzw. 1584). Mit dem Erscheinen des ersten umfangreichen Kommentars zur Poetik des ARISTOTELES von FRANC. ROBORTELLO (Florenz 1548) wird diese Schrift für Jahrhunderte zum entscheidenden Gesetzbuch für Epos und Tragödie.

Die protestantische Theologie nahm die Rhetorik in ihre Dienste. MELANCHTHON band in seiner Schrift ‹De officiis concionatoris› (1535) nach augustinischem Muster die Predigt an die Vorschriften der antiken Rhetorik. In dem rhetorischen Handbuch ‹Elementorum rhetorices libri duo› (1531) hatte er mit Rücksicht auf die Kirchenpredigt als vierte Redegattung das *genus didascalium* eingeführt.

Bei dem international-kultureuropäischen Charakter der neulateinischen Literatur wirkten auch italienische und französische Poetiken mehr oder minder stark auf Deutschland. Zu nennen sind aus Italien: PIETRO BEMBOS Poetik (1525), MARCO GIROLAMO VIDAS Poetik (1520); GIOVANNI GIORGIO TRISSINO, ‹Della poetica› (1529; erweitert 1563); BERNARDO DANIELLO, ‹La Poetica› (1536), eine Poetik in Gesprächsform; JOHANNES ANTONIUS VIPERANUS, ‹De poetica› (1558 bzw. 1579). Von Franzosen insbesondere JULIUS CAESAR SCALIGERS ‹Poetices libri septem›. Aus Deutschland der dem Jesuitenorden angehörige JAKOB PONTANUS mit ‹Poeticarum institutionum libri tres› (1594). Den größten Einfluß übten VIDA und SCALIGER.

MARCO GIROLAMO VIDA (1490–1566) widmete seine ‹De arte poetica libri tres› (gedr. Rom 1527) dem Dauphin FRANZ (Sohn FRANZ' I.). Die nach QUINTILIAN (‹Institutio oratoria› III 3, 1) in *inventio, dispositio* und *elocutio* gegliederte Poetik ist in lateinischen Hexametern verfaßt und folgt dem Vorbild des HORAZ.

Das erste Buch lehrt die Schulung des Dichters: Sprachschulung von Jugend auf, ausgedehnte Lektüre der lateinischen und griechischen Muster; Material-voraussetzung ist Kenntnis der Dinge und Worte, der Ausführung muß ein Strukturplan vorausgehen; Hilfsfertigkeiten sind Rhetorik und Metrik. Unter-weisung und Ratschläge sind an den Schüler und an den Lehrer gerichtet. Der Dichter soll Idealismus aufbringen; vorteilhaft für das Schaffen ist die Einsam-keit; die Dichtkunst hat, wie die Alten meinten, göttlichen Ursprung. Das zweite Buch bringt die Gliederung der Gattungen: Die höchste Rangstufe kommt dem Epos als heroischer Dichtung zu; es fordert Steigerung und Spannung; vorbild-liche Autorität ist VERGIL, nicht HOMER. Buch III schließlich enthält die sprach-lich-formalen und metrischen Anweisungen. Die Übernahme von Musterformu-lierungen und Redewendungen aus klassischen Autoren wird gebilligt; die Worte und Floskeln sollen in der Klangwirkung den Dingen angepaßt werden.

Die einflußreichste der Humanistenpoetiken, allerdings erst für das 17. Jahrhundert, war das weitschichtige umfangreiche Werk des franzö-sischen Arztes JULIUS CAESAR SCALIGER († 1558) ‹Poetices libri septem› (Genf 1561). SCALIGER sammelte kritisch die damals vorhandenen Leistun-gen der dichterischen Schaffenspraxis und -theorie und setzte sich mit ihnen, häufig polemisch, auseinander. Was er bieten wollte, war eine kritische Poetik. Das mehrfach aufgelegte Großwerk wurde vor allem als Fundgrube für Stoffwissen, Zitate, Beispiele, Meinungen etc. benützt.

Der historisch-genetische Einleitungsteil erörtert den Ursprung der Poesie und ihre Sondergattungen. Die Sprache gilt als Mittel zum Zweck, soll aber als Formelement in der poetischen Rede durch Figurenschmuck, Rhythmus usw. wirken. Die älteste Form der Poesie ist das Hirtengedicht. Aus ihm entwickel-ten sich die Komödie und die Tragödie. Diese, das Satyrspiel und der Mimus bilden die dramatischen Gattungen. Besonders hoch bewertet wird das Epos, das mit Rhapsodie und Parodie zusammengebracht wird. Die Lyrik als Gattung erscheint noch nicht klar ausgeprägt, SCALIGER zählt nur eine Menge von Ge-dichtarten auf. Wohl aber wird das Dichterische auf die erotische Impulssphäre zurückgeführt.

Eine satirische Beleuchtung der neulateinischen Poetik und Metrik so-wie der Übersetzungspraxis liefert der Herausgeber der ‹Explicatio› des EOBANUS HESSUS (1552) MICHAEL LINDENER im Rahmen seiner Schwanksammlung ‹Katzipori› (1558).

In Schwank 78 ‹Ein kunstreyches muster carmina zumachen, inn der statt Erdtfurt von einem bachanten auf der hohen schůle geschehen› erzählt LIN-DENER von einem alten Bachanten namens Groll, «der het vil gehört von dem trefflichen poeten Eobano Hesso, wie er so ein freyer mann wäre in verß schrei-ben, daß der gůte pater gleich eine lust darzů bekam und schwanger gienge nach der kunst des carmenschreybens, und kompt ohn alles gefähr uber ein spalter [Psalter?], den der Helias Eobanus Hessus newlich het lassen in truck außgehen, gedacht bey sich selber: 'Hallt, komme ich dir allhie uber dein kunst?' und nam ein höltzlein auß einem besen und maß die verß oder carmina, alle baide die grossen und kleinen. Setzt sich eylendts uber, als wäre es nöthig, und macht halb lateinisch unnd halb teütsch, so lang die zeylen als die höltzlein waren». Mit einem Muster seiner poetischen Kunst eilt er fröhlich zu EOBAN HESSE nach Nürnberg, wo sich ein ergötzliches Gespräch zwischen den beiden ergibt. Die Gedichte, die der gute Groll machte, sahen so aus:

«O Dee omnipotens, fac mir gûte carmina machen,
Qui vivis et regnas per cuncta foramina seclas.»

Später wurde der Mann Schulmeister zu Scheuditz und verfaßte eine versifizierte Autobiographie. Eine Probe daraus lautet:

«Grollius in tremulis ludi moderator in Scheuditz.
Rusticus in knebulis penglorum dant tibi rulzen.
Schmirmius perpechius altschuchius dant tibi fleckus.
Klopholtz cum pedibus, haec sunt schustralia corpus.
Rusticus et quasi rind, nisi quod ei cornua desint.
Jam jacet in dreck is, qui modo Grollus erat.»

Wenn er mit seinen ‹discipeln› die Eklogen VERGILS las und übersetzte, besorgte er dies etwa so:

«Sylvestrem tenui Musam meditaris avena,
Tytere tu patulae recubas sub tegmine fagi.

Tenui, ich hab gefangen; sylvestrem Musam, eine bäwrische mauß; avena, in dem haber; meditaris, meines nachtbawrn purtzi; Tytire, o mein lieber brûder Veyt: recubas, du rascht; sub tegmine, under dem schûppen; patulae fagi, deiner lauben; das ist, hoc est, under deinem stahl-dach, da deine fülhen unnd mûter pfleget zu stehn».

Die *Rhetorik* ist im Reformationszeitalter eine der in Theorie und Praxis am meisten gepflegten Gattungen. Gemäß der Zweisprachigkeit unseres Schrifttums hat man eine *deutsche* und eine *lateinische* Rede- und Sprechkunst vor sich. Die letztere tritt im Humanismus entgegen, die erstere in der Kanzelrede oder Predigt, aber auch im stilistisch geformten deutschen Prosaschrifttum. Beide, die weltlichen und die geistlichen Produkte der Rhetorik, schließen zunächst an die im ausgehenden Mittelalter und im Renaissance-Humanismus geschaffenen Gegebenheiten an. Wie die Dichter wollte auch der Orator auf die Psyche des Lesers oder Zuhörers wirken.

Für die *Humanistenrhetorik* in lateinischer Sprache kamen zu den antiken Theoretikern und Vorbildern wie QUINTILIAN, CICERO etc. und zu den Italienern die rhetorischen Werke der lateinischen und griechischen Kirchenväter, wie sie durch ERASMUS VON ROTTERDAM, WILLIBALD PIRCKHEIMER u. a. erschlossen wurden. In der Praxis konnte man an RUDOLF AGRICOLA, KONRAD CELTIS, JOACHIM VON WATT u. a. anknüpfen.

Die humanistisch inspirierte *Rhetorik der deutschen Kunstprosa* hatte in der ‹Ackermann›-Dichtung, den Bestrebungen des NIKLAS VON WYLE und dem vorreformatorischen Übersetzungsschrifttum ihre Vorgänger und Wegbereiter. Sie beeinflußt auch während der Kirchenkämpfe und nachher die deutsche Prosaliteratur.

An Gattungen der humanistischen Rhetorik meist in lateinischer Sprache sind vorhanden: Prunkreden bei hohen Angelegenheiten, Festansprachen, Begrüßungs- und Graduierungsansprachen, Programmreden bei Antrittsvorlesungen, Gedenkreden, schon in die Nähe der Predigt gehörige Grab- und Leichenreden. Die Thematik betrifft Persönlichkeiten und Sachliches, wie Lob der Beredsamkeit, Wert der griechischen Sprache usw.

Bereits die Scholastik hatte zu einer *Kunstpredigt* mit formaler Gliederung und logischem Aufbau geführt. Die Reformatoren gaben ihr zum beherrschenden Gesichtspunkt die Auslegung der hl. Schrift und machten sie nach Abschaffung der Messe zum Zentrum des gottesdienstlichen Lebens und der Kirche. Die neue Bewertung erhöhte auch die Autorität des Predigers: Durch seinen Mund redet Gott. Zu der anfangs noch, auch bei LUTHER, scholastischen Methodik kommen bald Elemente der humanistischen Rhetorik.

Vorbild in der Predigtpraxis der lutherischen Glaubensrichtung ist LUTHER. Namhafte Kanzelredner waren JOHANNES BUGENHAGEN, JUSTUS JONAS, WENZELSLAUS LINCK, VEIT DIETRICH, JOHANN BRENZ, PAULUS SPERATUS. Zur Theorie der Homiletik haben ERASMUS VON ROTTERDAM, besonders PHILIPP MELANCHTHON, auch URBAN RHEGIUS, ANDREAS HYPERIUS, ÄGIDIUS HUNNIUS u. a. das Ihre beigetragen. Die Predigtweise ZWINGLIS und CALVINS ist von Anfang an schon deutlich vom Humanismus bestimmt. Die katholische Predigt konnte sich ebenfalls den Einwirkungen der humanistischen Rhetorik nicht verschließen. Später dann wirkten der Gegensatz zum Protestantismus und die Reformen des Konzils von Trient auf sie ein. JOHANNES FABRI, FRIEDRICH NAUSEA, PETRUS CANISIUS, GEORG SCHERER u. a. treten in den Vordergrund.

Wie in der Rhetorik war auch in der protestantisch ausgerichteten *Dialektik und Logik* MELANCHTHON durch Schriften und Vorlesungen führend. Seiner ‹Dialektik› von 1520 folgten ‹Dialectices libri quattuor› (Wittenberg 1528 u. ö.) und ‹Erotemata dialectices› (Wittenberg 1541 u. ö.). Da er sich dabei weitgehend an RUDOLF AGRICOLAS Hauptschrift anschloß, lebte, wie die zahlreichen Auflagen bekunden, auch dessen Werk ‹De inventione dialectica› noch das ganze 16. Jahrhundert weiter. MELANCHTHONS ‹De dialectica libri quattuor› (1531) übersetzte der als Sammler der Witze und Streiche des CLAUS NARR bekannte Pfarrer WOLFGANG BÜTTNER ins Deutsche: ‹Dialectica deutsch. Das ist, Disputierkunst. Wie man vernünfftige und rechte Fragen, mit vernunfft vnd mit kunst entscheiden vnd verantworten solle› (1574).

Für die Dialektik und Rhetorik auch in Deutschland wurde wichtig der französische Antiaristoteliker PETRUS RAMUS (1515–1572), Philosoph und Laientheologe, zuletzt calvinistischer und spätzwinglianischer Ausrichtung.

Bereits 1536, als junger Magister in Paris, wandte RAMUS sich gegen den in die Artistenfakultät eindringenden averroistischen Renaissance-Aristotelismus aus der Schule des PETRUS POMPONATIUS mit seinen Lehren vom Panpsychismus, dem Glückseligkeitsstreben und von der doppelten Wahrheit. Im weiteren warf er der Logik des ARISTOTELES vor, sie verderbe die dem menschlichen Geist eingeborene natürliche Logik. RAMUS wollte in seinen ‹Dialecticae institutiones› (1543) und ‹Dialecticae libri duo› (1553 u. ö.) auf die unverfälschte Natur des Denkens zurückgehen und die Logik verbessern. Seiner Meinung nach muß sich die Wissenschaft der deduktiven Methode bedienen. Auch gegen die Physik und Metaphysik des ARISTOTELES wandte er sich. Nach seinem Übertritt zum Calvinismus 1562 suchte RAMUS vergeblich an deutschen Universitäten eine dauernde Anstellung. Eine Zeitlang lehrte er in Heidelberg. Seine rhetorische Dialektik hat kaum viel zur Neugestaltung der Wissenschaft beigetragen, wurde aber für den logischen Betrieb und Unterricht bedeutsam. In Deutschland währte der Streit um diese Logik viele Jahre. Es gab Ramisten, Antiramisten und Semiramisten, Anhänger, Gegner und Vermittler.

Den Averroismus und Pantheismus der italienischen Aristoteliker bekämpfte auch der «erste Philosoph im Luthertum», NIKOLAUS TAURELLUS (1547–1606) aus Mömpelgard, seit 1580 Professor der Medizin und Physik in Altdorf. Er stellte in seinem ‹Philosophiae triumphus› (Basel 1573) ein neues Lehrgebäude auf, das die Einheit von Glauben und Wissen zu erweisen versucht.

Weniger in Deutschland, dem Hauptland der Reformation, als in Frankreich erscheinen im späteren 16. Jahrhundert Gedanken des NIKOLAUS VON CUES und ERASMUS VON ROTTERDAM verbunden mit Toleranzideen und einem neuen Geschichts- und Staatsdenken. Während in Europa die verschiedenen Konfessionen sich um die Durchsetzung ihres Absolutheitsanspruches bemühten, glaubte der französische Staatstheoretiker JEAN BODIN (1529–1596) an eine natürliche Religion, von der alle positiven Religionen ausgehen. In einem ‹Methodus ad facilem historiarum cognitionem› (1566) machte er Disziplinen wie Psychologie, Geographie, Physiologie für die Geschichtswissenschaft nutzbar und suchte die Konnexe zwischen dem natürlichen und geschichtlichen Verlauf festzustellen. Sein ‹Colloquium heptaplomeres de abditis rerum sublimium arcanis› (nur in Abschriften verbreitet) schließt in Thema und Form auffallend an die Schrift des CUSANERS ‹De pace seu concordia fidei› (vgl. Bd. IV/1, S. 415) an. In der Republik Venedig kommen sieben Vertreter verschiedenen Glaubens zusammen und führen ein Religionsgespräch, in dem die Gleichheit aller Religionen und religiöse Toleranz vertreten werden. Der Jurist BODIN erblickt zwar im Dekalog das allgemein gültige Gesetz, interpretiert aber die Kultformen spiritualistisch. Seine Staatslehre, niedergelegt in den ‹Six livres de la république› (1577; lateinisch 1584), geht vom Naturrecht aus und vertritt den Gesellschaftsvertragsgedanken. Als beste Verfassung erscheint ihm die absolute Monarchie. In einer ‹Démonomanie› (1581) legte BODIN seine astrologischen und okkultistischen Anschauungen nieder, mit auffallender Neigung zum Dämonen- und Hexenglauben. Ein posthum erschienenes Werk ‹Universae naturae theatrum› schließlich entwickelt eine Naturphilosophie, die von der Annahme einer *prima materia* ausgeht. BODIN basiert in seinem universalen Denken noch durchaus auf humanistischer Grundlage, bereitet aber schon vieles für das Barockzeitalter und die Aufklärung vor.

Geschichte und Dichtung waren im Mittelalter nicht streng getrennt. Auch in den frühen Humanistenpoetiken sollte der *poeta* gleichzeitig Historiograph sein. Bereits SCALIGER beschäftigte sich jedoch in seiner Poetik mit der Abgrenzung von Dichtung und Geschichte. Aber erst nach ihm wird dies aufgenommen. In dem hier zu behandelnden Zeitraum stehen alte und neue Auffassung in der *Geschichtsschreibung* und im *Geschichtsdenken* noch nebeneinander.

Die Geschichtsschreibung des Reformationszeitalters ist naturgemäß stark vom Humanismus bestimmt. Doch nur teilweise erfolgte eine Loslösung von der Geschichtstheologie des Mittelalters. Noch immer bleibt das Buch Daniel ein bestimmender Faktor; man glaubt weiter an den Weltuntergang und die Maßgeblichkeit der Wunder. Nur bei MELANCHTHON liegt eine Säkularisation der Geschichte vor, die neben Bibel und Dichtung Exempla zur Ethik liefern soll. Nach ihm sind SLEIDAN. SEBASTIAN FRANCK u. a. tätig. Auch in den Streit der Konfessionen wird die Geschichte miteinbezogen.

Im 16. Jahrhundert entwickelten Italiener und Franzosen eine Literaturgattung, die das Mittelalter nicht kannte: die ‹Geschichtslehren› *(Institutiones historicae)*. Der Jurist ANDREA ALCIATO bewertete 1530 die Geschichte, die im Mittelalter für kaum mehr als eine nützliche Disziplin angesehen wurde, mit einem Mal als die höchste aller Wissenschaften. Der Spanier JUAN LUIS VIVES versuchte in seiner Schrift ‹De disciplinis› (1531) die Abhängigkeit der Theologie, Rechtswissenschaft, Ethik und Medizin von der Geschichtskenntnis darzulegen. Der Franzose CHRISTOPH MILIEU war 1548 bestrebt, der Historie alles erreichbare Wissen einzubauen. Auch nach Deutschland kamen solche Anschauungen. MELANCHTHON, der selbst als erster Vorlesungen über Geschichte gehalten hat (an Hand des in deutscher Sprache verfaßten Handbuches von JOHANNES CARION 1530), erklärte einmal drastisch: «Ist einer eine gar grobe Sau, qui non delectatur cognitione historiarum».

In der Historiographie der Reformationsepoche spiegeln sich wider die großen religiös-politischen Vorgänge der Glaubensspaltung, wie etwa die Bauernkriege, der Sacco di Roma, der Schmalkaldische Krieg etc., aber auch lokales Geschehen und persönliche Erlebnisse. Wie in den historischen Liedern, so finden auch in der Geschichtsschreibung die Türkengefahr und die Türkenkriege starken Widerhall, was zur Ausbildung einer speziellen Türkenliteratur führt.

An Gattungen treten in Erscheinung: vom ausgehenden Mittelalter weiterlebend Reim- und Prosachroniken, eine vom Geist des Humanismus geprägte Geschichtsschreibung mit WOLFGANG LAZIUS, Zeitgeschichte mit JOHANNES COCHLAEUS, JOHANNES SLEIDANUS, FLACIUS ILLYRICUS, das Geschichtsdenken SEBASTIAN FRANCKS. Überschneidungen erfolgen in den Landes- und Weltbeschreibungen der Geographen und Kosmographen.

Zunächst sind es noch Ausläufer des Mittelalters, die uns entgegentreten. Die Form der Reimchronik pflegten MELANCHTHONS Bruder GEORG SCHWARTZERT mit einer ‹Reimchronik der Begebenheiten von 1536 bis 1561› (Cgm. 5060) und JOHANNES BISCHOFF, EPISCOPIUS mit ‹Ein neues und schönes Büchlein von der Stadt Würzburg vom 680. Jar biß auff jtziges 1569› (Rottenburg 1569). Von ihm stammt auch ‹Ein schön neu lustiges Kayserbüchlein› (o. J.). Reimchroniken sind ferner JOHANN HASENTÖDTERS ‹Chronica. Das ist Beschreibung der fürnembsten Historien ... Auß Heiliger Göttlicher Schrifft vnd Glaubwirdigen Geschichtschreibern› (1569), CHRISTIAN BERTHOLDS ‹Die kleine Keiser Chronica› (1579), WOLFGANG STAMMLERS nur handschriftlich erhaltene Beschreibung des Schmalkaldischen Krieges an der Donau, M. FORMENSCHNEIDERS ‹Chronika aller fürnembsten geschicht von anfang der Welt› (Köln 1594) und des ANDREAS GRAVINUS Reimchronik ‹Von der Türckischen König vnd Keyser Ursprung, Leben, Tyranney vnd endlichem Ausgang› (Regensburg 1600). Die illustrierte Reimchronik des BURKHARD WALDIS (1543) folgte dem ‹Germania›-Kommentar ANDREAS ALTHAMERS. Sie erhebt neben ARMINIUS zum zweiten Nationalhelden ARIOVIST.

Als prosaischer Chronist betätigte sich der Reichsherold KASPAR STURM (vgl. S. 245). Er erzählt den Feldzug Triers, Hessens und der Pfalz gegen FRANZ VON SICKINGEN in einem ‹warlichen bericht› (1520). Später verfaßte er im Anschluß an einen Ausspruch Kaiser MAXIMILIANS I. die Schrift ‹Die vier nahmhafftesten Königreich› (Frankfurt a. M. 1538) für König FERDINAND und eine ‹Kleyn Fürstlich Chronica› (Straßburg 1544) mit der Geschichte der vier Weltmonarchien bis auf KARL V.

Schüler des JOHANNES STÖFFLER in Tübingen war der Astrologe und Historiker JOHANNES CARION, NÄGELEIN (1499–1538). Er amtierte 1522 als Hofastronom und Mathematicus des Kurfürsten JOACHIM I. VON BRANDENBURG, verfaßte eine ‹Prognosticatio und Erklerung der großen Wesserung› (Leipzig 1522), d. i. Prophezeiung einer großen Wasserflut in Berlin für 1524, weiters astrologische Kalender (‹Practica›, Nürnberg 1531 ff.) und allgemeine Voraussagen. Von ihm stammt auch die knappe deutsche Weltchronik ‹Chronica› (Wittenberg 1532; lateinisch 1538), die MELANCHTHON überarbeitete und mit einer Jahrestafel versah.

Topographisch-historischen Charakter haben zwei Dichtungen des Schuldramatikers WOLFGANG SCHMELTZL: ‹Ein Lobspruch der Hochlöblichen weiterembten Stat Wien in Osterreich› (Wien 1547) und ‹Der

Christlich vnd Gewaltig Zug in das Hungerland› (Wien 1556), in dem
er, schon Pfarrer zu St. Lorenz auf dem Steinfeld, die Feldzüge Erzherzog
FERDINANDS nach Ungarn noch im selben Jahr in Reimpaaren schildert.
Den mittelalterlichen Ausläufern folgt eine *Geschichtsschreibung im
Geiste des Humanismus.*

Der nun am mecklenburgischen Hofe und an der Universität Rostock
tätige Humanist und Polyhistor NIKOLAUS MARSCHALK (vgl. Bd. IV/1,
S. 517f.) verfaßte sieben Bücher ‹Annalium Herulorum ac Vandalo-
rum› (1521), d. h. eine erste Geschichte Mecklenburgs.

Noch der sehr lebenskräftigen und zähen maximilianeischen genealogischen Historiographie gehört das ‹Ehrenwerk› des Hauses Österreich
(1555) an, das HANS JAKOB FUGGER (1516–1575) durch den Augsburger
Ratsdiener CLEMENS JÄGER herstellen ließ. Dieser ‹Ehrenspiegel› behandelt nicht nur die Habsburger, sondern auch die Babenberger und deren
römische Vorgänger. Der Dichter KASPAR URSINUS VELIUS verfaßte zehn
Bücher ‹De bello Pannonico› (gedr. 1762), in denen die Kämpfe König
FERDINANDS I. mit seinem Gegenkönig JOHANN ZAPOLYA und mit den
Türken (1527–1531) behandelt werden. Der Pädagoge und Rechtsgelehrte
ORTHOLPH FUCHSPERGER fertigte als Syndikus von Passau eine Chronik
der Stadt und des Bistums.

Als humanistischer Historiograph ist an CUSPINIAN anzuschließen der
Polyhistor, Geschichtsschreiber und Mediziner WOLFGANG LAZIUS (1514
bis 1565), Sohn des Professors der Medizin an der Wiener Universität
SIMON LAZIUS aus Stuttgart.

WOLFGANG LAZIUS wirkte in Wien 25 Jahre lang als Professor der Anatomie,
Chirurgie, der theoretischen und praktischen Medizin. Außer dieser Wirksamkeit
an der Universität betrieb LAZIUS ausgedehnte Studien in der klassischen Altertumskunde, der mittelalterlichen und zeitgenössischen Geschichte und Geographie und entfaltete eine umfassende literarische Produktivität. Um Quellen
zu seiner Geschichte Österreichs und des regierenden Hauses zu beschaffen
sowie um die kaiserliche Hofbibliothek einzurichten, unternahm er mehrere
Bibliotheks- und Archivreisen. Kaiser FERDINAND I. erhob LAZIUS 1546 in den
Adelsstand, ernannte ihn zu seinem Leibarzt, Hofgeschichtsschreiber und Geheimen Rat und betraute ihn mit der Obsorge für die kaiserlichen Sammlungen.

Das umfangreiche literarische Werk des LAZIUS besteht aus Arbeiten
zur alten und mittleren Geschichte, besonders zur österreichischen Landesgeschichte und habsburgischen Familienkunde, zur Völkerkunde und
Länderkunde Österreichs, zur Münz- und Inschriftenkunde, sowie aus
verschiedenen Textausgaben. Am bekanntesten ist seine ‹Vienna
Austriae› (Basel 1546; deutsch von HEINRICH ABERMANN 1619), eine
Geschichte der Stadt Wien von ihrem Ursprung bis auf die damalige
Gegenwart in vier Büchern. Für die ältesten Zeiten sind zum erstenmal
die römischen Quellen, namentlich die Inschriften herangezogen. Teils
aus humanistisch-theologischem Interesse, teils um der Reformation ent-

gegenzuwirken, betätigte sich LAZIUS als Herausgeber und Erklärer alter Handschriften religiösen Inhaltes, welche er meist auf seinen Entdeckungsreisen gefunden hatte: das Bruchstück eines Vaticiniums des Bischofs METHODIUS (Wien 1547), das Gedicht ‹De mysteriis missae› (Wien 1549), die fünf Bücher ‹De imagine mundi› (Wien 1549) des HONORIUS AUGUSTODUNENSIS, das ‹Encomion virginitatis› (Wien 1552) des ALCIMUS AVITUS, das Sammelwerk ‹Collectio variorum autorum› (Basel 1552), Dichtungen und Schriften verschiedener kirchlicher Autoren und Persönlichkeiten, darunter der Pseudo-Abdias, eine Reihe Heiligenviten und Legenden, und schließlich die ‹Fragmenta quaedam Caroli M. aliorumque incerti nominis de veteris Ecclesiae ritibus ac caeremoniis› (Antwerpen 1560) mit Briefen ALCUINS und dem Traktat des HRABANUS MAURUS über Tugenden und Laster.

Tiefer in die eigentliche Forschertätigkeit des LAZIUS führen die Schriften zur römischen und griechischen Altertumskunde: die 12 Bücher ‹Res publica in exteris provinciis constituta› (Basel 1551; verb. Frankfurt a. M. 1598) und die zwei Bücher ‹Denkwürdigkeiten der griechischen Geschichte›, ‹Commentarii rerum graecarum› (Wien 1558), sowie kleinere numismatische und epigraphische Arbeiten, die ‹Commentarii vetustorum numismatum› (Wien 1558) und ‹Exempla aliquot s. vetustatis Romanae› (Wien 1560). LAZIUS wandte auch die größte Zielstrebigkeit auf historische Arbeiten über das Mittelalter und die Zeitgeschichtsschreibung, insbesondere die Darstellungen der österreichischen Länder und ihrer Fürsten. So schrieb er in Ausführung und Nachfolge des BEATUS RHENANUS ein umfangreiches Werk über die Völkerwanderung: ‹De gentium aliquot migrationibus› (Basel 1557, 1574, Frankfurt 1600, Antwerpen 1698), das weit verbreitet und sehr beliebt war. JOHANN FISCHART hat die ersten drei von den zwölf Büchern 1575–1578 ins Deutsche übersetzt.

LAZIUS gab darin nach Handschriften eine Reihe Proben aus dem Althochdeutschen (den 138. Psalm, dessen Handschrift er wohl selbst in Freising entdeckt hat; Glossen und Runen) und führte, vermutlich nach dem sog. *Heldenbuch an der Etsch* aus der Sammlung Kaiser MAXIMILIANS I. umfangreiche Zitate aus dem *Nibelungenlied* an, das ihm als geschichtliche Quelle galt; er urteilt über die Unterschiede zwischen den Mundarten und vergleicht deutsche Wortformen mit griechischen und lateinischen.

Zu seiner Tätigkeit als Reichshistoriograph gehören die (ungedruckte) Geschichte des Schmalkaldischen Krieges und die Beschreibung des Türkenkrieges in Ungarn 1556 (deutsch, lateinisch). Auf die ungarische und österreichische Landschaftskunde ‹De Khünigreichs Hungern sampt seinen eingeleibten Landen grundtliche und wahrhafftige Chorograpica Beschreibung› (Wien 1556) und ‹Typichorographici Provinciae Austriae› (Wien 1561), mit Abbildungen der verschiedenen Volkstrachten und einem Atlas, folgte die auf den Vorarbeiten des STABIUS, SUNTHEIM und CUSPINIAN fußende österreichische Genealogie ‹Commentarii in Genealogiam Austriacam› (Basel 1564). Aber alle diese gedruckten und ungedruckten historischen, genealogischen und geographischen Schriften sollten nur Vorarbeiten und den Unterbau für das Hauptwerk seines ganzen Lebens bilden, die österreichische Geschichte ‹Rerum Austriacarum decades VI›, ein großangelegtes, lange unbekannt gebliebenes Geschichtswerk. In sechs Dekaden sollte es die Geschichte Österreichs von den Zeiten der Römer bis auf die Tage des LAZIUS führen. Ein großer Teil dieses mit weitausgreifenden antiquarischen Forschungen unterbauten Werkes ist nicht mehr erhalten, den Rest verwahrt die Nationalbibliothek in Wien, die auch seine ‹Adversaria› (Cod. Vind. 7960) verwahrt, in denen sich Dichtungen des LAZIUS finden.

LAZIUS wurzelt in der am Hofe MAXIMILIANS I. gepflegten genealogischen Geschichtsschreibung. In umfangreicherem Maße als irgend jemand vor ihm sammelte er Handschriften, Bücher, Inschriften, Münzen, Wappen, Altertumsfunde und Quellen jeglicher Art. Das Interesse für das Althochdeutsche, sein Wissen um das *Nibelungenlied* und die ‹Österreichische Reimchronik› des OTTOKAR AUS DER GEUL sichern ihm eine besondere Stellung in der Geschichte der germanischen Philologie, er ist der letzte mittelalterliche Schriftsteller, bei dem sich eine aus den Quellen geschöpfte Kenntnis der deutschen Heldensage nachweisen läßt. Nicht an kritischer Schärfe, philologischer Quellenbetrachtung und plastischer Kraft, wohl aber an Universalität der Forschung übertraf er AVENTIN und auch BEATUS RHENANUS, den er als Lehrmeister in der Geschichtsschreibung ansah.

Gleichfalls auf dem Gebiet der Geschichtsschreibung und Wiederentdeckung der altdeutschen Literaturwerke lag ein wesentlicher Teil der Wirksamkeit des Mediziners, Mathematikers, Kosmographen und Historikers ACHILLES PIRMIN GASSER (1505–1577) aus Lindau am Bodensee, Arzt in Feldkirch und seit 1546 in Augsburg. Der Vater ULRICH († 1517) war Leibchirurg Kaiser MAXIMILIANS I. gewesen. Der Sohn wurde durch URBAN RHEGIUS mit den Lehren der Reformation bekannt, betrieb 1522 bis 1525 Studien in Wittenberg, dann in Wien bei SIMON LAZIUS, ferner in Montpellier und Avignon, wo er 1528 den medizinischen Doktorgrad erlangte. Der vielseitige Mann ist Verfasser von etwa 25 medizinischen, astronomischen, kosmographischen und historischen Schriften. Er fertigte Städtebeschreibungen und eine Karte des Allgäus zu SEBASTIAN MÜNSTERS ‹Kosmographie› an, verfaßte ein ‹Elementale cosmographicum›, d. i. ein astronomisch-geographischer Abriß über die Erdkugel, Prognostica und Kometenbüchlein. Angeregt von MÜNSTER und WOLFGANG LAZIUS, besorgte er eine ‹Historiarum et chronicorum mundi epitome› (1533) und wurde mit den ‹Annales civitatis ac rei publicae Augsburgensis› (vollendet 1572), einer Geschichte der Reichsstadt von der Eroberung Rätiens bis 1561 (fortgeführt bis 1576), der zeitgenössische Geschichtsschreiber Augsburgs.

Der erste, der das althochdeutsche ‹Evangelienbuch› OTFRIDS VON WEISSENBURG wieder gekannt und benützt hatte, war BEATUS RHENANUS. Seit der zweiten Ausgabe 1562 führte auch FLACIUS ILLYRICUS in seinem ‹Catalogus testium veritatis› das Dichtwerk an und druckte dort die Vorrede an LIUTBERT ab. FLACIUS bezog sein Material von GASSER. Dieser hatte 1560 von einem ULRICH FUGGER gehörigen Codex (der jetzigen Heidelberger Handschrift) in Augsburg eine Abschrift von OTFRIDS ‹Evangelienharmonie› (jetzt im Schottenstift zu Wien) genommen. Für die im Heidelberger Codex fehlenden Verse 1–75 wurde die Urschrift der damaligen Wiener Hofbibliothek herangezogen. Auch verfaßte GASSER eine ‹Erklärung der alten teutschen Worten›. Die Ausgabe erschien als ‹Otfridi Evangeliorum Liber. Evangelienbuch, in altfränkischen reimen durch Otfriden von Weissenburg, Münch zu S. Gallen, vor sibenhundert jaren beschriben› (Basel 1571) mit einer Vorrede von FLACIUS. Diese erste Ausgabe blieb bis 1727 auch die einzige.

Fortsetzer der patriotisch-humanistischen Geschichtsschreibung der Wiener Schule und des BEATUS RHENANUS war der Publizist und Übersetzer JOHANNES (BASILIUS) HEROLD(T) (1514–1567) aus Höchstädt an der Donau. Begünstigt durch den einst von REUCHLIN erzogenen Kurfürsten FRIEDRICH II. VON DER PFALZ († 1556), plante HEROLD «ein großangelegtes Sammelwerk zur Würdigung Deutschlands und seiner Geschichte». Die Planung ist zwar leider nicht ausgeführt worden, aber von den Vorarbeiten dazu ist die Ausgabe germanischer Stammesrechte, ‹Originum ac Germanicarum antiquitatum libri› (Basel 1557), mit der sonst nirgendwo überlieferten ‹Lex Frisionum› beachtenswert. Während des Konfliktes Kaiser FERDINANDS I. mit der päpstlichen Kurie suchte HEROLD im Geiste der Reichsidee MAXIMILIANS I. durch Ausgabe mittelalterlicher Traktate, darunter der ersten deutschen Übersetzung von DANTES ‹Monarchia› (1559), den Reichsgedanken zu stärken.

In den Niederlanden entdeckte der flandrische Humanist und Vermittlungstheologe GEORG CASSANDER (1512–1566) im Kloster Werden an der Ruhr den ‹Codex argenteus› mit der Bibelübersetzung des Gotenbischofs WULFILA. Der Codex wurde aber erst 1665 durch FRANCISCUS JUNIUS ediert.

Noch von CELTIS und CUSPINIAN inspiriert ist die deutsche Geschichtsschreibung JOACHIMS VON WATT. Sie diente großenteils der Auseinandersetzung zwischen der Stadt St. Gallen und dem Kloster. Hauptwerk ist die größere ‹Chronik der Äbte des Klosters St. Gallen› (1529) von 1199 bis 1491. Ihr folgten 1545/46 eine kleinere Chronik der Äbte, die Traktate vom Mönchsstand, von den Stiften und Klöstern, von der Stadt St. Gallen und vom Oberbodensee sowie Bruchstücke über die fränkischen Könige und die römischen Kaiser.

Nach dem Siege der Reformpartei in Bern 1529 beauftragte der Rat den Humanisten und Stadtarzt VALERIUS ANSHELM RYD, RÜD (um 1475–1547), die Berner Chronik des KONRAD JUSTINGER und DIEBOLD SCHILLING fortzuführen. ANSHELM tat dies für die Jahre 1477 bis 1526 in kraftvollem Deutsch und reformatorisch zwinglianischem Geist.

Die Materialsammlungen der Schweizer Chronisten HEINRICH UTIN-GER, JOHANNES STUMPF (Schweizer Chronik), BERNHARD WYSS (Chronik 1519–1530), BERNHARD SPRÜNGLI (Beschreibung der Kappelerkriege) und HANS EDLIBACH (Zürcherische Reformationsgeschichte) verwertete HEINRICH BULLINGER (vgl. S. 62 f.) in seiner Reformationschronik der Jahre 1519 bis 1532. BULLINGERS ‹Diarium› (‹Annales vitae›) reicht von 1504 bis 1574.

Schüler GLAREANS war der im Patriotismus der Schweizer Humanisten wurzelnde AEGIDIUS TSCHUDI (1505–1572) aus Glarus, Landvogt und Landammann, wesentliche Stütze der Altgläubigen, Förderer des Tridentinums. Von ihm stammen eine ‹Uralt warhafftig alpisch Rhetia› (Basel 1536), die ‹Schweizerchronik 1000–1470› (Basel 1734–1736) und die Einleitung dazu, ‹Gallia Comata› (1758). Sie bekunden gute Kenntnis der Überreste und Urkunden und bieten vortreffliche Formulierungen des Schweizer Staatsmythus (Befreiungssage vom TELL). Nicht sicher zuweisbar ist TSCHUDI die ‹Chronik des Kappelerkrieges 1531›. Als Laientheologe zeigte er sich in der Schrift ‹Vom Fegfur›.

Eine historische Arbeit von RUDOLF GWALTHER, ‹De Helvetiae origine, successu, incremento etc.› (1538), wurde nicht zu Ende geführt.

Ein umfangreiches Geschichtswerk des NIKOLAUS GERBELIUS über die Bauernunruhen 1524–1525 scheint verschollen. Erst gegen Ende der Epoche erschien eine erste Geschichte des Bauernkrieges von PETRUS GNODALIUS unter dem Titel ‹Seditio repentina vulgi, praecipue rusticorum, anno 1525› (Basel 1570), deutsch ‹Der Peürisch vnd Protestierende Krieg› (Basel 1573).

Von den historischen Arbeiten des Dichters KASPAR BRUSCH verdienen eine Klostergeschichte Deutschlands, ‹Chronologia monasteriorum Germ.› (Ingolstadt 1551), und die historisch-geographischen Landschaftsbeschreibungen seiner Heimat oder der von ihm durchreisten Gegenden Beachtung.

Der LUTHER-Biograph und FLACIUS-Anhänger CYRIACUS SPANGENBERG verfaßte eine ‹Mansfeldische Chronica› (1572) und eine ‹Sächsische Chronica› (1585).

Die *religiösen Auseinandersetzungen* nahm in die Darstellung der *Zeitgeschichte* zunächst der Anhänger der alten Kirche JOHANNES COCHLAEUS (vgl. S. 91 f.) auf. Außer den ‹Historiae Hussitarum libri XII›

(1549) sind seine ‹Commentaria de actis et scriptis M. Lutheri› (Mainz 1549 und viele Neuausgaben) von besonderer Bedeutung.

COCHLAEUS war mit LORENZO CAMPEGGI 1524 am Nürnberger Reichstag und am Regensburger Konvent, 1525 vertrieben ihn die Bauernkriege nach Köln. Mit Kardinal ALBRECHT VON BRANDENBURG nahm er 1526 am Reichstag zu Speyer teil, war am Reichstag zu Augsburg 1530 Mitarbeiter an der Konfutation der Augsburger Konfession, beteiligte sich an den Religionsgesprächen zu Hagenau, Worms und Regensburg 1540–1541, wirkte als Kollokutor beim zweiten Regensburger Religionsgespräch u. a. m.

Die Kommentare des COCHLAEUS zu den Taten und Schriften LUTHERS enthalten daher viele aus eigener Anschauung gewonnene Nachrichten und wirkten auf die Lutherforschung bis in die neueste Zeit. Daß sie insgesamt ein ‹tendenzhafter Spiegel der Zeitgeschichte› sind, gilt auch für das zeitgeschichtliche Geschichtsschrifttum der Gegenseite.

Zum evangelischen Geschichtsschreiber der deutschen Glaubensbewegung wurde JOHANNES SLEIDANUS (1506–1556) aus Schleiden in der Eifel.

Er diente 1533–1542 in Frankreich den Brüdern DU BELLAY als Sekretär, war 1540–1541 Beobachter in Hagenau und Regensburg und wandte sich 1541 dem Protestantismus zu. Seit 1544 lebte er in Straßburg, ging 1545 als Gesandter der Schmalkaldener nach England, weilte 1551–1552 als Beauftragter der Reichsstadt in Trient. SLEIDAN war eine für LUTHERS Sache begeisterte Persönlichkeit und erfüllt von der weltgeschichtlichen Bedeutung der Glaubenserneuerung. Er vermittelte das antihabsburgische Bündnis FRANZ I. VON FRANKREICH mit den protestantischen Fürsten des Schmalkaldischen Bundes.

SLEIDANS Erstlingswerk ‹Zwei Reden an Kaiser und Reich› (lateinisch Straßburg 1544) besteht im wesentlichen aus Anklagen gegen das Papsttum. Sein Hauptwerk sind die ‹De statu religionis et reipublicae Carolo V. Caesare commentarii› (Straßburg 1555; 80 Auflagen und mehrfach übersetzt), eine durchaus evangelisch ausgerichtete Kirchen- und Staatsgeschichte unter Kaiser KARL V., die erste aktenmäßige Reformationsgeschichte. Sie wurde 1545 durch den Schmalkaldischen Bund in Auftrag gegeben und ist aufgrund der durch Straßburg, Kurpfalz und Hessen zur Verfügung gestellten Akten und der zahlreichen schriftlichen und mündlichen Erkundigungen streng urkundlich in klassischem Latein ausgearbeitet. Als gründliche Arbeit gilt auch SLEIDANS antipäpstlich eingestelltes universalhistorisches Lehrbuch ‹De quattuor summis imperiis› (Straßburg 1556), ‹Über die vier Weltmonarchien›.

Von FLACIUS ILLYRICUS stammt die ‹Ecclesiastica historia – secundum singulas centurias›, genannt die ‹Magdeburger Centurien› (vgl. S. 136). Das vom antirömischen Standpunkt nach humanistischer Methode geschriebene Großwerk umfaßt ‹Centurie I–XIII›, d. h. die Kirchengeschichte der ersten 13 Jahrhunderte, und (nicht vollständig) ‹Centurie XIV–XVI›. Mitarbeiter waren JOHANN WIGAND und MATTHÄUS JUDEX. Scharfsinnig und stoffreich, wurde es zu einem häufig benützten Waffenarsenal im Kirchenkampf. Die römische Kurie bestellte zur Widerlegung dieser Kirchengeschichte eine eigene Kommission. Für den lutherischen Bereich wurden für die geschichtliche Beurteilung der Reformation ferner maßgeblich die ‹Historia der Augsburgischen Confession› (1576; lateinisch 1578) des DAVID CHYTRÄUS, für den reformierten Bereich die ‹Histoire ecclésiastique› (1580) des THÉODORE DE BÈZE.

Wie FLACIUS ILLYRICUS für die protestantische Seite, trugen BARONIUS und RAYNALD für die Katholiken die geschichtlichen Materialien zusammen. Der Italiener CAESAR BARONIUS (1538–1607) hielt zuerst Vorträge gegen die Magdeburger Centuriatoren und verfaßte dann vom katholischen Standpunkt die zwölfbändige große Kirchengeschichte ‹Annales ecclesiastici› (Rom 1588–1607; Mainz 1601–1605). Die ‹Jahrbücher› umfassen die Zeit von Christi Geburt bis 1198. Für je ein Jahrhundert war ein Band vorgesehen. Innerhalb dieses Zeitraumes kommen bei jedem Jahr die kirchlichen Ereignisse im Morgen- und Abendland zur Sprache. BARONIUS erstrebte Objektivität und legt z. B. die Unechtheit der Konstantinischen Schenkung dar, verzichtet auf verletzende Polemik und läßt die Tatsachen sprechen. Mit seinem riesigen, großenteils zum ersten Mal aus dem päpstlichen Archiv veröffentlichten Material überragt das Werk die ‹Magdeburger Centurien›. Fortgesetzt wurde es durch den Franzosen ODERICH RAYNALD (1595–1671). Er begann 1198 und endete 1565 (8 Bände Rom 1646–1667; 9. Bd. 1676–1677). Die ‹Centurien› und die ‹Annales› folgen der humanistischen Anschauung, daß die Kirche in den ersten fünf bis sechs Jahrhunderten rein war, unterscheiden sich aber dann in der Beurteilung der Folgezeit.

Geschichtsdenken und Geschichtsbild des Anhängers der Geistkirche SEBASTIAN FRANCK (vgl. S. 79 ff.) entfalten sich in vier Werken: der ‹Chronica vnnd beschreibung der Türckey› (Nürnberg 1531), der gegen geistliche und weltliche Gewalt aggressiven ‹Chronica, Zeytbůch vnd geschycht bibel› (Straßburg 1531; viele Nachdrucke), dem ‹Weltbuch: spiegel vnd bildtniß des gantzen erdbodens in vier bücher, nemlich in Asiam, Aphricam, Europam vnd Americam gestelt. Auch etwas von new gefundenen welten vnd Inseln› (Tübingen 1534; 4 Auflagen) und dem ‹Germaniae Chronicon› (Augsburg 1538; viele Nachdrucke). Die ‹Türkenchronik› ist eine erweiternde Übersetzung des ‹Libellus de ritu et moribus Turcorum› (entstanden um 1480), zu dem LUTHER Anfang 1530 eine Vorrede verfaßt hatte. Im eigenen Vorwort legte FRANCK das berühmt gewordene Bekenntnis zur unsichtbaren Geistkirche ab. Die ‹Geschichtbibel› schließt sich im wesentlichen der ‹Weltchronik› (1495) des HARTMANN SCHEDEL an. FRANCK ergänzte aber seine Vorlage durch eigene Lektüre und religiös-moralische Reflexionen.

Der erste Teil behandelt die fünf Weltalter von Adam bis Christus, der zweite die weltlichen Händel der Kaiser von CAESAR bis KARL V., der dritte die Geschichte der Päpste und geistlichen Händel von Petrus bis CLEMENS VII.; ihnen folgt die vielberufene ‹Chronica der römischen Ketzer› (im Anschluß an den ‹Catalogus haereticorum› des Dominikaners BERNHARD VON LUXEMBURG, 1522). In Vorreden zu den einzelnen Büchern legt FRANCK seine Auffassung der Geschichte dar. Die Welt und alle Geschöpfe sind eine lebendige Bibel. Was die Schrift gebietet, lehrt oder verbietet, das lebt die Historie oder Chronik und stellt es exemplehaft vor Augen. In der «Geschichtsbibel» enthüllt sich der Weltplan Gottes. Aus dem von der Mystik her bekannten Gegensatz von Innerlichkeit und Äußerlichkeit leitet FRANCK das Geschichtsgesetz ab, daß alles Innerliche notwendigerweise äußerlich werden muß. Geschichte ist für ihn Verweltlichung, der Schauplatz, auf dem sich das Wechselspiel zwischen Gott und dem freien Eigenwillen des Menschen abspielt, «Gottes Fastnachtspiel»: Ein Kampf zwischen Gut und Böse, Geist und Fleisch, bei dem es angesichts des nahe bevorstehenden Jüngsten Tages das beste sei, sich herauszuhalten und ein gottseliges Menschentum anzustreben.

FRANCK schrieb seine ‹Geschichtbibel› als erste nichtkatholische Universalgeschichte für die unsichtbare Brüdergemeinde der Geistgläubigen in allen Völkern und Religionen. Nur die Wiedergeborenen vermögen Gottes Parabeln und Gleichnisse zu verstehen. Die als Ketzer verfolgt werden, sind die wahren Heiligen, die Machthaber der Orthodoxie die eigentlichen Ketzer. FRANCK ging es um den Sinn der Geschichte, um die Aufdeckung ihrer geistigen Hintergründe mit Hilfe seiner religiösmetaphysischen Geschichtsphilosophie, nicht um die Quellenkritik, Quellenvermehrung und die pragmatischen Zusammenhänge.

Um die Leser in die allgemeine Länder- und Völkerkunde und in die deutsche Sittengeschichte einzuführen sowie sie staunen zu machen über die Wunderwerke Gottes, schrieb FRANCK das ‹Weltbuch›. Es war zunächst als vierter Teil der ‹Geschichtbibel› geplant, erschien aber schließlich in selbständiger Form. Mit Recht besagt der Untertitel:«aus glaubwirdigen, erfahrenen Weltschreibern mühselig zuhauf tragen und aus vielen weitläufigen Büchern in ein Handbuch eingeleibt und verfaßt, desgleichen vormals in Teutsch nie ausgangen». Die vier Bücher widmen den vier damals bekannten Erdteilen Asien 142, Afrika 32, Europa 234, Amerika 54 Seiten Text und enthalten eine Fülle des Merkwürdigen (von den neuentdeckten Erdteilen aufgrund der Berichte des MARCO POLO, KOLUMBUS, AMERIGO VESPUCCI, HERNANDO CORTEZ u. a.), Ethnographisches, Volkskundliches und, wie bei FRANCK nicht anders zu erwarten, eine Menge religiöser Reflexionen. Gleichwohl gilt das Werk als die ‹erste allgemeine Weltbeschreibung›. An des JOHANNES NAUKLERUS ‹Weltchronik› (1516) schloß FRANCK das ‹Germaniae Chronicon›. Es reicht vom alten Germanien bis zum Regierungsantritt KARLS V. Bei der Charakteristik Kaiser MAXIMILIANS I. sind große Auszüge aus dem ‹Theuerdank› eingefügt.

Außer den Geschichtswerken, die er zu Vorlagen nahm, hatte FRANCK Kenntnis und zog in seiner Weise Nutzen von allen vorhandenen Forschungen, Darstellungen und Quellenveröffentlichungen seiner Zeit. Was er an Eigenem hinzufügt und wie er es bringt, zeigt ihn als Geschichtsschreiber voll inneren Feuers und plastischer Kraft der Darstellungsweise. Er war ein genialer Kompilator. Seine Stellungnahme ist niemals methodisch-kritisch, sondern intuitiv und gefühlsmäßig aus dem Zentrum seiner religiös-spiritualistischen Weltansicht.

Vom Dichter zum Übersetzer, Historiker und Polyhistor führte der Lebensweg des MICHAEL BEUTHER (1522–1587) aus Karlstadt a. M. Er weilte in jüngeren Jahren in der Nähe EOBAN HESSES und der Wittenberger Reformatoren und wirkte später als Professor in Greifswald, Rat des Bischofs von Würzburg, Professor an der Akademie in Straßburg. Als erstes veröffentlichte er zwei Bücher lateinischer Epigramme, ‹Epigrammatum libri II› (Frankfurt a. M. 1544), mit Lobpreisungen HUTTENS, REUCHLINS, des ERASMUS u. a. In dasselbe Jahr fällt die ihm zugeschriebene Übersetzung des ‹Reinke de Vos› ins Hochdeutsche. Aus der Meinung, nicht nur der Astrologe, sondern vielmehr der Historiker vermöge die Zukunft anzuzeigen, entstanden die ‹Ephemeris Historica› (Paris 1551 und Basel 1556), der das deutsche ‹Calendarium Historicum› (Frankfurt a. M. 1557) entspricht, und die ‹Fasti Hebraeorum, Atheniensium et Romanorum› (Basel 1556 und 1563). Die 1558 veröffentlichte Übersetzung der ‹Kommentare› SLEIDANS (Frankfurt a. M.; 1568 mit einer ‹Vita Sleidani›) galt als die beste der Zeit. Ihr folgte eine Neuausgabe der ‹Memoires 1464 à 1498› des französischen Staatsmannes und Geschichtsschreibers PHILIPP DE COMINES (Straßburg 1566). Aus PAULUS JOVIUS schöpfte BEUTHER in dem Buch ‹Bildnisse viler ... berühmter Keyser, Könige, Fürsten, Grauen und Edeln› (Basel 1582 und 1587). Aus dem Nachlaß herausgegeben wurden die ‹Animadversiones› (Straßburg 1593) mit Abhandlungen über die Vandalen, Slawen, Bojer, Franken, Kelten etc. und ein Kommentar zur ‹Germania› des TACITUS (Straßburg 1594). Er bemühte sich auch um eine Reform der frühneuhochdeutschen Orthographie.

Eine umfangreiche Tätigkeit als Historiker und Übersetzer geschichtlicher Werke übte der Schweizer HEINRICH PANTALEON (1522–1595) aus Basel, dort Professor, Theologe, Mediziner, Polyhistor. Vom Studium der Kirchenväter aus kam er auf die Idee, eine ‹Chronographia Ecclesiae Christianae› (1550, 1551, 1568), d. i. eine Tabelle der Kirchengeschichte, anzufertigen. Ihr folgten später ein ‹Diarium historicum› (1572), d. h. ein Geschichtskalender, und eine ‹Geschichte des Johanniterordens› (1581). PANTALEONS Hauptwerk aber ist die ‹Prosopographia heroum atque illustrium virorum totius Germaniae› (lateinisch Basel 1565–1566), deutsch ‹Teutscher Nation Heldenbuch› in drei Teilen (Basel 1568–1571). Damit wollte er ähnliches leisten wie PLUTARCH, der jüngere PLINIUS und PAULUS JOVIUS. In Form von Biographien sollte die gesamte deutsche Geschichte von der Urzeit bis zur Gegenwart dargestellt werden. Die heldischen Sagengestalten Dietrich von Bern, Hildebrand, Siegfried, Herzog Ernst ebenso wie die Heiligenlegenden werden ausgeschieden. Wohl aber gelten Tuisko, der Urenkel Noes, die fabulösen Königsreihen, TELL und WINKELRIED als historische Personen. Der erste Band des mit Phantasieporträts reich illustrierten Werkes beginnt mit Adam, der zweite mit KARL D. GR., der dritte mit MAXIMILIAN I.

Eine Kultur- und Kirchengeschichte Deutschlands bis zur Reformation veröffentlichte der in Heidelberg tätige Theologe JAKOB SCHOPPER (1545–1616) aus Biberach in dem umfänglichen Werk ‹Neue Chorographia und Historie Teutscher Nation d. i. Warhaffte eigentliche und kurze Beschreibung der alten hochlöblichen Teutschen etc., deren Herkommen, Kriegsthaten, Sitten, Religion und deren Veränderungen biß zur Reformation etc.› (Frankfurt a. M. 1582).

Neben die eigene Geschichtsschreibung treten *Übersetzungen antiker und neuerer Historiographen.* Großem Interesse bei ungelehrten Lesern begegneten vorerst die *römischen* Historiker: VALERIUS MAXIMUS, LIVIUS, CAESAR, SALLUST, JUSTIN, SUETON, TACITUS, EUTROPIUS, FLORUS, OROSIUS, CURTIUS. Sie befriedigten das Verlangen nach neuen Stoffen und Exempeln und kamen z. T. auch den patriotischen Gefühlen entgegen. Die bereits durch HEINRICH VON MÜGELN behandelten ‹Reden und Taten denkwürdiger Männer› des VALERIUS MAXIMUS wurden in der ersten Hälfte des 16. Jahrhunderts durch PETER SELBET ins Deutsche übertragen (1533, 1535), verbessert durch NIKLAS HEYDEN 1565. Sehr früh schon erregte große Anteilnahme LIVIUS mit seiner ‹Römischen Historie›. Die alte Mainzer Übertragung (GOEDEKE I, 445) wurde, mit den zu Lorsch neugefundenen Büchern vermehrt, von NIKOLAUS CARBACH herausgegeben (Mainz 1523). Weitere Übertragungen fertigten JAKOB MICYLLUS 1533, ZACHARIAS MÜNTZER 1562 und HEINRICH PETER REBENSTOCK 1573 an. JULIUS CAESARS ‹Vom gallischen und bürgerlichen Kriege› in der Übersetzung von MATTHIAS RINGMANN PHILESIUS wurde 1507, 1508, 1530, 1565 gedruckt, SALLUSTS ‹Catilina und Jugurtha› verdeutscht durch DIETRICH VON PLENINGEN 1515, verdeutscht durch JAKOB VIELFELD, POLYCHORIUS 1530 und 1534. Des JUSTINUS ‹Weltgeschichte› übertrugen HIERONYMUS BONER 1531 und JUSTINUS GOBLER 1551. SUETONS ‹Biographien der Kaiser› übersetzte JAKOB VIELFELD 1530 und 1536; einen großen Teil der Werke des TACITUS JAKOB MICYLLUS 1535; des EUTROPIUS ‹Römische Geschichte› auszugsweise HEINRICH VON EPPENDORFF 1536 und 1563, von dem 1536 auch des FLORUS ‹Römische Geschichte› übertragen wurde. Der unter dem Namen des ebengenannten FLORUS gehende ‹Inhalt der Geschichte des Livius› wurde durch ZACHARIAS MÜNTZER 1568 übersetzt. Von PLINIUS D. J. erschien die ‹Lobrede auf Trajan› deutsch 1515 und 1520. Ein Unbekannter übersetzte 1573 die ‹Geschichte Alexanders des Großen› von CURTIUS. Die Schrift des VEGETIUS ‹Vom Kriegswesen› hatte schon LUDWIG VON HOHENWANG vor 1478 mangelhaft übersetzt; eine andere Übertragung löste sie in drei Auflagen ab (1511, 1529, 1534). FRONTINS ‹Kriegslisten› erschienen 1532 deutsch; die Übertragung durch MARCUS TATIUS folgte 1542 und 1578.

Beliebt wie die römischen Geschichtschreiber waren auch die *griechischen*. FLAVIUS JOSEPHUS' ‹Geschichte des jüdischen Krieges› wurde übersetzt von KASPAR HEDIO (1531; 5 Auflagen bis 1561); von JOHANNES SPRENG und ZACHARIAS MÜNTZER (1569) und von KUNZ LAUTERBACH; ‹Der Jüdische Krieg› und ‹Die Altertümer› von einem Ungenannten 1552; einzelnes daraus durch GEORG WOLFF 1557, sechs Bücher vom ‹Jüdischen Krieg› durch MICHAEL ADAM 1545. HEGESIPPUS' ‹Vom jüdischen Krieg und der Zerstörung Jerusalems› übertrugen KASPAR HEDIO 1532, DAVID KIBER 1552, GEORG WOLFF 1557, KUNZ LAUTENBACH 1575; aus dem Hebräischen ins Lateinische SEBASTIAN MÜNSTER (gedr. 1557). Ein eifriger Übersetzer griechischer Autoren war HIERONYMUS BONER, Stadtschultheiß zu Kolmar. Er übertrug griechische Autoren, vorzugsweise Historiker, aus lateinischen Versionen: des JUSTINUS ‹Historien› (1531); HERODIANS ‹Geschichte, aus dem Griechischen ins Lateinische durch Angelus Politianus› (1531, 1532); THUKYDIDES' ‹Von dem Peloponenser Krieg› (1533; Holzschnitte von SCHÄUFELEIN); PLUTARCHS ‹Von den Leben der allerdurchlauchtigsten Griechen und Römer› (1534; vermehrt 1541); HERODOTS ‹Von den Perser und vielen anderen Kriegen› (1535); des OROSIUS ‹Chronica› (1539); XENOPHONS ‹Commentarien von dem Leben Cyri› (1540); vier Philippische Reden des DEMOSTHENES 1543. Von DICTYS KRETENSIS die ‹Geschichte des Trojanischen Krieges› verdeutschten MARCUS TATIUS 1536 und JOHANNES HEROLD 1554. DARES PHRYGIUS wurde durch MARCUS TATIUS 1536 übertragen. Von DIODOR VON SIZILIEN übersetzte einige Bücher JOHANNES HEROLD 1554. Die ‹Römischen Historien› des POLYBIUS übertrug WILHELM HOLZMANN, XYLANDER (1574), LYKURGS ‹Rede wider den Leokrates› GEORG LAUTERBECK († 1578) in seinem ‹Regentenbuch›.

Eine ganze Reihe geschichtlicher Werke der neueren Zeit übersetzte HEINRICH PANTALEON ins Deutsche: von MARTIN CROMER, JOHN TOX, NICOLE GILLES, SIGMUND VON HERBERSTEIN, PAULUS JOVIUS, JOHANNES NAUKLERUS, PIER PAOLO VERGERIO, JUAN LUIS VIVES. Vor allem aber ragt PANTALEONS Übersetzung von SLEIDANS ‹Geschichte Karls V.› (1556, 1557, 1562) hervor, der er drei neue Bücher anfügte.

In den vier Teilen der *Mathematik,* in *Arithmetik, Geometrie, Astronomie* und *Musik,* gelingen besonders in der Sternkunde bahnbrechende, das gesamte Weltbild verändernde Erkenntnisse.

Vom Nominalismus der Spätscholastik ausgehend, von der mathematisch-naturwissenschaftlichen Richtung des Humanismus zu einer ersten Höhe gebracht, entwickelten sich in Deutschland neben den religiösen Auseinandersetzungen und ohne von ihnen im Kern beeinflußt zu werden, die *Mathematik* und die *Astronomie.* Ihr namhaftester Vertreter, Kopernikus, hatte die Höhe des Mannesalters schon überschritten, als die Reformation ausbrach. Ihm folgten Giordano Bruno, Kepler und Galilei. Kopernikus vereinigt in seiner Gestalt die Traditionen vom Cusaner her, von den italienischen Neuplatonikern, von Peuerbach und Regiomontan. Das erst im Todesjahr des Verfassers erscheinende Hauptwerk ist einem dem Hause Farnese entstammenden Renaissancepapst, dem Konvokator des Trienter Konzils, dediziert. Ein lutherischer Theologe schrieb eine die Geozentriker beschwichtigende Vorrede.

Bereits der Cusaner hatte die Welt räumlich und zeitlich ins Unendliche ausgedehnt. Aber das von der Antike ererbte Weltsystem mit der Erde als Zentrum lebte noch ein Jahrhundert weiter, bis der Nachweis der doppelten Bewegung der Erde gelang, und unser Planet als ein Weltkörper gleich vielen anderen erkannt wurde. Diese vielleicht bedeutsamste wissenschaftliche Entdeckung der gesamten Renaissance ist Nikolaus Kopernikus (1473–1543) zu verdanken. Mit ihm erreicht die mathematisch-naturwissenschaftliche Richtung des deutschen Humanismus ihre Krönung.

Nikolaus Kopernikus stammt aus der alten deutschen Familie Koppernigk (der Name weist auf den mittelschlesischen Ort Köppernig). Nach dem frühen Tod des Vaters betreute der Oheim Lukas Watzelrode, später Bischof von Ermland, den Bildungsgang des zu Thorn geborenen Knaben. Dieser studierte 1491–1495 an der Universität Krakau, wo die mathematisch-naturwissenschaftliche Richtung des Humanismus sich durch Johannes von Glogau, Michael von Breslau und Albert Brudzewski im Anschluß an die Werke von Peuerbach und Regiomontan besonderer Pflege erfreute. Dann war er 1496–1500 in Bologna, 1501–1503 in Padua und wurde in Ferrara 1503 Dr. iur. can. Bei einem zweiten Aufenthalt in Padua betrieb er medizinische Studien. Kopernikus kannte sowohl die Schriften des Nikolaus von Cues als auch des italienischen Neuplatonismus, besonders des Ficinus; in Padua scheinen Lucas Gauricus, Marcus Mussurus und Nicolaus Leonicus Tomeus auf ihn eingewirkt zu haben. Nach vieljährigem Hochschulstudium und Italienaufenthalt heimgekehrt, lebte er, ein Mann von universaler Bildung, Mathematiker, Astronom, Jurist, Mediziner, als Kanonikus des Domstiftes Frauenburg in Ostpreußen, befaßt mit administrativer Tätigkeit erst bei Bischof Watzelrode († 1512) in Heilsberg, dann für das Domkapitel, vor allem aber mit seinen astronomischen Beobachtungen und theoretischen Arbeiten; 1523 war er eine Zeitlang Administrator des Bistums. Der Reformation schloß er sich nicht an.

Soweit er sich nicht der lateinischen Gelehrten- und Kirchensprache bediente, hat Kopernikus in Briefen und Gutachten deutsch geschrieben. Von seinen Schriften veröffentlichte er selbst einzig die Übersetzung

der Briefe des spätbyzantinischen Rhetorikers und Historikers THEOPHY-
LACTUS SIMOCOTTA ins Lateinische (Krakau 1509). Eine deutsch und lateinisch abgefaßte Denkschrift zur Regulierung des preußischen Münz-
wesens (1522 und 1527), der ‹Commentariolus de hypothesibus motuum
coelestium› (1509), eine kurze Übersicht über seine heliozentrische Lehre,
und eine (verlorene) Schrift über den Kometen von 1533 gelangten nicht
zum Druck. Einen Separatdruck der dem Hauptwerk eingefügten Trigonometrie gab GEORG JOACHIM RHETICUS (Wittenberg 1542) heraus. Dieser
aus Feldkirch in Vorarlberg stammende Mathematiker und Astronom
veröffentlichte auch die erste Darstellung der Theorie seines Lehrers in
der ‹Narratio prima de libris revolutionum› (Danzig 1540) in Form eines
Briefes an JOHANN SCHÖNER. Die KOPERNIKUS zugeschriebene Gedichtsammlung ‹Septem Sidera› (Krakau 1629) wird teils für echt, teils für
unecht erklärt.

Das Hauptwerk des KOPERNIKUS, ‹De revolutionibus orbium coelestium libri VI›, ‹Über die Umläufe der Himmelskreise sechs Bücher›,
zwischen 1512 und 1532 entstanden, erschien Nürnberg 1543 und ist
Papst PAUL III. gewidmet. Der modifizierte Titel und ein von ANDREAS
OSIANDER beigefügtes Vorwort stellten zur Beruhigung der Aristoteliker,
ptolemäisch Gläubigen und Theologen das System als bloß methodische
Beschreibung der Himmelsbewegung hin, ohne inhaltlichen Wahrheits-
anspruch. Die wissenschaftliche Leistung des KOPERNIKUS besteht in der
Neubegründung des heliozentrischen Systems, nach dem die Erde und die
Wandelsterne um die Sonne kreisen.

Schon griechischen Astronomen wie ARISTARCH VON SAMOS war die Möglichkeit bekannt, die Sonne als ruhend und die Erde als einen ihrer Planeten anzusehen. Diese Lehre wurde aber von den klassischen Vertretern der griechischen Astronomie, HIPPARCH, PTOLEMAEUS, verworfen. Im Mittelalter war das
geozentrische System allgemein anerkannt: Man hielt die Erde für die ruhende
Weltmitte. KOPERNIKUS kannte spärliche Andeutungen über heliozentrische Anschauungen bei den Griechen (den Bericht des PLUTARCH über die Lehre von der
Erdbewegung bei den späteren Pythagoreern), entwarf aber sein System selbständig. Nach ihm ist die Welt eine Kugel, in deren Mittelpunkt die Sonne
steht. Der tägliche Umschwung des Himmels ist nur ein Schein, der durch die
Umdrehung der Erde hervorgerufen wird; der Jahreslauf der Sonne ist die
Folge davon, daß die Erde sich um die Sonne bewegt; auch die anderen Planeten
umkreisen die Sonne. Die Gestirne bewegen sich in kreisförmigen Bahnen, wobei die Möglichkeit einer elliptischen Bahn der Himmelskörper erwogen wird.
Die Bewegung der Erde ist dreifach: Sie vollzieht eine täglich um ihre Achse,
eine jährlich um die Sonne, eine jährliche konische ihrer Achse um eine Senk-
rechte zur Ebene der Ekliptik. Die Argumente, die KOPERNIKUS dafür bringt,
sind im wesentlichen speziell astronomischer Art.

Eine der Grundkomponenten der Weltanschauung des KOPERNIKUS
stellt die Überzeugung von der Vollkommenheit des Kosmos und seiner Harmonie dar. Im Widmungsschreiben wirft er seinen Vorläufern vor,

sie hätten das Wichtigste in der Welt nicht entdeckt, «nämlich die Gestalt der Erde und die tatsächliche Symmetrie ihrer Teile», und er vergleicht jene Vorläufer mit Malern, die zwar die einzelnen Teile des menschlichen Körpers wiedergeben können, aber nicht imstande sind, daraus ein harmonisches Ganzes zu komponieren und nichts wissen von der *symmetria partium corporum humanorum*. Seiner Ansicht nach offenbart sich in den Sternbewegungen eine kosmische Ordnung, wie es der christliche Renaissance-Neuplatonismus lehrte.

Voraussetzung für die Entdeckung des KOPERNIKUS war der gewaltige Aufschwung, den Trigonometrie und Astronomie zwei Generationen vorher genommen hatten, sowie das Studium der griechischen Mathematiker. Weiteres Entscheidendes zur Sicherung und zum Beweis der neuen Weltansicht haben später KEPLER, GALILEI und NEWTON beigetragen. Seit KOPERNIKUS mußte der Mensch aufhören, sich selbst für den Herrscher im Weltmittelpunkt und den Sternhimmel für die bloße Umgebung der Erde zu halten; mußte darauf verzichten, die Erde ‹Welt› zu nennen und hatte keinen absolut ruhenden Ort mehr in der Welt, auf den er alle Bewegung beziehen konnte.

Als das Werk 1543 erschien, waren die Hauptgedanken unter den Gelehrten bereits bekannt. Die kirchlichen Instanzen beider Konfessionen standen längere Zeit dem System ablehnend gegenüber.

MELANCHTHON schrieb 1541 nach Veröffentlichung der ‹Narratio prima› in einem Briefe: Einsichtige Regierungen sollten gegen derartige geistige Zügellosigkeit einschreiten. In LUTHERS ‹Tischreden› stehen die Sätze: «Der Narr will die ganze Kunst Astronomie umkehren! Aber wie die Heilige Schrift anzeigt, so hieß Josua die Sonne stillstehen und nicht das Erdreich». Die römische Kirche erklärte 1616 die Kopernikanische Lehre für schriftwidrig und hielt das Buch bis 1835 auf dem Index der verbotenen Bücher. Zwei Jahrhunderte nach KOPERNIKUS umschrieb GOETHE in seiner ‹Farbenlehre› die Bedeutung der Theorie mit folgenden Sätzen: «Unter allen Entdeckungen und Überzeugungen möchte nichts eine größere Wirkung auf den menschlichen Geist hervorgebracht haben als die Lehre des Copernikus. Kaum war die Welt als rund anerkannt und in sich selbst abgeschlossen, so sollte sie auf das ungeheure Vorrecht Verzicht thun, der Mittelpunct des Weltalls zu sein. Vielleicht ist noch nie eine größere Forderung an die Menschheit geschehen».

Andererseits fand KOPERNIKUS gerade in Wittenberg bei den Professoren ERASMUS REINHOLD (1511–1553) und GEORG JOACHIM RHETICUS (1514–1576) begeisterte Zustimmung.

De kopernikanischen Tabellen nachzuprüfen und die neue Lehre durch eine bessere zu ersetzen, unternahm TYCHO BRAHE (1546–1601), der nach dem Tode seines Gönners FRIEDRICH II. VON DÄNEMARK nach Deutschland übersiedelte. BRAHE lehnte die kopernikanische Welttheorie ab und lehrte selbst ein Vermittlungssystem.

Mit Erfindung des Buchdruckes gelangten die *Kalender* bald in breitere Volksschichten. Einer der ersten war der des JOHANN VON GMUNDEN. Seit 1480 kamen auf ein Jahr vorausberechnete Kalender in Übung. Diese pflegten zu enthalten: die Daten der beweglichen Feste und der Heiligenfeste, astronomische Angaben über die Stellung der Himmelskörper, Wetter- und Bauernregeln, Aderlaßtage und Aderlaßmännlein, Gesundheitsregeln, günstige Pflanz- und Saattermine, Aufzählung der erlaubten Beschäftigungen zu bestimmten Zeiten, der Glücks- und Unglückstage. Die Kalender des 16. Jahrhunderts sind Fortsetzungen der älteren Volkskalender. Als es 1524 einen besonderen Anlaß für ein ‹Prognosticon› gab – die Ankündigung großen Unheiles wegen des Zusammenkommens aller Planeten –, stieg die Anzahl der Drucke beträchtlich an. Weit verbreitet war 1475–1531 der Kalender des JOHANNES REGIOMONTANUS, 1592 bis zum 19. Jahrhundert der des JOHANNES COLERUS. Wichtig für den Ausbau der Kalender war das ‹Calendarium historicum› des MELANCHTHON nahestehenden PAUL EBER (vgl. S. 256), gedruckt 1550. Es enthielt zunächst nur geschichtliche Angaben, 1571 auch Astronomisches. Für die Literatur- und Kulturgeschichte wertvoll ist das Beiwerk der Kalender. Es entwickelte sich daraus allmählich eine bestimmte Form von Volks- und Hausbüchern, gemischt in Vers und Prosa, die Belehrung und Unterhaltung, Zeitgeschichte, Polemik und Satire vereinigen. Einer der bedeutendsten Kalendermänner des 16. Jahrhunderts, von MICHAEL DENIS zu WOLFGANG SCHMELTZL in Parallele gestellt, war JOHANN RASCH, Organist des Schottenklosters in Wien, geschickt im Versemachen, von umfangreichem Wissen, «ein lustiger Kopf und Dichter». Er wandte sich schon als Student der Kalendermacherei zu, wie seine ‹Praktik› auf 1578 beweist.

Die *Kunstliteratur* des Reformationszeitalters steht hauptsächlich im Gefolge ALBRECHT DÜRERS (vgl. Bd. IV/1, S. 683 ff.) und auch der italienischen Kunsttheoretiker, deren Schriften durch Deutsche in Deutschland herausgegeben werden. Aber DÜRERS 1525 bis 1528 gedrucktes kunsttheoretisches Schriftwerk fand keine adäquate Fortsetzung mehr. Es gab niemanden, der etwas Ähnliches und Weiteres plante oder hervorbrachte. Wohl aber wurde die ‹Unterweisung der Messung›, die ‹Befestigungslehre› und die ‹Vier Bücher von menschlicher Proportion› von dem Humanisten JOACHIM CAMERARIUS ins Lateinische übersetzt und in Nürnberg und Paris 1532 und 1535 zum Druck gebracht. Damit und durch Übertragungen ins Französische, Italienische, Holländische war ihre Verbreitung und Wirkung bis ins Barockzeitalter in ganz Kultureuropa ermöglicht. Eine Neuausgabe der deutschen Originalredaktion der drei Werke mit den alten Holzstöcken wurde von JOHANNES JANSSEN noch in Arnheim 1603 veranstaltet.

Anscheinend aus dem Buchbesitz DÜRERS, der seine Texte wiederum

aus der Bibliothek REGIOMONTAN-WALTHERS erworben hatte, gab THO-
MAS VENATORIUS LEONE BATTISTA ALBERTIS ‹De pictura› (Basel 1540)
heraus. ALBERTIS Schrift ‹De statua› wurde Nürnberg 1547 gedruckt. Des
POMPONIUS GAURICUS Abhandlung ‹De sculptura› erschien Nürnberg
1542.

Von einheimischer Kunstliteratur sind es im Reformationszeitalter in
Deutschland im wesentlichen zwei Gattungen, die gepflegt werden: Lehrbücher der darstellenden Geometrie bzw. der Perspektive und Kunst-
bücher überhaupt. An *deutschen Perspektivbüchern* seien genannt: HIE-
RONYMUS RODLER, ‹Eyn schön nützlich büchlin und underweisung der
kunst des Messens mit dem Zirckel, Richtscheidt oder Linial› (Simmern
1531; Frankfurt a. M. 1546), ULRICH KERN, ‹Visierbuch› (Straßburg 1531),
AUGUSTIN HIRSCHVOGEL, ‹Anweisung in der Geometria› (Nürnberg 1543),
HEINRICH LAUTENSACK, ‹Des Cirkels und Richtscheyts, auch der Perspectiva und Proportion der Menschen und Rosse ... Underweisung›
(Frankfurt a. M. 1564, 1618), WENZEL JAMNITZER, ‹Perspectiva corpo-
rum regularium, das ist ein fleyssige Fürweysung ...› (Nürnberg 1568)
und schließlich HANS LENCKER mit einer ‹Perspectiva› (Nürnberg 1571,
1595) und einer ‹Perspectiva literaria› (Nürnberg 1567, 1595), d. i. eine
Anweisung, wie man die römischen Buchstaben in die Perspektive einer
Ebene bringen kann. An *Kunstbüchern* sind zu erwähnen: von dem
DÜRER-Schüler HANS SEBALD BEHAM ‹Ein maß oder proporcion der Ross›
(Nürnberg 1528) und ‹Das Kunst- und Lerbuchlein Mallen und Reissen
zu lernen ...› (Frankfurt a. M. 1546; 8 Auflagen bis 1605), von einem
Anonymus ‹Kunstbuechlin ... Von Ertzarbeyt ... Malen, Schreyben,
Illuminieren etc.› (Augsburg 1535 und 1538), von HEINRICH VOGTHERR
‹Kunstbüchlein› (Straßburg 1537 u. ö.), von ERHARD SCHÖN ‹Unn-
derweisung der proportzion vnnd stellung der possen liegent vnd
stehent› (Nürnberg 1538 u. ö.), von dem Dramatiker VALENTIN BOLTZ
‹Illuminierbuch künstlich alle Farben zu machen vnd bereiten› (Basel
1549) und von JOST AMMAN ‹Kunst und Lehrbuchlein› (Frankfurt a. M.
1578).

Im Gefolge der Reformation gingen die großen kirchlichen Bauauf-
gaben immer mehr zurück. Dafür nimmt die Bedeutung des Profan-
baues ständig zu. Bestimmend für die *Architekturtheorie* sind dabei
weiterhin die Lehren VITRUVS und des italienischen Quattrocento. Nach
den Schriften DÜRERS kamen zustande: HIERONYMUS RODLERS ‹Perspectiva› (Simmern 1531, Frankfurt 1546) und HEINRICH VOGTHERRS ‹Libellus
artificiosus› (Augsburg 1539). Der Polyhistor WALTER HERMENIUS RYFF,
RIVIUS veranstaltete die älteste, außerhalb Italiens gedruckte VITRUV-
Ausgabe und versuchte die Übersetzung des Architekturwerkes ins
Deutsche. In die Nähe dieser Erzeugnisse gehören die *Säulenbücher*. Sie
behandeln die fünf Säulen oder Säulenordnungen. Genannt sei der Bau-

meister und Holzschneider HANS BLUM mit seinem Buch ‹Von den füff
Sülen› (lateinisch Zürich 1550; deutsch Zürich 1550 und 1554).

Bis zum 16. Jahrhundert fand die *Musik* ihre Entwicklung hauptsäch-
lich in kirchlichen Chören. Neben diese traten allmählich die weltlichen
Hofkapellen von Fürsten. Bis etwa 1500 gehörten die Komponisten dem
geistlichen Stande an. PALESTRINA und ORLANDO DI LASSO nicht mehr.
Die Gegensätze von Kirchenmusik und weltlicher Tonkunst bilden sich
im musikalischen Ausdruck immer stärker heraus. Es ist hier nicht der
Ort, die Musik-Theorie und -Geschichte des Reformationszeitalters zur
Darstellung zu bringen, zumal die Reihe der Musiklehren, Kontrapunkt,
Generalbaß, Harmonie, ohne Unterbrechung vom Mittelalter zum Barock
führt. Nur wo sich durch die Reformation bedingte Veränderungen in
der Einstellung zur Tonkunst und Wandlungen in ihrem Verhältnis zur
Literatur ergaben, sollen sie (ergänzend zu Kap. IV) berührt werden.

Mit der Reformation beginnt für die Musik insofern ein neuer Abschnitt, als die Reformatoren Stellung nahmen zu ihrer Verwendung
im Gottesdienst. Radikale Richtungen wollten die Musik-Erzeugnisse
und -Instrumente völlig aus den Kirchen entfernen; man zerstörte nicht
nur die Bilder, sondern vernichtete auch die Orgeln. Obwohl selber sehr
musikalisch, verwendete ZWINGLI die Musik am wenigsten, CALVIN begrüßte das Psalmlied, den meisten Spielraum ließ ihr LUTHER.

Für die Veränderungen im Verhältnis von Musik und Literatur liegt
eine der Hauptursachen im Übergang von der lateinischen Kultsprache
zur deutschen. Die fast ausschließliche Verwendung der Volkssprache in
Gottesdienst und Kirchenwesen erzeugte notwendigerweise auch eine
andersartige Musik, weil die deutsche Sprache in Lautbestand, Syntax
und Rhythmus anders beschaffen ist als das Lateinische und die romanischen Sprachen. LUTHER hat das selbstverständlich gewußt. In der Schrift
‹Wider die himmlischen Propheten› (1525) sagt er: «Es muß beide, Text
und Noten, Akzent, Weise und Gebärde aus rechter Muttersprache und
Stimme kommen, sonst ist alles ein Nachahmen, wie die Affen tun».
Im Lateinischen gibt es keinen so strikten Zusammenfall von Bedeutung
und Erklingen wie im Deutschen. Das Sinngefüge wird auch über die
formale Satzstruktur geschaffen. Im Deutschen deckt sich das Sprechen
mit der Bedeutung. Wenn der Komponist adäquat sein will, muß er
sich mit dem Sinngehalt auseinandersetzen. Zur Auswirkung kommen
die Veränderungen hauptsächlich im Kirchenlied und evangelischen Cho-
ral sowie in Prosavertonungen.

Von den deutschen Musiktheoretikern trat MARTIN AGRICOLA (1486
bis 1566) aus Schwiebus früh den Kreisen um LUTHER nahe. Er wurde um
1527 zum ersten Kantor in Magdeburg bestellt und entwickelte sich bald
zu einem der namhaftesten Musikschriftsteller des frühen Luthertums.
Seine größtenteils in deutscher Sprache abgefaßten, mit vielen Beispielen

versehenen theoretischen Schriften sind aufschlußreiche Dokumente der
Schulmusik: ‹Eyn kurtz deudsche Musica› (Wittenberg 1529); ‹Musica
instrumentalis deudsch› (Wittenberg 1529); ‹Musica Figuralis› (Wittenberg 1532); ‹Ein Sangbuchlein aller Sontags Evangelien› (Magdeburg 1541)
u. a. Viele Kompositionen AGRICOLAS finden sich in zeitgenössischen Druk-
ken. Der Philologe, Dichter, Geograph und Musiktheoretiker HEINRICH
LORITI GLAREANUS (vgl. Bd. IV/1, S. 612 f.) erweiterte in seinem ‹Do-
decachordon› (1547) das System der acht auf zwölf Tonarten. Zu den
vier klassischen Kirchentönen fügte er zwei neue und bezeichnete sie
als ionisch und äolisch.

Das Hauptland der europäischen Musik im 16. Jahrhundert aber war nicht
Deutschland, sondern Italien. Dort erstand auch der prominenteste Musiktheoretiker der Epoche, GIOSEFFO ZARLINO (1517–1590), vermutlich Angehöriger
des Minoritenordens, ein Schüler ADRIAN WILLAERTS, seit 1565 Kapellmeister bei
San Marco in Venedig. Er schloß sich GLAREAN an, ging von der antiken Inter-
vallbestimmung und Empirie aus, schuf die Grundlage der modernen Harmonie-
lehre, vervollständigte die Lehre vom Kontrapunkt und befaßte sich in humani-
stisch-ästhetischem Sinne mit dem Verhältnis von Sprache und Musik.

*b) Artes mechanicae. Technologie, Kriegswesen; Erdkunde und Kosmo-
graphie; Heilkunde, Paracelsus, Naturphilosophie; Polyhistorie*

Die Entfaltung der *Eigenkünste* während des Reformationszeitalters
schließt an die sich im Humanismus abzeichnende Sachlage an. Bald nach
der Jahrhundertmitte fällt der Versuch, die systematischen Enzyklopä-
dien des Mittelalters, wie sie KONRAD VON MEGENBERG im ‹Buch der
Natur› (um 1349), PIERRE D'AILLY und an der Wende der Neuzeit
GREGOR REISCH in der ‹Margarita philosophica› (1503) geschaffen hatten,
durch ein auf humanistisch-reformatorischer Basis beruhendes Wissenschaftssystem zu ersetzen. Aus dem Bereich der Alchimie kommt der Begründer der Montanistik. Das schon im ausgehenden Mittelalter und
durch Kaiser MAXIMILIAN I. angebahnte und geförderte Fachschrifttum
erfährt besonders im bedrohten Osten weitere Pflege; der konservative
Adel und das reiche Patriziat der Städte sind noch immer dem Turnier-
wesen, Ringen und Fechten zugetan.

Die im 15. Jahrhundert bei FELIX FABRI und im Humanismus bei
KONRAD CELTIS, FRANCISCUS IRENICUS u. a. ausgebildete zeitgenössische
und historische Orts- und Landesbeschreibung und die Kartographie werden in der nachreformatorischen Zeit im Geist des Humanismus fortgesetzt und bedeutenden Leistungen zugeführt. Darüber hinaus entste-
hen noch drei große Kosmographien, Erdbeschreibungen oder Weltbücher. In der Medizin und Naturphilosophie führt PARACELSUS die Methode der ‹Erfahrenheit› ein und bildet ein «völlig neuartiges kosmo-

sophisches System» (K. GOLDAMMER) aus. Der Anatom und Chirurg AN-
DREAS VESALIUS wird zum Begründer der modernen Anatomie und medi-
zinischen Morphologie. Von 1586 bis 1592 schließlich wirkt GIORDANO
BRUNO in Deutschland. Bestrebungen, das Gesamtwissen der Zeit zu um-
spannen, führen zum Auftreten einzelner Polyhistoren. Die dabei führen-
den Männer kommen geistig aus dem Humanismus und vollbringen ihre
Leistungen im Sinne seiner neuen Wissenschaftsauffassung. Jedoch sind ihre
Werke mehr als bei den freien Künsten auf die Volkssprache eingestellt.

Der zunehmend empirische Charakter der Naturwissenschaften trug
selbstverständlich auch das Seine beim Wandel in der Struktur der Welt-
und Lebensanschauung bei. Man kann dies etwa beobachten an THEODOR
ZWINGER (1533–1588). Dieser universale Gelehrte, insbesondere aber Mediziner, hatte die Schule des THOMAS PLATTER in Basel passiert, war dann
bei PETRUS RAMUS in Paris, betrieb das Studium der Medizin in Padua
und wirkte als Arzt und Professor in Basel. Er unternahm in dem zu
seiner Zeit viel bewunderten ‹Theatrum mundi›, ‹Schauplatz des menschlichen Lebens› (1565) den Versuch, als Gegenstück zu den Enzyklopä-
dien des Mittelalters ein neues *Wissenschaftssystem* auf humanistisch-
reformatorischen Grundlagen zu errichten. In seiner aus dem Nachlaß
herausgegebenen ‹Physiologia medica› (1610) verteidigte er manche an-
gefeindete Lehrsätze des PARACELSUS.

Die halb-mystische Sphäre der Alchimie und Magie hat auch den bedeutendsten Technologen der Zeit hervorgebracht, GEORG AGRICOLA,
BAUER (1495–1555) aus Glüchau, den Begründer der *Bergwissenschaft*,
vornehmlich der Mineralogie und Geologie, den Darsteller der Berg- und
Hüttentechnik. Er setzte die vom Humanismus neu erschlossenen Texte
antiker Naturforscher, z. B. des älteren PLINIUS mit eigenen Beobachtungen
und Erfahrungstatsachen zum Zweck der Kontrolle, Kritik, Widerlegung
und Abrundung in Verbindung. AGRICOLA war theologisch, philosophisch,
philologisch und medizinisch gebildet. Er verfaßte als Schulrektor in
Zwickau eine lateinische Grammatik mit pädagogischen Darlegungen.
In Italien, wo er sich 1523–1526 aufhielt, half er der Druckerfamilie
MANUTIUS in Venedig bei der Herausgabe der Werke des GALENUS. Zurückgekehrt in die Heimat, übernahm er 1527–1533 die Stelle eines Stadtarztes in Joachimsthal. Dort wurde er Mineraloge und Geologe, Berg- und
Hüttenkundiger, schrieb das Buch ‹Bergmanus oder Gespräche über den
Bergbau›, verfaßte einen Aufruf zum Kampf gegen die Türken,
‹Oration, Anred und Vermahnung von Kriegsrüstung und Heer-
zug wider den Türken› (deutsch 1531; lateinisch 1538), und ein Werk
über Maße und Gewichte, ‹De mensuris et ponderibus› (1533 und 1550).
Nach Chemnitz 1533 übersiedelt, war er dort zunächst ebenfalls Stadtarzt, dann aber auch Landeshistoriograph. Der historischen Tätigkeit
entstammt ‹Von der hochlöblichen Sippschaft des chur- und fürstlichen

Hauses zu Sachsen› (1555). Die Gesamtausgabe der montanistischen
Werke erschien zu Basel (1557). Darin finden sich: ‹Bergmanus sive de
re metallica dialogus› (1530); ‹De ortu et causis subterraneorum›, ‹Von
Ursprung und Ursachen der unterirdischen Dinge›, mit den Grundzügen
der Geologie; ‹De natura fossilium› (1546), ‹Von der Natur der Fossilien›,
das erste Lehrbuch der Mineralogie; ‹De natura eorum quae effluunt ex
terra› u. a. ‹De animantibus subterraneis› erschien Basel 1549, ‹De re
metallica›, die mehrfach übersetzten ‹Zwölf Bücher vom Berg- und Hüttenwesen› Basel 1556.

Als der LUTHER- und MELANCHTHON-Schüler JOHANNES MATHESIUS
Pfarrer in der böhmischen Silberbergwerkstadt Joachimsthal war, verfaßte
er eine ‹Sarepta Darinn von allerley Bergwerk vnnd Metallen, Was jr
eygenschafft vnd natur, vnd wie sie zu nutz vnd gut gemacht, guter
bericht gegeben› (Nürnberg 1562).

Zur *Agricultur* gehören die ‹Siben Bücher Von dem Feldbau, vnd vollkommener bestellung eynes ordenlichen Mayerhofs oder Landguts›
(Straßburg 1579 u. ö.) von CAROLUS STEPHANUS und JOHANNES LIEB-
HALTUS, aus dem Französischen übersetzt von MELCHIOR SEBIZIUS, und
‹Fünftzehen Bücher vom Feldbaw› (Straßburg 1587 u. ö.) von SEBIZIUS
selbst. Beide Drucke enthalten Beigaben von JOHANN FISCHART, insbesondere einen ‹Preis des Landlebens›.

Das *Kriegswesen und das Hofleben* betreffen die militärwissenschaft-
lichen Schriften und Dichtungen des in Diensten KARLS V. und MAXI-
MILIANS II. stehenden Diplomaten und in den Türkenkriegen aktiven
Kriegsmannes LAZARUS VON SCHWENDI (vgl. S. 150 f.). Von den Betrüge-
reien und Übelständen bei der Anwerbung, Ausrüstung und dem Unter-
halt der Truppen handeln die noch KARL V. gewidmete Schrift ‹Ob doch
Mittel gefunden mecht werden, darin der Betrug in der Musterung, das
verderben der Teutschen abgeleint werde› und ein ‹Gespräch› zwischen
Petrus und Paulus über die Mißbräuche in den Heeren und Lagern der
Deutschen. Das bedeutendste der kriegswissenschaftlichen Werke
SCHWENDIS ist der ‹Kriegsdiscurs›, genauer: ‹Von Bestellung des gantzen
Kriegswesens und von den Kriegsämtern› (1570/71; gedr. 1593–1594).
In poetische Form kleidete SCHWENDI seine ‹Schöne Lehr an das deutsche
Kriegsvolk› (1595), den ‹Hofdank›, ‹Das Hofleben› und die ‹Instruction
und Lehr für einen jeden Kriegsmann›.

Der herzoglich bayrische Rat ANSELM STÖCKEL verfaßte ein ‹Enchiridion
strategmaticon›, ein Werk über die Kriegskunst.

In einem umfänglichen Prosagespräch, verfaßt von SAMUEL ZIMMER-
MANN, ‹Dialogus oder Gespräch zwayer Personen, nemlich aines Büchsen-
maisters mit einem Fewerwerkher von der Kunst vnd rechten Gebrauch
des Büchsengeschoss vnd Fewerwerkhs› (Augsburg 1572), unterhalten sich
die beiden über Fragen der Ballistik.

Eine kurze Anleitung, aus welcher jemand, der an Adelshöfen als «Rath oder Diener» tätig sein will, ersehen und lernen kann, «wie er sich in allem seinem thun vnd wesen dermassen verhalten soll, daß er daruon Ehr vnnd Rhum haben möge», verfaßte GEORG LAUTERBECK in seiner Schrift ‹Vom Hoffleben› (Frankfurt a. M. 1564).

Als ein Nachfahre der Gattung *Ring- und Fechtliteratur* (vgl. Bd. IV/1, S. 360) erscheint die Lehrschrift ‹Der Altenn Fechter anfengliche Kunst› (Frankfurt a. M. um 1540) mit ‹Zwölf leren den angehenden Fechtern›.

Nach ULRICH VON LICHTENSTEINS ‹Frauendienst› mit seinen Turnierfahrten und Kaiser MAXIMILIANS I. ‹Freydal› mit seinen Ritterspielen fand auch im 16. Jahrhundert in Kreisen der Hocharistokratie und in den reichen Städten das alte ritterliche Waffenspiel seine Interessenten und Pfleger. Man führt *Turnierbücher* oder befaßt sich in theoretischen Schriften mit der Entstehung und dem Wesen des Turniers. Mit der gleichen Materie waren die Herolds- und Wappendichter und sind die Pritschmeister beschäftigt. «Im thurnierbuch», sagt SEBASTIAN FRANCK, «findt mann die fürsten, herrn, grafen, ritter, adel all mit namen, mit was rüstung vnd mit wie viel pferden» ein jeder erschienen war. Ein Beispiel für die Gattung ist das ‹Turnierbuch› Herzog WILHELMS IV. VON BAYERN 1510–1545. Noch gegen Ende des Jahrhunderts wird GEORG RÜXNERS ‹Von Anfang, Ursprung und Herkommen der Thurnier in Teutscher Nation› (Frankfurt a. M. 1578) neu aufgelegt.

Die *topographisch-historische* Beschreibung zeigt, wie früher auch, zwei Zielsetzungen: eine mit dem Schwergewicht auf dem Historischen, eine zweite mit Vorliebe für das Geographische. In Krakau und Basel arbeitete JOHANNES HONTERUS, im deutschen Süden wirkten PETRUS ALBINUS, PETER und PHILIPP APIAN. Die anschaulichsten und souveränsten Werke lieferte die Schweiz durch JOHANNES STUMPF und JOHANNES GULER VON WEINECK. Im Norden war THOMAS KANTZOW tätig. Die Kosmographien schufen SEBASTIAN FRANCK, SEBASTIAN MÜNSTER und JOHANNES RAUW; auch bei ihnen lag das Hauptaugenmerk auf Deutschland.

Während seiner Wirksamkeit in Krakau verfaßte der spätere Reformator Siebenbürgens, JOHANNES HONTERUS, ‹Rudimenta cosmographiae› (Krakau 1530 u. ö.; in lateinische Hexameter umgearbeitet und mit 16 Kartenholzschnitten versehen, 4 Bände 1542). Von ihm stammt auch die erste Landkarte Siebenbürgens (Basel 1532).

Im Kreise der Züricher Geschichtsschreiber wirkte JOHANNES STUMPF (1500–um 1578) aus Bruchsal, erst Johanniter-Geistlicher, dann reformierter Pfarrer, Historiker und Kartograph. Weiterbauend auf der schweizerischen Chronik seines Schwiegervaters HEINRICH BRENNWALD, unternahm er es, mit Unterstützung von WATT, TSCHUDI u. a. eine topographische Beschreibung und Geschichte der Eidgenossenschaft abzufassen: ‹Gemeiner loblicher Eydgenoschafft Stetten, Landen und Völkeren chronikwirdiger Thaaten Beschreibung› (Zürich 1547–1548, 1586, 1606; Auszug 1554 und 1574).

Das typographisch hervorragend mit Landkarten, Städteansichten, Abbildungen von Geschehnissen, Porträts, Münzbildern, Wappen, Inschriften und Naturbildern ausgestattete Werk umfaßt in zwei Bänden 13 Bücher. Die drei ersten sind Europa, Deutschland und Frankreich gewidmet, das vierte erzählt die Geschichte der Schweiz von CAESAR bis 1314, die Bücher 5–12 beschreiben die vier helvetischen Gaue, das Alpgebirg und Lepontier, Graubünden, Wallis und Basel, das 13. Buch führt die Geschichte der Eidgenossenschaft von 1314 bis 1545.

Von kleineren Arbeiten STUMPFS sind zu nennen: eine ‹Chronica vom Leben und Wirken des Zwingli›, eine Beschreibung des Abendmahlstreites zwischen Wittenberg und Zürich, der Einblattdruck ‹Verzeichnung der loblichen Eydgenossenschafft› (1538) mit Karte und gereimter historischer Beschreibung der Schweiz, eine Beschreibung des Konstanzer Konzils (1541), eine Übersetzung der mittelalterlichen ‹Vita Heinrici [IV.] imperatoris› (1556), ‹Vom jüngsten Tag und der Zukunft unsers Herrn Jesu Christi› (1563), ‹Die dryzehen Ort der loblichen Eydgnosschaft des alten Bundes hoher Teutscher Nation› (1573), d. s. Lobsprüche auf die dreizehn Orte.

Eine Beschreibung und Geschichte von Graubünden und den angrenzenden Gebirgsländern lieferte der Staats- und Kriegsmann JOHANNES GULER VON WEINECK (1562–1637) in seiner ‹Raetia d. i. ausführliche und warhaffte Beschreibung der dreyen löbl. Grawen Bünden und anderer retischer Völker› (Zürich 1616). Das Werk ist König LUDWIG XIII. VON FRANKREICH gewidmet.

Im Norden lieferte THOMAS KANTZOW (ca. 1505–1542) eine Beschreibung Pommerns. KANTZOW ist der Verfasser von ‹Fragmenta der pomerischen Geschichte› und einer ‹Hochdeutschen Chronik› (1538–1542). Im wesentlichen Geschichtswerk ist auch die ‹Pomerania› des LUTHER nahestehenden JOHANNES BUGENHAGEN (vgl. S. 51 f.). Eine gute poetische Beschreibung Lüneburgs gab LUCAS LOSSIUS (1508–1582) in der ‹Luneburga Saxoniae› (1566).

Das sächsische Gebiet behandelte PETRUS ALBINUS (1543–1598) in seinem Hauptwerk, der zweibändigen ‹Meißnischen Land- und Bergchronik› (1589/90).

Systematische Zusammenfassungen des erdkundlichen Wissens boten die großen *Erdbeschreibungen, Weltbücher, Kosmographien,* die mathematische, physikalische und kulturelle Geographie sowie Ansätze zu volkskundlicher Forschung umfassen.

Von der Mathematik und Astronomie zur Kosmographie kam PETER

APIAN (1495–1552). Er wirkte nach Studien in Leipzig und Wien von 1527 bis zu seinem Tod als Professor der Mathematik in Ingolstadt. Sein ‹Cosmographicus Liber› (Landshut 1524; beste Ausgabe 1584) gilt als bedeutsam für die Navigationskunde. APIAN griff Anregungen von JO-HANNES WERNER und JOHANNES STABIUS auf und bot über die bis dahin in Anlehnung an PTOLEMAEUS entworfenen Karten den Entwurf einer Projektion der gesamten Erdoberfläche auf ein einziges Kartenblatt. Weiters beschäftigte er sich eingehend mit der Konstruktion von Sonnenuhren und astronomischen Instrumenten und Geräten (wobei ihm 1532 die Bestimmung der magnetischen Mißweisung gelang). Die Resultate dieser Bemühungen sind in seinem Hauptwerk ‹Astronomicum Caesareum› (Ingolstadt 1540) vereinigt. PETER APIANS Sohn PHILIPP APIAN (1531–1589) wurde mit seiner Geländekarte Bayerns (gedr. 1568) der erste Topograph der neueren Zeit.

Von langer Nachwirkung waren, obzwar auf Arbeiten anderer beruhend, die Karten der wettinischen Lande und Böhmens des JOHANNES KRÜGINGER, besser bekannt als Dramatiker: ‹Saxoniae, Misniae, Thuringiae nova exactissimaque descriptio› (Prag 1568) und ‹Regni Bohemiae descriptio› (ebd. 1568).

In die geistige Nachfolge PETER APIANS gehört ferner RAINER GEMMA FRISIUS (1508–1555) aus Dockum in Friesland, Mediziner, Mathematiker und Astronom. Von ihm stammt ein ‹Libellus de locorum describendorum ratione› (Antwerpen 1533) mit geodätischen Anleitungen und eine ‹Charta sive mappa mundi› (Löwen 1540), eine Weltbeschreibung nach alten und neuen Angaben.

Weitaus erfolgreicher als SEBASTIAN FRANCKS ‹Weltbuch› (vgl. S. 423 f.) war die ‹Kosmographie› des SEBASTIAN MÜNSTER (1488–1552) aus Ingelheim, bedeutsam auch als Hebraist. Er übersetzte hebräische Werke ins Lateinische, hatte teil an den ‹Critici sacri›, verfaßte hebräische und aramäische Grammatiken und Wörterbücher, gab das MATTHÄUS-Evangelium hebräisch-lateinisch heraus (1537) sowie eine zweibändige ‹Biblia Hebraica› (Basel 1534–1535 u. ö.) mit lateinischer Übersetzung. Durch den Mitarbeiterkreis des BEATUS RHENANUS kam MÜNSTER zu seinen mathematisch-astronomisch-geographischen Werken: einer ‹Mappa Europae› (1536, 1537, 1558) und der ‹Cosmographia universalis› (Basel 1544; 46 Aufl. bis 1650; ins Lateinische und in fast alle Hauptsprachen Europas übersetzt) mit 471 Holzschnitten und 26 Karten. Das nach 18jähriger Vorbereitung zustande gekommene kompilatorische Werk erlangte Weltruf. Es ist populär gehalten und bietet eine historisch-geographisch-volkskundliche «Beschreibung aller Länder», insbesonders Deutschlands. Auf theologische oder geschichtsphilosophische Kritik wird verzichtet. Seit 1550 erschienen die Ausgaben mit immer mehr Karten und Städtebildern.

Die Kosmographie des als Gesangbuch-Herausgebers bekannten

JOHANNES RAUW, ‹Weltbeschreibung, d. i. eine schöne, richtige und voll-kommliche Beschreibung des Göttlichen Geschöpffs, Himmels und der Erden, beides der himmlischen und irdischen Kugel usw.› (Frankfurt a. M. 1597; 1612) ist dem Landgrafen LUDWIG VON HESSEN gewid-met und umfaßt über 1000 Folioseiten mit Abbildungen und Karten, darunter eine von Amerika.

Zur geschichtlichen Geographie zählt die große Darstellung der ‹Graecia antiqua›, des ‹Antiken Griechenland›, aufgrund der Nachrichten der antiken Autoren durch NIKOLAUS GERBELIUS (1550).

Auf geographischem und astronomischem Gebiet liegt die Bedeutung des vielseitigen JAKOB ZIEGLER (1470/71–1549) aus Landau. Er hatte noch bei CELTIS in Ingolstadt und Wien studiert.

Ein Aufenthalt in Mähren gab ZIEGLER Anlaß zu einer Kampfschrift gegen die Waldenser bzw. die Böhmischen Brüder (Leipzig 1515). In Rom 1521–1525 ent-wickelte er sich am Hofe LEOS X. zu einem Gegner des Papsttums. In Begleitung des GEORG VON FRUNDSBERG befand er sich 1527 bei der Plünderung Roms, deren Geschichte er nachher beschrieb: ‹Historia von der Romischen Bischoff Reich vnd Religion› (1527). Als Anhänger LUTHERS überwarf er sich in Straß-burg mit BUCER, trennte sich vom Protestantismus und näherte sich wieder der alten Kirche. Nachdem er 1541–1543 als Professor für Theologie in Wien ge-wirkt hatte, lebte er im Humanistenkreis des Bischofs WOLFGANG VON SALM zu Passau.

ZIEGLERS zahlreiche mathematische, geographische, astronomische und philologisch-exegetische Schriften wurden alle auf den Index gesetzt. Ma-thematisch-physikalischen Charakter trägt sein Kommentar zum zwei-ten Buch der ‹Naturgeschichte› des PLINIUS (Basel 1531). Zur Länder-kunde gehören die Schilderungen von Syrien, Palästina und Ägypten und die Darstellung Skandinaviens (1532 und 1536). In zweien seiner Schriften findet sich eine Nachricht über die Krimgoten.

In einem parallelen Vorgang in Italien und Deutschland wurde die *Na-turphilosophie* des Humanismus und der Renaissance entwickelt. Nach KOPERNIKUS sind als die Hauptgestalten der deutschen Naturphiloso-phie PARACELSUS und (schon jenseits des uns gestellten Zeitraumes) JOHANNES KEPLER (1571–1630) anzusehen. Als Träger der italienischen naturphilosophischen Bewegung wirkten: der Arzt, Astronom und Dichter GIROLAMO FRACASTORO, der Mathematiker, Philosoph und Arzt HIERONYMUS CARDANUS, der Begründer einer naturforschenden Gesell-schaft BERNHARDINUS TELESIUS, der Lichtmetaphysiker FRANCISCUS PATRI-TIUS, GIORDANO BRUNO und, ins Barock hinüberragend, THOMAS CAMPA-NELLA (1568–1639), der Verfasser des ‹Sonnenstaates› (1602).

PARACELSUS, den seine Zeitgenossen den ‹Luther der Medizin› nann-ten, ist medikohistorisch, als Naturphilosoph und theologisch von Be-deutung. In der Heilkunde wegen seiner Einführung der experimentellen

Methode, in der Naturwissenschaft ob seiner Anschauungen über den Aufbau und das Funktionieren des Kosmos und dessen Konkordanz des Menschen, in der Religionsgeschichte mit seiner Stellungnahme zu den Glaubensproblemen des Reformationszeitalters. Überdies hat er sein Schriftwerk hauptsächlich in deutscher Sprache abgefaßt. Als Vertreter der von GALENUS abhängigen Schulmedizin und bedeutendster Arzt des 16. Jahrhunderts sei JOHANNES CRATO angeführt. Auch der mittelalterlichen *Medizin* kam der allgemeine geistige Fortschritt zustatten. Zudem erwuchsen am Ende des Mittelalters durch das Auftreten von vorher unbekannten Krankheiten, durch überaus schwere Seuchen und den überhandnehmenden Alkoholismus neue Probleme. Durch den Humanismus veranlaßt, griff man auch auf medizinischem Gebiet zurück auf die klassischen Autoren. Dazu kam jedoch in zunehmendem Maße die Empirie und selbständige Beobachtung sowohl der krankheitlichen wie der chemischen Erscheinungen. Speziell in der Medizin hielt aber auch die Kritik, wenn sie zu richtigeren Erkenntnissen gekommen zu sein glaubte, nicht zurück an den bisher unantastbaren griechisch-arabischen Autoritäten, gleichviel ob sie HIPPOKRATES, AVICENNA, GALENUS oder ARISTOTELES hießen.

Alle diese Seiten vereinigt der Arzt, Chemiker, Naturphilosoph und Laientheologe THEOPHRAST BOMBAST VON HOHENHEIM GEN. PARACELSUS (1493–1541), Sohn eines schwäbischen Arztes und einer Untertanin des Stiftes Einsiedeln in der Schweiz, zu Einsiedeln geboren.

Als achtjähriger Knabe kam er mit seinem Vater WILHELM 1502 aus der Schweiz nach Villach in Kärnten, wohin der letztere bereits ältere Beziehungen gehabt zu haben scheint und fortan 32 Jahre ehrenvoll als Stadtarzt und in den großen Bergwerksbetrieben metallurgisch tätig war. Dem Vater verdankte der Sohn die erste Einführung in die Medizin, Metallurgie, Chemie und Botanik; von Mönchen des Benediktinerstiftes St. Paul und reformfreundlichen Frühhumanisten erhielt er seine erste gelehrte Bildung, bevor er als Student nach Italien ging, um in Ferrara und Bologna Medizin zu studieren. Von diesen geistlichen Gelehrten wurde er nach eigener Aussage in den Artes liberales, der Alchimie und Naturkunde sowie in der *philosophia adepta,* d. h. den Anfängen der humanistisch angeeigneten platonisch-gnostisch-hermetischen Naturphilosophie unterwiesen.

Unruhig und mit schwerem Herzen schloß der junge Arzt an die Studienjahre eine schicksalsreiche Wanderzeit, die ihn über den größten Teil Europas und wieder zurück nach Villach führte. In der vierten Defension ‹Von wegen meines lantfahrens› hat er sie in prächtiger Darstellung und höherer Umdeutung des reifen Mannes erzählt. Nicht nur bei der wissenschaftlichen Medizin und Naturforschung wollte er in die Schule gegangen sein, sondern aus der Volksweisheit und täglichen Erfahrung das Wertvolle und Bleibende schöpfen. Gereift und erfahren, scheint er bald nach seiner Heimkehr von der großen Wanderung bei dem Arzt HOMELIUS in Pettau die Entwürfe des Buches ‹Von den fünf Entien›, genannt ‹Volumen medicinae Paramirum de medica industria›, ‹Das Buch von der Gebärung der empfindlichen Dinge in der Vernunft› und das Büchlein ‹De generatione Hominis› niedergeschrieben zu haben. In die Frühzeit gehört vermutlich auch die an FICINUS schließende Schrift ‹De vita longa›. Nach kurzer Rast treffen wir ihn als Wanderarzt und Naturforscher 1523–1524 in Salzburg. Im Mai 1526 verließ der temperamentvolle und leidenschaftliche Mann die Stadt, verdächtig, mit den aufständischen Bauern und Bergknappen mehr als nur im Herzen sympathisiert zu haben, und begab sich nach Westen, wo Württemberg, Baden, die Schweiz und das Elsaß für die nächsten vier Jahre sein Wirkungsbereich wurden. Als er unter Beteiligung OEKOLAMPADS und der Humanisten (FROBEN, der Brüder AMERBACH, ERASMUS) 1527 eine Berufung als Stadtarzt und Professor der Medizin nach Basel erhielt und annahm, begann die Tragödie seines weiteren Lebens. Obwohl ein gehemmter Mensch, behaftet mit einem ererbten Sprachfehler und von geringer Rednergabe, wollte er in Basel, ähnlich wie es LUTHER mit Theologie und Kirche getan, vom Hochschulkatheder aus durch Vorlesungen in deutscher Sprache die Medizin in seinem Geiste reformieren. Doch schon Anfang 1528 beendeten Konflikte mit der Universität und den Stadtbehörden die Lehrtätigkeit des selbstbewußten Professors. Nach einem Aufenthalt im Elsaß zog er durch Süddeutschland, in die Schweiz, nach Tirol in das Industriegebiet des Inntales (1534) und kam in Berührung mit den Evangelischen, den Täufern, den Anhängern der Geistkirche, der sozialen Revolution; nach Aufenthalten wiederum in Süddeutschland, in Österreich, Mähren, wo er in Krumau den Erbmarschall von Böhmen JOHANN VON DER LEIPNIK behandelt, kehrte er zurück nach Kärnten (1538–1540) und schließlich nach Salzburg.

PARACELSUS war für drei Gebiete von Bedeutung: für Medizin und Chemie, als Naturphilosoph, religiös und sozialethisch. Sein Schrifttum ist fast zur Gänze in deutscher Sprache abgefaßt; die lateinischen Titel sind Tradition. Nur wenig davon wurde zu seinen Lebzeiten gedruckt. Seine Wirkung erfolgte durch die persönliche Tätigkeit und über Abschriften. Erst im Laufe des 16. Jahrhunderts konnte das Medizinische und Naturphilosophische veröffentlicht werden. Die erste Gesamtausgabe von JOHANN HUSER umfaßte 10 Bände und erschien in Basel 1589–1590. Sie wurde 1603–1605 ergänzt.

Als *Mediziner und Chemiker* ist PARACELSUS Verfasser von reformerisch-programmatischen und standesethischen Schriften.

Die Medizin ist für ihn die Universalwissenschaft, basierend auf Physik, Chemie, Physiologie und mündend in Philosophie und Theologie. Er ging von der Galenischen Vier-Säfte-Lehre über zu einer dynamisch-funktionellen Auffassung der Lebensprozesse. Alle Lebewesen bestehen aus einem elementarischen sichtbaren Leib und einem astralen unsichtbaren Lebensgeist. Beim Menschen kommt noch die göttliche Seele hinzu. Jeder Patient ist daher stets dreifach krank: leiblich, geistig, seelisch und bedarf einer dreifachen Therapie. Als Arzt aus dem Geiste des Humanismus variiert PARACELSUS in seinen Werken immer wieder das Thema ‹Mensch›. Ihn durchforscht er nach seiner körperlichen und geistig-seelischen Seite, seiner Stellung in der Gesellschaft und nach theologischen Situationen. Wie PICO DELLA MIRANDOLA weiß er um die Größe und Niedrigkeit des Menschen. In seiner Brust wohnen ein *conservator,* ein Erhalter, und ein *destructor,* ein Zerstörer. Das eigentlich Menschliche sieht PARACELSUS in der Fähigkeit zum Erkennen, in dem sich der Mensch mit Gottes Geist berührt.

Nach Werken über die Wundschäden und syphilitischen Erkrankungen zeigt die Frühschrift ‹Volumen Paramirum› die Fundamente einer neuen Krankheitsätiologie und Diagnostik. Die Durchführung seiner Methode legte er in den ‹Elf Traktaten› von Ursprung, Ursachen, Zeichen und Kur einzelner Krankheiten nieder. Zusammengefaßt wurden die Erkenntnisse in der großen Reformschrift ‹Paragranum› (1529/30), einer Art Ausbildungsprogramm für Mediziner mit Formulierung der Grundlage der Medizin und ihrer Arbeitsweise, aber auch Ausführungen über das Verantwortungs- und Sendungsbewußtsein des Arztes vor Gott und den Menschen. Die Ausführungen über die ‹Unsichtbaren Krankheiten› behandeln Fragen der Psychiatrie und Psychopathologie, die auf Beobachtungen und Erfahrungen in dem stark industrialisierten Inntal in Tirol gegründeten ‹Drei Bücher Von der Bergsucht und andern Bergkrankheiten› (1532/34) Probleme der Sozialhygiene und der Berufskrankheiten. Im Jahre 1536 erschien sein Hauptwerk, die Kaiser FERDINAND I. gewidmete ‹Große Wundarznei› zu Augsburg in Druck. Während des letzten Aufenthaltes in Kärnten stellte er zusammen: die Programm- und Anklageschrift ‹Defensiones septem›, den ‹Labyrinthus medicorum errantium› und das ‹Buch von den tartarischen Krankheiten› (d. h. Ablagerungen), denen er die ‹Kärntner Chronik› voransetzte. Das Ganze widmete er den Kärntner Ständen.

PARACELSUS vertritt in seinem medizinischen Schriftwerk die Methode der ‹Erfahrenheit› (*experientia ac ratio*), eine Heilmittellehre, die von der Metallurgie und Alchimie stark chemotherapeutisch bestimmt ist. Er untersucht und beschreibt einzelne Krankheiten, stellt physiologische und pathologische Theorien auf, würdigt die Bedeutung des Lebens und der Lebensprinzipien. Die Medizin ist ihm die höchste Wissenschaft, weil sie das Wohl des Menschen fördert. Sie muß aufbauen auf der Kenntnis der tiefsten Kräfte des Universums und ruht auf Philosophie, Alchimie und Theologie; die ‹Gabalia› [Kabbala] nicht ausgeschlossen. PARACELSUS unterscheidet in der Erkenntnislehre zwischen ‹Licht der Natur› und ‹Licht des Geistes› und erkennt die steuernde Funktion des von Gott mit der spezifischen beruflichen und wissenschaftlichen Gnadengabe ausgestatteten Menschen (besonders des Arztes) im Gang der Natur und der Bestimmung Gottes.

Die Idee der ‹Philosophie›, in der ein Arzt erfahren sein soll, führte PARACELSUS zur Betrachtung der Natur. In der Natur glaubte er alles Wirkliche und Wesentliche geistig und unsichtbar. Es ist Aufgabe des Naturforschers, es sichtbar und faßbar zu machen. Als *Naturphilosoph* interessierte PARACELSUS sich für den Aufbau und das Funktionieren des Kosmos und dessen Konkordanz mit dem Menschen. Hierher gehören die 23 Bücher des ‹Volumen primum suae philosophiae de vita beata›, die 9 Bücher ‹De natura rerum› u. a. Das systematisch-spekulative (Torso gebliebene) Großwerk auf diesem Gebiet sollte die ‹Astronomia magna oder die ganze Philosophia Sagax der großen und kleinen Welt› (1537) werden. In ihm wird ein auf Neuplatonismus (speziell MARSILIUS FICINUS) und Hermetik gründendes, aber in seiner Art selbständiges und neuartiges kosmosophisch-anthropozentrisches System dargelegt.

Die Welt ist für PARACELSUS ein Makrokosmos, ein lebendiges Ganzes, das wie der Mikrokosmos (Mensch) eine Entwicklung durchmacht. Diese beginnt mit der von Gott geschaffenen Urmaterie und führt bis zu den spezialisierten Gattungen und Einzelwesen. Überall ist etwas von Lebensgeist (*spiritus vitae*) und Gestaltungsprinzip (*archaeus*) wirksam. Das Naturgeschehen ist ein chemischer Prozeß, dessen Uressenzen Quecksilber (Flüchtiges und Flüssiges), Schwefel (Brennbares) und Salz (feste Rückstände) sind. Gemäß der Trinität Gottes ist auch die Welt eine Dreiheit und besteht aus einer irdischen oder elementaren, himmlischen oder astralen, geistigen oder göttlichen Welt, die miteinander in sympathievoller Wechselwirkung stehen. Der Mensch ist ein Ebenbild Gottes und besteht entsprechend der Welt ebenfalls aus drei Teilen, einem elementaren (sichtbaren) und einem siderischen (astralen, unsichtbaren) Leib und aus einer ‹dealischen› Seele, die von Gott kommt und im Herzen ihren Sitz hat. In der Frau sieht PARACELSUS einen Schnittpunkt zwischen größter und kleinster Welt. In ihr setzt Gott das Weltgeschehen, den Schöpfungsprozeß fort. Die Zwischenwesen, Natur- und Elementargeister, die der Kosmos enthält, behandelt das Büchlein ‹De nymphis› (das u. a. die ‹Undinen›–Geschichte erzählt).

Nach PARACELSUS ist die Heilkunde ebenso wie die Philosophie eine *particula theologiae*. Als *Theologe* war er biblizistischer Laienchrist, weder mit den Altgläubigen noch mit der Reformation LUTHERS und ZWINGLIS eines Sinnes, aber auf der Suche nach der wahren Kirche Christi, ein Geistesverwandter des SEBASTIAN FRANCK und AGRIPPA VON NETTESHEIM. Nach PARACELSUS verfiel der Mensch dem Bösen durch Störung der Konkordanz der drei Bestandteile, aus denen er zusammengesetzt ist. Durch religiöse Wiedergeburt kann er die Ganzheit seines Wesens zurückerhalten. Die theologische Schriftstellerei des PARACELSUS, die seit etwa 1529 sichtbar wird, besteht meist aus biblischen Kommentaren, behandelt christologische, mariologische und sakramentale Themen und trägt weithin sozialethische Züge. Das umfangreichste erhaltene Werk ist eine ‹Auslegung des Psalters Davids› (um 1530). In ‹De summo et aeterno bono› schildert PARACELSUS den Gedanken vom vollkommenen christlichen Leben im höchsten Gut. Aus der Idee des *corpus Christi* übt er in ‹Sermones› u. a. scharfe soziale und politische Kritik. Er hält die damalige Gesellschafts- und Wirtschaftsordnung für schlecht und bemüht sich um eine soziale Therapie. ‹De nupta› behandelt die Eigentumsfrage, ‹De honestis utrisque divitiis› den richtigen Gütergebrauch, ‹De tempore laboris et requiei› das Arbeitszeitproblem, ‹De magnificis et superbis› die Obrigkeit. Hinter aller Kritik leuchtet jedoch das Bild einer besseren Zukunft auf, eine erneuerte Gesellschaft, eine gereinigte Religion, eine Welt der Güte und Menschlichkeit und des einfachen Lebens.

PARACELSUS stand als ärztlicher Praktiker mitten im sozialen, politischen und religiösen Geschehen der Zeit. Fleiß, Unruhe und Sorge waren die

Stufen, auf denen PARACELSUS zum Höchsten aufstieg. Der Mann, der das Herz mehr ehrte als den Verstand, für den es ein Reich der Seele gibt, das unbegrenzte Möglichkeiten hat, blieb dauernd ein Suchender und Wanderer. Als *ethischer Idealist* ist er überzeugt, daß in der Weltordnung sowohl das Gute wie das Böse sinnvoll und zweckhaft sei, Irrtum und Wahrheit einander gegenseitig brauchen. Vom Humanismus (Antike, Urchristentum), aber doch auch wohl vom Täufertum bestimmt scheinen seine Gedanken zu einer christlich-humanitären Sozial- und Staatsordnung. Wie kaum jemand anderer hat PARACELSUS am Beginn der Neuzeit das Toleranzideal geistig fundiert und zum Lebensprinzip erhoben. Sein ganzes Werk ist orientiert an dem Gedanken von der Wiedergeburt und Neuschöpfung des Menschen aus dem eigenen Inneren. ‹Alterius non sit, qui suus esse potest› ließ er als Wahlspruch auf sein Bildnis von AUGUSTIN HIRSCHVOGEL setzen. ‹Du sollst keines anderen Knecht sein, wenn du dein eigener Herr, Wille und selbstiges Herz sein kannst›. Jedem Menschen ist es gegeben, aus sich ein gottähnliches Wesen oder einen Teufel zu machen. Die ganze Natur stammt aus Gott und ist darum gut. Sie ist das Zentrum all seiner Weltbetrachtung. Aus spätmittelalterlichen Voraussetzungen gereift, nimmt PARACELSUS in der neuen Richtung seinen Weg. Mystisch-symbolische Züge stehen neben ungebrochener Phantasie und scharfer Denkfähigkeit, kosmischem Bewußtsein und starkem Naturgefühl. PARACELSUS war als Mediziner und Naturforscher der erste, der die alten pathologischen Lehren und den gesamten arabischen Galenismus ablehnte und den Grund legte zu Physiologie, Pathologie und Therapie, die chemisch-therapeutische Heilkunde und physiologisch-pathologische Chemie.

Die letzte Wanderung führte PARACELSUS, den Vielumstrittenen, zurück nach Salzburg, wo er zwanzig Jahre vorher seine ärztliche Praxis begonnen hatte. Dort ist er gestorben, nachdem er bis in die letzten Tage in Tat und Schrift seine Kunst ausgeübt hatte. Für das Wenige, das ihm aus seinem ruhelosen Leben geblieben war, bestimmte er als Erben ‹arm, elend und dörftig Leut, die dann kein Pfründ noch ander Fürsehung haben›. Auf dem Friedhof zu St. Sebastian wurde er mitten unter den Armen begraben. Sein Grabmal trägt als ideelles Vermächtnis die Aufschrift: ‹Pacem vivis – requies aeterna sepultis›.

PARACELSUS, der über ein zugleich kritisches und konstruktives Anschauungsvermögen verfügte, gilt als der Ausgangspunkt für die Entwicklung der deutschen Naturphilosophie. Seine Bestrebungen als Arzt verbanden ihn mit dem Individualismus der Renaissance und den Bemühungen um eine Erfahrungswissenschaft, seine Theosophie mit der deutschen Mystik, sein neues Menschenbild und die neue Religiosität mit den christlich-abendländischen Reformbestrebungen und der Geistkirche des 16. Jahrhunderts. Seine Einführung des Deutschen in die medizinische Fachsprache stellt ihn zur volkssprachlichen Bewegung der

Zeit. Das Wichtigste an seiner Lebensleistung sind wohl die methodischen Forderungen, die er an die Medizin und an die gesamte Wissenschaft herangetragen hat; das neue Erkennen auch der ärztlichen Funktion und Aufgabe. Seinem Weltbild mangeln Geschlossenheit der Form und Strenge der Darstellung, gleichwohl wurde es für die Philosophie der deutschen Renaissance und die Pansophie des Barock von außergewöhnlicher Bedeutung. Die Kategorien seiner Naturauffassung wurden in seiner Ausdrucksweise auf lange hinaus Gemeingut der deutschen Spekulation.

Die Lehren des PARACELSUS fanden in Deutschland und im Ausland weite Verbreitung. Von den deutschen Paracelsisten sind LEONHARD THURNEYSSER, ANDREAS ELLINGER und HEINRICH KHUNRATH hervorzuheben. Eine Fortbildung erfuhr die Naturphilosophie des PARACELSUS im 17. Jahrhundert bei JOHANN BAPTISTA VON HELMONT.

Schüler des PARACELSUS war LEONHARD THURNEYSSER ZUM THURN (1530–1595) aus Basel, brandenburgischer Leibarzt. Er verfaßte seine medizinischen und naturphilosophischen Schriften in deutscher Sprache und wurde Wegbereiter einer deutschen Gelehrtensprache. Bemerkenswert sind seine ‹Archidoxa› (1570) und deren Erläuterungsschrift ‹Europadelosis› (1575).

Vom Wittenberger Dichterkreis und den Bemühungen um eine Neubelebung der altchristlichen Poesie bekannt ist ANDREAS ELLINGER. Er wirkte zuerst als praktischer Arzt, dann als Professor der Medizin an der Universität Jena. Sein Schriftwerk besteht, abgesehen von Dichtungen, aus kleinen Gelegenheitsschriften, zwei poetischen Paraphrasen der Hippokratischen Aphorismen und Vorhersagen und zwei Lehrbüchern der chemischen Heilkunde.

Als Arzt zu Hamburg und Dresden lebte HEINRICH KHUNRATH (1560 bis 1605). Von seinen der Theosophie, Kabbalistik und Magie zugehörigen Schriften sei das ‹Amphitheatrum Sapientiae aeternae› (1598) genannt.

Im selben Jahr, in dem das Werk des KOPERNIKUS ‹Über die Umläufe der Himmelskreise› gedruckt wurde, erschien das Buch des ANDREAS VESALIUS (1514–1564) aus Brüssel, ‹De humani corporis fabrica› (1543), ‹Über den Bau des menschlichen Leibes›. Es ist für die Medizin als erste Darstellung der Anatomie des Menschen historisch ähnlich bedeutsam wie die ‹Ephemeriden› REGIOMONTANS für die Astronomie. Einen Auszug daraus übersetzte der Nürnberger Wundarzt JAKOB BAUMANN ins Deutsche: ‹Anatomia Deutsch› (Nürnberg 1551). Das Werk des VESALIUS, der Leibarzt KARLS V., dann PHILIPPS II. war, wurde von STEPHAN VON KALKAR, einem Schüler TIZIANS, mit berühmten Holzschnitten illustriert. Der Spanier MICHAEL SERVET (1511–1553),

Arzt und Theologe, entdeckte als erster Abendländer (vor ihm ein arabischer Gelehrter des 13. Jahrhunderts) den Umlauf des Blutes durch die Lunge, d. h. den kleinen Blutkreislauf. Er kleidete seine Theorie in die Form einer theologischen Abhandlung und veröffentlichte seine Entdeckung in seinem Hauptwerk ‹Christianismi Restitutio› (Vienne 1553). Es ist der nämliche SERVET, der auf CALVINS Anklage wegen Leugnung der Trinität und Ablehnung der Kindertaufe zum Feuertod verurteilt und mitsamt seinem Buch verbrannt wurde.

Der Arzt, Astronom und Dichter GIROLAMO FRACASTORO (1483–1553), zuerst in Padua, später in Verona, dann Leibarzt Papst PAULS III., entwickelte in der Schrift ‹De sympathia et antipathia› (1545) eine Naturlehre, die teilweise die Lehren des EMPEDOKLES erneuerte. Dem CUSANER in der Verbindung von Zahlenlehre und Theologie, aber offenbar auch averroistischen Doktrinen folgte HIERONYMUS CARDANUS (1501–1576) aus Mailand, Philosoph, Arzt, eine geniale und dämonische Persönlichkeit (dargestellt in der Selbstbiographie ‹De vita propria› 1542 und 1575), der Begründer der ‹cardanischen› Formel. Er behandelte parallel mit PARACELSUS in einer großen Anzahl von Schriften mathematische, philosophische und medizinische Fragen auf dem Hintergrund einer hylozoistischen Weltanschauung, welche der Materie ein wesentliches Sein und ursprüngliches Leben zuschreibt: ‹De subtilitate› (1552), ‹De varietate rerum› (1556), ‹Arcana aeternitatis› (posthum). CARDANUS glaubte an eine Weltseele, die identisch ist mit Licht und Wärme und sich mit der Materie (Erde, Luft, Wasser) vermischt. Im Menschen kommt zur leiblichen Seele der unsterbliche Geist, der mit dem beseelten Körper durch die Lebensgeister verbunden ist. Die Menschheit besteht aus Betrogenen, Betrügern, Betrogenen und Betrügern zugleich. Darüber stehen die davon freien Weisen, die es nur mit der Theorie zu tun haben. Dem ungebildeten Volk solle nach CARDANUS verboten werden, über religiöse Dinge zu streiten.

Der ‹Celestina›-Übersetzer (vgl. S. 180) CHRISTOPH WIRSUNG (1500 bis 1571), Arzt in Augsburg, dann auch evangelischer Geistlicher, Ratsherr, später in Heidelberg, verfaßte dort ein bekanntes ‹Artzney-Buch›, in dem ‹fast alle äußerliche und innerliche Glieder des menschlichen Leibes, mit ihrer Gestalt, Aigenschafft und Würkung beschrieben› werden (Heidelberg 1568). WIRSUNG zugeschrieben werden auch, neben der Verdeutschung einiger theologischer Schriften, die Übersetzung der Lebensgeschichte des BOCCACCIO aus dem Italienischen ins Lateinische, sowie der Reden und Fabeln des BERNARDINO OCHINO ins Deutsche und schließlich die kommentierte Ausgabe des ‹Zodiacus vitae› des MARCELLUS PALINGENIUS, die 1564 von JOHANNES SPRENG in deutsche Verse übertragen wurde.

Eine originelle Schrift über die Syphilis (1509) hat den als Dramatiker bekannten ALEXANDER SEITZ zum Verfasser. Auch eine Abhandlung über ‹Die Art und Ursach des Traumes› stammt von ihm.

«Anhänger der von Galen beherrschten Schulmedizin und Gegner der neuplatonisch-mystischen Schule der Paracelsisten» (G. EIS) war

JOHANNES CRATO VON CRAFFTHEIM, KRAFFT (1519–1585) aus Breslau. Er lebte in Wittenberg, als Student durch JOHANN HESS an LUTHER empfohlen, sechs Jahre lang als des Reformators Hausgenosse und führte in dieser Zeit ein Tagebuch, das AURIFABER für die Ausgabe der ‹Tischreden› LUTHERS als Quelle benützte.

Nachdem CRATO in Italien, besonders bei JOHANNES BAPTISTA MONTANUS in Padua, Medizin studiert hatte, fand er 1550 zunächst in Breslau ein Tätigkeitsfeld als Stadtarzt. Obwohl immer den Gedanken der Reformation verbunden, erhielt er infolge seines hohen Ansehens als Arzt 1560 eine Berufung als Leibarzt Kaiser FERDINANDS II., war nach dessen Tod Leibarzt Kaiser MAXIMILIANS II. und behandelte wiederholt auch noch RUDOLF II. Seine letzte Lebenszeit verbrachte er wieder in seiner Heimatstadt.

CRATO, der als einer der ersten die Kontagiosität der Pest erkannte, gehörte als hochgebildeter Humanist zu den berühmtesten Männern seines Zeitalters und bereicherte seine Fachwissenschaft durch eine Anzahl medizinischer Schriftwerke. Die bekanntesten sind: ‹Idea doctrinae Hippocraticae› (1554), ‹Methodus therapeutica ex Galeni et J. B. Montani sententia› (Basel 1555), ‹Ordnung oder Präservation zur Zeit der Pest› (Breslau 1555), ‹Isagoge medicinae› (Venedig 1560), ‹Perioche methodica in libros Galeni› (Basel 1563) u. a.

Neben dem Schrifttum der führenden Persönlichkeiten auf dem Gebiete der Naturwissenschaften und Medizin gab es eine Menge *populärwissenschaftlicher Schriften* aus diesen Disziplinen. In der Botanik schuf nach OTTO BRUNFELS (vgl. Bd. IV/1, S. 695 f.) der Arzt EUCHARIUS RÖSSLIN D. J. in seinem Kräuterbuch (Frankfurt a. M. 1535) die Grundlagen einer deutschen Pflanzenkunde. Der Arzt und Dramatiker JAKOB RUF in Zürich verfaßte ein ‹Trostbüchli von den Empfängnussen und Geburten der Menschen› (1554).

Die seit REGIOMONTAN sichtbaren Versuche, in Hingebung an die Natur mit Hilfe der Erfahrung die Welt- und Lebensgeheimnisse zu enträtseln, hatten im naturwissenschaftlichen Denken von Männern wie KOPERNIKUS, PARACELSUS u. a. den Glauben an die aristotelisch-ptolemäische Kosmologie und Anthropologie des Mittelalters schwer erschüttert. An ihrer Stelle wird eine neue, dem Geiste der Renaissance entsprechende *Naturphilosophie* entwickelt. Wie nicht anders zu erwarten, sind dabei anfangs und noch längere Zeit naturwissenschaftliche und religiös-mystische Elemente vermengt und verschmolzen. Von den Trägern dieser Naturphilosophie erscheint nach TELESIUS und PATRITIUS und vor GALILEI und KEPLER als der wirkungsvollste GIORDANO BRUNO.

Der Philosoph und Mathematiker BERNHARDINUS TELESIUS (1508–1588), Gegner des ARISTOTELES, ebenfalls in Padua herangebildet, Leiter der ‹Academia Telesiana› in Neapel, war «der Hauptvertreter des naturwissenschaftlichen Empi-

rismus der Renaissance». Sein Hauptwerk ‹De natura rerum› (1565–1586) entwickelte in neun Büchern eine phantasievolle Konstruktion der Welt. Noch
mehr Neuplatoniker als TELESIUS war FRANCISCUS PATRITIUS (1529–1597), dessen ‹Nova philosophia› (1591) in vier Teilen (Panaugia, Panarchia, Panpsychia,
Pancosmia) zeigen will, wie das Weltall als Abglanz des von Gott ausgehenden Urlichtes zu verstehen ist, in einem einzigen Urprinzip gründet, beseelt
ist, und daß auf diesen Prinzipien die universelle Ordnung beruht. Der Welt
kommt eine vernünftige Weltseele zu. Jede Menschenseele ist nur ein Teil
dieser Weltseele. PATRITIUS widmete die ‹Nova philosophia› Papst GREGOR XIV.
und hoffte, durch sie die deutschen Protestanten der Kirche wiedergewinnen
zu können. Bemerkenswert ist auch seine Übersetzung des HERMES TRISME-
GISTOS und der Orakel des ZOROASTER ins Lateinische (1591).

Zu den Italienern, die seit LUDWIG IV. VON BAYERN und Kaiser
FRIEDRICH III. nach Deutschland kamen und hier das Geistes- und Kultur-
leben mitbestimmten, gehört am Ende des 16. Jahrhunderts auch GIOR-
DANO BRUNO (geb. 1548, verbrannt 1600), Mitglied des Dominikanerordens bis 1576, Naturphilosoph und Dichter.

Er geriet 1576 in den Verdacht der Ketzerei, floh aus Italien, entfaltete eine
Lehrtätigkeit in der Schweiz, in Frankreich, England und kam 1586 nach Deutschland, wo er in Wittenberg zwei Jahre über ARISTOTELES, RAYMUNDUS LULLUS
und die moderne Kosmologie Vorlesungen hielt.

BRUNOS geistiger Weg führt von der scholastischen Restauration im Studium
generale seines Ordens als Folge des Trienter Konzils zu neuplatonischem
Monismus, zu mystizistischen Spekulationen und magischer Phantastik. Der
Neuplatonismus soll von den christlichen Heilslehren und Überlieferungen
radikal losgetrennt werden. Die Grundlage von GIORDANO BRUNOS Weltbild ist
die Stufung Leib, Seele, Geist, Gott. Hinein verwirkt wurde neben Lullischer
Kunst (‹Ars generalis› 1272), Mnemotechnik und Mythologie der durch den
CUSANER und durch KOPERNIKUS angefachte Drang zur Unendlichkeit. Das All
ist ein Organismus von unzähligen Welten, die durch die mit dem hl. Geist
identische Weltseele in bewegter Ordnung gehalten werden. Die Erscheinungen wechseln, aber das ganze Wesen bleibt ein und dasselbe, als ein Inbild
von Schönheit und Harmonie im Sinne einer dogmenfreien Naturreligion.

Den philosophischen Schriften der Frühzeit angereiht ist eine zynische
Sittenkomödie ‹Il Candelaio›. Bevor BRUNO Wittenberg wieder verließ,
hielt er beim Abschied 1588 die berühmt gewordene Lobrede auf den
deutschen Geist ‹Oratio valedictoria ad amplissimos et clarissimos pro-
fessores atque auditores in Academia Wittebergensi› (Wittenberg 1588).
Als Hauptrepräsentanten stellte er hin: ALBERTUS MAGNUS, NIKOLAUS
VON CUES, KOPERNIKUS und LUTHER. Aus Wittenberg wandte sich BRUNO
nach Frankfurt a. M. und veröffentlichte dort die in Wittenberg ausgearbeiteten Schriften, besonders die Lehrgedichte ‹De triplici minimo et
mensura› (1591) und ‹De monade, numero et figura› (1591). Das erstere
Werk enthält BRUNOS Lehren vom unendlich Kleinen, mit dem zweiten
bezweckte er «die Darstellung der spekulativen Übereinstimmung der
geometrischen Figuren mit den elementaren Zahlen» (L. OLSCHKI).

Als man BRUNO beim Inquisitionsprozeß, der in Rom 1592 gegen ihn begann, als besonders belastend die Lehre von der Unendlichkeit des Universums und der Mehrheit der Welten vorwarf, berief er sich auf die zwar von der Kirche offiziell verurteilte, tatsächlich aber geduldete Lehre von der doppelten Wahrheit des Averroismus.

Auch *Gebrauchs- und Wissenschaftsliteratur* wurde eingedeutscht. Man übertrug aus der Mathematik, Astronomie, Baukunst, Rechtswissenschaft, Naturgeschichte, Veterinär- und Human-Medizin, Agrarkultur. Eine oder die andere EUKLID-Übersetzung blieb Manuskript. Die älteste gedruckte Übertragung der ‹Elemente oder Anfangsgründe der Mathematik› stammt von JOHANN SCHEYBL 1555 (3 Bücher), eine andere von WILHELM HOLZMANN 1562 (6 Bücher). Des VEGETIUS Schrift ‹Von der Tierarzneikunde› wurde 1532, 1564 und 1565 in deutscher Sprache gedruckt. Des CELSUS ‹Von der Heilkunde› übersetzte der Arzt JOHANN KÜFFNER (1531, 1539 und 1541).

Nach einer durch JOHANNES RUELLIUS besorgten lateinischen Version (1530) übersetzte GEORG ZECHENDORFER die ‹Tierarzneikunde› des KONSTANTINOS PORPHYROGENNETOS ins Deutsche (1571); eine neue Auflage erschien unter dem Titel ‹Roßarzney› zu Nürnberg 1575. Die erste Verdeutschung von des DIOSKURIDES ‹Von der Materia Medika› lieferte der Frankfurter Arzt JOHANN DANTZ (1546); 1563 übersetzte sie GEORG HANDSCH zu Prag (gedr. 1565). Die ‹Naturgeschichte› des älteren PLINIUS übertrugen HEINRICH VON EPPENDORFF (1543) und JOHANN HEYDEN (1565, 1571, 1572, 1584). COLUMELLAS ‹Vom Ackerbau oder das Buch von der Feldarbeit› verdeutschte MICHAEL HERR 1538 und gab vermehrt heraus MELCHIOR RABUS 1551. In Byzanz hatte CASSIANUS BASSUS auf Anordnung des selbst literarisch tätigen Kaisers KONSTANTINOS VII. PORPHYROGENNETOS (912–959) aus verschiedenen Autoren eine Schrift ‹Geoponica›, ‹Über den Feldbau oder von den Landarbeiten›, zusammengestellt. JOHANNES ALEXANDER BRASSICANUS gab sie als ‹De re rustica› (Basel 1539) heraus. MICHAEL HERR übersetzte die ‹Geoponica› 1551 ins Deutsche. Schon 1491 hatte ein Unbekannter HYGINS ‹Astronomikon› verdeutscht. Unter der Gebrauchsliteratur besonders geschätzt waren ‹Die Institutionen› JUSTINIANS. Sie erfuhren Übertragungen durch THOMAS MURNER 1519, durch ORTHOLPH FUCHSPERGER 1535 und 1541, von einem Unbekannten 1537, von ANDREAS PERNEDER 1544/45, von JUSTINUS GOBLER 1551–1559.

Als Darsteller verschiedener Wissensgebiete in volkstümlicher Art, als Bearbeiter und Herausgeber machte sich WALTHER HERMENIUS RYFF, RIVIUS († 1548) verdient, Apotheker und Arzt, Botaniker und Mathematiker, tätig in Güstrow im Mecklenburgischen, in Straßburg, Frankfurt u. a. O. Aus seinem umfangreichen literarischen Lebenswerk seien genannt: ‹Des Menschen Anatomie› (1541 u. ö.) mit Ausgaben in fliegenden Blättern und in Buchform, ‹Konfektbuch und Hausapotheke› (1544 u. ö.), ‹Spiegel und Regiment der Gesundheit› (1544 u. ö.), ‹Das neu groß Destilierbuch› (1545 u. ö.), ‹Die große Chirurgie oder vollkommene Wundarznei› (1545 u. ö.), seine Übersetzung des Tierbuches von ALBERTUS MAGNUS. RIVIUS besorgte ferner die erste außerhalb Italiens gedruckte Ausgabe von VITRUVS ‹De architectura libri X› (Straßburg 1543). Von ihm stammt auch die erste Übersetzung ins Deutsche: ‹Zehn Bücher über Architektur›. Das reich illustrierte und von RIVIUS kommentierte Werk erschien Nürnberg 1548.

Der *Polyhistor* und Naturforscher KONRAD GESNER (1516–1565) aus Zürich war als erster um eine botanische Systematik ‹Opera botanica›, (gedr. erst 1753–1759) bemüht und verfaßte eine ‹Historia animalium› (4 Bände; 1551–1558). Jedem Tier sind sieben Kapitel gewidmet, ein achtes befaßt sich mit Anekdoten und sprichwörtlichen Redensarten, zu denen das Tier jeweils Veranlassung gegeben hat. Literarhistorisch bedeutsamer ist GESNERS vierbändige ‹Bibliotheca universalis sive catalogus omnium scriptorum in tribus linquis graeca, latina et hebraica existantium› (1545–1555; Neuauflagen durch JOS. SIMLER 1574, JOH. JAK. FRISIUS 1583). Das Werk enthält in alphabetischer Ordnung der Autoren eine Aufzählung und Charakteristik aller GESNER bekannt gewordenen Bücher und Handschriften in griechischer, lateinischer und hebräischer Sprache sowie eine Übersicht über das Wissen der Zeit. GESNERS Hauptwerk ‹Mithridates› (1555) über den Unterschied der Sprachen ist ein Versuch sprachvergleichender Darstellung und kurzer Charakterisierung aller antiken wie modernen Sprachen, vom Äthiopischen bis zum Rotwelsch. GESNER schrieb auch eine Vorrede zu JOSUA MAALERS ‹Dictionarium Germanolatinum novum› (1561).

c) Artes magicae. Magie und Mantik

In der Renaissance hatte die gelehrte *Magie* ihre Blüte erfahren. Des TRITHEMIUS ‹Steganographie›, eine Geheimschriftenkunde, die in Dämonen- und Beschwörungslehren eingekleidet ist, und die ‹Occulta philosophia› des AGRIPPA VON NETTESHEIM sind dafür Beispiele. Magie als die geheimnisvolle Fähigkeit, ohne Zuhilfenahme natürlicher Mittel auf Dinge, Menschen, Dämonen und Geister einwirken zu können, lebt auch im Reformationszeitalter weiter. Das gleiche gilt für die verschiedenen Formen der *Mantik* oder Wahrsagekunst. Beide Artes erscheinen in zweierlei Arten: als auf der Wirkung und Macht der Dämonen beruhend, als höchste Naturerkenntnisse und übernatürliche Offenbarung. Die Naturphilosophie und der Platonismus der Renaissance sorgten dafür, daß auch das 16. Jahrhundert seine ‹Magier› bekam, gehobene vornehme Vertreter der Disziplin, wie TRITHEMIUS, AGRIPPA VON NETTESHEIM, PARACELSUS u. a., aber auch Schwarzkünstler der Landstraßen. Zu diesen Magiern im Zeitalter der Renaissance und Reformation gehörte auch der DOKTOR FAUST. Er kam von der Wissenschaft her, war aber vorzugsweise fahrender Alchimist und vor allem Horoskopverfertiger.

Seit den biblischen Zeiten galt SALOMON als Dämonenbeherrscher und der größte aller Magier. Das europäische Mittelalter schrieb ihm über zwei Dutzend Zauberschriften zu. Noch im 16. Jahrhundert war die ‹Clavicula Salomonis›, ‹Schlüssel Salomons›, eine dem König SALOMON zugeschriebene, auf die arabische Magie zurückgehende Einführung in die Zauberkunst, in verschiedenen Redaktionen und Ausgaben verbreitet. Sie enthält Beschwörungen der Geister zu mannigfachen Zwecken. Die katholische Kirche setzte das Buch 1554 auf den Index der verbotenen Bücher.

Die magischen Anweisungen und Zaubersprüche wurden gesammelt in den *Zauberbüchern*. Schon im 11. Jahrhundert sind solche schwarzkünstlerische Sammlungen erwähnt. Sie enthielten Anweisungen, um mit Hilfe dämonischer Zauberei von Höllen- und Totengeistern Offenbarungen verborgener Dinge, Schätze etc., aber auch Beistand in Lebens- und Liebesnöten zu erreichen. Der Blüte der gelehrten Magie in der Renaissance folgte vom 16. bis ins 18. Jahrhundert ein Schriftenkomplex der *magia naturalis*.

Als «weitbeschreyter Zauberer vnnd Schwartzkünstler» galt schließlich D. JOHANN FAUST (vgl. S. 191 ff.). Mit seinem Namen verbinden sich seit dem 16. Jahrhundert in Deutschland die sog. ‹Höllenzwänge›. Im Anschluß an die Faustsage entstanden Bücher zur Beschwörung und Dienstbarmachung der Höllengeister. Sie sind überliefert unter den Titeln ‹Imperationes Fausti›, ‹Fausts großer und gewaltiger Höllenzwang›, ‹Doctor Faustens Miraculkunst› usw.

Seit jeher mutete man besonders Frauen zu, Bündnisse mit Dämonen einzugehen, um dadurch übernatürliche Kräfte zu erlangen und anderen Menschen Schaden an Leib und Seele zuzufügen. Im 15. Jahrhundert aber hatte der *Zauber- und Hexenglaube* geradezu epidemische Formen angenommen. Zahllose Traktate wurden als Helfer der Verfolger abgefaßt und verbreitet. Das Hauptwerk bildete der ‹Malleus maleficarum› (vgl. Bd. IV/1, S. 370). Die Anschauungen der Glaubenserneuerer und der Dämonenglaube der Zeit mit einer ausgebildeten Teufelsliteratur waren nicht dazu angetan, den Hexenwahn zu dämpfen. LUTHER verlangte die Hexenverbrennung wegen des Bündnisses mit dem Teufel, ZWINGLI tat nichts dagegen, BULLINGER war extremer Hexengläubiger, CALVIN wollte alle Zauberer ausrotten. Nur wenige Gegner des Hexenwahnes und der Hexenverfolgung machten sich bemerkbar. In Deutschland gehörte zu ihnen der Schüler des AGRIPPA VON NETTESHEIM und calvinische Arzt JOHANN WEYER (1515–1588) mit der Schrift ‹De praestigiis daemonum et incantationibus ac veneficiis› (1563).

Die *Mantik*, Seherkunst, Kunst des Wahrsagens, auch Divination genannt, befaßt sich mit der Erforschung und Verkündigung zukünftiger Geschehnisse oder verborgener Eigenschaften. Die mittelalterliche Kirche zählte die Mantik zum Aberglauben und unterschied sie von den auf göttliche Offenbarungen gestützten Weissagungen und Prophetien. Die mit Hilfe der Seherkunst erzielten Antworten erfolgen durch Orakel. Als Formen der Mantik gelten das Horoskopstellen, die Oneiromantie, Chiromantie, Nekromantie u. a.; am schlimmsten erscheint die dämonische Mantik, die den Teufel zu Hilfe zieht.

Letztlich von einer griechischen Prophetin gehen die zukunftsdeutenden Sprüche und Bücher der Sibylle aus. Das Corpus der ‹Oracula Sibyllina› enthält heidnische, jüdische und christliche Bestandteile und handelt über die kommenden Dinge, besonders den Antichrist und den Jüngsten Tag. Diese *Orakel* wurden zu einer Literaturgattung, deren sich die religiöse und politische Publizistik für ihre Ziele und Zwecke bediente. Die aus dem 5./6. Jahrhundert stammende große Sammlung wurde im 15. Jahrhundert wiederentdeckt.

In den politisch und religiös erregten Zeiten des 14. Jahrhunderts tauchten deutsch geschriebene ‹Sibyllische Weissagungen› auf. Ein 1361 in Thüringen im Kreise der Geißler verfaßtes strophisches Gedicht hatte großen Erfolg und wurde zu einem ‹Sibyllenbuch›. Einem GUTENBERG-Druck von 1451 und einem Bamberger Druck 1492 folgen Kölner Drucke von 1513 und 1515 und ein Leipziger Druck ‹Von Sybilla weyssagung vnd von König Salomonis weyssheyt, was wunders geschehen ist vnd noch geschehen soll vor dem yüngsten tag› (1516). Auch zu Nürnberg wurde 1517 und ca. 1520 die Schrift gedruckt und entwickelte sich, wie weitere Drucke zeigen, im Laufe des 16. Jahrhunderts zu einer Art Volksbuch.

Wieder hervorgeholt und neu gedeutet werden im 16. Jahrhundert das dem HL. METHODIUS († 311) zugeschriebene Orakelbuch ‹Revelationes S. Methodii› und die ‹Oracula› des byzantinischen Kaisers LEON VI. DES WEISEN († 911).

Für die Literatur der *Traumdeutung* ist bemerkenswert, daß PHILIPP MELANCHTHON die deutsche Ausgabe der ‹Oneirokritica› des ARTHEMIDOROS aus Ephesus (2. Jh.) mit einem ausführlichen Traktat über die Deutung von Träumen versah. Er trat dabei selbstverständlich für eine ‹gottesfürchtige› Interpretation ein.

Es war für das *Schrifttum des Reformationszeitalters* ein großer Vorteil, daß die führende Gestalt der Glaubenserneuerung eine zentrale Persönlichkeit auch in der Literatur war – nicht nur Bibelexeget, auch Bibelübersetzer von ganz seltener nachschaffender Begabung, Verfasser von Programmschriften und Kirchenliedern, die weiteste Kreise ansprachen, überdies ein guter Organisator beim Aufbau eines neuen Kirchenwesens. LUTHERS Bibelverdeutschung ist religiös von gar nicht abzuschätzendem Einfluß, sprachprägend bis in die Gegenwart.

Durch die noch gegen Ende der ersten Generation erfolgende Konsolidierung des Protestantismus im ‹Augsburger Bekenntnis›, die Verständigung der Anhänger ZWINGLIS mit den Calvinisten, das Zurücktreten der Täufer und Spiritualisten und durch die Einberufung eines Konzils nach Trient, verbunden mit der einsetzenden Restauration der katholischen Kirche in Lehre und Kultus, konnten sich die traditionellen Literaturgattungen bald wieder in ihrer – freilich vielfach neuen – Eigenart entfalten.

Die um 1520 vorhanden gewesene Situation in den Hauptgattungen der Literatur, Epik, Lyrik, Drama, Didaktik und Artesschrifttum, war hauptsächlich dadurch gekennzeichnet, daß alles zweisprachig war, *deutsch und lateinisch*. Überall war die volkstümliche und die humanistische Komponente wirksam. Die Reformation nun ist nach beiden Seiten hin aufgeschlossen, nach der volkstümlichen und nach der humanistischen. Sie ist einerseits eine religiöse Volksbewegung, andererseits bauen LUTHERS Mitarbeiter ihr höheres Bildungswesen mit den Elementen des Humanismus auf. Die Reformation bringt eine bisher nicht gekannte Masse von Aufklärungs- und Unterweisungsliteratur, Satire und Kampfschrifttum hervor, für dessen ebenfalls bisher nicht dagewesene Verbreitung der leistungsfähig gewordene Buchdruck sorgte. Entscheidend für die Wahl der Sprache war das Publikum, an das sich der Verfasser wandte. Nicht wenige Autoren bedienten sich beider Idiome, des Deutschen und des Lateinischen.

Die *erzählende Literatur* der Epoche kennt in deutscher Sprache Klein- und Großepik in Vers und Prosa, den Schwank, die Historie, den Roman, die Volksbücher. In lateinischer Sprache floriert die grobianische Literatur. Besonderen Aufschwung nahmen die Selbstzeugnisse und Biographien, Reisebeschreibungen u. dgl. Daneben zeigt sich das Eindringen fremder Muster, des ‹Amadis› aus Frankreich, des Schelmenromans aus Spanien.

Auf dem Gebiet der *lyrischen Dichtung* lebt in deutscher Sprache weiter die volkstümliche weltliche Lyrik, das historisch-politische Lied, besonderen Aufschwung erfährt das religiöse Lied. Weltliches und geistliches Lied werden in Liederbüchern gesammelt. Seiner Blüte und weitesten Verbreitung geht der Meistergesang entgegen. Größte Pflege und Verbreitung erlebt auch die neulateinische Lyrik. Gegen Ende des Jahrhunderts macht sich allerdings dagegen eine Opposition geltend und an ihrer Stelle wird eine neue deutschsprachige Kunstlyrik gefordert.

Das *Drama* der Reformationsepoche wird mehr als die andere Literatur in den Dienst des Kirchenkampfes gestellt. Von den mittelalterlichen Spielgattungen erfährt das deutsche geistliche Drama eine starke Zurückdrängung. Weiter leben die alten Fastnachtspiele, fortgebildet wird auch das lateinische Humanistendrama. Sowohl im lateinischen wie im deutschen Drama der zweiten Hälfte des Jahrhunderts zeigen sich die Ansätze einer neuen, vom Mittelalter abgegrenzten Dramenkunst. Das aufkommende Jesuitendrama und die ersten Englischen Komödianten treten fördernd hinzu.

In der *Didaktik und Artesliteratur* erfahren die lehrhafte Dichtung und besonders das Sprichwort weitere Pflege und Sammlung. Aus den Artes erreichen Geschichtsschreibung und Topographie, Astronomie, Medizin und Naturphilosophie Leistungen, die Weltbild und Methode grundlegend verändern.

Die *Reformationsliteratur* im engeren Sinn benutzte charakteristischerweise die Literaturformen des Spätmittelalters und des Humanismus. Nur wurden die alten Formen mit neuem Inhalt gefüllt und erhielten neue Funktionen. Gegen Ende des Jahrhunderts macht sich nun abermals eine *Wendung zu Neuem* bemerkbar, die etwa um 1570 festere Umrisse zeigt. Es kommt zu einer Überschichtung der mittelalterlich-volkstümlichen Formen in Lyrik, Epik und Drama; die traditionsgebundene Gemeinschaftsdichtung wird zu individueller Bekenntnisdichtung; die volkstümliche Bürgerlichkeit des 16. Jahrhunderts weicht vielfach einem aristokratisch-höfischen Geist und Stil; die Auseinandersetzung mit den neuen italienischen, französischen und spanischen Kunstauffassungen hebt intensiver an. In Geisteshaltung und Stilwelt der Spätrenaissance wird der Übergang vollzogen, der hineinführt in Form- und Geisteswillen des Frühbarock.

BIBLIOGRAPHIE

ZEITTAFEL UND HISTORISCHE ÜBERSICHT

REGISTER

BIBLIOGRAPHIE

Aus raumtechnischen Gründen werden Werke, die bereits in der Bibliographie des ersten Teilbandes (IV/1) vermerkt sind, hier nicht mehr angeführt. Es findet sich jedoch an allen Stellen der entsprechende Seitenverweis, so daß ein müheloses Auffinden der Literatur gewährleistet ist. Die Bd. IV/1, S. 733 der Bibliographie vorangestellten Bemerkungen gelten auch für diesen Teilband. Die Abkürzung *aaO* wird stets nur innerhalb desselben Kapitels verwendet.

Einleitung.
Die deutsche und neulateinische Literatur im 16. Jahrhundert

Allgemeine Literatur. [Vgl. auch Bd. IV/1, S. 733 f.] K. Goedeke, Grundriß zur Gesch. der dt. Dichtung, 2 (²1886). – R. Wolkan, Gesch. der dt. Lit. in Böhmen III: Böhmens Anteil an der dt. Lit. des 16. Jhs. (1894). – W. Brecht, Einführung in das 16. Jh., GRM 3 (1911), 340 ff. – W. Stammler, Von der Mystik zum Barock 1400–1600 (1927, ²1950; Epochen der dt. Lit. II, 1). – G. Lüdtke u. L. Mackensen, Dt. Kulturatlas. 5 Bde. (1928–38). – G. Müller, Dt. Dichtung von der Renaissance bis zum Ausgang des Barock (1930; Handb. d. Lit.wiss.). – Ders., Dt. Dichten u. Denken vom MA zur Neuzeit (1934; Samml. Göschen 1086). – J. Benzing, Buchdruckerlexikon des 16. Jhs. (1952). – K. O. Conrady, Die Erforschung der neulat. Lit. Probleme u. Aufgaben, Euphorion 49 (1955), 413 ff. – J. G. Boeckh, G. Albrecht, K. Böttcher, K. Gysi, P. G. Krohn, Gesch. der dt. Lit. von 1480 bis 1600 (1960; Gesch. der dt. Lit. von den Anfängen bis zur Gegenwart 4). – W. Flemming, RGG 5 (³1961), 875 ff. – R. Newald, W. Flemming, F. Martini, W. Rasch, W. Baumgart, Gesch. der dt. Lit. vom Humanismus bis zu Goethes Tod (1490 bis 1832) (1962; Annalen der dt. Lit. 2). – J. Benzing, Die Buchdrucker des 16. u. 17. Jhs. im dt. Sprachgebiet (1963; Beitrr. z. Buch- u. Bibliothekswesen 12). – H. O. Burger, Renaissance, Humanismus, Reformation. Dt. Lit. im europäischen Kontext (1969; Frankfurter Beitrr. z. Germanistik 7).

I. Kapitel. Begriff und Vorgeschichte der Reformation.
Die Reformation in ihren verschiedenen Glaubensrichtungen und deren Schrifttum

Quellenkunde und Bibliographie. G. Wolf, Quellenkunde zur dt. Ref.gesch. 3 Bde. (1915–25). – Dahlmann-Waitz, Quellenkunde der dt. Gesch. (⁹1931), 587 ff. – K. Schottenloher, Bibliographie zur dt. Gesch. im Zeitalter der Glaubensspaltung. 7 Bde. (1933–66). Bd. 7 bearb. v. U. Thürauf. – H. J. Grimm, The Reformation era 1500–1650 (²1955).
Allgemeine Textsammlungen. Corpus Reformatorum. Sammlung der Werke der Reformatoren des 16. Jhs. (1834 ff.). – Bibliothek des Stuttgarter Literarischen Vereins (1842 ff.). – J. Scheible, Das Kloster. Weltlich u. geistlich.

12 Bde. (1845–49). [Als Bd. 13 gelten:] Die fliegenden Blätter des 16. u. 17. Jhs. (1850). – Ders., Das Schaltjahr. 5 Bde. (1846–47). – Ders., Der Schatzgräber. 8 Bde. (1846–48). – H. Kurz, Dt. Bibliothek. 10 Bde. (1862 bis 1868). – K. Goedeke u. J. Tittmann, Dt. Dichter des 16. Jhs. 18 Bde. (1867–83). – Neudrucke dt. Literaturwerke des 16. u. 17. Jhs. (1876 ff.). NF (1961 ff.). – J. Kürschner, Dt. National-Lit. Bd. 15–26 (o. J.). – Corpus Catholicorum. Werke kathol. Schriftsteller im Zeitalter der Glaubensspaltung (1919 ff.). – H. Kindermann, DLE Reihe Volks- u. Schwankbücher, hrsg. v. H. Kindermann u. F. Podleiszek. 3 Bde. (1928–36). Reihe Ref., hrsg. v. A. E. Berger. 7 Bde. (1930–42). Reihe Dt. Selbstzeugnisse, hrsg. v. M. Beyer-Fröhlich. Bd. 4, 5 (1931–32). Reihe Volkslied, hrsg. v. J. Meier. Bd. 1, 2 (1935–36). – C. M. Schröder, Klassiker des Protestantismus. 8 Bde. (1960 ff.; Samml. Dieterich 226 ff.). – H.-G. Roloff u. K. Kahlenberg, Ausgaben Dt. Lit. des XV. bis XVIII. Jhs. (1967 ff.).
Allgemeine Literatur und Nachschlagewerke. F. v. Bezold, Gesch. der dt. Ref. In: W. Oncken, Allgemeine Gesch. in Einzeldarstellungen II, 1 (1890). – A. E. Berger, Die Kulturaufgaben der Ref. (1894). – Real-Encyklopädie für protestant. Theologie u. Kirche. 25 Bde. (³1896–1913). – O. Ritschl, Dogmengesch. des Protestantismus. 4 Bde. (1908–27). – H. Hermelink, Ref. u. Gegenref. (1911; ²1931; Handb. d. Kirchengesch. f. Studierende 3). – E. Troeltsch, Die Bedeutung des Protestantismus für die Entstehung der modernen Welt (1911; ⁵1928). – Ders., Die Soziallehren der christl. Kirchen u. Gruppen (1912; Ders., Ges. Schrr. 1). – Ders., Renaissance u. Ref., Histor. Zs. 110 (1912/17), 519 ff. (Ders., Ges. Schrr. 4). – P. Wernle, Renaissance u. Ref. (1912). – J. Haller, Die Ursachen der Ref. (1917). – P. Wernle, Der evangelische Glaube nach den Hauptschrr. der Reformatoren. 3 Bde. (1918–19). – A. Hauck, Die Ref. in ihrer Wirkung auf das Leben (1919). – H. v. Schubert, Revolution u. Ref. im 16. Jh. (1927). – K. Brandi, Dt. Ref. u. Gegenref. 2 Bde. (1927–28). – H. Schaller, Die Ref. (1928). – H. Schöffler, Die Ref. (1936). – H. Jedin, LThuK 8 (²1936), 689 ff. – J. Lortz, Die Ref. in Dtld. 2 Bde. (1939–40; ⁴1962). – G. Ritter, Die Weltwirkung der Ref. (1941). – P. Joachimsen, Die Ref. als Epoche der dt. Gesch. Hrsg. v. O. Schottenloher (1951). – W. Durant, Das Zeitalter der Ref. (1959; ²1962; Ders., Kulturgesch. d. Menschheit 6). – H. Bornkamm, Das Jh. der Ref. (1961). – E. G. Emile, Histoire generale du Protestantisme (1961). – W. Maurer, RGG 5 (³1961), 858 ff. – J. Lortz, LThuK 8 (³1963), 1069 ff. – H.-G. Roloff, RL 3 (²1971), 365 ff.

1. Von Augustinus bis zu Spätscholastik und Humanismus

Allgemeine Literatur. C. Ulmann, Reformatoren vor der Ref., vornehmlich in Dtld. u. den Niederlanden. 2 Bde. (²1866). – Vorreformationsgesch. Forschgn., hrsg. v. H. Finke (1900 ff.). – G. Ritter, Romantische u. revolutionäre Elemente in der dt. Theologie am Vorabend der Ref., DVjs 5 (1927), 342 ff. – P. Wunderlich, Die Beurteilung der Vorref. in der dt. Gesch.schreibung seit Ranke (1930; Erlanger Abhh. z. mittleren u. neueren Gesch. 5). – W. Andreas, Dtld. vor der Ref. (²1934). – M. Spinka, Advocates of Reform, from Wyclif to Erasmus (1953; The Library of Christian Classics 14).

a) Die Cluniazenser. Der Joachimismus. Waldenser und Sektierer. Versuche des ausgehenden Mittelalters, die kirchlichen und politischen Verhältnisse zu bessern. – AUGUSTINUS. *Lit.:* R. Lorenz, RGG 1 (³1957), 738 ff. – E. Hendrikx, LThuK 1 (³1957), 1094 ff. CLUNIAZENSER. *Lit.:* Th. Schieffer, RGG 1 (³1957), 738 ff. – B. Senger, LThuK 2 (³1958), 1238 ff. DER JOACHIMISMUS. *Lit.:* H. Grundmann, RGG 3 (³1959), 799 ff. – J. Ratzinger, LThuK 5 (³1960), 975 f. WALDENSER UND SEKTIERER. *Lit.:* G. Ellinger, Die Waldenser u. die dt. Bibelübersetzung, ZfdPh 20 (1888), 1 ff. – H. Achterberg, Waldenser in Dtld. In: G. Lüdtke u. L. Mackensen, Dt. Kulturatlas 3 (1936), Taf. 217 b. – V. Vinay, RGG 6 (³1962), 1530 ff. – E. Hirsch, Beitrr. z. Sprachgesch. der württemberg. Waldenser (1963; Veröff. d. Komm. f. geschichtl. Landeskunde in Baden-Württemberg, Reihe B: Forschgn. 24). – A. Mens, LThuK 10 (³1965), 933 ff. JOHN WYCLIF. *Ausg.:* Th. Arnold, Select Engl. Works of J. W. 3 Bde. (1869–71). – J. W., The Latin Works (1883 ff.) [bisher 36 Bde.]. – *Lit.:* W. W. Shirley, A Catalogue of the Original Works of J. W. (1865). Ergänzt v. J. Loserth (1925). – G. V. Lechler, J. v. W. u. die Vorgesch. der Ref. 2 Bde. (1873). – J. Loserth, Hus u. W. (²1925). – H. B. Workmann, J. W. 2 Bde. (1926). – J. Crompton, LThuK 10 (³1965), 1278 ff. JOHANN HUS. *Ausg.:* V. Flajšhans, J. H. Opera omnia. 3 Bde. (1903–08). – *Lit.:* J. Loserth, Beitrr. z. Gesch. der hussitischen Bewegung. 5 Bde. (1877–85). – M. Vischer, J. H. 2 Bde. (1955). – J. Macek, Die hussitisch revolutionäre Bewegung (1958). DIETRICH VON NIEM. Vgl. Bd. IV/1, S. 746. GRAVAMINA GERMANICAE NATIONIS. *Ausg.:* A. Wrede, Die Beschwerden dt. Nation. In: Dt. Reichstagsakten unter Kaiser Karl V., 2 (1896), 661 ff.; 3 (1901), 645 ff. – *Lit.:* L. Hatzfeld, RGG 2 (³1958), 1832. NIKOLAUS VON CUES. Vgl. Bd. IV/1, S. 774 f. DIE REFORMATION DES KAISERS SIGMUND. *Ausg.:* K. Beer, Die R. K. S.s (1933; Beiheft zu den Dt. Reichstagsakten) – H. Koller, R. K. S.s (1964; MGH Staatsschrr. des späteren MAs 6). – *Lit.:* H. Werner, Die R. d. K. S., Arch. f. Kulturgesch., Erg. Heft 3 (1903), 1 ff. – B. Schmeidler, VL III (1943), 1004 ff. – L. Graf zu Dohna, Reformatio Sigismundi (1960; Veröff. d. Max-Planck-Inst. f. Gesch. 4). REFORMATION KAISER FRIEDRICHS III. *Lit.:* H. Werner, R. K. F.s III., Dt. Gesch.Bll. 19 (1918), 189 ff. – O. Schiff, Die unechte R. K. F.s III., Histor. Vjs. 19 (1920), 189 ff. ANTON ZIPFER. *Lit.:* L. Oliger, Das sozialpolit. Reformprogramm des Eichstätter Eremiten A. Z. aus dem Jahre 1462, Beitrr. z. Gesch. d. Renaissance u. Ref. Festschr. J. Schlecht (1917), 263 ff. – G. Eis, VL IV (1953), 1162 ff. DER OBERRHEINISCHE REVOLUTIONÄR. *Lit.:* H. Haupt, Ein o. R. aus dem Zeitalter Kaiser Maximilians I., Westdt. Zs. f. Gesch. u. Kunst, Erg.Heft 8 (1893), 77 ff. – O. Eckstein, Die Reformschr. des sog. O. R.s (Diss. Leipzig 1939). – W.-E. Peuckert, Die große Wende (1948), 223 ff. – H. Boockmann, Bemerkungen zur Reformschrift des sog. O. R., Dt. Arch. f. Erforschg. d. MAs 25 (1969), 537 ff. JAKOB VON JÜTERBOGK. Vgl. Bd. IV/1, S. 765. JOHANN PUPPER VON GOCH. Vgl. Bd. IV/1, S. 765. JOHANN PUPPER VON GOCH. *Ausg.:* F. Pijper, J. P. v. G. De libertate christiana (1909). – *Lit.:* E. Barnikol, RGG 5 (³1961), 722. – A. Franzen, LThuK 5 (³1960), 1038. JOHANNES WESSEL GANSFORT. *Lit.:* H. J. J. Wachters, W. G. (1940). – E. Barnikol, RGG 2 (³1958), 1199 f. – A. Franzen, LThuK 5 (³1960), 1034 f. JOHANNES RUCHERATH. *Lit.:* E. Barnikol, RGG 5 (³1961), 1207. NIKOLAUS RUTZE. *Ausg.:* K. Nerger, N. R. Bokeken von dem Repe (1886). – *Lit.:* F. Heidingsfelder, LThuK 9 (³1964), 126. HANS BÖHM. *Lit.:* W. Stammler, VL 1 (1933), 252 f. JÖRG PREINING. *Lit.:* W. Stammler, VL III (1943), 927 ff. BÖHMISCH-MÄHRISCHE BRÜDERUNITÄT. *Lit.:* H. Renkewitz, RGG 1 (³1957), 1435 ff. LUKAS VON PRAG. *Lit.:* E. Peschke, RGG 4 (³1960), 473. – J. Weisskopf, LThuK 6 (³1961), 1207.

b) Die Reformbestrebungen des Humanismus. – *Lit.:* [Vgl. Bd. IV/1,
S. 800] M. Greschat u. J. F. G. Goeters, Reformation u. Humanismus. Festschr. R. Stupperich (1969).

2. Martin Luther und das Luthertum

a) Luthers Persönlichkeit und Schriftwerk. – *Quellenkunde und Bibliogra-
phie.* Mitteilungen der L.ges. (1919–41; 1953 ff.). – L.-Jb. (1922–40;
1957 ff.) [mit Bibliographie]. – O. Scheel, Dokumente zu L.s Entwicklung
(²1929). – G. Buchwald, L.kalendarium (1929). – J. Benzing u. H. Claus,
L.bibliographie. Verz. der gedruckten Schrr. M. L.s bis zu dessen Tod (1966;
Bibliotheca bibliographica Aureliana 10, 16, 19). – *Ausg.:* D. M. L.s Werke, Krit.
Gesamtausgabe (Weimar 1883 ff. [WA]). I. Werke [jetzt bis Bd. 58]. II.
Tischreden. 6 Bde. III. Briefwechsel. 14 Bde. IV. Dt. Bibel [jetzt bis Bd. 12]. –
G. Buchwald u. a., L.s Werke. 8 Bde. u. 2 Erg.-Bde. (³1905 ff.). – A. E. Berger,
Dt. Kunstprosa der L.zeit (1942; DLE Reihe Ref. 7). – H. H. Borcherdt, G.
Merz u. a., M. L. Ausgew. Werke. 7 Bde. u. 5 Erg.-Bde. (³,⁴1948–57). – K.
Aland, L. Deutsch. 9 Bde. (1949 ff.) [bis jetzt 6 Bde. u. Erg.Bd.:] L.-Lexikon
(1961). – O. Clemen, E. Vogelsang, H. Rückert u. E. Hirsch, L.s Werke in Aus-
wahl. 8 Bde. (1950 ff.; ³1962). – L. E. Schmitt, M. L., Von der Freiheit eines
Christenmenschen (³1954; NDL 18). – K. Bischoff, M. L. Sendbrief vom Dolmetschen (²1957). – W. Steinberg, M. L. Fabeln (1961; NDL 76). – H. Volz, M.
L. Ausgew. dt. Schrr. (²1966; Dt. Texte 3). – G. Hahn, M. L. Die dt. geistl. Lieder (1967; NDL NF 20). – E. Arndt, M. L. Sendbrief vom Dolmetschen u. Summarien über die Psalmen u. Ursachen des Dolmetschens (1968). – *Lit.:* A. E. Berger, L. in kulturgeschichtl. Darstellung. 3 Bde. (1895–1921). – J. Köstlin u. G.
Kawerau, M. L. (⁵1903). – H. Grisar, L. 3 Bde. (1911–12). – F. Lauchert, Die
ital. Gegner L.s (1912; Erläut. u. Ergänz. z. Janssens Gesch. d. dt. Volkes 8). –
W. Walther, L.s Dt. Bibel (1917). – G. Roethe, L.s Bedeutung für die dt. Lit.
(1918). – P. Schreckenbach u. F. Neubert, M. L. (²1918). – O. Scheel, M. L.
2 Bde. (I ³1921; II ⁴1930). – A. Risch, L.s Bibelverdeutschung (1922; Schrr.
d. Ver. f. Ref.gesch. 135). – W. Köhler, Zwingli u. L. 2 Bde. (1924, 1953).
– P. Joachimsen, Die Sozialethik des Luthertums (1927). – E. Bohnenblust,
L. u. der Bauernkrieg (1929). – E. Seeberg, L.s Theologie. 2 Bde. (1929, 1937).
– Ders., Die relig. Grundgedanken des jungen L. in ihrem Verhältnis zum
Ockhamismus u. zur dt. Mystik (1931). – W. v. Loewenich, L.s theologia
crucis (²1932). – W. Betcke, L.s Sozialethik (1934). – O. Wolff, Die Haupt-
typen der neueren L.deutung (1938). – O. Clemen, Die lutherische Ref. u.
der Buchdruck (1939; Schrr. d. Ver. f. Ref.gesch. 167). – J. v. Walter, Die
Theologie L.s (1940). – A. Herte, Das kathol. L.bild im Banne der L.kom-
mentare des Cochlaeus. 3 Bde. (1943). – A. E. Berger, L. u. die nhd. Sprache.
In: F. Maurer u. F. Stroh, Dt. Wortgesch. 2 (1943), 37 ff. – E. W. Zeeden,
M. L. u. die Ref. im Urteil des dt. Luthertums. 2 Bde. (1950, 1952). – H.
Boehmer, Der junge L. (⁴1951). – R. Thiel, L. (²1952). – C. Hinrichs, L. u.
Müntzer (1952). – K. A. Meißinger, Der kathol. L. (1952). – J. Erben, Grund-
züge einer Syntax der Sprache L.s (1954; Dt. Akad. d. Wiss. zu Berlin, Ver-
öff. d. Inst. f. dt. Sprache u. Lit. 2). – Ders., Die sprachgesch. Stellung L.s,
PBB (O) 76 (1954), 166 ff. – H. Bornkamm, L. im Spiegel der dt. Geistes-
gesch. (1955). – H. O. Burger, L. als Ereignis der Literaturgesch. (1957). In:
‹Dasein heißt eine Rolle spielen› (1963; Lit. als Kunst), 56 ff. – G. Ritter,
L. Gestalt u. Tat (⁶1959). – F. Lau, L. (1959; Samml. Göschen 1187). – H.

Wernle, Allegorie u. Erlebnis bei L. (1960; Baseler Studien z. dt. Sprache u. Lit. 24). – B. Stolt, Die Sprachmischung in L.s Tischreden (1964; Stockholmer Germanist. Forschgn. 4). – H. Bornkamm, L. als Schriftsteller, Heidelberger SB, Phil.-hist. Kl. 1965/1. – H. Blühm, M. L. Creative translator (1965). – M. Elze, Züge spätmal. Frömmigkeit in L.s Theologie, Zs. f. ThuK. 62 (1965), 381 ff. – E. Arndt, K. Blaschke, W. G. Admoni, G. Feudel, R. Große, E. Skála, H. Langner, L.s Stellung in der Gesch. der dt. Nationalsprache, PBB (O) 92 (1970), 1 ff. – J. Schildt, Zur Sprachform der Predigten u. Tischreden L.s, ebd. 137 ff. SYLVESTER PRIERIAS. *Lit.:* F. Lau, RGG 5 (³1961), 568. – G. Gieraths, LThuK 8 (³1963), 735. CAJETAN DE VIO. *Ausg.:* F. Lauchert, C., Thomas de Vio, De divina institutione pontificatus Romani pontificis (1521) (1925; Corp. Cathol. 10). – *Lit.:* J. F. Groner, Kardinal C. (1951). – H. Liebing, RGG 1 (³1957), 1582 f. – R. Bauer, LThuK 2 (³1958), 875 f.

b) Gestalten um und neben Luther: Philipp Melanchthon, Johannes Bugenhagen, Veit Dietrich, Andreas Karlstadt, Martin Bucer, Johannes Agricola. – PHILIPP MELANCHTHON. *Ausg.:* K. G. Bretschneider et H. E. Bindseil, Ph. Melanchtonis Opera quae supersunt omnia. 28 Bde. (1834–60; Corp. Ref. 1 bis 28). – Ch. Oberhey, M.s Gedichte, ausgew. u. übersetzt (1862). – H. E. Bindseil, Ph. Melanchthonis Epistolae, Judicia, Consilia etc. (1874). – J. Haußleiter, Aus der Schule M.s (1897). – Ders., M.-Kompendium (1902). – Supplementa Melanchthoniana. 6 Bde. (1910–26). – Th. Kolde, Loci communes Ph. Melanchthonis in ihrer Urgestalt (⁴1925). – R. Stupperich, M.s Werke in Auswahl. 6 Bde. (1951–65). – H. Bornkamm, Der authentische lat. Text der Confessio Augustana, Heidelberger SB, Phil.-hist. Kl. 1956/2. – Ders., Das Augsburger Bekenntnis (1965; Furche Bücherei 228). – *Lit.:* C. Schmidt, M.s Leben u. ausgew. Schrr. (1861). – K. Hartfelder, Ph. M. als Praeceptor Germaniae (1889; MG Paed. 7). – E. Troeltsch, Vernunft u. Offenbarung bei J. Gerhart u. M. (1891). – K. Sell, M. u. die dt. Ref. bis 1531 (1897; Schrr. des Ver. f. Ref.gesch. 56). – G. Ellinger, Ph. M. (1902). – W. Beyschlag, Ph. M. u. sein Anteil an der dt. Ref. (⁴1917). – R. Seeberg, Lehrbuch der Dogmengesch. IV, 2 (1920). – R. Stupperich, Der Humanismus u. die Wiedervereinigung der Konfessionen (1936). – H. Volz, M.s Anteil an der Lutherbibel, Arch. f. Ref.gesch. 45 (1954), 196 ff. – C. L. Manschreck, M., The quiet reformer (1958). – A. Sperl, Zwischen Humanismus u. Ref. (1959). – R. Stupperich, M. (1960; Samml. Göschen 1190). – O. Beuttenmüller, Vorläufiges Verz. der M.-Drucke des 16. Jhs. (1960). – W. Maurer, Der junge M. I: Der Humanist (1967). – M. Greschat, Melanchthoniana nova, Bibliothèque d'Humanisme et Renaissance 29 (1967), 189 ff. – H. Scheible, Aus der Arbeit der Heidelberger Akad. der Wiss. Überlieferung u. Editionen der Briefe M.s, Heidelberger Jbb. 12 (1968), 135 ff. VALENTIN TROTZENDORF. *Lit.:* G. Bauch, V. T. u. die Goldberger Schule (1921; MG Paed. 57). – F. Weigl, V. T. u. seine Zeitgenossen (1948). – A. Reble, RGG 6 (³1962), 1049 f. HIERONYMUS WOLF. *Lit.:* G. Mezger, ADB 43 (1898), 755 ff. – M. H. Jellinek, Über die Schrift des H. W. De ortographia Germanica, ac potius Suevica nostrate, ZfdPh 30 (1898), 251 ff. – G. Ellinger, Gesch. der neulat. Lit. Dtlds. im 16. Jh. 2: Die neulat. Lyrik Dtlds. in der ersten Hälfte des 16. Jhs. (1929), 240 ff. – K. O. Frenzel, RGG 5 (²1931), 2007. KASPAR PEUCER. *Lit.:* J. Wagenmann, ADB 25 (1887), 552 ff. – G. Ellinger, aaO 2 (1929), 132 f. – J. Moltmann, RGG 5 (³1961), 264. JOHANNES MATHESIUS. *Ausg.:* G. Loesche, J. M. Ausgew. Werke. 4 Bde. (1896 bis 1904; Bibl. Dt. Schriftsteller aus Böhmen 4, 6, 9, 14). – *Lit.:* G. Loesche, J. M. 2 Bde. (1895). – A. Hauffen, Sudetendt. Lebensbilder I (1926), 103 ff. – H. Volz,

Die Lutherpredigten des J. M. (1930). Johannes Bugenhagen. *Bibliographie.* G. Geisenhof, Bibliotheca Bugenhagiana (1908; Quellen u. Darstellgn. aus der Gesch. des Ref.sjhs. 6). – *Ausg.:* O. Vogt, Dr. J. B.s Briefwechsel (1888). Nachträge: Ders. (1890); L. Enders, Theol. Studien u. Kritiken 62 (1889), 787 ff. – O. Heinemann, J. B.s Pomeriana (1900; Quellen z. Pommerschen Gesch. 4). – G. Buchwald, J. B.s Katechismuspredigten, gehalten 1525 u. 1532 (1909; Quellen u. Darstellgn. aus der Gesch. des Ref.sjhs. 9). – Ders., Ungedruckte Predigten J. B.s aus den Jahren 1524 bis 1529 (1910; ebd. 13). – J. Rogge, J. B. Ausgew. u. übersetzt (1962; Quellen: Ausgew. Texte aus d. Gesch. d. christl. Kirche 30, 2). – *Lit.:* J. Paulsen, B.s nd. Bibelübersetzung. 2 Bde. (1884/85). – E. Wolf, NDB 3 (1957), 9 f. – W. Rautenberg, J. B. (1958). – K. Harms, D. J. B. (1958). – E. Kruse, B.s plattdt. Bibel, Mitt. d. Lutherges. 29 (1958), 73 ff. – H. Claus, J. B. 1485–1558. Bestandsverz. der Drucke und Hss. (1962; Veröff. der Landesbibl. Gotha 9). Veit Dietrich. *Ausg.:* O. Dietz, Die Evangelien-Kollekten des V. D. (1930; Gebete der Väter I, 1). – *Lit.:* H. Herrfurth, V. D.s Predigt, dargestellt an seinen Kinderpredigten (Diss. Gießen 1935). – M. Simon, NDB 3 (1957), 699. – B. Klaus, V. D. Leben und Werk (1958; Einzelarbb. aus d. Kirchengesch. Bayerns 32). Andreas Bodenstein gen. Karlstadt. *Bibliographie.* E. Freys u. H. Barge, Verz. der gedruckten Schrr. des A. B. v. K., Zbl. f. Bibl.wesen 21 (1904), 153 ff. – *Ausg.:* H. Lietzmann, A. K. Von Abtuhung der Bilder (1911; Kl. Texte f. theol. u. philol. Vorlesgn. u. Übungen 74). – E. Hertzsch, K.s Schrr. aus den Jahren 1523–1525 (1956/57; NDL 325). – *Lit.:* G. Bauch, A. Carlstadt als Scholastiker, Zs. f. Kirchengesch. 18 (1898), 37 ff. – H. Barge, A. B. v. K. 2 Bde. (1905). – E. Hertzsch, K. u. seine Bedeutung für das Luthertum (Diss. Jena 1932). – G. Hein, Mennonit. Lex. 2 (1933), 463 ff. – E. Kähler, NDB 2 (1955), 356 f. – E. Hertzsch, RGG 3 (³1959), 1154 f. Martin Bucer. *Bibliographie.* R. Stupperich, Bibliographia Bucerana (1952). – *Ausg.:* F. Wendel, Opera latina (1955 ff.). – R. Stupperich, M. B., Opera Omnia. Dt. Schrr. (1960 ff.). – *Lit.:* R. Stupperich, NDB 2 (1955), 695 ff. – J. Pollet, M. B. Etudes sur la correspondence. 2 Bde. (1958 bis 1962). Wolfgang Capito. *Lit.:* P. Kalkoff, W. C. im Dienste Erzbischof Albrechts v. Mainz (1907). – O. E. Straßer, C.s Beziehungen zu Bern (1928). – N. Paulus, LThuK 2 (²1931), 741. – O. E. Straßer, La pénsee Théologique de W. Capiton (1938; Memoires de l'Université de Neuchâtel 11). – H. Grimm, NDB 3 (1957), 132. – R. Stupperich, RGG 1 (³ 1957), 16. Johannes Agricola. *Ausg.:* L. Daae, Joannis Agricolae Islebiensis Apophtegmata nonnulla (Progr. Christiania 1886). – F. Bobertag, J. A. Sibenhundert vnnd Fünfftzig Dt. Sprichwoerter (1548). In: Ders., Volksbücher des 16. Jhs. (1887), 411 ff. – S. L. Gilman, J. A. Sprichwörtersammlung I u. II. 2 Bde. (1971; Ausgaben Dt. Lit. des XV. bis XVIII. Jhs.). – *Lit.:* F. Latendorf, A.s Sprichwörter, ihr hochdt. Ursprung u. ihr Einfluß auf die dt. u. niederländ. Sammler (1862). – G. Kawerau, J. A. von Eisleben (1881). – G. Hammann, NDB 1 (1953), 100. – J. Rogge, J. A.s Lutherverständnis (1960; Theolog. Arbeiten 14).

3. Huldrych Zwingli und der Zwinglianismus. Johannes Oekolampadius, Johann Heinrich Bullinger u. a. Johannes Calvin und der Calvinismus

Huldrych Zwingli. *Ausg.:* E. Egli, G. Finsler, W. Köhler, O. Farner, F. Blanke, L. v. Muralt, E. Künzli, R. Pfister, Huldreich Z.s Sämtl. Werke. 11 Bde. (1905 ff.; Corp. Ref. 88–98.). – G. Finsler, W. Köhler, A. Rüegg, Ulrich Z. Eine Auswahl aus seinen Schrr. (1918). – F. Blanke, O. Farner, O. Frei, R. Pfister, Z. Hauptschrr. (1940 ff.). – E. Künzli, H. Z. Auswahl seiner Schrr. (1962). – Lit.: F. Humbel, U. Z. u. seine Ref. im Spiegel der gleichzeitigen schweizer. volkstüml. Lit. (1912; Quellen u. Abhh. zur schweizer. Ref.gesch. 1). – W. Köhler, Die Geisteswelt Z.s (1920). – F. Blanke, Z. u. Luther (1931). – O. Farner, H. Z. 4 Bde. (1943–60; Bd. 4 hrsg. v. R. Pfister). – W. Köhler, H. Z. (1943). – A. Rich, Die Anfänge der Theologie H. Z.s (1949; Quellen u. Abhh. zur Gesch. d. schweizer. Protestantismus 6). – L. v. Muralt, Renaisance u. Ref. in der Schweiz (1959). – J. V. Pollet, H. Z. et la Réforme en Suisse (1963). – F. Schmidt-Clausing, Z. (1965; Samml. Göschen 1219). JOHANNES OEKOLAMPADIUS. Bibliogr.: E. Staehelin, Oekolampad-Bibliographie, Basler Zs. f. Gesch. u. Altertumskunde 17 (1918), 1 ff. – Ders., Bibliographische Beitrr. zum Lebenswerk Oe.s, ebd. 27 (1928), 191 ff. – Ausg.: E. Staehelin, Briefe u. Akten zum Leben Oekolampads. 2 Bde. (1927–34; Quellen u. Forschgn. z. Ref.gesch. 9, 10). – Lit.: Goedeke 2 (²1886), 180 f. – J. Wagenmann, ADB 24 (1887), 226 ff. – E. Staehelin, Das theol. Lebenswerk J. Oe.s (1939; Quellen u. Forschgn. z. Ref.gesch. 21). KONRAD PELLIKAN. Ausg.: B. Riggenbach, Das Chronikon des K. P. (1877). – E. Nestle, Conradi Pellicani de modo legendi et intelligendi Hebreum (1877). – Th. Vulpinus, Die Hauschronik K. P.s von Rufach (1892). – Lit.: H. R. Guggisberg, RGG 5 (³1961), 208. JOHANN HEINRICH BULLINGER. Ausg.: J. J. Hottinger u. H. H. Vögeli, H. B.s Ref.gesch. 3 Bde. (1838). Register (1913). – Th. Harding, The decades of Henry B. 4 Bde. (1849–52; The Parker Society 33). – J. Baechtold, Schweizerische Schauspiele des 16. Jhs. 1 (1890), III [Lucretia u. Brutus]. – E. Egli, H. B.s Diarium (Annales vitae) der Jahre 1504–1574 (1904). – Th. Schiess, B.s Korrespondenz mit den Graubündnern. 3 Tle. (1904–06; Quellen z. Schweizer Gesch. 23, 24, 25). – R. Zimmermann u. W. Hildebrandt, H. B. Das zweite helvetische Bekenntnis (1936). – Lit.: C. Pestalozzi, H. B. Leben u. ausgew. Schrr. (1858). – G. v. Schulthess-Rechberg, H. B. der Nachfolger Zwinglis (1904). – A. Bouvier, H. B. (1940). – F. Blanke, Der junge B. (1942; Zwingli-Bücherei 22). – W. Hollweg, H. B.s Hausbuch (1956). – R. Pfister, NDB 3 (1957), 12 f. THEODOR BIBLIANDER. Lit.: W. Köhler, Zu B.s Koranausgabe, Zwingliana 3 (1913–20), 349 f. – K. Guggisberg, NDB 2 (1955), 215. OSWALD MYCONIUS. Lit.: F. Rudolf, O. M., Basler Jbb. 1945, 14 ff. – O. E. Straßer, RGG 4 (³1960), 1230. LEO JUD. Ausg.: O. Farner, L. J. Katechismen (1955). – Ders., L. J. Vom Leiden, Sterben u. Auferstehen des Herrn (1955). – Lit.: L. Weiss, L. J. Ulrich Zwinglis Kampfgenosse 1482 bis 1542 (1942). – O. Farner, RGG 3 (³1958), 962 f. JOACHIM VON WATT. [Vgl. auch Bd. IV/1, S. 794 f.] Ausg.: E. Götzinger, J. v. W. (Vadian), Dt. histor. Schrr. 3 Bde. (1875–79). – E. Arbenz (u. H. Hartmann), Die Vadianische Briefsammlung der Stadtbibl. St. Gallen. 7 Bde. (1890–1913; Mitt. z. vaterl. Gesch. 24, 25, 27–30, 30a). – Lit.: J. Ninck, Arzt u. Reformator Vadian (1936). – W. Näf, Vadian u. seine Stadt St. Gallen. 2 Bde. (1944, 1957). – Ders., Vadianische Analekten (1945; Vadian-Studien 1). – D. F. Rittmeyer, Vadian-Bildnisse (1948; Vadian-Studien 2). – JOHANN JAKOB KESSLER. Ausg.: Joachimi Vadiani vita, per Joannem Kesslerum conscripta (1865). – E. Goetzinger, J. K.s Sabbata. Chronik der Jahre 1523–1539. 2 Tle. (1866–68; Mitt. z. vaterl. Gesch. 5/6, 7/10). – J. K.s Sabbata mit kleineren Schrr. u. Briefen (1902). – T. Schiess, J. K.s Sabbata (1911; Schrr. d. Ver. f. Ref.gesch. 103/104). – Lit.: O. E. Straßer, RGG 3 (³1959), 1254. UTZ ECKSTEIN. Lit.: Goedeke 2 (²1886), 341 f. – O. Vasella, Neues über U. E., den Zürcher Pamphletisten, Zs. f. schweizer. Kirchengesch. 30 (1936), 37 ff. – H. Stricker, NDB 4

(1959), 305. RUDOLF GWALTHER. *Lit.*: G. v. Wyss, ADB 10 (1879), 239 f. –
Goedeke 2 (²1886), 108. – Th. Odinga, Ein Idyll R. Gualthers über Zwinglis
Tod, Theol. Zs. aus der Schweiz 8 (1891), 54 ff. – P. Boesch, R. G.s Reise
nach England i. J. 1537 (Mit Tagebuch der Reise), Zwingliana 8 (1944/48),
433 ff. – O. E. Straßer, RGG 2 (³1958), 1899 f. – K. Guggisberg, NDB 7
(1966), 360 f. – JOHANNES CALVIN. *Ausg.*: G. Baum, E. Cunitz, E. Reuss, Joannis Calvini opera que supersunt omnia. 59 Bde. (1863–1900; Corp. Ref.
29–87). Schlußbd. 59: A. Erichson, Bibliographia Calviniana. – P. Barth u.
G. Niesel, Joannis Calvini opera selecta. 5 Bde. (1927–36). – *Lit.*: E. Dou-
mergue, Jean Calvin. 7 Bde. (1899–1927). – H. Leube, Calvinismus u. Luthertum I (1928). – B. B. Wartfield, C. and Calvinism (1931). – F. Wendel,
C. (1950; Etudes d'histoire 'et de philosophie religieuses 41). – J. Bohatec,
Budé u. C. (1950). – J. McNeill, The History and character of Calvinism
(1954). – W. Niesel, Die Theologie C.s (²1957; Einführung in d. evangel.
Theologie 6). THÉODORE DE BÈZE. *Lit.*: P.-F. Geisendorf, Th. de B. (1949). –
O. E. Straßer, RGG 1 (³1957), 1117.

4. Die Täufer und Taufgesinnten. Die Züricher Gruppe; der süddeutsche Zweig; die norddeutsch-niederländische Gruppe

Bibliographie und allgemeine Literatur. C. Hege u. C. Neff, Mennonitisches
Lexikon. 4 Bde. (1913 ff.). – Quellen z. Gesch. der Täufer 1 ff. (1930 ff.; Quellen u. Forschgn. z. Ref.gesch. 13 etc.). – K. Schottenloher, Bibliographie zur
dt. Gesch. im Zeitalter der Glaubensspaltung 1517–1585, Bd. IV (1938),
734 ff. – G. H. Williams, Spiritual and Anabaptist Writers (1957). – Ders.,
The Radical Reformation (1962). – H. Fast, Der linke Flügel der Ref. (1962).
– H. J. Hillerbrand, A Bibliography of Anabaptism 1520–1630 (1962; Quel-
len z. Gesch. der Täufer 10). – R. Friedmann u. A. Mais, Die Schrr. der Hute-
rischen Täufergemeinschaften. Gesamtkatalog ihrer Manuskriptbücher, ihrer
Schreiber u. ihrer Lit. 1529 bis 1667 (1965; Denkschrr. d. Österr. Akad. d.
Wiss., Phil.-hist. Kl. 86). DIE ZÜRICHER GRUPPE. *Lit.*: L. v. Muralt u. W.
Schmid, Quellen zur Gesch. der Täufer in der Schweiz 1 (1952). – F. Blanke,
Brüder in Christo. Die Gesch. der ältesten Täufergemeinde (1955). HANS HUT.
Ausg.: L. Müller, Glaubenszeugnisse oberdt. Taufgesinnter (1938; Quellen u.
Forschgn. z. Ref.gesch. 20). – *Lit.*: W. Neuser, H. H. Leben u. Wirken bis zum
Nikolsburger Religionsgespräch (Diss. Bonn 1913). – J. Loserth, Mennonit.
Lex. 2 (1931), 370 ff. MELCHIOR RINK. *Lit.*: H. Fast, RGG 5 (³1961), 1110 f.
KONRAD GREBEL. *Lit.*: H. S. Bender, C. G. (1950). FELIX MANTZ. *Lit.*: E.
Krajewski, Leben u. Sterben des Zürcher Täuferführers F. M. (²1958). – Ch.
Neff, Mennonit. Lex. 3 (1958), 22 ff. DER SÜDDEUTSCHE ZWEIG. *Lit.*: L.
Müller, Glaubenszeugnisse oberdt. Taufgesinnter (1938; Quellen u. Forschgn.
z. Ref.gesch. 20). – G. Franz, Urkundliche Quellen zur hessischen Ref.gesch. 4:
Wiedertäuferakten 1527–1626 (1951). – G. Mecenseffy, Die Herkunft des
oberösterr. Täufertums, Arch. f. Ref.gesch. 47 (1956), 252 ff. BALTHASAR
HUBMAIER. *Ausg.*: G. Westin u. T. Bergsten, B. H., Schrr. (1962; Quellen u.
Forschgn. z. Ref.gesch. 29). – *Lit.*: J. Loserth, Dr. B. H. u. die Anhänger der
Wiedertäufer in Mähren (1893). – K. Sachsse, D. B. H. als Theologe (1914;
Neue Studien z. Gesch. d. Theologie u. d. Kirche 20). – J. Loserth, Mennonit.
Lex. 2 (1931), 353 ff. – Th. Bergsten, B. H., Seine Stellung zu Ref. u. Täufer-
tum 1521–1528 (1962; Quellen z. Gesch. der Täufer 9). MICHAEL SATTLER.
Lit.: F. Spitta, M. S. als Dichter, Zs. f. Kirchengesch. 35 (1914), 393 ff. – G.

Bessert u. G. Hein, Mennonit. Lex. 4 (1959), 29 ff. JÖRG BLAUROCK. *Lit.*:
E. Teufel, NDB 2 (1955), 294. PILGRAM MARBECK. *Lit.*: J. J. Kiwiet, P. M.,
sein Kreis u. seine Theologie (1957). – H. Fast, RGG 4 (³1960), 733. HANS
DENCK. *Ausg.*: W. Fellmann, H. D. Schrr. 3 Tle. (1955–60; Quellen z. Gesch.
d. Täufer VI, 1, 2, 3). – *Lit.*: L. Keller, Ein Apostel der Wiedertäufer (1882).
– Th. Kolde, H. D. u. die gottlosen Maler von Nürnberg, Beitrr. z. bayer.
Kirchengesch. 8 (1901/02), 1 ff. – A. Coutts, H. D. 1495–1527, humanist
and heretic (1927). – O. E. Vittali, Die Theologie des Wiedertäufers H. D.
(Diss. Freiburg i. Br. 1932). – G. Baring, Die ‹Wormser Propheten›. In: Dt.
Bibel-Archiv Hamburg, Bericht 3 (1933), 1 ff. – E. Crous, Zu den Bibelüber-
setzungen von Haetzer u. D., Beitrr. z. Gesch. d. Mennoniten, Festgabe Ch.
Neff (1938), 72 ff. – R. Stupperich, NDB 3 (1957), 599 f. CHRISTIAN ENT-
FELDER. *Lit.*: P. Poscharsky, NDB 4 (1959), 540. HANS BÜNDERLIN. *Lit.*: A.
Nicoladoni, Johannes B. von Linz u. die oberösterr. Täufergemeinden in den
Jahren 1525 bis 1531 (1893). – E. Teufel, NDB 2 (1955), 740. AUGUSTIN
BADER. *Lit.*: E. Teufel, NDB 1 (1953), 512. LUDWIG HÄTZER. *Ausg.*: L. H.,
Acta oder Geschichte ... Zweite Disputation 1523. In: H. Zwinglis Sämtl.
Werke 2 (1908), 664 ff. – *Lit.*: K. Janson, L. Hetzer og Hans Kampfaeller
(1908). – J. F. G. Goeters, L. H. (ca. 1500–1529). Spiritualist und Antitri-
nitarier (1957; Quellen u. Forschgn. z. Ref.gesch. 25). DIE HUTTERER. *Ausg.*:
R. Wolkan, Geschicht-Buch der hutterischen Brüder (1923). – *Lit.*: R. Wol-
kan, Die Hutterer (1918; Jahresgabe d. Wiener Bibliophilenges.)*.* – A. J. F.
Zieglschmid, Die älteste Chronik der Hutterischen Brüder (1943; ²1971). – J.
Szöverffy, Die Hutterischen Brüder u. die Vergangenheit, ZfdPh 82 (1963),
338 ff. JAKOB HUTER. *Lit.*: J. Loserth, Mennonit. Lex. 2 (1931), 375 ff. ULRICH
STADLER. *Ausg.*: R. Wolkan, Die Hutterer (1918), 153 ff. PETER RIEDEMANN.
Lit.: G. Mecenseffy, RGG 5 (³1961), 1100. DIE NORDDEUTSCH-NIEDERLÄN-
DISCHE GRUPPE. *Lit.*: R. Stupperich, Das Münsterische Täufertum (1958). – G.
Brendler, Das Täuferreich zu Münster 1534/35 (1966; Übers. u. Abhh. z.
MA, Reihe B, 2). MELCHIOR HOFMANN. *Lit.*: P. Kawerau, M. H. als religiöser
Denker (1954; Verhandelingen rakende den Natuurlijken en Geopenbarden
Godsdienst N. S. 27). JOHANN BOCKELSON. *Lit.*: J. O. Plassmann, Westfäl. Le-
bensbilder III, 2 (1932), 212 ff. – R. Stupperich, NDB 2 (1955), 344 f. BERN-
HARD ROTHMANN. *Ausg.*: E. W. A. Hochhuth, B. R.s Schrr. (1857). – A.
Knaake, B. R. Restitution rechter u. gesunder christlicher Lehre (1888; NDL
77/78). – R. Stupperich, B. R.s Schrr. (1961; Schrr. d. münster. Täufer u. ihre
Gegenschrr. 1). – *Lit.*: H. Rothert, Westfäl. Lebensbilder III, 1 (1930),
384 ff. – R. Stupperich, RGG 5 (³1961), 1200. MENNO SIMONS. *Ausg.*: J.
C. Wenger, The Complete Writings of M. S. (1956). – *Lit.*: Ch. Neff, Men-
nonit. Lex. 3 (1958), 77 ff. PETER FLIESTEDEN. *Lit.*: E. Mülhaupt, RGG 2
(³1958), 979. – A. Franzen, LThuK 4 (³1960), 169. ADOLF CLARENBACH. *Lit.*:
E. Teufel, NDB 3 (1957), 261. – A. Franzen, LThuK 2 (³1958), 1213. JO-
HANN KLOPRISS. *Lit.*: R. Stupperich, RGG 3 (³1959), 1668. JOHANN DAVID
JORIS. *Lit.*: J. F. G. Goeters, RGG 3 (³1959), 858. – E. Hammerschmidt, LThuK
5 (³1960), 1122. HEINRICH NICLAES. *Lit.*: M. Schmidt, RGG 4 (³1960), 1455. –
K. Algermissen, LThuK 4 (³1960), 21.

5. Die Anhänger der Geistkirche. Thomas Müntzer, Sebastian Franck,
Kaspar von Schwenckfeld, Valentin Weigel u. a.

THOMAS MÜNTZER. *Bibliographie.* G. Franz, Bibliographie der Schrr. T. M.s,
Zs. d. Ver. f, thür. Gesch. u. Altertumskunde NF 34 (1940), 162 ff. – *Ausg.:*
H. Böhmer u. P. Kirn, T. M.s Briefwechsel (1931; Schrr. d. Sächs. Kommis-
sion f. Gesch. 34). – O. J. Mehl, T. M.s Dt. Messen u. Kirchenämter (1937). –
C. Hinrichs, T. M. Politische Schrr. mit Kommentar (1950; Hallesche Mono-
graphien 17). – G. Franz, T. M. Die Fürstenpredigt. Theologisch-politische
Schrr. (1967; Reclams UB 8772/73). – G. Franz, T. M. Schrr. u. Briefe. Krit.
Gesamtausgabe (1968 ff.). – *Lit.:* C. Hinrichs, Luther u. M., ihre Auseinander-
setzung über Obrigkeit u. Widerstandsrecht (1952). – M. M. Smirin, T. M. u.
die Lehre des Joachim v. Fiore. In: Sinn u. Form 1952, 69 ff. – Ders., Die
Volksref. des T. M. u. der große Bauernkrieg. Übers. aus dem Russischen v.
H. Nichtweiß (²1956). – Ch. Hege, Mennonit. Lex. 3 (1958), 187 ff. – G.
Franz, RGG 4 (³1960), 1183 f. – E. Bloch, T. M. als Theologe der Revolution
(³1962; Bibl. Suhrkamp 77). – H. O. Spillmann, Untersuchungen zum Wortschatz in T. M.s (1489–1525) dt. Schrr. (1971; Quellen u. Forschgn. NF 41).
SEBASTIAN FRANCK. *Ausg.:* F. Latendorf, S. F.s erste namenlose Sprichwörter-
sammlung vom Jahre 1532 (1876). – E. Goetzinger, Das Lob der Torheit, aus
dem Latein des Erasmus v. Rotterdam verdeutscht (1884). – A. Hegler, S. F.s
Lateinische Paraphrase der Deutschen Theologie u. seine holländisch erhaltenen Traktate (1901). – H. Ziegler, S. F.: Paradoxa (1909). – Th. Sippell,
Eine unbekannte Schrift S. F.s (Zweintzig Glauben oder Secten), Theol. Studien
u. Kritiken 95 (1923/24), 147 ff. – J. Bolte, Zwei satirische Gedichte v. S. F.,
Berliner SB, Philos.-hist. Kl. 1925, 89 ff. – V. Klink, S. F. v. Donauwörth,
Kriegsbüchlein des Friedens (1929). – S. Wollgast, S. F. Paradoxa (1966). –
Lit.: A. Hauffen, S. F. als Verfasser freichristlicher Reimdichtungen, ZfdPh 45
(1913), 389 ff. – A. Reimann, S. F. als Gesch.philosoph (1921). – W. Dilthey,
Ges. Schrr. II (³1921), 1 ff. – P. Joachimsen, Zur inneren Entwicklung S. F.s,
Bll. f. dt. Philosophie 2 (1928/29), 1 ff. – H. Körner, Studien zur geistes-
gesch. Stellung S. F.s (1935; Histor. Untersuchgn. 16). – Ch. Kolbenheyer,
Die Mystik des S. F. (Diss. München 1935). – R. Komoß, S. F. u. Erasmus v.
Rotterdam (1935; Germ. Stud. 153). – W.-E. Peuckert, S. F. (1943). – M. Zel-
zer, Lebensbilder aus dem Bayer. Schwaben 6 (1958), 217 ff. – R. Stupperich,
NDB 5 (1961), 320 f. WILHELM VON ISENBURG UND GRENZAU. *Lit.:* C.
Krafft, ADB 14 (1881), 622 ff. – O. Clemen, Zbl. f. Bibl.wesen 57 (1940),
311 ff. KASPAR VON SCHWENCKFELD. *Ausg.:* Corpus Schwenckfeldianorum. 19
Bde. (1907–61). – A. A. Seipt, Schwenkfelder Hymnology (1909; Americana
Germanica NS 7). – *Lit.:* K. Ecke, Sch., Luther u. der Gedanke einer apo-
stolischen Ref. (1911). – R. Wolkan, RL 3 (1928/29), 233 f. – E. Lohmeyer,
Schlesische Lebensbilder 4 (1931), 40 ff. ADAM REISNER. *Lit.:* C. Bertheau,
ADB 28 (1889), 150 ff.; 33 (1891), 797. – S. Fornaçon, RGG 5 (³1961),
1076. – W. Lipphardt, Das wiedergefundene Gesangbuch-Autograph von A.
R. aus dem Jahre 1554, Jb. f. Liturgik u. Hymnologie 10 (1965), 55 ff. DA-
NIEL SUDERMANN. *Lit.:* H. Schmidt, D. S. (Diss. Leipzig 1923). – L. Pfleger,
LThuK 9 (²1937), 881. – H. Hornung, Der Hss.sammler D. S. u. die Biblio-
thek des Straßburger Klosters St. Nikolaus in undis, Zs. f. d. Gesch. d. Ober-
rheins 107 (1959), 338 ff. – J. Seyppel, Zu unbekannten Gedichten D. S.s,
ZfdPh 79 (1960), 150 ff. VALENTIN WEIGEL. *Ausg.:* A. Ehrentreich, V. W. Ge-
spräch vom wahren Christentum (1922). – W.-E. Peuckert u. W. Zeller, V. W.

Sämtl. Schrr. (1962 ff.). – *Lit.:* A. Israel, M. V. W.s Leben u. Schrr. (1888).
– G. Müller, ADB 41 (1896), 472 ff. – H. Maier, Der mystische Spiritualismus V. W.s (1926; Beitrr. z. Förderung christl. Theologie 29). – W. Zeller, Die Schrr. V. W.s (1940; Histor. Studien 370). – Th. C. van Stockum, W. V., Doper en Paracelsist (1948). – F. Lieb, V. W.s Kommentar zur Schöpfungsgesch. u. das Schrifttum seines Schülers Benedikt Biedermann (1962). – W. Zeller, RGG 6 (³1962), 1560 f. Paul Lautensack. *Lit.:* U. Thieme u. F. Becker, Allg. Lex. d. bildenden Künstler 22 (1928), 463 f. Ägidius Gutmann. *Lit.:* W.-E. Peuckert, Die Rosenkreutzer (1928), 29 ff. Martin Cellarius. *Lit.:* E. Teufel, NDB 2 (1955), 474. Alexander Seitz. *Ausg.:* P. Ukena, A. S. 1470 bis 1543. Sämtl. Schrr. 4 Bde. (1969 ff.; Ausgg. Dt. Lit. des XV. bis XVIII. Jhs.). – *Lit.:* J. Pagel u. J. Bolte, ADB 33 (1891), 653 ff. – J. Bolte, Eine protestant. Moralität von A. S., ZfdPh 26 (1894), 71 ff. – K. Schottenloher, Doktor A. S. u. seine Schrr. (1925). Guillaume Postel. *Lit.:* W. J. Bouwsma, Concordia Mundi: The Career and Thought of G. P. (1957). – H. R. Guggisberg, RGG 5 (³1961), 477. – R. Metz, LThuK 8 (³1963), 643.

6. Die Anhänger und Verteidiger der alten Lehre 1517–1555. Johann Eck, Hieronymus Emser, Thomas Murner, Augustin von Alvelt, Johannes Cochlaeus, Johannes Fabri, Georg Witzel u. a. Daniel von Soest

Johann Eck. *Ausg.:* J. E., Enchiridion locorum communium adversus Lutheranos (1525 u. ö.). – Christenliche außlegung der Evangelien ... Durch J. v. E. 5 Tle. (1530–39 u. ö.). – J. E., Opera contra Ludderum. 5 Tle. (1530–35) [Tl. 3 u. 4 nicht erschienen]. – W. Friedensburg, Dr. J. E.s Denkschrr. zur dt. Kirchenref. 1523, Beitrr. z. bayer. Kirchengesch. 2 (1896), 159 ff. – J. Greving, Defensio contra amarulentes D. Andreae Bodenstein Carolstadini invectiones (1518) (1919; Corp. Cathol. 1). – J. Metzler, J. E. Epistola de ratione studiorum suorum (1538) (1921; Corp. Cathol. 2) [kl. Autobiographie]. – Th. Virnich, J. E. Disputatio Viennae Pannoniae habita (1517) (1923; Corp. Cathol. 6). – B. Walde, J. E. Explanatio Psalmi vigesimi (1538) (1928; Corp. Cathol. 13). – K. Meisen u. F. Zoepfl, J. E. Vier dt. Schrr. gegen M. Luther (1929; Corp. Cathol. 14). – J. Metzler, Tres orationes funebres in exequiis Joannis Eckii habitae (1930; Corp. Cathol. 16) [mit Verz. der Schrr. Ecks]. – W. Gussmann, D. J. E.s vierhundertundvier Artikel zum Reichstag von Augsburg 1530 (1930; Quellen u. Forschgn. z. Gesch. des Augsburgischen Bekenntnisses 2). – *Lit.:* Th. Wiedemann, Dr. J. E. (1865). – J. Schneid, Dr. J. E. u. das kirchliche Zinsverbot, Histor.-polit. Bll. 108 (1891), 241 ff. – S. Günther, J. E. als Geograph, Forschgn. z. Kultur- u. Lit.gesch. Bayerns 2 (1894), 140 ff. – J. Greving, J. E. als junger Gelehrter (1906; Ref.gesch. Studien u. Texte 1). – A. Brandt, J. E.s Predigttätigkeit an U. L. Frau zu Ingolstadt 1525–1542 (1914; Ref.gesch. Studien u. Texte 27/28). – J. Schlecht, Dr. J. E.s Anfänge, Histor. Jb. 36 (1915), 1 ff. – H. Schauerte, Die Bußlehre des J. E. (1919; Ref.-gesch. Studien u. Texte 38/39). – E. Iserlohn, Die Eucharistie in der Darstellung des J. E. (1950). – H. Lutz, LThuK 3 (³1959), 644. – L. Lenk, NDB 4 (1959), 277. Hieronymus Emser. *Ausg.:* L. Enders, Luther u. E. Ihre Streitschrr. aus dem Jahre 1521. 2 Bde. (1890/91; NDL 83/84, 96/98). – E. Weissbrodt, Das nd. Neue Testament nach E.s Übersetzung Rostock 1530 (1912; Kl. Texte f. theol. u. philol. Vorlesgn. u. Übungen 106). – F. X. Thurnhofer, H. E. De disputatione Lipsicensi, quantum ad Boemos obiter deflexa est (1519). A venatione Luteriana aegocerotis assertio (1519) (1921; Corp. Cathol. 4). – R.

T. Clark, H. E. Eyn deutsche Satyra vnd straffe des Eebruchs (1505) (1956; Texte des späten MAs 3). – Th. Freudenberger, H. E. Schrr. zur Verteidigung der Messe (1959; Corp. Cathol. 28). – *Lit.*: G. E. Waldau, Nachrichten über H. E.s Leben u. Schrr. (1783). – P. Mosen, H. E. (Diss. Leipzig 1890). – G. Kawerau, H. E. (1898; Schrr. d. Ver. f. Ref.gesch. 61). – A. Leitzmann, Zu H. E.s Streitschrr. gegen Luther, PBB 52 (1928), 453 ff. – F. Jenssen, E.s Neues Testament in nd. Übertragung (Diss. Rostock 1933). – H. Grimm, NDB 4 (1959), 488. – K. A. Strand, The Emserian New Testament used by the Rostock Brethren of the Common Life for their Low-German translation, Arch. f. Ref.gesch. 55 (1966), 216 ff. – H. Bluhm, Emser's Emendation of Luther's New Testament, Galatians I, MLN 81 (1966), 370 ff. THOMAS MURNER. Vgl. Bd. IV/1, S. 789. AUGUSTIN VON ALVELT. *Ausg.*: L. Lemmens, Aus ungedruckten Franziskanerbriefen des 16. Jhs. (1911), 23 ff. – K. Büschgens, A. v. A., OFM. Wyder den wittenbergischen Abgot Martin Luther [1524]. Erklärung des Salve Regina [1527]. Hrsg. v. L. Lemmens (1926; Corp. Cathol. 11). – *Lit.*: L. Lemmens, Pater A. v. A. († um 1532) (1899; Erläut. u. Ergänz. z. Janssens Gesch. d. dt. Volkes I, 4). – F. Geß, Akten u. Briefe zur Kirchenpolitik Herzog Georgs v. Sachsen II (1917), Nr. 1508. – G. Hesse, A. v. A., Franziskanische Studien 17 (1930), 160 ff. – P. Lehmann, NDB 1 (1953), 230 f. JOHANNES COCHLAEUS. *Ausg.*: J. C., Commentaria de actis et scriptis M. Lutheri (1549; zahlr. Neuausgaben). – H. Holstein, J. C., Ein heimlich Gespräch von der Tragedia Johannis Hussen (1900; NDL 174). – J. Greving, Colloquium Cochlaei cum Luthero Wormatiae olim habitum (1521). In: O. Clemen, Flugschrr. aus den ersten Jahren der Ref. 4 (1910), 177 ff. – J. Schweizer, J. C. Adversus cucullatum Minotaurum Wittenbergensem. De sacramentorum gratia iterum (1523) (1920; Corp. Cathol. 3). – H. Hommel, Zwo kurtze Glossen der alten Christen auf die neuen Artikeln der Visitatoren 1537, Zbl. f. Bibl.wesen 41 (1924), 321 ff. – J. Greving, J. C. In obscuros viros qui decretorum volumen infami compendio theutonice corruperunt expostulatio (1530) (1929; Corp. Cathol. 15). – H. Walter, J. C. Aequitatis discussio super consilio delectorum cardinalium (1538) (1931; Corp. Cathol. 17). – *Lit.*: C. Otto, J. C., der Humanist (1874). – N. Paulus, Johann Vogelsang, ein Pseudonym von C., nicht von Lemnius, Der Katholik 75. I (1895), 571 ff. – M. Spahn, J. C. (1898). – H. Jedin, Des J. C. Streitschr. De libero arbitrio hominis 1525 (1927; Breslauer Studien z. histor. Theologie 9). – Ders., Schlesische Lebensbilder 4 (1931), 18 ff. – A. Herte, LThuK 2 (²1931), 998 f. – Ders., Die Lutherkommentare des J. C. (1935). – H. Grimm, NDB 3 (1957), 304 ff. GEORG VON SACHSEN. *Lit.*: E. Werl, NDB 6 (1964), 224 ff. WOLFGANG WULFFER. *Lit.*: K. Schottenloher, LThuK 10 (²1938), 978. JOHANNES FABRI. *Ausg.*: A. Naegele, J. F. Malleus in haeresim Lutheranam (1524). 2 Bde. (1941–52; Corp. Cathol. 23/24, 25/26). – *Lit.*: L. Helbling, Dr. J. F. (1941; Ref.gesch. Studien u. Texte 67/68). – A. Lhotsky, Die Bibliothek des Bischofs von Wien Dr. J. F. (1530–41), Festschr. K. Eder (1959), 71 ff. – H. Tüchle, NDB 4 (1959), 728. FRIEDRICH NAUSEA. *Lit.*: H. v. Zeissberg, ADB 23 (1886), 321 ff. – H. Gollob, F. N. (1952; masch.). – H. Jedin, Das konziliare Reformprogramm F. N.s, Histor. Jb. 77 (1957), 229 ff. – R. Bäumer, LThuK 7 (³1962), 847. GEORG WITZEL. *Bibliographie.* G. Richter, Die Schrr. G. W.s bibliographisch bearbeitet (1913; Veröff. des Fuldaer Gesch.ver. 10). – *Lit.*: W. Trusen, Um die Reform u. Einheit der Kirche. Zum Leben u. Werk des G. W. (1957; Kathol. Leben u. Kämpfen im Zeitalter d. Glaubensspaltung 14). – Ders., LThuK 10 (³1965), 1205 f. KONRAD WIMPINA. *Lit.*: A. Michalski, LThuK 10 (³1965), 1174 f. PETRUS SYLVIUS. *Lit.*: G. Gieraths, LThuK 9 (³1964), 1205. KON-

RAD BOCKSHIRN. *Lit.*: K. Bihlmeyer, LThuK 2 (²1931), 413. KONRAD KÖLLIN. *Lit.*: H. Wilms, Der Kölner Univ.-Prof. K. K. [† 1536 in Köln] (1941; Quellen u. Forschgn. z. Gesch. des Dominikanerordens in Dtld. 39). – Ders., NDB 3 (1957), 309. JOHANN MENSING. *Lit.*: R. Bäumer, LThuK 7 (³1962), 302. PAUL BACHMANN. *Lit.*: O. Clemen, P. B., Abt von Altzelle, Neues Arch. f. Sächs. Gesch. u. Altertumskunde 26 (1905), 10 ff. – B. Griesser, NDB 1 (1953), 500. MICHAEL VEHE. *Ausg.*: H. Hoffmann v. Fallersleben, M. V.s Gesangbüchlein (1853). – *Lit.*: N. Paulus, M. V., Histor.-polit. Bll. 110 (1892), 469 ff. – W. Bäumker, ADB 39 (1895), 529 f. – N. Paulus, Die dt. Dominikaner im Kampfe gegen Luther (1903), 215 ff. – G. Gieraths, LThuK 10 (³1965), 652. KASPAR SCHATZGEYER. *Ausg.*: U. Schmidt, K. S. O. F. M. Scrutinium divinae scripturae pro conciliatione dissidentium dogmatum (1522) (1922; Corp. Cathol. 5). – *Lit.*: N. Paulus, K. S. (1898; Straßburger Theolog. Studien III, 1). – H. Klomps, Kirche, Freiheit u. Gesetz bei dem Franziskanertheologen K. S. (1959; Ref.gesch. Studien u. Texte 84). NIKOLAUS FERBER. *Ausg.*: L. Schmitt, Confutatio Lutheranismi Danici anno 1530 conscripta a Nicolao Stagefyr seu Herborneo O.F.M. (1902). – P. Schlager, N. F. O.F.M., Locorum Communium adversus huius temporis haereses Enchiridion (1529) (1917; Corp. Cathol. 12). – *Lit.*: S. Clasen, LThuK 4 (³1960), 77. BERTHOLD VON CHIEMSEE. *Lit.*: R. Bauerreiß, LThuK 2 (³1958), 265 f. VEIT AMERBACH. *Lit.*: L. Fischer, V. Trolmann von Wemdingen, gen. Vitus Amerpachius, Beitrr. z. Gesch. d. Renaissance u. Ref. (1917), 84 ff. – Ders., V. Trolmann von Wemding, gen. Vitus Amerpachius, als Professor in Wittenberg (1530–1543) (1926; Studien u. Darstellgn. aus d. Gebiete der Gesch. X, 1). – G. Ellinger, Gesch. der neulat. Lit. Dtlds. im 16. Jh. 2: Die neulat. Lyrik Dtlds. in der ersten Hälfte des 16. Jhs. (1929), 208 ff. – W. Trusen, NDB 1 (1953), 248. HANS SALAT. *Ausg.*: Johann S., Chronik der Schweizer. Ref., Archiv f. d. schweizer. Ref.Gesch. 1 (1868). – F. J. Schiffmann, Das Leben des sel. Bruders Klaus von Johannes S., Der Geschichtsfreund 23 (1868), 107 ff. – J. Baechtold, H. S.s Drama vom verlornen Sohn, ebd. 36 (1881), 1 ff. – *Lit.*: J. Baechtold, H. S. (1876). – Goedeke 2 (²1886), 342 f. – F. Kümmerli, H. S.s ‹Triumphus Herculis Helvetici›, Literarwiss. Jb. d. Görres-Ges. 6 (1931), 25 ff. – P. Cuoni, H. S., Der Geschichtsfreund 93 (1938), 98 ff. KONRAD BRAUN. *Lit.*: N. Paulus, Dr. K. B., Histor. Jb. 14 (1893), 517 ff. – T. Freudenberger, NDB 2 (1955), 556. JOHANN GROPPER. *Lit.*: W. v. Gulik, J. G. (1503 bis 1559) (1906; Erläut. u. Ergänz. z. Janssens Gesch. d. dt. Volkes IV, 1/2). – W. Lipgens, Kardinal J. G. (1503 bis 1559) u. die Anfänge der kathol. Reform in Dtld. (1951; Ref.gesch. Studien u. Texte 75). – H. Lutz, LThuK 4 (³1960), 1241. DANIEL VON SOEST. *Ausg.*: F. Jostes, D. v. S. (1888; Quellen u. Untersuchgn. z. Gesch., Kultur u. Lit. Westfalens 1). – A. E. Berger, Satirische Feldzüge wider die Reformation, DLE Reihe Ref. 3 (1933), 146 ff. – *Lit.*: F. Jostes, ADB 34 (1892), 538 ff. – H. Schwartz, D. v. Soest – Jasper van der Borch, Zs. d. Ver. f. d. Gesch. v. Soest u. der Börde 48 (1934), 114 f.

7. Die Auswirkungen der Reformation in Europa.
Die Folgen für Literatur und Kunst

Lit.: H. Ball, Die Folgen der Ref. (1924). – E. Troeltsch, Die Bedeutung des Protestantismus für die Entstehung der modernen Welt (³1924). – W. Koehler, Luther u. Luthertum in ihrer weltgeschichtl. Auswirkung (1933). – G. Ritter,

Die Weltwirkung der Ref. (²1959). – A. Rüstow, Lutherana tragoedia artis, Schweizer Monatshefte 39 (1959), 891 ff. – H. Schöffler, Wirkungen der Ref. (²1960).

II. Kapitel. Kampf-, Unterweisungs- und Gebrauchsschrifttum. Die katholische Reform und Restauration

1. Kampf- und Tendenzliteratur. Soziales Schrifttum

Bibliographie. A. Kuczynski, Thesaurus libellorum historiam reformationis illustrantium. 2 Bde. (1870–74) [verzeichnet gegen 3000 Flugschrr.]. – Goedeke 2 (²1886), 264 ff. – W. P. C. Knuttel, Catalogus van de Pamfleten-Verzameling berustende in de Koninklijke Bibliothek [im Haag] (1895). – P. Hohenemser, Flugschrr.-Sammlung G. Freytag (1925). *Sammlungen.* O. Schade, Satiren u. Pasquille aus der Ref.zeit. 3 Bde. (²1863). – E. Weller, Die ersten dt. Zeitungen (1872; BiblLVSt 111). – Flugschrr. aus der Ref.-zeit. 19 Bde. (1877–1928; NDL 4, 18, 28, 49, 50, 62, 77–78, 83–84, 96–98, 118, 139–141, 142–143, 153, 154–156, 170–172, 173, 174, 183–188, 257). – O. Clemen, Flugschrr. aus den ersten Jahren der Ref. 4 Bde. (1907–11; NF 1921 ff.). – K. Schottenloher, Flugschrr. zur Ritterschaftsbewegung v. J. 1523 (1929; Ref.gesch. Studien u. Texte 53). – A. E. Berger, Die Sturmtruppen der Ref. (1931; DLE Reihe Ref. 2). – W. Lenk, Die Ref. im zeitgenössischen Dialog. 12 Texte aus den Jahren 1520 bis 1525 (1968; Dt. Bibl., Studienausg. z. neueren dt. Lit. 1). *Allgemeine Literatur.* R. Hirzel, Der Dialog. 2 Bde. (1895). – G. Niemann, Die Dialoglit. der Ref.zeit nach ihrer Entstehung u. Entwicklung (1905; Probefahrten 5). – F. Behrend, Die literarische Form der Flugschrr., Zbl. f. Bibl.wesen 34 (1917), 23 ff. – K. Schottenloher, Flugblatt u. Zeitung (1922; Bibl. f. Kunst- u. Antiquitätensammler 21). – N. Needon, Technik u. Stil der Ref.dialoge (Diss. Greifswald 1922). – G. Blochwitz, Die antirömischen dt. Flugschrr. der frühen Ref.zeit (bis 1522) in ihrer religiös-sittlichen Eigenart, Arch. f. Ref.gesch. 27 (1930), 145 ff. – T. Schiess, Drei Flugschrr. aus der Ref.zeit, Zs. f. Schweizer. Gesch. 10 (1930), 298 ff. – J. Martin, Die Gesch. einer literarischen Form [Dialog] (1931). – Th. Legge, Flug- u. Streitschrr. in der Ref.zeit in Westfalen (1933). – H. Jedin, Die gesch. Bedeutung der kath. Kontroverslit. im Zeitalter der Glaubensspaltung, Histor. Jb. 53 (1933), 70 ff. – L. Kramer, Die Publizistik der alten Lehre während der Ref.zeit (Diss. Berlin 1941). – J. Kolodziej, Die Flugschrr. aus den ersten Jahren der Ref. (1517–1525) (Diss. Berlin 1956; masch.). – P. Böckmann, Der gemeine Mann in den Flugschrr. der Ref. In: Ders., Formensprache (1967), 11 ff.

a) Huttens Publizistik im Dienste der Reformation. Die lateinischen Satiren der Jahre 1517 bis 1521. Der ‹Eckius dedolatus›. – ULRICH VON HUTTEN. Vgl. Bd. IV/1, 799 f. KONRAD NESEN. *Ausg.:* E. Böcking, U. Hutteni Opera IV (1860), 485 ff. [Dialogus de facultatibus Rhomanensium]. – *Lit.:* J. v. Wagner, K. N. (1903). DIE LATEINISCHEN SATIREN GEGEN JOHANN ECK. ‹ECKIUS DEDOLATUS›. *Ausg.:* E. Böcking, aaO IV (1860), 515 ff. – R. Hagen, W. Pirkheimer in seinem Verhältnis zum Humanismus u. zur Ref., Mitt. d. Ver. f. Gesch. d. Stadt Nürnberg 4 (1882), 175 ff. [Übersetzung]. – S. Szamatólski, E. d. (1891; Lat. Lit.denkmäler d. XV. u. XVI. Jhs. 2). – A. E. Berger, Die Sturmtruppen der Ref., DLE Reihe Ref. 2 (1931), 65 ff. – *Lit.:*

P. Merker, Der Verfasser des Eccius d. u. anderer Ref.dialoge (1923; Sächs. Forschungsinstitute in Leipzig. Forschungsinst. f. neuere Philol. (II) Neugermanist. Abt. 1). – H. Rupprich, Der E. d. u. sein Verfasser (1930). – H. Grimm, NDB 7 (1966), 286 f. – Th. W. Best, Eccius d. A Reformation Satire (1971; Studies in Germanic languages and literatures 1). ‹DECOCTIO›. Ausg.: E. Böcking, aaO IV (1860), 544 ff. ‹ECKIUS MONACHUS›. Ausg.: E. Böcking, aaO IV (1860), 549 ff. ‹ECKII DEDOLATI ORATIO›. Ausg.: S. Szamatólski, aaO, 44 ff. ‹PROPOSITIONES IN ECCI›. Ausg.: G. Kawerau, Beitrr. z. bayer. Kirchengesch. 5 (1898), 128 ff. DIE LATEINISCHEN SATIREN GEGEN THOMAS MURNER. Lit.: P. Merker, Der Verfasser des Eccius dedolatus (aaO), 13 ff. ‹MURNARUS LEVIA-THAN›. Ausg.: J. Scheible, Das Kloster 10 (1848), 321 ff.

b) Konfessionelle Kontroversliteratur: Flugschriften, Büchlein, Gespräche.
Eberlin von Günzberg. Prophetien und Prognostiken. – GEORG SCHAN. *Lit.:* J. Bolte, G. S.s Gedichte vom Niemand, Zs. f. vgl. Lit.gesch. NF 9 (1896), 73 ff. HARTMUTH VON CRONBERG. *Ausg.:* E. Kück, Die Schriften H.s v. C. (1899; NDL 154–156). – *Lit.:* G. Franz, NDB 3 (1957), 422. ‹HERCULES GERMA-NICUS›. *Lit.:* Th. Burckhardt-Biedermann, Über Zeit u. Anlaß des Flugblat-tes: Luther als H. G., Basler Zs. f. Gesch. u. Altertumskunde 4 (1905), 38 ff. HIMMELSBRIEFE. *Ausg.:* Nikolaus Hermann, ‹Ein Mandat Jesu Christi›. In: A. E. Berger, Die Sturmtruppen der Ref., DLE Reihe Ref. 2 (1931), 271 ff. – *Lit.:* W. Köhler, Briefe vom Himmel u. Briefe aus der Hölle, Die Geisteswis-senschaften 1 (1914), 588 ff. – R. Stübe, Der H. (1918). – R. Hindringer, LThuK 5 (²1933), 56. TEUFELSBRIEFE. *Lit.:* O. Clemen, Der T. in der Ref.zeit, Zbl. f. Bibl.wesen 24 (1907), 594 ff. – G. Lösche, Ein Höllenbrief Luthers, Zs. f. Kirchengesch. 37 (1918), 175 ff. BÜCHLEIN. *Lit.:* Goedeke 2 (²1886), 277 ff. MICHAEL STYFEL. *Ausg.:* W. Lucke, M. S. Von der christförmigen Lehre Luthers. In: O. Clemen, Flugschrr. aus den ersten Jahren den Ref. III (1909), 261 ff. – *Lit.:* Goedeke 2 (²1886), 223. – M. Cantor, ADB 36 (1893), 208 ff. – R. Weiß, RGG 6 (³1962), 371. GEORG AMANDUS. *Lit.:* Goedeke 2 (²1886), 279. HEINRICH SCHNUR. *Lit.:* Goedeke 2 (²1886), 280. HANS ACKERMANN. Vgl. S. 505. ‹DAS MÄRCHEN VON HANS PFRIEM›. *Lit.:* J. Bolte, D. M. v. H. P., ZfdPh 20 (1888), 325 ff. RELIGIONSGESPRÄCH. *Ausg.:* G. May, Das Marburger R. 1529 (1970; Texte z. Kirchen- u. Theologiegesch. 13). – *Lit.:* K. Schotten-loher, Bibliographie IV (1938), 528 ff. – DIALOG- UND GESPRÄCHSLITERA-TUR. *Lit.:* Goedeke 2 (²1886), 264 ff. ‹KARSTHANS›. *Ausg.:* E. Böcking, U. Hut-teni Opera IV (1860), 615 ff. – A. E. Berger, aaO, 100 ff. ‹GESPRECHBIECH-LIN NEÜW KARSTHANS›. *Ausg.:* E. Böcking, aaO, 649 ff. – E. Lehmann, M. Butzer, G. n. K. (1930; NDL 282–284). – A. E. Berger, aaO, 167 ff. URBAN RHEGIUS. ‹EIN SCHÖNER DIALOGUS CÜNTZ VND DER FRITZ›. *Ausg.:* A. E. Berger, aaO, 161 ff. – *Lit.:* Goedeke 2 (²1886), 265. – A. GÖTZE, U. R. als Satiriker, ZfdPh 37 (1905), 66 ff. KASPAR GÜTTEL. *Lit.:* G. Kawerau, C. G., Zs. d. Harz-Vereins f. Gesch. u. Alterthumskunde 14 (1881), 33 ff. – Goedeke 2 (²1886), 266. – O. Clemen, Ergänzungen zu Kawerau, C. G., Zs. d. Harz-Vereins f. Gesch. u. Altertumskunde 31 (1898), 316 ff. WOLFGANG ZIERER. *Lit.:* Goedeke 2 (²1886), 268. BALTHASAR STANBERGER. *Ausg.:* O. Clemen, B. S. Dialogus zwischen Petro u. einem Bauern (1523). In: Ders., Flugschrr. aus den ersten Jahren der Ref. III (1909), 185 ff. – A. E. Berger, aaO, 205 ff. PETER REYCHART. *Lit.:* Goedeke 2 (²1886), 269. UTZ RYCHSNER. *Lit.:* Goedeke 2 (²1886), 269. ‹WEGSPRECH GEN REGENSBURG›. *Lit.:* P. Merker, Der Verfasser des an-onymen Reformationsdialoges ‹Eyn Wegsprech gen Regenspurg zu ynsz Con-cilium›. In: Studien zur Lit.gesch., Festschr. A. Köster (1912), 18 ff. VALENTIN

ICKELSAMER. Vgl. S. 509. LAZARUS SPENGLER. *Lit.*: H. v. Schubert, L. S. u. die Ref. in Nürnberg (1934; Quellen u. Forschgn. z. Ref.gesch. 17). – O. Tyszko, Beitrr. zu den Flugschrr. L. S.s (1939; Gießener Beitrr. 71). AGRULA VON GRUMBACH. *Lit.*: L. Geiger, ADB 10 (1879), 7 f. – G. Pfeiffer, RGG 2 (³1958), 1889 MARTIN JÄGER, HANS FÜSSLI, HULDRYCH ZWINGLI. ‹DIE GÖTTLICHE MÜHLE›. *Ausg.*: O. Schade, Satiren u. Pasquille aus der Ref.zeit 1 (1863), 19 ff. – *Lit.*: J. Baechtold, Gesch. der Dt. Lit. in der Schweiz (1892), 418 f. (134). JOHANNES RÖMER. *Ausg.*: W. Lucke, Ein schöner Dialogus von den vier größten Beschwernissen eines jeglichen Pfarrers (1521). In: O. Clemen, aaO III, 2 (1909). HANS FÜSSLI. *Lit.*: M. Sutermeister, Schweizer. Künstler-Lex. 1 (1905), 518. ‹KEGELSPIEL›. *Ausg.*: A. Götze, K. In: O. Clemen, aaO III (1909), 219 ff. – *Lit.*: T. Schiess, Das K., Zwingliana 5 (1930), 143 ff. ‹GYRENRUPFEN›. *Lit.*: J. Baechtold, aaO, 419 (135). JOBST KINTHISIUS. *Lit.*: Goedeke 2 (²1886), 272. JOHANN FREDER. *Lit.*: Goedeke 2 (²1886), 274. ORTHOLPH FUCHSPERGER. *Lit.*: G. Westermayer, ADB 8 (1878), 174 f. – F. X. Eggersdorfer, LThuK 4 (²1932), 221. LEONHARD PAMINGER. *Lit.*: Goedeke 2 (²1886), 185. – K. Weinmann, L. P., Kirchenmusikal. Jb. 20 (1907), 122 ff. – G. Ellinger, Gesch. der neulat. Lit. Dtlds. im 16. Jh. 2: Die neulat. Lyrik Dtlds. in der ersten Hälfte des 16. Jhs. (1929), 227 ff. – E. Crous, Mennonit. Lex. 3 (1958), 333. ANTON CORVINUS. *Lit.*: Goedeke 2 (²1886), 182 f. KONRAD BRAUN. Vgl. S. 470. JOSEPH GRÜNPECK. Vgl. Bd. IV/1, S. 793. JOHANN HASELBERG. *Lit.*: J. Benzing, J. H., ein fahrender Verleger u. Schriftsteller. 1515–1538, Arch. f. d. Gesch. d. Buchw. 7 (1966), 301 ff. – Ders., NDB 8 (1969), 22 f. HANS BECHLER VON SCHOLBRUNNEN. *Lit.*: Goedeke 2 (²1886), 266. JOHANN EBERLIN VON GÜNZBURG. *Ausg.*: L. Enders, E. v. G. Sämtl. Schrr. 3 Bde. (1896–1902; NDL 139–141, 170–172, 183–188). – A. E. Berger, aaO, 125 ff., 242 ff. [Auswahl]. – *Lit.*: B. Riggenbach, J. E. v. G. u. sein Reformprogramm (1874). – J. H. Schmidt, ‹Die fünfzehn Bundesgenossen› des J. E. v. G. (Diss. Leipzig 1900). – W. Lucke, Die Entstehung der ‹15 Bundesgenossen› des J. E. v. G. (Diss. Halle 1902). – H. Werner, J. E. v. G. (²1904). – K. Wulkau, Das kirchliche Ideal des J. E. v. G. (Diss. Heidelberg 1921). – H. Ahrens, Die religiösen, nationalen u. sozialen Gedanken J. E.s v. G. (Diss. Hamburg 1939). – K. Stöckl, Untersuchungen zu J. E. v. G. (Diss. München 1952). – E. Wolf, NDB 4 (1959), 247 f. – H. Weidhase, Kunst u. Sprache im Spiegel der ref. u. humanist. Schrr. J. E.s v. G. (Diss. Tübingen 1967). HEINRICH VON KETTENBACH. *Ausg.*: O. Clemen, Die Schrr. H.s v. K. (1907); ders., aaO II, 1 (1908). – A. E. Berger, aaO, 217 ff. – *Lit.*: H. Volz, NDB 8 (1969), 412 f. JOHANNES KYMAEUS. *Lit.*: l. u., ADB 17 (1883), 446. – Goedeke 2 (²1886), 211 f. JOHANNES DUGO PHILONIUS. *Lit.*: Nähere Anzeige des seltnen u. merkwürdigen Büchleins, Joh. Philonii Dugonis Libri Christianarum Institutionum IV. Aug. Vindel. 1538, Literar. Wochenbl. 2 (1770), 49 ff. PROPHETIEN, PROGNOSTIKEN, PRAKTIKEN. *Lit.*: J. Rohr, Die Prophetie im letzten Jh. vor der Ref. als Gesch.quelle u. Gesch.faktor, Histor. Jb. 19 (1898), 29 ff. – A. Warburg, Heidnisch-antike Weissagung in Wort u. Bild zu Luthers Zeiten, Heidelberger SB, Phil.-hist. Kl. 1919/26. [Auch in: Ders., Ges. Schrr. 2 (1932), 487 ff., 647 ff.] – A. Hauffen, Praktik, RL 2 (1926/28), 719 ff. – E. Zinner, Gesch. u. Bibliographie der astronomischen Lit. in Dtl. zur Zeit der Renaissance (1941). – A. Hübscher, Die große Weissagung (1952).

c) Die Literatur der Bauernkriege. – Bibliographie und allgemeine Literatur. K. Schottenloher, Bibliographie IV (1938), 52 ff.; VII (1966), 394 ff. – J. Bolte, Der Bauer im dt. Liede (1890; Acta Germanica 1). – O. Merx, G.

Franz, W. P. Fuchs, Akten zur Gesch. des Bauernkrieges in Mitteldtld. 2 Bde.
(1921–42). – H. Hantsch, Der dt. Bauernkrieg (1925). – A. Rosenkranz,
Der Bundschuh. 2 Bde. (1927). – K. Uhrig, Der Bauer in der Publizistik der
Ref.zeit, Arch. f. Ref.gesch. 33 (1936), 70 ff. – G. Franz, Der dt. Bauern-
krieg. 2 Bde. (⁴1956). FRIEDRICH FÜRER. *Lit.*: J. Knepper, Ein Prophet u.Volks-
dichter am Vorabend der Bauernunruhen, Jb. d. Gesch., Sprache u. Lit. Elsaß-
Lothringens 19 (1903), 30 ff. SEBASTIAN LOTZER. *Ausg.*: A. Götze u. L. E.
Schmitt, Die zwölf Artikel der Bauern 1525. Hans Hergot, Von der neuen
Wandlung (1953; NDL, Flugschrr. d. Ref.zeit 20). WENDEL HIPLER. *Lit.*: G.
Wunder, Schwäbische Lebensbilder 6 (1957), 61 ff. JOHANN BRENZ. *Ausg.*: A. E.
Berger, Die Sturmtruppen der Ref., DLE Reihe Ref. 2 (1931), 300 ff. [‹Von
Milderung der Fürsten›]. – *Lit.*: H. Hermelink, NDB 2 (1955), 598. – ALBRECHT
DÜRER. *Lit.*: F. Schnelbögl, D.s Gedächtnissäule auf den Bauernkrieg 1525, Alt-
nürnberger Landschaft 19 (1970), 77 ff.

d) Neuausgaben. Umarbeitungen. Übersetzungen. – UMARBEITUNGEN.
Lit.: Goedeke 2 (²1886), 315 ff. JAKOB CAMMERLANDER. *Lit.*: J. Benzing, NDB
3 (1957), 108. JAKOB VIELFELD. *Lit.*: L. Keller, ADB 39 (1895), 677 f. ÜBER-
SETZUNGEN. *Lit.*: Goedeke 2 (²1886), 317 ff.

2. Die Bibelübersetzungen neben Luther

JOHANN LANG. *Lit.*: L. F. Brossmann, Die Matthäusübersetzung v. J. L. im
Jahre 1521 (Diss. Heidelberg 1955; masch.). – R. Jauernig, RGG 4 (³1960),
225. NIKOLAUS KRUMPACH. *Lit.*: G. H. Voigt, N. K., der sog. letzte kathol.
Pfarrer v. Querfurt, Zs. d. Ver. f. Kirchengesch. d. Provinz Sachsen 23 (1927),
55 ff.; 25 (1929), 17 ff. KASPAR AMMAN. *Lit.*: F. Zoepfl, NDB 1 (1953), 250.
OTTMAR LUSCINIUS-NACHTIGALL. *Lit.*: [Vgl. auch Bd. IV/1, S. 782.] Goedeke 2 (²1886), 128 f. – Y. Rokseth, O. N. In: L'Humanisme en Alsace
(1939), 192 ff. – K. W. Niemöller, MGG 8 (³1960), 1327 f. – L. Hoffmann-
Erbrecht, LThuK 6 (³1961), 1221. JOHANNES BÖSCHENSTEIN. *Lit.*: R. Newald,
NDB 2 (1955), 407. ZÜRCHER BIBEL. *Lit.*: J. J. Metzger, Gesch. d. dt. Bibelübersetzungen in der schweizerisch-reformierten Kirche v. der Ref. bis zur Gegenwart (1876). – W. Hadorn, Die dt. Bibel in der Schweiz (1925; Die
Schweiz im dt. Geistesleben 39). – R. Pfister, RGG 1 (³1957), 1207 ff. LUD-
WIG HÄTZER UND HANS DENCK. Vgl. S. 466. HIERONYMUS EMSER. Vgl. S.
468 f. JOHANN DIETENBERGER. *Lit.*: H. Wedewer, J. D. 1475–1537 (1888). – F.
Schneider, D. J. D.'s Bibeldruck, Mainz 1534 (1901). – W. Trusen, NDB 7
(1957), 667 f. – P. H. Vogel, Die Bibelübersetzungen von D. u. Ulenberg in
ihrem Verhältnis zur Mainzer Bibel, Gutenberg-Jb. 49 (1966), 227 ff. JOHANN
ECK. Vgl. S. 468. PISCATOR-BIBEL. *Lit.*: J. Schlosser, Die P.bibel (1908). – F. L.
Bos, J. P. Ein Beitrag zur Gesch. der reformierten Theologie (1932).

3. Konsolidierung und Ausbau des Protestantismus

DER SCHMALKALDISCHE BUND. *Lit.*: O. N. Waldeck, Die Publizistik des Schmalkaldischen Krieges, Arch. f. Ref.gesch. 7 (1909/10), 1 ff.; 8 (1910/11), 44 ff. –
W. Maurer, RGG 5 (³1961) 1455 ff. REGENSBURGER REICHSTAG 1541. *Lit.*:
G. Kiesslich, Die Reim-Publizistik des R. R.es u. des Krieges der Schmalkaldner
mit Herzog Heinrich d. J. (Diss. Münster 1954). DAS AUGSBURGER INTERIM.

Lit.: E. Weller, Die Lieder gegen das Interim, Serapeum 23 (1862), 289 ff. –
H. van Oyen, RGG 3 (³1959), 791 f. Der Augsburger Religionsfrieden. *Lit.*:
J. Heckel, RGG 1 (³1957), 736 f. Die Konkordienformel. *Lit.*: E. Wolf, RGG 3
(³1959), 1777 ff.

a) Die verschiedenen Strömungen im Luthertum. Flacius Illyricus. – *Lit.*: H.
Leube, Die Reformideen in der deutsch-lutherischen Kirche zur Zeit der Orthodoxie (1924). Der Adiaphoristenstreit. *Lit.*: H. Oertel, Ein Lied gegen die
Adiaphoristen, Modern Language Notes 7 (1892), 227 ff. – W. Maurer, RGG 1
(³1957), 96. Der Majoristenstreit. Georg Major. *Lit.*: F. Lau, RGG 4 (³1960),
617. Der Osiandrische Streit. Andreas Osiander. *Lit.*: E. Bizer, RGG 4
(³1960), 1730 f. – G. Seebaß, Bibliographia Osiandrica (1971). Der Synergistenstreit. *Lit.*: W. Joest, RGG 6 (³1962), 561 f. Matthias Flacius Illyricus. *Lit.*:
W. Preger, M. F. I. u. seine Zeit. 2 Bde. (1859–61). – F. Wilhelm, Eine dt. Übersetzung der Praefatio zum Heliand, Münchener Museum 1 (1912), 362 ff. –
F. Kluge, Zur Herkunft der Heliand Praefatio, Korresp.bl. d. Ver. f. ndt. Sprachforschg. 37 (1919/21), 7. – G. Moldaenke, Schriftverständnis u. Schriftdeutung
im Zeitalter der Ref. I. M. F. I. (1936). – L. Haikola, Gesetz u. Evangelium bei
M. F. I. (1952; Studia Theologica Lundensia 1). – P. Meinhold, LThuK 4 (³1960),
161 f. – G. Moldaenke, NDB 5 (1961), 220 ff.

b) Die Ausbreitung der Reformation in Europa. – Johannes Honterus.
Ausg.: O. Netoliczka, J. H.'s ausgew. Schrr. (1898). – J. H.'s. Chorographia
Transylvaniae (1898). – *Lit.*: K. K. Klein, Der Humanist u. Reformator J. Honter
(1935; Schrr. d. Dt. Akademie 22). – P. Philippi, RGG (³1959), 446 f.

4. Die katholische Reform und Restauration. Das Konzil zu Trient

Ausg.: P. Manuzio, Canones et decreta concilii Tridentini (Rom 1564 u. ö.,
darunter v. E. L. Richter u. F. Schulte, Leipzig 1853). – Concilium Tridentinum Diariorum, actorum, epistolarum, tractatum nova collectio. Ed. Societas Goerresiana. 13 Bde. (1901–61). – G. Pfeilschifter, Acta reformationis
catholicae ecclesiam Germaniae concernentia saeculi XVI. 2 Bde. (1959–60).
Lit.: H. Swoboda, Trient u. die kirchl. Renaissance (³1915). – H. Jedin, Entstehung u. Tragweite des Trienter Dekrets über die Bilderverehrung (1563),
Theol. Quartalschr. 116 (1935), 143 ff. – S. Merkle, Die weltgeschichtl. Bedeu-
tung des Trienter Konzils, Vortr. d. Gen.-Vers. d. Görres-Ges. 1935/36, 3 ff.
– H. Jedin, Das Konzil zu Trient. Ein Überblick über die Erforschung seiner
Gesch. (1948). – R. Stupperich, Die Reformatoren u. das Tritentinum, Arch.
f. Ref.gesch. 47 (1956), 20 ff. – H. Jedin, LThuK 10 (³1965), 342 ff. Gasparo
Contarini. *Ausg.*: F. Hünermann, G. C. Gegenreformatorische Schrr. (1923;
Corp. Cathol. 7). – *Lit.*: H. Jedin, LThuK 3 (³1959), 49 f. Martin Chemnitz.
Lit.: F. Lau, RGG 1 (³1957), 1647 f.

a) Der Jesuitenorden. Petrus Canisius. – *Ausg.*: Monumenta Historica So-
cietatis Jesu, Monumenta ignatiana. 4 Serien (1903 ff.). – *Lit.*: B. Duhr, Gesch.
der Jesuiten in den Ländern dt. Zunge. 4 Bde. (1907–28). – B. Schneider,
LThuK 5 (³1960), 912 ff. Ignatius von Loyola. *Bibliographie.* P. Dalman u.
J. F. Gilmont, Bibliogr. ignatienne (1894 bis 1955) (1958). – *Ausg.*: A. Feder,
I. v. L., Geistl. Tagebuch (1922). – H. Urs v. Balthasar, I. v. L. Die Exer-
zitien (1956). – B. Schneider, I. v. L., Der Bericht des Pilgers (1956). – *Lit.*:

H. Böhmer, L. u. die dt. Mystik (1921). – H. Rahner, LThuK 5 (³1960), 613 ff. Petrus Canisius. *Ausg.*: O. Braunsberg, Beati P. C. epistulae et acta. 8 Bde. (1896–1923). – F. Streicher, P. C. Catechismi lat. et germanici. 2 Bde. (1933–36). – F. Streicher, P. C. Meditationes. 2 Bde. (1939, 1955). – *Lit.*: H. Jedin, NDB 3 (1957), 122 f.

b) *Die Gegenreformation in Deutschland. Ihr Beginn in Bayern. – Lit.*:
W. Maurer, RGG 2 (³1958), 1254 ff. – E. W. Zeeden, LThuK 4 (³1960), 585 ff.

5. Evangelische und katholische Erbauungsliteratur

Lit.: H. Beck, Die Erbauungslit. der evangel. Kirche Dtlds. v. Dr. M. Luther bis Martin Moller (1883). – Ders., Die religiöse Volkslit. der evangel. Kirche Dtlds. (1891). – S. Beissel, Zur Gesch. der Gebetbücher, Stimmen aus Maria Laach 77 (1909), 274 ff. – P. Althaus, Zur Charakteristik der evangel. Gebetslit. im Ref.jh. (1914). – P. Althaus d. Ä., Forschgn. zur evangelischen Gebetslit. (1927). – M. Hagedorn, Ref. u. spanische Andachtslit. (1934). – C. Richstaetter, Christusfrömmigkeit in ihrer histor. Entfaltung (1949). – F. Bartsch, RGG 2 (³1958), 540 ff. – F. W. Wodtke, RL 1 (²1958), 396 ff. Martin Moller. *Lit.*: F. Lau, RGG 4 (³1960), 1089. Christoph Irenäus. *Lit.*: R. Jauernig, RGG 3 (³1959), 892. Johann Habermann. *Lit.*: F. Lau, RGG 3 (³1959), 7. Sebald Heyden. *Lit.*: A. Kosel, S. H. (1499 bis 1561) (Diss. Erlangen 1940). – F. Krautwurst, MGG 6 (³1951), 361. Johann Geschwindt. *Lit.*: Goedeke 2 (²1886), 166. Magdalena Heymairin. *Lit.*: Goedeke 2 (²1886), 170. Caspar Müller. *Lit.*: Goedeke 2 (²1886), 188, 285. Rudolf Gwalther. Vgl. S. 465. Nikolaus Herman. *Lit.*: A. Elschenbroich, NDB 8 (1969), 628. ‹Der Gilgengart›. *Ausg.*: O. Clemen, D. G. (1913; Zwickauer Faks. Drucke 16). Die Kartause St. Barbara in Köln. *Lit.*: J. Greven, Die Kölner K. u. die Anfänge der kathol. Reform in Dtld. (1935; Kath. Leben u. Kämpfen im Zeitalter der Glaubensspaltung 6). Peter Blomevena. *Lit.*: R. Haaß, NDB 2 (1955), 315. Gerhard Kalckbrenner. *Lit.*: H. Sommer, LThuK 5 (³1960), 1256. Maria von Oisterwijk. *Lit.*: L. Reypens, LThuK 7 (³1962), 42. Johannes Lansperger. *Lit.*: M. Martin, Johann Landtsperger (1902). – R. Bauerreiß, LThuK 6 (³1961), 779. Dietrich Loher. *Lit.*: H. Sommer, LThuK 6 (³1961), 1130. Laurentius Surius. *Lit.*: N. Trippen, LThuK 9 (³1964), 1193 f. Ludwig Blosius. *Lit.*: S. Hilpisch, LThuK 2 (³1958), 535.

6. Weitere Polemik

Johannes Nas. *Ausg.*: J. Zingerle, Selbstbiographie des J. Nasus, ZfdPh 18 (1886), 488 ff. *Lit.*: Goedeke 2 (²1886), 486 f. – H. v. Zeissberg, ADB 23 (1886), 257 ff. – A. Hauffen, Zu den dt. Reimdichtungen des J. N. (1534 bis 1590). ZfdPh 36 (1904), 154 ff. – F. Stopp, Der religiös-polemische Einblattdruck ‹Ecclesia Militans› (1569) des J. N. u. seine Vorgänger, DVjs 39 (1965), 588 ff. Georg Scherer. *Lit.*: P. Müller, Ein Prediger wider die Zeit, G. S. (1933; Kl. histor. Monographien 41). Lazarus von Schwendi. *Lit.*: E. Martin, L. v. S. u. seine Schrr., Zs. f. Gesch. d. Oberrheins 47 (1893), 389 ff. – A. Eiermann, L. v. S. (1904). – E. Dollmann, Die Probleme der Reichspolitik in den Zeiten der Gegenref. u. die politischen Denkschrr. des L. v. S. (1927). – J. König, L. v. S. 1522–1583 (Diss. Tübingen 1933). Martin Schrot. *Lit.*: G. Roethe, ADB

32 (1891), 556 ff. HIERONYMUS RAUSCHER. *Lit.*: J. Wagenmann, ADB 27 (1888), 447 ff. JOHANN FISCHART. Vgl. S. 482 f. CYRIACUS SPANGENBERG. Vgl. S. 494. GEORG NIGRINUS. *Lit.*: Goedeke 2 (²1886), 505 ff. – J. Meier, Des N. Schrift ‹Wider die rechten bacchanten›, ZfdPh 29 (1896), 110 ff. – A. Hauffen, Der Anti-Machiavell, Euphorion 6 (1899), 663 ff. – A. Venn, Die polemischen Schrr. des G. N. gegen J. Nas (Diss. Heidelberg 1933). – F. Müller, G. N. in seinen Streitschriften ‹Judenfeind, Papistische Inquisition u. Anticalvinismus›, Beitrr. z. Hessischen Kirchengesch. 12 (1941), 105 ff.

III. Kapitel: Die deutsche und lateinsprachige erzählende Literatur

1. Episches in deutscher Sprache

Gesamtdarstellungen und Untersuchungen. F. Bobertag, Gesch. des Romans u. der ihm verwandten Dichtungsgattungen in Dtld. im 16. u. 17. Jh. 2 Bde. (1877–84). – M. L. Wolff, Gesch. der Romantheorie v. den Anfängen bis zur Mitte des 18. Jhs. (1911). – H. Keiter u. T. Kellen, Der Roman (⁴1912). – H. Rausse, Gesch. des dt. Romans bis 1800 (1914). – H. H. Borcherdt, Gesch. des Romans u. der Novelle in Dtld. I.: Vom frühen MA bis zu Wieland (1926). – W. Rehm, Gesch. des dt. Romans I: Vom MA bis zum Realismus (1927; Samml. Göschen 229). – H. Gumbel, Dt. Sonderrenaissance in dt. Prosa (1930; Dt. Forschgn. 23). – K. Lugowski, Die Form der Individualität im Roman (1932). – D. Röth, Dargestellte Wirklichkeit im frühnhdt. Prosaroman (Diss. Göttingen 1959). – E.-P. Wieckenberg, Zur Gesch. der Kapitelüberschrift im dt. Roman vom 15. Jh. bis zum Ausgang des Barock (1969; Palaestra 253).

a) Fabel- und Tierdichtung. Erasmus Alberus, Burkhard Waldis, Georg Rollenhagen. – Allgemeine Literatur. O. Weddingen, Das Wesen u. die Theorie der Fabel u. ihre Hauptvertreter in Dtld. (1893). – H. Badstüber, Die dt. Fabel von ihren ersten Anfängen bis auf die Gegenwart (1924). – M. Staege, Die Gesch. der dt. Fabeltheorie (1929; Sprache u. Dichtung 44). – W. Kayser, Die Grundlagen der dt. Fabeldichtung des 16. u. 18. Jhs., Arch. f. d. Studium d. neueren Sprachen, NS 86 (1931), 19 ff. – Th. Spoerri, Der Aufstand der Fabel, Trivium 1 (1942). – E. Voss, Die Lebensbezüge v. Fabel u. Schwank im 16. Jh. (Diss. Rostock 1945). – H. L. Markschies, RL 1 (²1958), 433 ff. REINKE DE VOS. *Lit.*: [Vgl. auch Bd. IV/1, S. 763] H. Borgmann, Über den Wert der hochdt. Reinke-Übersetzung v. J. 1544 (Diss. Straßburg 1908). – E. Schafferus, Der Verfasser der jüngeren Glosse zum R. de V. (1539) (Diss. Hamburg 1933). ERASMUS ALBERUS. *Bibliographie.* Gesamtkatalog der Preuß. Bibliotheken 2 (1932), 799 ff. – *Ausg.*: H. W. Stromberger, E. A. Geistl. Lieder (1857). – L. Enders, E. A. Dialogus v. Luther u. der geschickten Botschaft aus der Hölle (1886; NDL 62). – W. Braune, Die Fabeln des E. A. (1892; NDL 104/07). – O. Clemen, E. A. Gesprächbüchlein von einem Bauern, Belial, Erasmo Roterodam u. Dr. Johann Fabri (1524). In: Ders., Flugschrr. aus den ersten Jahren der Ref. I, 1 (1906), 315 ff. – Ders., E. A. Absag oder Fehdbrief Lucifers an Luther, 1524. In: ebd. III (1909), 353 ff. – A. E. Berger, E. A. Ein Predigt vom Ehestand, 1546 (1942; DLE Reihe Ref. 7) [‹Wider die Bilderstürmer› (1553) im Auszug]. – *Lit.*: F. Schnorr v. Carolsfeld, E. A. (1893). – K. Fundinger, Die Darstellung der Sprache des E. A. (Diss. Freiburg i. Br. 1899). – A. Goetze, E. A.' Anfänge, Arch. f. Ref.gesch. 5 (1907/08),

48 ff. – E. Köner, E. A. (1910; Quellen u. Darstellgn. aus d. Gesch. d. Ref.jhs.
15). – G. Hammann, NDB 1 (1953), 123. BURKHARD WALDIS. *Ausg.*: H. Kurz,
B. W. Esopus. 3 Bde. (1862). – G. Milchsack, Der verlorene Sohn, ein Fastnachtspiel von B. W. (1527) (1881; NDL 30). – J. Tittmann, B. W. Esopus.
2 Tle. (1882; Dt. Dichter des 16. Jhs. 16, 17). – F. Koldewey, B. W. Streit-
gedichte gegen Herzog Heinrich d. J. v. Braunschweig (1883; NDL 49). – A.
E. Berger, B. W. De parabell vam verlorn Szohn, DLE Reihe Ref. 5 (1935),
114 ff. – *Lit.*: C. Schirren, B. W. (Livländ. Charaktere 2), Baltische Monatsschr.
3 (1861), 503 ff. – G. Milchsack, B. W. (1881). – W. Kawerau, ADB 40
(1896), 701 ff. – E. Martens, Die Entstehungsgesch. v. B. W. ‹Esop› (Diss.
Göttingen 1907). – M. Horn, Der Psalter des B. W. (Diss. Halle 1912). –
H. Lindemann, Studien zur Persönlichkeit des B. W. (Diss. Jena 1922). – G.
Bebermeyer, RGG 6 (³1962), 1534 f. HARTMANN SCHOPPER: *Lit.*: Goedeke 2
(²1886), 105 f. – R. Hoche, ADB 32 (1891), 372 f. NATHAN CHYTRÄUS. *Lit.*: Goedeke 2 (²1886), 106 f. GEORG ROLLENHAGEN. *Ausg.*: K. Goedeke, G. R. Froschmeuseler. 2 Tle. (1876). – J. Bolte, G. R. Spiel vom reichen Mann u. armen Lazaro, 1590 (1929; NDL 270/73). – Ders., G. R. Spiel von Tobias, 1576 (1930; NDL
285/87). – *Lit.*: W. Seelmann, ADB 29 (1889), 87 ff. – A. Freybe, G. R.s Leichenpredigt zum Begräbnis des reichen Mannes. Ein parodistisches Meisterstück, Neue
kirchl. Zs. 3 (1892), 989 ff. – A. Herdt, Quellen u. Vorbilder zu R.s ‹Froschmeuseler› u. seine Einwirkung auf J. Baldes Batrachomyomachia (Diss. Straßburg 1909). – S. Nordlund, Der Lautstand in G. R.s Schrr. (Diss. Uppsala
1928). – J. Bolte, Quellenstudien zu G. R., Berliner SB, Phil.-hist. Kl. 1929,
668 ff. – R. Stumpfl, Th. Brunners ‹Tobias› (1569) u. G. R.s Bühnenbearbei-
tung, ZfdPh 57 (1932), 157 ff. VEIT OERTEL VON WINSHEIM. *Lit.*: K. Hartfelder,
ADB 43 (1898), 462 f.

b) Rügedichtnug. Bartholomäus Ringwaldt. Moralisch-religiöse Historie. –

BARTHOLOMÄUS RINGWALDT. *Ausg.*: H. Wendebourg, B. R.s geistl. Lieder (1858;
Geistl. Sänger d. christl. Kirche dt. Nation 11). – *Lit.*: J. Bolte, ADB 28 (1889),
640 ff. – F. Sielek, B. R. (1899). – F. Wegner, Die christl. Warnung des
treuen Eckart des B. R. (1909; Germanist. Abhh. 33). – E. Krafft, Das ‹Speculum mundi› des B. R. (1915; Germanist. Abhh. 47). – F. Kiesel, Bemerkungen zur Bibliographie B.s, Euphorion 24 (1923), 508 ff. SAMUEL DILBAUM. *Lit.*:
M. Radlkofer, Die poetischen u. histor. Schrr. eines Augsburger Bürgers an
der Grenzscheide des 16. u. 17. Jhs,. Zs. d. Histor. Vereins f. Schwaben u.
Neuburg 22 (1895), 57 ff.; 24 (1897), 123 ff.

c) Schwankhafte Erzählungen in Vers und Prosa: Hans Sachs, Johannes Pauli, Jörg Wickram, Hans Wilhelm Kirchhoff u. a. Das Lalebuch. – Samm-lungen. K. Goedeke, Schwänke des 16. Jhs. (1879; Dt. Dichter des 16. Jhs. 12).

– F. Bobertag, Vierhundert Schwänke des 16. Jhs. (1888; DNL 24). – *Allgemeine Literatur.* K. Herz, Soziale Typen in den Prosaschwänken des 16. Jhs.
(Diss. Frankfurt 1925). – G. Bebermeyer, RL 3 (1928/29), 208 ff. – G. Kutt-
ner, Wesen u. Formen der dt. Schwanklit. des 16. Jhs. (1934; Germ. Stud. 152).
– G. Henßen, Der dt. Volksschwank (1935). – E. Strassner, Schwank (1968;
Samml. Metzler). HANS SACHS. Vgl. S. 493. JOHANNES PAULI. *Ausg.*: H. Oesterley, Schimpf u. Ernst von J. P. (1866; BiblLVSt 85). – J. Bolte, J. P. Schimpf
u. Ernst. 2 Tle. (1924; Alte Erzähler 1, 2). – R. G. Warnack, Die Predigten
J. P.s (1970; Münchener Texte u. Unters. 26). – *Lit.*: Goedeke 1 (²1884),
404 f. – C. Biehler, Die Laut- u. Formenlehre der Sprache des Barfüßer-
mönchs J. P. (Diss. Straßburg 1911). – L. Pfleger, Der Franziskaner J. P. u.

seine Ausgaben Geilerscher Predigten, Arch. f. elsäss. Kirchengesch. 3 (1928), 47 ff. – D. v. Künsberg, Das Recht in P.s Schwanksammlung (Diss. Heidelberg 1939). – R. Newald, VL III (1943), 836 ff. – K. Hannemann, ebd. V (1955), 871. ‹SCHERTZ MIT DER WARHEYT›. *Lit.*: Goedeke 2 (²1886), 317, 465, – A. L. Stiefel, Über das Schwankbuch ‹Schertz mit der Warheit›, Arch. f. d. Studium d. neueren Sprachen 95 (1895), 55 ff. JÖRG WICKRAM. Vgl. S. 480. JAKOB FREY. *Ausg.*: J. Bolte, J. F.s Gartenges. (1896; BiblLVSt 209). – *Lit.*: H. Rosenfeld, NDB 5 (1961), 418. MARTINUS MONTANUS. *Ausg.*: J. Bolte, M. M.' Schwankbücher (1557–1566) (1899; BiblLVSt 217). – E. K. Blüml, Der Wegkürtzer des M. M. (1906; Der Volksmund 2). – *Lit.*: E. Schmidt, ADB 22 (1885), 180 ff. – J. Bolte, Zu M.' Gartenges., Jb. f. Gesch., Sprache u. Lit. Elsaß-Lothringens 20 (1904), 78 ff. ‹DE KLENE WEGEKÖRTER›. *Lit.*: J. Bolte, Jb. d. Ver. f. nd. Sprachforschg. 20 (1894), 132 ff. MICHAEL LINDENER. *Ausg.*: F. Lichtenstein, M. L.s Rastbüchlein u. Katzipori (1883; BiblLVSt 163). – *Lit.*: E. Schmidt, ADB 18 (1883), 693 ff. – J. Schnitzer, M. L., Fälscher, nicht Übersetzer savonarolischer Predigten u. Schrr., Veröff. aus d. Kirchenhistor. Seminar München III, 1 (1907), 240 ff. – F. Roth, Zur Lebensgesch. M. L.s, Euphorion 20 (1913), 488 ff. – K. Schottenloher, Schwankdichter M. L. als Schriftenfälscher, Zbl. f. Bibl.wesen 56 (1939), 335 ff. HANS BETZ. *Lit.*: J. M. Wagner, Die faul schelmzunft der zwelf pfaffenknecht. Spruchgedicht v. H. B., Arch. f. d. Gesch. d. dt. Sprache 1 (1874), 71 ff. – Chr. Hege, Menonnit. Lex. 1 (1913), 213. VALENTIN SCHUMANN. *Ausg.*: J. Bolte, V. S.s Nachtbüchlein (1559) (1893; BiblLVSt 197). – V. S., Historia von Christoffel u. Feronica (1924). – *Lit.*: Goedeke 2 (²1886), 469 f. – J. Bolte, Nachträge zu V. S.s Nachtbüchlein, BiblLVSt 209 (1896), 276 ff. – R. Westermann, VL III (1943), 213. HANS WILHELM KIRCHHOFF. *Ausg.*: H. Oesterley, Wendunmuth von H. W. K. 5 Bde. (1869; BiblLVSt 95–99). – *Lit.*: H. Oesterley, ADB 16 (1882), 8. – Goedeke 2 (²1886), 470 ff. BERNHART HERTZOG. *Lit.*: Goedeke 2 (²1886), 472. – H. Hahn, Der hsl. Nachlaß B. H.s in der Frankfurter Stadtbibl., Vjs. f. Wapppen-, Siegel- u. Familienkunde 24 (1896), 1 ff. – J. Fuchs, NDB 8 (1969), 719. HANS CLAUERT. *Ausg.*: Th. Raehse, H. C.s Werkliche Historien (1882; NDL 33). – *Lit.*: Goedeke 2 (²1886), 559. BARTHOLOMAEUS KRÜGER. *Lit.*: Vgl. S. 500. CLAUS NARR. *Lit.*: J. Franck, ADB 4 (1876), 282 f. – F. Schnorr v. Carolsfeld, Über C. N. u. M. Wolfgang Büttner, Arch. f. Lit.-Gesch. 6 (1876), 277 ff. – F. W. Ebeling, K. N. In: Ders., Zerstreutes u. Erneutes (1890), 111 ff. ‹LALEBUCH› UND ‹SCHILDBÜRGER›. *Ausg.*: K. v. Bahder, Das L. (1597) mit den Abweichungen u. Erweiterungen der S. (1598) u. des Grillenvertreibers (1603) (1914; NDL 236–239). – S. Ertz, Das L. (1971; Reclams UB 6642/43). – R. Kraft, Das S.buch von 1598 (1956). – G. Schmitz, Schiltbürger (1971; Dt. Volksbücher in Faks.drucken 8). – *Lit.*: W. Hesse, Das Schicksal des L. in der dt. Lit. (Diss. Breslau 1929). – F. Stroh, Volksbuchprobleme (Zur Wesensbestimmung des L.es), Dichtung u. Volkstum 36 (1935), 78 ff. – S. Ertz, Aufbau u. Sinn des L.s (Diss. Köln 1965). – H. Trümpy, Die Hintergründe des Schwankbuches v. den Lalebürgern, Festschr. H. v. Greyerz (1967), 759 ff. – W. Dietze, Mündlicher Volksschwank u. romanhafte Erzählformen im ‹L.›. Weimarer Beitrr. 14 (1968), 158 ff.

d) Romanhafte Prosaerzählungen: Veit Warbeck, Jörg Wickram. – ERHART LURCKER. *Ausg.*: F. Ritter, Das Giletta-Volksbuch nach einem bisher unbekannten Straßburger Druck v. J. 1520, Jb. d. Elsaß-Lothringischen Wiss. Ges. zu Straßburg 1 (1928), 56 ff. – *Lit.*: H. Stolte, VL III (1943), 200 ff. – H. Fromm, Ein dt. Boccaccio im Knittelvers. In: Mélanges de philologie

et de linguistique. Festschr. T. Nurmela (1967; Annales Universitatis Tur-
kuensis Ser. B, Tom. 103), 29 ff. [mit Textabdruck]. WILHELM ZIELY. Ausg.:
W. Seelmann, Valentin u. Namelos (1884; Nd. Denkmäler 4). – W. Wolf,
Namnlos och Valentin (1934; Samlingar utg. av Svenska Fornskrift-Sällskapet
172). – Lit.: Goedeke 2 (²1886), 20. – A. Dickson, Valentine and Orson
(1929). – J. Diepering, Studien zum ‹Valentin u. Namenlos› (Diss. Amster-
dam 1933). – L. Wolff, VL IV (1953), 673 ff. VEIT WARBECK. Ausg.: J. Bolte,
Die schöne Magelone, aus dem Französischen übersetzt v. V. W. 1527 (1894;
Bibl. älterer dt. Übersetzungen 1). – R. Wiemann, Magelone (1971; Dt. Volks-
bücher in Faks.drucken 6). – Lit.: H. Holstein, V. W. u. das Drama v. der
schönen Magelone, ZfdPh 18 (1886), 186 ff. – J. Bolte, ADB 41 (1896), 165 f.
– R. Westermann, Die Nd. u. Dänischen Übertragungen von V. W.s ‹Schöne
Magelone›, ZfdPh 57 (1932), 261 ff. – Dies., VL III (1943), 208 ff. HIERONY-
MUS RODLER. Ausg.: T. Aldrian, H. R., Eyn schön nützlich büchlin u. underweisung der kunst des Messens (1970; Instrumentaria artium 4) [Faks.-Ausg.].
– Lit.: R. Westermann, VL II (1936), 149 ff. – E. Bonnemann, Die Presse
des H. R., eine fürstl. Hofbuchdruckerei des 16. Jhs. (1938; Samml. bibio-
thekswiss. Arbb. 48). – W. Stammler, Von der Mystik zum Barock (²1950),
725. WILHELM SALZMANN. Ausg.: Kaiser Octavian (Leipzig o. J. [um 1840]).
– Lit.: P. Streve, Die Octavian-Sage (Diss. Erlangen 1884). – Goedeke 2
(²1886), 21 f. – L. Keßler, Der Prosaroman vom Kaiser Octavian (Diss. Frankfurt 1920). CHRISTOPH WIRSUNG. Vgl. S. 513. KONRAD EGENBERGER. Ausg.:
Ogier. In: Reichards Bibl. der Romane 5 (1780), 5 ff. – Lit.: C. Voretsch, Über
die Sage von Ogier dem Dänen u. die Entstehung der Chevalerie Ogier (1891).
– O. Fingerhut, ‹Kong Olger Danskis Kronicke› u. ihr Verhältnis zur dt.
Übersetzung ‹Deunmarckische Historien› v. Conrad Egenberger v. Wertheim
(1935; Nord. Studien 18). – H. Gumbel, VL III (1943), 639 ff. GEORG MES-
SERSCHMID. Lit.: E. Schmidt, ADB 21 (1885), 499 f. – J. Bolte, G. M. u. sein
Roman, Alemannia 21 (1893), 13 ff. JOHANN WETZEL. Ausg.: H. Fischer u. J.
Bolte, Die Reise der Söhne Giaffers aus dem Italienischen des Christoforo
Armeno übersetzt durch J. W. 1583 (1895; BiblLVSt 208). JÖRG WICKRAM.
Ausg.: J. Bolte u. W. Scheel (1. Bd.), G. W.s Werke. 8 Bde. (1901–06; Bibl-
LVSt 222, 223, 229, 230, 232, 236, 237, 241). – J. Benzing, J. W., Die zehn
Alter der Welt (1961) [Faks. der Ausg. 1531]. – H.-G. Roloff, G. W.s
Sämtl. Werke (1967 ff.; Ausgg. Dt. Lit. des XV. bis XVIII. Jhs.). Lit.: E. Schmidt,
ADB 42 (1897), 328 ff. – G. Fauth, J. W.s Romane (1916). – M. Waller, W.s
Romane in ihrer künstlerischen Entwicklung, ZfdPh 64 (1939), 1 ff. – G. Jacke,
J. W. Analyse seiner Prosaromane (Diss. Tübingen 1954). – R. John, Studien
zu W.s Romanen (Diss. München 1954). – F. Neumann, Meister Albrechts u.
J. W.s Ovid auf deutsch, PBB 76 (1954), 321 ff. – M. Meucelin-Roeser, Studien
zum Prosastil J. W.s (Diss. Basel 1955). – K. Stocker, Die Lebenslehre im Prosa-
werk v. J. W. u. in der volkstüml. Erzählung des 16. Jhs. (Diss. München 1956). –
K. Stackmann, Die Auslegungen des Gerhard Lorichius zur ‹Metamorphosen›-
Nachdichtung J. W.s, ZfdPh 86 (1968, Sonderheft), 120 ff. – M.-ten Wolthuis,
Der ‹Goldfaden› des J. W. v. Colmar, ZfdPh 87 (1969), 46 ff.

e) Die Volksbücher. Das Volksbuch vom Dr. Faust. – Bibliographie. P. Heitz
u. F. Ritter, Versuch einer Zusammenstellung der Dt. Volksbücher des 15. u.
16. Jhs. nebst deren späteren Ausgaben u. Lit. (1924). – Sammlungen. F. H.
v. d. Hagen u. J. G. Büsching, Buch der Liebe (1809). – G. Schwab, Buch
der schönsten Geschichten u. Sagen. 2 Bde. (1836 u. ö.). – G. O. Marbach, V.
34 Bde. (1838–47). – K. Simrock, Die dt. V. 58 Hefte (1839–67). – Ferner

wurden in der Art billiger Jahrmarktsausgaben in Reutlingen bei Fleischhauer u. Spohn seit 1844 sowie bei Enßlin u. Laiblin seit 1860 zahlreiche V. gedruckt u. in etwa neun Auflagen unter dem Titel ‹Reutlinger V.› ausgeliefert. Ähnlich in Augsburg bei George Jaquet, in Neu-Ruppin bei Oehmike u. Riemenschneider, in Oberhausen u. Leipzig bei Spaarmann. Beliebt waren ferner auch Meyers u. Schaffsteins V. u. die V., die unter dem Titel ‹Walhalla› in Leipzig u. Berlin hrsg. wurden. – F. Bobertag, V. des 16. Jhs. (1887; DNL 25). – R. Benz, Die dt. V. 6 Bde. (1911–24). – H. Kindermann, V. vom sterbenden Rittertum (1928; DLE Reihe Volks- u. Schwankbücher 1). – F. Podleiszek, Anfänge des bürgerl. Prosaromans in Dtld. (1933; ebd. 7). – Ders., V. v. Weltweite u. Abenteuerlust (1936; ebd. 2). – K. O. Conrady, Dt. V. (1968; Rowohlts Klassiker der Lit. u. Wiss. 510/511: Dt. Lit. 24). – P. Suchsland, Dt. V. Textrevision v. E. Weber. 3 Bde. (1968; Bibl. dt. Klassiker). – D. V. in Faks.drucken (1971 ff.). – *Allgemeine Literatur.* E. Kelchner u. R. Wülcker, Meß-Memorial des Frankfurter Buchhändlers Michel Harder, Fastenmesse 1569 (1873). – Goedeke 1 (²1884), 339 ff., 466 f. – L. Mackensen, Die dt. V. (1927; Forschgn. z. dt. Geistesgesch. d. MAs u. d. Neuzeit 2). – F. Podleiszek, Kulturentwicklung vom MA zur Neuzeit in den V.n des 15. u. 16. Jhs. (Diss. Wien 1929; masch.). – F. Weber, Weltbild u. Geisteshaltung der dt. V. (Diss. München 1948). – E. Schauhuber, Die V. des 15. u. 16. Jhs. als Kulturspiegel der Zeit (Diss. Wien 1948; masch.). – W. Heise, Die dt. Volksromane (Diss. Göttingen 1953). – H. Aicher, Die relig. Probleme in den V.n (Diss. Erlangen 1953). – H. Beyer, Die dt. V. u. ihr Lesepublikum (Diss. Frankfurt 1962). – ‹DER FINCKEN RITTER›. *Ausg.:* J. Bolte, Das Volksbuch vom Finkenritter (1913; Zwickauer Faks. Drucke 24). – *Lit.:* C. Müller-Fraureuth, Die dt. Lügendichtung bis auf Münchhausen (1881), 15 ff. – ‹DER HÜRNEN SEWFRID›. *Ausg.:* W. Golther, Das Lied vom H. Seyfried nach der Druckredaktion des 16. Jhs. (²1911; NDL 81/82). – O. Clemen, Das Lied vom hürnen Seyfrid, Nürnberg Kunegund Hergotin c. 1530 (1911; Zwickauer Faks. Drucke 6). – *Lit.:* E. Schröder, Das Volksbuch vom gehörnten Siegfried, Vjs. f. Lit.gesch. 5 (1892), 480 ff. – Th. Lindemann, Versuch einer Formenlehre des H. Seyfrid (1913). – W. Krogmann, VL IV (1953), 180 ff. ‹FRIEDRICH BARBAROSSA›. *Ausg.:* F. Pfeiffer, Volksbüchlein vom Kaiser Friedrich, ZfdA 5 (1845), 250 ff. – E Barnick, Das Volksbuch von Barbarossa u. Geschichten vom Kaiser Friedrich dem anderen (1925). – *Lit.:* P. Heitz u. F. Ritter, aaO, 10 ff. – E. Brodführer, VL I (1933), 681 f. GEORG THYM. *Ausg.:* P. Zimmermann, G. Th.s Gedicht Thedel von Wallmoden (1888; NDL 72). – *Lit.:* Goedeke 2 (²1886), 322. – P. Zimmermann, ADB 38 (1894), 234 f. DAS VOLKSBUCH VOM DOKTOR FAUST. *Bibliographie.* K. Engel, Zusammenstellung der F.-Schrr. vom 16. Jh. bis Mitte 1884 (²1885). – F. Zarncke, Johann Spieß, der H. des F.-Buches u. sein Verlag. In: Ders., Kleine Schrr. 1 (1897), 289 ff. – J. Fritz, Zur Bibliographie des F.buches E, Euphorion 19 (1912), 334 ff. – R. Payer v. Thurn, Der histor. F. im Bilde (1917). – H. Henning, Beitrr. zur Druckgesch. der F.- u. Wagner-Bücher des 16. u. 18. Jhs. (1963; Beitrr. z. dt. Klassik 16). – *Ausg.:* G. R. Widmann, Hauptwerk über F. in drei Theilen. In: Das Kloster 2 (1846), 273 ff. – A. v. Keller, G. R. Widmann, F.'s Leben [in der Bearbeitung von J. N. Pfitzer] (1880; BiblLVSt 146). – S. Szamatólski, Das F.buch des Christlich Meynenden nach dem Druck von 1725 (1891). – G. Milchsack, Historia Dr. J. Fausti (1892; In: Ders., Überlieferungen z. Lit., Gesch. u. Kunst 2). – A. Tille, Die F.splitter in der Lit. des 16.–18. Jhs. (1900). – J. Fritz, Ander Theil des Johann Fausti historien von seinem famulo Christoff Wagner (1593) (1910). – R. Petsch, D. V. v. Doctor F. (²1911; NDL 7/8). – J. Fritz, D.

V. v. Doctor F. Nach der um die Erfurter Geschichten vermehrten Fassung
(1914). – W. Wiemken, Doctor Fausti Weheklag. Die Volksbücher von D. Johann F. u. Christoph Wagner (1961; Samml. Dietrich 186). – H. G. Haile,
Das F.buch nach der Wolfenbütteler Hs. (1963; Philolog. Studien u. Quellen
14). – H. Henning, Historia von D. Johann Fausten. Neudruck des F.-Buches
von 1587 (1963; Literar. Erbe 1). – Lit.: W. Creizenach, ADB 6 (1877), 583 ff.
– C. Kiesewetter, F. in Gesch. u. Tradition (1893). – R. Petsch, Die Entstehung des V.es v. D. F., GRM 3 (1911), 207 ff. – Ders., Lerchheimer u. das
F.buch, PBB 39 (1914), 182 ff. – R. Blume, Der geschichtl. Wagner in den
ältesten Volksbüchern vom F., Euphorion 26 (1925), 9 ff. – K. Theens, Doktor
Johann F. Gesch. der F.gestalt vom 16. Jh. bis zur Gegenwart (1948). – E.
Beutler, Goethes F. (³1951). – K. Weisert, F. in der Knittlinger Überlieferung (1951). – H. Henning, F. als histor. Gestalt, Jb. d. Goethe-Ges. NF 21
(1959), 107 ff. – Ders., Ein Wagner-Buch des Jahres 1594 u. seine Einordnung, PBB (O) 82 (1960), 306 ff. – A. Zastrau, NDB 5 (1961), 34 ff. – H.
Birven, Der histor. Doktor F. (1963). ‹BRUDER RAUSCH›. Ausg.: H. Anz, Broder
Rusche, Jb. d. Ver. f. nd. Sprachforschg. 24 (1898), 76 ff. – R. Priebsch, B. R.
(1919; Zwickauer Faks. Drucke 8). – Lit.: H. Anz, Die Dichtung vom B. R.,
Euphorion 4 (1897), 756 ff. – R. Priebsch, Die Grundfabel u. Entwicklungsgesch. der Dichtung vom B. R., Prager dt. Studien VIII, 1 (1908), 423 ff. –
L. Wolff, VL I (1933), 292 ff. GESCHICHTE VOM EWIGEN JUDEN. Ausg.: K. Simrock, Volksbücher 6 (1847), 423 ff. – J. Sarreiter, Der E. J. (1879; Reclams
UB 1291/92). – Lit.: Th. Grässe, Der Tannhäuser u. E. J. (1861). – P.
Cassel, Ahasverus (1885). – A. Soergel, Ahasver-Dichtungen seit Goethe (1905;
Probefahrten 6). – P. Heitz u. F. Ritter, aaO, 77 ff. – A. Schmidt, Das Volksbuch vom E. J. (1927). – W. Zierus, Ahasverus Der E. J. (1930; Stoff- u.
Motivgesch. d. dt. Lit. 6).

f) ‹Amadis›. Fischart. Übersetzungen antiker Epik ins Deutsche. Die Rezeption des spätgriechischen Romans. Feyerabend: ‹Buch der Liebe›. – ‹AMADIS›.
Ausg.: A. v. Keller, A. Erstes Buch. Nach der ältesten dt. Bearbeitung (1857; Bibl.
LVSt 40). – Lit.: F. Bobertag, Gesch. d. Romans u. der ihm verwandten Dichtungsgattungen in Dtld. (1876) [Inhaltsangabe der Bücher 1–4]. – H
Schneegans, Gesch. der grotesken Satire (1892). – M. Pfeiffer, A.-Studien (Diss.
Erlangen 1904) [dazu: A. Hauffen, ZfdPh 42 (1910), 470 ff.]. – W. Küchler, Empfindsamkeit u. Erzählkunst im A.roman, Zs. f. franz. Sprache u. Lit.
25 (1909), 158 ff. – H. Thomas, The romance of A. (1912). – Ders., Spanish
and Portuguese romance of chivalry (1920). – W. Mulert, Studien zu den
letzten Büchern des A.romans (1923; Roman. Arbb. 11). – J. Schwering, Luther u. A., Euphorion 29 (1928), 618 f. – G. Müller, RL 1 (²1958), 46 f.
JOHANN FISCHART. Ausg.: H. Kurz, J. F.s sämtl. Dichtungen. 3 Tle. (1866–67. Dt.
Bibliothek 8–10). – W. Braune, J. F. Aller Praktik Großmutter (1876; NDL
2). – C. Wendeler, J. F. Der Flöh haz (1877; NDL 2). – K. Goedeke, Dichtungen
von J. F. (1880; Dt. Dichter des 16. Jhs. 15). – A. Alsleben, J. F.s Geschichtsklitterung (Gargantua) (1891; NDL 65/67). – A. Hauffen, F.s Werke. Eine Auswahl.
3 Tle. (1892/95; NDL 18, 1–3). – G. Baesecke, J. F. Das Glückhafte Schiff von
Zürich (1577) (1901; DNL 182). – A. Hauffen, F.s Schweizer Dichtungen (1926; Die Schweiz im dt. Geistesleben 43). – J. F., Das Glückhaffte
Schiff von Zürich (1927; Buch der Rupprecht-Presse 38). – U. Nyssen,
J. F.s Geschichtsklitterung. Text der Ausgabe letzter Hand von 1590
(1963 f.). – Lit.: A. Hauffen, J. F., ein Lit.bild aus der Zeit der Gegenref. 2 Bde. (1921–22). – A. Leitzmann, Fischartiana (1924; Jenaer Ger

manist. Forschgn. 6). – A. Knauer, F.s u. Bernhard Schmids Anteil an der Dichtung ‹Peter von Stauffenberg› 1588 (1925). – O. Wacker, Studien über die groteske Satire bei F. (Diss. Freiburg i. Br. 1927). – F. Thöne, J. F. als Verteidiger Dt. Kunst, Zs. d. dt. Ver. f. Kunstwiss. 1/2 (1934/35), 125 ff. – E. Goldmann, Barockstil bei F. (Diss. Tübingen 1934). – R. Zitzmann, F.s ‹Geschichtsklitterung› in ihrem Verhältnis zu Rabelais (Diss. Frankfurt 1935). – W. Rainer, Sprachl. Kampfmittel in der Publizistik J. F.s (Diss. Berlin 1959). – H. Sommerhalder, J. F.s Werk (1960; Quellen u. Forschgn. NF 4). – G. Bebermeyer, NDB 5 (1961), 170 ff. – G. Kocks, Das Bürgertum in J. F.s Werk (Diss. Köln 1965). Übersetzungen. Ausg.: A. Sauer, Bibliothek älterer dt. U. 6 Bde. (1894–99). – Lit.: J. F. Degen, Lit. der dt. Ü. der Römer. 3 Bde. (1794–99). – Ders., Lit. der dt. Ü. der Griechen. 2 Bde. (1797–98), Nachtrag (1801). – Goedeke 2 (²1886), 317 ff. – W. Stammler, Zur Sprachgesch. des 15. u. 16. Jhs. In: Vom Werden des dt. Geistes. Festgabe G. Ehrismann (1925), 187 ff. – R. Leppla, RL 3 (1928/29), 394 ff. – L. S. Thompson, German translations of the classics between 1450 and 1550, JEGP 42 (1943), 343 ff. Johannes Spreng. Vgl. S. 494. Estherbuch. Lit.: H. Bardtke, RGG 2 (³1958), 703 ff. Simon Schaidenreisser. Ausg.: F. Weidling, F.s Odyssea, Augsburg 1537 (1911; Teutonia 13). – Lit.: R. Newald, Die dt. Homerübersetzungen des 16. Jhs. (Simon Minervius, Johannes Baptista Rexius, Johannes Spreng), Das humanist. Gymnasium 43 (1932), 47 ff. – W. Zehetmeier, S. Minervius S. Leben u. Schrr. (Diss. München 1962). Johann Zschorn. Lit.: W. Teichmann, J. Z. v. Westhofen, Jb. f. Gesch., Sprache u. Lit. Elsaß-Lothringens 21 (1905), 161 ff. Johann Christoph Artopeus. Lit.: J. F. Degen, Lit. der dt. Übersetzungen der Griechen 1 (1797), 284 ff. Sigmund Feyerabend. Lit.: H. Pallmann, S. F. (1881). – E. Klöss, S. F., Arch. f. d. Gesch. d. Buchw. 2 (1960), 331 ff. – J. Benzing, NDB 5 (1961), 119.

2. Die neulateinische Epik

Allgemeine Literatur. J. E. Gillet, Drama u. Epos in der dt. Renaissance, JEGP 15 (1915), 35 ff. – G. Ellinger u. B. Ristow, Neulat. Dichtung. RL 2 (²1965), 635 ff.

a) Die verschiedenen Gattungen. – Johannes Mylius. Lit.: Goedeke 2 (²1886), 106. Friedrich Widebram. Lit.: Goedeke 2 (²1886), 106. – F. W. Cuno, ADB 42 (1897), 338 ff. – G. Ellinger, Gesch. der neulat. Lit. Dtlds. im 16. Jh. 2: Die neulat. Lyrik Dtlds. in der ersten Hälfte des 16. Jhs. (1929), 126. Andreas Calagius. Lit.: Goedeke 2 (²1886), 114 u. ö. Nikodemus Frischlin. Vgl. S. 506. Friedrich Dedekind. Vgl. S. 484. Melchior Neukirch. Lit.: J. Bolte, ADB 23 (1886), 512 f. Pantaleon Candidus. Lit.: A. L. Stiefel, Die ‹Centum et quinquaginta fabulae des P. C. u. ihre Quellen, Arch. f. d. Studium d. neueren Sprachen 125 (1910), 102 ff. – G. Biundo, NDB 3 (1957), 121. Jakob Strassburg. Lit.: Goedeke 2 (²1886), 104. Johannes Lange. Vgl. S. 498. Lit.: C. A. Schimmelpfennig, ADB 17 (1883), 338 f. – Goedeke 2 (²1886), 95 f. Bartholomäus Steinmetz, Latomus. Ausg.: L. Keil, B. L. Zwei Streitschrr. gegen M. Bucer (1543–1545) (1924; Corp. Cathol. 8). – Lit.: Goedeke 2 (²1886), 90 f. – R. Stupperich, RGG 4 (³1960), 239. Joachim Mynsinger von Frundeck d. Ä. Lit.: P. Zimmermann, ADB 23 (1886), 22 ff. Johann Forster. Lit.: B. Walde, LThuK 4 (²1928), 68. – R. Jauernig, RGG 2 (³1958), 1005. Johann Bocer. Vgl. S. 497 f. Johannes Lebel. Lit.: H. Wolff, J. L., ein siebenbürgischer dt. Humanist (Progr. Schäßburg 1894). Christian Schesaeus.

Lit.: F. W. Seraphin, Des C. S. ‹Ruinae Panonicae›, Korresp.bl. d. Ver. f. siebenbürg. Landeskunde 30 (1907), 17 ff. – H. Schuller, Des C. S. ‹Bellum Pannonicum Solymanni›, Beitrr. z. Gesch. d. evang. Kirche A. B. in Siebenbürgen 1922, 85 ff. – Ders., C. S. als Lyriker (1927). – Ders., Die hsl. erhaltenen Gesänge aus C. S. ‹Ruinae Pannonicae› (Progr. Mediasch 1933). ELIAS CORVINUS. *Lit.:* W. Hartel u. K. Schrauf, Nachtrr. zum 3. Bde. von J. R. v. Aschbach's Gesch. d. Wiener Universität, I, 1 (1898), 313 ff. – R. Newald, NDB 3 (1957), 372. GEORG MAURITIUS D. Ä. *Lit.:* R. Stumpfl, G. M. d. Ä. (1539–1610), Heimatgaue 12 (1931), 9 ff.; 13 (1932), 13 ff. GEORG CALAMINUS. *Lit.:* R. Doll, Das lat. Epos des schles. Dichters C. über den Straßburger Arzt Johann Winther v. Andernach (Diss. Düsseldorf 1937). – R. Newald, NDB 3 (1957), 91. – H. Slaby, G. C. u. sein Freundeskreis, Histor. Jb. der Stadt Linz 1958, 73 ff. MICHAEL HASLOB. *Lit.:* R. Schwarze, ADB 10 (1879), 745. – Goedeke 2 (²1886), 103. – G. Ellinger, aaO 2 (1929), 320 ff. THOMAS VENATORIUS. *Lit.:* P. Tschackert, ADB 39 (1895), 599 f. – Th. Kolde, T. V., sein Leben u. seine literar. Tätigkeit, Beitrr. z. bayer. Kirchengesch. 13 (1907), 97 ff. JOHANNES POLLIUS. *Lit.:* B. Spiegel, Die lat. Gedichte v. J. P., Zs. f. wiss. Theologie 9 (1866), 316 ff. – F. Jostes, ADB 26 (1888), 395 f. – G. Ellinger, aaO 2 (1929), 269 f. GEORG THYM. Vgl. S. 481. FAZETIE. *Lit.:* Goedeke 2 (²1886), 128 ff. – G. Bebermeyer, RL 1 (²1958), 441 ff. JAKOB VIELFELD, POLYCHORIUS. *Lit.:* L. Keller, ADB 39 (1895), 677 f. – A. L. Stiefel, Ein unbekanntes Schwankbuch des 16. Jhs., ZfdPh 35 (1903), 81 ff. OTTO MELANDER. *Lit.:* J. Minor, ADB 21 (1885), 279 f. FRIEDRICH TAUBMANN. *Lit.:* Goedeke 2 (²1886), 112. – L. Fränkel, ADB 37 (1894), 433 ff. ANTON MOCKER. *Lit.:* Goedeke 2 (²1886), 15, 104. – O. Kaemmel, ADB 22 (1885), 83 ff.

b) Makkaronische Poesie. Leberreime. – Allgemeine Literatur. F. W. Genthe, Gesch. der Macc. P. u. Sammlung ihrer vorzüglichsten Denkmäler (1829). – O. Schade, Zur Mak. P., Weimarisches Jb. f. Dt. Sprache, Lit. u. Kunst 2 (1855), 409 ff.; 4 (1856), 355 ff. – Goedeke 2 (²1886), 511 f. – C. Blümlein, Zur Gesch. der macc. P., Berr. d. Freien Dt. Hochstiftes NF 13 (1897), 215 ff. – B. Ristow, RL 2 (²1965), 259 ff. – *Ausg.:* C. Blümlein, Die ‹Floia› u. andere dt. macc. Gedichte (1900; Drucke u. Holzschnitte des 15. u. 16. Jhs. in getreuer Nachbildung 4). LEBERREIME. *Lit.:* H. Meyer, RL 4 (1931), 57 f.

c) Podagraliteratur. – Allgemeine Literatur. A. Hauffen, Zur Lit. der ironischen Enkomien, Vjs. f. Lit.gesch. 6 (1893), 161 ff. – Ders., RL 2 (1926/28), 682 f. – *Ausg.:* Die Texte von CARNARIUS u. PIRCKHEIMER bei A. Hauffen, J. Fischarts Werke III, DNL 18 (o. J.), VIII ff. GEORG FLEISSNER. *Lit.:* A. Hauffen, Trost in Podagra, Mitt. d. Ver. f. Gesch. d. Deutschen in Böhmen 31 (1893), 293 ff. – J. W. Nagl u. J. Zeidler, Dt.-Österr. Lit.gesch. 1 (1899), 555 f.

d) Satire und grobianische Literatur. – Allgemeine Literatur. L. Fränkel, Bemerkungen zur Entwicklung des Grobianismus, Germania 38 (1893), 181 ff. – A. Hauffen u. C. Diesch, RL 1 (²1958), 605 ff. JOHANNES POLLIUS. S. oben. THOMAS NAOGEORG. Vgl. S. 503. FRIEDRICH DEDEKIND. *Ausg.:* A. Böhmer, F. D. Grobianus (1903; Lat. Litt.-Denkmäler d. XV. u. XVI. Jhs. 16). – *Lit.:* W. Scherer, F. D. (1877). – A. Schuster, Leben u. Wirken F. D.s (1899; Hannoversche Gesch.bll. 2). – F. Bergmeier, D.s Grobianus in England (Diss. Greifswald 1903). – W. Flemming, NDB 3 (1957), 551 f. KASPAR SCHEIDT. *Ausg.:* G. Milchsack, F. Dedekinds ‹Grobianus› verdeutscht von K.

S. (1882; NDL 34/35). – W. Matthiesen, F. Dedekind. Grobianus, von groben Sitten u. unhöflichen Gebärden (1921). – A. Leitzmann, K. S.s ‹Reformation der Musica›. In: Ders., Fischartiana (1924; Jenaer Germanist. Forschgn.
6). – Ph. Strauch, K. S. Die fröhliche Heimfahrt (1926; Schrr. des Wiss. Inst.
der Elsaß-Lothringer im Reich 6). – Ders., K. S. Lobrede von wegen des Meyen
(1929; NDL 268/69). – Lit.: A. Hauffen, C. S., der Lehrer Fischarts (1889;
Quellen u. Forschgn. 66). – K. Hedicke, K. S.s ‹Fröhliche Heimfahrt› (Diss.
Halle 1903). – A. Schauerhammer, Mundart u. Heimat C. S.s (1908). – A.
Becker, C. S., der Lehrer Fischarts, u. sein pfälzischer Kreis. Sonderabdr. aus:
Pfälzisches Museum 41 ((1924). WENDELIN HELLBACH. Lit.: Goedeke 2 (²1886),
112. JOHANNES DOMINICUS HESS. Lit.: Goedeke 2 (²1886), 112. JOHANNES
MAJOR. Lit.: G. Frank, J. M., Zs. f. wiss. Theologie 6 (1863), 117 ff. – Goe-
deke 2 (²1886), 99 f. – G. Ellinger, aaO 2 (1929), 121 ff. MICHAEL ABEL. Lit.:
Th. Hertel, M. A. (1896 u. 1898). – G. Ellinger, aaO 2 (1929), 336 ff. – H.
Grimm, NDB 1 (1953), 12. JOHANNES SOMMER. Lit.: J. Bolte, ADB 34 (1892),
603 ff. – R. Newald, Die dt. Lit. vom Späthumanismus zur Empfindsamkeit
(1570–1750). In: H. de Boor u. ders., Gesch. der dt. Lit. von den Anfängen
bis zur Gegenwart V (⁶1967), 66 f.

3. Selbstzeugnisse und Biographien; Memoiren, Autobiographien, Tagebücher, Reisebeschreibungen, Lebensbeschreibungen

Allgemeine Literatur und Sammlungen. T. Klaiber, Die dt. Selbstbiographie
(1921). – M. Beyer-Fröhlich, Dt. Selbstzeugnisse (1930 ff.; DLE Reihe Dt.
Selbstzeugnisse 1, 4, 5). – G. Misch, Gesch. der Autobiographie. 2 Bde. (³1949;
Bd. 2 1955). – J. Schiewek, Zur Manifestation des Individuellen in der frü-
hen dt. Selbstdarstellung (1520–1603), Weimarer Beitrr. 13 (1967), 885 ff.
GEORG VON FRUNDSBERG. *Ausg.*: K. Schottenloher, Historia der Herren G. u.
Kaspar v. F. Von Adam Reisner (1913; Voigtländers Quellenbücher 66). –
Lit.: F. Zoepfl, G. v. F., Lebensbilder aus dem Bayer. Schwaben 1 (1952),
188 ff. – O. Bucher, Adam Reißner (1957). – Ders., NDB 5 (1961), 670 f.
GÖTZ VON BERLICHINGEN. *Ausg.*: W. F. Pistorius, Lebens-Beschreibung Herrn
Goezens v. B. (1731). – A. Leitzmann, Lebensbeschreibung Herrn G.s v. B.
(1926; Quellenschrr. z. neueren dt. Lit. 2a). – *Lit.*: F. Wegele, G. v. B. u.
seine Denkwürdigkeiten (1898). – G. Franz, NDB 2 (1955), 98. HANS VON
SCHWEINICHEN. *Ausg.*: G. A. Stenzel, H. S.s Leben Herzog Heinrichs XI. v.
Liegnitz. In: G. A. Stenzel, Script. rer. Siles. 4 (1850), 21 ff. – H. Oesterley,
Denkwürdigkeiten v. H. v. S. (1878). – E. Hegaur, Memorial-Buch der Fahr-
ten u. Taten des schlesischen Ritters H. v. S. [1911]. – *Lit.*: C. Wutke,
ADB 33 (1891), 360. SEBASTIAN SCHERTLIN VON BURTENBACH. *Ausg.*: O. F. H.
Schönhuth, Leben u. Thaten des ... S. S. v. B. (1858). – E. Hegaur, S. S.
v. B. Leben u. Taten von ihm selbst beschrieben (1910). – *Lit.*: A. Stern,
ADB 31 (1890), 132 ff. – F. v. Rexroth, Der Landsknechtsführer S. v. B.
(1940). – F. Blendinger, Lebensbilder aus dem Bayer. Schwaben 2 (1953),
197 ff. DIE ZIMMERSCHE CHRONIK. *Ausg.*: K. A. Barack, Z. Ch. 4 Bde.
(²1881–82). – H. Decker-Hauff, Die Chronik der Grafen von Zimmern.
2 Bde. (1964–67). – *Lit.*: B. R. Jenny, Graf Froben Christoph v. Zimmern
(1959). CHRISTOPH FÜRER D. Ä. *Lit.*: J. Kamann, Der Nürnberger Patrizier
C. F. d. Ä. u. seine Denkwürdigkeiten, Mitt. d. Ver. f. Gesch. d. Stadt Nürnberg 28 (1928), 209 ff. JOHANN JAKOB KESSLER. Vgl. S. 464. THOMAS PLATTER.
Ausg.: D. A. Fechter, T. u. F. P., zwei Autobiographien (1840). – H. Boos,

T. u. F. P. (1878). – H. Düntzer, T. P.s Leben (1882; Collection Spemann 18). – A. Burckhardt, T. P.s Briefe an seinen Sohn Felix (1890). – A. Hartmann, T. P. Lebensbeschreibung (1944; Samml. Klosterberg, Schweizer. Reihe). – *Lit.*: J. Baechtold, ADB 26 (1888), 265 f. – R. A. Houriet, T. P. on remarques sur la Réforme et la Renaissance en Valais (1960). FELIX PLATTER. *Ausg.*: H. Kohl, F. P. (1914; Voigtländers Quellenbücher 59). – *Lit.*: G. Heidegger-Wolf, F. P. 1536 bis 1614. In: E. Staehelin, Professoren d. Univ. Basel (1960), 52 f. – J. Schieweck, Zur Autobiographie des Basler Stadtarztes F. P. (1536–1614), Forschgn. u. Fortschritte 38 (1966), 368 ff. CHARITAS PIRCKHEIMER. *Ausg.*: J. Pfanner, Das Gebetbuch der C. P. (1961; C. P. Quellensamml. 1). – Ders., Die Denkwürdigkeiten der C. P. (1962; ebd. 2). – Ders., Briefe von, an u. über C. P. (1966; ebd. 3). – *Lit.*: F. Binder, C. P. (1873; Samml. histor. Bildnisse II, 2). – G. Krabbel, C. P. (²1941; Kath. Leben u. Kämpfen im Zeitalter d. Glaubensspaltung 7). HEINRICH GRESBECK. *Ausg.*: C. A. Cornelius, Berichte der Augenzeugen über das Münsterische Wiedertäuferreich (1853; Gesch.quellen des Bisthums Münster 2). JOHANNES OLDECOP. *Ausg.*: K. Euling, Chronik des J. O. (1891; BiblLVSt 190). – *Lit.*: C. Krause, ADB 24 (1887), 239 f. BARTHOLOMÄUS SASTROW. *Ausg.*: F. Mohnike, Bartholomäi Sastrowen Herkommen, Geburt u. Lauff seines gantzen Lebens. 3 Tle. (1823/24). – H. Kohl, Ein dt. Bürger des 16. Jhs. Selbstschilderung des Stralsunder Bürgermeisters B. S. (1912; Voigtländers Quellenbücher 38). – *Lit.*: Th. Pyl. ADB 30 (1890), 398 ff. HERMANN VON WEINSBERG. *Ausg.*: K. Höhlbaum, F. Lau, J. Stein, Das Buch Weinsberg. 5 Bde. (1886–1926; Publicationen d. Ges. f. Rheinische Gesch.kunde III, IV, XVI, 1–3). – *Lit.*: H. Keussen, ADB 55 (1910), 18 f. – F. v. Bezold, Ein Kölner Gedenkbuch des 16. Jhs. In: Ders., Aus MA u. Renaissance (1918), 153 ff. LUKAS REM. *Ausg.*: B. Greiff, Tagebuch des Lucas R. (1861). – *Lit.*: W. Vogt, ADB 28 (1889), 187 ff. – H. v. Welser, Lebensbilder aus des Bayer. Schwaben 6 (1958), 166 ff. GEORG KIRCHMAIR. *Ausg.*: Th. G. v. Karajan, G. K.s Denkwürdigkeiten seiner Zeit. 1519–1553, Fontes Rer. Austr. I, 1 (1855), 417 ff. – *Lit.*: H. v. Zeissberg, ADB 16 (1882), 17 f. KONRAD PELLIKAN. Vgl. S. 464. JOHANN ECK. Vgl. S. 468. PARACELSUS. Vgl. S. 512. KONRAD CORDATUS. *Ausg.*: H. Wrampelmeyer, Tagebuch über Dr. Martin Luther, geführt von Dr. Conrad C. 1537 (1885). – *Lit.*: E. Kähler, NDB 3 (1957), 356 f. GEORG SPALATIN. *Bibliographie.* H. Volz, Bibliographie der im 16. Jh. erschienenen Schrr. G. S.s, Zs. f. Bibl.wiss. 5 (1958), 83 ff. *Ausg.*: G. Berbig, Spalatiniana (1908; Quellen u. Darstellgn. aus d. Gesch. d. Ref.jhs. 5). – *Lit.*: G. Müller, ADB 35 (1893), 1 ff. – J. Höß, G. S. 1484 bis 1545 (1956). STEPHAN ISAAC. *Lit.*: W. Rotscheidt, S. I. (1910; Quellen u. Darstellgn. aus d. Gesch. der Ref.jhs. 14). – H. Steitz, RGG 3 (³1959), 903. LUKAS GEIZKOFLER. *Ausg.*: A. Wolf, L. G. u. seine Selbstbiographie 1550–1620 (1873). – *Lit.*: H. Holland, ADB 8 (1878), 529. – F. Blendinger, NDB 6 (1964), 166 ff. REISEBESCHREIBUNGEN. *Allgemeine Literatur.* M. Böhme, Die großen Reisesammlungen des 16. Jhs. u. ihre Bedeutung (Diss. Leipzig 1904). – J. Berg, Ältere dt. Reiseschilderungen (Diss. Gießen 1912). PETER III. FÜSSLI. *Ausg.*: Warhafte reiss gen Venedig u. Jerusallem, besehen durch Petter Füssly u. Heinrich Ziegler. Anno 1523, Zürcher Taschenbuch NF 7 (1884), 136 ff. – *Lit.*: G. Meyer v. Kronau, ADB 8 (1878), 260. NIKOLAUS FEDERMANN. *Ausg.*: K. Klüpfel, N. F.s u. H. Stades Reisen in Südamerika 1529 bis 1555 (1859; BiblLVSt 47). – A. Federmann, Indian. Historia (1938). – *Lit.*: W. Greß, Schwäbische Lebensbilder 1 (1940), 153 ff. – H. Kellenbenz, NDB 5 (1961), 43 f. HANS STADEN. *Ausg.*: R. N. Wegner, H. S. Warhafftig Historia … (1925) [Faks. der Ausg. 1557]. – *Lit.*: F. Ratzel, ADB 35 (1893), 364 ff. PHILIPP VON HUTTEN. *Lit.*: A. Feder-

mann, Dt. Konquistadoren in Südamerika (1938). ULRICH SCHMIDEL. *Ausg.:*
V. Langmantel, U.S.s Reise nach Süd-Amerika i. d. Jahren 1534 bis 1554 (1889;
BiblLVSt 184). - J. Mondschein, U. S.s Reise nach Südamerika i. d. Jahren
1534 bis 1554 (Progr. Straubing 1892/93). - E. Hegaur, U. S. v. Straubing:
Reise in der Neuen Welt [1914]. - *Lit.:* J. Mondschein, ADB 31 (1890),
702 f. HANS ULRICH KRAFFT. *Ausg.:* A. Cohn, Ein dt. Kaufmann des 16. Jhs.
H. U. K.s Denkwürdigkeiten (1862). - *Lit.:* W. Heyd, ADB 17 (1883), 11 ff.
SIGMUND FRH. VON HERBERSTEIN. *Ausg.:* Th. G. v. Karajan, Selbst-Biogra-
phie S.s Frh. v. H. 1486–1553, Fontes Rer. Austr. I, 1 (1855), 67 ff. - J. Zahn,
Das Familienbuch S.s v. H., Arch. f. österr. Gesch. 39 (1868), 293 ff. - H.
Kauders, Moscovia v. Herrn S. Frh. zu H. Aus dem Lat. übertr. v. W. v. d.
Steinen (1926; Der Weltkreis 1). - *Lit.:* A. V. Felgel, ADB 12 (1880), 35 ff.
- E. Rensing, S. v. H., Dt. Akademie Mitt., 1935, 464 ff. - D. Bergstaesser,
NDB 8 (1969), 579 f. HEINRICH VON STADEN. *Ausg.:* F. Epstein, Aufzeichnungen H.s v. S. über den Moskauer Staat, nach der Hs. d. Preuß. Staats-
archivs in Hannover (1930). - *Lit.:* M. Bär, Eine bisher unbekannte Beschreibung Rußlands durch H. v. S., Histor. Zs. 117 (1917), 229 ff. - F. Epstein, Westfäl. Lebensbilder II, 1 (1931), 51 ff. GORIES PEER. *Ausg.:* W. Seelmann, G. Peerse's Gedichte ‹Van Island›, Jb. d. Ver. f. nd. Sprachforschg. 9
(1883), 110 ff. - *Lit.:* E. Basch, Die Islandfahrt der Deutschen, namentlich
der Hamburger vom 15.–17. Jh. (1889). HANS DERNSCHWAM. *Ausg.:* F. Ba-
binger, H. D.s Tagebuch einer Reise nach Konstantinopel u. Kleinasien (1553/
1555) (1923; Studien z. Fugger-Gesch. 7). - *Lit.:* K. Oberndorffer, Lebensbilder aus dem Bayer. Schwaben 1 (1952), 229 ff. - Ders., NDB 3 (1957), 609.
SALOMON SCHWEIGGER. *Ausg.:* Ein neue Reyssbeschreibung aus Teutschland nach
Constantinopel u. Jerusalem (Nürnberg 1608). - *Lit.:* W. Heyd, ADB 33
(1891), 339 f. LEBENSBESCHREIBUNGEN. *Lit.:* F. Leo, Die griech.-röm. Biographie nach ihrer literar. Form (1901). - J. M. Romein, Die Biographie. Einführung in ihre Gesch. u. Problematik (1948; Samml. Dalp 59). - Ders., RL 2
(²1965), 8 ff. - E. Winkler, Die Leichenpredigt im dt. Luthertum bis Spener
(1967; Forschgn. z. Gesch. u. Lehre d. Protestantismus, Reihe X, 34). JOHANN
NEUDÖRFFER. *Ausg.:* G. W. K. Lochner, Des J. N. ... Nachrichten von Künstlern u. Werkleuten (1875; Quellenschrr. f. Kunstgesch. u. Kunsttechnik 10).
- *Lit.:* Th. Hampe, in: U. Thieme u. F. Becker, Allg. Lex. der bildenden
Künstler 25 (1931), 404 f. - A. Kapr, J. N. der Ältere (1957). - W. Doede,
Schön schreiben, eine Kunst. J. N. u. seine Schule im 16. u. 17. Jh. (1957).

4. Vom Epos und von den Historien zum Roman. Prosa der
Gegenreformation. Aegidius Albertinus

Lit.: R. Alewyn, Die ersten dt. Übersetzer des ‹Don Quixote› u. des ‹Laza-
rillo de Tormes›, ZfdPh 54 (1929), 203 ff. AEGIDIUS ALBERTINUS. *Ausg.:*
R. v. Liliencron, Ä. A. Lucifers Königreich u. Seelengejaidt (1884; DNL 26).
- *Lit.:* R. Newald, Die dt. Lit. vom Späthumanismus zur Empfindsamkeit
(⁶1967), 121 ff. - R. Alewyn, NDB 1 (1953), 143. ANTONIO DE GUEVARA. *Lit.:*
R. Costes, A. de G. (1923; Bull. hispanique 25). - G. v. Wilpert, Lex. der
Weltlit. (1963), 529 f.

IV. Kapitel: Die lyrische Dichtung

Allgemeine Literatur. [Vgl. auch Bd. IV/1, S. 747 ff.] M. v. Waldberg, Die
dt. Renaissance-Lyrik (1888). – Ph. Witkop, Die dt. Lyrik v. Luther bis
Nietzsche. 2 Bde. (1921). – H. J. Moser, Renaissancelyrik dt. Musiker um
1500, DVjs 5 (1927), 381 ff. – H. Ohling, Das dt. Tagelied vom MA bis
zum Ausgang der Renaissance (Diss. Köln 1938). – W. Dankert, Das europäische Volkslied (1939). – M. Platel, Vom Volkslied zum Gesellschaftslied (1939;
Sprache u. Dichtung 64). – L. Schmidt, Volksgesang u. Volkslied (1970).

1. Weltliche Lyrik in deutscher Sprache. Volkstümliche Lyrik.
Spruchdichtung. Das historisch-politische Lied

a) Volkstümliches Singlied. Volksballade. Historisch-politisches Lied. Bilddichtung und Totentänze. – Sammlungen. [Vgl. auch Bd. IV/1, S. 747 ff.] F.
H. v. d. Hagen, Sammlung dt. Volkslieder (1807). – F. K. Frh. v. Erlach,
Die Volkslieder der Deutschen. 4 Bde. (1834/35). – A. H. Hoffmann v. Fallersleben, Schlesische Volkslieder (1842). – K. Simrock, Die dt. Volkslieder
(1851). – A. H. Hoffmann v. Fallersleben, Unsere volkstümlichen Lieder
(1859; ⁴1900). – Ders., Die dt. Gesellschaftslieder des 16. u. 17. Jhs. 2 Bde.
(²1860). – R. v. Liliencron, Die histor. Volkslieder der Deutschen. 4 Bde.
(1865–69). – K. Goedeke u. J. Tittmann, Liederbuch aus dem 16. Jh. (1867/
1868; Dt. Dichter des 16. Jhs. 1). – F. W. Frh. v. Ditfurth, Fünfzig ungedruckte Balladen u. Liebeslieder des 16. Jhs. mit den alten Singweisen (1877;
²1967). – A. Hartmann, Histor. Volkslieder u. Zeitgedichte vom 16. bis 19.
Jh. 3 Bde. (1907–13). – J. Meier u. E. Seemann, Lesebuch des dt. Volksliedes. 2 Bde. (1937). – W. Steinitz, Dt. Volkslieder demokratischen Charakters I (1954). Allgemeine Literatur. [Vgl. auch Bd. IV/1, S. 747 ff.] Goedeke 2 (²1886), 23 ff., 287 ff. – A. Kopp, Über ältere dt. Liedersammlungen,
Arch. f. d. Studium d. neueren Sprachen 121 (1908), 241 ff. – P. Alpers,
Untersuchungen über das alte niederdt. Volkslied (1911). – W. Stammler, Ein
‹Corpus carminum historicorum ad reformationem pertinentium›, DLZ 38
(1917), 1323 ff. – L. Nowak, Das dt. Gesellschaftslied in Österreich von 1480
bis 1555 (1930; Studien z. Musikwiss. 17). – G. Kieslich, das ‹Historische
Volkslied› als publizistische Erscheinung (1958; Studien z. Publizistik 1). –
G. Reichert, Lied (musikal.), RL 2 (²1965), 56 ff. – B. Emrich, Lit. u. Gesch.,
RL 2 (²1965), 111 ff. – J. M. Rahmelow, Die publizistische Natur u. d. histo-
riograph. Wert dt. Volkslieder um 1530 (Diss. Hamburg 1966). BILDDICHTUNG.
TOTENTÄNZE. [Vgl. Bd. IV/1, S. 753] Lit.: F. Teutsch, Ein sächsischer Toten-
tanz, Korresp.bl. d. Ver. f. siebenbürgische Landeskunde 3 (1880), 37 f. – E.
Heiss, Der Zimmern'sche Totentanz u. seine Copien (Diss. Gießen 1901). –
K. Schottenloher, Bibliographie 4 (1938), 652 ff.

b) Die Liederbücher und Liedersammlungen. – WERDENER LIEDERBUCH. Lit.:
F. Jostes, Eine Werdener Liederhs. aus der Zeit um 1500, Jb. d. Ver. f. nd.
Sprachforschg. 14 (1889), 60 ff. ANNA VON KÖLN. Lit.: J. Bolte, Das Lieder-
buch der A. v. K., ZfdPh 21 (1888), 129 ff. KATHARINA TIRS. Lit.: E. Schröder,
Die Ebsdorfer Liederhs., Jb. d. Ver. f. nd. Sprachforschg. 15 (1890), 3 f. –
R. Möllencamp, Die jüngere Ebstorfer Liederhs. (Diss. Kiel 1911). AMALIA
VON CLEVE. Lit.: J. Bolte, Das Liederbuch der Herzogin A. v. C., ZfdPh 22

(1890), 397 ff. – K. Schumacher, Das sog. Liederbuch der Herzogin A. v. C.-Jülich-Berg, ZfdPh 45 (1913), 493 ff. BENCKHÄUSER LIEDERHANDSCHRIFT. *Lit.*: P. Alpers, Die Benckhäuser Liederhs. v. 1573, Niederdt. Zs. f. Volkskunde 1 (1923), 108 ff. BERLINER LIEDERHANDSCHRIFTEN. *Lit.*: A. Kopp, Die niederrheinische Liederhs. (1574), Euphorion 8 (1901), 499 ff.; 9 (1902), 21 ff. – Ders., Die Liederhs. v. J. 1568, ZfdPh 35 (1903), 507 ff. – Ders., Die Osnabrückische Liederhs. v. J. 1575, Arch. f. d. Studium d. neueren Sprachen 111 (1903), 1 ff.; 112 (1904), 1 ff. HANS GERHARD VON MANDERSCHEID. *Lit.*: J. Bolte, Die Liederhs. des Grafen H. G. v. M., Jb. f. Volksliedforschg. 3 (1932), 148 ff. FRIEDRICH VON REIFFENBERG. *Lit.*: A. Kopp, Die Liedersammlung des Frh. F. v. R. (1588), Arch. f. d. Studium d. neueren Sprachen 105 (1900), 265 ff. ÖGLINS LIEDERBUCH. *Ausg.*: R. Eitner u. J. J. Moser, Ö. L. (1880; Publl. älterer prakt. u. theoret. Musikwerke IX). – *Lit.*: Goedeke 2 (²1886), 26. PETER SCHÖFFERS LIEDERBUCH. *Ausg.*: P. S.s L. 1513. Hrsg. v. d. Ges. d. Münchner Bibliophilen (1909). – K. Hasse, P. S., Fünfzehn dt. Lieder (1934; Das Chorwerk, hrsg. v. F. Blume 29). – *Lit.*: Goedeke 2 (²1886), 26 f. LIEDERBUCH [OHNE TITEL]. *Lit.*: Goedeke 2 (²1886), 27. LIEDERBUCH ARNTS VON AICH. *Lit.*: J. Benzing, Die Buchdrucker des 16. u. 17. Jhs. im dt. Sprachgebiet, Beitrr. z. Buch- u. Bibl.-wesen 12 (1963), 222. LIEDERHANDSCHRIFT VALENTIN HOLLS. *Lit.*: Goedeke 2 (²1886), 28. ‹BERGKREIEN›. *Ausg.*: J. Meier, Bergreihen (1882; NDL 99/100). – G. Heilfurth, E. Seemann, H. Siuts, H. Wolf, Bergreihen. Eine Liedersammlung des 16. Jhs. mit drei Folgen (1959; Mitteldt. Forschgn. 16). – *Lit.*: G. Heilfurth, Das Bergmannslied (1954). – E. Seemann, RL 1 (²1958), 144 ff. ‹JOHANN OTTS LIEDERBUCH›. *Ausg.*: R. Eitner, L. Erk, O. Kade, Hundert u. fünfzehn guter neuer Liedlein. 3 Bde. (1876; Publl. älterer prakt. u. theoret. Musikwerke 4). – *Lit.*: H. J. Moser, Hans O.s erstes Liederbuch, Acta Musicologica 7 (1935), 1 ff. ‹GRASSLIEDLIN›. *Lit.*: Goedeke 2 (²1886), 31. ‹GASSEN-HAWERLIN›. *Ausg.*: H. J. Moser, Gassenhawerlin u. Reutterliedlin zû Frankenfurt am Meyn (1927) [Faks.]. – *Lit.*: Goedeke 2 (²1886), 31. – E. Seemann, RL 1 (²1958), 526. ‹REUTTERLIEDLIN›. *Lit.*: Goedeke 2 (²1886), 31 f. – K. Reuschel, RL 3 (1928/29), 47 f. ‹FÜNFF VND SECHZIG TEÜTSCHER LIEDER›. *Lit.*: Goedeke 2 (²1886), 32 f. SAMUEL APIARIUS. *Ausg.*: H. Bloesch, 30 Volkslieder aus den Pressen der A. (1937). – *Lit.*: J. Benzing, NDB 1 (1953), 326 f. WOLFGANG SCHMELTZL. Vgl. S. 505. GEORG FORSTER. *Ausg.*: M. E. Marriage. G. F.s Frische Teutsche Liedlein in fünf Teilen (1903; NDL 203–206). – *Lit.*: Goedeke 2 (²1886), 33 ff. – H. Kallenbach, G. F.s Frische Teutsche Liedlein (1931; Giessener Beitrr. z. dt. Philologie 29). – K. Gudewill, NDB 5 (1961), 303 f. ‹LIEDERBÜCHLEIN› (1578). *Lit.*: Goedeke 2 (²1886), 42. ‹GROSS LIEDERBUCH› (1599). *Lit.*: Goedeke 2 (²1886), 42. ‹ANTWERPENER LIEDERBUCH›. *Lit.*: S. Hirsch, Studien zum A. L. v. J. 1544 (Diss. Tübingen 1923; masch.). – J. Koepp, Untersuchungen über das A. L. v. J. 1544 (1929). ‹ETLICHE TEUTSCHE LIEDLEIN› (Königsberg 1568). *Lit.*: Goedeke 2 (²1886), 40. HEIDELBERGER COD. PAL. 343. *Ausg.*: A. Kopp, Volks- u. Gesellschaftslieder des XV. u. XVI. Jhs. 1: Die Lieder der Heidelberger Hs. Pal. 343 (1905; DTM 5). AMBRASER LIEDERBUCH. *Ausg.*: J. Bergmann, Das A. L. v. J. 1582 (1845; BiblLVSt 12). – *Lit.*: A. Kopp, Meister Hämmerlein (A. L.), PBB 42 (1917), 75 ff. DAS RAABER LIEDERBUCH. *Ausg.*: E. Nedeczey, D. R. L. (1959; Wiener SB, Phil.-hist. Kl. 232/4). LIEDERBÜCHER DER TONSETZER. *Lit.*: Goedeke 2 (²1886), 44 ff. HANS GERLE. *Lit.*: Goedeke 2 (²1886), 29. – H. Riemann, Musik-Lex. 1 (¹¹1929), 588 f. – K. Dorfmüller, NDB 6 (1964), 306 f. HANS NEUSIEDLER. *Lit.*: Goedeke 2 (²1886), 29. SEBASTIAN OCHSENKUHN. *Lit.*: Goedeke 2 (²1886), 29 f. – R. Eitner, ADB 24 (1887), 144 f. HEINRICH FINCK. *Ausg.*: H. F., Eine Samm-

lung ausgew. Kompositionen zu 4 u. 5 Stimmen (1879; Publl. älterer prakt. u.
theoret. Musikwerke 8). – *Lit.:* Goedeke 2 (²1886), 33. – L. Hoffmann-Erbrecht, NDB 5 (1961), 149 f. JAKOB MEILAND. *Lit.:* Goedeke 2 (²1886), 48 f.
ANTONIO SCANDELLI. *Lit.:* Goedeke 2 (²1886), 44 f. – R. Eitner, ADB 30 (1890),
475 f. ORLANDO DI LASSO. *Lit.:* E. Bohn, Orlandus de Lassus als Komponist
weltlicher dt. Lieder, Jb. f. Münchener Gesch. 1 (1887), 184 ff. – L. Behr,
Die dt. Gesänge O. di L.s (Diss. Würzburg 1935). – W. Boetticher, O. di L.
u. seine Zeit 1532–1594. Bd. 1 (1958). MATTHEUS LE MAISTRE. *Lit.:* Goedeke 2 (²1886), 47. – L. Hoffmann-Erbrecht, MGG 8 (1960), 600. IVO DI
VENTO. *Lit.:* Goedeke 2 (²1886), 47 f. – K. Huber, I. de V. (ca. 1540 bis
1575) (Diss. München 1918). LEONHARD LECHNER. *Ausg.:* E. F. Schmid, L. L.
Neue teutsche Lieder (1926). – L. L., Werke. 3 Bde. (1954 ff.). – *Lit.:* Goedeke 2 (²1886), 51 ff. – M. Uwe, Histor. u. stilkrit. Studien zu L. L.s Stro-
phenliedern (Diss. Göttingen 1957; masch.). – K. Ameln, Lebensbilder aus
Schwaben u. Franken 7 (1960), 70 ff.

c) Die Herolde und Pritschmeister. – HEROLDE. *Lit.:* K. Schottenloher, Kai-
serl. Herolde des 16. Jhs. als öffentl. Berichterstatter, Histor. Jb. 49 (1929),
460 ff. – G. Bebermeyer, RL 1 (²1958), 650 ff. KASPAR STURM. *Lit.:* G. Roethe,
ADB 37 (1894), 41 f. – O. Clemen, Eine unbekannte Schrift des Herolds K. S.
In: Ders., Beitrr. z. Ref.gesch. 3 (1903), 1 ff. – Th. Kolde, Der Reichsherold
C. S. u. seine literar. Tätigkeit, Arch. f. Ref.gesch. 4 (1906/07), 117 ff.
PRITSCHMEISTER. *Lit.:* Goedeke 2 (²1886), 321, 325 ff. – J. W. Nagl u. J. Zeidler, Dt.-Österr. Lit.gesch. 1 (1899), 550 ff. – G. Bebermeyer, RL 2 (1926/28).
725. LIENHARD FLEXEL. *Ausg.:* L. F.s Beschreibung des Frey- u. Herren-Schies-
sens zu Worms 1575 (1862). – A. Camesina, Das große Freischießen zu Wien
1563, Bll. des Ver. f. Landeskunde v. Niederösterr. NF 9 (1875), 32 ff.; 10
(1876), 101 ff. – J. Ott, Das große Rottweiler Herrenschießen 1558, Alemannia 6 (1878), 201 ff. – A. Edelmann, L. F.s Lobspruch des Freischießens
zu Innsbruck 1569 (1885). – K. Wassmannsdorff, L. F.s Reimspruch über das
Heidelberger Armbrustschießen 1554 (1886). – R. Radlkofer, Beschreibung
des Büchsenschießens 1555 zu Passau, Verhh. d. histor. Ver. f. Niederbayern
29 (1893), 129 ff. – *Lit.:* K. Bartsch, ADB 7 (1878), 119. – Goedeke 2
(²1886), 325 f. BLASIUS BRUN. *Lit.:* Goedeke 2 (²1886), 326. HEINRICH WIRRI.
Lit.: E. Hoffmann-Krayer, ADB 55 (1910), 385 ff. HANS WAGNER. *Lit.:* Goedeke 2 (²1886), 352. HANS WEYTTENFELDER. *Lit.:* Goedeke 2 (²1886), 326.
BENEDIKT EDELPÖCK. *Ausg.:* K. Weinhold, Weihnacht-Spiele u. Lieder aus Süd-
dtld. u. Schlesien (1853), 193 ff. [‹Comedie von der freudenreichen geburt …
Jhesu Christi›]. – *Lit.:* Goedeke 2 (²1886), 327, 406. – O. Clemen, Der
Pritschmeister B. E. In: Alt-Zwickau 1926/27, 6 ff. PETER FLEISCHMANN. *Lit.:*
Goedeke 2 (²1886), 327. GEORG RÖSCH VON GEROLDSHAUSEN. *Ausg.:* C. Fischnaler, G. R. v. G., Tiroler Landreim u. Wünschspruch von allerlei Welthändeln
(1898).

2. Das religiöse Lied

Sammlungen. [Vgl. Bd. IV/1, S. 750] Ph. Wackernagel, Das dt. Kirchenlied von M. Luther bis auf N. Herman u. A. Blaurer (1841). – J. Mützell,
Geistl. Lieder aus der evangel. Kirche aus dem 16. Jh. nach den ältesten Drucken.
3 Bde. (1855). – J. Kehrein, Kathol. Kirchenlieder, Hymnen, Psalmen aus
den ältesten dt. gedruckten Gesang- u. Gebetbüchern zusammengestellt. 4 Bde.

(1859–65). – E. E. Koch, Gesch. des Kirchenliedes u. Kirchengesangs der christl., insbes. der dt. evang. Kirche. 8 Bde. nebst Reg. (³1866–77). – W. Bäumker, Das kathol. dt. Kirchenlied in seinen Singweisen. 4 Bde. (1883–1911). – R. Wolkan, Das dt. Kirchenlied der Böhmischen Brüder im 16. Jh. (1891). – E. Wolff, Das dt. Kirchenlied des 16. u. 17. Jhs. (1894; DNL 31). – F. Hubert, Die Straßburger liturg. Ordnungen im Zeitalter der Ref. nebst einer Bibliographie der Straßburger Gesangbücher (1900). – E. Schling, Die evangel. Kirchenordnungen des 16. Jhs. 5 Bde. (1902–13). – R. Wolkan, Die Lieder der Wiedertäufer (1903). – A. Fischer, Das dt. evangel. Kirchenlied. 6 Bde. (1904 bis 1916). *Allgemeine Literatur.* J. Kehrein, Kurze Gesch. des dt. kathol. Kirchenliedes v. seinen ersten Anfängen bis zum Jahre 1631 (1858). – K. A. Beck, Gesch. des kathol. Kirchenliedes von den ersten Anfängen bis auf die Gegenwart (1878). – F. W. Fischer, Kirchenlieder-Lexikon. 3 Bde. (1878–86). – Th. Odinga, Das dt. Kirchenlied der Schweiz im Ref.zeitalter (1883). – K. Henning, Die geistl. Kontrafaktur im Jh. der Ref. (1909). – A. Benziger, Beitrr. zum kathol. Kirchenlied in der dt. Schweiz nach der Ref. (1910). – W. Nelle, Gesch. des dt. evangel. Kirchenliedes (³1928). – W. Blankenburg, Kirchenlied u. Volksweise (1953). – W.-J. Geppert, RL 1 (³1958), 819 ff. – M. Jenny, Gesch. des dt.-schweizer. Gesangbuchs im 16. Jh. (1958). – H. Reimann, Die Einführung des Kirchengesanges in der Zürcher Kirche nach der Ref. (Diss. Zürich 1959). [Vgl. ferner die einschlägigen Artikel in: Realencyklopädie f. protestant. ThuK (³1901 ff.); MGG (1951 ff.); RGG (³1957 ff.); LThuK (³1957 ff.).]

a) Lied und Spruch im Dienste der reformatorischen Auseinandersetzungen.

–*Ausg.*: A. E. Berger, Lied-, Spruch- u. Fabeldichtung im Dienste der Ref. (1938; DLE Reihe Ref. 4). Sebastian Fröschel. *Lit.*: O. Germann, S. F., Beitrr. z. sächs. Kirchengesch. 14 (1899), 1 ff.

b) Reformatorisches geistliches Lied und Kirchenlied. Dichter religiöser Lieder. Die Gesangbücher. Das katholische Kirchenlied. – Luthers Lieder. *Ausg.*:

F. Zelle, Das älteste lutherische Hausgesangbuch (Färbefass-Enchiridion) 1524 (1903). – F. Klippgen, M. L., Sämtliche dt. geistl. Lieder (1912; NDL 230). – W. Lucke, Die Lieder L.s (1923; WA 1, 35, S. 309 ff.) [mit Bibliographie]. – H.-J. Moser, Die Melodien der L.lieder (1935). – O. Schlisske, Handb. d. L.lieder (1948). – Michael Weisse. *Ausg.*: W. Thomas, M. W. Gesangbuch der Böhmischen Brüder v. J. 1531 (1931). – K. Ameln, M. W. Gesangbuch der Böhmischen Brüder 1531 (1957). – *Lit.*: R. Wolkan, Sudetendt. Lebensbilder 1 (1926), 96 ff. Ambrosius Blarer. *Lit.*: O. Feger, NDB 2 (1955), 287 f. Paulus Speratus. *Ausg.*: C. J. Cosack, P. S. Leben u. Lieder (1861). – *Lit.*: P. Tschackert, ADB 35 (1893), 123 ff. – K. Knoke, Das ‹Achtliederbuch› v. J. 1523, Neue Kirchl. Zs. 29 (1918), 415 ff. – W. Lueken, RGG 6 (³1962), 241. Justus Jonas. *Lit.*: J. Franck, ADB 14 (1881), 492 ff. – W. Delius, J. J. (1952). – Ders., RGG 3 (³1959), 856. Johannes Agricola. Vgl. S. 463. Nikolaus Decius. *Lit.*: S. Fornaçon, NDB 3 (1957), 542. Lazarus Spengler. Vgl. S. 473. Heinrich Vogtherr d. Ä. *Lit.*: K. Schorbach, ADB 40 (1896), 192 ff. – O. Clemen, Eine Augsburger Flugschr. v. 1524 (v. Haynricus Satrapitanus Pictor = Heinrich Vogtherr), Beitrr. z. bayer. Kirchengesch. 6 (1900), 274 ff.; 7 (1901), 139. – F. Schulz, in: U. Thieme u. F. Becker, Allgem. Lex. der bildenden Künstler 34 (1940), 499 ff. Johann Gramann, Poliander. *Ausg.*: O. Günther, Lat. Gedichte des J. P., Zs. d. Westpreuss. Gesch.vereins 49 (1907), 351 ff. – *Lit.*: Goedeke 2 (²1886), 187 f. – W. Lucken, RGG 2 (³1958), 1823 f. Ludwig Öler. *Lit.*: Goedeke 2 (²1886), 179. –

l. u., ADB 24 (1887), 286. WOLFGANG DACHSTEIN. *Lit.:* S. Fornaçon, NDB 3 (1957), 465. MATTHEUS GREITER. *Lit.:* H. Riemann, Musik-Lex. 1 (¹¹1929), 649 f. VEIT DIETRICH. Vgl. S. 463. HERMAN VULPIUS. *Lit.:* l. u., ADB 40 (1896), 386 ff. JAKOB KLIEBER. *Lit.:* Goedeke 2 (²1886), 183. MATTHÄUS FRIEDRICH. *Lit.:* Goedeke 2 (²1886), 189. JOACHIM MAGDEBURG. *Lit.:* Goedeke 2 (²1886), 188. – S. Fornaçon, RGG 4 (³1960), 595. JEREMIAS HOMBERGER. *Lit.:* F. M. Mayer, J. H., Arch. f. österr. Gesch. 74 (1889), 203 ff. – F. Illwolf, ADB 50 (1905), 458 ff. PAUL EBER. *Lit.:* G. Buchwald, D. P. E. (1897). – J. Kirchner, P. E. (1907; Beitrr. z. Lit.gesch. 42). – R. Stupperich, NDB 4 (1959), 225. – WOLFGANG CAPITO. *Lit.:* P. Kalkoff, W. C. im Dienste Erzbischof Albrechts v. Mainz (1907; Neue Studien z. Gesch. d. Theologie u. d. Kirche 1). – H. Grimm, NDB 3 (1957), 132. – JOHANN XYLOTECTUS. *Lit.:* Goedeke 2 (²1886), 179 f. – l. u., ADB 44 (1898), 593. JOHANNES KOLROSS. *Ausg.:* J. K., Enchiridion, d. i. Handbüchlein tütscher Orthographie, Quellenschrr. z. Gesch. d. dt.sprachigen Unterrichts (1882), 64 ff. – Th. Odinga, J. K. Fünferlei Betrachtnisse (1890; in: J. Baechtold, Schweizer. Schauspiele des 16. Jhs. 1). – *Lit.:* W. Scherer, ADB 16 (1882), 496 ff. – Goedeke 2 (²1886), 179 f., 343 f. – E. Läuchli, Fünferlei Betrachtnisse von J. K. In: Basler Stadtbuch 1959, 158 ff. LEO JUD. Vgl. S. 464. WOLFGANG MUSCULUS. *Lit.:* Goedeke 2 (²1886), 184. – O. E. Straßer, RGG 4 (³1960), 1194. JAKOB FUNCKELIN. *Lit.:* W. Scherer, ADB 8 (1878), 203 f. – Goedeke 2 (²1886), 188, 337. – J. Baechtold, Gesch. d. Dt. Lit. in der Schweiz (1892), 347 ff. [Liederdichter der Geistkirche]. THOMAS MÜNTZER. Vgl. S. 467. SEBASTIAN FRANCK. Vgl. S. 467. JÖRG BERCKENMEYR. *Lit.:* P. Pressel, ADB 2 (1875), 399 f. – Goedeke 2 (²1886), 180. DIE GESANGBÜCHER. [Vgl. auch RELIGIÖSES LIED S. 490 f.] – JOHANN WALTHER. *Ausg.:* O. Kade, J. W. (1496–1570): Wittembergisch Geistlich Gesangbuch v. 1524 (1878; Publl. älterer prakt. u. theoret. Musikwerke 7). – *Lit.:* W. Gurlitt, J. W. u. die Musik der Ref.zeit, Luther-Jb. 15 (1933), 1 ff. JOSEPH KLUG. *Ausg.:* K. Ameln, Das (Joseph) Klug'sche Gesangbuch 1533 (1954). – *Lit.:* J. Franck, ADB 16 (1882), 248 f. – H. Volz, Die Wittenberger Gesangbuchdrucker J. K. u. Hans Lufft, Jb. f. Liturgik u. Hymnologie 4 (1958/59), 129 ff. – J. Benzing, Die Buchdrucker des 16. u. 17. Jhs. im dt. Sprachgebiet, Beitrr. z. Buch- u. Bibliothekswesen 12 (1963), 467 f. JOHANN SPANGENBERG. *Lit.:* P. Tschackert, ADB 35 (1893), 43 ff. GEORG RHAW. *Ausg.:* J. Wolf, Newe deudsche geistliche Gesenge für die gemeinen Schulen (1908; Denkmäler dt. Tonkunst I, 34). – *Lit.:* W. Woelbing, Der Drucker u. Musikverleger G. Rhaw (Diss. Berlin 1922; masch.). – J. Benzing, aaO, 468. JOHANNES ZWICK. *Ausg.:* F. Spitta, Gebete u. Lieder für die Jugend v. J. Z. (1901). – J. Z., ‹Nüw gsangbüchle› (1946) [Faks.]. – *Lit.:* F. Cohrs, Ein bisher unbekanntes Liederbuch v. J. Z., Monatschr. f. Gottesdienst u. kirchl. Kunst 2 (1898), 346 ff. – L. Vischer, Die ersten Auflagen v. J. Z.s ‹Nüw gsangbuechle›, Zwingliana 9 (1949/53), 310 ff. – F. Hauss, RGG 6 (³1962), 1950. HEINRICH KNAUST. Vgl. S. 505. VALENTIN TRILLER. *Lit.:* J. Zahn, ADB 38 (1894), 615 ff. – H. Eberlein, V. T. u. sein schlesisches Singbüchlein, Jb. f. schles. Kirche u. Kirchengesch. NF 34 (1955), 48 ff.; NF 35 (1956), 22 ff. THOMAS HARTMANN. *Lit.:* Goedeke 2 (²1886), 189. WOLFGANG AMMON. *Lit.:* Goedeke 2 (²1886), 195. JOHANNES MATHESIUS. Vgl. S. 462. JOHANNES RAUW. *Lit.:* Goedeke 2 (²1886), 209. NIKOLAUS SELNECKER. *Ausg.:* H. Thiele, Dr. N. S.s geistl. Lieder in einer Auswahl (1855). – *Lit.:* v. Egloffstein, ADB 33 (1891), 687 ff. – W. Jannach, RGG 5 (³1961), 1688 f. DAVID JORIS. Vgl. S. 466. MICHAEL VEHE. Vgl. S. 470. JOHANN LEISENTRITT. *Ausg.:* J. L., Gesangbuch v. 1567 (1966). Faks. mit einem Nachwort v. W. Lipphardt. – *Lit.:* J. Wodka, LThuK 6 (³1961), 931. GEORG WITZEL. Vgl. S. 469.

3. Der Meistergesang

Allgemeine Literatur. [Vgl. Bd. IV/1, S. 753 ff.] Th. Hampe, M. u. Ref., Monatshefte d. Comenius-Ges. 7 (1898), 148 ff. – W. Nagel, Studien zur Gesch. der Meistersänger (1909; Musikal. Magazin 27). – A. Koester, Die Meistersingerbühne des 16. Jhs. (1921). – G. Witkowski, Hat es eine Nürnberger Meistersingerbühne gegeben?, DVjs 11 (1933), 251 ff. – W. Stammler, Entwicklung des M.es nach der Ref. In: W. Lüdtke u. L. Mackensen, Dt. Kulturatlas 3 (1936), Taf. 241. – W. Stammler, RL 2 (²1965), 292 ff.

a) Als Schulkunst. Seine Ausbreitung über das deutsche Kulturgebiet. Hans Sachs. – HANS SACHS. *Ausg.:* A. v. Keller u. E. Goetze, H. S. Sämtliche Werke. 26 Bde. (1870–1908; BiblLVSt 102 ff.) [in Bd. 24 Verz. der Einzeldrucke, in Bd. 25 chronolog. Verz. aller Werke, in Bd. 26 Bibliographie]. – E. Goetze, H. S. Sämtl. Fastnachtspiele. 7 Bde. (1880–87; NDL 26/27, 31/32, 39/40, 42/43, 51/52, 60/61, 63/64). – Ders. u. K. Drescher, H. S. Sämtliche Fabeln u. Schwänke. 6 Bde. (1893–1913; NDL 110/117 [²1953 v. H. L. Markschies], 126/134, 164/169, 193/199, 207/211, 213/215). – K. Drescher, Das Gemerkbüchlein des H. S. (1555 bis 1561) (1898; NDL 149/152). – P. Merker u. R. Buchwald, H. S. Ausgewählte Werke. 2 Bde. (²1923–24). – E. Goetze, H. S. Der hürnen Seufried (²1967; NDL NF 19). – Th. Schumacher, H. S. Fastnachtspiele (²1970; Dt. Texte 6). – *Lit.:* E. Weller, Der Volksdichter H. S. u. seine Dichtungen. Eine Biographie (1868; Neudr. unter Hinzufügung eines Anhanges: E. Carlsohn, Die Bibliothek H. S. nach dessen hsl. Aufzeichnungen, 1966). – W. Kawerau, H. S. u. die Ref. (1889; Schrr. d. Ver. f. Ref.gesch. 26). – E. Goetze, H. S. (1890). – K. Drescher, Studien zu H. S. 2 Bde. (1890/91). – L. Stiefel, H. S. – Forschgn. zur 400. Geburtstagsfeier des Dichters (1894). – J. Bolte, Stoffgeschichtliches zu H. S., Euphorion 3 (1896), 351 ff. – Th. Hampe, Über H. S.' Traumgedichte, Zs. f. d. dt. Unterricht 10 (1896), 616 ff. – H. Jantzen, Das Streitgedicht bei H. S., Zs. f. vgl. Lit.gesch. NF 11 (1897), 287 ff. – W. Abele, Die antiken Quellen des H. S. (Progr. Cannstatt 1897 u. 1899). – A. Kopp, H. S. u. das Volkslied, Zs. f. d. dt. Unterricht 14 (1900), 433 ff. – R. Genée, H. S. u. seine Zeit (²1902). – E. Geiger, H. S. als Dichter in seinen Fastnachtspielen (1904). – F. Eichler, Das Nachleben des H. S. (1904). – E. Geiger, H. S. als Dichter in seinen Fabeln u. Schwänken (Progr. Burgdorf 1908). – E. Ricklinger, Studien zur Tierfabel von H. S. (1909). – H. Henze, Die Allegorie bei H. S. (1912). – J. Hartmann, Das Verhältnis von H. S. zur sog. Steinhöwelschen Decameroneübertragung (1912; Acta Germanica, NR 2). – S. Wernicke, Die Prosadialoge des H. S. (Diss. Berlin 1913). – W. Richter, Die Grundlage des H. S.-Verses, PBB 43 (1918), 518 ff. – H. Rosen, Die sprichwörtl. Redensarten in den Werken v. H. S. (Diss. Bonn 1922). – M. Herrmann, Die Bühne des H. S. (1923). – A. Zion, Stoffe u. Motive bei H. S. in seinen Fabeln u. Schwänken (Diss. Würzburg 1924). – J. Münch, Die sozialen Anschauungen des H. S. in seinen Fastnachtspielen (Diss. Erlangen 1936). – H. U. Wendler, H. S. Einführung in Leben u. Werk (1953). – E. Geiger, Der Meistergesang des H. S. (1956). – J. Isenring, Der Einfluß des ‹Decameron› auf die Spruchgedichte des H. S. (Diss. Genève 1962). – B. Könneker, H. S. (1971; Samml. Metzler). NIKLAS VOGEL. *Lit.:* G. Roethe, ADB 40 (1896), 120. HANS VOGEL. *Lit.:* G. Roethe, ADB 40 (1896), 120 f. – J. Bolte, Der Nürnberger Meistersinger H. V., Arch. f. d. Studium d. neueren Sprachen 127 (1911), 273 ff. MICHAEL VOGEL. *Lit.:* G. Roethe, ADB 40 (1896), 121. ADAM ZACHARIAS

PUSCHMANN. *Ausg.:* R. Jonas, A. P. Gründtlicher Bericht des Deutschen Meistergesangs 1571 (1888; NDL 73). – G. Münzer, Das Singebuch des A. P.
(1906). – *Lit.:* G. Roethe, ADB 26 (1888), 732 ff. – R. Buchwald, Zu A. P.s
Lehre vom Sprechvers des 16. Jhs., Euphorion 13 (1906), 755 ff. – E. Götze,
A. P., ZfdPh 46 (1915), 84 ff. – H. Schlütter, A. P.s Skansionsbegriff, ZfdA
97 (1968), 73 ff. JÖRG SCHECHNER. *Lit.:* G. Roethe, ADB 30 (1890), 653 f. – Ch.
Petzsch, Zu Albrecht Lesch, J. S. u. zur Frage der Münchener Meistersingerschule, ZfdA 94 (1965), 121 ff. GEORG HAGER. *Ausg.:* C. H. Bell, G. H. A Meistersinger of Nürnberg 1552–1634. 4 Bde. (1947; University of California
Publications in Modern Philology 29–32). – *Lit.:* H. Husmann, MGG 5
(1956), 1307. AUGSBURG. *Lit.:* F. Keinz, Ein Verzeichnis A.er Meistersinger des
16. Jhs. (1893). – M. Radlkofer, Die Meistersinger zu A. 1571, Zs. d. Histor.
Vereins f. Schwaben 19 (1893), 45 ff. – F. Schnell, Zur Gesch. der A.er Meistersingerschule (1959; Abhh. z. Gesch. d. Stadt A. 11). ONOPHRIUS SCHWARZEN-
BACH. *Lit.:* G. Roethe, ADB 33 (1891), 259. JOHANNES SPRENG. *Lit.:* G. Roethe,
ADB 35 (1893), 288 ff. – R. Pfeiffer, Die Meistersingerschule in Augsburg u.
der Homerübersetzer J. S. (1919; Schwäb. Gesch.quellen u. Forschgn. 2). – J.
Urban, Antike Dichtung in den weltl. Liedern des Meistersängers J. S., Euphorion 55 (1961), 146 ff. DANIEL HOLTZMANN. *Lit.:* K. Prantl, Über D.H.s Fron-
leichnamsspiel v. J. 1574, Münchener SB. phil.-philol. u. hist. Kl. 3 (1873),
843 ff. – K. Westermann, Der Meistersinger D. H. (Diss. Straßburg 1910).
STRASSBURG. *Lit.:* E. Martin, Die Meistersinger v. S., Jahresber. d. Volksbildungs-
vereins f. Elsaß-Lothringen 1882. – Ders., Urkundliches über die Meistersinger
v. S., S.er Studien 1 (1882), 76 ff. – F. Streinz, Zur Gesch. des Meistersanges in S.,
Jb. f. Gesch., Sprache u. Lit. Elaß-Lothringens 9 (1893), 76 ff. CYRIACUS SPANGEN-
BERG. *Ausg.:* C. S. Hennebergische Chronica. 3 Tle. (1755, 1767, 1776). – W.
Thilo, C. S. Cithara Lutheri (1855). – A. v. Keller, C. S., Von der Musica
u. den Meistersängern (1861; BiblLVSt 62). – H. Rembe, M. C. S.s Formularbüchlein der alten Adamssprache (1887). – R. Leers u. C. Rühlemann, C. S.
Mansfeldische Chronica. 3. u. 4. Tl. (1912–18). – *Lit.:* Goedeke 2 (²1886),
194 f. – E. Schröder, ADB 35 (1893), 37 ff. – G. Kawerau, RE 18 (³1906),
567 ff. – B. Nagel, C. S.s Meistersangbild, Arch. f. Kulturgesch. 31 (1942),
71 ff. ULM. *Lit.:* W. Nagel, Studien zur Gesch. der Meistersänger (1909),
138 ff. – E. Vanderstetten, Die dt. Meistersinger u. der letzte ihrer Zunft (²1913).
MAGDEBURG. *Lit.:* F. Hülße, Meistersänger in der Stadt M., Gesch.bll. f. Stadt
u. Land M. 21 (1886), 59 ff. VALENTIN VOIGT. *Ausg.:* O. Clemen, Sprüche von
dem Meistersänger V. V. aus Chemnitz, Neues Arch. f. Sächs. Gesch. u. Altertumskunde 45 (1924), 130 ff. – *Lit.:* Goedeke 2 (²1886), 261, 360. – H. Holstein, ADB 40 (1896), 223. HANS WITZSTAT. *Lit.:* Goedeke 2 (²1886), 257. BRES-
LAU. *Lit.:* H. Seidel, Die Meistersingerschule in B., Mitt. d. Schles. Ges. f. Volkskunde 26 (1925), 231 ff. MÄHREN. *Lit.:* F. Streinz, Der Meistergesang in M.,
PBB 19 (1894), 331 ff. – Ders., Der Meistergesang in M., Zs. d. dt. Vereines
f. d. Gesch. M.s u. Schlesiens 26 (1924), 51 ff. – H. Notz, Die Meistersinger
in Iglau (1942). – F. Streinz, Die Singschule in Iglau u. ihre Beziehungen zum
allgemeinen dt. Meistergesang (1958; Veröff. d. Collegium Carolinum. Hist.-
philol. Reihe 2). ÖSTERREICH. *Lit.:* K. J. Schröer, Meistersinger in Ö., Germanist. Studien 2 (1875), 197 ff. SCHWAZ. *Lit.:* C. Fischnaler, Die Meistersinger
in S., Zs. d. Ferdinandeums 46 (1902), 300 ff. – J. Garber, Der Meistersinger-
saal in S., Münchener Jb. d. bildenden Kunst NF 6 (1929), 289 ff. STEYR. *Lit.:*
B. Nagel, Meistersang (1962 Samml. Metzler), 41 ff. WELS. *Lit.:* G. Trathnigg,
Untersuchgn. z. W.er Meistergesang, Jb. d. Musealvereins W. 1954, 127 ff.

b) Gedruckte Lieder meistersingerischer Kunstübung. Außerhalb der Sing-
schulen stehende Dichter. – *Lit.:* Goedeke 1 (²1884), 309 ff.; 2 (²1886), 253 ff.
BALTHASAR WENCK. *Lit.:* Goedeke 2 (²1886), 254. ALEXANDER HELDT. *Lit.:*
Goedeke 2 (²1886), 263. JOHANN STAIGER. *Lit.:* G. Roethe, ADB 35 (1893),
786 f. HANS OBER. *Lit.:* Goedeke 2 (²1886), 255. BENEDIKT GLETTING. *Ausg.:* Th.
Odinga, B. G. (1891). – *Lit.:* K. Bartsch, ADB 9 (1879), 235. – A. Fluri, B.
G., Anz. f. schweizer. Gesch. NF 9 (1902/05), 194 ff. AMBROSIUS OSTERREICHER.
Lit.: Th. Hampe, Über Hans Sachsens Schüler A. O. In: L. Stiefel, Hans Sachs-
Forschgn. (1894), 397 ff. – A. Gebhardt, Zu A. O.s Schwerttanz, ZfdPh 42
(1910), 97 ff. JÖRG GRAFF. *Lit.:* Th. Hampe, Der blinde Landsknechtsdichter J.
G. u. sein Aufenthalt in Nürnberg, Euphorion 4 (1897), 457 ff. – H. Oppen-
heim, VL II (1936), 85 ff. – S. Hirsch, Die Urform des Volksliedes ‹Feinslieb
von Flandern›. Ein Beitrag zur J.-G.-Forschung, Jb. f. Volksliedforschg. 10
(1965/66), 29 ff. WOLF GERNOLT. *Lit.:* K. Bartsch, ADB 9 (1879), 38.

4. Die neulateinische Lyrik vom Ausbruch der Reformation bis gegen Ende
des 16. Jahrhunderts

Sammlungen. Vgl. Bd. IV/1, S. 790. *Allgemeine Literatur.* [Vgl. Bd. IV/1,
S. 790] E. Stemplinger, Das Fortleben der Horazischen Lyrik in der Renaissance (1905). – G. Manacorda, Della poesia latina in Germania durante il
Rinascimento (1907). – A. Schröter, Beitrr. z. Gesch. der neulat. Poesie Dtls.
u. Hollands (1909; Palaestra 77). – G. Ellinger, Gesch. der neulat. Lit. Dtds.
im 16. Jh. 3/1: Gesch. d. neulat. Lyrik in den Niederlanden vom Ausgang
des 15. bis zum Beginn des 17. Jhs. (1933). – G. F. Hering, Persius. Gesch. seines Nachlebens u. seiner Übersetzungen in der dt. Lit. (1935). – K. O. Conrady, Lat. Dichtungstradition u. dt. Lyrik des 17. Jhs. (1962). – G. Ellinger u.
B. Ristow, RL 2 (²1965), 620 ff.

a) Anregungen von der Philologie, Poetik und Rhetorik; die lyrische Dich-
tung in den Universitätsstädten Erfurt und Wittenberg. – JAKOB MICYLLUS.
Ausg.: Th. Vulpinus, Apelles v. Aegypten. Eine lat. Schulkomödie . . . von J.
M., Jb. f. Gesch., Sprache u. Lit. Elsaß-Lothringens 16 (1900), 211 ff. [Übersetzung].
– *Lit.:* A. Brecher, ADB 21 (1885), 704 ff. – G. Ellinger, J. M. u.
Joachim Camerarius, Neue Jbb. f. Pädagogik 12 (1909), 150 ff. – Ders., Gesch.
der neulat. Lit. Dtlds. im 16. Jh. 2: Die neulat. Lyrik Dtlds. in der ersten Hälfte
des 16. Jhs. (1929), 28 ff. – O. Clemen, Zu J. M., Neue Heidelberger Jbb. 1941,
1 ff. JOACHIM CAMERARIUS. *Lit.:* J. A. Fabricius, Bibliotheca Graeca 13 (1726),
493 ff. [Werkverzeichnis]. – K. v. Halm, Über die hsl. Sammlung des Ca-
merarii u. ihre Schicksale, Münchener SB, Phil.-hist. Kl. 3 (1873), 241 ff. – Ellinger, aaO 2 (1929), 44 ff. – F. Stählin, Humanismus u. Ref. im bürgerlichen
Raum. Eine Untersuchung der biographischen Schrr. des J. C. (1936). – Ders.,
NDB 3 (1957), 104 f. PHILIPP MELANCHTHON. Vgl. S. 462. GEORG SIBUTUS. *Lit.:*
K. Hartfelder, ADB 34 (1892), 140 f. GEORG SABINUS. *Lit.:* G. Ellinger, ADB
30 (1890), 107 ff. – A. Schroeter, Beitrr. zur Gesch. der neulat. Poesie Dtlds.
u. Hollands (1909; Palaestra 77), 129 ff. – G. Ellinger, aaO 2 (1929), 68 ff.
JOHANNES SCHOSSER; *Lit.:* G. Ellinger, ADB 32 (1891), 389 f. – Ders., aaO 2
(1929), 290 ff. ANDREAS MÜNZER. *Lit.:* Ellinger, aaO 2 (1929), 292 ff. FELIX
FIEDLER. *Lit.:* Goedeke 2 (²1886), 99. JOHANNES DANTISCUS. *Ausg.:* F. Hipler,
Des ermländischen Bischofs, J. D. u. N. Kopernikus geistl. Gedichte (1857).
– *Lit.:* Ellinger, aaO 2 (1929), 295 ff. – A. Triller, NDB 3 (1957), 512 f.
STANISLAUS HOSIUS. *Ausg.:* V. Zakrzewski, St. Hosii . . . Epistolae . . . Orationes.

2 Bde. (1879–86; Acta historica, res gestas Poloniae illustrantia, 4, 9). – E.
M. Wermter, Kardinal S. H. ... u. Herzog Albrecht v. Preußen. Ihr Briefwechsel über das Konzil v. Trient (1560–1562) (1957; Ref.gesch. Studien u.
Texte 82). – *Lit.:* E. Peschke, RGG 3 ([3]1959), 458. – E. M. Wermter, LThuK 5
([3]1960), 490. Eustachius von Knobelsdorff. *Lit.:* F. Buchholz, Die Lehr- u.
Wanderjahre des ... E. v. K., Zs. f. d. Gesch. u. Altertumskunde Ermlands 22
(1926), 61 ff. – Ders., E. v. K. ebd. 23 (1929), 804 ff. – E. M. Wermter,
E. v. K., ebd. 86 (1957), 93 ff. Johannes Stigel. *Lit.:* K. Hartfelder, ADB 36
(1893), 228 ff. – G. Ellinger, J. S. als Lyriker, Neue Jbb. f. d. klass. Altertum
20 (1917), 374 ff. – H.-H. Pflanz, J. S. als Theologe (1515–1562) (Diss. Breslau 1936). Simon Lemnius. *Ausg.:* P. Plattner, Die Raeteis von S. L. (1874). –
Ders., Räteis. Heldengedicht in acht Gesängen von S. L. Im Versmaß der Ur-
schrift ins Dte. übertragen (1882). – G. Verberg, Monachopornomachia, Der
Mönchshurenkrieg. Threni, Klaggesang. Von der Sardoa (1919). – *Lit.:* F.
Vetter, ADB 18 (1883), 236 ff. – H. Holstein, S. L., ZfdPh 20 (1888), 481 ff.
– G. E. Lessing, Sämtl. Schrr. hrsg. v. K. Lachmann u. F. Muncker 5 ([3]1890),
41 ff. – P. Merker, S. L. (1908; Quellen u. Forschgn. 104). – J. Michel, Die
Quellen zur Raeteis der S. L. (Diss. Zürich 1914). – G. Ellinger, S. L. als Lyriker,
Festgabe F. Bezold (1921), 221 ff. – Ders., aaO 2 (1929), 94 ff. Melchior
Volz, Acontius. *Lit.:* F. Schnorr v. Carolsfeld, M. A., Arch. f. Lit.gesch. 13
(1885), 297 ff. – W. Trusen, NDB 1 (1953), 39. Georg Aemilius, Oemler. *Lit.:*
Th. Wotschke, Eine verschollene Übersetzung von Luthers Liedern (v. Georg
Ae., Arch. f. Ref.gesch. 24 (1927), 98 ff. – J. Kirchner, NDB 1 (1953), 90.
Johannes Gigas. *Lit.:* Goedeke 2 ([2]1886), 110, 191. – Ellinger, aaO 2 (1929),
114 ff. Johannes Sastrow. *Lit.:* Goedeke 2 ([2]1886), 96. Heinrich Kranichfeld.
Lit.: Ellinger, aaO 2 (1929), 118 f. Johannes Major. Vgl. S. 485. Friedrich
Widebram. Vgl. S. 483. Hieronymus Osius. *Lit.:* Goedeke 2 ([2]1886), 101 f. –
Ellinger, aaO 2 (1929), 130 ff. – Kaspar Peucer. Vgl. S. 462. Bruno Seidel.
Lit.: H. Michel, ADB 54 (1908), 302 ff. – Ellinger, aaO 2 (1929), 133 ff. Thomas
Mauer. *Lit.:* C. Krause, ADB 20 (1884), 716 f. – Ellinger, aaO 2 (1929), 136 f.
Heinrich Husanus. *Lit.:* Goedeke 2 ([2]1886), 102. – J. Merkel, H. H. (1536 bis
1587) (1898). – Ellinger, aaO 2 (1929), 137 ff. Nikolaus Selnecker. Vgl. S. 492.
Johannes Caselius. *Ausg.:* F. Koldewey, Jugendgedichte des Humanisten J. C.
(Progr. Braunschweig 1901). – Ders., Paränetische Gedichte des Humanisten J. C.
(Progr. Braunschweig 1905). – *Lit.:* Ellinger, aaO 2 (1929), 147 ff.

b) Versuch einer Neubelebung der altchristlichen Dichtung. – Georg Fabricius. *Lit.:* Goedeke 2 ([2]1886), 98. – G. Ellinger, G. F. u. Adam Siber, Beitrr. z.
Lit.- u. Theatergesch., Festschr. L. Geiger (1918), 1 ff. – H. Albrecht, MGG 3
(1954), 1699. – H. Schönebaum, NDB 4 (1959), 734. Adam Siber. *Lit.:* G. Müller,
ADB 34 (1892), 125 ff. – G. Ellinger, Gesch. der neulat. Lit. Dtlds. im 16. Jh.
2: Die neulat. Lyrik Dtlds. in der ersten Hälfte des 16. Jhs. (1929), 157 ff. –
Hermann Bonnus. *Lit.:* B. Spiegel, H. B. ([2]1892). – O. Ahlers, NDB 2 (1955),
448.

c) Neulateinische Lyriker in den verschiedenen Territorien. – Wien und
Österreich. Johannes Alexander und Johann Ludwig Brassicanus. *Lit.:* J.
v. Aschbach, Gesch. d. Wiener Universität 3 (1888), 126 ff. Paul Fabricius. *Lit.:*
Goedeke 2 ([2]1886), 99. Schweiz. Rudolf Gwalther. Vgl. S. 465. Rudolf Gwalther d. J. *Lit.:* A. Englert, R. G.s [d. J.] ‹Argo Tigurina› in dt. Übertragung, Zs. f. d. dt. Unterricht 25 (1911), 30 ff. Johannes Müller. *Lit.:* Goedeke
2 ([2]1886), 94, 354. Schlettstadt. Johannes Sapidus. *Lit.:* G. Knod, ADB 30

(1890), 369 ff. – P. Merker, Der elsässische Humanist J. S., Beitrr. z. Geistes-
u. Kulturgesch. d. Oberrheinlande, Festschr. F. Schultz, Schrr. d. Wiss. Instituts
d. Elsaß-Lothringer im Reich NF 18 (1938), 79 ff. DIETRICH REYSMANN. *Ausg.*:
G. Boßert, Th. R. u. sein Lobspruch auf Speyer, Mitt. d. histor. Ver. der Pfalz
29/30 (1907), 156 ff. – *Lit.*: Ders., ADB 53 (1907), 325 ff. – G. Ellinger, Gesch. der
neulat. Lit. Dtlds. im 16. Jh. 2: Die neulat. Lyrik Dtlds. in der ersten Hälfte des
16. Jhs. (1929), 190 ff. NIKOLAUS CISNER. *Lit.*: R. v. Stinzing, ADB 4 (1876), 267 f. –
L. Löwenstein, N. C. aus Mosbach, Zs. f. d. Gesch. d. Oberrheins 61 (1907), 711 ff.
TIROL. MICHAEL TOXITES, SCHÜTZ. *Lit.*: Ch. Schmidt, M. S. gen. T. (1888). – Ellinger aaO 2 (1929), 180 ff. HESSEN. NIKOLAUS ASCLEPIUS BARBATUS. *Lit.*: Goedeke 2 (²1886), 105. – Ellinger, aaO 2 (1929), 246 ff. JUSTUS VULTEJUS. *Lit.*:
Ellinger aaO 2 (1929), 249 ff. SCHWABEN. JOACHIM MYNSINGER VON FRUNDECK
D. Ä. Vgl. S. 483. HIERONYMUS WOLF. Vgl. S. 462. HEINRICH ECCARD. *Lit.*: Ellin-
ger, aaO 2 (1929), 261 f. BAYERN. JOHANNES PEDIONEUS RHAETUS. *Lit.*: Ellinger,
aaO 2 (1929), 198 ff. JOHANNES LORICHIUS. *Ausg.*: E. Schröder, J. Lorichii Ha-
damarii Jobus comoedia (Univ.progr. Marburg 1897). – *Lit.*: Goedeke 2
(²1886), 92. – Ellinger, aaO 2 (1929), 203 f. MARKUS TATIUS ALPINUS. *Lit.*: G.
Westermayer, ADB 37 (1894), 415. – E. Hailer, M. T. A., Sammelbl. d. Histor.
Vereins Freising 10 (1916), 61 ff. – Ellinger, aaO 2 (1929), 204 ff. VEIT AMER-
BACH. Vgl. S. 470. JOHANN AURPACH. *Lit.*: G. Westermayer, J. A., ein bayerischer
Humanist, Histor.-polit. Bll. 100 (1887), 489 ff. – Ellinger, aaO 2 (1929), 210 ff. –
U. Thürauf, NDB 1 (1953), 457. MARTINUS BALTICUS. *Lit.*: Goedeke 2 (²1886),
111, 140. – K. Reinhardstoettner, M. B. (1890; Bayerische Bibl. 1). – Ellinger, aaO
2 (1929), 224 ff. – U. Thürauf, NDB 1 (1953), 568. LEONHARD PAMINGER. Vgl. S.
473. THOMAS NAOGEORG. Vgl. S. 503. THÜRINGEN UND SACHSEN. JOHANN SPAN-
GENBERG. *Lit.*: P. Tschackert, ADB 35 (1893), 43 ff. – R. Dollinger, RGG 6
(³1962), 223. GREGOR BERSMANN. *Lit.*: Eckstein, ADB 2 (1875), 507 f. – Goedeke 2 (²1886), 108. – Ellinger, aaO 2 (1929), 255 ff. MICHAEL BARTH. *Lit.*: F.
Cohrs, M. B.s ‹Hodoeporicum›, Zs. d. Ges. f. niedersächs. Kirchengesch. 15
(1910), 222 ff. CHRISTOPHORUS SCHELLENBERG. *Lit.*: Goedeke 2 (²1886), 106. –
Ellinger, aaO 2 (1929), 257 f. JOHANNES CLAJUS. *Ausg.*: F. Weidling, Die dt.
Grammatik des J. C. (1894; Aeltere dt. Grammatiken in Neudrucken 2). –
Lit.: Th. Perschmann, J. C. des Ae. Leben u. Schrr. (1874). – O. Basler, NDB
3 (1957), 258. GEORG MYLIUS. *Lit.*: B. Pünjer, ADB 23 (1886), 142 f. – Ellin-
ger, aaO 2 (1929), 260 f. OBERLAUSITZ. JOHANN LAUTERBACH. *Lit.*: Goedeke 2
(²1886), 102. – Ellinger, aaO 2 (1929), 238 ff. NORDDEUTSCHLAND. GERHARD
ROVENIUS. *Lit.*: Goedeke 2 (²1886), 109. JOHANNES POLLIUS. Vgl. S.
484. JOHANNES BUSCHMANN. *Lit.*: Goedeke 2 (²1886), 95. – Ellinger, aaO 2
(1929), 270 ff. CYPRIANUS VOMELIUS. *Lit.*: A. Döring, ADB 40 (1896), 287 f.
FRIEDRICH DEDEKIND. Vgl. S. 484. MATTHIAS BERG. *Lit.*: Goedeke 2 (²1886), 104.
– Ellinger, aaO 2 (1929), 273 ff. HENNING CONRADINUS. *Lit.*: Goedeke 2 (²1886),
110. – Ellinger, aaO 2 (1929), 275 f. MECKLENBURG. ANDREAS MYLIUS. *Lit.*:
C. Krause, ADB 23 (1886), 133 f. – E. Henrici, A. M. Der Dichter der War-
now, Jbb. d. Ver. f. mecklenburg. Gesch. u. Altertumskunde 73 (1908), Anhang. JOHANNES SECKERWITZ. *Lit.*: Th. Pyl, ADB 33 (1891), 523 f. – S. Trei-
chel, Leben u. Werke des J. S. (Diss. Greifswald 1928). – Ellinger, aaO 2 (1929),
278 ff. ZACHARIAS ORTH. *Ausg.*: E. H. Zober, Z. Orthus' Lobgedicht auf Stralsund mit s. Leben (1831). – *Lit.*: Th. Pyl, ADB 24 (1887), 443 ff. – Ellinger, aaO
2 (1929), 283 ff. WESTPREUSSEN. HEINRICH MOLLER. *Lit.*: l. u., ADB 22 (1885),
758 f. – Ellinger, aaO 2 (1929), 285 ff. ACHATIUS CUREUS. *Lit.*: Gerss, A. C.
(Progr. Marienburg 1875). BRANDENBURG. JOHANN BOCER. *Lit.*: K. A. Rüdiger,
Über J. B.s Gedicht Fribergum in Misnia, Mitt. d. Kgl. Sächs. Vereins f. Er-

forschung u. Erhaltung vaterländ. Alterthümer 12 (1861), 59 ff. – R. Kade,
J. B. u. sein Lobgedicht auf Freiburg 1553, Mitt. vom Freiburger Altertums-
verein 24 (1887/88), 51 ff. – Ellinger, aaO 2 (1929), 309 ff. – H. Grimm,
NDB 2 (1955), 339. MICHAEL HASLOB. Vgl. S. 484. MICHAEL ABEL. Vgl. S. 485. –
SCHLESIEN. JOHANNES LANGE. Vgl. S. 483. Lit.: Ellinger, aaO 2 (1929), 265 ff. –
H. Patzelt, Der Späthumanist J. L., Schlesien 15 (1970), 119 f. BÖHMEN. KASPAR
BRUSCH. Vgl. S. 510. ELIAS CORVINUS. Vgl. S. 484.

d) *Repräsentative Persönlichkeiten: Johannes Secundus, Petrus Lotichius,
Schede Melissus.* – JOHANNES NICOLAI SECUNDUS. *Ausg.:* G. Ellinger, J. N. S.,
Basia (1899; Lat. Litt.denkmäler des XV. u. XVI. Jhs. 14). – *Lit.:* E. Dorer,
J. Sekundus, ein niederländisches Dichterleben (1854). – D. Crane, J. S.
(1931; Beitrr. z. engl. Philologie 16). – K. Jacoby, Die Küsse des J. S., Philo-
biblon 8 (1935), 7 ff. PETRUS LOTICHIUS SECUNDUS. *Ausg.:* P. L. S., Opera omnia
(1594). – E. G. Köstlin, Des P. L. S. Elegien. Aus dem Lat. übersetzt (1826).
– A. Ebrard, Peter Lotich d. J. Sein Leben u. eine Auswahl seiner Gedichte
ins Dte. übertragen (1883). – K. Heiler, Gedichte des Humanisten P. L. S.
(1926; Lat. Quellen des dt. MAs 15). – *Lit.:* O. Müller, Der Professor v. Heidelberg. Ein dt. Dichterleben aus dem 16. Jh. 3 Bde. (1870). – A. Heimpel,
P. L. S., Nassauisches Magazin 4 (1925), 85 ff. – Ders., Quellen u. Verzeich-
nisse zu den Werken des P. L. S., Unsere Heimat 20 (Schlüchtern 1928); 21
(1929); 22 (1930); 23 (1931); 24 (1932). – G. Ellinger, Gesch. der neulat. Lit.
Dtlds. im 16. Jh. 2: Die neulat. Lyrik Dtdls. in der ersten Hälfte des 16. Jhs.
(1929), 334 ff. HILARIUS CANTIUNCULA. *Lit.:* Ellinger, aaO 2 (1929), 398 ff. Jo-
HANNES FABRICIUS MONTANUS. *Lit.:* Goedeke 2 (²1886), 105. – Ellinger, aaO 2
(1929), 408 ff. PAUL SCHEDE MELISSUS. *Ausg.:* H. M. Jellinek, Die Psalmenübersetzung des P. Sch. M. (1572) (1896; NDL 144–148). – *Lit.:* E. Schmidt,
ADB 21 (1885), 293 ff. – L. Krauss, Die gereimte dt. Psalmenübersetzung
des fränkischen Dichters P. Sch.-M. (1572), Neue kirchl. Zs. 31 (1920), 433 ff. –
P. de Nolhac, Un poète rhénan ami de la Pléiade, P. M. (1923; Bibl. litt.
de la Renaissance, NS 9). JOHANNES POSTHIUS. *Lit.:* F. v. Wegele u. H. Holstein, ADB 26 (1888), 473 ff.; 29 (1889), 776. – Ellinger, aaO 2 (1929),
396 f. NATHAN CHYTRÄUS. *Lit.:* L. Fromm, ADB 4 (1876), 256; 18 (1883), 794.
– Goedeke 2 (²1886), 106 f. SEBASTIAN SCHEFFER. *Lit.:* Goedeke 2 (²1886),
107. HENRICUS FABRICIUS. *Lit.:* Goedeke 2 (²1886), 107.

e) *Die Anakreontiker. Formkünste.* – *Lit.:* H. Zeman, Die dt. anakreont.
Dichtung (1972; Germanist. Abhh. 38). – ‹ANTHOLOGIA GRAECA PLANUDEA›.
Lit.: H. Beckby, Anthologia Graeca. 4 Bde. (²1965). HENRICUS STEPHANUS II.
Lit.: H. Widmann, Der Drucker-Verleger Henri II Estienne (Henricus II Ste-
phanus) (1970). JOHANN AURPACH. Vgl. S. 497. CHRISTIANUS PIERIUS. *Lit.:* G.
Bossert, Der Dichter Ch. P., Bll. f. württemberg. Kirchengesch. NF 12 (1908),
105 ff.; NF 13 (1909), 37 ff.

5. Die Anfänge neuer deutschsprachiger Kunstlyrik

AMBROSIUS LOBWASSER. *Lit.:* E. Trunz, A. L. Humanistische Wissenschaft, kirchliche Dichtung u. bürgerliches Weltbild im 16. Jh., Altpreuss. Forschgn. 9 (1932),
29 ff. – W. Blankenburg, MGG 8 (1960), 1074. – K. Halaski, RGG 4 (³1960),
424. PAUL SCHEDE MELISSUS. S. oben. PHILIPP VON WINNENBERG. *Lit.:* Goedeke 2 (²1886), 518 f. JAKOB REGNART. *Lit.:* Goedeke 2 (²1886), 49. – W. Brauer,

J. R., Johann Hermann Schein u. die Anfänge der dt. Barocklyrik, DVjs 17 (1939), 371 ff. CHRISTOPH VON SCHALLENBERG. *Ausg.*: H. Hurch, Ch. v. S. (1910; BiblLVSt 253).

V. Kapitel. Das Drama der Reformationsepoche

Sammlungen. [Vgl. Bd. IV/1, S. 756 ff. u. S. 792 ff.] [Die zwei wichtigsten Sammelwerke neulateinischer Dramen sind:] Comoediae ac tragoediae aliquot ex novo vetere testamento desumptae (Basel 1541); Dramata sacra ex vetere testamento desumpta (Basel 1547). [Diese Sammlungen sind als zeitgenössische Auswahl kennzeichnend.] – J. Tittmann, Schauspiele aus dem 16. Jh. (1868; Dt. Dichter des 16. Jhs. 2). – R. Froning, Das Drama der Ref.zeit (1890; DNL 22). – J. Baechtold, Schweizerische Schauspiele des 16. Jhs. 3 Bde. (1890–93; Schrr., hrsg. v. d. Stiftung v. Schnyder v. Wartensee III). – A. E. Berger, Die Schaubühne im Dienste der Ref. 2 Bde. (1935/36; DLE Reihe Ref. 5, 6). – *Allgemeine Literatur.* [Vgl. Bd. IV/1, S. 756 ff. u. S. 792 ff.] H. Holstein, Die Ref. im Spiegelbilde der dramat. Lit. des 16. Jhs. (1886; Schrr. d. Ver. f. Ref.gesch. 14/15). – A. v. Weilen, Der Ägyptische Joseph im Drama des 16. Jhs. (1887). – M. Herrmann, Terenz in Dtld. bis zum Ausgang des 16. Jhs., Mitt. d. Ges. f. dt. Erziehungs- u. Schulgesch. 3 (1893), 1 ff. – K. Hille, Die dt. Komödie unter der Einwirkung des Aristophanes (1907). – S. Mauermann, Die Bühnenanweisung im dt. Drama bis 1700 (1911; Palaestra 102). – M. Herrmann, Forschgn. zur dt. Theatergesch. des MAs u. der Neuzeit (1914). – W. Benjamin, Ursprung des dt. Trauerspiels (1928). – O. Eberle, Theatergesch. der inneren Schweiz (1929). – H. Beck, Das genrehafte Element im Drama des 16. Jhs. (1929; Germ. Stud. 66). – H. Brinkmann, Die Anfänge des modernen Dramas in Dtld. (1933; Jenaer Germanist. Forschgn. 22). – E. Ermatinger, Dichtung u. Geistesleben der dt. Schweiz (1933). – J. Bolte, Unbekannte Schauspiele des 16. u. 17. Jhs., Berliner SB, Phil.-hist. Kl. 1933, 373 ff. – K. Michel, Das Wesen des Ref.dramas, entwickelt am Stoff des Verlorenen Sohnes (Diss. Gießen 1934). – L. Schmidt, Das Schauspielwesen Niederösterreichs im 16. Jh., ZfdPh 65 (1940), 50 ff. – A. Rößler, Die Parabel vom Verlorenen Sohn des 16. Jhs. als Spiegelbild der rechtlichen, wirtschaftlichen und sozialen Verhältnisse jener Zeit (Diss. Jena 1952; masch.) – F. Sengle, Das dt. Geschichtsdrama (1952). – H. Wyss, Der Narr im schweizer. Drama des 16. Jhs. (1959; Sprache u. Dichtung NF 4). – H. Strikker, Die Selbstdarstellung des Schweizers im Drama des 16. Jhs. (1961; Sprache u. Dichtung NF 7). – H. Nusser, Die Dramatisierung des Magelonenstoffes im 16. Jh. (Diss. Wien 1963; masch.). – R. Tarot, Lit. zum dt. Drama u. Theater des 16. u. 17. Jhs., Euphorion 57 (1963), 411 ff. – H. Hartmann, Bürgerliche Tendenzen im dt. Drama des 16. Jhs. (Habil.schr. Potsdam, Päd. Hochsch. 1965; masch.).

1. Die Gattung während der ersten Phase der Glaubenskämpfe

a) Die Stellung der Reformatoren zum Drama. – Lit.: Goedeke 2 (²1886), 329 f. – H. Holstein, die Ref. im Spiegelbild der dramat. Lit. des 16. Jhs. (1886), 18 ff.

b) Die dramatische Dichtung im Dienste der Auseinandersetzungen. – ‹TRAGEDIA IM KÜNIGKLICHEN SAL ZU PARISS›. *Ausg.*: K. Voretsch, Das Pariser

Ref.spiel von 1524 (1913) [Lichtdruck]. – *Lit.*: J. Schäfer, Das Pariser Ref.spiel
v. J. 1524 (Diss. Leipzig 1917). JOHANN HASENBERG. *Lit.*: H. Holstein, Die Ref.
im Spiegelbilde der dramat. Lit. des 16. Jhs. (1886), 189 f. SIMON LEMNIUS. Vgl.
S. 496 HERMANN SCHOTTENIUS. *Ausg.*: E. Schröder, H. Schottenii Hessi Ludus
Martius (exhibitus et editus Coloniae a. 1526) denuo editus (Progr. Marburg
1902). – *Lit.*: J. Bolte, ADB 32 (1891), 412. JOHANNES AGRICOLA. Vgl. S. 463.
JOHANNES REINHARD. *Lit.*: Goedeke 2 (²1886), 393. – J. Bolte, ADB 28 (1889),
36 f. LIBORIUS HOPPE. *Ausg.*: ‹Interim-Spiel› (1938; Spegel des Sassen 2). – *Lit.*:
Goedeke 2 (²1886), 335 f. – H. Nirrnheim, L. H., Mitt. d. Vereins f. Hambur-
gische Gesch. 19 (1898/1900), 13 ff. – E. Goetze, Zu Goedekes Grundriß II,
S. 335, ZfdPh 36 (1905), 483 f.

2. Die alten Spielgattungen zur Zeit der Reformation

DANIEL HOLTZMANN. Vgl. S. 494. BARTHOLOMAEUS KRÜGER. *Ausg.*: J. Tittmann,
Schauspiele aus dem 16. Jh. 2 (1868; Dt. Dichter des 16. Jhs. 2). – J. Bolte,
B. K.s Spiel von den bäurischen Richtern u. dem Landsknecht. 1580 (1884). –
Lit.: W. Scherer, ADB (17) 1883, 224 ff. – Goedeke 2 (²1886), 368.

*a) Vom spätmittelalterlichen geistlichen Spiel zum religiösen Spiel des Refor-
mationszeitalters. Die Moralitäten und allegorischen Humanistendramen.* –
‹SUSANNA›. *Ausg.*: A. v. Keller, Fastnachtspiele (1858; BiblLVSt 46), 231 ff.
(Nr. 129). – *Lit.*: H. Menhardt, Verz. der altdt. literar. Hss. der Österr. Nat.-
Bibl. 2 (1961; Dt. Akad. d. Wiss. zu Berlin, Veröff. des Instituts f. dt. Sprache
u. Lit. 13), 811 ff. HIERONYMUS TILESIUS. *Ausg.*: E. Schröder, Dietrich Schernbergs Spiel von Frau Jutten (1480) nach der einzigen Überlieferung im Druck
des H. T. (Eisleben 1565) (1911; Kl. Texte f. theolog. u. philolog. Vorlesgn.
u. Übungen 67). – M. Lemmer, Dietrich Schernberg. Ein schoen Spiel von
Frau Jutten (1971; Texte des späten MAs 24). – *Lit.*: H. Holstein, ADB 38
(1894), 298. MORALITÄTEN. *Lit.*: K. Goedeke, Everyman, Homulus u. Hekastus
(1865). – W. Creizenach, Gesch. des neueren Dramas 2 (²1918), 137 ff. CHRI-
STIAN ISCHYRIUS. *Ausg.*: A. Roersch, Ch. J. Homulus (1903). – *Lit.*: Goedeke 2
(²1886), 133. JASPAR VON GENNEP. *Ausg.*: P. Norrenberg, J. v. G., Homulus
(1873; Bibl. d. nd.rhein. Lit. 1). – *Lit.*: G. Gattermann, NDB 6 (1964), 189 f.
PETRUS MECKEL. *Ausg.*: J. Tittmann, Schauspiele aus dem 16. Jh. 1 (1868; Dt.
Dichter des 16. Jhs. 2), 274 ff. – *Lit.*: Goedeke 2 (²1886), 384. JOHANNES PRA-
SINUS. *Ausg.*: G. Mikenda, J. P. u. das allegorische Humanistendrama (Diss.
Wien 1970; masch.). – *Lit.*: Goedeke 2 (²1886), 138. – H. Holstein, ADB 26
(1888), 509 f. PETRUS DASYPODIUS. *Lit.*: M. Erdmann, P. Hasenfus, ein Lexiko-
graph der Ref.zeit, ZfdPh 29 (1897), 564 ff. – G. Büeler, P. D. (P. Hasen-
fratz) (Progr. Frauenfeld 1920). – R. Verdeyen, P. D. en Antonius Schorus.
In: Verslagen en mededelingen d. K. Vlaamsche Academie 1939, 967 ff. – A.
Hartmann, NDB 3 (1957), 520. LEVIN BRECHT. *Lit.*: Goedeke 2 (²1886), 385.
– W. Creizenach, aaO 2 (²1918), 143 ff. – H. Kindermann, Theatergesch.
Europas 2 (²1969), 238 ff. HANNARDUS GAMERIUS. *Lit.*: W. Creizenach, aaO 2
(²1918), 145 ff. NIKOLAUS MERCATOR. *Ausg.*: A. v. Keller, Fastnachtspiele (1858;
BiblLVSt 46) (Nr. 121). – W. Seelmann, Mittelniederdt. Fastnachtspiele (1884;
²1931; Drucke d. Ver. f. nd. Sprachforschung 1) (Nr. 31). – *Lit.*: Goedeke 2
(²1886), 336. JOHANNES WITTEL. *Lit.*: Goedeke 2 (²1886), 366. – J. Bolte, ADB
43 (1898), 607 f. LEONHARD CULMANN. *Lit.*: J. Hartmann, ADB 4 (1876), 639.
– H. Holstein, Ein unbekanntes Drama von L. C., ZfdPh 20 (1888), 346 ff.

ALEXIUS BRESNICER. *Lit.:* W. Scherer, ADB 3 (1876), 317. – Goedeke 2 (²1886), 362. JOHANNES HEROS. *Lit.:* Goedeke 2 (²1886), 383. KASPAR SCHEIDT. Vgl. S. 484 f. FRIEDRICH DEDEKIND. Vgl. S. 484. FERDINAND VON TIROL. *Ausg.:* J. Minor, Speculum vitae humanae. Ein Drama von Erzherzog F. II. v. T. 1584 (1889; NDL 79/80). – *Lit.:* H. Kluibenschedl, Erzherzog F. II. v. T. als Schauspieldichter (Progr. Görz 1891). – F. Steinegger, NDB 5 (1961), 91 f. BARTHOLOMÄUS RINGWALDT. Vgl. S. 478.

b) *Die Fastnachtspiele und ihre Pflege. Das Meistersingerdrama. Niklas Manuel. Jörg Wickram. Hans Sachs.* – *Allgemeine Literatur.* Vgl. Bd. IV/1, S. 761. MEISTERSINGERDRAMA. *Lit.:* A. Köster, Die Meistersingerbühne des 16. Jhs. (1920). – G. Witkowski, Hat es eine Nürnberger Meistersingerbühne gegeben?, DVjs 11 (1933), 251 ff. NIKLAS MANUEL. *Ausg.:* J. Baechtold, N. M. (1878; Bibl. älterer Schriftwerke d. dt. Schweiz 2). – F. Burg, Dichtungen des N. M., Neues Berner Taschenbuch auf d. Jahr 1897 (1896), 1 ff. – P. Ganz, Zwei Schreibbüchlein des N. M. Deutsch von Bern (1909). – F. Vetter, N. M.s Spiel evangelischer Freiheit: Die Totenfresser ‹Vom Papst u. seiner Priesterschaft› 1523 (1923; Die Schweiz im dt. Geistesleben 16). – A. E. Berger, N. M. Ein Fastnachtspiel vom Papst u. seiner Priesterschaft, DLE Reihe Ref. 5 (1935), 29 ff. – P. Zinsli, N. M. Der Ablaßkrämer (1525) (1960; Altdt. Übungstexte 17). – *Lit.:* G. F. Rettig, Über ein Wandgemälde von N. M. u. seine ‹Krankheit der Messe› (Progr. Bern 1862). – J. Baechtold, ADB 20 (1884), 275 ff. – S. Singer, Sprache u. Werke des N. M., Zs. f. hochdt. Mundarten 2 (1901), 5 ff. – F. Vetter, Die Basler Ref. u. N. M., Schweiz. theolog. Zs. 24 (1907), 217 ff. – L. Stumm, N. M. Deutsch von Bern als bildender Künstler (1925). – W. Muschg, N. M. In: Große Schweizer (1942), 62 ff. – C. A. Beerli, Le peintrepoèt N. M. et l'evolution sociale de son temps (1953). ‹SPIEL VOM CONCILIUM ZU TRIENT›. *Lit.:* Goedeke 2 (²1886), 333. BURKHARD WALDIS. Vgl. S. 478. HANS VON RÜTE. *Lit.:* Goedeke 2 (²1886), 344. – J. Baechtold, ADB 30 (1890), 39. JOHANNES COCHLAEUS. Vgl. S. 469. ‹DER NEW DEUTSCH BILEAMS ESEL›. *Lit.:* Goedeke 2 (²1886), 316. ‹EIN FRISCHER COMBISST›. *Lit.:* Goedeke 2 (²1886), 316. PAMPHILUS GENGENBACH. [Vgl. Bd. IV/1, S. 760] *Ausg.:* J. Schmidt, Zürcher Spiel vom reichen Mann u. vom armen Lazarus. Die Totenfresser (1969; Reclams UB 8304). JÖRG WICKRAM. Vgl. S. 480. JAKOB FREY. Vgl. S. 479. MARTINUS MONTANUS. Vgl. S. 479. ‹VON ASTROLOGIE UND WAHRSAGEN›. *Lit.:* J. Baechtold, Gesch. der dt. Lit. in der Schweiz (1892), 335 f. ZACHARIAS BLETZ. *Ausg.:* E. Steiner, Die dramat. Werke des Luzerners Z. B. (1926; Die Schweiz im dt. Geistesleben 41–42). – *Lit.:* O. Eberle, NDB 2 (1955), 300. HANS RUDOLF MANUEL. *Ausg.:* Th. Odinga, Das Weinspiel. Fastnachtspiel v. H. R. M. 1548 (1892). – *Lit.:* J. Baechtold, ADB 20 (1884), 279 f. – H. Koegler, in: U. Thieme u. F. Becker, Allg. Lex. der bildenden Künstler 9 (1913), 171 ff. ‹EIN LUSTSPIEL, DER WEYBER REICHSTAG GENANT›. *Lit.:* Goedeke 2 (²1886), 380. MATTHIAS BROTBEIHEL. *Lit.:* W. Scherer, ADB 3 (1876), 365. – Goedeke 2 (²1886), 380. LEONHARD FREYSLEBEN (ELEUTHEROBIUS). *Lit.:* G. Boßert, Zwei Linzer Ref.schriftsteller (L. u. Christoph Freisleben), Jb. d. Ges. f. d. Gesch. des Protestantismus in Österreich 21 (1900), 131 ff. KASPAR BRUSCH. Vgl. S. 510. GEORG REYPCHIUS. *Lit.:* Goedeke 2 (²1886), 382. MATTHIAS CREUTZ. *Lit.:* J. Bolte, Unbekannte Schauspiele des 16. u. 17. Jhs., Berliner SB, Phil.-hist. Kl. 1933, 373 ff. NÜRNBERG. *Lit.:* Th. Hampe, Die Entwicklung des Theaterwesens in Nürnberg von der zweiten Hälfte des 15. Jhs. bis 1806, Mitt. d. Ver. f. Gesch. d. Stadt Nürnberg 12 (1898), 87 ff.; 13 (1899), 98 ff. HANS SACHS. Vgl. S. 493. SALOMON NEUBER. *Ausg.:* A. Keller, Fastnachtspiele aus dem 15. Jh. (1858;

BiBlLVSt 46) (Nr. 123). – *Lit.*: Goedeke 2 (²1886), 282, 382. – W. Creizenach, Gesch. des neueren Dramas 3 (1903), 308. LEONHARD CULMANN. Vgl. S. 500. HEINRICH HOFFOT. *Lit.*: W. Creizenach, aaO 3 (1903), 440 f. MARTIN GLASER. *Lit.*: W. Creizenach, aaO 3 (1903), 309. PETER PROBST. *Ausg.*: E. Kreisler, Die dramat. Werke des P. P. (1533–1566) (1907; NDL 219–221). – Ders., Die Meistergesänge u. Sprüche des P. P., Mitt. d. Ver. f. Gesch. d. Stadt Nürnberg 19 (1911), 77 ff. – K. Grönlund, Studien zu P. P., dem Nürnberger Dramatiker u. Meistersinger. Mit einer Neuausgabe des Textes der Lieder u. Sprüche (1945; Lunder Germanist. Forschgn. 17). – *Lit.*: G. Roethe, ADB 26 (1888), 617 f. SEBASTIAN WILD. *Ausg.*: A. Hartmann, S. W.s Passionsspiel. In: Ders., Das Oberammergauer Passionsspiel in seiner ältesten Gestalt (1880), 101 ff. – *Lit.*: W. Brandl, Die geistl. Schauspiele S. W.s (Diss. München 1914). – Ders., S. W., ein Augsburger Meistersinger (1914; Forschgn. z. neueren Lit.gesch. 48). HIERONYMUS LINCK. *Lit.*: J. Bolte, ADB 51 (1906), 716 f. – E. M. Auer, H. L. (Diss. Wien 1931; masch.). VALENTIN VOIGT. Vgl. S. 494. LEONHARD SCHWARTZENBACH. *Lit.*: J. Bolte, ADB 33 (1891), 216. CLEMENS STEPHANI. *Ausg.*: R. Wolkan, Böhmens Anteil an der dt. Lit. des 16. Jhs. 2 (1902). – *Lit.*: R. Wolkan, ADB 36 (1893), 87 ff. – A. Hauffen, Sudetendt. Lebensbilder 1 (1926), 106 ff. – E. Franck, C. S. (1944).

3. Ansätze einer neuen, vom Mittelalter abgegrenzten Dramenkunst. Neulateinisches und deutschsprachiges Drama in verschiedenen Gebieten. Schuldrama. Bürgerspiele

Allgemeine Literatur. Vgl. S. 499. H.-G. Roloff, RL 1 (²1958), 645 ff.

a) Das neulateinische Drama. Schuldrama. Wilhelm Gnapheus, Georg Macropedius, Thomas Naogeorg. Bibeldramen, Komödien, Allegorisches. – WILHELM GNAPHEUS. *Ausg.*: J. Boßhart, W. G. Acolastus, verdeutscht v. Georg Binder (1535) (1890; in: J. Baechtold, Schweizer. Schauspiele des 16. Jhs. 1). – J. Bolte, W. G. Acolastus (1891; Lat. Litt.denkmäler des XV. u. XVI. Jhs. 1). – P. Minderaa, W. G. Acolastus. Latijne text met Nederlandse vertaling (1956). – *Lit.*: G. Reusch, W. G. (Progr. Elbing 1868, 1877). – R. Tarot, NDB 6 (1964), 482 f. GEORG MACROPEDIUS. *Ausg.*: J. Bolte, G. M. Rebelles, Aluta (1897; Lat. Litt.denkmäler des XV. u. XVI. Jhs. 13). – Ders., G. M. Hecastus (1927; BiblLVSt 269/270). – M. Arndorfer, Studien zum ‹Hecastus› des M. (Diss. Wien 1967; masch.) [Übersetzung]. – *Lit.*: K. Goedeke, Everyman, Homulus u. Hecastus (1865). – D. Jacoby, G. M. (Progr. Berlin 1886). – A. Goll, G. Macropedii ‹Rebelles› (Progr. Budweis 1912). CHRISTOPH STYMMELIUS. *Ausg.*: G. Voss, Christoph Stummel (Jahresberr. Aachen 1898/99, 1901/02). – *Lit.*: V. Bülow, ADB 37 (1894), 98 f. – F. R. Lachmann, Die ‹Studentes› des C. S. u. ihre Bühne (1926; Theatergesch. Forschgn. 34). – O. Clemen, Zur Lebensgesch. C. S.s, Zs. f. Gesch. d. Erziehung u. d. Unterrichts 27 (1937), 51 ff. MARTIN HAYNECCIUS. *Ausg.*: Th. Raehse, Hans Pfriem oder Meister Kecks (1882; NDL 36). – O. Haupt, M. H. Almansor, der Kinder Schulspiegel (1891; Neudr. pädagog. Schrr. 5). – *Lit.*: A. Tröthandl-Berghaus, Die Dramen des M. H. (1927; Dt. Kultur B.Literar.-histor. Reihe 5). – R. Tarot, NDB 8 (1969), 157. ALBERT WICHGREVE. *Lit.*: Goedeke 2 (²1886), 144. – J. Bolte, ADB 42 (1897), 310 ff. HEINRICH KNAUST. Vgl. S. 505 CORNELIUS LAURIMANUS. *Lit.*: Goedeke 2 (²1886), 139. ARNOLD MADIRUS. *Lit.*: H.-G. Roloff, RL 2 (²1965), 662. JOHANNES PLACENTIUS. *Lit.*: A. L. Stiefel, Der ‹Clericus Eques› des J. P. u. das 22. Fastnachtspiel des Hans Sachs, Zs. f. vgl. Lit.gesch. NF 4 (1891), 440 ff. – H. Holstein, Zur Lit. des lat. Schauspiels des 16. Jhs., ZfdPh 23 (1891), 436 ff. PETRUS DASYPODIUS. Vgl. S. 500. MATERNUS STEYNDORFFER. Lit.: J. Bolte, M. S., ZfdA 36 (1892), 364 ff. – A. L. Stiefel, Eine unbekannte Nachahmung der Dramenübersetzungen Albrechts v. Eyb, ZfdA 36 (1892), 225 ff. – J. Bolte, ADB 36 (1893), 160 f. – H. Kleinstück, Zu M. S. In: Studien zur Lit.gesch., Festschr. A. Köster (1912), 51 ff. THOMAS NAOGEORG. Ausg.: J. Bolte u. E. Schmidt, Th. N. Pammachius (1891; Lat. Litt.denkmäler des XV. u. XVI. Jhs. 3). – R. Froning, Das Drama der Reformationszeit (1894) [Pammachius, dt. v. J. Menius]. – J. Bolte, Th. N. Mercator, BiblLVSt 269/270 (1927), 161 ff. – H. Wiemken, Vom Sterben des reichen Mannes (1965; Samml. Dieterich 298). – Lit.: E. Schmidt, ADB 23 (1886), 245 ff. – L. Theobald, Th. N., der Tendenzdramatiker der Ref.zeit, Neue Kirchl. Zs. 17 (1906), 764 ff.; 18 (1907), 65 ff. – Ders., Das Leben u. Wirken des Tendenzdramatikers der Ref.zeit Th. N. (1908; Quellen u. Darstellgn. aus der Gesch. des Ref.jhs. 4). – A. Hübner, Studien zu N., ZfdA 54 (1913), 297 ff.; 57 (1920), 193 ff. – P. H. Diehl, Die Dramen des Th. N. in ihrem Verhältnis zur Bibel u. zu Luther (Diss. München 1915). – L. Theobald, Zur Lebensgesch. des N., Zs. f. bayr. Kirchengesch. 6 (1931), 143 ff. – H. Lewinger, Die Bühne des Th. N., Arch. f. Ref.gesch. 32 (1935), 145 ff. – H.-G. Roloff, Th. N.s Judas – ein Drama der Ref.zeit, Arch. f. d. Studium d. neueren Sprachen 208 (1971), 81 ff. HEINRICH KIELMANN. Lit.: Goedeke 2 (²1886), 145. CHRISTOPH BROCKHAGIUS. Lit.: Goedeke 2 (²1886), 143. – W. Scherer, ADB 3 (1876), 337. PETRUS PAPEUS. Lit.: Goedeke 2 (²1886), 137. – H. Holstein, ADB 25 (1887), 141 f. JACOB ZOVITIUS. Lit.: Goedeke 2 (²1886), 135. – J. Bolte, ADB 45 (1900), 440 f. RUDOLF GWALTHER. Vgl. S. 465. CHRISTOPH STYMMELIUS. Vgl. S. 502. HEINRICH PANTALEON. Vgl. S. 510. NIKOLAUS SELNECKER. Vgl. S. 492. MARTINUS BALTICUS. Vgl. S. 497. ANTONIUS SCHORUS. Lit.: Goedeke 2 (²1886), 134. – J. Bolte, ADB 32 (1891), 387 f. – H. Rott, Karl V. u. die Aufführung der Heidelberger Komödie ‹Eusebia›, Neues Arch. f. d. Gesch. d. Stadt Heidelberg 9 (1911), 155 ff. ANDREAS DIETHER. Lit.: Goedeke 2 (²1886), 136. HIERONYMUS ZIEGLER. Ausg.: E. Ermatinger, M. Rotbletz. Samson 1558. Nebst einem Anhang: Samson. Von H. Z. 1547 (1936; Ältere Schriftwerke der dt. Schweiz 1). – Lit.: J. Bolte, ADB 45 (1900), 173 ff. – S. Eder, H. Z. Leben u. dramatisches Werk (Diss. Wien 1968; masch.) [mit Text u. Übersetzung des Zehn-Jungfrauenspiels]. ANDREAS FABRICIUS. Lit.: Goedeke 2 (²1886), 140. – Kessler, Alpreußische Biographie 1 (1949), 173. MICHAEL HILTPRANDUS. Lit.: Goedeke 2 (²1886), 140. JAKOB SCHÖPPER. Ausg.: K. Schulte-Kemminghausen, Die ‹Synonyma› J. S.s (1927; Veröff. d. Stadtbibl. Dortmund 1). – Lit.: E. Schröder, J. S. v. Dortmund u. seine Synonymik (Progr. Univ. Marburg 1889). – Ders., ADB 32 (1891), 374 f. – J. Bolte, Unbekannte Schauspiele des 16. u. 17. Jhs, Berliner SB, Philos.-histor. Kl. 1933, 373 ff. JOHANNES LORICHIUS. Vgl. S. 497. JOHANNES ARTOPEUS. Lit.: E. Steffenhagen u. W. Scherer, ADB 1 (1875), 614. – Goedeke 2 (²1886), 136. GREGOR HOLONIUS. Lit.: Goedeke 2 (²1886), 138. JOACHIM CAMERARIUS. Vgl. S. 495. JAKOB MICYLLUS. Vgl. S. 495.

b) Übersetzungen antiker und humanistischer Dramen ins Deutsche. – Lit.: [Vgl. S. 483.] O. Francke, Terenz u. die lat. Schulcomödie in Dtld. (1877). – A. Jundt, Die dramat. Aufführgn. am Gymnasium zu Straßburg (Progr. Straßburg 1881). – O. Günther, Plautuserneuerungen in der dt. Lit. des 15.–17. Jhs. u. ihre Verfasser (Diss. Leipzig 1886). – K. v. Reinhardstöttner, Plautus. Spätere Bearbeitungen plautinischer Lustspiele (1886; Die klass. Schriftsteller des Altertums 1). – M. Hermann, Terenz in Dtld. bis zum Ausgang des 16. Jhs., Mitt. d. Ges. f. dt. Erziehungs- u. Schulgesch. 3 (1893), 1 ff. – P. Stachel, Seneca u. das dt. Renaissancedrama im 16. u. 17. Jh. (1907; Palaestra 46). – P. Dittrich, Plautus u. Terenz in Pädagogik u. Schulwesen der dt. Humanisten (Diss. Leipzig 1915). JOHANN MUSCHLER. *Lit.:* Goedeke 2 (²1886), 318. HEINRICH HAM. *Lit.:* Goedeke 2 (²1886), 318.

c) Das deutschsprachgie Drama. Schuldrama. Bürgerspiele. Sixt Birck. Paul Rebhun. Nikodemus Frischlin. – HANS SALAT. Vgl. S. 470. RENWART CYSAT. *Lit.:* A. Dörer, VL 1 (1932), 387 ff. – Ders., NDB 3 (1957), 455. GEORG BRUN. *Lit.:* W. Stammler, NDB 2 (1955), 675. JOHANNES AAL. *Ausg.:* E. Meyer, Tragoedia Johannis d. Täufers von J. A. in Solothurn 1549 (1929; NDL 263–267). – *Lit.:* O. Eberle, NDB 1 (1953), 1. GEORG BINDER. *Ausg.:* J. Boßhart, G. B. Acolastus (1890; J. Baechtold, Schweizer. Schauspiele des 16. Jhs. 1). – *Lit.:* O. Eberle, NDB 2 (1955), 243. SEBASTIAN GRÜBEL D. J. *Lit.:* Goedeke 2 (²1886), 350. HANS VON RÜTE. Vgl. S. 501. HANS HECHLER. *Lit.:* Goedeke 2 (²1886), 347. JAKOB RUF. *Ausg.:* F. Mayer, Ein hüpsch vnd lustig Spyl vor zyten gehalten zu Vry von Wilhelm Thellen (1843). – H. M. Kottinger, J. Ruffs Etter Heini uss dem Schwizerland (1847; Bibl. d. ges. dt. National-Lit. I, 14). – Ders., J. Ruffs Adam u. Heva (1848; ebd. I, 16). – E. O. Kofmel, Hiob (1889). – J. Baechtold, J. R., Das neue Tellenspiel (1893; Ders., Schweizer. Schauspiele des 16. Jhs. 3). – B. Wyss, J. R. ‹Von des Herren Weingarten› (ebd. 3). – *Lit.:* R. Wildhaber, J. R. (Diss. Basel 1929). JOSIAS MURER. *Lit.:* J. Baechtold, ADB 23 (1886), 62. – U. Thieme u. F. Becker, Allg. Lex. der bildenden Künstler 25 (1931), 283. JAKOB FUNCKELIN. Vgl. S. 492. VALENTIN BOLTZ. *Ausg.:* A. Geßler, V. B. ‹Weltspiegel› (1891; in: J. Baechtold, Schweizer. Schauspiele des 16. Jhs. 2). – C. J. Benzinger, Illuminierbuch . . . Durch V. B. (1913; Samml. maltechn. Schrr. 4). – *Lit.:* J. B. Hartmann, Die Terenz-Übersetzung des V. B. u. ihre Beziehungen zu den älteren Terenz-Übersetzungen (Diss. München 1911). – F. Mohr, Die Dramen des V. B. (Diss. Basel 1916). – A. Zach, NDB 2 (1955), 435. MATTHEUS ROTBLETZ. *Ausg.:* E. Ermatinger, M. R. Samson 1558. Nebst einem Anhang: Samson. Von Hieronymus Ziegler 1547 (1936; Ältere Schriftwerke d. dt. Schweiz 1). HEINRICH BULLINGER. Vgl. S. 464. TIBOLT GART. *Ausg.:* E. Schmidt, T. G. Joseph (1880; Elsäß. Lit.denkmäler aus d. XIV.–XVII. Jh. 2). – A. E. Berger, Die Schaubühne im Dienste der Ref., DLE Reihe Ref. 6 (1936), 5 ff. – *Lit.:* M. Kleinlogel, ‹Joseph›, eine Biblische Komödie von T. G. aus dem J. 1540 (Diss. Gießen 1932). – A. Lichter, NDB 6 (1964), 74. JÖRG WICKRAM. Vgl. S. 480. TOBIAS STIMMER *Ausg.:* J. Oeri, T. S.s Comedia (1891). – G. Witkowski, Comedia von zweien jungen Eheleuten gestellt durch Tobiam S. (1915). – *Lit.:* J. Bolte, Die Quelle von T. S.s Comedia (1580; Euphorion 1 (1894), 52 ff. – F. T. Schulz, in: U. Thieme u. F. Becker, Allg. Lex. der bildenden Künstler 32 (1938), 57 ff. – M. Bendel, T. S. (1940). MATTHIAS HOLZWART. *Lit.:* Goedeke 2 (²1886), 351. CHRISTIAN ZYRL. *Lit.:* J. Bolte, ADB 45 (1900), 579 ff. JOHANN RASSER. *Lit.:* E. Martin, ADB 27 (1888), 332 f. – G. Binz, J. R.s Spiel von der Kinderzucht, ZfdPh 26 (1894), 480 ff. – J. Bolte, Zu J. R., ebd. 28 (1896), 72. – E. Schwabe, J. R.s Schuldrama von der ‹Kinderzucht›, Neue Jbb. f. Pädagogik 15 (1912), 196 ff. – J. Petersen, Die Ensisheimer Rasserbühne, Beitrr. z. Kultur- u. Geistesgesch. d. Oberrheinlande, Festschr. F. Schultz (1938; Schrr. d. Wiss. Inst. d. Elsaß-Lothringer NF 18), 112 ff. ALEXANDER SEITZ. Vgl. S. 468. SIXT BIRCK. *Ausg.:* J. Bolte, Xystus Betulius, Susanna (1884; Lat. Litt.denkmäler d. XV. u. XVI. Jhs. 8). – J. Baechtold, S. B. Susanna. (1891; Schweizer. Schauspiele des 16. Jhs. 2). –

M. Sommerfeld, S. B. Judit (1933; Judith-Dramen des 16./17. Jhs.). – E. R. Payne, [S. B,] Sapientia Salomonis (1938; Yale Studies in English 89). – M. Brauneck, S. B. Sämtl. Dramen. 4 Bde. (1969 ff.; Ausg. Dt. Lit. des XV. bis XVIII. Jhs.). – *Lit.*: W. Scherer, ADB 2 (1875), 656 f. – J. F. Schöberl, Über die Quellen des S. B. (Diss. München 1919). – E. Messerschmid, S. B. (1500–1554) (Diss. Erlangen 1923; masch.). – H. Levinger, Augsburger Schultheater unter S. B. (1931; Drama u. Theater 2). JOHANNES KOLROSS. Vgl. S. 492. PAUL REBHUN. *Ausg.*: H. Palm, P. R. Dramen (1859; BiblLVSt 49; ²1969 Wiss. Buchges.) – J. Tittmann, Schauspiele aus dem 16. Jh. 1 (1868) [Susanna]. – R. Froning, Das Drama der Ref.zeit (1894) [Susanna]. – H.-G. Roloff, P. R. Ein Geistlich Spiel von der gottfürchtigen u. keuschen Frauen Susannen (1968; Reclam UB 8787/88). – *Lit.*: Goedeke 2 (²1886), 358 ff. – H. Holstein, ADB 27 (1888), 481 ff. – K. Hahn, Biographisches von P. R. u. Hans Ackermann, Neues Arch. f. Sächs. Gesch. u. Altertumskunde 43 (1922), 80 ff. HANS TYROLFF. *Lit.*: H. Holstein, ADB 38 (1894), 361 f. JOACHIM GREFF. *Lit.*: W. Scherer, J. G., Wiener SB, Phil.-hist. Kl. 90 (1878), 193 ff. – R. Buchwald, J. G. (1907; Probefahrten 11). – W. Stammler, NDB 7 (1966), 18 f. HANS ACKERMANN. *Ausg.*: H. Holstein, Dramen von A. u. Voith (1884; BiblLVSt 170). – *Lit.*: J. Bolte, J. A.s Spiel vom barmherzigen Samariter, Arch. f. d. Studium d. neueren Sprachen 77 (1887), 303 ff. – H. Rosenfeld, NDB 1 (1953), 37. JOHANNES KRÜGINGER, CRIGINGERUS. *Lit.*: W. Scherer, ADB 17 (1883), 236 f. – V. Hantzsch, ADB 47 (1903), 556 ff. – O. Clemen, Zwei 1543 u. 1545 Zwickau gedruckte Dramen eines Crimmitschauer Schulmeisters. In: Alt-Zwickau 1924, 41 ff. – E. Kähler, NDB 3 (1957), 415. JOHANNES AGRICOLA. Vgl. S. 463. HEINRICH KNAUST. *Ausg.*: J. Bolte, Drei märkische Weihnachtsspiele des 16. Jhs. 1. H. K. 1541. – 2. Christoph Lasius 1549. – 3. Berliner Anonymus 1589. Nebst einem süddt. Spiel v. 1693 (1926; Berlinische Forschgn., Texte u. Unters. 1). – *Lit.*: H. Michel, H. K. (1903), CHRISTOPH LASIUS. *Ausg.*: J. Bolte, Ein Spandauer Weihnachtsspiel 1549 (von C. L.), Märkische Forschgn. 18 (1884), 102 ff. – Ders., Drei märkische Weihnachtsspiele des 16. Jhs. 2 (1926; Berlinische Forschgn., Texte u. Unters. 1). – *Lit.*: Goedeke 2 (²1886), 393 f. BENEDIKT EDELPÖCK. Vgl. S. 490. JOHANNES CHRYSEUS. *Lit.*: H. Holstein, Dramen u. Dramatiker des 16. Jhs., ZfdPh 18 (1886), 437 ff. – G. Falter, NDB 3 (1957), 251. ‹DE BRILLENMAKER U. DE X BOVEN› ODER ‹DER SCHEVEKLOTH›. *Ausg.*: H. A. Lüntzel, Die Stiftsfehde (1846), 220 ff. – W. Seelmann, Mittelniederdt. Fastnachtspiele (1885), 49. – *Lit.*: Goedeke 2 (²1886), 335. BADO VON MINDEN. *Ausg.*: A. Hoefer, Claws bur (1850; Denkmäler ndt. Sprache u. Lit. 1). – E. Schafferus, Zwei niederdt. Dramen der Ref.zeit. Das Spiel ‹Claws Bur›. SCHULDRAMA. *Lit.*: R. v. Liliencron, Die Chorgesänge des lat.-dt. Schuldramas im 16. Jh., Vjs. f. Musikwiss. 6 (1890), 309 ff. – W. Creizenach, Gesch. des neueren Dramas 2 (²1918), 3 (1903). – E. Schmidt, Die Bühnenverhältnisse des dt. Schuldramas im 16. Jh. u. seiner volkstümlichen Ableger (1903; Forschgn. z. neueren Lit.gesch. 24). – C. Kaulfuß-Diesch, RL 3 (1928/29), 194 ff. – J. Maaßen, Drama u. Theater der Humanistenschulen in Dtld. (1929; Schrr. z. dt. Lit. 13). WOLFGANG SCHMELTZL. *Ausg.*: F. Spengler, Samuel u. Saul v. W. S. (1883; Wiener Neudrucke 5). – E. Triebnigg, W. S. der Wiener Hans Sachs. Eine Auswahl seiner Werke (1915). – *Lit.*: F. Spengler, W. S. (1883; Beitrr. z. Gesch. d. dt. Lit. u. d. geistigen Lebens in Österreich 3). – Ders., ADB 31 (1890), 637 f. – E. Bienenfeld, W. S., sein Liederbuch (1544) u. das Quodlibet des 16. Jhs., Sammelbände d. internat. Musik-Ges. 6 (1904/05), 80 ff. SIMON GERENGEL. *Lit.*: Goedeke 2 (²1886), 405. – P. Schattenmann, S. G. Ein Exulantenschicksal, Zs. f. bayr. Kirchengesch. 11 (1936),

148 ff. WOLFGANG HERMANN. *Lit.*: Goedeke 2 (²1886), 405. LEONHARD STÖCKEL. *Ausg.*: K. Szilari, Lénárd Zsuzsanna drámája és a bartfai német iskolai szinjatéka XVI. században (1918). – *Lit.*: Goedeke 2 (²1886), 405. – J. Bolte, ADB 36 (1893), 282 f. – B. v. Pukanszky, Gesch. d. dt. Schrifttums in Ungarn (1931), 132 ff. – K. Reinerth, RGG 6 (²1962), 386 f. THOMAS BRUN- NER. *Ausg.*: R. Stumpfl, Jacob u. seine zwölf Söhne. Ein evangel. Schulspiel aus Steyr von T. B. 1566 (1928; NDL 258–260). – *Lit.*: R. Stumpfl, T. B.s Leben u. Wirken in Steyr 1558 bis 1571. – T. B.s Dramen, Heimatgaue 12 (1931), 3 ff. – H. Rosenfeld, NDB 2 (1955), 684. JOHANNES SAPIDUS. Vgl. S. 496 f. JOHANNES STURM, *Lit.*: Ch. Schmidt, La vie et les travaux de Jean S. (1855). – Th. Ziegler, ADB 37 (1894), 21 ff. – K. Skopnik, Das Straßburger Schultheater, sein Spielplan u. seine Bühne (1935; Schrr. d. Wiss. Inst. d. Elsaß- Lothringer im Reich NF 13). – H. Gumbel, Der elsässische Humanismus J. S.s, GRM 26 (1938), 135 ff. JOHANNES RÖMOLD. *Lit.*: K. Goedeke, J. R. Zs. d. hist. Ver. f. Niedersachsen 1852, 293 ff. [mit Ausgabe]. – H. Holstein, ADB 29 (1889), 128 f. HIERONYMUS LINCK. Vgl. S. 502. FRANCISCUS OMICHIUS. *Lit.*: C. Krause, ADB 24 (1887), 349. – J. Bolte, Drei niederdt. Zwischenspiele des F. O. (1578), Jb. d. Ver. f. nd. Sprachforschg. 54 (1928/29), 36 ff. LUCAS MAI. *Ausg.*: K. Eichhorn, Mays Spiel von der Vereinigung göttlicher Gerech- tigkeit u. Barmherzigkeit (Einladungsschr. Gymn. Meiningen 1895). – *Lit.*: Goedeke 2 (²1886), 363. GEORG SCHMID. *Lit.*: Goedeke 2 (1886), 363. – J. Bolte, ADB 31 (1890), 662 f. JOACHIM ARENTSCHE. *Lit.*: W. Scherer, ADB 1 (1875), 517. – Goedeke 2 (²1886), 395. JOHANN BAUMGART. *Lit.*: W. Kawerau, J. B.s Gericht Salomonis, Vjs. f. Lit.gesch. 6 (1893), 1 ff. – A. Elschenbroich, NDB 1 (1953), 658. JOHANN NARHAMER. *Lit.*: Goedeke 2 (²1886), 381. – J. Bolte, ADB 23 (1886), 253. THOMAS SUNNENTAG. *Lit.*: Goedeke 2 (²1886), 382. – J. Bolte, ADB 37 (1894), 158 f. ANDREAS PFEILSCHMIDT. *Lit.*: Goedeke 2 (²1886), 362. – H. Holstein, ADB 25 (1887), 658. PETER PRAETORIUS. *Lit.*: Goedeke 2 (²1886), 362. – J. Bolte, ADB 26 (1888), 533 f. DANIEL WALTHER. *Lit.*: Goedeke 2 (²1886), 362. – J. Bolte, ADB 41 (1896), 99. WOLFGANG KÜNT- ZEL. *Lit.*: Goedeke 2 (²1886), 363. ANDREAS HOPPENRODT. *Lit.*: Goedeke 2 (²1886), 363. MICHAEL SACHSE. *Lit.*: Goedeke 2 (²1886), 363. – A. Schumann, ADB 30 (1890), 129 f.; 33 (1891), 798. JOHANNES BISCHOFF. *Lit.*: W. Scherer, ADB 2 (1875), 674 f. – Goedeke 2 (²1886), 383. – F. Merzbacher, Zur Lebens- gesch. des Magisters J. Episcopius (B.), Würzburger Diözesangeschichtsbll. 16/17 (1954/55), 371 ff. JAKOB CORNER, *Lit.*: Goedeke 2 (²1886), 363. – J. Bolte, ADB 47 (1903), 526 f. SAMUEL HEBEL. *Lit.*: Goedeke 2 (²1886), 406. GEORG BÖMICHE. *Lit.*: W. Schmidt, ADB 3 (1876), 120. – Goedeke 2 (²1886), 393. KONRAD GRAFF. *Lit.*: Goedeke 2 (²1886), 396. BERNHARD HEDERICH. *Lit.*: Goedeke 2 (²1886), 402. NIKODEMUS FRISCHLIN. *Ausg.*: D. F. Strauß, Dt. Dich- tungen von N. F. (1857; BiblLVSt 41). – W. Janell, N. F. Julius redivivus. Mit Einleitungen v. W. Hauff, G. Roethe, W. Janell (1912; Lat. Litt.denk- mäler des XV. u. XVI. Jhs. 19). – P. Rothweiler, N. F. Frau Wendelgart. (1912). – *Lit.*: D. F. Strauß, Leben u. Schrr. des Dichters u. Philologen N. F. (1856). – Goedeke 2 (²1886), 140, 385 f. – R. Fink, Studien zu den Dramen des N. F. (Diss. Leipzig 1920). – E. Neumayer, F. als Dramatiker (Diss. Rostock 1924). – G. Bebermeyer, Tübinger Dichterhumanisten (1926), 47 ff. – R. Stahl- ecker, Martin Crusius u. N. F., Zs. f. württ. Landesgesch. 7 (1943), 323 ff. – G. Bebermeyer, NDB 5 (1961), 620 f.

4. Die Anfänge des Jesuitendramas. Die ersten Englischen Komödianten

JESUITENDRAMA. *Lit.*: W. Flemming, Gesch. des Jesuitentheaters in den Landen dt. Zunge (1923; Schrr. d. Ges. f. Theatergesch. 32). – J. Müller, Das J. in den Ländern dt. Zunge vom Anfang (1555) bis zum Hochbarock (1665). 2 Bde. (1930; Schrr. z. dt. Lit. 7, 8). – H. Becher, Die geistige Entwicklungsgesch. des Jesuitentheaters, DVjs 19 (1941), 269 ff. – W. Flemming, RL 1 (²1958), 762 ff. ENGLISCHE KOMÖDIANTEN. *Ausg.*: J. Tittmann, Die Schauspiele der E. K. in Dtld. (1880). – W. Creizenach, Die Schauspiele der e. K. (1889; DNL 23). – W. Flemming, Das Schauspiel der Wanderbühne (1931; DLE Reihe Barockdrama 3). – *Lit.*: J. Bolte, Die Singspiele der E. K. (1883; Theatergesch. Forschgn. 7). – A. Baesecke, Das Schauspiel der E. K. in Dtld. (1935; Studien z. engl. Philol. 87). – W. Flemming, RL 1 (²1958), 345 ff.

VI. Kapitel. Didaktisches Schrifttum. Artesliteratur. Wissenschaft

1. Lehrdichtung und lehrhaftes Schrifttum

Lit.: G. Müller, Dt. Dichten u. Denken vom MA zur Neuzeit (1934), 73 ff. – W. Stammler, Von der Mystik zum Barock (²1950), 149 ff. – W. Richter, RL 2 (²1965), 31 ff. – L. L. Albertsen, Das Lehrgedicht (1967).

a) *Didaktische und gnomische Dichtung. Teufelsliteratur. Trunkenheitsliteratur.* – JOHANNES AGRICOLA. Vgl. S. 463. JOHANN GLANDORP. *Lit.*: W. H. D. Suringar, J. G. (1874). – Goedeke 2 (²1886), 8. – A. Overmann, J. G. 1501 bis 1564 (1938; Münstersche Beitrr. z. Gesch.forschg. III. F. 18 [= Heft 69]). EBERHARD TAPPE. *Lit.*: Goedeke 2 (²1886), 8. – L. Fränkel, ADB 37 (1894), 390 ff. – K. Schulte-Kemminghausen, E. T.s Sammlung westfälischer u. holländischer Sprichwörter, Niederdt. Studien. Festschr. C. Borchling (1932), 91 ff. SEBASTIAN FRANCK. Vgl. S. 467. ANDREAS GARTNER. *Lit.*: Goedeke 2 (²1886), 15. ANTON MOCKER. Vgl. S. 484. GEORG MAYR. *Lit.*: Goedeke 2 (²1886), 15. BEISPIELSAMMLUNGEN. *Lit.*: Goedeke 2 (²1886), 125 ff. ANDREAS HONDORFF. *Lit.*: Goedeke 2 (²1886), 127. TEUFELSLITERATUR. *Ausg.*: R. Stambaugh, Teufelbücher in Auswahl. 5 Bde. (1970 ff.; Ausg. Dt. Lit. des XV. bis XVIII. Jhs.). – *Lit.*: Goedeke 2 (²1886), 479 ff. – M. Osborn, Die T. des 16. Jhs. (1893; Acta Germanica III, 3). – R. Newald, Die T. u. die Antike, Bayer. Bll. f. d. Gymnasial-Schulwesen 63 (1927), 340 ff. – H. Grimm, Die dt. Teufelbücher des 16. Jhs., Arch. f. d. Gesch. d. Buchw. 2 (1960), 513 ff. – B. Ohse, Die T. zwischen Brant u. Luther (Diss. Berlin 1961). JOHANNES CHRYSEUS. Vgl. S. 505. ANDREAS MUSCULUS. *Ausg.*: M. Osborn, A. M. Vom Hosenteufel (1894; NDL 125). – *Lit.*: C. W. Spiekev, Lebensgesch. des A. M. (1858). – R. Grümmer, A. M. (1913). CYRIACUS SPANGENBERG. Vgl. S. 494. JACOBUS ACONTIUS. *Ausg.*: G. Koehler, Jacobi Acontii Satanae Stratagematum libri octo (1927). – W. Köhler u. E. Hassinger, Acontiana (1932; Abhh. d. Heidelberger Akad. d. Wiss., Phil.-hist. Kl. 8). – H. J. de Vleeschauwer, J. A.' Tractat de Methodo (1932; Universiteit de Gent. Werken 67). – G. Radetti, J. A. Satanae Stratagemata (1946). – *Lit.*: W. Köhler, Das Täufertum in der neueren kirchenhistor. Forschung, Arch. f. Ref.gesch. 41 (1948), 177 ff. SIMON MUSAEUS. *Lit.*: Goedeke 2 (²1886), 481 f. – C. A. Schimmelpfennig, ADB 23 (1886), 91 f. EUSTACHIUS SCHILDO. *Lit.*: G. Roethe, ADB 31 (1890), 209. JOHANN RHODE. *Lit.*: Goedeke 2 (²1886), 482. JOHANN VON SCHWARZENBERG. *Ausg.*: W. Scheel,

J. v. S. Das Büchlein vom Zutrinken (1900; NDL 176). – Ders., J. v. S. Trostspruch um abgestorbene Freunde (Kummertrost) (1907; NDL 215). – *Lit.:* Goedeke 2 (²1886), 234 f. – W. Scheel, J. Frhr. zu S. (1905). – G. Müller, Studien zur Sprache J.s Frhrn. zu S. auf Grund seiner dichterischen Werke (Diss. Leipzig 1944; masch.). KASPAR SCHATZGEYER. Vgl. S. 470. PETRUS MECKEL. Vgl. S. 500. TRUNKENHEITSLITERATUR. *Lit.:* A. Hauffen, Die Trinklit. in Dtld. bis zum Ausgang des 16. Jhs., Vjs. f. Lit.gesch. 2 (1889), 481 ff. – E. Klaaß, RL 4 (1931), 102 ff. SEBASTIAN FRANCK. Vgl. S. 467. LEONHARD SCHERTLIN. *Lit.:* G. Roethe, ADB 31 (1890), 131 f. DANIEL DRECHSELL. *Lit.:* R. Wolkan, ADB 48 (1904), 77 f. MATTHÄUS FRIEDRICH. Vgl. S. 492.

b) Bilderbücher. Emblemenliteratur. – Allgemeine Literatur. H. Rosenfeld, Das dt. Bildgedicht, seine antiken Vorbilder u. seine Entwicklung bis zur Gegenwart (1935; Palaestra 199). – Ders., RL 1 (²1958), 334 ff. – A. Schöne, Emblemata, DVjs 37 (1963), 167 ff. – P. Vodosek, Das Emblem in der dt. Lit. der Renaissance u. des Barock, Jb. d. Wiener Goethe-Ver. 68 (1966), 5 ff. – W. S. Heckscher u. K.-A. Wirth, Reallex. z. dt. Kunstgesch. 5 (1967), 85 ff. ANDREA ALCIATO. *Ausg.:* Opera omnia (Basel 1546/49 u. ö.). – *Lit.:* H. Green, A. A. and his Books of Emblems (1872). WOLFGANG HUNGER, JEREMIAS HELD. *Ausg.:* M. Rubensohn, Griech. Epigramme u. andere kleinere Dichtungen in dt. Übersetzungen des XVI. u. XVII. Jhs. (1897; Bibl. älterer dt. Übersetzungen 2–5). WOLFGANG HUNGER. *Lit.:* G. Westermayer, ADB 13 (1881), 414 f. – M. Rubensohn, W. H.s dt. Übersetzung der ‹Emblemata› des Andrea Alciato, Zs. f. Bücherfreunde 1 (1897/98), II, 601 f. JEREMIAS HELD. *Lit.:* Goedeke 2 (²1886), 484. MATTHIAS HOLZWART. *Ausg.:* P. v. Düffel u. K. Schmidt, M. H. Emblematum Tyrocinia (1968; Reclams UB 8555/57). – *Lit.:* A. Merz, M. H. (1885). JOHANNES SAMBUCCUS. *Ausg.:* H. Gerstinger, Aus dem Tagebuch des kais. Hofhistoriographen J. S. (1531–1584) Wiener SB, Philos.-hist. Kl. 248, 2 (1965). – Ders., Die Briefe des J. S. (Zsamboky) 1554–1584, ebd. 225 (1968). – *Lit.:* H. Gerstinger, J. S. als Hss.sammler. In: Festschr. der Nationalbibl. in Wien (1926), 251 ff. – E. Bach, Un humaniste hongrois en France, J. S., et ses relations littéraires (1551–1584) (1932; Etudes françaises publiées par l'Institut français de l'Université de Szeged 5).

c) Übersetzungen antiker und humanistischer Lehrschriften ins Deutsche. – Vgl. S. 483. LORENZ KRATZER. *Lit.:* K. v. Reinhardstöttner, Die erste dt. Übersetzung von Baldasare Castigliones ‹Cortegiano›, Jb. f. Münchener Gesch. 2 (1888), 494 ff.

2. Artesliteratur, Fachschrifttum und Wissenschaft

Allgemeine Literatur. Vgl. Bd. IV/1, S. 768 ff. u. S. 794 ff.

a) Artes liberales. Aus dem Trivium: Grammatik, Poetik, Rhetorik, Dialektik; Geschichtsschreibung und Topographie. Aus dem Quadrivium: Mathematik, Astronomie, Kopernikus; Kunstliteratur; Musik. [Vgl. dazu Bd. IV/1, S. 768 ff. u. S. 794 ff.] – GRAMMATIK. *Lit.:* M. H. Jellinek, Gesch. d. nhd. Grammatik von den Anfängen bis auf Adelung. 2 Bde. (1913–14; Germanische Bibl. II, 7). MATTHÄUS AUROGALLUS. *Lit.:* H. Wendorf, NDB 1 (1953), 457. PETRUS DASYPODIUS. Vgl. S. 500. SIMON ROTH. *Ausg.:* E. Öhmann, S. R.s Fremdwörterbuch (1936; Mémoires de la Société néo-philologique de Helsingfors 11). – *Lit.:* J. Bolte, ADB 29 (1889), 340 f. – A. Reifferscheid, Der

Schulkomödiendichter S. R. als Lexikograph, Mitt. d. Ges. f. dt. Erziehungs- u. Schulgesch. 5 (1895), 245 ff. JOHANNES COCHLAEUS. Vgl. S. 469. JOHANNES AVENTINUS. Vgl. Bd. IV/1, S. 796. GEORG HAUER. *Lit.:* R. Westermann, VL 2 (1936), 226. FABIAN FRANGK. *Lit.:* H. Rosenfeld, NDB 5 (1961), 316 f. VALENTIN ICKELSAMER. *Ausg.:* L. Kohler, V. J.s Teutsche Grammatica (³1881). – H. Fechner, Vier seltene Schriften des 16. Jhs. (1882). – L. Enders, Valentinus Ickelschamer: Clag etlicher brüder ... (1893; NDL 118). – K. Pohl, V. I. ‹Ain Teutsche Grammatica› u. ‹Die rechte weis aufs kürtzist lesen zu lernen› (1971) [Faks.]. – *Lit.:* O. Clemen, V. I., Modern Philology 24 (1926/27), 341 ff. – H. Noll, Der Typus des religiösen Grammatikers im 16. Jh., dargest. an V. I. (Diss. Marburg 1935). ORTHOLP FUCHSPERGER. Vgl. S. 473. JOHANNES KOLROSS. *Ausg.:* J. Müller, J. K. Enchiridion, Quellenschrr. u. Gesch. des dt.sprachl. Unterrichts 1882, 64 ff. – *Lit.:* Goedeke 2 (²1886), 343 f. PAUL REBHUN. Vgl. S. 505. PAUL SCHEDE MELISSUS. Vgl. S. 498. LAURENTIUS ALBERTUS. *Ausg.:* C. Müller, Die dt. Grammatik des L. A. (1895; Aeltere dt. Grammatiken in Neudrucken 3). – *Lit.:* O. Basler, NDB 1 (1953), 148. ALBERT ÖLINGER. *Ausg.:* W. Scheel, Die dt. Grammatik des A. Ö. (1897; Aeltere dt. Grammatiken in Neudrucken 4). – *Lit.:* A. Reifferscheid, ADB 24 (1887), 301 f. – M. H. Jellinek, Oelingeriana, PBB 36 (1910), 231 ff. JOHANNES CLAJUS. Vgl. S. 497. EOBANUS HESSUS. Vgl. Bd. IV/1, S. 792. JODOCUS WILKE. *Lit.:* R. Schwarze, ADB 43 (1898), 278 ff. JOHANNES MURMELLIUS. Vgl. Bd. IV/1, 782 f. CHRISTOPH MYLAEUS. *Lit.:* A. Rivier, Ch. M., Christophe de Molin † 1570, Anz. f. schweizer. Gesch. NF 2 (1874–77), 9 ff. GEORG FABRICIUS. Vgl. S. 496. MARCO GIROLAMO VIDA. *Lit.:* G. Ellinger, Gesch. der neulat. Lit. Dtlds. im 16. Jh. 1: Italien u. der dt. Humanismus in der neulat. Lyrik (1929), 206 ff. JULIUS CAESAR SCALIGER. *Lit.:* E. Brinkschulte, J. C. S.s kunsttheoretische Anschauungen u. deren Hauptquellen (1914). PREDIGT. *Lit.:* R. Rothe, Gesch. der Predigt von den Anfängen bis auf Schleiermacher (1881). – F. R. Albert, Gesch. der Predigt in Dtld. 3 Bde. (1892–96). – A. Niebergall, RGG 5 (³1961), 516 ff. – W. Keuck, J. B. Schneyer u. V. Schurr, LThuK 8 (³1963), 705 ff. DIALEKTIK UND LOGIK. *Lit.:* C. Prantl, Gesch. der Logik im Abendlande. 4 Bde. (³1955). – H. Scholz, Gesch. der Logik (²1959). WOLFGANG BÜTTNER. Vgl. S. 479. PETRUS RAMUS. *Lit.:* J. Moltmann, RGG 5 (³1961), 77 ff. – Ders., LThuK 8 (³1963), 987 f. NIKOLAUS TAURELLUS. *Lit.:* H.-Ch. Mayer, N. T., der erste Philosoph im Luthertum (Diss. Göttingen 1959; masch.). JEAN BODIN. *Lit.:* F. Bezold, J. B.s ‹Colloquium heptaplomeres› u. der Atheismus des 16. Jhs., Histor. Zs. 113 (1914), 260 ff.; 114 (1915), 237 ff. – Ders., J. B. als Okkultist u. seine ‹Demonomanie›. In: Ders., Aus MA u. Renaissance (1918), 294 ff. – M. Frischeisen-Köhler u. W. Moog, Die Philosophie der Neuzeit bis zum Ende des XVIII. Jhs. In: F. Ueberwegs Grundriß der Gesch. d. Philosophie 2 (¹²1924), 158 f. – F. W. Kantzenbach, RGG 1 (³1957), 339. GESCHICHTSSCHREIBUNG UND GESCHICHTSDENKEN. *Lit.:* E. Menke-Glückert, Die Gesch.schreibung der Ref. u. Gegenref. (1912). – E. Fueter, Gesch. d. neueren Historiographie 3 (1936; In: v. Below u. Meinecke, Handb. d. mittl. u. neueren Gesch. I, 3). TÜRKENLITERATUR. *Bibliographie.* W. Sturminger, Bibliographie u. Ikonographie der Türkenbelagerungen Wiens (1529–1683) (1955). – C. Göllner, Turcia. Die europäischen Türkendrucke des 16. Jhs. I (1961). – *Lit.:* K. Reuschel, RL 3 (1928/29), 392 f. – E. Hermann, Türke u. Osmanenreich in der Vorstellung der Zeitgenossen Luthers (Diss. Freiburg i. Br. 1961). GEORG SCHWARTZERT. *Lit.:* N. Müller, G. S. (1908; Schrr. d. Ver. f. Ref.gesch. 96/97). JOHANNES BISCHOFF. Vgl. S. 506. JOHANNES CARION. *Lit.:* H. Ziegler, Chronicon Carionis (1898; Hallesche Abhh. z. neueren Gesch. 35). – J. Schultze, NDB 3 (1957), 138. HANS JAKOB FUGGER. *Lit.:* W. Maasen, H. J. F. (1516 bis 1575)

(1922; Histor. Forschgn. u. Quellen 5). – W. Zorn, NDB 5 (1961), 720 f. KASPAR URSINUS VELIUS. Vgl. Bd. IV/1, S. 791 f. WOLFGANG LAZIUS. *Ausg.*: E. Oberhummer u. F. v. Wieser, W. L. Karten der österr. Lande u. des Königreiches Ungarn a. d. J. 1545–1563 (1906). – *Lit.*: A. Horawitz, ADB 18 (1883), 89 ff. – J. Aschbach, Gesch. der Wiener Universität 3 (1888), 204 ff. – M. Mayr, W. L. als Gesch.-schreiber Österreichs (1894). – O. E. Schmidt, W. L. Ein Gesch.schreiber des Schmalkaldischen Krieges, Neues Arch. f. Sächs. Gesch. u. Altertumskunde 24 (1903), 111 ff. – Th. Abeling, Das Nibelungenlied in seiner Lit. (1907), 141, 181 ff. – P. Joachimsen, Gesch.auffassung u. Gesch.schreibung in Dtld. unter dem Einfluß des Humanismus (1910), 150 ff. – M. Vansca, Quellen u. Gesch.schreibung, in: Gesch. d. Stadt Wien, hrsg. v. Alterthumsver. IV, 1 (1911), 5 ff. – J. Leirer, Der Humanist u. Gesch.schreiber W. L. (Diss. Wien 1922; masch.). – H. Böss, Fischarts Übersetzung von W. L. ‹De gentium migrationibus› (1923; Reichenberger Dt. Studien 28). – H. Menhardt, Die Kärntner Bibliotheksreise des W. L. 1549, Arch. f. Vaterl. Gesch. u. Topographie 24/25 (1936), 103 ff. – A. Lhotsky, Österr. Historiographie (1962), 85 u. ö. ACHILLES PIRMIN GASSER. *Lit.:* F. Blendinger, NDB 6 (1964), 79 f. – K. H. Burmeister, A. P. G. 2 Bde. (1970). JOHANNES HEROLD(T). *Bibliographie.* Brit. Mus. General Cat. of Printed Books 102 (1961), 688 ff. – *Lit.:* A. Burckhardt, NDB 8 (1969), 678 f. GEORG CASSANDER. *Lit.:* R. Haaß, NDB 3 (1957), 166. AEGIDIUS TSCHUDI. *Ausg.:* Th. Liebenau, Gilg T.s Beschreibung des Kappellerkrieges, Arch. f. schweizer. Ref.gesch. 1 (1903), 1 ff. – I. A. Knowles, Ae. T. Vom Fegfur (1925). – *Lit.:* F. Gallati, Gilg (Ae.) Tschudi u. die ältere Gesch. des Landes Glarus (1938). – M. Wehrli, Ae. T., Gesch.forscher u. Erzähler, Schweizer. Zs. f. Gesch. 6 (1956), 433 ff. PETRUS GNODALIUS. *Lit.:* K. Schottenloher, Bibliographie IV (1938), 53. KASPAR BRUSCH. *Lit.:* A. Horawitz, C. B. (1874). – R. Newald, NDB 2 (1955), 690. JOHANNES COCHLAEUS. Vgl. S. 469. JOHANNES SLEIDANUS. *Ausg.:* E. Böhmer, J. S. Zwei Reden an Kaiser u. Reich (1879; BibLVSt 145). – H. Baumgarten, S.s Briefwechsel (1881). – *Lit.:* H. Baumgarten, ADB 34 (1892), 454 ff. – W. Friedensburg, J. S. (1935; Schrr. d. Ver. f. Ref.gesch. 157). FLACIUS ILLYRICUS. Vgl. S. 475. CAESAR BARONIUS. *Lit.:* H. Jedin, LThuK 1 (³1957), 1270 f. SEBASTIAN FRANCK. Vgl. S. 467. MICHAEL BEUTHER. *Lit.:* O. Jung, NDB 2 (1955), 202. – Ders., Dr. M. B. aus Karlstadt (1957; Mainfränkische Hefte 27). HEINRICH PANTALEON. *Lit.:* J. Bolte, ADB 25 (1887), 128 ff. – H. Buscher, H. P. u. sein Heldenbuch (1946; Basler Beitrr. z. Gesch.wiss. 26). – Ders., Der Basler Arzt P. 1522–1595 (1947; Veröff. d. Schweizer Ges. f. Gesch. d. Medizin u. d. Naturwiss. 17). – W. Kaegi, H. P. In: E. Staehelin, Professoren d. Univers. Basel (1960), 46 f. HIERONYMUS BONER. *Lit.:* G. Wethly, H. B. (Diss. Straßburg 1892). – F. J. Heitz, Messire Jérome B., humaniste, diplomate et maire de Colmar, Colmarer Jahrb. 4 (1938), 109 ff. NIKOLAUS KOPERNIKUS. *Ausg.:* N. C. Thorunensis De revolutionibus orbium caelestium libri VI (1873). – C. L. Menzzer, N. C. aus Thorn über die Kreisbewegungen der Weltkörper (1879). – F. Kubach, N. K., Gesamtausgabe [der Werke] (1944 ff.) – *Lit.:* L. Prowe, N. K. 2 Bde. (1883/84). – P. Duhem, Lè systèm du monde. 6 Bde. (1913–17; 1954). – G. Krokowski, De ‹Septem Sideribus›, quae Nicolao Copernico vulgo tribuuntur (1926; Archiwum filologiczne Polskiej Akademji umiej w Krakowie 5). – E. Zinner, Das Leben u. Wirken des N. K. (1937). – Ders., Entstehung und Ausbreitung der Copernicanischen Lehre (1943; SB d. Physikal.-medizin. Sozietät zu Erlangen 74). – H. Schmauch, N. K. (1953). – Ders., NDB 3 (1957), 348 ff. GEORG JOACHIM RHAETICUS. *Lit.:* K.-H. Burmeister, G. J. R. 1514–1574. Eine Bio-Bibliographie. 2 Bde. (1966/67). TYCHO BRAHE. *Lit.:* G. Ellinger, T. de B. als lat. Dichter. In: Festschr. M. Herrmann (1935), 9 ff. – P. Gassendus,

T. B. (1951). KALENDER. *Lit.*: E. Zinner, RL 1 (²1958), 806 ff. – H. Rosenfeld, Bauernkalender u. Handkalender als lit. Phänomen des 16. Jhs. u. ihr Verhältnis zur Bauernpraktik, Gutenberg-Jb. 38 (²1965), 88 ff. PAUL EBER. Vgl. S. 492. JOHANN RASCH. *Lit.*: J. W. Nagl u. J. Zeidler, Dt.-Österr. Lit.gesch. 1 (1899), 599 ff. KUNSTLITERATUR. *Lit.:* J. v. Schlosser, Die Kunstlit. (1924), 242 ff. – E. Rath, Lex. d. gesamten Buchwesens 2 (1936), 278 f. HIERONYMUS RODLER. Vgl. S. 480. HEINRICH LAUTENSACK. *Lit.*: W. K. Zülch, in: U. Thieme u. F. Becker, Allg. Lex. d. bildenden Künstler 22 (1928), 463. WENZEL JAMNITZER. *Lit.*: F. Frankenburger, in: U. Thieme u. F. Becker, Allg. Lex. d. bildenden Künstler 18 (1925), 369 ff. HANS LENCKER. *Lit.*: M. Rosenberg u. L. Gmelin, H. L., ein Zeitgenosse Wenzel Jamnitzer's, Zs. d. Kunst-Gewerbe-Ver. in München 43 (1894), 93 ff. HANS SEBALD BEHAM. *Lit.*: Th. Muchall-Viebroock, NDB 2 (1955), 4. HEINRICH VOGTHERR D. Ä. Vgl. S. 491. ERHART SCHÖN. *Lit.*: P. J. Rée, ADB 32 (1891), 245 f. – A. Pauli, E. S. (Diss. Hamburg 1923; masch.). ARCHITEK-TURTHEORIE. *Lit.*: V. C. Habicht, in: O. Schmitt, Reallex. zur dt. Kunstgesch. 1 (1937), 959 ff. SÄULENBÜCHER. *Lit.*: V. C. Habicht, in: O. Schmitt, Reallex. zur dt. Kunstgesch. 1 (1937), 968 f. HANS BLUM. *Lit.*: E. v. May, H. B. von Lohr (1910; Studien z. dt. Kunstgesch. 124). MUSIK. *Bibliographie.* R. Eitner, Bibliographie der Musiksammelwerke des XVI. u. XVII. Jhs. (1877). – K. Schottenloher, Bibliographie IV (1938), 454 ff.; VII (1966), 449 ff. – *Lit.*: H. J. Moser, Gesch. d. dt. Musik. 3 Bde. (⁵1930). – D. P. Walker, Der musikal. Humanismus im 16. u. frühen 17. Jh. (1949). – H. Riemann, Musik-Lex. (¹²1959 ff.). MARTIN AGRICOLA. *Ausg.*: M. A. Musica instrumentalis deudsch. Erste u. vierte Ausgabe (1896; Publl. ält. prakt. u. theoret. Musikwerke 20). – H. Funck, M. A. Instrumentalische Gesänge. Lose Blätter d. Musikantengilde (1933), 301 ff. – *Lit.*: H. Funck, M. A. (1933). – G. v. Dadelsen, NDB 1 (1953), 102.

b) *Artes mechanicae. Technologie, Kriegswesen; Erdkunde und Kosmographie; Heilkunde, Paracelsus, Naturphilosophie; Polyhistorie.* – BERGWISSEN-SCHAFT. *Bibliographie.* K. Schottenloher, Bibliographie IV (1938), 87 ff. – *Ausg.*: E. Darmstaedter, Berg-, Probir- u. Kunstbüchlein (1926; Münchner Beitrr. z. Gesch. u. Lit. d. Naturwiss. u. Medizin 2/3). GEORG AGRICOLA. *Ausg.*: C. Schiffner, Zwölf Bücher vom Berg- u. Hüttenwesen sowie ein Buch von den Lebewesen unter Tage (1928). – G. A. Ausgew. Werke. 10 Bde. (1955 ff.) [Bd. 10 (1969) Bibliographie der Werke von u. über A.]. – *Lit.*: E. Darmstaedter, G. A. (1926). – W. Pieper, NDB 1 (1953), 98. – G. A. 1494–1555. Festschr. zu seinem 400. Todestag (1955). KRIEGSWESEN. *Lit.*: M. Jähns, Gesch. der Kriegswissenschaften, vornehmlich in Dtld. Erste Abt. (1889; Gesch. d. Kriegswiss. in Dtld. Neuere Zeit 21). HOFLEBEN. *Ausg.*: A. Kern, Dt. Hofordnungen des 16. u. 17. Jhs. 2 Bde. (1905–07; Denkmäler d. dt. Kulturgesch. II, 1, 2). – *Lit.*: J. Voigt, Dt. Hofleben zur Zeit der Ref. (1928). LAZARUS VON SCHWENDI. Vgl. S. 476. ANSELM STÖCKEL. *Lit.*: J. Benzing, Buchdruckerlex. des 16. Jhs. (1952), 169. TURNIERBUCH HERZOG WILHELMS IV. *Ausg.*: G. Leidinger, [T. H. W. IV.] von Bayern (1913; Miniaturen aus Hss. d. Kgl. Hof- u. Staatsbibl. in München). ERDKUNDE UND KOSMOGRAPHIE. *Lit.*: L. Gallois, Les géographes allemands de la Renaissance (1890; Bibliothèque de la Faculté des Lettres de Lyon 13). JOHANNES STUMPF. *Ausg.*: L. Weiß, Die Landkarten des J. S. 1538–1547 (1942). – E. Gagliardi, J. S.s Schweizer- u. Ref.chronik. 2 Bde. (1952–55; Quellen z. Schweizergesch. NF, 1. Abt.: Chroniken 5, 6). – F. Büsser, Beschreibung des Abendmahlstreites (o. J.). – *Lit.*: G. v. Wyß, ADB 36 (1893), 751 ff. JOHANNES GULER VON WEINECK. *Lit.*: G. v. Wyß, ADB 10 (1879), 115 ff. THOMAS KANTZOW. *Ausg.*: G. Gaebel, Des T. K. Chronik von Pommern in hochdt. Mundart. 2 Bde. (1897/98). – Ders., Des T. K. Chronik von Pommern in nd. Mundart (1929; Veröff. d. Histor. Kommission f. Pommern I, 4). – *Lit.*: F. Groenwall, T. K. u. seine Pommersche Chronik, Baltische Studien 39 (1889), 257 ff. Petrus Albinus. *Ausg.*: Bönhoff, P. A. Annabergische Annales de anno 1492 bis 1539, Mitt. d. Ver. f. Gesch. v. Annaberg u. Umgegend 3, 1 (1910), 1 ff. – *Lit.*: B. Sauer, NDB 1 (1953), 151. Peter Apian. *Bibliographie.* F. van Ortroy, Bibliographie de l'oevre de Pierre A., Lè Biographe moderne 5 (1901), 89 ff. – *Lit.*: S. Günther, P. u. Philipp A., Abhh. d. k. böhm. Ges. der Wiss. VI, 11 (1882), Mathem.-naturwiss. Cl. 4. – H. Wagner, P. A.s Bestimmung der magnetischen Missweisung v. J. 1532 u. die Nürnberger Kompassmacher, Nachrr. v. d. Kgl. Ges. d. Wiss. zu Göttingen, Philol.-hist. Kl. 1901 (1902), 171 ff. – W. Hartner, NDB 1 (1953), 325. Philipp Apian. *Lit.*: W. Hartner, NDB 1 (1953), 326. Sebastian Münster. *Bibliographie.* K. H. Burmeister, S. M. Eine Bibliographie (1964). – *Ausg.*: Ders., Briefe S. M.s (1964). – K. Stopp, S. M. Mappa Europae (1965) [Faks. d. Orig.Ausg. 1536]. *Lit.*: K. H. Burmeister, S. M. Versuch eines biographischen Gesamtbildes (1963; Basler Beitrr. z. Gesch.wiss. 91). Nikolaus Gerbelius. *Lit.*: W. Hornung, Der Humanist N. Gerbel (1918; Beitrr. z. Landes- u. Volkskunde v. Elsaß-Lothringen 53). – J. Lefftz, LThuK 4 (³1960), 710. – H. Grimm, NDB 6 (1964), 249 f. Jakob Ziegler. *Lit.*: K. Schottenloher, J. Z. aus Landau an der Isar (1910; Ref.gesch. Studien u. Texte 8–10). Naturphilosophie. *Bibliographie.* K. Sudhoff, Ein Beitrag zur Bibliographie der Paracelsisten im 16. Jh., Zbl. f. Bibl.wesen 10 (1893), 316 ff., 11 (1894), 169 ff. – *Lit.*: G. Eis, Zur P.-Nachfolge im Sudetenraum, Südostdt. Forschgn. 6 (1941). Medizin. *Lit.*: M. Neuburger, Gesch. der Medizin. 2. (1911). Theophrast Bombast von Hohenheim gen. Paracelsus. *Ausg.*: J. Huser, Th. v. H. gen. P., Bücher u. Schrr. 10 Bde. (Basel 1598 f.) – K. Sudhoff, P. Sämtl. Werke. 1 Abt.: Mediz., naturwiss. u. philos. Schrr. 14 Bde. (1922–33). [Dazu:] Registerbd. (1960). – 2. Abt.: Theol. u. religionsphilos. Schrr. Hrsg. v. K. Goldammer. (1955 ff.) u. Vorabdruck: Bd. 1, hrsg. v. W. Matthiesen (1923). – B. Aschner, P. Sämtl. Werke nach der Huserschen Gesamtausgabe zum ersten Mal in neuzeitliches Dt. übersetzt. 4 Bde. (1926–32). – E. Darmstaedter, R. Koch, M. Schroeter, Acta Paracelsica (1930). – J. Strebel, P. Sämtl. Werke in zeitgemäßer Kürzung. 8 Bde. (1944–49). – K. Goldammer, P. Sozialethische u. sozialpolitische Schrr. (1952; Civitas gentium 9). – Ders., P. Die Kärnter Schrr. (1955). – Ders., Vom Licht der Natur u. des Geistes. Eine Auswahl (1960; Reclams UB 8448/49). – R. Blaser, Th. v. H. gen. P. Liber de nymphis etc. (1960; Altdt. Übungstexte 16). – W.-E. Peuckert, Th. P. Werke (1965 ff.). – *Lit.*: E. Schubert u. K. Sudhoff, P. Forschungen. 2 Bde. (1887/89). – K. Sudhoff, Versuch einer Kritik der Echtheit der Paracelsischen Schrr. 1 (1894; Neudr. 1958), 2 (1899). – R. J. Hartmann, Th. v. H. (1904). – F. Gundolf, P. (1927). – G. Kunze, P. u. die Reform der mediz. Wissenschaft (1929). – B. Satorius v. Waltershausen, P. am Eingang der dt. Bildungsgesch. (1935). – K. Sudhoff, P. (1936). – W.-E. Peuckert, Th. P. (1941). – E. Metzke, P.s Anschauung von der Welt u. vom menschlichen Leben (1943). – K. Goldammer, P. Natur u. Offenbarung (1953). – Ders., Friedensidee u. Toleranzgedanke bei P. u. den Spiritualisten, Arch. f. Ref.gesch. 46 (1955), 20 ff.; 47 (1956), 180 ff. – A. Vogt, Th. P. als Arzt u. Philosoph (1956). – W. Pagel, P. (1958). – K. H. Weimann, Die P.-Lit. seit Kriegsende, DVjs 34 (1960), 290 ff. – Ders., P. in der Weltlit., GRM NF 11 (1961), 241 ff. – G. Eis, Vor u. nach P. (1965; Medizin in Gesch. u. Kultur 8). – G. v. Boehm-Benzing, Stil u. Syntax bei P. (1966). – S. Domandl, Erziehung u. Menschenbild bei P. (1970).

LEONHARD THURNEYSSER ZUM THURN. *Lit.:* Goedeke 2 (²1886), 571 f. – J. Heidemann, ADB 38 (1894), 226 ff. ANDREAS VESALIUS. *Bibliographie.* F. M. G. de Feyffer, Die Schrr. des A. V., Janus 19 (1914), 435 ff. – *Lit.:* M. Roth, A. V. Bruxellensis (1882). – H. Cushing, A bio-bibliography of A. V. (1943). – B. Heseler, A. V.'s first public anatomy at Bologna 1540 (1959). HIERONYMUS CARDANUS. *Lit.:* M. Frischeisen-Köhler u. W. Moog, Die Philosophie der Neuzeit bis zum Ende des XVIII. Jhs. In: F. Ueberwegs Grundriß d. Gesch. d. Philosophie 3 (¹²1924), 41 f. CHRISTOPH WIRSUNG. *Lit.:* H. A. Lier, ADB 43 (1898), 521. – W. Fehse, C. W.s dt. Celestinaübersetzungen (Diss. Halle-Wittenberg 1902). JOHANNES CRATO VON CRAFFTHEIM. *Lit.:* J. F. A. Gillet, C. v. C. u. seine Freunde. 2 Bde. (1860/61). – G. Eis, NDB 3 (1957), 402. ITALIENISCHE NATURPHILOSOPHIE. *Lit.:* M. Frischeisen-Köhler u. W. Moog, Die Philosophie der Neuzeit bis zum Ende des XVIII. Jhs. In: F. Ueberwegs Grundriß der Gesch. d. Philosophie 3 (¹²1924), 35 ff. GIORDANO BRUNO. *Ausg.:* J. Bruni Opera latine conscripta. 3 Bde. in 5 Tln. (1879–91) [‹Oratio valedictoria›: I, 1]. – L. Kuhlenbeck, G. B., Ges. Werke. 6 Bde. (1890–1909). – G. B., Opere italiane. 3 Bde. (1907–09). – *Lit.:* L. Olschki, G. B., DVjs 2 (1924), 1 ff. – Ders., G. B. (1927). – H. Knittermeyer, RGG 1 (³1957), 1450 f. POLYHISTORIE. WALTHER HERMENIUS RYFF, RIVIUS. *Lit.:* F. W. E. Roth, Hieronymus Brunschwyg u. W. R., Zs. f. Naturwiss. 75 (1902), 102 ff. – H. Röttinger, Die Holzschnitte zur Architektur u. zum Vitruvius teutsch des W. R. (1914; Studien z. dt. Kunstgesch. 167). – J. Benzing, W. R. u. sein lit. Werk (1959). KONRAD GESNER. *Lit.:* W. Ley, K. G. (1929; Münchener Beitrr. z. Gesch. u. Lit. d. Naturwiss. u. Medizin 15/16). – E. K. Fueter, NDB 6 (1964), 342 ff.

c) *Artes magicae, Magie und Mantik.* – *Lit.:* H. Bächtold-Stäubli, Handwörterb. des dt. Aberglaubens. 10 Bde. (1927–42). HEXENWESEN. *Lit.:* N. Paulus, Hexenwahn u. Hexenprozeß, vornehmlich im 16. Jh. (1910). – W. G. Soldan u. H. Heppe, Gesch. d. Hexenprozesse. Neu bearb. u. hrsg. v. M. Bauer. 2 Bde. (1912). – E. Teichmann, Renaissance u. Hexenwahn (1932). ZAUBERBÜCHER. *Lit.:* J. Diefenbach, Der Zauberglaube des 16. Jhs. nach den Katechismen Dr. M. Luthers u. des P. Canisius (1900). – F. Hälsig, Der Zauberspuk bei den Germanen bis um die Mitte des 16. Jhs. (Diss. Leipzig 1910). JOHANN WEYER. *Lit.:* C. Binz, Doctor J. W. (²1896). – L. Dooren, Doctor Johannes Wier (J. W.) (1940). MANTIK. *Ausg.:* A. Götze, Das Straßburger Losbuch von 1529 (1918) [Faks.]. – R. Schenda, Die dt. Prodigiensammlungen des 16. u. 17. Jhs., Arch. f. d. Gesch. d. Buchw. 4 (1962), 637 ff.

ZEITTAFEL UND HISTORISCHE ÜBERSICHT

zu Band IV/1 und IV/2

In der Epoche vom späten Mittelalter bis zu den Anfängen des Barock sind die literarischen Daten so eng mit den geschichtlichen Gestalten und Ereignissen verbunden, daß nur eine Verbindung von ‹Zeittafel und historischer Übersicht› ihren Zweck erfüllen kann. Auswahlprinzip für alle Daten der politischen Geschichte, der Kultur- und der Geistesgeschichte war stets ihre Relevanz für die Literaturgeschichte. Über die in den beiden Teilbänden behandelte Zeitspanne von 1370 bis 1570 wird nur hinausgegriffen, wenn dies auch in der Darstellung aus inhaltlichen Gründen geschehen mußte.

Ludwig der Bayer
1314–1347

1314	Doppelwahl zweier Enkel Rudolfs von Habsburg: Friedrich der Schöne, Sohn Albrechts I. von Österreich; Ludwig IV. von Bayern aus dem Hause Wittelsbach. – Johann von Würzburg, ‹Wilhelm von Österreich›.
1315	Sieg der Schweizer Eidgenossen über Leopold I. von Österreich am Morgarten: Erringung der Reichsunmitelbarkeit.
1316–1334	Papst Johann XXII., in Avignon.
1318	Heinrich Frauenlob von Meißen †.
1319/21	Ottokar ûz der Geul (von Steiermark) †.
1320/40	‹Buch der Märtyrer›.
1321	Dante Alighieri †. – Aufführung des Dramas von den klugen und törichten Jungfrauen am Hof zu Eisenach vor Friedrich dem Freidigen.
1322	Sieg Ludwigs über Friedrich bei Mühldorf. – Gefangennahme Friedrichs.
1323–1324	Konflikt Ludwigs mit Johann XXII.: Letzter päpstlicher Eingriff in deutsche Thronstreitigkeiten.
1324	Bann Ludwigs. – Wilhelm von Ockham als Häretiker angeklagt; Flucht nach München an den Hof Ludwigs. – Marsilius von Padua, ‹Defensor pacis›.
1324/34	Heinrich Seuse, ‹Büchlein der ewigen Weisheit›.
1325	Trausnitzer Vertrag: Friedrich verzichtet auf die Königskrone, wird dafür in Freiheit gesetzt. Nach freiwilliger Rückkehr in die Gefangenschaft von Ludwig als Mitregent anerkannt.
1326	Marsilius von Padua flieht nach München an den Hof Ludwigs.
1327	Meister Eckehart †.
1327–1330	Italienzug Ludwigs.
1328	Kaiserkrönung Ludwigs in Rom durch das Volk. – Absetzung Johanns XXII. durch den Kaiser; Gegenpapst Nikolaus V.

Karl IV.
1346–1378

Wenzel
1378–1400

1384 .... Beginn der burgundisch-niederländischen Großmacht. – Wyclif †. – Geert Groote †.

1386 .... Leopold III. von Österreich fällt in der Schlacht bei Sempach. – Gründung der Universität Heidelberg. – Otto von Passau, ‹Die Vierundzwanzig Alten›.

1388 .... Schlacht bei Näfels: Unabhängigkeit der Schweizer Eidgenossen von Österreich. – Gründung der Universität Köln.

1389 .... Papst Urban VI. †. Ihm folgen Bonifatius IX. († 1404), Innozenz VII. († 1406), Gregor XII. († 1415). – Schlacht auf dem Amselfeld: Sieg der Türken über die Serben. – Gründung der Universität Erfurt.

1389/1400 .... Wenzelbibel.

um 1390 .... ‹Der große Alexander›. – Liederdichter Suchensinn.

1390–1406 .... Ulrich von Pottenstein, erste deutsche Auslegung der wichtigsten gottesdienstlichen Texte.

1392 .... Hans Mair von Nördlingen, ‹Buch von Troja›.

1394 .... Papst Klemens VII. †. Ihm folgt Benedikt XIII. († 1424).

1395 .... Mailand wird Herzogtum.

vor 1396 .... Straßburgs Chronist Fritsche Closener †.

1396 .... Niederlage König Sigismunds von Ungarn und des Kreuzfahrerheeres bei Nikopolis durch die Türken.

1397 .... Kalmarer Union: Vereinigung von Dänemark, Norwegen, Schweden.

vor 1398 .... Übersetzung der Reisebeschreibung des Mandeville.

vor 1400 .... Der Harder. – Rheinisches Osterspiel.

um 1400 .... Heinrich Kaufringer, Sprechsprüche.

Wende 1400/1500 . Mönch von Salzburg. – Großes Neidhart-Spiel.

1400 .... König Wenzel abgesetzt († 1419). – Geoffrey Chaucer †. Johannes von Tepl, ‹Der Ackermann aus Böhmen›.

nach 1400 .... Neustifter (Innsbrucker) Osterspiel.

seit 1400 .... Die Medici gelangen in Florenz zu hohem Ansehen.

Ruprecht von der Pfalz
1400–1410

1401 .... Hans von Bühel, ‹Die Königstochter von Frankreich›.

1404 .... Eberhard von Cersne, ‹Der Minne Regeln›.

1407–1422 .... Kulturelle und wirtschaftliche Hochblüte in Burgund.

1409 .... In Prag verlassen die deutschen Professoren und Studenten die Universität. Gründung der Universität Leipzig. – Konzil zu Pisa. Zu den zwei vorhandenen Päpsten wird Alexander V. gewählt. Ihm folgt Johann XXIII. († 1415).

1409–1435 .... Krieg um Schleswig zwischen dem Deutschen Orden und Polen-Litauen.

Anfang 15. Jh. .... Heinrich Wittenwiler, ‹Der Ring›.

Sigismund
1410–1437

1410 .... Schlacht bei Tannenberg: Niederlage des Deutschen Ordens.

Albrecht II.
1438–1439

Friedrich III.
1440–1493

1440	Platonische Akademie in Florenz.
1441	‹Des Teufels Netz›.
1444	Schlacht bei Varna: Sieg der Türken über die Kreuzfahrerheere.
1445	Oswald von Wolkenstein †.
1447–1455	Papst Nikolaus V. – Franz Sforza bemächtigt sich der Herrschaft in Mailand. – Rosenplüt, ‹Spruch von Nürnberg›.
nach 1447	Johannes Hartlieb, ‹Buch vom großen Alexander›.
1448	Wiener Konkordat zwischen Kaiser und Papst.
um 1450	Johann Gutenberg in Mainz erfindet den Buchdruck. – Kolmarer Liederhandschrift. – Donisius, ‹Comedia Pamphile›.
seit etwa 1450	Frühhumanistenkreise in Nürnberg (Gregor Heimburg), in Franken (Albrecht von Eyb), auf der Plassenburg (Markgraf Johann der Alchimist), in Augsburg (Sigismund Gossembrot), in Schwaben (Niklas von Wyle).
1452	Friedrich III. als letzter deutscher Kaiser in Rom von Nikolaus V. gekrönt. – Albrecht von Eyb, ‹Tractatus de speciositate Barbarae puellulae›.
1452–1460	Lochamer Liederbuch.
1453	Eroberung Konstantinopels durch die Türken. – Donatellos Gattamelatta. – Hermann von Sachsenheim, ‹Die Mörin›.
1454	Augsburger Liederbuch. – Johann Tröster, ‹De remedio amoris›.
1455	Druck der 42zeiligen Bibel durch Gutenberg.
1455–1485	Rosenkriege in England.
1456	Athen von den Türken besetzt. – Gründung der Universität Greifswald. – Thüring von Ringoltingen, ‹Melusine›. – Sigismund Meisterlin, ‹Chronographia Augustensium›. – Hans Rosenplüt (?), ‹Des Türken vasnachtspiel›.
1457	Gründung der Universität Freiburg i. Br. – Ladislaus Posthumus †.
1458	Papstwahl Enea Silvios (Pius II.).
1458–1490	Matthias Corvinus König von Ungarn.
1459	Poggio †. – Albrecht von Eyb, ‹Margarita poetica›.
um 1460	Eleonore von Österreich, ‹Pontus und Sidonia›. – Egerer Passionsspiel.
1460	Gründung der Universität Basel. – Nikolaus von Cues, ‹De possest›. – Georg von Peuerbach, ‹Tabulae eclipsium›.
1460/1514	Paul Schneevogel-Niavis, Gesprächsnovellen.
1461	Heinrich Steinhöwel, ‹Apollonius von Tyrus›.
1461/67	Liederbuch des Hartmann Schedel.
1462	Püterich von Reichertshausen, ‹Ehrenbrief›. – Niklas von Wyle, ‹Euriolus und Lucretia›.
1462–1465	Michael Beheim, ‹Buch von den Wienern›.
vor 1464	Heinrich Steinhöwel, ‹Griseldis›.
1464	Pius II. †. – Nikolaus von Cues †. – Redentiner Osterspiel.

1486 .... Maximilian I. zum deutschen König gewählt. – Giovanni
              Pico della Mirandola, ‹De hominis dignitate›. – Hans
              Neidhart, Terenz-Übersetzungen. – Heinrich Bebel, ‹Face-
              tiae Latinae et Germanicae›. – Augustin Tünger, ‹Facetiae
              Latinae et Germanicae›.
1487 .... Erste deutsche Dichterkrönung: Konrad Celtis durch Fried-
              rich III. in Nürnberg. – Jakob Sprenger und Heinrich
              Institoris, ‹Malleus maleficarum›.
1491 .... Martin Behaim baut den ersten Erdglobus. – Celtis ent-
              wirft sein humanistisches Bildungsprogramm: ‹Oratio in
              gymnasio Ingolstadio›. – ‹Neithart Fuchs›.
1491–1494 .... Johannes Trithemius, ‹Liber de scriptoribus ecclesiasticis›.
1492 .... Kolumbus entdeckt Amerika. – Die Spanier erobern das
              maurische Königreich Granada.
1492/93 .... Celtis entdeckt in Regensburg die (einzige) Handschrift mit
              den Werken der Roswitha von Gandersheim.
1492–1497 ...... Maximilian I., (lateinische) Autobiographie.
1492–1503 ...... Papst Alexander VI.
1493 .... Friedrich III. †. – Frankfurter Passionsspiel. – Marquart
              von Stein, ‹Der Ritter von Turn›.

Maximilian I.
1493–1519

1494 .... Sebastian Brant, ‹Das Narrenschiff›. – Johannes Reuchlin,
              ‹De verbo mirifico›. – Heinrich von Langenstein, ‹Erchant-
              nus der sund›.
1494/95 .... Dürer das erste Mal in Italien.
1495 .... Reichstag zu Worms. – Gabriel Biel †. – Celtis gründet in
              Heidelberg die Sodalitas litteraria Rhenana. – Peter van
              Diest übersetzt den ‹Everyman› ins Niederländische. – Jo-
              hannes Trithemius, ‹Catalogus illustrium virorum Germa-
              niae›. – Hartmann Schedel, ‹Weltchronik›.
1497 .... Celtis in Wien, leitet (bis 1508) die Sodalitas litteraria Da-
              nubiana. – Johannes Reuchlin, ‹Henno›. – Jakob Locher,
              ‹Stultifera navis›.
1497/98 .... Joseph Grünpeck, ‹Comoedia utilissime›.
1497–1499 ...... Vasco da Gama entdeckt den Seeweg nach Ostindien.
1498 .... Savonarola verbrannt. – Dürers ‹Apokalypse› bei Kober-
              ger (Nürnberg). – ‹Reinke de Vos›. – Peter Luder, Rhe-
              torik.
1498/99 .... Geiler von Kaisersberg, Predigtserie im Straßburger Mün-
              ster über Brants ‹Narrenschiff›.
1498–1515 ...... Ludwig XII. von Frankreich.
bis 1499 .... Jacob Unrest, ‹Österreichische Chronik›.
1499 .... Schweizerkrieg, Friede zu Basel: Trennung der Schweiz
              vom Reich.
um 1500 .... Sammlung geistlicher Spiele in Tirol durch Benedikt Debs.
              – Sammlung der ‹Colloquia› des Erasmus (bis 1522 etwa
              25 Ausgaben).

hannes Reuchlin, ‹De arte cabbalistica›. – Erasmus, erste
griechische Ausgabe des Neuen Testamentes. – Hans Sachs,
‹Das Hofgesind Veneris›.
1517–1535 .... Euricius Cordus, Epigramme.
1518 .... Disputation Luthers mit Eck.
1519 .... Maximilian I. †. – Leonardo da Vinci †. – Thomas Murner, ‹Die Gäuchmatt›.

Karl V.
1519–1556

1520 .... Luthers große Reformschriften: ‹An den christlichen Adel
deutscher Nation›, ‹De captivitate Babylonica ecclesiae
praeludium›, ‹Von der Freiheit eines Christenmenschen›. –
Verbrennung der Bannbulle in Wittenberg. – ‹Eckius dedolatus›. – ‹Der Schevekloth›.
1520/21 .... Crotus Rubeanus, ‹Dialogi septem›.
1521 .... Reichstag zu Worms. – Eroberung Belgrads durch die Türken. – Eberlin von Günzburg, ‹Die fünfzehn Bundsgenos-
sen›. – ‹Karsthans›. – Huttens Lied ‹Ich habs gewagt mit
sinnen›. – Christoph Hegendorff, ‹Comoedia nova›.
1521/22 .... Bibelübersetzung Luthers auf der Wartburg.
1521–1523 .... Papst Hadrian VI.
1521–1544 .... Vier Kriege Karls V. gegen Franz I. von Frankreich.
1522 .... Vertrag zu Brüssel: Ferdinand I., Bruder Karls V., erhält
die habsburgischen Erblande. – Johannes Pauli, ‹Schimpf
und Ernst›. – Thomas Murner, ‹Von dem großen Lutherischen Narren›. – Niklas Manuel, ‹Der Totenfresser›. –
Kaspar Ursinus Velius, ‹Fünf Bücher Gedichte›.
1522/23 .... Erhebung der Ritter unter Franz von Sickingen gegen die
Reichsfürsten.
1523 .... Ulrich von Hutten †. – Hans Sachs, ‹Die Wittenbergisch
Nachtigall›.
1523–1534 .... Papst Klemens VII.
1524 .... Erasmus, ‹De libero arbitrio›. – Luther, ‹Achtliederbuch›. –
Wittenberger Gesangbuch. – Augustin von Alvelt, ‹Wyder
den Wittenbergischen Abgot Martin Luther›.
1524–1525 .... Bauernkrieg.
1525 .... Schlacht bei Pavia: Franz I. von Karl V. besiegt und gefan-
gengenommen. – Albrecht von Brandenburg säkularisiert
den Ordensstaat. – Friedrich der Weise von Sachsen †. –
Thomas Müntzer †. – Luther, ‹De servo arbitrio›. – Sebastian Lotzer, ‹Die zwölf Artikel gemeiner Bauernschaft›.
– Johann Eck, ‹Enchiridion›.
1526 .... Schlacht bei Mohacz: Ludwig II. von Ungarn wird von den
Türken besiegt und fällt. – Ferdinand I. wird König von
Ungarn und Böhmen. – Konrad Mutianus Rufus †. –
Burkhard Waldis, Dramatisierung der ‹Parabell vam vorlorn Szohn›.
1527 .... Sacco di Roma. – Hieronymus Emser †. – Veit Warbeck,
‹Die Schön Magelona› (gedr. 1535).

Fabri †. – Andreas Bodenstein gen. Karlstadt †. – Paracelsus †.

1541–1553 .... Moritz Herzog von Sachsen.

1543 .... Nikolaus Kopernikus, ‹De revolutionibus orbium coelestium libri VI›. – Kopernikus †. – Hans Holbein d. J. †.

1544 .... Johannes Chryseus, ‹Hofteufel›.

1545–1563 .... Konzil zu Trient.

1546 .... Martin Luther †. – Religionsgespräch zu Regensburg.

1546–1547 .... Schmalkaldischer Krieg.

1547 .... Schlacht bei Mühlberg a. d. Elbe: Sieg Karls V. über die protestantischen Reichsfürsten. – Petrus Lotichius Secundus, I. Buch der Elegien. – Wolfgang Schmeltzl, ‹Ein Lobspruch der Stat Wien›.

1548 .... Reichstag zu Augsburg. Augsburger Interim. – Burkhard Waldis, ‹Esopus›. – Ulrich Zasius, ‹Opera omnia›.

1549 .... Veit Dietrich †. – Friedrich Dedekind, ‹Grobianus›. – Christoph Stymmelius, ‹Studentes›. – Hans Sachs, ‹Hecastus›. – Johannes Cochlaeus, ‹Commentaria de actis et scriptis M. Lutheri›.

um 1550 .... Jörg Wickram, ‹Gabriotto und Reinhard›.

1550–1579 .... Herzog Albrecht V. von Bayern.

1551 .... Martin Bucer †.

1552 .... Passauer Vertrag: Den Protestanten wird bis auf weiteres freie Religionsausübung zugestanden.

1553 .... Lukas Cranach d. Ä. †.

1553–1558 .... Maria die Katholische von England.

1553–1586 .... Kurfürst August I. von Sachsen.

1554 .... Jörg Wickram, ‹Der Goldfaden› und ‹Knabenspiegel›.

1555 .... Augsburger Religionsfrieden: ‹Cuius regio, eius religio›. – Jörg Wickram, ‹Rollwagenbüchlein›.

1555–1558 .... Petrus Canisius, drei Katechismen.

1555–1559 .... Papst Paul IV.

1556 .... Karl V. dankt ab und übergibt seinem Bruder Ferdinand die Regierung. – Ignatius von Loyola †. – Erste lateinische Ausgabe der Briefe Luthers durch Aurifaber.

Ferdinand I.
1556–1564

1557 .... Letztes Religionsgespräch zu Worms. – Hans Sachs, ‹Der Hörnen Sewfrid›. – Jakob Frey, ‹Gartengesellschaft I›. – Martin Montanus, ‹Wegkürzer›.

1558 .... Karl V. †. – Johannes Bugenhagen †. – Michael Lindener, ‹Rastbüchlein› und ‹Katzipori›. – Achilles Jason Widmann, ‹Peter Leu›.

1558–1603 .... Elisabeth I. von England.

1559 .... Valentin Schumann, ‹Nachtbüchlein›.

1559–1574 .... Matthias Flacius Illyricus, ‹Magdeburger Centurien›.

um 1560 .... Aegidius Albertinus geboren. – Jakob Frey, ‹Gartengesellschaft II›.

1560 .... Melanchthon †.

1560–1574 .... Karl IX. von Frankreich.

1561 .... Kaspar von Schwenckfeld †. – Scaliger, ‹Poetices libri
            septem›.
vor 1562 .... Götz von Berlichingen, Lebensbeschreibung.
1562 .... Genfer Psalter.
1562–1598 .... Hugenottenkriege in Frankreich.
1563–1570 .... Siebenjähriger nordischer Krieg um die Ostseeherrschaft.
1563–1603 .... Hans Wilhelm Kirchhoff, ‹Wendunmut›.

Maximilian II.
1564–1576

1564 .... Michelangelo †. – Calvin †. – Andreas Vesalius †.
1564/66 .... Zimmersche Chronik.
1565/66 .... Georg Rollenhagen, ‹Froschmeuseler›.
1566 .... Erste deutsche Ausgabe der ‹Tischreden› Luthers durch
            Aurifaber.
1567 .... Orlando di Lasso, ‹Neue deutsche Liedlein›. – Johann Lei-
            sentritt, Gesangbuch. – Hans Sachs, ‹Summa all meiner
            Gedicht›.
1568 .... Beginn des Aufstandes der Niederlande.
1569 .... Siegmund Feyerabend (Frankfurt a. M.), ‹Amadis› und
            ‹Theatrum Diabolorum›.
1571 .... Adam Puschmann, ‹Gründtlicher Bericht des Deutschen
            Meistergesangs›. – Heinrich Knaust, ‹Gassenhawer›.
1572 .... Beginn der katholischen Restauration in Deutschland. – Pa-
            riser Bluthochzeit (Bartholomäusnacht). – Johann Fischart,
            ‹Eulenspiegel Reimensweiß›. – Cyriacus Spangenberg,
            ‹Mansfeldische Chronica›. – Wolfgang Büttner, ‹Claus
            Narr›. – Paul Schede Melissus, ‹Die Psalmen›.
1572–1585 .... Papst Gregor XIII.
1573 .... Ambrosius Lobwasser, ‹Der Psalter›.
1575 .... Johann Heinrich Bullinger †. – Johann Fischart, ‹Ge-
            schichtklitterung›.
1576 .... Hans Sachs †. – Johann Fischart, ‹Das Glückhafft Schiff
            von Zürich›. – Nikodemus Frischlin, ‹Rebecca›.

Rudolf II.
1576–1612

1577 .... Konkordienformel. – Ulrich von Hutten, ‹Febris›.
1578 .... Nikodemus Frischlin, ‹Susanna›.
1580 .... Konkordienbuch. – Portugal durch Personalunion mit Spa-
            nien verbunden.
vor 1582 .... Thomas Platter, Selbstbiographie.
1582 .... Reichstag zu Augsburg. – Kalenderreform Gregors XIII.
1587 .... Volksbuch vom Doktor Faust. – Bartholomäus Krüger,
            ‹Hans Clauert›.
1588 .... Valentin Weigel †. – Bartholomäus Ringwaldt, ‹Christ-
            liche Warnung des Trewen Eckarts›.
1597 .... ‹Lalebuch›.

REGISTER

Personennamen und Titel bedeutenderer anonymer Werke

Bruck, Arnold von 244
Bruder Rausch 198
Brudzewski, Albert 428
Bruggmann s. Zwingli, Margaretha
Brun, Blasius 246
– Georg 374
Brune, Johann 96 f.
Brunfels, Otto 128, 448
Brunner, Leonhard 396
– Thomas 386
Bruno, Christoph 404
– Giordano 397, 428, 435, 440,
448 ff.
Brusch, Kaspar 210, 305, 333, 340,
351, 421
Bruschius s. Brusch, Kaspar
Bucer, Martin 29, 45, 47, 53 f., 58,
82, 115 ff., 132, 260, 365, 386, 440
Buch der Liebe s. Feyerabend, Siegmund
Buchanan, Georg s. Buchananus,
Georgius
Buchananus, Georgius 5, 303
Buchmann s. Bibliander, Theodor
Bünderlin, Hans 72
Büttner, Wolfgang 166 f., 175, 193 f.,
413
Bugenhagen, Johannes 35, 47, 51 f.,
73, 134, 146, 360, 413, 438
Bullinger, Heinrich 7, 62 f., 65, 67,
76, 85, 377 f., 421, 452
Bure, Idelette de 66
Burgk, Joachim von 261
Burmeister, Johann 298
Busche, Hermann von dem 116
Buschmann, Johannes 303
Butzbach, Johannes 220, 228
Butzer s. Bucer, Martin

C *siehe auch unter* K
Caesar, Caius Julius 403, 423, 426,
438
Caesarius von Heisterbach 168
Cajetan de Vio 29, 86
Calagius, Andreas 208
Calaminus, Georg 210, 212
Calixtus und Melibia s. Wirsung,
Christoph
Calpurnius Siculus, Titus 298
Calvin, Johannes 2, 8, 12, 23, 37, 48,
51, 54, 61 ff., 76, 98, 100, 123, 130,

135, 223, 252, 261 f., 311, 318, 321,
350 f., 361, 364 f., 413, 433, 447, 452
Camerarius, Joachim 51, 126 f., 157,
193, 228, 281 ff., 287, 299, 301, 306,
308, 340, 348, 370, 403, 431
Camermeister s. Camerarius, Joachim
Camillo und Aemilia 181, 207
Cammerlander, Jakob 8, 128, 337
Campanella, Thomas 440
Campanus, Johannes 80
Campeggi, Lorenzo 40, 49, 86, 138,
160, 422
Campen, Johann von 96
Candidus, Pantaleon 209 f.
Canisius, Petrus 115, 140, 142, 148 f.,
225, 413
Cantiuncula, Hilarius 308
Capistrano, Johannes von 19
Capito, Wolfgang 43, 54 f., 61, 82,
115, 132, 257, 300
Carani, Lelius 206
Carbach, Nikolaus 173, 426
Cardanus, Hieronymus 214, 406,
440, 447
Carion, Johannes 415 f.
Carnarius, Johannes 201 f., 215
Caselius, Johannes 295, 395
Casimir von Brandenburg 239
Cassander, Georg 420
Castiglione, Baldassare 404
Cato 216
– Dionysius 404
Catullus, Caius Valerius 308
Cauvain, Jean s. Calvin, Johannes
Celestina, La 180
Cellarius, Martin 85
Celsus, Aulus Cornelius 450
Celtis, Konrad 22, 55, 212, 227,
279 f., 286, 301, 329, 348, 410,
412, 420, 434, 440
Chelidonius, Benedictus 328 ff., 348
Chemnitz, Martin d. Ä. 140
Chnustinus s. Knaust, Heinrich
Christian III. von Dänemark 137,
237, 239, 396
Christlich Meynende, Der 197
Chryseus, Johannes 350, 364 f., 373,
384, 398
Chrysostomus, Johannes 129, 240
Chyträus, David 423
– Nathan 157, 161, 295, 309, 351

KARL BERTAU

DEUTSCHE LITERATUR
IM EUROPÄISCHEN MITTELALTER

*Band 1: 800–1197. XXI, 765 Seiten mit 22 Textabbildungen. Leinen
DM 45,–. Band 2: 1197–1220. Etwa 700 Seiten mit 3 Textabbildungen
und 85 Abbildungen auf 48 Tafeln. Leinen DM 45,–*

«Wenn nicht alles täuscht und man seine Erwartungen an der bisher vor-
gelegten Literaturgeschichtsschreibung zum deutschen Mittelalter mißt,
dann wird Karl Bertaus ‹Deutsche Literatur im europäischen Mittelalter›
das bedeutendste einschlägige Grundlagenwerk für die nächsten Jahr-
zehnte sein … es ist eine Literaturgeschichte, die man gern mit dem
Klischee vom ‹großen Wurf› versiegeln möchte, anspruchsvoll und bescheiden zugleich, weil das alles, was gewußt wird, nicht hermetisch und
trocken, sondern durchsichtig und geradezu spannend vermittelt wird …
Man fühlt sich bei der Lektüre der überaus faktenreichen und mit geschichtlichen Details kenntnisreich versehenen Darstellung oft an Brechts
Gedicht ‹Fragen eines lesenden Arbeiters› erinnert: so wie Bertau die
Literatur als aus vielen Ursachen und Absichten entstandenes historisches
Produkt charakterisiert und analysiert, so erscheint das historische Per-
sonal der europäischen Geschichte nicht mehr idealisiert und, wie nach
langer Zeit die Geschichtsbücher gefahrlos lehren können, als bei aller
Verruchtheit heldische historische Größe; vielmehr wird, da Literatur als
Sozialgeste und fixierte Aktualität gewertet und ausgewertet wird, der
idealisierte historische Verlauf zurückgeführt auf den vielfältigen und
materialreichen geschichtlichen Prozeß, in dem die Handelnden nicht
Träger irrationaler Aufträge, sondern Handelnde aus eigenem Interesse
sind … Bertaus Werk vermag in seinem Rang und seiner Bedeutung für
die deutsche Literaturwissenschaft neben Ernst Robert Curtius' Opus
‹Europäische Literatur im lateinischen Mittelalter› und in seiner antizipa-
torischen und sprachlichen Kraft neben Walter Muschgs ‹Tragischer Literaturgeschichte› zu bestehen.»

Heinz Ludwig Arnold im Norddeutschen Rundfunk

VERLAG C. H. BECK

PETER WAPNEWSKI

DIE LYRIK WOLFRAMS VON ESCHENBACH

Edition, Kommentar, Interpretation. IX, 278 Seiten mit sieben Abbildungen. Leinen DM 48,50

«Wir haben eine Meisterleistung literaturkritischer Interpretation zur Kenntnis zu nehmen, eine zugleich so intellektuell behutsame wie verbal brillante Lyrikanalyse ... Das höchst komplizierte, verästelte Nuancenspiel großer Liebeslyrik, ihr Aufgreifen christlich tradierter Begriffe, ihr wortwenderisches Eingehen auf deren Moralvorstellungen, ihre eisblumenhafte Transparenz gesellschaftlicher Klimata ist hier Gegenstand sublimer Analyse geworden ... Eine Beschäftigung mit Literatur, die ... den Text und die in ihm eingefangene Historie beim Wort nimmt ... Man kann an diesem Band germanistisch systematisch arbeiten, man kann in ihm lesen aber auch wie in einer Anthologie, in einem beunruhigenden Lesebuch, das die Eigenart und nur scheinbare Versteckheit seiner Texte immer wieder einer kenntnisreichen Analyse aufgibt.»

F. J. Raddatz im Merkur

PETER DRONKE

DIE LYRIK DES MITTELALTERS

Eine Einführung. Aus dem Englischen von Peter Hasler. 304 Seiten. Paperback DM 28,–

Dronke, einer der besten Kenner des Gegenstandes, gibt einen knappen Überblick über die mittelalterliche Lyrik von 850 bis 1300, von den Anfängen bis zu Dante. Er bietet damit das erste zusammenfassende Werk zur europäischen lyrischen Dichtung des Mittelalters überhaupt.

VERLAG C. H. BECK